DOMUS UNIVERSITATIS 1650

VERÖFFENTLICHUNGEN
DES INSTITUTS FÜR EUROPÄISCHE GESCHICHTE MAINZ
BAND 126

ABTEILUNG FÜR ABENDLÄNDISCHE RELIGIONSGESCHICHTE
HERAUSGEGEBEN VON PETER MANNS

FRANZ STEINER VERLAG WIESBADEN GMBH
STUTTGART 1987

JOSEPH LORTZ

ERNEUERUNG UND EINHEIT

AUFSÄTZE ZUR
THEOLOGIE- UND KIRCHENGESCHICHTE

AUS ANLASS
SEINES 100. GEBURTSTAGES

HERAUSGEGEBEN VON

PETER MANNS

FRANZ STEINER VERLAG WIESBADEN GMBH
STUTTGART 1987

CIP-Kurztitelaufnahme der Deutschen Bibliothek

Lortz, Joseph:
Erneuerung und Einheit : Aufsätze zur
Theologie- u. Kirchengeschichte; aus
Anlaß seines 100. Geburtstages / Joseph
Lortz. Hrsg. von Peter Manns. – Stuttgart :
Steiner-Verl. Wiesbaden, 1987
 (Veröffentlichungen des Instituts für Europäische
 Rechtsgeschichte Mainz ; Bd. 126 : Abteilung
 für Abendländische Religionsgeschichte)
 ISBN 3-515-05002-7
NE: Institut für Europäische Geschichte ⟨Mainz⟩: Ver-
öffentlichungen des Instituts . . .

INHALTSVERZEICHNIS

EINLEITUNG

Zu den theologisch führenden Köpfen, die unser Jahrhundert nachhaltig geprägt haben, gehört zweifellos auch *Joseph Lortz*. Am 13. Dezember 1887 im luxemburgischen Grevenmacher geboren und nach einem ungewöhnlich reichen Leben im Dienst seiner Kirche und der Wissenschaft am 21. Februar 1975 im biblischen Alter von 87 Jahren in Luxemburg verstorben, hätte er am 13. Dezember dieses Jahres seinen 100. Geburtstag feiern können. Das reiche wissenschaftliche und geistliche Erbe des Jubilars rechtfertigt ein ehrendes Gedächtnis und die Besinnung auf die zentralen Anliegen seiner Kirchengeschichtsschreibung, seiner Reformations- und Lutherforschung, sowie seines Einsatzes für die Ökumene, um deren Fortgang er sich bis in den Tod hinein sorgte.

Als gegenwärtigem Leiter der von *Joseph Lortz* gegründeten Abteilung für abendländische Religionsgeschichte am Mainzer Institut für Europäische Geschichte und zugleich – gemeinsam mit *Erwin Iserloh* – als Sprecher der verwaisten ‚Familia Lortziana‘ fiel mir die Gestaltung des anstehenden Jubiläums zu. Beraten durch meine Mitarbeiter, durch die Vertreter des wissenschaftlichen Beirats und die Repräsentanten des großen, in Europa und Amerika wirkenden Schüler- und Freundes-Kreises habe ich mich für die Publikation der vorliegenden Sammlung von Aufsätzen, Studien und Essays des Jubilars entschieden. Maßgebend für dieses Projekt waren vor allem die folgenden Erwägungen:

Auf die sonst übliche große Festschrift glaubten wir verzichten zu sollen, da das vom Institut veranstaltete Lortz-Symposion durch geeignete Beiträge international anerkannter Gelehrter und Schüler bereits der umfassenden Würdigung des Jubilars und seines Lebenswerkes dient. Wichtiger erschien es uns, den Jubilar selbst erneut zu Wort kommen zu lassen, und zwar mit Aufsätzen aus allen Perioden seines Schaffens, die in der Masse dem modernen Leser kaum mehr zugänglich sind. Wir haben uns bei der Auswahl vor allem für solche Beiträge entschieden, die im Blick auf das *Lortz*'sche Anliegen auch für die moderne Forschung Bedeutung haben könnten.

Es wäre eine bei Jubiläen durchaus übliche fromme Legende, wollte ich von meinem verstorbenen Lehrer behaupten, daß er in demütiger Selbsteinschätzung stets die Korrektur und fortschreitende Vertiefung seiner Ansätze für erforderlich gehalten hätte. Aufschlußreich in dieser Hinsicht ist das Vorwort zur 4. Auflage seines Hauptwerkes „Die Reformation in Deutschland" aus dem Sommer 1962[1]. Das unangefochtene und gesunde Selbstbewußtsein meines verehrten Lehrers schloß jedoch keineswegs die selbstkritische Einsicht aus, daß auch seine wahrhaft epoche-machenden Ansätze im Detail der Korrektur und vor allem der Vertiefung bedürften. *Joseph Lortz* hat denn auch ohne jede persönliche Verärgerung die Kritik hingenommen, die seit Beginn der sechziger Jahre unter dem Motto ‚über Lortz hinaus‘ vorgetragen wurde[2]. Mehr noch, ich wage die paradoxal anmutende These, daß die Ansätze des Jubilars immer schon offen waren für die

---

[1] Vgl. den Abdruck in der 6. unveränderten Neuausgabe, Die Reformation in Deutschland, Freiburg i. Br. 1982, S. Vf.

[2] Vgl. *P. Manns*, Lutherforschung heute, Krise und Aufbruch. Veröffentlichungen des Instituts für Europäische Geschichte Mainz, Bd. 46, Wiesbaden 1967.

geforderte Korrektur und Vertiefung. Sie tragen weiter, als er selbst es in der geschichtlichen Situation der vierziger Jahre sagen konnte oder wollte. Die Entwicklung hat im übrigen gezeigt, daß der Vorstoß der modernen Forschung z. T. kirchenamtliche Reaktionen zeitigte, die bei Licht betrachtet allzumeist wieder ‚hinter Lortz‘ zurückführten. Bedenkt man außerdem die selbst von den wichtigsten Kritikern anerkannte Tatsache, daß gegenwärtig in Rom allenfalls die *Lortz*’sche Position eine gewisse Chance der Anerkennung besitzt, liegt es wohl auch im recht verstandenen Interesse der Ökumene, die notwendige Vertiefung der Fragestellung gleichsam in den Spuren des Altmeisters katholischer Lutherforschung zu erreichen. In diesem Sinn habe ich in meinem Nachwort zur 6. Auflage der „Reformation in Deutschland“ im Luther-Jahr die Aktualität und bleibende Bedeutung der Position des Jubilars zu umreißen versucht[3].

Ein Problem der literarischen Hinterlassenschaft liegt in jenen Schriften und Aufsätzen, in denen der Jubilar in den kritischen Jahren der Machtergreifung den keineswegs glücklichen Versuch unternahm, für die Katholiken einen legitimen Zugang zum Nationalsozialismus zu erschließen. Die Leser werden verstehen, daß ich keinen dieser Beiträge in die vorliegende Sammlung von Aufsätzen übernommen habe. Die fraglichen Artikel und Schriften bedürfen einer eingehenden Interpretation und Untersuchung, die in diesem Rahmen nicht vorgenommen werden kann. Die Existenz dieser Schriften soll jedoch weder verschwiegen noch geleugnet oder auf billige Weise entschuldigt werden. Ich habe daher die wichtigsten Beiträge zu diesem Thema in die Bibliographie der Aufsatzsammlung aufgenommen.

Es waren Begriffe wie Einheit, Volk, Leben und Verwurzelung in der geschichtlichen Tradition, die ihm einen Zugang zu bestimmten nationalsozialistischen Ideen möglich zu machen schienen. Im Rückblick muß sein Engagement als folgenschwerer Irrtum und auch als Schuld bezeichnet werden, sofern er auf diese Weise die ursprünglich entschiedene katholische Abwehr erheblich schwächte und sich für die Möglichkeit eines Bündnisses einsetzte, das sich nur allzu bald als fatale Illusion erweisen sollte. Daß der Jubilar der Verirrung des Nationalsozialismus nicht verfallen war, scheint mir insbesondere durch die Tatsache verbürgt, daß erklärte Gegner des Systems wie der Bekennerbischof von Münster *Clemens August Graf von Galen* oder der in Plötzensee hingerichtete *Max Joseph Metzger*, Begründer der deutschen Una-Sancta-Bewegung, als Freunde zu ihm standen.

Abschließend folgt eine Reihe von Hinweisen zur Benützung des vorliegenden Sammelbandes:

1. Die Festschrift enthält Aufsätze aus allen Schaffensperioden des Jubilars. Sie illustrieren seinen wissenschaftlichen Werdegang und seine Grundanliegen. Die Beiträge sind gegliedert in drei Abteilungen:

    I. Zur Konzeption der Kirchengeschichtsschreibung.

    II. Alte und mittelalterliche Geschichte.

    III. Reform, Reformation und Ökumene.

Innerhalb der einzelnen Abteilungen sind die Aufsätze zumeist chronologisch geordnet. Im Band selbst wird die hier erwähnte Einteilung in drei Kapitel nicht eigens hervorgehoben. Da die Aufsätze aber durchnumeriert sind, kann man sich leicht einen Überblick verschaffen.

2. Bei dem Aufsatz Nr. 9, Untersuchungen zur Missionsmethode und zur Frömmigkeit des hl. Bonifatius nach seinen Briefen, handelt es sich um eine Zusammenstellung aus

---

[3] Vgl. mein Nachwort zur 6. unveränderten Neuausgabe der Reformation in Deutschland, S. 385–391.

verschiedenen Publikationen, die aber nach *Lortz'* eigener Meinung inhaltlich zusammengehören. Die ersten drei Teile dieser Untersuchung erschienen in der Willibrordus-Festschrift. Die dort rot gedruckten Überschriften und Zwischenbemerkungen mußten für unsere Ausgabe schwarz gesetzt werden.

3. Bei dem Beitrag Nr. 10, Bernhard von Clairvaux. Traktate. Einleitung, handelt es sich um die von *J. Lortz* verfaßte und separat publizierte Einleitung zu einem Editionsvorhaben für die theologischen Hauptwerke Bernhards von Clairvaux. Dieses Projekt konnte nicht verwirklicht werden. Da die Einleitung jedoch wichtige Ausführungen zu Bernhards monastischer Theologie und zum Vergleich mit Luther enthält, soll sie hier einem größeren Kreis zugänglich gemacht werden. Die Überschrift ist für den Nachdruck neu gesetzt worden.

4. Schließlich schulden wir ein Wort des Dankes an alle Verlage für die freundlich erteilte Abdrucksgenehmigung.

5. Abschließend ein Wort zum Literaturverzeichnis. Die hier veröffentlichte Bibliographie des Jubilars erhebt keinen Anspruch auf Vollständigkeit. *J. Lortz* hat viele Aufsätze in Tages- und Wochenzeitungen (etwa in der Germania, dem Rheinischen Merkur und dem Luxemburger Wort) publiziert, die hier nicht berücksichtigt wurden. Auch verschiedene kleinere Arbeiten und Handreichungen haben keinen Eingang gefunden. Desgleichen haben wir darauf verzichtet, alle Neuauflagen und Übersetzungen seiner Hauptwerke ins Französische, Italienische, Spanische, Englische und Japanische im einzelnen anzuführen. Die Bibliographie soll nur eine Orientierung liefern. Die besonders gekennzeichneten Arbeiten sind unter der entsprechenden Nummer in diesen Band aufgenommen worden.

Möge die Aufsatzsammlung dem Gedächtnis von *Joseph Lortz* und im angegebenen Sinn der Vertiefung seiner Forschungsanliegen dienen.

Mainz, im Juli 1987   *Peter Manns*

MEIN UMWEG
ZUR GESCHICHTE

Di'r Häre Ministeren,
Di'r léw Hären Direkter a Professeren,
Di'r léw Fren a Komeroden.

Den Här Direkter Thinnes wo' eso' gentil, mech
anzelu'den, op dä dissjärejer journée des an-
cients ze schwétzen. Dat ass fi' mech en Eer an én
Fräd. Ech son him du'fi villmols merci.

D'ass och den Här Direkter. den de sujet fi mein
Ri'd vi'geschlon hu't: ech sollt Ech eppes erzi'le vun
dem, wat hen mein „Lievensarbecht" genannt
hu't . . . Mon Dieu! „Liewensarbecht"! dat ass en
deck Wu't. Ma, fi net ze streiden. losse mer et gel-
len als Stechwu't.

Den Här Direkter hat aver nach e Wonsch: ech
sollt mei compte rendu net ze schwe'er man. Aver,
an ém zwäte Bréf sot hen. ech soll dé Saach och net
ze leicht man. — —

Dat ass natirlech en kniveleg Geschicht. — —
Villeicht, so hun ech geducht, lést de Saach sech
man, wann ech Ech erzile. wé ech zu meim Hand-
werk an zo meiner Arbecht komm sen. also zur
„Geschichtswessenschaft".

Di le'w Fren, et wo en koppech Affär, an e knubbe-

5

leje Wé. Et wo' nämlech en Emwé, e kräftejen Emwé.

A vun dem gif ech Ech also elo gäre verzilen, wé et och op dem Programm annoncért ass, — —
Now kemt et drop un, dat mer is e Beßchen we'stin. An du'fi' ass et notwendeg, dat mer en ordentleche Spronk zreck man, an en Zeit, wo nach e go'ße Ko'upp vun Ech am Répegärtche wor.

Ave daat ass erem net eso einfach, wé' ech selver gemähnt hat.

Wann ä vu sech sälver schwézt, krét dé Saach leicht en onsympathe'che goût, we wan än sech selver eraus streiche welt. — Dé Schwierigkät ass net ganz ze vermeiden.

Wan also herno den Androk vun e soém haut goût Ech an d'Nu's steigen sollt, dann hollt et mat a Kaaf; d'ass net ivermässeg hoffereg gemähnt, ech kann Ech mei wu't drob gin. Ave ech ka jo net goût vu Lortze Joss e'zilen, one hen ze nennen.

D'bleiwt nach en O'rt technescher Frô: et wi' am gemütlechsten, wann ech mei'n Rabezul an éser däftejer Letzeborger, d. h. Grevemacher Sproch verzape giff. — Aver ech sen net ganz seche, dat ech dann d'Nuancen, op de et dach och u'kemt, richteg erous krich.

An du'fi menen ech, et wär fi Ech a fi mech me leicht, wann ech an dä Sproch schwetzen gich, an dä ech gewi'nt sen e so Saachen ze verhandeln, also op

6

Deitsch. Op de' Musel so mer pêle-mêle grad eso
gär „deitsch" wé „preisesch".
Fänke me' also un!

An den e'schte Punkt nach an de Hämechtssproch:
op meim Emwe' zu'r Geschicht figure'ert ést lév
aal Grevemacher net. — Aus dem äfache Grond,
weil den atitréerte Geschichtsschreiwer vu Gre'-
vemacher. mei le'we Frend Hurts Joss, den elei
enner i's setzt, demols och ere'scht op de Scho'lbank
sutz. —
De' e'scht Station wo' elei: Ichternach a sei
Kollisch:
Das Echternach von 1902—1907 war mitsamt dem
Hl. Willibrord für das Bewußtsein seiner Einwohner historisch so gut wie tot.
Nur einer sprach wenigstens von Studien über den
Hl. Willibrord; das war unser Koadjutor Hülse-
mann. Aber die von ihm gewünschten historischen
Studien begannen erst in den folgenden Jahrzehnten. Die von Professor Leitschuh und von Mgr.
Kirsch angeregte Studie von Richard Maria Staudt
über die Basilika war, so weit ich sehe, der Auftakt. —
Und wie stand es damals um das Fach der Geschichte in unserem Kolleg? — Es war eine Mi-
sere; sie wird gekennzeichnet durch unseren Ge-
schichtslehrer, den menschlich sympathischen

7

Prof. Bestgen und das Lehrbuch für Kirchengeschichte, das dem Unterricht durch Prof. Pletschette
als Grundlage diente, von Dreher.

Weder im Buch noch bei den Lehrern ragte irgend
etwas über das dürftigste Nebeneinander einiger
trockener Tatsachen hinaus. Von einer echten historischen Dimension keine Rede. Noch weniger
von historischer Kritik; von Geist nicht zu reden!
(der in gewissen Partien des Religionsunterrichtes
des mit Energie geladenen und beladenen Prof.
Pletschette keineswegs fehlte).

Immerhin, es wurden im Kolleg Samenkörner ausgestreut, die einsanken.

Es waren deren sicherlich mehr als die, deren ich
mich erinnere. Aber die folgenden zwei habe ich,
für mein Teil, bewußt aus den Klassenzimmern
dieser ehrwürdigen Abtei mitgenommen. Ich habe
sie mein nun schon ziemlich langes Leben hindurch
oft und oft bedacht, und sie bei vielen Schülern (im
engeren und weiteren Sinn) nach meiner Möglichkeit fruchtbar zu machen versucht.

Das Erste: Von Prof. Palgen hörten wir einmal
dem Sinne nach folgendes: „Lest den ‚Simplicius
Simplicissimus‘, dann wißt Ihr über den dreißig-
jährigen Krieg mehr, als wenn Ihr einen Haufen
Tatsachen mit Jahreszahlen über dieses wüste
Raufen auswendig lernt". —

Palgen hatte recht, und sein Hinweis war voller

8

Weisheit. Er wußte natürlich, daß der Simplicissimus keine wissenschaftlich haltbare Beschreibung des 30jährigen Krieges bietet. Aber in diesem Roman sind ein gutes Stück Atmosphäre und Wirklichkeit jener wüsten Zeit eingefangen. Und in diesem Sinn ist er ein echtes Bild des 30jährigen Krieges. Und so weit ist er, im entfernten Sinn, eine historische Quelle.

Von Prof. Kauder, unserem ‚Jempi‘, stammt das zweite Wort. Ich zitierte es bereits vor zwei Jahren bei dem Jubiläumstreffen unserer Promotion 1907. Jempi sagte: „Messieurs, il faut ouvrir les formules!" — ‚Ouvrir les formules‘!: ein unausschöpfbar tiefes Wort; tiefer reichend, als vielleicht Jempi ahnte: Hinter die Worte greifen! Den Untergrund erkennen, aus dem ein einzelnes Wort, ein einzelner Satz, eine umfassende Ansicht aufsteigen. Im Bereich des Geistes das Routinemäßige vermeiden!
Hinter den „Formeln" das lebende Wort erfassen.
Die Mahnung erwies sich als ungewöhnlich fruchtbar. Sie führte mich zu so etwas wie einer Entdeckung einer zwar selbstverständlichen Sache, die aber eben erkannt werden mußte: nämlich, daß sich, wie alles in der Welt, auch die Worte verbrauchen. Man muß sie also — und zwar immer wieder — zurückerobern in ihrem echten

9

Sinn, in ihrem reinen Anfang. Du mußt lernen, sie neu zu sehen, sie unverbraucht zu hören — so wie damals, als sie dich zum erstenmal trafen. Der im eigentlichen Sinn des Wortes unersetzbare Wert des ersten Anfangs und des Neu-seins muß sie wieder schmücken. —

Im Lauf der Zeit ergab sich mir hieraus eine Erkenntnis, die ich für den Geschmack meiner Hörer und Leser möglicherweise zu sehr strapazierte, die ich aber nach wie vor für so entscheidend halte, um sie auch Euch vorzusetzen: Korrektheit ist nicht Wahrheit. Korrektheit: das ist die nicht geöffnete „formule", ist nur das Fehlen von Fehlern. So wichtig Korrektheit ist, sie ist nicht Leben. Wahrheit aber ist Leben — oder sie ist nicht. —

Und hier kann ich mir eine höchst wichtige Anwendung für mich und meine Herren Konfratres im schwarzen Rock nicht verkneifen: meines Erachtens wird dieser grundlegende Unterschied zwischen korrekter Formel und lebendiger Aussage nirgends so oft übersehen wie in der katholischen Theologie, Predigt und Katechese. Eine ihrer großen Gefahren liegt in der Überbewertung der reinen Korrektheit: in der nicht geöffneten Formel; von da ihre gar nicht so seltene Unfruchtbarkeit. —

In jenen Echternacher Kollegsjahren war da noch ein Drittes, das hierher gehört. Es kam nicht aus

10

den Schulsälen und war kein Verdienst der uns Führenden. Eher ging es ein bißchen gegen sie.

Nämlich: wie wir damals heimlich Ibsen und Sudermann, und weniger heimlich Bourget und die Annales politiques et litéraires (mit den geistreichen, fingierten Briefen von Cousine Yvonne) lasen, so betrieben einige von uns eifrig Kunstbetrachtung und so etwas wie Kunstgeschichte. Anreger waren Avenarius mit den Erklärungen zu den Reproduktionen des „Kunstwart", und Bischof von Keppeler mit seiner großen Abhandlung über die Madonnen Raffaels, die ich einigermaßen schwerfällig, aber fleißig studierte. Beides brachte unwillkürlich Vorstellungen aus der geschichtlichen Ferne in unseren und auch in meinen geistigen Haushalt. —

Gerade diese letztere Art geistiger Befruchtung erfuhr eine für mich bis heute wichtige Fortsetzung während der zweiten Station meines Weges; es war Rom: das Germanicum als Erziehungsseminar (eine der Meisterleistungen des Heiligen Ignatius von Loyola), das uns mit der bekannten blutroten Soutane bekleidete; — und die Gregorianische Universität als „Heimstätte der Wissenschaft".

So unglaublich es klingt, auch Rom war nur ein Umweg zur Geschichte.

Jedermann weiß, daß Rom geradezu ein einziges,

11

unvergleichlich reiches Buch der Geschichte ist.
Aber im Germanicum und an der Gregoriana wußte man das damals, 1907—1911, anscheinend
nicht. Da war niemand, der uns — Studierenden
aus der ganzen Welt — dieses Buch der Geschichte
aufgeschlagen hätte.

An der gregorianischen Universität, wo wir nur
systematische scholastische Fächer hörten, war geschichtliches Denken unbekannt. Den Begriff der
„Entwicklung" hörte ich zwar einmal in einer erstaunlich mutigen Weise vom Physikprofessor vertreten; aber in den Geisteswissenschaften, in Philosophie und Theologie, war er nicht zu finden. In
diesem Bereich gab es überhaupt keine kritische
Wissenschaft. Denn es gab kein echtes Fragen: es
gab nur Behaupten und Beweisen; man prakti-
zierte ein statisches, vordergründig konzeptualisti-
sches, aber in keiner Weise ein dynamisches Denken.

Was man uns servierte, nannte kein Geringerer als
der spätere Jesuiten-Kardinal Ehrle: ein Sätzesystemchen für Schüler. Und ein anderer nannte
die entsprechenden Professoren „Turner am logischen Reck zur größeren Ehre Gottes". —

Aber auch in Rom gab es reiche, sogar lebenswichtige Anregungen. Und wieder kamen sie aus
der Privatsphäre: aus der Beschäftigung mit der
Kunst und aus der Archaeologie.

12.

Während vier Jahren pflegte ich damals eine eifrige Zwiesprache mit den Kunstwerken der Antike, den Resten frühchristlicher Kunst, besonders aber mit dem überquellenden Reichtum der Renaissance und noch mehr des Barock, und ich zehre mit Genuß bis heute davon. — Solches Betrachten aber lehrte (wenn auch unbewußt) den Unterschied der Zeiten — bezw. ihrer Empfindungs- und Vorstellungsarten — erfassen, und also einigermaßen geschichtlich denken.

Besonders viel lernte ich persönlich an den Werken Michelangelos, und in Sonderheit dies, was mir mein Leben lang Gewinn blieb: den Unterschied zwischen nur äußerer Harmonie der Form — wie sie unvergleichlich von Raffael verwirklicht ist — und dem leidvoll zum Besitz Errungenen, und in brennender Sehnsucht Gestalteten, wie man es eben bei dem gewaltigen, einzigartigen Michelangelo anschauen und nacherleben kann.

Und dann hatten wir im Germanicum einen privaten Studienzirkel. Für ihn schrieb ich meine ersten wissenschaftlichen Arbeiten, eine über Tertullian und eine über den berühmten sogenannten Canon des Vincentius von Lerin („Was immer, was überall, was von allen geglaubt wurde, das ist katholisch": ein höchst problematischer Satz, der gar sehr der unterscheidenden Auslegung bedarf). Das war sozusagen mein erster Schritt in die Ge-

13

schichte, näherhin in die Geschichte der Theologie
hinein.

Zu meinem Glück blieb ich statt 7 nur 4 Jahre in
Rom. 1911 ging ich nach Fribourg in der Schweiz.
Und diesmal wandte sich mein Umweg bereits in
die *Haupt*richtung.

Zwar war es noch keine volle Wendung, sondern
nur ein Abbiegen. Denn die Hauptvorlesungen
waren auch in Fribourg durchaus die systematisch-
scholastischen. Aber dort bekamen wir nicht mehr
einen dünnen Aufguß aus Thomas von Aquin vor-
gesetzt, oder vielmehr dessen, was man ihm unter-
schob — jenes Sätzesystemchen für Schüler —,
diesmal war es Thomas von Aquin selbst: in Freiburg führte man uns an die *Quelle*. —

Aber das Wichtigste aus meiner Freiburger Zeit
war etwas Anderes: ich stieß an der dortigen Universität auf zwei Männer der Geschichtswissenschaft, die mich beide auf Anhieb gütig aufnahmen.

Der erste war unser mit Recht berühmter Lands-
mann Mgr. J. P. Kirsch, der Patrologie und Ar
chäologie las, und in dessen Seminar ich mir das
Thema zu meiner theologischen Dissertation holte:
„Tertullian als Apologet".

Und gerade darüber muß ich ein paar Worte sagen, weil mir an dieser Arbeit ein Knopf aufging,
man könnte sagen der Knopf. Das war so:

Als ich von Rom wegging, hatte ich mir von un-

14

serem Apologetik-Professor, dem einzigen, der sich ein bißchen mit der Forschung auseinandersetzte, P. van Laak, ein Thema zur wissenschaftlichen Bearbeitung erbeten. Er hatte es formuliert: „Über die Begründung des Glaubens bei Tertullian". — Das war in seinem Sinne selbstverständlich so gedacht — und ich faßte es harmlos ihm folgend genau so auf —: du wirst nachweisen, daß die verschiedenen apologetischen Beweise, die wir gescheiten Leute des 20. Jahrhunderts im verflossenen Schuljahr systematisch zusammengezimmert haben, sich auch bei Tertullian finden, insbesondere der Glaubensnachweis aus den Wundern.

Ich machte mich also in Freiburg an die Arbeit. Ich las Tertullian, las wieder und wieder, las . . . las . . . , und suchte ein ganzes Jahr vergebens nach jenem Wunderbeweis.

Bis mir endlich die Erkenntnis aufleuchtete: das, was du bei Tertullian suchst, steht gar nicht darin. Jener Christ aus dem 2. Jahrhundert dachte in anderen Kategorien als du Christ des 19. und 20. Jahrhunderts.

Und da eben ging mir ein erstes Mal auch ein Wesentliches der Geschichte auf, nämlich: trotz der wesenhaften Gleichartigkeit aller Menschen denken sie doch, denken auch die Bekenner desselben christlichen Glaubens, in verschiedenen Zeiten verschieden.

Damit entdeckte ich also auch ein erstes Mal in ei-

15

ner mich erlebnismäßig ergreifenden Weise: auch
das Christentum hat eine echte Entwicklung
durchgemacht:

Weil der Logos im Fleisch gekommen, ist das Christentum nicht nur parahistorisch, sondern der Geschichte immanent, selber ein vollgeschichtliches
Gebilde.

Diese Entdeckung — Entdeckung für mich! — hat
sich mir nachher zu einer Erkenntnis ausgeweitet,
die mir wichtig wurde, und die ich als einen der
Ehrentitel und Echtheitserweise des Christentums
so formuliere:

der Einbruch des Christus-Göttlichen in die Natur — und sogar (etwa in der Jungfrauen-Geburt) gegen sie, hat die natürlichen Kategorien des
Seins und Wachsens für das Christentum nicht
aufgehoben, sondern stehen lassen: das Christentum ist nicht Zauberei.

Noch wichtiger für meinen Weg zur Geschichte
als Mgr. Kirsch war ein anderer Mann in Fribourg: der genialische Dominikaner Pierre Man-
donnet. Er hielt hinreißende, ideengeschichtliche
Vorlesungen über Kirchengeschichte. Von ihm
lernte ich, daß Geschichte denkend erfaßt werden
kann und werden muß; von ihm lernte ich die
Theorie des kulturellen Milieus, die ich später —
bereichert durch Anregungen der Bibel (das Samenkorn auf dem vierfach verschiedenen Ackerbo-

16

den) ausbaute und als eine Grundkategorie der Betrachtungsart in meiner Geschichte der Kirche verwandte. — Von ihm gewann ich auch den Mut,
trotz gewisser Lücken in meiner Begabung, den
dornenvollen Weg der akademischen Laufbahn
zu versuchen.

Meine lieben Freunde: auch ein Umweg kann seinen Sinn haben. Für meinen Fall möchte ich so
formulieren: durch die systematischen Vorlesungen der Jesuiten in Rom wie der Dominikaner in
Freiburg wurde der Geist energisch auf das philosophische Erfassen der Dinge, auf ihre Substanz
verwiesen.
Als ich dann zur Geschichte kam, verfiel ich nicht
ihrem bunten Allerlei; ich suchte nach dem Wesentlichen und — wenn es zu finden sein sollte —
nach dem Gesetzmäßigen.
Das Material der Tatsachen ist das Fundament für
alles andere, unentbehrlich; aber eben doch nur
Fundament und Voraussetzung. Wenn man es isoliert, ist es Sache nicht des Historikers, sondern des
Antiquars. Das ist oft höchst interessant und dazu
amüsant. Aber ein Leben setzt man nicht an das
Interessant-Amüsante. Diesen genießerischen Irrtum des fin de siècle haben wir gründlich überwunden.
„Das Heil der Geschichte liegt im Detail" sagt Jedin. Gut!, aber nur, wenn das Detail zum Wesen,

17

zum Gesetz, zum Leben, zum Belehrenden hinführt.

Und dann 1913 — nach meiner Priesterweihe — kam die definitive Biegung des Weges: Bonn. (Wo ich vergnügliches Zusammensein mit den Freunden Hurt und Harsch feierte).
Allerdings, auch hier ließ sich mein Weg verflixt krumm an!
Ich war nach Bonn gegangen, um bei dem Kirchengeschichtler Schroers zu arbeiten. Das war eine Figur! Er hatte Dauerkrach ebenso mit seinen Kollegen wie mit dem Küster der Münsterkirche, Mertens; doch in seinem Fach war er eine Größe.
Aber als ich in Bonn landete, war Schroers gerade emeritiert worden; er las nicht. Später saß ich dann jahrelang in seinem Seminar — in dem er allerdings weniger verzapfte, als er in seinem Keller hatte.
Die durch Schroers Emeritierung entstandene Lücke geriet mir aber in anderer Weise zum Heil: ich stieß auf den Neutestamentler und Moraltheologen Fritz Tillmann.
Hier kann ich nur mit Ergriffenheit reden. Denn diese ungewöhnliche Persönlichkeit, die als katholischer Geistlicher in schier vergleichsloser Souveränität ebenso die preußische Universität Bonn wie lange Jahre hindurch den ganzen deutschen

18

Hochschulverband führte, wurde mir Vater und Bruder ... Daß ich bis zu seinem Tode zum engsten Kreis der großen familia Tillmanniana gehören durfte, betrachte ich als den größten Glücksfall meines Lebens. Als er 1953 starb, ging die Sonne für uns, seine geistigen Söhne, unter: Tillmann war die reichste und freieste Persönlichkeit, die ich in meinem Leben kennenlernte. Und wer von Euch ein Bißchen erfahren hat, daß die innere, weite Freiheit zum Kostbarsten des Menschen gehört, wird ahnen können, was die Begegnung mit einer solchen Persönlichkeit bedeuten konnte.

In Tillmanns Seminar und im persönlichen Umgang geriet ich unter den Einfluß seiner wissenschaftlichen Unbestechlichkeit, die sich gerade in den heiklen Fragen der neutestamentlichen Exegese bewährte. —

Allerdings, er war ja kein Historiker. Und so war auch hier mein Weg wieder ein — freilich gesegneter und hundertmal gepriesener — Umweg.

Schroers Nachfolger hieß Joseph Greving. Er war geistig nicht überragend. Aber er wurde sozusagen mein Schicksal. Denn ... sein Arbeitsgebiet war die Reformationsgeschichte.

Es war 1917, Krieg. Ich hatte bald 10 Jahre Universitätsstudium hinter mir. Das Geld zerrann allmählich in der anhebenden Inflation. Greving

19

gründete damals das „Corpus Catholicorum"
(Werke katholischer Schriftsteller im Zeitalter der
Glaubensspaltung); er suchte einen wissenschaftlichen Sekretär. Durch Vermittlung von Tillmann
bekam ich die Stelle. Und also kam ich in intensive
Berührung mit Quellen und Problemen der Reformationsgeschichte: Ich schien an der mir bestimmten Stelle angelangt . . .

Aber plötzlich drohte der Weg noch einmal abzu-
brechen: Greving starb bereits 1919. Er wurde
1921 durch den von den Franzosen aus Straßburg
verjagten, berühmten Albert Erhard ersetzt. Aber
der mochte wiederum mich nicht, weil er, wie er
mir sagte, einen Doktoranden und Habilitanten
aus Straßburg mitgebracht habe . . .

In jenen Jahren, meine Freunde, war es, daß mir
oft genug von dieser oder jener Seite zugeraunt
wurde: geben Sie's doch auf! Sie, als Ausländer,
kommen nie zu einer Professur! — — —

Nun, mein Großvater mütterlicherseits war ein
Gruber, Schmied seines Zeichens, und dann kleiner
Industrieller. Von da her hatte ich einen ziemlich
harten Kopf geerbt. Ich hielt durch. ‚Ech hun
du'gehaale', wé mir so'n.

Und siehe da, der definitive Weg zur Geschichte
öffnete sich dennoch. Es kam, was immerhin
höchst selten ist, eine Einladung des neben Schroers
und Ehrhard gleich berühmten katholischen Kir-

20

chenhistorikers Sebastian Merkle, des „Alten vom
Berge" in Würzburg, mich bei ihm zu habilitieren.

Das sah nun geradezu großartig aus. Und dennoch: die Situation in Würzburg war leider ganz
so, daß wiederum der Weg leicht und dann sicher
definitiv — hätte zu Ende sein können.

Die Geschichte ist die: der große Merkle, obschon
ein gut katholischer Priester, war für die in der
Wolle gefärbte Klerisei reinweg das rote Tuch. —
Ja, und nun tauchte da, von diesem Merkle präsentiert, ein junger Mann auf, den niemand kannte:
das konnte nur ein gefährlich liberales Subjekt
sein; da mußte man auf der Hut sein! — Und man
war es.

Zwar, meine vorgelegte Habilitationsarbeit über
Tertullian kam über die Runden.

Aber da war noch der eigentliche Habilitationsakt
mit einem wissenschaftlichen Vortrag und einer
Diskussion, an der jedermann sich beteiligen
konnte. — Wie mochte das wohl ausgehen . . . ?

Ich sehe noch den großen Vorlesungssaal vor mir:
schwarz vor lauter Soutanen, — die Atmosphäre
war eisig.

Aber Merkle meisterte die Lage. Er war zufällig
Dekan und mußte mich also vorstellen. Er hatte
einen kräftigen Baß, der ebenso bedrohlich knur-
ren konnte wie sein großer Schäferhund (es war
damals Mars II), den er zum Ärger seiner Kolle-

21

gen mit in die Fakultätssitzungen brachte. Diesen
Baß also hörte ich verkündigen: „Seine Gymna-
sialsstudien machte Lortz in dem altehrwürdigen
Echternach, heute noch weltberühmt durch seine
Springprozession — (er machte eine Kunstpause),
bei welcher er sich (er zeigte auf mich) musikali-
scherweise betätigte . . . “. Die Spannung der Zuhörer entlud sich in einem erleichternden Lachen,
die Stimmung schlug ins Freundliche um . . .
Merkle wurde mir ein väterlicher Freund. Aber
auch er war nicht mein Lehrer und wurde es
nicht.
Und so muß ich den Charakter des Umwegs auch
noch in diesem Sinne betonen, daß ich zwar, wie
erwähnt, wichtige und wichtigste Anregungen erhielt, und unschätzbare Förderungen erfuhr, aber
von niemanden eigentlich „auf den Weg gesetzt“
wurde. Ich komme leider aus keiner „Schule“. Und
das kostet viel, zu viel Zeit.

Nun war ich also Geselle, Privatdozent für Kirchengeschichte, und sollte mich bewähren.
Aber ich bewährte mich offenbar nicht so, wie man
es gewünscht hätte. Zwar holte man mich bald zur
Vertretung des abgehenden Ordinarius für Kirchengeschichte, Seider, nach Passau; aber als der
Stuhl besetzt wurde, schickte man mich wieder
nach Würzburg zurück. — Die Zensur lautete auf
untauglich. Und zwar aus drei Gründen:

22

1. hat im Kolleg gegen Ludwig von Pastor polemisiert (den offiziellen Historiographen der Päpste);
2. raucht auf der Straße Zigarre;
3. trägt (statt Betonkragen) offene Weste und
Schlips. —

Ihr seht, wie hoch man meine Aussichten taxierte.
Immerhin traten noch in Würzburg, während ich
doch schäbiger Privatdozent (daneben Studenten-
seelsorger, Universitätsprediger und Leiter des
Akademischen Kirchenchores) war, die beiden
Aufträge an mich heran, deren Resultat mir bis
heute Arbeit macht:
Der Verlag Aschendorff verlangte eine Kirchengeschichte;
der Verlag Herder eine Reformationsgeschichte.

Die Ausführung erfolgte erst auf der ersten Defi-
nitiv-Station in Braunsberg/Ostpreußen.
Wie ich dorthin, durch ein Kopf-an-Kopf-Rennen
mit einem Bonner Privatdozenten, dem sehr tüchtigen, aber weniger temperamentvollen, viel zu
früh verstorbenen Joseph Greven kam, würde den
Stoff zu einem kurzweiligen Sketch bieten, den ich
aus Zeitgründen leider weder mir noch Euch ser-
vieren kann.
Hoffentlich wißt Ihr aber, was ein regulärer Ordinarius ist! Das ist etwas ganz anderes als ein zufällig mit dem Titel Universitäts-Professor Be-
hafteter, der in der Fakultät nichts zu sagen hat. —

23

Na also, wenn Ihr es wißt, dann könnt Ihr Euch vorstellen, mit welch kindlicher Selbstüberschätzung ich nach Braunsberg zog: *Universitätsprofessor für Kirchengeschichte . . . !*: Der Himmel hing — scheinbar — voller Geigen.

Zwar, noch einmal hätte die Sache schief gehen können: Das Kultusministerium in Berlin war nicht nur schon früher dreimal von hoher Stelle vor mir gewarnt worden: auch jetzt hatte es mich nur gegen schärfsten Druck ernannt.

Aber, als ich ,wie in Berlin vereinbart, in Grevenmacher die Ernennungsurkunde abwartete, traf statt ihrer ein zwielichtiges Telegramm ein. Es lautete: „Lehrstuhl Braunsberg umfaßt auch Kirchenrecht. Erbitten Telegramm, ob Sie auch Kirchenrecht übernehmen."

Kirchenrecht?!: das war mir damals mindestens so fremd wie heute. Aber ich telegrafierte ohne Zeitverlust zurück: „Übernehme selbstverständlich auch Kirchenrecht." —

Im Braunsberger Kollegenkreis, wo wir uns gegenseitig kräftig attackierten, lernte ich ganz neue Dimensionen des Geistigen und speziell des Historischen kennen. Mit Dankbarkeit gedenke ich der lieben Kollegen Eschweiler, Laum, Barion, Switalski (den die Russen erschossen) und anderer.

Am interessantesten für Euch dürfte es sein, wenn ich noch den großen Namen von Herman Hefele, des Historikers und Literaten, nenne. — Von ihm

24

lernte ich ein Grundgesetz der Geschichte kennen: das Gesetz der Form:... daß die Weisheit der Jahrhunderte größer ist als meine noch so tiefe persönliche, im Gewissen gebundene Einsicht —; — den höheren Wert des Objektiven vor dem Subjektiv-Persönlichen, und ... das Recht des Gewissens, jenem überdauernden Objektiven sogar dort zu folgen, wo die persönliche Einsicht dies nicht im Einzelnen zu rechtfertigen vermag.

Hier kann ich das Erzählen einstellen, denn nun war ich auf dem Weg, der *Um*weg war zu Ende. Allerdings, der *Weg*, der begann erst jetzt. Denn damals wußte ich noch sehr viel weniger als heute, daß ich nicht viel weiß. Das ist kein fishing for compliments, es ist ganz einfach ehrlich gemeint. Kompensiert wird das freilich auf der anderen Seite von der Erfahrung, die ich für und für bis heute mit einer gewissen Genüßlichkeit auskoste: immer wieder Altes neu zu entdecken, und Neues und Modernes interessiert zu mustern. (Für einen Geistlichen ist das sehr artgerecht. Denn so verlangt es die Bibel: qui profert de thesauro suo nova et vetera Mt 13.52).

* * *

25

Aber die Hauptsache steht noch aus: ‚die Moral von der Geschicht'! Kam bei diesem, meinem, Umweg etwas heraus, das allgemein, das *Euch* nützen kann? Geht *mein* Weg *Euch* etwas an?

Den kleinen Randbemerkungen, die ich bereits chemin faisant machte, füge ich im Rahmen der verfügbaren kurzen Zeit noch einige Andeutungen an.

Um Mathematik zu treiben, muß man mathematisch denken; der Historiker muß historisch denken. — Was heißt das?: Geschichte als Wissenschaft ist nicht nur eine Summe von gewußten Tatsachen, von Personen, Herrschern und Erfindungen mit einem Haufen von Jahreszahlen als unangenehmer Beigabe; Geschichte als Wissenschaft ist eine eigene Dimension des Denkens. — Ihre wichtigste Eigenschaft erwähnte ich schon: davon durchdrungen zu sein, daß die Menschen der Vergangenheit oder anderer Zonen, vielfach andere Vorstellungen hatten als wir, anders dachten als wir. D. h.: der historisch Denkende hütet sich, seine eigenen Vorstellungen bei den Menschen vergangener Zeiten einfach vorauszusetzen.

Das Grundlegende dieser eigenartigen Denkdimension ist an sich etwas höchst Einfaches: es ist das Gegenteil von dem, was Chruschtschow tut, oder Stalin-Molotow taten, die seit 1946 mit

26

größter Leichtigkeit ‚schwarz' ‚weiß' nannten und nennen.

Wenn ich in einem Text das Wort ‚schwarz' lese, ist es mir einfach unmöglich, mir einzureden, der Schreiber habe damit ‚weiß' gemeint.

Das Grundlegende des historischen Denkens ist also eine Art existentieller Bereitschaft, die Dinge der Vergangenheit (wie kurios auch immer sie ausgesehen haben mögen), untransponiert, unfrisiert, ungeglättet stehen zu lassen, und sie so, wie sie waren, und nicht anders in die historische Beschreibung einzusetzen; es ist eine Art Voraussetzungslosigkeit, die weder geeignet noch gewillt ist, durch die Brille eines präfabrizierten Systems hindurch zu lesen.

Den Kern dieses Denkens bildet die Verbeugung vor ihrer ‚*Majestät der Tatsache*'. sie mag aussehen, wie immer. —

Nehmen wir als Beispiel *Luther :* da standen in seinen Äußerungen nicht nur seine grobklotzigen Verzerrungen der katholischen Lehre, und seine unqualifizierbaren Anpöbelungen des Papsttums; — es stand da auch eine sachliche Kritik, die manches, und oft sehr viel, für sich hatte; und vor allem: es sprach da auch ein wesenhafter homo religiosus, aus echtem Glauben lebend und betend.

Das stand einfach da. — Ich las also das eine *und* das andere; und ich sagte es — nicht stotternd mit bedauerndem ‚zwar-aber', sondern ebenso warm

27

das ‚ja‘ wie hart das ‚nein‘ und zwar gleichzeitig.
Das heißt: für den Historiker darf es das Wort
‚unmöglich‘ nicht geben, auch für den Kirchenhistoriker nicht. Vielmehr, gerade die Kirchengeschichte (die Dogmengeschichte eingeschlossen)
wimmelt von Dingen, die der gläubige Christ und
gar der nachvatikanische Katholik a priori geradezu für unmöglich, ja für blasphemisch gehalten
hätte.

Der krummen Linien, auf denen Gott gerade
schreibt, sind unendlich viel mehr, als unsere
Schulweisheit sich träumen läßt.

Jesus selbst hat den Petrus, auf den er als den Fels
seine Kirche bauen wollte, alsbald als einen Satan
von sich fort gewiesen. — Und Paulus mußte diesem Fels ins Antlitz widerstehen . . .

Das ist shoking, und unsere Schmalspurtheologen
hätten derartig Unerbauliches nie in die Bibel aufgenommen. Der Heilige Geist tat es. —

Mit der Lehrtätigkeit wuchsen von verschiedenen
Ansatzpunkten her die historischen Kenntnisse
und der Einblick in das krause, begeisternde und
so oft bedrückende Gefüge der Jahrhunderte in
Kirche und Welt: in dieses Werden, Sein und Vergehen und Bleiben, in dieses wesenhaft Komplexe,
dessen geistige Bewältigung nur einer Methode
gelingen kann: dem geduldigen Umkreisen, dem
‚sowohl als auch‘, dem katholischen ‚und‘, das nicht

28

nach eigenem Gutdünken das angeblich Wesentliche festlegt, sondern alle Aspekte des Objekts. und sein Inneres dazu, zu beschreiben versucht.

Und es wuchs damit natürlich die Einsicht in die innere Problematik des Geschichtlichen, des Kirchengeschichtlichen vor allem.

Ein erster Ansatzpunkt, wenn ich mich recht erinnere, war die Idee der ‚felix culpa‘, die mir seit den Kollegsjahren aus dem heiß geliebten ‚Exultet‘, dem Hymnus der Osternacht (die wir damals ja ohne innere Hemmung am Karsamstagmorgen feierten) im Bewußtsein saß. — Dann ging mir auf, daß es in der Geschichte nicht wenige und keineswegs unerhebliche Fehlentwicklungen gegeben hatte, die aber trotzdem voller Sinn waren. Ich entdeckte, daß es sogar weltweit schicksalhafte Entscheidungen gegeben hatte, die zu einem mitentscheidenden Teil auf handfesten Mißverständnissen beruhten.

Wenn man das christlich betrachtete, dann stieß man schnell auf ein Grundgesetz des Lebens, das im Evangelium Jesu nicht nur des öfteren ausgesprochen, sondern geradezu sein Zentrum und seine Basis ist: ‚Gewinn durch Verlust‘, Verwirklichung des Phänomens des Kreuzes; das Samenkorn muß sterben, wenn es Frucht bringen soll: ein Gesetz, das alles Leben beherrscht — mit Ausnahme des merkantilen Handels.

Wenn ich mit Hilfe dieser Kategorien die Kirchen-

29

geschichte überblickte, sah ich, daß sie unter einem
doppelten Gesetz stand oder um eine doppelte
Wesensaufgabe sich bemühte. Als göttliche Stiftung mußte sie die Reinheit des Ursprungs bewahren, als Lebendiges im Strom der Kulturen mußte
sie sich ihnen adaptieren. Es ergab sich das Gesetz
der *gemäßigten Akkomodation*. Achtet man auf
dieses ‚gemäßigt‘, gewinnt man Einblick in die
wunderbare Kraft der Selbstbewahrung des
Christentums und der Kirche im antiken wie im
germanischen Raum trotz ihrer pädagogischen
Bejahung aller Kulturen. Wo die Kirche von diesem erleuchteten Eingehen auf die Eigenart der
Völker abwich (wie in einem bedeutenden Teil der
modernen Mission), mußte sie es teuer bezahlen.
In neuester Zeit hat der große Papst Pius XI —
ein Historiker von Beruf und ein wagemutiger
Bergsteiger! — die hier vorliegende Fehlentwicklung der Kirchengeschichte zurecht gerückt.

Nun haben wir schon oft das Wort ‚Geschichte‘
gebraucht. Aber was ist Geschichte? Geschichte
spielt in der Vergangenheit, aber sie ist nicht nur
Vergangenes.
Geschichte ist die in die Gegenwart herüberwirkende Vergangenheit. Unsere Gegenwart ist zu
einem entscheidenden Teil die in ihr lebende Vergangenheit.
Die Vergangenheit lebt und sie fordert mich —,

30

oder sie gehört nicht zur Geschichte im großen
Sinn, und ist nicht wert, studiert zu werden.
Was bedeutet das: ,Die Geschichte fordert mich,
uns, heute'. Wieso?
Um nur einen Grund zu nennen: weil sie unvoll-
endet ist, positiv oder negativ; — sie will vollendet
werden.
Im positiven Sinne ist das klar und leicht: wir sollen die großen Gedanken. Erkenntnisse, Gestaltungen der Denker. Dichter, Künstler, Staatsmän-
ner, Theologen und Heiligen ausnützen, weiter-
tragen, fruchtbar machen.
Im negativen Sinne reicht die Problematik erheblich tiefer: jede historische Situation großen Stils
enthält einen Auftrag für die in ihr Lebenden.
Wenn dieser Auftrag nicht befriedigend gelöst
wurde,
wenn es zu einer Fehllösung kam,
wenn sich daraus eine die Nachfahren bedrückende
und bedrohende Lage entwickelte: dann ergibt sich
die Möglichkeit und die Aufforderung, zu versuchen, die Aufgabe von damals neu aufzugreifen,
die einst mißlungene. nicht ganz gelungene Lösung neu und reiner anzugeben.

Und damit komme ich. abschließend, zu einem
Hauptpunkt, der unmittelbarer das anvisiert, was
Herr Direktor Thinnes meine Lebensarbeit ge-
nannt hat:

31

eine neue Deutung der Reformation; und von ihr aus der Versuch, den Auftrag eben dieser Reformation neu, reiner aufzugreifen.

Ein paar Stichworte:

Ich stellte fest, daß infolge gewisser mittelalterlicher und spät-mittelalterlicher Erscheinungen in der Kirche schließlich eine **Reformation** im Sinne einer kirchlichen Revolution historisch unvermeidlich geworden war.

Luthers und Calvins Reformation enthalten unverlierbaren christlichen Reichtum; sie spielen offenbar auch eine *positive* Rolle im Heilsplane Gottes.

Denn: Wenn nach christlicher Überzeugung nichts geschieht ohne den Vater im Himmel;

wenn nicht einmal ein Spatz vom Dach fällt ohne seinen Willen;

wenn Gott der ‚Herr der Geschichte‘ ist — um wieviel mehr muß dann Gottes Wille mit in Rechnung gesetzt werden, wenn es um ein Ereignis geht wie die Reformation! Denn sie hat schlechthin die ganze Welt umgeprägt.

Vor allem: seit sie entstand, mußten mehr Millionen Menschen, ohne etwas daran ändern zu können, ihren Weg durch die Zeit zur Ewigkeit unter vollkommen veränderten Bedingungen gehen, mehr Millionen Menschen, als es vorher überhaupt Christen gegeben hat. Das ist von schlechthin unabsehbarer Bedeutung. Es macht eine religiös nur

32

negative Bewertung der Reformation für jeden
Christen einfach unmöglich.

Die Positive in der Reformation, besonders in der
umstrittenen, großartigen, aber auch ungezügelten Persönlichkeit Luthers zu sehen und unerschrocken warm auszusprechen, und zu gleicher
Zeit die Kritik an ihm voll durchzuführen, ja noch
zu vertiefen, das war nun keineswegs mein Ziel,
als ich an mein Buch ‚Die Reformation in Deutschland‘ ging. Es war ein Resultat, so nämlich, wie ich
es nach meinen Möglichkeiten aus den Tatbestän-
den ablas.

Es war allerdings ein Resultat, das den einen zur
Freude und zum Trost, den anderen zum Schreck
und Ärger wurde.

Und doch war die Reformation auch eine gran-
diose Fehllösung!
Ich lasse jetzt jede dogmatische Diskussion beiseite.
Ich hebe nur einen, allerdings entscheidenden
Punkt heraus.
Die Reformatoren wollten ein gereinigtes Christentum. Aber selbstverständlich: in *einer* Kirche.
Und eben dieses wesentliche Ziel wurde nicht erreicht. Es kam, und zwar mit innerer Logik, eine
sich dauernd weiter verzweigende Aufspaltung.
Frage an uns: können wir heute jenen Auftrag,
den die Reformation erkannt, aber nicht rein eingelöst hatte, können wir ihn gereinigter aufneh-

33

men, und unter Realisierung der berechtigten reformatorischen Anliegen, die christliche Einheit wieder herstellen, oder wenigstens vorbereiten?

Die Frage rührt an das Heil der Welt, weit über den religiösen Bezirk hinaus. Die Reformation ist ein Weltphänomen mit Weltbedeutung.

Denn die Reformation des 16. Jahrhunderts ist nun einmal ein Herzstück moderner Geschichte, besonders für den Westen, aber in einem weittragenden Sinn für die ganze Welt. Keine Sparte des heutigen Lebens in keinem Land und keiner Konfession, auch nicht innerhalb der katholischen Kirche, wäre heute so, wie wir sie kennen, ohne die Reformation des 16. Jahrhunderts.

Natürlich ist diese Aktualität in den verschiedenen Ländern verschieden, viel drängender in Deutschland als in Frankreich oder bei uns hier im Luxemburger Land. Es ist auch natürlich, daß das Bedrängende des Problems ‚Reformation‘, d. h. der Aufspaltung der einen Christenheit in vielerlei Konfessionen, in seiner Tiefe nur vom gläubig-christlichen Standpunkt aus empfunden wird.

Aber: einmal betrifft dies vorläufig immer noch einen gewaltigen Teil der ganzen Menschheit. Und zweitens: die Auswirkungen der Kirchenspaltung und der von ihr mitverursachten mangelnden Einheit des Denkens sind auch dort wirklich und grundstürzend, wo man sie nicht wahrnimmt oder glaubt, sie als nicht gewichtig abtun zu können.

34

Wenn Ihr, ohne komplizierte Studien zu betreiben,
einigermaßen diese weltbedrängende Aufgabe in
den Blick bekommen wollt, so gibt es dafür ein einfaches Mittel: zur Kenntnis zu nehmen, daß es
den ,*Weltrat der Kirchen*' gibt. Das heißt: die evan-
gelisch-protestantischen Kirchen, die sich beinah
daran gewöhnt hatten, die Aufspaltung des Christentums in vielerlei Einzelgruppen als notwendig
und wünschenswert zu betrachten, haben erkannt,
daß ihr Zustand der Aufspaltung Widerspruch ist
gegen die Idee des Christentums und den Willen
Jesu, und sie bekennen das in beeindruckender
Weise öffentlich als Sünde und Verbrechen. So ungeklärt bei ihnen der Begriff der Einheit ist, sie
drängen in einem mächtigen Suchen zu ihr hin. An
manchen Punkten der Oekumene oder in manchen
ihrer Phänomene verdichtet sich das Ringen um
die Wiedervereinigung der getrennten Christenheit zu einem wahrhaft ergreifenden Vorgang.
Pius XII. hat die Katholiken ermahnt, in diesem
Zueinanderdrängen der evangelischen Christen
das Wirken des Heiligen Geistes nicht zu übersehen.

Und eben hier weitet sich der Aspekt über das
Christliche und Religiöse und Kirchliche hinaus.
Denn: ein geordneter Haushalt der christlichen
Kirchen geht auch die Nichtchristen, die angeb-
lichen oder wirklichen Ungläubigen, in ihrer Exi-

35

stenz an. Wir geraten nämlich hier vor die Frage
der Existenz und Fortexistenz Europas.

Europa bedarf heute offenbar dringend der Einheit auf den verschiedensten Sektoren; nicht der
uniformierenden Einerleiheit, sondern der lebendig differenzierten Einheit. Die Lösung der Ein-
heitsfrage zwischen den Christen Europas, wenigstens ihre Vorbereitung, scheint die Vorbedingung
für Europas Existenz bzw. seine Rettung zu sein,
sobald man unter Europa mehr versteht als eine
geographische Größe, nämlich: die *wesentliche*
Fortdauer dessen, was man christliches Abendland
genannt hat.

Wenn ich es sagen darf: die aufgeklärten Liberalen unter uns brauchen mich nicht erst auf ihre
Vorbehalte aufmerksam zu machen. Ich kenne sie,
und — tiens! — ich nehme sie ernst. Nämlich: es
ist kindliche Utopie, anzunehmen, daß die Europäer morgen oder übermorgen alle Christen sein
würden. Das war nie der Fall. Der Christ ist nach
Luther ein seltener Vogel. Aller Wahrscheinlichkeit nach wird der Prozentsatz der Christen morgen und übermorgen noch kleiner sein als leider
schon heute.

Aber damit ist das Problem nicht gelöst. Denn das
unmittelbar Feststellbare ist keineswegs der ganze
Bestand. Man muß die Lebenskraft der Wurzeln
und des Wurzelbodens mit in Anschlag bringen:
Und in dieser Sicht ist Europa, ob man das gern

36

hört oder nicht, christlich von seinen Wurzeln her
und in seiner Substanz. Das Christentum kam
nicht eigentlich in Europa hinein. Sondern, was
durch das Zusammentreffen christlicher Botschaft
mit den jungen germanischen Völkern mitsamt
dem romanischen Volkstum heranwuchs, war ein
neues christliches Ganzes, ein christlicher Organismus: das christliche Mittelalter.

Dieses Europa ist in fortschreitender Entchristlichung sich selber untreu geworden. Die Welt ist
säkularisiert, offen oder versteckt, um uns und in
uns. Wo sie sich noch christlich nennt, trägt sie
weithin nur äußerlich eine gewisse christliche Attitude zu Schau. Unter einer hektisch bewegten,
turbulenten Oberfläche sind die westlichen Völker
zu einem geistig unentschiedenen Schattenwesen
abgesunken.

Was sie bedroht, kommt in erster Linie aus ihrem
eigenen Schoß: Auszehrung, Blutleere.

Was sie aber von außen vom Osten her bedroht,
leidet trotz seiner atheistischen Apostasie keineswegs an Blutleere. Vielmehr hat sich dort eine satanisch pervertierte Messianität zu einem luziferisch zielbewußten Vorstoß gegen das Abendland
zusammengeballt. Wenn es heute zu einer geistigen Auseinandersetzung des Westens mit dieser erbarmungslos zu einer einheitlichen Ideologie zusammengepreßten voranstürmenden Welt kommen
würde, der matte westliche Relativismus hätte kei-

37

ne Chancen — außer der pusillus grex der echt aus dem europäischen Erbe Denkenden, der wirklich in Christus Lebenden und Glaubenden . . .

Diesen Tatbestand des in sich entchristlichten Europas gilt es ganz ernst zu nehmen. Da die Nicht-Gläubigen dazu per definitionem nicht fähig sind, geht der verpflichtende Appell an die Christen, stellvertretend für das Ganze einzutreten.

Nun aber ist dies ein ehernes Gesetz: kein Wesen kann bestehen, wenn seine Wurzeln nicht ihrer Eigenart gemäß genährt werden. Also muß Europa wieder christlich werden, wenn es nicht untergehen will.

Ich gebe zu, die Konsequenz ist zugleich so ungeheuerlich weittragend und so simpel, daß man förmlich vor ihrer Brutalität zurückschreckt.

Aber ich sehe kein gültiges Ausweichen. Was auch immer die heutigen Radikalinskis in der Malerei, in der Musik und sogar in der Architektur gegen die Unentbehrlichkeit der Tradition und der organischen Verbindung mit ihr behaupten mögen, die gesamte Erfahrung der Völker und Zeiten steht gegen sie. Tradition ist lebensnotwendig.

Die Konsequenz scheint unausweichlich: entweder wird Europa zu einem genügenden Teil wieder schöpferisch christlich, oder es wird nicht sein.

Nun sind *viele* Faktoren schuld an dieser Entchristlichung. Aber unter ihnen allen gibt es keine,

38

die als Einzel-Ursache an ihr so beteiligt wäre wie
die Aufspaltung der Christenheit als Folge der Reformation. Diese Aufspaltung hat die christliche
Botschaft relativiert und also unglaubwürdig gemacht. Wo immer heute einer das Christentum
verkündet, schon ehe er spricht, steht im Bewußtsein des Hörers die skeptische Frage: welches Christentum?

Die Schlußfolgerung, die in aller Welt und in allen
Schattierungen des Christlichen heute betont wird,
ist darum so stark geworden: wir müssen zur
christlichen Einheit zurück, wenigstens zu ihr hinstreben.

Damit stehen wir bei dem, was man ‚Una-Sancta-
Arbeit‘ nennt, der Arbeit, die versucht das gegenseitige Verständnis der orthodoxen und protestantischen Christen mit den Katholiken zu fördern,
die Wiedervereinigung vorzubereiten.

Diesem Ziel (soweit es Protestanten—Katholiken
angeht) durfte ich einen guten Teil meiner Arbeit
seit Ende der 20er Jahre in Schrift und Wort in
vielen Ländern Europas widmen. Ich arbeitete auf
einem Acker, den viele andere vorbereitet hatten:
Newman, Mercier, Rademacher, Pribilla, Laros,
Schmittlin, Kiefl, Merkle, Greving. . . . , der heute
in allen Ländern in vielartiger Form bestellt
wird . . .

Aber ich höre schon den gewohnten Einwand der

39

ewig Gestrigen: hat Derartiges Aussicht auf Erfolg? Das sind doch nur utopische Träume!

Ich neige nicht zu einem übertriebenen Optimismus, was die moralische und religiöse Entwicklung der Menschheit angeht. Der Prozentsatz der Kurzsichtigen und Schwunglosen, auch der Kleingläubigen ist immer groß und zu groß.

Ich weiß auch, wie viele noch, oder sogar wieder, auf katholischer und protestantischer Seite sich die polemische Haltung des kräftig Auf-einander-losgehens zurückwünschen.

Ich weiß, daß auch auf katholisch-römischer Seite manches geschah, was den Graben vertieft und den Trennungswall höher aufgetürmt hat.

Ich weiß um die gegenseitige Unkenntnis von einander.

Ja, ich weiß um die vielen dogmatischen und menschlichen Schwierigkeiten, die dem Ziel zuwiderstreben; die Arbeit ist ungeheuer schwer . . .

Aber wir fangen nicht erst an. Wir haben schon Erfolge. Es gibt Dinge, hinter die man nicht zurück kann.

Dazu gehört: die Einsicht in die katholische Mitschuld an der Spaltung. (Und was dieses Eingeständnis eigener Schuld an Verständigungsbereitschaft wach zu rufen vermag, grenzt schier an das Wunderbare.) — Dazu gehört: die positivere Einschätzung Luthers und der Reformation auf katholischer Seite. — Dazu gehört: die protestantische

40

Gewissenserforschung am Phänomen Reformation. — Dazu gehört: das tief gedrungene Bewußtsein vom gemeinsamen dogmatischen Besitz.
— Dazu gehört auch das vom neuen Papst in einer
erstaunlich neuen Sprache angekündigte ökumenische Konzil.

Als Resultat: die Atmosphäre ist eine viel offenere
geworden, so sehr, daß niemand dies vor 30 Jahren
noch für möglich gehalten hätte. —

Es ist wichtig zu sehen, daß das mit relativistischer
Erweichung des Dogmas nichts zu tun hat. Der
Primat der lauteren Wahrheit wird heute von allen Seiten verlangt. — Aber innerhalb dieser dogmatischen *Intoleranz*, nochmals: welche Veränderung des Klimas! Hört doch nur einmal, wie der
jetzige Papst zu den getrennten orthodoxen Christen und Patriarchen und zu den Protestanten redet: „Gestattet — sagt er — daß wir Euch Brüder
nennen . . . Ich bin Joseph, Euer Bruder." —

Oder, um auf einen bescheideneren Plan herunter-
zusteigen, und wenn ich aus dem Bereich meiner
eigenen Arbeit reden darf: die über ganz Europa
und auch Nordamerika gegangene Diskussion über
mein Buch ‚Die Reformation in Deutschland' war
seit 400 Jahren der erste Fall einer umfassenden
interkonfessionellen Aussprache, in der, bei aller
harten Kritik und Ablehnung, nicht mehr ge-
schimpft wurde. —

Oder: in meiner Abteilung des ‚Instituts für Euro-

41

päische Geschichte' in Mainz arbeiten wir Katholiken und Evangelische aller Schattierungen und aus aller Herren Länder so zusammen, daß wir es nicht als vermessen erachten, dies als Fernziel aufzustellen: eine von einem katholischen und evangelischen Historiker gemeinsam ausgearbeitete Geschichte der Reformation, zu der sowohl ein katholischer wie ein evangelischer Bischof das Vorwort schreiben würden.

Kurz, heute ist, nach 400 Jahren der christlichen Zertrennung, mitten im Hoffen gegen die Hoffnung, zwischen manchen Rückschlägen der Kairos der Wiedervereinigung oder wenigstens ihrer Vorbereitung angebrochen.

In der Ausnützung dieser Sternenstunde der Menschheit steht mit so vielen andern meine Arbeit. Vielleicht könnt Ihr es nachfühlen, wenn ich mit Worten, die Churchill einmal gebraucht, sage: es ist ein hohes Gefühl, wenn man neben sich etwas Großes wachsen spürt und dabei mithelfen darf . . .

Ich kann das hier nicht ausführen. Aber denkt nur einmal daran, wie positiv die Idee der Toleranz sich von hier aus vertieft und erweitert: Toleranz, nicht im schwachbrüstigen Sinn des ,laisser aller' (das in Wirklichkeit eine Flucht vor der Verantwortung ist), sondern Toleranz als Verzicht auf das „sich Durchsetzen", als Verzicht auf das Streiten; Toleranz als ehrfürchtige Anerkennung des-

42

sen, was dem anderen heilig ist; also zugleich: fest
und offen: ‚Wahrheit sagen in Liebe‘.

* * *

Besinnen wir uns nun, zum Schluß, hier, in Echternach, auf den genius loci: Willibrord. Wir
wissen über sein persönliches Leben und die Art
seines geistlich-geistigen Haushalts, über seine
Missionsmethode, kaum mehr, als sich auf einer
knappen Seite unterbringen läßt. Aber sein Werk
lehrt. Im Zusammenhang der definitiven Christianisierung des Festlandes durch die angelsächsischen Missionare, insbesondere durch Bonifatius,
der wahrscheinlich von hier aus durch Willibrord
zu seinem Werk in Hessen und Thüringen entlassen wurde, wissen wir: wir stehen hier in Echternach an einer der entscheidenden Brunnenstuben
des werdenden Europa. Hier ist geschichtlicher
Boden. Hier wurzelt unser Erbe, also auch eine
Verantwortung.

Zu den Wurzeln Europas gehören als wesentliche
Bestandteile auch die sakramental-hierarische Kirche, Klöster, heroischer Glaube, Heilige. Es ist eine unnatürliche Sache, das überkommene Erbe in
einem Geist (etwa der lauen Skepsis) anzutreten,
der den Abscheu der Erblasser erweckt haben
würde.

Das bedeutet auch: die Geschichtswissenschaft darf

43

jene Werte des christlich Religiösen in der europäischen Vergangenheit nicht nur historisch wissen
und nennen; sie muß sie integrieren.

Im Raum des Geistigen heißt ‚integrieren' *liebend*
bejahen. — Und heißt auch Begeisterung. Begeisterung ist lebensnotwendig für alles nicht nur
Durchschnittliche.

Aber Begeisterung ist keineswegs Überschwang
oder Salbaderei. Vielmehr: der einzige Enthusiasmus, der nicht verbraucht, sondern aufbaut, ist die
nüchterne Begeisterung. Sie hält den Rückschlägen
der Geschichte stand, und erlaubt, bei härtestem
Realismus im Irrsal menschlicher Torheit wohlge-
mut eine gute, d. h. eine *sinn*volle Lösung zu erwarten.

* * *

Di'r le'w Hären, an Di'r Komeroden!
zu'm Beschloß werd dir e'm aalen (oder ällerern)
Gästlechen én klén Monition net veriwelen:
wann ä, wé mi' dat elo gemaacht hun, vun déne
ganz große Probleme schwétzt: vun de' Verstäne-
jong zweschen de Völker, zweschen de Konfessionen, a besonersch vun de Wó'recht an de' Toleranz;
wann än dé schärfst Kritik fu'dert fi dat d' Wo'-
recht oni Ägennotz triumphere soll:

44

da klatschen all dé, dé nach net ganz saat a drédech
am Gäst sen, gäre ,Bravo!'

Aver dat bedeit en Dréek; dat ass belleg wé Brom-
biren.

D' Prof op d' Echthät muss gemacht gin.

An de' ass einfach: d'ass de Kurasch, sech fi' d'
Wo'recht onbeleft ze man.

Wen sech am Dénst fi d'Worecht, a fi daat, wat
recht ass am Li'we, ni d' Leppe verbrennt, den hu't
d' Saach net richteg upgepackt.

D' setzen elei virum mer nach jong Kärelen, bei
dénen et sech lohne gif, d' Prof ze riskéeren. Hof-
fentlech fanne sech vun där Zort e pu'r Dósent ene
Éch!

Dat allerletzt Wu'd aver ka kän anert sen wé e
merci.

E merci un de ,Kollisch', un d'Professeren, un d'
Fren a Komeroden, an än éscht Gedenken un dé,
dé net mi ener is sen.

Versuch einer Bilanz der katholi=
schen Kirchengeschichtschreibung in Deutschland. Zu einem Jubiläum Sebastian
Merkles, des Würzburger Kirchenhistorikers, der am 28. August sein 70. Le-
bensjahr vollendet, kann man keine Gra-
tulationsrede schreiben. Man muß eher
eine Gewissenserforschung halten. Merkles Lebensarbeit, die so oft das Echo un-
sanft weckte, war immer begleitet von
Kampf. Die starke Vitalität, die der
urgesunde Bauernsproß aus dem heimat-
lichen schwäbischen Boden mitbekam,
konnte nie zulassen, daß die wissenschaftliche Leistung in antiquarischer Liebhaberei aufging. Ihm war die gelehrte Arbeit niemals billiger Anlaß, am Rande
der entscheidenden Probleme geistreiche
Bemerkungen von sich zu geben, die zu
nichts verpflichten. Er stürzte sich auf
die Probleme selbst. Mit einem sorglosen Wagemut, der keineswegs den
Blick ängstlich auf die Grenzen gerichtet
hielt. Sein Fragen war nicht rhetorisch
gemeint, es ging ihm um die Sache.
Merkle ist ein Wahrheitsfanatiker. Bei
ihm vollzog sich die Befreiung, die uns
durch die Wahrheit versprochen ist, nicht
in innerlich ausgleichendem, und damit
auch beruhigendem Werdegang, sondern
im Kampf. Kämpfend und kämpferisch,
das ist Merkle. Er war es sein Leben
lang. Unbeirrt blieb er in starkem Eigenwillen in derselben Position, die seine
Stärke und seine Grenze ausmacht, bis
heute. Er wollte nicht, daß ihn die gelehrte Arbeit vom Strom des Lebens
trenne; er wollte wirken. Die Probleme,
die sich aus solchem Willen zum Wirken
und solcher Wirksamkeit ergaben, sind
geradezu typisch für grundlegende Aufgaben, welche die kirchliche Lage der
Gegenwart mit steigender Eindringlichkeit
stellt. Sie können nicht gelöst werden
ohne Aussprache. Und nirgends ist schleichende innere Vergiftung gefährlicher als
in den Fragen, um die es hier geht.

Merkles wissenschaftliche Lebensleistung
wird immer verbunden bleiben mit sei-

ner Arbeit am Concilium Tridentinum der Görresgesellschaft. Die hier vorgelegte Leistung, die noch stetig in kaum gemindertem Tempo gefördert wird, mußte sich Merkle inmitten eines stark bewegten Berufslebens abringen. Sie ist quantitativ ungeheuer und qualitativ ohne Tadel. Indes nicht diese im fachlichen Sinne höchstragende Leistung bestimmt die Forschergestalt und ihre Bedeutung, vielmehr Leistungen auf Gebieten, auf denen er weniger lange verweilen konnte, auf denen er aber jeweils Grund fragen aufgriff und löste: seine in die Methodik der katholischen Wissenschaft und in die wissenschaftliche wie praktische Meinungsbildung des Katholizismus tief eingreifenden Äußerungen zu Reformation und Aufklärung.

Man kennt die heftigen Schlachten, die Merkles neue Auffassung der katholischen Aufklärung hervorrief. Heute ist sein Sieg unbestritten. Man weiß überall (und sogar seine ehemaligen Gegner haben es zugestanden), daß die katholische Aufklärung viel mehr an positiven religiösen Werten barg, als man vordem in allzu summarischer Verdammung wahr haben wollte; und man weiß, daß am Niedergang des katholischen wissenschaftlichen Lebens im 18. Jahrhundert eigene katholische Schuld ihr reichliches Teil mit zu tragen hat. Das Kennzeichnende ist dies: es geht um Erweiterung des katholischen Urteils, Befreiung aus gewissen Befangenheiten.

Noch stärkeren Widerhall hatten vorher in der großen Öffentlichkeit Merkles Äußerungen zur Reformationsgeschichte im und im Anschluß an den Berlichingen-Prozeß gefunden. Auch hier ging es um die Erweiterung des katholischen Urteils; näherhin um die praktische Verwirklichung einer theoretisch längst zugestandenen Selbstverständlichkeit: daß die Bestimmung dessen, was die Kirchengeschichte an Tatsachen enthalte, nicht zu erfolgen habe durch einen mehr oder weniger ängstlichen Dogmatismus, sondern einzig durch die kritisch-historische Feststellung. Wohlgemerkt, es handelte sich weder um die Deutung der Tatsachen, noch wurde der Dogmatik (das Dogma selbst war ganz außer Frage) ihr selbständiger Wert bestritten; was bestritten wurde, war der Anspruch, von vornherein festzustellen, was in der Kirchengeschichte möglich, also Tatsache gewesen bzw. nicht gewesen sein könne. Merkles Position war untadelhaft. Sie ist auch hier inzwischen auf der ganzen Linie siegreich geblieben. Die Quintessenz seiner Auffassung und zugleich ihre klassische Anwendung hat er in seiner Rezension von Denifles ‚Luther' in der ‚Deutschen Literaturzeitung' geboten. Die Grund ansichten Merkles über die Einseitigkeit des im Zusammenhang mit dem Kampf gegen die österreichische Los-von-Rom-Bewegung entstandenen Buches Denifles werden heute gleichfalls wohl von den meisten katholischen Gelehrten geteilt. — Das Bedeutsame in dieser Denifle-Rezension aber liegt noch in einem andern. Ihr Schlußteil (ich zitiere aus dem Gedächtnis, ohne Möglichkeit einer Nachprüfung) nämlich bringt den bündigen Beweis dafür, daß diejenigen die kritische Haltung Merkles zu Unrecht als ‚liberal' verdächtigten, die behaupteten, seine kritische Haltung wende sich einseitig gegen katholische Vergangenheit. Nein, mit der ganzen, bewundernswerten Unabhängigkeit, die Merkles eigentliche Stärke ausmacht, tritt er dort der protestantischen Entrüstung über Denifle entgegen. Wenn man auf die Kirchlichkeit des Standpunktes exemplifizieren will: eine vorbildliche Einlösung des apologetisch-kritischen Programms eines ‚Lutherforschers' des 16. Jahrhunderts, des großen Kardinals Contarini, der rücksichtslos die Schäden in der eigenen Kirche preisgab, mit Nachdruck die ungenügenden Leistungen katholischer Kritiker des Protestantismus und mit verstehendem Einfühlen zwar, doch mit Festigkeit (mit einer Ausnahme, der da-

mals noch nicht definierten Materie der
Rechtfertigung) den Gegner zurückwies.

Eine vollständige Zusammenstellung
dieser neben dem Hauptwerk herlaufen=
den wissenschaftlichen Äußerungen, in de=
nen noch manchesmal Merkle Dinge aus=
sprach, die kein anderer zu äußern wagte,
müßte eine erhebliche Anzahl von Auf=
sätzen und Rezensionen zur alten Kirchen=
geschichte und zum 19. Jahrhundert,
und neben der eigentlichen Kirchenge=
schichte das Gebiet des Kirchenrechtes
nennen. Wenn man die Quellstube die=
ser heute seltenen Vielseitigkeit sucht,
stößt man zu einem Teil auf Merkles
Seminarleistungen. Unermüdlich hat er
dort die verschiedensten Fragen nicht etwa
‚behandelt‘, sondern wirklich durchgear=
beitet, nicht als autoritärer Dozent,
sondern, wie es sich gehört, mit seinen
Leuten an einem Tisch sitzend, mit ihnen
auch wirklich gemeinsam suchend. Dies
massenhafte Aufarbeiten immer neuen
Materials gibt der wissenschaftlichen Pro=
duktion rein äußerlich das Gepräge des
Konkret=Anschaulichen, des weder Sche=
matisierten noch Systematisierten. Nicht
zuletzt auf der Sicherheit dieses Detail=
besitzes beruht das für Merkle so cha=
rakteristische und seine Kämpfe entschei=
dend beeinflussende hartnäckige Selbst=
bewußtsein. Anderseits waren es gerade
diese unanfechtbaren Detailkenntnisse, die
ihn immun machten gegen viele über=
kommene allgemeine Urteile, die ihn viel=
mehr zu ihrer Revidierung praedestinier=
ten. Man erkennt den mit einem glän=
zenden Gedächtnis ausgerüsteten echten
Historiker, der gewohnt ist, möglichst
selbst aus den ersten Quellen zu schöp=
fen, und — das Wichtigste — die
Fähigkeit besitzt, diese Quellen von dem
ihnen jeweils eigentümlichen Standpunkt
aus, aus sich selbst heraus, zeitgeschicht=
lich, zu lesen und zu verstehen, ohne
den eigenen Standpunkt in sie hinein=
zulesen, der unbefangen geöffnet ist für
das Sehen des wie immer gearteten
vielfältigen geschichtlichen Seins und ein

unbeirrbares Bedürfnis des Fragens hat
gegenüber demjenigen des Beweisens.

Gewiß lauert in dieser Distanziertheit
die Grundgefahr des Historismus: der
Relativismus. Die hier berührte Zentral=
frage der historischen Methodik schwebt
immer zwischen Scylla und Charybdis,
dem Tod durch ohnmächtige Bekenntnis=
losigkeit und durch Vergewaltigung der
Wirklichkeit infolge erträumter statt er=
schauter Lösungen. Die Lösung wird hier
nicht anders als in allen Fragen ge=
funden werden: durch die Synthese. Mit
dem Wort Historismus und dem beque=
men Verdikt über seine ‚Unfruchtbarkeit‘
aber wird allmählich grober Unfug ge=
trieben, insofern man allzu gern jede
unnachsichtige historische Kritik mit jenem
Verdikt belegen möchte. Demgegenüber ist
es an der Zeit, daran zu erinnern, daß es
auch einen christlichen Relativismus
gibt, der nicht nur erlaubt, sondern not=
wendig ist. Er ist nichts anderes als die
Anerkennung der unter Gottes Leitung
gewordenen vielfältigen und durchaus nicht
immer einheitlichen Entwicklung auf allen
Gebieten des Lebens, die sich geschichtlich
entwickelnde Kirche natürlich nicht aus=
genommen; einer Entwicklung, die über=
all Werte geschaffen hat, auch wo der
Irrtum und die Schuld überwiegen; und
die Tadelnswertes auch im Werden des
Reiches Gottes weithin zugelassen hat.
Es ist die Anerkennung des altchristlichen
Gedankens vom Logos spermatikos (in
konsequenter Durchführung) und seines
notwendigen Spiegelbildes.

Übrigens, wie man sich auch zu den
Forderungen im hier hereinspielenden
Kampf um eine Revision der geschicht=
lichen Methode stellen möge, vor aller
Bewertung steht doch das Tatsächliche
und seine Feststellung. Wo es nicht mehr
zuerst um dieses Feststellen des Tatsäch=
lichen geht, ist man am Gebiet des
Wissenschaftlichen rettungslos vorbei.
Man mag dann das Resultat noch so
interessant finden, es ist keine Wissen=
schaft mehr. Die hier angedeutete Ge=

fahr liegt heute nahe. Es ist nichts Kleines, ein Leben lang so viel gegen diese Gefahr getan zu haben wie Merkle.

Gewiß, in der Erforschung der Geschichte der Kirche, als einer theologischen Disziplin, melden a limine das Religiöse und das Kirchlich-Politische ihre bestehenden und alle verpflichtenden Rechte an. Und zweifelsohne kann und muß hier der theologische Ertrag der Kirchengeschichte in der Zukunft bedeutend gesteigert werden: durch eine neue Synthese, die mit der Kritik eine viel stärkere Darstellung des positiv Religiösen, des Heiligkeitslebens usf. gibt. Aber innerhalb jener für alle maßgebenden Grenzen sind verschiedene Haltungen möglich. Das pädagogische Interesse insbesondere ist durchaus nicht für alle Fälle unzweideutig abgegrenzt. Es kann so weit gehen, daß positiv wie negativ Form und Inhalt des Auszusprechenden nachteilig beeinflußt werden. Es gibt ganze Schulen innerhalb des Katholizismus, deren geschichtliche Arbeiten (oder geschichtliche Gelegenheitsbemerkungen) zu stark diese Signatur tragen. Daneben gibt es auf dem gleichen katholischen Boden die wagemutigere Haltung derer, denen das Vertrauen auf die immanente Kraft der Wahrheit eingeboren ist, und die, bei größerer innerer Freiheit, den positiven Wert der eventuellen felix culpa auch in der Wissenschaft mit in Rechnung stellen. Sie befürchten nicht mit Unrecht, daß es bei einer ‚Auswahl‘ stets nur sehr schwer gelinge, in ihr nicht vorgefaßte Eigenwünsche zum Ausdruck kommen zu lassen. Sie verlangen daher in der Wissenschaft die Vorlegung des ganzen Bestandes, auch da, wo er unbequem für uns wird. Die Wirklichkeit ist rauh. Ihre naturgetreue Darstellung verlangt auch wohl gelegentlich eine härtere und herbere Sprache. Man hat darin bei Merkle zuweilen einen Mangel an kirchlichem Fühlen feststellen wollen. Die Zensurierung dieses kirchlichen ‚Fühlens‘ ist bekanntlich eine gefährliche Sache,

wenn sie von nicht Berufenen ausgeübt wird. Schließlich kommt doch alles darauf an, in welchem Geiste einer (bei selbstverständlicher dogmatischer Korrektheit) die Wahrheit so rücksichtslos kündet. Ich möchte nicht behaupten, daß des streitbaren Merkle Grollen sich immer von einer leicht irreverentiösen Art, die verletzend und sogar destruktiv wirken kann, freigehalten habe. Aber aufs Ganze des Lebens und der wissenschaftlichen Leistung gesehen, finde ich nur, daß Merkles grundsätzliche Haltung einfach dem Sinn von Leos XIII. befreiender Öffnung des Vatikanischen Archivs und den von ihm gleichzeitig aufgestellten Forderungen an den katholischen Historiker entspricht. Und sie deckt sich wiederum voll mit den scharf zupackenden Forderungen, die Hartmann Grisar S. J. aufstellte, und an die gerade in diesen Tagen das Historische Jahrbuch der Görresgesellschaft erinnert (52 [1932] 262). Die Vernachlässigung oder gar Zurückweisung solch unerbittlicher historischer Kritik führen leicht in einen unkatholischen, fideistischen Subjektivismus, der zwar zunächst und äußerlich ein frommes Gesicht tragen mag, dem aber erfahrungsgemäß der Rückschlag in den Rationalismus folgt. Man stelle z. B. in diesen Zusammenhang Merkles Äußerungen gegen die unmögliche Untermauerung des Primats durch de Maistre: Es genügt nie und nirgends, daß mit nach außen möglichst betonter Kirchlichkeit die kirchlichen Endthesen vertreten werden, sondern es müssen die Beweise, auf denen die Thesen ruhen, untadelhaft sein. Die erstere Haltung ist billig, aber die zweite, schwerere, allein dauernd.

Über diese innere Berechtigung hinaus besitzt die streng kritische Leistung, wie sie auch von Merkle vertreten wird, eine zeitgeschichtliche Bedeutung: Wir stellen heute gern und oft das Zeitalter, dem auch Merkle noch entstammt und in dem er geistig wurzelt (summarisch als liberalistisch-individualistisch etikettiert), in Gegensatz zum heute durch die

‚Wende' heraufkommenden. Der Gegen=
sat enthält wesentlich Zutreffendes. Allein
nicht wenige der in zu groben Kontrasten
denkenden neuen Künder des Gemein=
schaftsgedankens, des Bekenntnismäßigen,
der ‚Wesensschau' oder auch einer Ge=
schichtswissenschaft ohne Quellenkritik,
kommen bei der Auswertung zu nicht ge=
rechtfertigter Absprechung. Nämlich: in=
mitten einer liberalistischen Wissenschaft,
die die Kirche nicht nur angriff, sondern
sie aus dem gesamten höhern Leben ver=
drängen wollte, ja vielfach tatsächlich
verdrängt hatte, war es bei den Vor=
posten (und zu ihnen zählt in Deutsch=
land zweifellos der katholische Theologie=
professor an der paritätischen Universität,
wenn er seinen Beruf nach Thomas
v. Aquin richtig auffaßt) einfach eine
Lebensnotwendigkeit, daß sie sich als
ebenbürtige Meister der überall aus=
schlaggebenden historischen Kritik erwiesen.
Ein Versagen an dieser Stelle wäre
Pflichtvergessenheit gewesen. Tatsächlich
ist es denn diese zu oft als kirchlich und
religiös unfruchtbar gescholtene historisch=
theologische Schule gewesen, die im
19. Jahrhundert den Katholizismus in
Deutschland (und auf mancherlei Wegen
darüber hinaus) wieder zu Ansehen ge=
bracht hat. Die gesamte, von allen Krei=
sen der Hierarchie genugsam gelobte Ar=
beit der Görresgesellschaft etwa, an der
Merkle zeitweise maßgebend mitbeteiligt
war, wurzelt in diesen Voraussetzungen.
So wenig Merkles Ton und Lösung
immer den Beifall der offiziellen Mehr=
heit und Mitte hatte, er gehört zu jenen
Vielen der heute bereits verschwundenen
oder verschwindenden Generationen, die
katholischer Wissenschaft und damit dem
Katholizismus überhaupt wieder in allen
Lagern Respekt verschafft haben. Es ist
eine Pflicht der Gerechtigkeit, das nicht
zu vergessen. Und es ist weitsichtig, dabei
als notwendig mit hinzunehmen, daß
man sehr stark ausgeprägte Eigenart
nicht nach Belieben und ohne der Lei=
stung selbst zu schaden, zurechtstutzen und

von ihren spitzen und spitzigen Eigenarten
oder auch kleinen Auswüchsen loslösen
kann. Derartiger Eigenwuchs ist ein
Ganzes; die Persönlichkeit könnte ihren
Schwung verlieren, wenn man ihr ver=
bietet in eigenem Rhythmus und eigener
Betonung die eigene Melodie zu singen,
oder auch zu pfeifen. Übrigens, wenn
heute so etwas wie eine religiös, kirch=
lich und spekulativ fruchtbare theologische
Renaissance sichtbar zu werden beginnt,
so nur, weil die historische Schule Schritt=
macherin war. Sie allein war es, die
aus dem Handbuchbetrieb des 18. Jahr=
hunderts heraus wieder an die frisch
fließenden Quellen führte. Nur durch sie
erwachte wieder die in ihrer Vielseitigkeit
so prachtvolle, aber über den Schulthesen
so weitgehend vergessene, wahre Scho=
lastik, die heute Zeugungskraft wieder
zu bewähren wenigstens anfängt.

Bei der kirchlichen Beurteilung der hi=
storisch=kritischen Schule des 19. Jahrhun=
derts spielt eine Rolle die Würdigung
der von der kirchengeschichtlichen For=
schung festgestellten Mißstände innerhalb
der Kirche. Heute verkündet man leicht,
diese Mißstände bedeuteten doch keinerlei
Belastung, und ihrer Feststellung sei gar
zu viel Wichtigkeit zugemessen worden.
Dem ist Entscheidendes entgegenzuhalten:
Jene Feststellungen haben zunächst zwei=
fellos mitgeholfen, das historische Ge=
wissen der Katholiken zu schärfen. Ferner
war es in dem schon angezogenen Kampfe
um die Gleichberechtigung des Katholizis=
mus eine Notwendigkeit, die Schuld im
eigenen Hause in aller Offenheit auf sich
zu nehmen; ein Versäumnis an diesem
Punkte hätte die apologetische Wirkung
der katholischen Wissenschaft zerstört. Um=
gekehrt, nur wenn man zeigt, wie tief
gelegentlich das Böse ins Heiligtum ge=
drungen war, lehrt man die sieghafte
göttliche Kraft der Kirche sehen. Keine
andere Methode vermag so wie diese
etwa beim Komplex ‚Spätmittelalter, Re=
naissance, Reformation, katholische Re=
formation' apologetisch für die Kirche

zu wirken. Und endlich, wenn die Vertreter des neuen Kurses heute so leicht an den historischen Mißständen tragen (man muß voraussetzen, daß sie die Einzelheiten kennen, die allein einem Faktum erst Gewicht geben), so nur, weil vorausgegangene Generationen die Last der Feststellung auf sich genommen haben. Merkle hat an all dem sein Teil.

C'est le ton qui fait la musique. Bei Merkle war der Ton nicht selten scharf. Seinem an sich schon überschäumenden Temperament wurden viele seiner (oft allzu kleinen) Kritiker zur unwiderstehlichen Versuchung, seiner Darstellung einen nicht unbedeutenden Teil von Sarkasmus beizumischen. Die Kritik (besonders etwa jene an den Mißständen in der Geschichte der Kirche) wirkt dadurch manchmal nicht so sehr klärend als ätzend, sie scheint zu einer Lust am Kritisieren zu werden. Das alles prägt nicht wenigen Seiten in Merkles Veröffentlichungen in gewissem Umfang den Stempel des Unfruchtbaren auf und verhindert, daß ihr prachtvoller Gehalt sich genügend positiv auswirke. Er teilt an solchen Punkten eine Schwäche, der (in anderer, antiprotestantischer, Richtung) die katholische Theologie der nachreformatorischen Zeit überhaupt zu einem großen Teil erlegen ist: zu sehr negativ zu sein. Was hat z. B. Merkle für den herrlichen J. M. Sailer — eine seiner Lieblingsgestalten — und ihre Wiedereinführung in das lebendige katholische Bewußtsein geleistet! Und doch ist etwa sein Aufsatz über Sailer in den (von ihm herausgegebenen) ‚Religiösen Erziehern‘ zu stark von aggressivem Ressentiment getragen, so daß der positive Gehalt einigermaßen zu kurz kommt.

In dieser negativen, polemischen und sarkastischen Art liegt eine — man darf das Wort gebrauchen — nicht unbedeutende Tragik. Merkle selbst wird lächeln. Seine ungebrochene Kraft fühlt sich frei von einer solchen Belastung. Die Tragik liegt anderswo: welch positivere Rolle

hätte Merkles außerordentliche Begabung, seine ungewöhnliche Arbeitskraft, dieser so seltene Bekenntnismut in der Ökonomie des gegenwärtigen deutschen Katholizismus spielen können, wenn nicht gewissen Kreisen Angst geworden wäre vor der hemmungslosen Kraft, die hier waltete? Und an wie vielem Widerstand in kirchlichen Kreisen wäre die von ihm vertretene Methode mit den Lösungen vorbeigekommen, wenn Merkle in größerer Zurückhaltung nicht so oft unbequem geworden wäre! Wäre die Leistung nicht im Gegenteil von dort autoritativ in das katholische Bewußtsein und den katholischen Forschungsbetrieb eingeführt worden, ohne jene verstimmenden Reibungen? Was hätte Merkles Werk an aufbauender kirchlich-religiöser Arbeit, an entflammendem Enthusiasmus in Wort und Schrift, im Hörsaal, beim Kommers, bei den Historikertagungen, in der Volkshochschule und in so vielen gelehrten Gesellschaften m e h r leisten können! Die Frage ist alles andere als rhetorisch gemeint. Sie ist aber ebensowenig an Merkle selbst gerichtet. Das stünde mir, dem so viel Jüngeren, schlecht an. Niemand kann zugleich a l l e s leisten. Ein gewisses Recht der Einseitigkeit muß anerkannt werden, wenn es überhaupt zu großen, einmaligen Leistungen kommen soll. Ich stelle also jene Frage an uns. Es ist nicht zu leugnen, daß Kleinheit, Kleinlichkeit und Zaghaftigkeit katholischer Kreise mit Schuld daran tragen, daß ein bekenntnismutiges kritisches Talent ersten Ranges einigermaßen zur Kritisiersucht kam. Die Art etwa, wie man im Anschluß an den Berlichingen-Prozeß und im Zusammenhang mit den Forschungen über die Aufklärung Merkle behandelte, ihm in leichtfertiger und liebloser Weise zu Unrecht Unkirchlichkeit vorwarf, konnte auf einen so vollkommen furchtlosen Mann nur im Sinne eines ‚age contra‘ wirken. Dies besonders bei seinem überlegenen Wissen und bei einer

Auffassung, die das Wesen der Demut niemals im Gegensatz zur Mannhaftigkeit, sondern immer nur mit ihr zusammen begriff.

Wir rühren hier an eines der brennendsten kirchlichen Anliegen. Es wäre ein Gewinn, wenn wir rückschauend lernen würden: Die innerkirchliche Entwicklung geht mit Notwendigkeit und größtem innern Recht (da die Kirche immer mehr in Wirklichkeit zu einer Weltkirche wird) zu immer größerer Konzentration im Papsttum, nicht nur im Dogmatischen, sondern auch im Disziplinären. Die Spannungen (Spannung ist etwas Fruchtbares, ist nicht trennender Gegensatz!) zwischen der autoritativen Führung und der Persönlichkeit des der Kirche dienenden Forschers werden häufiger. Die Häufung der Konflikte zwischen Rom und führenden Katholiken im 19. Jahrhundert beweist die Tatsache. Anderseits ergibt eine historische Analyse der kirchlichen Lage als Hauptanliegen der Zukunft: daß die Lösung jener Aufgabe nun gelinge, die auf der Höhe des Mittelalters mißlang und von der Reformation falsch geboten wurde: freier Anschluß freier Völker, also auch freier Individuen, an die Kirche. Eine solche riesige Spannung vermag letzte Kräfte zu lockern. Sie verlangt allerdings, auch im enger begrenzten Einzelfall, sieghaftes Vertrauen.

Allzu große Ängstlichkeit kann sie in unfruchtbaren Reibungen verpuffen lassen. Wertvoll wäre also die Erkenntnis des unersetzlichen Wertes des Bekennermutes zur eigenen, ernst errungenen und ernst gestützten eigenen Meinung. Dafür, daß solcher Bekenntnismut nicht dogmatisch Gefährliches vorlege, ist heute denkbar gut gesorgt. Gerade innerhalb der Sicherheit dieser wundervoll geschlossenen dogmatischen Rüstung bleibt dies eine große Aufgabe: daß die Festigkeit nicht zur Starrheit werde! Und wertvoll wäre, daß in Beurteilung und Behandlung auch etwas unbequemen Bekennermutes in Rechnung gestellt würde der unersetzbare Wert der starken eigenwüchsigen Persönlichkeit. Auch ihr Vorhandensein ist gerade heute, innerhalb der dogmatischen Grenzen und der selbstverständlichen Pietät, von größter Bedeutung für die Fruchtbarkeit des Gesamtbestandes. Unbequem ist nicht unkorrekt. Viele Beispiele der Geschichte lehren, daß unbequeme Offenheit schließlich doch zum Segen der Kirche ausschlug. Es ist eine der apologetisch am stärksten wirkenden Erkenntnisse der Kirchengeschichte, daß gerade die ihre Kinder so fest bindende Kirche die unvergleichlichsten Persönlichkeiten hervorgebracht hat. Dieser Ruhmestitel kann ihr heute so wenig wie ehedem fehlen.

Professor Dr. D. Josef Lortz.

Nochmals: Zur Aufgabe des Kirchengeschichtsschreibers

Von Univ.-Prof. Dr. Joseph L o r t z , Mainz

Lieber Jedin,

wenn wir die Gedanken, die Sie in dieser Zeitschrift[1] ‚Zur Aufgabe des Kirchengeschichtsschreibers‘ vorlegten, mündlich hätten besprechen können, hätte das vermutlich beiden Seiten Nutzen gebracht; es wäre nicht schwer gewesen, gewisse notwendige Differenzierungen anzubringen, und der Leser wäre vielleicht vor einigen Mißverständnissen bewahrt worden. Schriftlich und nachträglich ist derartiges umständlich. Lassen Sie mich immerhin versuchen, auf diesem Wege einiges zu klären.

1. Durch die Einleitung (S. 65) stellen Sie Ihren g a n z e n Aufsatz betont unter meine Anschrift. Ich darf aber doch wohl voraussetzen, daß Ihr Absatz 1 (S. 66—68 mit den nicht näher bezeichneten ‚man‘) nicht an mich gerichtet ist. In allem, was die heilsgeschichtliche Deutung der Kirchengeschichte im einzelnen angeht (S. 67 f.), verpflichtet die historische Gewissenhaftigkeit in der Tat zu größter Zurückhaltung. Hier schleichen sich zu leicht Kurzschlüsse ein. Seit langen Jahren (ich glaube seit 1932) ist im Vorwort meiner ‚Geschichte der Kirche‘[2] die Ablehnung jeder Betrachtung ausgesprochen, welche unter Kirchengeschichte irgendeine Illustration zu einer dogmatischen Konzeption verstehen möchte.

Wenn also jemand Sie im Zusammenhang mit dieser Auffassung unter die ‚hoffnungslosen Reaktionäre‘ einreihen sollte, so stelle ich mich in diesem Bezug ohne Zögern neben Sie. Ihre Majestät, die Tatsache, hat den absoluten Primat und mit ihr die Wahrheitsfrage. Nur die vorausgehende exakte Feststellung des a priori unvorstellbar bunten tatsächlichen Verlaufs kann die Unterlage sein für irgendeine historische Darstellung und Bewertung. Seit der ersten Auflage meiner ‚Geschichte der Kirche‘ steht in § 1 als eines der Ziele der Kirchengeschichte auch dieses angegeben; eine spiritualistische Auffassung der Kirche — die ewige Gefahr im Ablauf der Jahrhunderte (vgl. S. 68 Z. 15) — zu verhindern. Der Historiker hat zu schauen, und das Geschaute möglichst getreu wiederzugeben. Das ist seine erste Aufgabe. Wenn im Ablauf der Jahrhunderte gerade Gläubige diese Pflicht oft genug nicht verwirklichten, so haben sie darin die ihnen von ihrem Glauben abverlangte Wahrhaftigkeit und das Vertrauen in die Vorsehung nicht genügend realisiert. Und doch sollte dieses niemand leichter fallen als dem Christen, der weiß, daß nichts ohne den Vater geschieht (Matth. 10, 29). Wir wissen

---

[1] Jg. 61 (1952) 65/78. Alle Seitenzahlen im Text, denen keine andere Kennzeichnung beigegeben ist, beziehen sich auf diesen Aufsatz von H. J e d i n.

[2] Münster i. W., Aschendorff, 17. Aufl. soeben erschienen.

zur Genüge, daß es bei uns auch heute noch Leute gibt, welche die ungeschminkte Aussage unbequemer Tatsachen nicht gerne lesen. Die Leistung eines Historikers kann sogar zu einem Teil an der Aufnahme abgelesen werden, die er bei ihnen findet.

2. Die Geschichte wie die Kirchengeschichte hat also p r i m ä r nicht danach zu forschen, „wie es hätte sein sollen oder sein können, sondern wie es war" (S. 72). Freilich ist das auch bei Ihnen nicht als eine nur positivistische Art der Feststellung gemeint. Sie anerkennen die Berechtigung des Wertens in der Geschichte (S. 68/69). Für die Kirchengeschichte gilt dies in einem wesenhaften Sinne. Dinge der Offenbarung, der Heilsvermittlung, dürfen wir nicht unverbindlich hinnehmen und registrieren. Ein Wesensmerkmal des Christentums liegt darin, daß es uns auf Leben und Tod fordert. *L'art pour l'art* hat im Christentum kein Recht, außer am Rande unserer Existenz. Deshalb „fragen wir heute mit Recht, ob und inwieweit die Verwirklichung des Christentums aus der sakralen Mitte kam, wir fragen auch, ob die Verteidigung des Glaubens, etwa in der Missionspredigt des heiligen Bonifatius, trotz der notwendigen Akkomodation das Wesentliche traf und wiedergab" (S. 69/70). Was Bonifatius betrifft, so möchte ich annehmen, daß Sie meiner Methode der Untersuchung und Bewertung[3] nicht grundsätzlich widersprechen. Was Eck angeht, so würde ich ihn tatsächlich niemals verurteilen wegen einer T h e o r i e über das Meßopfer (S. 70); noch weniger würde ich ihn messen wollen an „Einsichten in das Wesen der Kirche, die wir erst heute, sei es durch Äußerungen des kirchlichen Lehramtes, sei es durch theologische Erkenntnis besitzen" (S. 70). Aber ich frage, ob Eck gewisse z e n t r a l e Elemente erkannte und vermittelte oder nicht; ich frage nach der theologischen Durchleuchtung, nach der religiösen Fruchtbarmachung. Daß an solch zentraler Stelle statt Brot Steine gereicht wurden, nachdem bei den Vätern, in der Früh- und Hochscholastik dieselben Fragen reiche Antwort gefunden hatten, nachdem auch damals das römische Meßbuch für eine füllige Darlegung reiches Material darbot, ist m. E. im Sinne der kirchengeschichtlichen Entwicklung (in diesem Punkt!; auch im Hinblick auf die Entwicklung Luthers) als ein schlimmes Versagen zu kennzeichnen, das objektiv feststellbare, für die Kirche nachteilige Wirkungen hatte.

Zwischen Vollkommenheit und Fülle der Vermittlung einer- und der Häresie andererseits liegt eine große Skala von Werten, die jener Abstufung von Wertmaßstäben, die Sie fordern, und jener verschiedenen Fülle der ‚Verwirklichung des christlichen Lebensideals' (S. 70) entsprechen. Häresie ist zweifellos nicht mehr katholisch. Sollen wir aber

---

[3] Siehe Willibrordus, Echternacher Festschrift (Luxemburg 1940) 247/83; Tüb. Theol. Quart.-Schr. 1940, 133/67.

auch Lehren und Lebenshaltungen, die noch eben nicht kraß aus der Kirche herausfallen, einfachhin ebenso ,katholisch' nennen wie die katholische Fülle? — Wie die verschiedenen theologischen Zensuren eine Stufung aufweisen, so scheint es mir zweckmäßig, eine gemeinsame Formel zu haben für den sehr weiten Zwischenraum zwischen zweifelloser Gesundheit in der Kirche und durch sie, — und der Häresie, also für jenen Zustand einer ,gewissen Blutleere' (eine Formulierung, der Sie zustimmen) oder sogar des ,drohenden Todes' wie Sadolet[4] formuliert; oder des ,Erstarrtseins in Ungläubigkeit und in verderbten Süchten des Geistes'[5]; es handelt sich um Lehren, Arten des Denkens oder Darstellungen des Lebens, die 1. offenkundig nicht Häresie, vielleicht auch nicht einmal häresieartig sind; die aber 2. ebenso offenkundig den christlichen Reichtum nur ungenügend austeilen, oder die 3. zur Häresie führen können, wenn sie konsequent durchgeführt werden. Es handelt sich also z. B. um die auch von Ihnen als berechtigt angesehene Frage, ob und inwieweit die Verwirklichung des Christentums aus der sakralen Mitte kam (S. 69).

Und deshalb würde ich allerdings ganz deutlich sagen, daß die Kirchengeschichte uns nicht nur über die ,Ganzheit der christlichen Verwirklichung' (S. 72) belehrt, sondern eben auch über die Mängel dieser Verwirklichung, wobei dann der von Ihnen anschließend berücksichtigte Fall, von der Kirchengeschichte ,negativ zu lernen', aktuell wird. Das, was ich theologische Unklarheit nenne und was Sie in Ihrem 1. Band in Fülle ausbreiten[6], geht in der Verwirrung tragender Begriffe so unerhört weit, daß ich die entsprechenden Lehren und Verhaltensweisen nicht mehr vollkatholisch zu nennen vermag. Viele zentrale Stücke des Neuen Testamentes kreisen um Ausdrücke wie Fülle, Reichtum und Aufbau. Die neutestamentliche Verkündigung orientiert sich auch, und zwar radikal an der Linie, welche die Wahrheit von dem Irrtum trennt; aber sie spricht viel weniger hiervon als von jener Fülle. Das klingt eng zusammen mit dem Worte Jesu ,I c h b i n die Wahrheit' und der neutestamentlichen Auffassung, die weithin nicht so sehr auf die Erkenntnis abzielt, als darauf, die Wahrheit zu tun.

Es liegt in der Natur der Sache, daß einem Ausdruck, der jene weite Skala der Werte umspannen soll, nicht jene Präzision eignen kann wie den beiden Begriffen ,Dogma' und ,Häresie'. Im einzelnen wird es also oft strittig bleiben, ob etwas mit Recht ,nicht mehr vollkatholisch' genannt werde. Es genügt indes, daß es in der Kirchengeschichte, und nicht zuletzt des 15./16. Jahrhunderts, leider viele Fälle gibt, wo diese Frage sich nicht

---

[4] CT 12, 108.

[5] So Gropper in der Vorrede zu den Canones, bei W. L i p g e n s , Kardinal Johannes Gropper (Münster 1951) 116 aus dem Enchiridion.

[6] H. J e d i n , Geschichte des Konzils von Trient 1 (Freiburg 1949) 1, 24 ff., 53, 60 ff., 460.

stellt. Wenn die ‚Unklarheit' bis zu dem Grade gediehen ist, den wir kennen (s. oben), wenn der Ablaßhandel die Form und die Simonie jene Verbreitung angenommen haben, die uns für die Zeit um 1500 bezeugt ist (vgl. etwa aus der Wolke von Zeugen Sadolet a. a. O.), wenn das Leben der Kurie der Renaissancezeit durch Sixtus IV., Innozenz VIII. und Alexander VI. dargestellt wird, wer sollte das wohl ‚vollkatholisch' nennen? Wenn aber diese Bezeichnung nicht möglich ist, und andererseits die Note ‚Häresie' nicht zur Diskussion steht, was bleibt dann übrig außer dem ‚nicht mehr voll katholisch' — oder einer Ausdrucksweise, die es sich verbieten würde, den Dingen nahe auf den Leib zu rücken?

3. Wenn ich einer kirchengeschichtlichen Erscheinung dieses Prädikat ‚nicht-mehr-voll-katholisch' zuweise, so soll das bedeuten: diese Erscheinung (etwa der Nominalismus in genau festzulegender Begrenzung, oder das A-Sakramentale, oder die Vorherrschaft des Formaljuristischen) hat nachweisbar das Wachsen des Reiches Gottes geschädigt; dies aber, weil sie die ihnen von der Kirche ihrer Zeit offiziell angebotene Wahrheit und Heilskraft nicht genügend verwirklichten. (Um die Männer des 15. und 16. Jahrhunderts nicht zu Unrecht nach späteren Maßstäben zu beurteilen, messe ich hier, wie Sie wissen, gerne an Messe und Meßbuch.)

Daß das l e t z t e Urteil über Wert oder Unwert eines kirchengeschichtlichen Phänomens erst gesprochen werden kann, wenn die Geschichte der Kirche abgeschlossen sein wird (S. 71), ist dabei selbstverständlich (in des Wortes buchstäblicher Bedeutung) vorausgesetzt. Wer könnte daran zweifeln? Wieweit sogar eine offiziell verworfene Lehre wie die des Arius auch eine heilsame Wirkung auf die Entwicklung der Kirche gehabt habe, z. B durch Provokation der lebenssichernden Definierung des ὁμοούσιος[7] bleibt durchaus offen. Aber das ändert nicht das geringste daran, daß des Arius Lehre Häresie war, die von der Kirche offiziell verdammt wurde. — Alexander VI. „konnte" vielleicht nur in seiner ungezügelten Vitalität dem kulturellen Leben seiner Zeit und damit gewissen „Interessen der Kirche" dienen. Es unterliegt aber keinem Zweifel, daß wir mit Recht sehr vieles in seinem Leben unchristlich nennen.

Es gibt die Idee und Wirklichkeit der *felix culpa*, die ich immer noch für zentral halte[8]; aber in dieser Formel hebt das *felix* die *culpa* nicht auf. Sie und ich sprechen — selbstverständlich — von ‚Verantwortung' des menschlichen Trägers, auch von ‚Sünden der Päpste' (S. 74). Sie sagen auch: Das Papsttum „hat w e s e n t l i c h (Sperrung von mir) zum Ausbruch der Reformation beigetragen" (S. 75). Was heißt dies anders als urteilen und aburteilen? Und deshalb liegt hier nicht nur der Punkt, wo „der tiefgreifende Unterschied zwischen der Tätigkeit des Historikers

---

[7] Siehe meine „Geschichte der Kirche" § 28, 3.

[8] Ebd. § 1 II; 116 V 1; dazu über die Rolle des Irrtums in der Geschichte ebd. § 77 II 4 und meine „Reformation" 1, 4.

320

und des Richters" (S. 71) zutage tritt, sondern ebenso der Punkt, wo ihr Gemeinsames sich ankündigt. Gibt es unfehlbare Wahrheiten im Christentum, so muß der Christ, dann muß die christliche Historie messen. Nicht in Unfehlbarkeit, nicht grob, nicht absolut abschließend, sondern mit aller Behutsamkeit; aber sie müssen messen. Dieses Messen aber hat sich an objektiven Kategorien zu orientieren. Ob irgendein Mensch, Papst, Bischof oder Häretiker, persönlich in richtigem oder nicht richtigem Verhältnis zu seinem Herrgott steht, weiß Gott allein. Mit einer gewissen Hartnäckigkeit habe ich immer wieder diesen Punkt hervorgehoben: es geht nicht um subjektive Schuld, es geht um die Feststellung von Kraft oder Unkraft, um die Gesundheit oder Schwäche oder Müdigkeit[9].

4. Ist Gegenstand der Geschichte „nur jene Vergangenheit, die uns heute angeht und fordert"? wie ich in der Besprechung Ihres ersten Bandes formulierte? (vgl. S. 71). Ich gebe zunächst zu, daß meine Absicht unmißverständlicher zum Ausdruck gekommen wäre ohne das betonte ‚nur'. (Nebenbei aber frage ich gleich, ob der Satz dadurch wirklich einen anderen Sinn erhalten hätte.) Der Sinn dieses Satzes meiner Besprechung[10] ist erläutert durch den übernächsten Satz ebenda: „Für den Christen gibt es keine nur positive (besser hätte es heißen sollen: positivistische) Berichterstattung. Auch das einmalig Konkrete, mit dem die Geschichte es zu tun hat, muß . . . gemessen werden." Es kommt ebenfalls zum Ausdruck in der Formulierung, die ich meist gebrauche: „Geschichte ist nicht nur Vergangenes; sie ist vielmehr in die Gegenwart hereinreichende Vergangenheit[11]."

Sobald man in dem zur Diskussion stehenden Satz über dem ‚uns angeht' das ‚fordert' vergißt, oder die Formulierung durch den Begriff ‚Aktualität' abwertet, kann die These unmöglich bestehen. Es ist ja, wenigstens mir, selbstverständlich, daß v o n S r b i k recht hat, wenn er in dem von Ihnen angeführten Satz in „Geist und Geschichte vom deutschen Humanismus bis zur Gegenwart"[12] sagt: ‚Nicht alle Geschichte, welche die Erkenntnis lohnt, muß irgendwie G e g e n w a r t s g e s c h i c h t e sein.' Aber mir scheint, daß v. S r b i k das, was er meint, in dem unmittelbar folgenden Satz dahin klärt, daß es eine verengernde, abgezweckte und verzweckte Betrachtung der Geschichte ist, die er ablehnt. (Harnack scheint er mir freilich zu eng zu interpretieren.) Da die Geschichte (mit Huizinga) u n s weise machen soll, für immer, muß sie

---

[9] Vgl. J o s. L o r t z , Die Reformation als religiöses Anliegen (Trier 1948) 36 f., 83, 110.

[10] Theol. Revue 47 (1951) Sp. 166.

[11] Reformation als rel. Anliegen 6.

[12] 1. Band (München 1950) 4.

Elemente des Guten und Wahren und Schönen bieten (oder wir müssen sie aus ihr hervorheben), die u n s angehen.

Die Berechtigung oder Begrenzung meiner These kann man auch an der Historiographie selber nachprüfen. Ich kenne keine geschichtliche Leistung von Rang, deren Inhalt uns nicht ‚anginge‘, uns heute, sei es unmittelbar, sei es als vermittelndes Werkzeug. Und dies gilt selbstverständlich bis in die großen Aktenpublikationen hinein. Das hat mit ‚Aktualität‘ im Sinne des Betriebsamen, des Abgezweckten oder des Vordergründigen nichts zu tun. Bei einer Ausgrabung ist es notwendig, daß auch das kleinste zusammenhanglose Steinchen zunächst gesammelt werde. Es kann einmal sehr wichtig werden, zu einer echten Erkenntnis beitragen; aber an sich, als vereinzeltes Detail ist es ‚nichts‘. Wenn Ranke Weltgeschichte schreibt oder die Geschichte der einzelnen Nationen: wie tief geht uns das alles an! Für die Geschichte des Reiches Gottes auf Erden in der Kirche gewinnt das noch wesenhaftere Bedeutung. Nicht also verstehe ich den vorgetragenen Grundsatz als Ausleseprinzip dessen, was historisch zu behandeln wäre. Wo kämen wir hin? Wohl aber meint er, daß wir unsere Kraft Dingen zuwenden, die uns zwingen, Stellung zu nehmen. Was uns nicht fordert, Stellung zu nehmen, ist nicht Geschichte in dem Sinne, daß es sich lohnte, ein Leben daranzusetzen. Wenn Braun den christlichen Altar beschreibt oder die kultischen Geräte und Gewänder, ist das nur historisch-antiquarischer Vorwitz? Nein, denn sein Thema reicht tief in Dinge hinein, die uns sehr nahe angehen, heute und morgen. Ganz sicher bleibt dabei „der Drang des Menschen, den Reichtum und die Vielfalt der Möglichkeiten des Menschseins und des menschlichen Gemeinschaftslebens an der geschichtlichen Wirklichkeit abzulesen“, als ein wichtiger „Hebel des geschichtlichen Forschens“ bestehen. Ich würde nur lieber sagen, es ist der Drang, sich durch diese Erkenntnis bereichern zu lassen, und er selbst ist letztlich nichts anderes als eine Antwort auf die an den Menschen ergangene Forderung.

Das rein Antiquarische allerdings würde ich nicht gern Geschichte nennen, sosehr ich das von manchen Antiquaren aufgespeicherte Wissen bewundere. An sich ist es nicht Geschichte, wenn es auch seinen Platz in der Geschichte finden kann.

5. Die Frage der Berechtigung des Irrealis in der Geschichtsbetrachtung interessiert mich sehr. Ich glaube, daß der Irrealis ein vorzügliches Mittel ist, das schärfer zu beleuchten und in seinen Konturen nachzuzeichnen, was einmal Wirklichkeit war, vorausgesetzt, daß man sich nicht „in uferlose Spekulationen um Futuribilia“ (S. 73) hinreißen läßt. Wer von uns hätte dafür Zeit übrig? Wer von uns wäre von der historischen Wirklichkeit so wenig belastet? Die von Ihnen angezogene Kritik von A. Fechter auf ‚Vordergründigkeit‘ fällt in der Tat auf den Autor selbst zurück

322

(S. 73), der neue Prinzipien aufstellen will, ohne ihre wissenschaftliche Anwendung genügend erprobt zu haben (S. 67)[12a].

Dem Bedenken, das Sie mit Guidiccioni (S. 76) formulieren, hatte ich im Anschluß an Tatsachen, Aussprüche und Schlußfolgerungen Ihres ersten Bandes in meiner Besprechung Rechnung getragen (Sp. 169). Aber ich hatte auch auf Folgendes aufmerksam gemacht: 1. daß es damals so weit gekommen war, daß ein lebensnotwendiger Eingriff für die Kirche lebensbedrohend geworden war, das eben setzt Versagen in einem schwer belastenden Umfang voraus; 2. es besteht ein Wesensunterschied zwischen Kirche und ‚kirchlichen Interessen' und kirchlichem ‚Apparat'. Wenn es um Wesentliches im Christentum geht, treten Lk. 9, 24 und Joh. 12, 24 in Kraft. Das „Recht des Bestehenden" und das Recht „einer großen Tradition" finden an den uns unverrückbaren Grundlinien des Christentums ihre harte Grenze. Ich sehe nicht, wie man dem Schluß entgehen könne, daß es bei entscheidenden Fragen bzw. bei lebensbedrohender Krankheit in der Kirche das resignierende ‚inoperabel' des Chirurgen nicht geben dürfe. Daß die Besserung im Tridentinum doch gelang, ohne daß der kuriale Apparat wesentlich umgestellt worden wäre, besagt m. E. nichts gegen das Versagen in den vorhergegangenen Zeiten und räumt den angerichteten Schaden nicht aus. Letztlich zeigt sich hier, daß die Kirche nicht sterben kann.

6. Was ist es also mit der historischen Schuld? Es besteht Einvernehmen darüber, daß das Papsttum der Renaissance die Reformation wesentlich mitbedingt hat (S. 75). Was heißt dieses ‚wesentlich'? Sie sagen: ‚Die menschlichen Träger der sprengenden zentrifugalen Kräfte ... handeln nicht im ganzen Umkreis ihres Denkens und ihrer Entschließungen spontan.' Wie sehr stimme ich Ihnen zu! Das Eigenständige des Politischen und Wirtschaftlichen begrenzt Erkennen, Wollen und Tun in erheblichem Maße. Der Apparat hat oft ein geradezu unheimliches Eigengewicht. Das objektive Gefälle, das Schwergewicht der einmal gesetzten Fakten und der einmal ausgesprochenen Worte setzt sich durch. Die opinio communis im weitesten Sinne des Wortes ist eine schier unwiderstehliche Macht. Das Verhängnis, einmal grundgelegt in irgendeiner Vereinseitigung, einem Mißverständnis, nimmt seinen Lauf. Das kann den Urheber eines Anfangs vielleicht sogar ganz entlasten, das Verhängnis bleibt. Wir stehen vor einer objektiven Schuld. Das meine ich.

Ist dies nun ein ‚rundes Ja' (S. 74)? Wenn Sie meine hierhergehörigen Auffassungen in einer ziemlich kurzen Zusammenfassung (die immer in Gefahr ist, grob konturieren zu müssen, worauf ich rechtzeitig und ausdrücklich aufmerksam machte[13]) nachlesen, dann treffen Sie auf folgende

---

[12a] Vgl. meinen Aufsatz: Die Reformation im ökumenischen Gewissen: Wort und Wahrheit 7 (1952) 847 ff.

[13] Anliegen 101.

Formulierungen: Die Reformation war ‚nicht mehr zu umgehen'; sie war ‚historisch notwendig' geworden (wobei das notwendig in „ " steht); ‚es besteht in erheblichem Maße katholische Mitschuld an dem kommenden Aufstand' (S. 99). S. 100 stimme ich Möhler zu und distanziere mich von ihm; S. 102 spreche ich davon, daß katholische Kräfte an der Vorbereitung und Herbeiführung der Reformation maßgeblich mitbeteiligt sind. — Ich glaube feststellen zu dürfen, daß ich mich durch solche Ausdrucksweise eigentlich recht nachdrücklich bemüht habe, das Urteil über die m. E. allerdings sehr große katholische Mitschuld sorgfältig zu differenzieren. Ich meine, es äußere sich ein spürbares Ringen, das Ausweglose und das Rätselhafte (das ich ausdrücklich nenne S. 101) zu kennzeichnen und dem schier Erdrückenden des Ineinander von Widersprüchlichem gerecht zu werden: unausweichlich, historisch notwendig, rätselhaft, leicht zu vermeiden (Charitas von Pirkheimer S. 61), niemals berechtigt (Möhler 100/101)[14]. Daß das schließlich Entscheidende, die eigentliche unmittelbare Verursachung der Reformation die Reformatoren bzw. Luther waren, habe ich natürlich ausdrücklich gesagt und braucht zwischen uns nicht erörtert zu werden. Warum kam, nachdem die Ursachen doch längst wirksam geworden waren, die Reformation nicht schon um 1500[15]?

Daß aber eine so umfassende und in christlichem Sinne skandalöse Mitverursachung der Reformation und dann auch wiederum die christlich oft unterwertige Behandlung der entstandenen Reformation durch Päpste, Bischöfe und Theologen als Mitschuld nur von der Hierarchie oder gar nur von ihrer höchsten Spitze ausgesprochen werden dürfe (S. 75), das widerspricht m. E. den elementarsten Aufgaben des Historikers, der wahr ‚wahr' und schlecht ‚schlecht' nennen darf, ja, nennen muß, und widerspricht der elementaren Pflicht des getauften Menschen in der Kirche, sobald er die für sein Urteil notwendigen Unterlagen mitbringt. Auf diesen Punkt will ich nicht eingehen; wir würden zu weit über die Historie hinausgeführt. Das gemeinsame *mea culpa* wird im pneumatischen Leib der Kirche zu einem *nostra culpa* oder es ist nicht viel mehr als eine gehaltlose Formel. Viele Stellen der Reformgutachten des 15. und 16. Jahrhunderts belegen, daß die Verfasser nicht daran dachten, vor einem *nostra culpa* zurückzuschrecken. Wenn Herzog Georg und auch Eck bei hierher gehörigen Urteilen sich persönlich vielleicht nicht genügend einschlossen, so erhöht das keineswegs den christlichen Wert ihrer Bekenntnisse, nimmt aber nichts davon weg, daß sie den Vorwurf der Schuld recht umfassend aussprachen. In der bereits zitierten Predigt (oben Anm. 4) formuliert Sadolet vor den Vätern, die die Verhandlungen über das Reformgutachten führen sollten, ein denkbar scharfes *nostra culpa* und er verwendet dabei Wort und Begriff *culpa* wahrhaftig nicht zaghaft[16].

[14] Vgl. noch ebd. 96 und „Reformation" 1, 179.
[15] Anliegen 102.
[16] CT 12, 108 ff.

324

Daß es sich nicht um Pauschalformeln der Kollektivschuld handelt, wie wir sie nach dem Kriege bis zum Überdruß hörten, versteht sich am Rande. Je religiöser und je umfassender aber jenes *nostra culpa* ausgesprochen wird, um so eher wird eine unberechtigte politische Ausnützung auf die Dauer verhindert. Das Schuldbekenntnis hat — im Christentum — eine wahrhaft paradoxale religiöse Kraft, wenn man den Mut hat, sich der Niederlage preiszugeben (vgl. Lk. 9, 24). Es gibt wichtige Belege dafür aus der neueren Unionsbewegung.

Sie wissen, wie hoch ich in dieser Beziehung das Bekenntnis Adrians VI. stelle. Aber er stand ‚allein‘. Sein Bekenntnis konnte sich nicht ganz auswirken, weil es gleichzeitig und dann wieder Jahrzehnte hindurch praktisch nicht bestätigt, sondern zurückgenommen wurde. Auf unsere hier liegende gemeinsame Aufgabe hatte ich in meiner Besprechung abgehoben.

Ein Mißverständnis scheint zu bestehen über den Ausdruck ‚Schuld‘. Allerdings liegt hier wohl auch ein Mangel vor in der Terminologie, leider ein Mangel, der in der Sache selbst begründet ist, den ich für mein Teil nicht zu überwinden vermag. Der Geschichte kann es nicht um die Feststellung von subjektivem Verschulden gehen. Hier wären ihre Erkenntnisgrenzen allzu schnell erreicht. Auch hat die Geschichte es nicht mit dem einzelnen Menschen als solchem zu tun, sondern der Einzelne (soviel Wert in ihm als Individuum ruhen mag) gilt hier, insofern er geschichtsmächtig wurde, Eindrücke empfing und Wirkungen ausstrahlte, nämlich auf die Vielen. Wieweit er in diesem Empfangen für die Allgemeinheit wirksam war, stark oder schwach, klärend oder verwirrend, zerstörend oder hemmend, das interessiert die Geschichte. Für die Kirchen- und Religionsgeschichte kommt als besonderer Typ der Heilige dazu, welcher besondere Fragen zur Beantwortung stellt, nicht zuletzt die der Geschichtsmächtigkeit jenes Heiligen, an dem wir nur wenig Proportion zwischen Sein und Wirken feststellen können, wo das Wirken das historisch feststellbare Sein bei weitem zu überschreiten scheint.

Das alles ergibt, daß es der Historie um die Erarbeitung o b j e k - t i v e r Bestände geht. Der Unterschied zwischen ‚Ursache‘ und ‚Schuld‘ wird entscheidend. H i s t o r i e h a t e s p r i m ä r n i c h t m i t d e r F e s t s t e l l u n g v o n S c h u l d , s o n d e r n m i t d e r F e s t - s t e l l u n g v o n U r s a c h e u n d W i r k u n g z u t u n . Eben um diesen Tatbestand auszudrücken, stelle ich der ‚m o r a l i s c h e n Schuld‘ die ‚h i s t o r i s c h e Schuld‘ gegenüber[17]: „Sicherlich ist es nicht unwichtig, sondern gerade für die religiöse Lage im katholischen Klerus außerordentlich bedeutsam, ob Unmoralisches in größerer Menge und grober Art vorliegt. Und trotzdem ist das nicht entscheidend. Nicht die religiös-moralische Zersetzung, sondern der richtige oder falsche Struktur-

---

[17] S. oben S. 323 und Anliegen 102 f.

ansatz entscheidet."[18] Das private Versagen ist in der historischen Schuld mit einbegriffen, aber es ist nicht die Hauptsache. Diese liegt in dem, was natürlich auch Sie festlegen: „Das Papsttum der Renaissance hat von den geschichtlichen Aufgaben, die ihm ... eindeutig zufielen, (die) Kirchenreform ... gar nicht ... gelöst ... Päpste wie Sixtus IV., Innozenz VIII. und Alexander VI. tragen deshalb eine schwere Verantwortung ... vor der Geschichte. Wir dürfen sagen: Das Papsttum der Renaissance hat seine historische Aufgabe, die Kirchenreform in seine Hände zu nehmen, nicht erfüllt und durch dieses Versäumnis wesentlich zum Ausbruch der Reformation beigetragen." (75). Für mein Verständnis ist hier nichts anders festgestellt als historische Schuld.

Ähnliches gilt auch für die Gegner der Kirche, z. B. für Luther. Obschon gerade bei ihm die Linie, die beide Sparten trennt, höchst kompliziert verläuft, kann man weithin einsichtig machen, daß er außerhalb der Kirche stand, bevor er sich dessen bewußt war. Wie weit er bei diesem Herauswachsen schuldbare Fehler machte, entzieht sich zum entscheidenden Teil unserer Nachprüfung. Und deshalb lehne ich es ab, hier als Historiker ein Urteil über subjektive Schuld abzugeben. Dies indes entbeht Luther zu keinem Quäntchen der riesigen historischen Schuld, daß er nämlich tatsächlich Ursache an der Trennung war.

Wieder umgekehrt: „Das Papsttum der Renaissance ist nicht schuld an der Glaubensspaltung" (S. 76) im Sinne der alleinigen oder unmittelbaren Verursachung. Wer hätte je solchen Satz vertreten?

7. Und nun noch die Kontroverstheologen (S. 76/77)! Es handelt sich ja nicht darum, ob jene Theologen nicht auch, und zwar mit voller Schärfe, den Trennungsstrich hätten ziehen müssen. Darum geht es, daß einige von ihnen beinah n u r dies taten, und um die Frage, ob sie damit ihrer Pflicht der Kirche gegenüber objektiv Genüge getan haben. Nur wenn man das Abzulehnende kennt, kann man sagen, was an ihm falsch ist. Und nur wenn man das, was wahr ist, anerkennt, wird der Trennungsstrich genau. Luthers Thesen enthielten auch Katholisches. Seine literarischen Gegner hätten es sehen können und sehen sollen. Je unklarer übrigens ihre eigene Position in manchem Punkt war (theologische Unklarheit!), um so verhängnisvoller war es, die Position simplistisch so darzustellen, als ob die Streitfragen eigentlich seit langem gelöst wären.

Auch wenn es mehr Schatzgeyer und weniger Eck auf katholischer Seite gegeben hätte (S. 77), wäre Luther seinen Weg aus der Kirche gegangen. Ich bin mit Ihnen davon überzeugt: Es gibt gewichtige Gründe, vor allen jenen schon genannten, daß Luther schon lange, ehe er sich dessen bewußt war, außerhalb des Dogmas der Kirche stand, und den anderen, daß er, so ungeheuer stark in sich gefangen, für Belehrung von

---

[18] Anliegen 84.

326

außen wenig zugänglich war. Ich würde aber hinzufügen: Man kann beweisen, erstens, daß Luther durch den Unverstand mancher Gegner unnötig gereizt und tatsächlich zur weiteren Verhärtung getrieben wurde; zweitens, daß die innere Überwindung der Lehre Luthers auf katholischer Seite auf diese Weise nicht genügend gelang; drittens, daß die gewisse gegenseitige Befruchtung, in die wir seit einigen Jahrzehnten geraten sind, zum erheblichen Schaden des Christentums und der Kirche 400 Jahre auf sich warten ließ. (Bei Contarini und bei Gropper — dem ein Papst wie Paul IV.(!) die Grabrede hielt — kann man genau feststellen, daß so etwas auch damals möglich war.) —

Es handelt sich aber auch gewiß nicht darum, einfach vom Gemeinsamen auszugehen, am allerwenigsten im Sinne des Erasmus, dessen Mängel in dieser Hinsicht ja gerade ich stark herausgestellt habe.

* * *

In einem weiteren Sinn gehören reformationsgeschichtliche Darstellungen zur Kontroverstheologie. Das trifft auch für die entsprechenden Teile Ihres ersten Bandes zu. Nun, auf den Geist abgesehen: ist Ihre Darstellung und Bewertung gottlob nicht weit entfernt von dem früheren undifferenzierten Nein-Sagen?

Ich grüße Sie in der Verbundenheit
eines gemeinsamen großen Anliegens

Lortz

RELIGIONSGESCHICHTE
UND ABENDLÄNDISCHE EINHEIT

VON

JOSEPH LORTZ

Herr Bundespräsident,
Exzellenzen,
Magnifizenzen,
Meine Damen und Herren,
Meine Herren Kollegen,
Liebe Kommilitoninnen und Kommilitonen! *)

Dem Dank meines Herrn Vorredners brauche ich mich nur mit Betonung anzuschließen. Wir sind vielen vieles schuldig. Das Werk, dessen Einweihung wir heute begehen, ist wesentlich das Werk anderer. Vor allem möchte ich mit wiederholtem Dank die ungewöhnliche Uneigennützigkeit derer hervorheben, die unser Institut zuerst konzipierten, dann gründeten und bis heute finanzierten. Daß ich dabei den Namen RAYMOND SCHMITTLEIN vor allem nennen darf, ist mir auch eine persönliche Freude. Daß das von ihm begonnene Werk von seinem Nachfolger Minister HENRI SPITZMÜLLER im gleichen Geiste unterstützt, besonders aber, daß es von der Regierung Rheinland-Pfalz so vertrauensvoll gefördert, dann in aller Form übernommen wurde, ist eine Darstellung jenes Zusammenwirkens, dem wir durch unsere Arbeit dienen wollen.

Wenn ich die illustre Gesellschaft vor mir überblicke und an die vielen, schon von meinem Herrn Mitdirektor genannten hohen Namen aus Regierung, Verwaltung und Politik und internationaler Wissenschaft denke, und daran, daß diese festliche, imponierende Zusammenkunft der Einweihung *unseres* Institutes gilt, dann kann ich mich eines Gefühls der Beklemmung nicht ganz erwehren.
Zwar haben wir uns seit zwei Jahren, und ich persönlich schon seit drei Jahren, redlich bemüht, aus dem Institut für Europäische Geschichte ein brauchbares Arbeitsinstrument zu machen. Aber in allem Wesentlichen sind wir doch erst ein Versprechen, sind wir ein Wechsel auf die Zukunft.

---

*) Im Folgenden gebe ich den Text meiner Rede, wie ich ihn im Rohbau für die Einweihungsfeier am 17. Januar 1953 vorbereitet hatte. Bei der Feier selbst trug ich, wegen der Zeitbeschränkung, an Hand einer Disposition nur einen Extrakt vor.

15

Ich kann nur hoffen und bitten, daß alle hier anwesenden und in der Fremde weilenden Freunde uns helfen, den Wechsel einzulösen.

AUSGANGSPUNKT

1. Die Eigenart der inneren Struktur des „Instituts für Europäische Geschichte Mainz" ist durch zwei Tatsachen gekennzeichnet:

a) durch seinen Bestand aus zwei völlig selbständigen und gleichberechtigten Abteilungen;

b) dadurch, daß die eine dieser zwei Abteilungen eine solche für *Religions*geschichte ist, näherhin für abendländische Religionsgeschichte. Das heißt: die eine der beiden Abteilungen hat es unmittelbar mit der Geschichte von Weltanschauungsfragen und mit ihrem Einfluß auf die heutige Welt zu tun.

Dies bedeutet aber für das Funktionieren des Gesamtinstitutes etwas anderes, als wenn diese Abteilung, sagen wir, eine solche für Naturwissenschaft wäre. Eine solche könnte in einem anderen Sinne „neutral" bleiben, als das einer geistesgeschichtlichen Abteilung, und insbesondere einer Abteilung für die Geschichte der christlichen Religion aus der Natur der Sache heraus möglich ist.

Die Aufgabe der abendländischen Religionsgeschichte zu umschreiben, gehört zu den Themen, die den heutigen Menschen in der Tiefe anzupacken vermögen. Es geht — innerhalb der abendländischen Problematik — um nichts weniger als um das große Thema des Geschichtlichen selbst, dies aber an seinem schwierigsten und zugleich ergiebigsten Punkt, eben im Gebiet der *Religions*geschichte. Dieses Thema erschöpfend zu behandeln, wäre ein Experiment, das in einem kurzen Vortrag nicht zu bewältigen ist, und das ich Ihnen neben so vielen anderen Ausführungen und in Erwartung der Worte des Herrn Bundespräsidenten nicht zumuten kann. Ich beschränke mich also auf einige Andeutungen. Notwendig werden sich Verkürzungen der Linien und summarische Formulierungen ergeben.

Nebenbei gesagt, auch eine ausführliche Behandlung des Themas wird immer wieder schnell an mehr als *eine* Grenze stoßen: die Eigenart der Geistes- und besonders der Religionsgeschichte macht es unmöglich, ihre Ziele quasi gebrauchsfertig mit rezeptartiger Deutlichkeit anzugeben. Die besten Dinge liegen gemeinhin nicht an der Oberfläche. Man muß nach ihnen graben. Man muß sie auch finden *wollen*. Und schon hier beginnen die Schwierigkeiten der Verständigung, von denen ich noch zu sprechen haben werde.

16

2. Das allgemeine Ziel unseres Instituts liegt statutenmäßig fest. Seine Arbeit soll helfen, die geistige Einheit Europas zu stärken, durch Bereinigung geschichtlicher Streitfragen auf dem Sektor der politischen und der religiösen Geschichte des Abendlandes. Dadurch soll ein gemeinsames europäisches Geschichtsbewußtsein geschaffen oder vorbereitet werden. Entschränkung aus der egoistischen Enge und Vereinzelung hinaus in die Weite und in das Universale, Offenheit für einen schöpferischen Dialog soll die allgemeine Prägung geben.

Zielsetzung wie Methoden im einzelnen sind nicht festgelegt. Von keiner Seite her wurde das versucht. Sie müssen sachlich aus dem zu erforschenden gemeinsamen europäischen Erbe erst erwachsen.

Auf dem Gebiet der politischen Geschichte wird die Erreichung jenes allgemeinen Zieles bei uns versucht durch Integrierung aller Werte der einzelnen europäischen und der mit ihnen geschichtlich verbundenen Nationen, so wie die Erforschung der Geschichte und das heutige Leben sie zugänglich machen.

Auf dem Gebiet der abendländischen Religionsgeschichte wird das auf demselben Weg der geschichtlichen Forschung und des Kontaktes mit dem heutigen Leben versucht durch Integrierung aller Werte der Geschichte des Christentums.

Wenn ich den Kontakt mit dem heutigen Leben betone, so möchte ich dadurch die lebendige Spannung andeuten, aus der heraus unsere Arbeit zuerst geplant wurde und nun getragen werden soll. Es liegt ihm zugrunde eine bestimmte Auffassung von dem, was Geschichtsstudium und Geschichtsschreibung sind. Geschichtsstudium und Geschichtsschreibung bestehen nicht nur in der Entgegennahme und Wiedergabe des geschichtlichen Ablaufs. Sie sind, auf Grund der in uns sich darstellenden, in uns und um uns ringenden Gegenwart, eine Deutung jenes Ablaufs.

Daß solche Arbeit im Bereich der strengen Forschung bis an die Wurzeln unseres heutigen Seins zu dringen und unser Schicksal mit zu beeinflussen die Kraft habe, das möchte ich Ihnen für den Bereich der Erforschung der abendländischen Religionsgeschichte nahebringen.

VORAUSSETZUNGEN

I. Die geistige Lage

Voraussetzung für unser Planen und Arbeiten und für ihre Bewertung ist, daß man die Lage Europas und der Welt für verbesserungsbedürftig halte. Nicht nur in dem Sinn, daß da und dort einige

17

Mißstände beseitigt würden, sondern so, daß man der Überzeugung ist, es müsse eine grundlegende Wendung vollzogen werden, wenn wir nicht untergehen sollen.

1. Zunächst allerdings möchte ich das hiermit angedeutete Urteil, die Welt liege im argen, einschränken.

Nicht alles und jedes in der heutigen Welt ist Reflex des Teufels und der Sünde, nicht alles ist verwerflich.

Sogar wenn man der Ansicht ist, daß man die geistig-religiöse Entwicklung der Neuzeit weithin als Abfall und Verfall kennzeichnen müsse, sollte man dieses Urteil erst aussprechen, nachdem man zuvor die Leistungen des menschlichen Geistes in der Neuzeit gebührend gepriesen und ebenso die Tiefen der Erfahrung gewürdigt hat, durch die das menschliche Subjekt in dieser Neuzeit gehen mußte; sie sind unverlierbar; ohne sie ist keine Zukunft denkbar, die nicht Finsternis und Barbarei wäre („Entdeckung" des Menschen seit der Renaissance; die geographischen, historischen und naturwissenschaftlichen Entdeckungen; die Entwicklung der modernen Philosophie als geistige Leistung, abgehoben von ihren Resultaten). Das ist hier nicht auszuführen.

Daß es aber auch in der Gegenwart Kräfte gibt, die zu einem soliden Aufbau, zu einer umgestaltenden Wende die Kraft haben, werden wir noch sehen. Hier möchte ich zunächst herausheben: (1.) das doch erstaunliche, nicht selten imponierende nüchterne Standhalten vieler heutiger Menschen gegenüber aller Angst und Wirrnis und Zerstörung; (2.) die Tatsache des grausigen Leidens von Millionen Menschen, gestern im Dritten Reich und heute im Umkreis des östlichen Bolschewismus. Wenn dieses Element meistens etwas vordergründig moralistisch oder juristisch-fordernd bemüht wird, so möchte ich mit Stepun daran erinnern, daß seine eigentliche Bedeutung ins Metaphysische ragt: es ist auch stellvertretendes Leiden. Stellvertretend — und deshalb geht es uns hier an — für die im Westen selbst verursachte Bedrohung des einen christlichen Europas.

Stepun hat richtig gesehen: Nationalsozialismus und Bolschewismus sind mehr als Einzelerscheinungen. Sie sind Grundhaltungen, die warnend darstellen, was kommen muß, wenn die christliche Erbmasse zerstört und vertan wird. Nationalsozialismus und Bolschewismus sind Resultate der Entchristlichung; vorher und allgemein geistesgeschichtlich gesehen sind sie Resultate des modernen Subjektivismus in der Form der autonomen Willkür.

18

2. Aber nun hat seit etwa 50 Jahren ein bedeutsamer geistiger Wandel eingesetzt und sich zum Teil vollzogen; die typische Art zu denken der verflossenen Generationen und besonders des 19. Jahrhunderts ist nicht mehr; vor allem hat abgenommen (in den maßgeblichen Leistungen) die verständnislose Art der rationalistischen Überheblichkeit. Der Rationalismus ist beinahe tot. Die geistige Weite hat zugenommen. Wir wissen wieder, daß es noch andere Organe und Kräfte der Wahrheitsfindung gibt als nur die des Intellekts.

Wenn heute das liberalistische Denken bis hin in die Wirtschaftsgeschichte weitgehend überwunden ist — dann kann es erst recht nicht im Raum des Geistesgeschichtlichen einfach weiter fortdauern. Im Bereich der historischen Bemühungen geht es heute um eine echte *Überwindung des Historismus*. Ernst Troeltsch hat eine immense Arbeit daran gesetzt. Er konnte nicht reüssieren, weil er selbst zu tief in ihm verwurzelt war.

Seitdem haben sich manche Voraussetzungen verschoben. Die geistige Wende hat Gebiete erobert, die uns vorher verschlossen schienen. Und wie immer in Zeiten der Wende und vor der Notwendigkeit eines geistigen Neubaus stellt sich das P r o b l e m d e r E l i t e. Kreise solcher Elite sind heute in allen Ländern keine Seltenheit. Sie könnten der gute Sauerteig werden.

Dies alles kam und kommt der Religion, dem Christentum und der Erforschung seiner Geschichte zugute; wir haben entdeckt, daß das Christentum, gerade unter dem strengeren Licht der modernen Kritik in seiner Tiefe betrachtet, viel mehr Fruchtbares enthält, als wir ahnten. Die Erforschung seiner Geschichte hat uns durch mancherlei pastorale Oberfläche hindurchstoßen lassen zu einer differenzierteren, herberen, aber eben darin fruchtbareren Wirklichkeit. Man kann heute kein gültiges Bild der geistigen Welt entwerfen, ohne in allen Sparten des Geistes nicht nur für die Vergangenheit, sondern auch für die Gegenwart Spitzenleistungen christlicher Denker, Künstler und exakter Naturwissenschaftler in erheblich größerer Anzahl zu nennen, als dies noch vor wenigen Dezennien der Fall war. Ich darf hier ein eigenes Wort für den katholischen Bereich anfügen. Ich liebe es ganz und gar nicht, wenn die Konversionen moderner Größen der Wissenschaft, der Dichtung, der Kunst, des Films (oder gar des Sports!) allzu laut propagandistisch ausgenutzt werden. Aber sie dürfen in einer Analyse der Zeit auch nicht fehlen. Jedenfalls würde ich es als Historiker nicht wagen, die Rückkehr einer Weltkraft, wie Bergson eine war, zur christlichen Überzeugung

19

oder auch die Bekehrung der geistig und charakterlich bedeutenden Edith Stein als belanglos beiseite zu schieben. Niemand wird auch leugnen wollen, daß in der französischen hohen Literatur von Brunetière über Huysmans (und sogar über Bourget und Bazin), über Charles du Bos bis zu Bloy, Psichari, Saint-Exupéry, Bernanos und François Mauriac sich christlich, katholisch vom Zentrum her Geprägtes in einem Umfang findet, der Beachtung und Deutung verlangt. Es bedeutet eben doch etwas Entscheidendes, wenn es in diesem säkularisierten Europa einen Mann von der ungeheuren Stoßkraft wie Bernanos gibt, und immerhin etwas Wichtiges, daß Männer von der gestaltenden Kraft und dem Wissen wie Chesterton und Papini, oder neuestens Köpfe und Herzen von dem christlichen Humor wie Guareschi und Marshal das geistige Gesicht der Zeit mitprägen.

Mancherlei höchst moderne und echt wagende Bewegungen auf kirchlich-katholischem Boden und eine sogenannte „théologie nouvelle" gehören mit ins Bild.

Insgesamt ist dies Neue überall gekennzeichnet durch das Bestreben, engsten Kontakt mit dem modernen Leben zu gewinnen. Dies aber aus der christlichen Mitte heraus, die nichts oder besser gesagt niemand anderes ist als Jesus Christus.

Die Erneuerung des Protestantismus seit 1920 und nicht zuletzt die Schaffung echter neuer Substanz im Kirchenkampf der bekennenden Christen im dritten Reich in Deutschland kann nicht übersehen werden. Auch die christlichen Werte im Denken evangelischer Historiker wie Butterfield und Toynbee kann man nicht als Bagatelle beiseiteschieben.

Diese Tatsachen haben auf dem Gebiet der Philosophie in Frankreich wie Deutschland ihre Parallelen.

Die gewisse Wende innerhalb der modernen Naturwissenschaft kommt hinzu. Es ist durchaus unsachlich und sogar töricht, wenn man einzelne Aussagen zum Ganzen emporschrauben will. Ich übersehe nicht einmal gewisse bedenkliche philosophische Schwächen, die sich bei manchen Physikern finden, die sich dem Christentum nähern oder ganz darin wurzeln, wie etwa der Duc de Broglie. Aber ein solcher Name bzw. die Fülle des von ihm dargestellten schöpferischen Wissens sind eine lebendige Kraft. Und daneben Max Planck! Diese Männer und ihr christliches Denken sind eine Wirklichkeit unseres Heute, auch wenn Madame Curie und viele andere dagegen und dazwischen stehen. Der Kampf um die Wahrheit kann ja nicht eine simple Schüleraufgabe werden, die aufgeht ohne die Größe X. Es handelt sich in keinem Fall um vordergründige apologetische Interessen. Es geht auch

20

nicht darum, über irgend jemand zu triumphieren. Wie schnell kann das Blatt sich wenden, wie schnell können wir noch in ödere Leeren hineingestoßen werden, als die gestrige es war! Die Gefahr der *geistigen* Vernichtung (nicht nur aus dem Osten) ist noch nicht gebannt. Und sie wird es auch morgen nicht sein. ·

Aber dies ist ein legitimes Interesse: modernste, aktuellste, allgemein anerkannte Werte zu nennen, die christlich sind. Und so dem Vorurteil zu begegnen - dem zum Teil selbst verschuldeten - , als ob das Religiöse und das Christliche einigermaßen notwendig rückständig sein müßten. Es gibt auch das Gegenteil. Und es besteht die Möglichkeit, daß der Prozentsatz wesentlich wachsen könne und das Verhältnis Glaube - Unglaube sich wieder zugunsten der Religion wandeln könnte. Es ist noch nicht erwiesen, daß der Mensch seine Befähigung zum Beten verloren habe.

3. Aber nun doch die Kehrseite der Medaille, von der wir uns eben etwas schnell abwandten! Welche Sparte des heutigen Daseins man auch betrachtet, die Sprache, den Sport, die Kunst, die Philosophie, man stößt vor allem auf Auflösungserscheinungen. Die edleren positiven Werte des Denkens, der Muße, sind im Zurückweichen - hilflos, so· scheint es, vor einer vielfach zerstörerischen Hetze; das Gefühl für die Hierarchie der Werte, für die Notwendigkeit des Rhythmus zwischen Genuß und Enthaltsamkeit ist weithin tot. Die Massenbeeinflussung durch Zeitung, Radio und Kino kann, ihrer inneren Struktur entsprechend, beinahe nicht anders, als sogar wider Willen diesen Prozeß zum wahllosen Aktivismus, zur wahllosen Gier weiter zu steigern.

So sehr man auch Ausschau hält nach hoffnungsvollen Ansätzen und so gern man bereit ist, alles Positive in die Analyse einzusetzen, man wird nicht um das Urteil herumkommen, die heutige Menschheit und in ihr die europäische, die westliche, sei in höchstem Maße bedroht.

Weil wir dieses naheliegende Urteil schon so oft hörten, nehmen wir schwachsichtig und taub Gewordene seinen Inhalt kaum noch entgegen. Leider ändert das nichts an der bedrohlichen Wahrheit der Aussage.

Was noch am ehesten gesehen wird, ist die Bedrohung aus dem Osten durch den Bolschewismus. Nun, sie ist total wie der Bolschewismus selber. Der Bolschewismus ist in seinem Ungeist eine geistige Macht geworden, und sogar eine Religion, die mit Erfolg der säkularisierten Menschheit so etwas wie Erlösung zu versprechen vermag.

21

Diese geistige Macht hat ihren Angriff längst begonnen. Ihr Gefährlichstes liegt nicht in der Drohung von außen. Das Wort Picards von „Hitler in uns" ist heute zu variieren in „Stalin in uns". Der Bolschewismus hat seine besten Bundesgenossen im westlichen Denken und Leben selbst. Er hat den Zersetzungskampf längst in allen Kontinenten entfesselt. Oder, noch schlimmer, dort hat man ihm längst vor seinem Angriff das Bett und die Wege bereitet.

Trotz der vorliegenden „Wende", von der wir sprachen, ist die allgemeine Lage der westlichen Welt weithin doch gekennzeichnet durch eine bedrohliche, gefährliche Vermaterialisierung und geistige Unsicherheit, Zersplitterung und Instinktlosigkeit, durch ein Nebeneinander, Durcheinander und Gegeneinander der Meinungen; durch Standpunktlosigkeit, vordergründiges, oberflächliches Denken und Operieren; kurzum durch einen ausgesprochenen Zustand der moralischen und geistigen Schwäche.

Schlimmer als das Resultat selbst ist die Tatsache, daß wir es offenbar mit der konsequenten Auswirkung eines Fehlansatzes zu tun haben (der also fatalerweise seine Bedrohung, näherhin seine Zersetzung steigern wird). Oder genauer gesagt, wir haben es zu tun mit der Auswirkung der Verfälschung eines an sich großen, wertvollen Ansatzes; wir haben es — wie schon angedeutet (S. 13) — zu tun mit dem Ausdruck der modernen subjektivistischen, bindungslosen Willkür, die sich aus der großartigen Neuentdeckung des Menschen (seiner dignitas und seiner virtù in der Renaissance) in den neuen Jahrhunderten entwickelte.

4. Sollen wir diesen Zustand und den fortschreitenden Zersetzungsprozeß, der unser Sein bedroht, weiterdauern lassen, weil vielen eine Bindung im Geistigen unsympathisch ist?

Oder ist nicht vielmehr die Zeit für jede Art des Gehenlassens, geschweige denn des „l'art pour l'art" in allem Lebenswichtigen endgültig vorbei?

Wer den skizzierten Zustand als Dokumentierung geistiger Freiheit preist, verwechselt er nicht in einer das Leben bedrohenden Art die Möglichkeit des Irrens mit dem Zustand geistiger Unsicherheit als Ideal?

Welch ein impotentes Geschlecht, das hierüber in der heutigen Lage noch zu diskutieren Zeit und Muße hätte, seinen Zustand zu preisen den Mut fände!

Wie notwendig unserem durch politische und wirtschaftliche Gegensätze zerklüfteten und sich dadurch immer wieder selbst gefähr-

22

denden Europa eine *geistige* gemeinschaftliche Basis ist, erleben wir gerade in diesen ersten Wochen des Jahres 1953 von der Außenpolitik her. Die Schwankungen, die wir erleben, demonstrieren aufs deutlichste, wie unstabil das bestgemeinte Operieren am rein Politischen bzw. an seinen Symptomen ist; wie leicht das betonteste Zusammenhaltenwollen durch Einzelinteressen zu einem Gegeneinander, oder wenigstens zu einer gefährlichen Interesselosigkeit für Anliegen der Allgemeinheit werden kann.

Es ist durchaus richtig: Begriffe wie „geistige Einheit", „gemeinschaftliche geistige Unterlage" sprechen sich schnell aus, inhaltlich sind sie schwer zu definieren.

Aber man kann angeben, was ihrem Inhalt nicht fehlen darf. Das Christliche (im Sinne jener Kraft, die die Welt einst umgestaltete und die noch heute viele Einzelne und einzelne Schichten zu neuen Menschen umschafft) gehört zu diesem unentbehrlichen Inhalt. Dies Christliche durch die historische Forschung in seiner europäisch verbindenden und europäisch aufbauenden Kraft neu zu erarbeiten, ist die Generalaufgabe unserer Abteilung für Abendländische Religionsgeschichte.

Selbst der Skeptische und der A-religiöse, meine ich, sollte für dieses eintreten können: wir brauchen zum mindesten die Einsicht in das Gefährliche der geistigen Aufsplitterung. Und von da aus wenigstens den inneren Impetus, die Festigkeit und Einheit anzustreben.

Denn unweigerlich bedeutet grundsätzlich bejahter Relativismus oder Skeptizismus oder Agnostizismus letzten Endes auch dies: „sich nicht entscheiden, keine präzise Verantwortung übernehmen . . ." Es kann banal klingen oder auch belanglos erscheinen, wenn heute nach so vielen überschaubaren, ja von uns selbst erlebten widersprüchlichen philosophischen und religiösen Systemen und Lehren, jemand von *e i n e r*, einer einzigen Wahrheit spricht.

Indes, wenn irgendwo, so dürfen uns *hier* Müdigkeit und Enttäuschung nicht beraten. Gerade dieses Wort, daß es in letzter Tiefe nur *e i n e* Wahrheit geben könne, sollte uns, müßte uns aufrufen zur Sammlung und zu letzter Verantwortlichkeit und uns sein wie eine sehr kostbare Sache, wie eine ganz ernste Angelegenheit, die über unsere Zukunft entscheiden kann.

Sogar ein beherztes Zupacken tut not.

Ich weiß, ein derartiges Wort ist heute belastet. Nach den bisher aufgestellten und noch zu erörternden Kategorien sollte aber ein Mißverständnis doch wohl ausgeschlossen sein.

23

Das Zupacken, das hier gemeint ist, will nichts als das Dienen an der Sache. Und als ich es seinerzeit, in einem anderen Zusammenhang, schrieb, dachte ich zunächst daran — wie ich jetzt zunächst daran denke —, meine eigenen Glaubensgenossen zu veranlassen, etwas herzhafter zuzupacken gegenüber sich selbst im Sinne des mea culpa. Methodisch halte ich dies immer noch für die beste Sicherung gegen die nie ausgeschlossenen Fehlerquellen.

5. Die europäische Schwäche stellt sich aber geistig dar in zwei *entgegengesetzen* — oder scheinbar entgegengesetzten — Haltungen: neben dem Relativismus steht der Trieb zur Intoleranz.
Der Relativismus muß überwunden werden, wenn wir fruchtbare Festigkeit zurückgewinnen wollen.
Die Intoleranz muß gebändigt werden, wenn die Festigkeit nicht steril werden und uns unfrei machen und die Vermassung triumphieren soll.
Die enge *Unduldsamkeit* ist heute leider nicht tot. Das, was vom nazistischen Geist noch am Wirken ist, auch die Form des bolschewistischen Totalitarismus, einschließlich dessen, was ihm im Kommunismus der westlichen Welt entgegenkommt, beweist das ebenso wie der sektiererische Geist in manchen heutigen religiösen Kreisen, auch in christlichen, und wird wiederum belegt durch die Vertauschung echter Freiheit mit dem Pseudo-Ideal der Sekurität (einem großen Wegbereiter der Vermassung, des totalitären Staates und seines Diesseitsparadieses).
Im Bereich der Religion ist die hier liegende Gefahr am größten. Die Religionsgeschichte bietet dafür eine Masse von anklagenden Vorkommnissen, auch die Geschichte der abendländischen Religion, des Christentums. Ich brauche nur das Wort „Inquisition" auszusprechen und auf meine alte Formulierung zu verweisen: „Die Inquisition ist eine fürchterliche Einrichtung" (Lortz, Geschichte der Kirche, S. 180). So wenig wir aber auf Freiheit überhaupt verzichten können, so wenig insbesondere auf Toleranz.
Auf eines nur kommt es an, daß wir nicht, indem wir die Toleranz pflegen, die Festigkeit verlieren.
Die Toleranz zu beschreiben, zu fordern und zu üben, *ohne* zugleich eine fruchtbare Bindung anzustreben, ist eine billige Sache, die, weil sie nichts kostet, auch nichts einbringt.

6. Diese heutige Lage ist zutiefst mit der Geschichte des Abendlandes und der abendländischen Religion verbunden, nämlich mit der

24

Entchristlichung, näherhin mit dem Schwund des Dogmas. Das kann hier nicht eingehend bewiesen werden, wie das historische Material es an sich gestatten würde. Aber dies müßte jedem zu denken geben: die Unordnungen und Unsicherheiten, unter denen wir leiden, und die uns jetzt am Sein bedrohen, haben sich zur augenblicklichen Form und Intensität entwickelt in einer gewissen, manchmal ganz engen Parallelität zur Entchristlichung unserer Welt und in ihr zur steigenden Unterbewertung des Dogmas.

Es ist erstaunlich, daß dies verhältnismäßig so wenig bedacht wird.

II. Mißverständnisse

Dem Verständnis unserer Arbeit stellen sich eine Reihe von Schwierigkeiten entgegen. Sie knüpfen sich an die drei Elemente des Namens unserer Abteilung für Abendländische Religionsgeschichte: (a) Geschichte bzw. Geschichtsforschung, (b) Religion, (c) Europa bzw. Abendland.

(a) Geschichtsforschung

1. Wir sind ein Institut für Geschichte. — Sofort hören wir die Frage: kann denn Geschichtsforschung, kann historische Besinnung einen wesentlichen Beitrag zur Beeinflussung des Heute und zur Lenkung auf ein besseres „Morgen" hin leisten?

Die Antwort erfließt aus dem, was Geschichte ist.

Geschichte ist nicht nur Vergangenes. Geschichte ist in die Gegenwart hineinreichende Vergangenheit. Geschichte ist deshalb auch nicht in dem Sinne unabänderlich, daß wir ihr nur preisgegeben wären, sie nur ablaufen lassen müßten: wir können sie beeinflussen. Das einmal Geschehene ist unwiderruflich; aber seine Wirkung, Geschichte, ist nicht unabänderlich; wir sind nicht dazu verurteilt, sie nur fortdauern zu lassen: wir können sie sogar „erfüllen".

Die Geschichte ist etwas Unvollendetes, positiv wie negativ. Wie wir aus dem Positiven lernen und es ausgestalten können, ist leicht zu sehen. Indes auch das Negative in der Geschichte kann uns lehren, insbesondere Fehlleistungen zu vermeiden.

Daß es in der Geschichte auch echte Fehlentwicklungen im schicksalhaften und weltweiten Sinne gibt, könnte kaum einem Geschlecht besser verständlich sein als dem unseren. Und, um auf unser Gebiet der Religionsgeschichte abzuheben: hier bietet die Geschichte innitten ihres oft beglückenden (aber längst nicht gehobenen) Reichtums wahrhaftig nicht nur Proben der Bewährung. Immer und immer

25

wieder lehrt sie uns eindringlich, wie wir es *nicht* machen sollten, lehrt uns letztlich nichts weniger, als daß wir das Christentum reiner fassen müßten, als es oft geschah. Die Geschichte erbringt den Beweis dafür, daß eine Anzahl sehr schädlicher Haltungen und Ereignisse (Inquisition, Religionskriege) vor allem der Verwechslung des reinen Christentums mit viel weniger reinen Auffassungen ihren Ursprung verdanken.

2. Über alle Lehren, die die Geschichte uns von hier aus erteilt, und die jetzt nicht zur Sprache gebracht werden können, erhebt sich heute *eine* zu höchster Eindringlichkeit und bietet uns ihre helfende Wirkung an — so wir denn den Willen und die Kraft hätten, uns ihr zu öffnen, — diese: uns vor der Verzweckung des Religiösen zu hüten, egoistische Propaganda der Wahrheit und des Guten zu unterlassen; vielmehr uns der geheimnisvollen läuternden, geheimnisvoll freimachenden Kraft der Wahrheit auszuliefern, ihrer immanenten Kraft wagend zu vertrauen, und auch dem, was rein sachlich aus ihr entsteht. —
Das *„Institut für Europäische Geschichte"* ist ein *Forschungs*institut. Wir sind in keiner Weise ein Institut für politische oder kirchenpolitische Publizistik. Die erste Aufgabe, also auch die erste Aufgabe der Abteilung für Abendländische Religionsgeschichte, ist die von Ranke gestellte: zu erzählen, wie es eigentlich gewesen sei, historisch genauer formuliert, zu sagen, wie es eigentlich geworden sei.
Ihre Majestät die Tatsache hat den Primat vor allem anderen. Ihre Feststellung ist das Primäre.

3. Aber die Aufgabe sehen wir nicht im Sinne eines (angeblich) uninteressierten Historismus. Unser Fragen hat selbstverständlich auch eine innere Tendenz. Wir sind uns dessen bewußt. (Bitte, verwechseln Sie einstweilen nicht Tendenz und tendenziös!)
Wir gedenken nicht in der reinen Theorie, im nur Abstrakten zu bleiben. Wir fragen, weil wir etwas wollen.
Wir streben die Mitgestaltung der Wirklichkeit an. Nicht durch irgendwelche (nicht vorhandene) Machtmittel, sondern durch Beeinflussung und Lenkung der Ideen, und dies durch wissenschaftliche Geschichtsbetrachtung im engen Kontakt mit der Gegenwart.
Wir wollen aber etwas, weil die Geschichte uns Aufträge hinterlassen hat.
Auftrag? Lenkt das nicht sofort zurück zu der eben erst abgelehnten Verzweckung des wissenschaftlichen Arbeitens? — Nun, es gibt in

26

der Tat nicht viel Uneigennützigkeit in der Welt; es gibt trotz der vielen Worte über Freiheit und Unabhängigkeit so wenig volle innere Freiheit und Wahrhaftigkeit, daß man sich über das eben angedeutete Mißtrauen zunächst nicht wundern kann.

Aber man darf doch verlangen, daß nicht unterschiedlos *alles* für Berechnung und kluge Formulierung gehalten werde. Und also möchte ich erklären, was ich unter „Auftrag" verstehe, wenn ich sage, daß die Geschichte ihn uns immer wieder hinterläßt. Es ist der Auftrag, die Wirklichkeit des Menschen und der Menschheit in der Geschichte immer voller herauszuarbeiten, und es ist der Auftrag, dadurch diese Wirklichkeit in den heutigen Menschen, nämlich in die Menschen*gemeinschaften* einströmen zu lassen. Es ist nicht der Auftrag, meine Interessen zu befriedigen. Es ist der Auftrag, der Wahrheit zu dienen.

Es gibt in der Geschichte Dinge, die nur — wenn überhaupt — Kuriositätswert haben. Dazu gehört z. B. die Frage, ob der Bürgermeister Becker meiner Geburtsstadt Grevenmacher (um 1700 etwa 800 Einwohner), von dem feststeht, daß er vollkommen bedeutungslos war, am 24. Mai oder am 12. April 1725 zur Welt kam.

Wenn aber heute ein neues Heraklitfragment von drei verstümmelten Zeilen zu Tage käme, so würde ich in jedem seiner Worte die Möglichkeit einer großen Erkenntnis sehen und es entsprechend behandeln, obwohl die neu gefundene Weisheit möglicherweise meiner geistigen Position nicht Hilfe, sondern Bedrohung bringen könnte.

4. Geschichte bzw. Darstellung der Geschichte wird notwendigerweise zum Bekenntnis. So oder so. Wir wissen heute zur Genüge und haben es intensiv erfahren, in welchem Maße die angeblich voraussetzunglose Wissenschaft von Zwecksetzungen gelenkt war. Sie erarbeitete staunenswerte Resultate in der Feststellung des Tatsächlichen. Ohne sie wären die Fragestellungen, wie ich sie hier zu fixieren versuche, nicht möglich geworden. Aber im Geistigen und also für das Menschliche führte sie letztlich zu einer unwürdigen und sogar gefährlichen Verarmung. Wir wollen Reicheres.

Um dies zu verwirklichen brauchen wir übrigens nur an die Historie großen Stils alter wie neuer Zeit anzuknüpfen. Nichts ist weiter entfernt von nur registrierender Chronik als die Werke der großen Historiker. Auch bei Ranke, Burckhardt und Troeltsch und etwa bei einem Hauptvertreter der liberalen protestantischen Kirchengeschichte, Adolf von Harnack, werden die arationalen Faktoren der Geschichte selbstverständlich voll in die Analyse eingereiht, — und

27

über die positivistische Darstellung hinaus stellen und erfüllen diese
Männer die Forderung nach einer *Bewertung* in der Historie. Für
Harnack z. B. ist die Geschichtserkenntnis eine Aufgabe, die der ganzen Menschheit gestellt ist und die eben deshalb zur Gegenwart und
zu unserm Handeln in engster Beziehung stehen muß. (Harnack,
Reden und Aufsätze VI, Christentum als Kulturmacht, Evgl. Th.
1951 S. 171).

(b) *Religion*

1. Eine zweite Gruppe von Schwierigkeiten entsteht unserer Aufgabe
am Faktor „Religion" und also auch an der „Religionsgeschichte"
und aus der Stellung vieler heutiger Menschen zu ihnen.
Die hier liegenden Hemmungen reichen tief auch ins Unterbewußt-
sein; sie sind bei vielen Menschen so sehr zu einer Grundhaltung
ihres Denkens und sogar ihres Fühlens geworden, daß sie ein fruchtbares Gespräch über unsern Gegenstand sehr erschweren. In dieser
halb unbewußten, manchmal ressentimentgeladenen Ablehnung oder
Abwertung dessen, was Religion ist, sehe ich die größte Schwierigkeit für die Arbeit meiner Abteilung.
Ich betrachte es daher als eine wichtige Seite unserer Aufgabe, die
hier liegenden Hemmungen durch unsere wissenschaftliche Arbeit zu
klären. Denn auch diese Hemmungen sind zu einem bedeutenden
Teil historisch entstanden.
Die historische Untersuchung ist für die Lösung dieser Aufgabe ein
unvergleichliches Arbeitsinstrument, sobald sie im Sinne der geforderten restlosen Wahrhaftigkeit gehandhabt wird, bis hin zu dem
Mut des offenen „mea culpa", und der Selbstverständlichkeit, dem
etwaigen Gegner alles, was er an Wert besitzen mag, unverkürzt und
warm zuzusprechen, oder auch dem Mut zu jener Methode, die in
der Geschichtsbetrachtung und Geschichtsbewertung abrückt von den
subjektiven Kategorien der moralischen Schuld und des Verdienstes,
und dafür sich hält an die objektiven Begriffe von Ursache und
Wirkung, und also nach der *historischen* Schuld fragt.
Die konkrete historische Vergangenheit, die auch in der Geschichte
der Dogmen — dem wesentlich Unwandelbaren — soviel komplizierter ist, als es a priori vorstellbar wäre, gibt in heilsamster Weise
Gelegenheit, diese Kunst der echten Objektivität zu üben.
Da wir in dieser Art, auch heiklen Dingen zu Leibe zu rücken, schon
nicht mehr ganz ungeübt sind, dürfen wir die Aufgabe mit einer gewissen Zuversicht angreifen. Wenn die Lösung einigermaßen gelingt,
wird dies einer der wichtigsten Wege sein, das europäische Erbe reich

28

zum Einsatz kommen zu lassen. Seine Fruchtbarkeit wird sich dann auch bei den vielen erweisen können, die heute wesentlichen Elementen des europäischen Erbes (ich spreche vom christlichen Glauben) fernstehen, ihn für überholt und kraftlos halten. Diese Menschen machen die Mehrzahl derer aus, die das neue Europa bauen sollen.

2. Politik und Religion sind verschiedener Struktur. Und also ist auch ihre Wirkweise verschieden.
Dem muß man Rechnung tragen in der geschichtlichen Erforschung beider Phänomene und der Bewertung ihrer Geschichte.
Politik muß den unmittelbaren, sichtbaren Erfolg suchen. Religion nicht.
Bei der Religion geht es in einem besonderen präzisen und unerbittlichen Sinn um die *Wahrheit.*
Und da beginnen notwendigerweise die Unstimmigkeiten — bis hin zu den verheerenden Erscheinungen der Unduldsamkeit aller Art, von der schon gesprochen wurde.
Manche ziehen daraus den Schluß, es sei besser, sich auf derartiges überhaupt nicht einzulassen. Indes: so beklemmend die Tatsache des zerstörenden Streitens um die Wahrheit (besonders im Innern der Religion der Liebe!) auch wirkt, dieser Ausweg ist nicht gehbar. Der Mensch kommt von der Wahrheitsfrage nicht los. Wenn es die Wahrheit nicht gibt, oder wenn sie — grundsätzlich, für alle und immer! — gar nicht findbar ist, verliert das Leben seinen Sinn, und verliert auch das Beste seine Kraft.

3. Dieses Absetzen der Religion von der Politik und vom Streben nach Erfolg bedeutet nun aber nicht, daß die Religion (und entsprechend die Erforschung und die Darstellung ihrer Geschichte) entgegen der vorhin ausgesprochenen Zielsetzung im Bereich der abstrakt-theoretischen Erkenntnis und des nur geistigen Bekenntnisses bleiben müßten.
Die Religion will die Welt umgestalten. Entsprechend kann die Erforschung ihrer Geschichte indirekt ein Hilfsmittel zu diesem Ziel hin werden.
Und nun stehen wir wieder vor dem bereits erwähnten Mißverständnis.
In der Tat: alles kommt darauf an *wie* die Religion in die konkrete Gestaltung des Lebens, besonders des öffentlichen Lebens, eingreift. Wieder sehen wir uns darauf verwiesen, jede vordergründige, ungeduldige und egoistische Verzweckung auszuschalten.

29

Der Historiker der abendländischen Religionsgeschichte, also vor allem des Christentums, sollte dazu besonders bereit und fähig sein. Denn er hat die aufschlußreiche Tatsache vor sich, daß das hier angedeutete Grundgesetz alles geistigen Lebens zusammenklingt mit einem Grundgesetz eben des Christentums: Gewinn durch Verlust; nicht Egoismus, sondern Dienen; wachsen lassen, sogar: laßt das *Unkraut* wachsen bis zur Ernte! Daß das zu Tuende zu seiner Stunde geschehe und nicht früher, daß der Kairos beachtet werde: wieviel hängt davon ab!

Man kann auch den *religiösen* Sinn stärken. Man kann die üble Oberflächlichkeit, religiöse Paradoxien nur als überholte Kindlichkeiten zu betrachten, in ihrer Dürftigkeit durchschauen lehren und ablegen helfen. Die Religionsgeschichte liefert dafür eine Fülle von Anschauungsmaterial. Einige sind darunter, die zum menschlich und dichterisch Schönsten aller Literaturen, andere, die zum Erschütterndsten gehören, das einem Menschen nachzuerleben vergönnt sein kann. Aber seltsam: während alle Welt darin einig ist, es sei wertvoll, den politischen Sinn zu stärken, finden manche es anstößig, wenn jemand frank und frei erklärt, er wolle dasselbe für den Bereich des Religiösen bzw. des Christlichen versuchen.

Ich sagte: seltsam. Ich steigere: mehr als seltsam.

Wenn ich das Thema erschöpfend behandeln wollte, würde besonders hier die zur Verfügung stehende Zeit nicht ausreichen. Erlauben Sie mir, ein Doppeltes anzumerken:

Eine Wahrheit, die nicht zeugungsfähig ist, und also auch nicht danach strebt, sich zeugend zu vermehren, ist keine Wahrheit; und der ihr Dienende ist kein echter Wahrheitssucher. Der Wahrheit und dem Wahrheitssuchen wohnt es inne, leuchten zu wollen und in diesem Sinne die Verwirklichung der anderen, weiten (und keineswegs egoistischen) Formel anzustreben: Menschenfischer zu sein oder zu werden.

Das Zweite: nur die eine Grenze gilt, daß nämlich jede Beeinträchtigung der Freiheit, jede geistige oder moralische Vergewaltigung oder Nötigung unterbleibe. Und im Bereich des Religiösen muß dies sorgfältiger vermieden werden als irgendwo sonst.

In diesem Raum der äußeren und besonders der inneren Freiheit, also, wie ich es an anderer Stelle nannte, im Raume der Liebe, kommt dem Wunsch, den religiösen Sinn des Mitmenschen zu stärken, zum mindesten dasselbe Recht zu wie jeder Äußerung des strebend sich Bemühens.

30

Um den Zaghaften unter uns noch einmal ausdrücklich einen Stein des Anstoßes aus dem Wege zu räumen, erinnere ich daran, daß für uns auch dieses Streben nur eine Frucht, eine sich *von selbst* ergebende Frucht der reinen historischen Forschung sein kann.

4. Es ist verständlich, daß moderne Menschen, die gewöhnt sind — sei es in der Politik, sei es in der Wirtschaft, sei es in der exakten Naturwissenschaft — mit konkreten Faktoren und unmittelbar meßbarem Ertrag zu rechnen, dazu neigen, in diesem konkret Gegebenen das Ganze der Kräfte zu sehen.

Es ist deshalb auch begreiflich, daß der moderne Mensch, sobald die Rede ist von Weltanschauung und Religion, insbesondere, wenn von ihnen die Rede ist im Umkreis der Wissenschaft (oder auch der Politik), mißtrauisch wird und in Abwehrstellung geht.

Ich meinte, das sei zunächst verständlich. Der desillusionierte moderne Mensch ist besonders empfindlich für alles nicht ganz Echte im Umkreis der Religion. Religion und Christentum erscheinen vielen heutigen Menschen als etwas Kraftloses. Kardinal Newman füllte viele Seiten seiner Schriften mit Klagen darüber, daß so viele Christen glaubten, als Kopfhänger erscheinen und sich mit schlechtem Geschmack kleiden und langweilig reden und schreiben und vordergründige, kurzschließende Apologetik treiben zu sollen. Wenn man hinzunimmt das vielfach ungewöhnlich schmerzhafte Versagen offizieller Vertreter des Christentums, das in einem Jahrhunderte währenden Prozeß schließlich selbst zäheste Anhänglichkeit an die Religion ermüden, sollte man in der Tat über mein Urteil und über die heutige Resignation vieler nicht allzu sehr erstaunt sein.

Die Religion wurde zweifellos nicht selten, ihrem eigensten lauteren Kern zuwider, mißbraucht. Wieviel Politisches hat sich im Laufe der Zeit unter dem faltenreichen Mantel der Kirche versteckt! Wie oft sprach man sehr hohe geistliche Worte aus und meinte und verfolgte sehr irdisch-egoistische Ziele!*)

Die durch diesen Mißbrauch der Religion und ihre unglaubwürdige Darstellung entstandene berechtigte *Enttäuschung* des modernen Menschen gehört zu den wichtigsten Elementen einer erschöpfenden Analyse unserer Zeit.

Es bedarf natürlich nicht längerer Ausführungen, um glaubhaft zu machen, daß die moderne A-Religiosität, die sich mehrende „Un-

---

*) Nebenbei, hier harrt ein großes, zwar heikles, aber auch ergiebiges Thema der Bearbeitung: die Geschichte der klerikalen Sprache, von geistlichen wie von weltlichen Fürsten gesprochen oder vielmehr geschrieben bis hin zu ihrem Verbrauch im Dienste der Säkularisierung.

31

fähigkeit· des modernen Menschen zu religiösem Glauben, *vielerlei* Wurzeln hat, und daß auch geistig-geistliches und moralisches Versagen der Menschen unter ihnen mit Nachdruck genannt werden müssen.

Von solchen Aspekten her haben viele moderne Menschen das Recht abgeleitet, das Christentum als quantité négligeable zu behandeln und mit größter Gewissensruhe sich mit massiv falschen und unwürdig oberflächlichen Vorstellungen von ihm zu begnügen. Glauben nehmen sie sehr leicht für Dummheit oder doch unmoderne Naivität, Kirche erscheint ihnen als Klerikalismus, Verkündigung als Proselytenmacherei. Nun, wenn es verständlich erscheint, daß es zu solchen Verzerrungen kam, daß bei vielen ein der Religion so ungünstiges Klima entstand, — damit ist das *Recht* dieser Schlußfolgerung noch nicht erwiesen und ich möchte für mein Teil dieses Recht hier mit kräftigen Akzenten bestreiten. Es geht vielmehr darum, im tatsächlichen Bestand und durch das berechtigte Mißtrauen des modernen Menschen hindurch die schon erwähnte große *Aufgabe* zu erkennen. Nämlich nachzuweisen, daß in jenen Erscheinungen die Religion — ihr Hohes und Kraftvolles — nicht rein zur Darstellung kam und kommt. Und daß ich also vom kritischen Menschen verlangen darf, daß er nicht des Mißbrauchs wegen die Sache selbst verneine. Denn dies rührt an sein Schicksal.

5. Wer heute Dogma sagt, kann sicher sein, daß die Majorität seiner Hörer das Wort als unterbewertend, als einengend nehmen.

Das Gegenteil trifft allein den Sinn. Das Dogma ist in seiner reinen Form ein unbezahlbarer Wert. Denn es ist die Garantie der Festigkeit und Freiheit.

Das Dogma des Christentums gibt weiten Raum und den freien Atem.

Das Dogma läßt Platz für die schärfste Kritik.

Wenn Jaspers dem dogmatisch Gebundenen vorhält, er sei eben deshalb auch befangen und besitze nicht die notwendige Kommunikationsfähigkeit für einen ganz anderen Standpunkt, so warte ich auf den Erweis dieser erstaunlichen These.

Für mein Teil glaube ich bis heute nicht an die Grenze des Geöffnetseins gestoßen zu sein.

Was ich Jaspers und vielen andern nicht nur zugestehe, sondern was ich mit ihnen als lebensnotwendig in allen Bereichen des Geistigen und also auch des Religiösen und der Erforschung seiner Geschichte fordere, ist, daß *innerhalb* der dem jeweiligen Objekt gemäßen Bindungen die Freiheit gepflegt und voll zur Geltung gebracht werde.

32

Denn ohne Freiheit des Geistes gibt es keine *Qualität*, gibt es höchstens die minimalistische Haltung der Korrektheit, und den ihr entsprechenden dünnen Ertrag.

Wir sprachen schon von den Fehlentwicklungen der Neuzeit.

Wir sprachen auch von ihren Werten. Unter ihnen gibt es *eine* Errungenschaft, die nicht mehr aufzugeben ist, und gegen deren Bedrohung gerade heute unser Kampf von allen Geisteswissenschaften, auch von der Geschichtswissenschaft her, geht: die Freiheit des einzelnen Menschen und seine Selbsverantwortung.

Und gerade diese Freiheit ist (wiederum vom Wesen des Menschen her) garantiert in der Religion des Abendlandes, im Christentum.

Wir wissen (und sagten es schon), diese Freiheit wurde oft im Namen des christlichen Dogmas verletzt. Viele, die sich auf das Dogma beriefen, haben gegen die Liebe und die Wahrhaftigkeit gesündigt. Aber dies war eben nicht eine Darstellung des Christentums, sondern ein Vergehen an ihm. Die Freiheit gehört unabdingbar zum Wesen des Christenmenschen. Viele Christen müssen erst noch die nicht leichte Kunst lernen, in lebendiger und fruchtbarer Leistung und Haltung zu beweisen, daß dieses Urteil trifft.

Freilich, sofort und mit dem denkbar stärksten Nachdruck müssen wir auch die Kehrseite betonen; die Freiheit darf nicht zu zerstörerischer Willkür werden. Echtes Dogma ist Bindung zur Freiheit. Beides ist nötig: Festigkeit der Bindung *und* Freiheit. Wahrheit in Fülle der Vielfalt!

Zusammengefaßt, führt das zu einer Formel, die vielen höchst anstößig klingt:

Dogmatische Intolerenz, Exklusivität des Christentums.

Nun, eigentlich dürfte diese Intoleranz nur dann als schockierend empfunden werden, wenn die vorhin so nachdrücklich geforderte Offenheit durch Engstirnigkeit ersetzt würde. Nur, daß wir dann eben nicht im Dogma stehen, sondern in seinem Gegenteil, dem Dogmatismus. Auch Karl Barth hat gegen den heutigen sogenannten „Humanismus" die christliche Exklusivität kräftig in Anspruch genommen. Er hat es mit Recht leichterhand als zu unernst beiseite geschoben, wenn man gegen das christliche Bekenntnis im Grunde nicht viel mehr vorzubringen habe, als die sentimentale Klage über jene Exklusivität.

Wenn die dogmatische Intoleranz wesenhaft in der Caritas steht, also a l l e m Wahren und Guten, wo immer sie es findet, geöffnet ist, wird gerade sie der Garant, der die Wahrheit zu retten vermag und die Freiheit in ihr.

33

Widersprüche können nicht in eins integriert werden. Aber durch schöpferische Kraft können Menschen widersprüchlicher Ansichten zu gemeinsamen Werk zusammengebracht werden.

Es bedarf nur des weiten Atems und jenes aus innerer Freiheit lebenden Sinnes für geistigen Neuaufbau aus der Tiefe, der sich mit Worten nur ungenau ausdrückt, der sich aber vorleben läßt, in der Arbeit dargetellt werden kann und der dann ansteckend wirkt. Es bedarf einer großen inneren Freiheit. Der Satz „Wahrheit sagen in Liebe" reicht tief. Er ist keine Formel, er ist eine schöpferische Aussage.

(c) Europa

Wie an den Begriffen Geschichte und Geschichtsschreibung — wie an der rechten Vorstellung von dem, was abendländische Religion und ihre Geschichte ist, — so hängt endlich drittens die Berechtigung und die Aussicht unserer Arbeit an der rechten Deutung des Begriffes „Europa", des heute schon so zerredeten!

1. Das säkularisierte Denken äußert sich heute in einer unsere Arbeit besonders tangierenden Weise gerade an dieser Deutung. In vielen Kongressen und Versammlungen, die um die Konzeption „Europa" kreisen, empfindet man Unbehagen oder peinliche Verlegenheit oder Grimmigeres, wenn versucht wird, den Inhalt dessen, was man unter Europa zu verstehen habe, weltanschaulich zu bestimmen.

Man spricht lieber, viel lieber von Europa als einem wertfreien Gebilde, von Europa „um seiner selbst willen".

Diese Auffassung ist gewiß nicht wertlos. Sie ist im Gegenteil voller Bedeutung. Kraft oder Schwäche auf dem Gebiet der Politik und Wirtschaft sind für ihr Teil ausschlaggebend. Dieser Kampf um Europa ist in jedem Fall auch Ausdruck des Selbsterhaltungstriebes, also jener Kraft, mit der sich jedes Lebewesen in letzter Anstrengung gegen den eigenen Untergang wehrt.

Freilich kommt es, letztlich ausschlaggebend, auf die *objektive Kraft* dieses Triebes zur Selbsterhaltung an. Man weiß, von welcher Lebensgier ein an Auszehrung leidender Mensch besessen sein kann. Nur, daß sein Trieb nicht mehr die Kraft hat, neu zu bauen.

Und so ist die Frage legitim, ob dem europäischen Selbsterhaltungstrieb genügend Kraft zum Neubau innewohne, wenn der Europa-Begriff, wie angedeutet, wertfrei gefaßt wird.

2. Nichts ist für das Gedeihen eines soziologischen Gebildes wichtiger als Tradition und die lebendige Verbindung mit ihr. Die Ge-

34

schichte ist ein einziger großer Beweis für diese These. Nicht zuletzt auch von der negativen Seite her. Die Geschichte lehrt jedenfalls, daß viele Katastrophen auf die Zerschneidung der Tradition oder auf mangelhafte Verbindung mit ihr zurückgehen.

Unsere Gegenwart ist unter anderem auch gekennzeichnet durch eine sich immer mehr steigernde Schnelligkeit der Abfolge der Ereignisse. Dies aber verstärkt seltsamerweise (jedoch mit innerer Konsequenz) nicht die Kontinuität des Gewesenen mit dem Heute, sondern umgekehrt, sie schwächt sie. Leben, Denken und Politik werden immer zusammenhangloser.

Es braucht nicht bewiesen zu werden, wie sehr dies den inneren geistigen Werten des Lebens entgegen ist. Zwischen jener Hetze und unserer inneren Leere, unserem Versagen vor neuen Situationen, die ein instinktsicheres Zugreifen erfordern, besteht ein innerer Zusammenhang.

Man ermißt leicht, welche Wichtigkeit es in einer solchen Lage gewinnen kann, die Werte einer Zeit wieder herauszuarbeiten, die noch echten innern Zusammenhalt und wahre Gemeinsamkeit kannte, sogar zu einem guten Teil aus ihr lebte.

Nun gibt es sicher keine Macht, die der Tradition wesensgemäß stärker verbunden wäre, als die Religion. Aus der Geschichte der abendländischen Religion läßt sich ihre Kraft und Unentbehrlichkeit eindringlich vor Augen führen.

3. Über Folgendes herrscht Einmütigkeit: unser Ziel ist, das gemeinsame europäische Erbe durch die Erforschung seiner Geschichte neu und gereinigt ins Licht zu setzen, dadurch die gemeinsame europäische Tradition zu stützen und sie für Gegenwart und Zukunft fruchtbar zu machen.

Wenn ich die Tradition preise, dann soll nicht vergessen sein, daß sie etwas sehr viel anderes ist als gewisse gewesene Einrichtungen, die noch eben fortdauern. Tradition drängt nach neuem Leben. Nirgends ist die Gefahr größer, daß Abgestorbenes sakral verklärt, und zeitgeschichtlich bedingte Einrichtungen zur Tradition erklärt werden als innerhalb der Religion. „Das Beharrungsvermögen der Einrichtungen der Christenheit ist gefährlich" („Lebendiges Zeugnis" 2, 1952/53, 15.)

Deshalb umgreifen auch die Begriffe „abendländisch" und „abendländischer Mensch", so unersetzliche Werte sie uns andeutend vor Augen stellen, nicht das Ganze einer abendländischen Geschichte oder Religionsgeschichte. Die nötige Ausweitung deute ich an mit der

35

Formel von Werner Becker: das gesuchte Richtbild ist der ökumenische Mensch.

Wir müssen notgedrungen fragen, worin jene Tradition bestehe. Und wir werden in der Antwort auf das Gebilde Europa die allgemeine Erkenntnis anwenden dürfen: ein Organismus kann nur leben, wenn er seiner Art entsprechend genährt wird.

Damit stehen wir vor dem zentralen Problem: ob dieses Europa, um das wir geschichtswissenschaftlich mitkämpfen, ein *christliches* sei oder nicht? — sein müsse oder nicht zu sein brauche?

Hat also das „Institut für Europäische Geschichte", als es klar und entschieden das Abendland als ein *christliches* definierte, das Richtige getroffen?

Nun, Europa ist — wenn wir auf seine Substanz sehen — christlich in einem so wurzelhaft tiefen Sinn, daß viele moderne Menschen sich davon kaum eine rechte Vorstellung machen können.

Das Christentum ist nicht eigentlich in Europa hineingetragen worden. Sondern, gemeinsam wachsend, sind lateinische Kirche und junge germanische Völker ein Neues geworden: das christliche Abendland. Europa ist christlich von seinen Wurzeln her. Es gibt auch andere Werte und Wurzeln, auch vorchristliche und außerchristliche. Aber das Geheimnis liegt darin: die formgebende Kraft war das Christentum.

Angesichts der borgierten Versuche des Dritten Reiches, das Christentum von seinem germanischen Träger zu lösen, und im Widerspruch zu diesen utopistischen Eingriffen hat Theodor Litt in einer überzeugenden Studie dargetan, wie unlösbar bis heute das Christentum mit dem Germanischen verbunden ist. Man kann nicht das eine vom andern trennen, ohne das Leben des Gesamtorganismus tödlich zu treffen.

Neben dem Philosophen Litt vertreten moderne Literaten und Historiker dieselbe Auffassung.

T. S. Elliot bekennt (in seinem Vortrag über die Einheit der europäischen Kultur): „Die uns allen gemeinsame Tradition des Christentums hat das moderne Europa geprägt und die kulturellen Werte geschaffen, die für uns alle aus dieser Tradition erwachsen sind . . . Es ist das Christentum, auf dessen Grundlage sich unsere Kunst entwickelt hat; es ist das Christentum, in dem die Gesetze Europas verwurzelt waren. Allein von diesem Hintergrund des Christentums erhält unser ganzes Denken seinen Sinn. Der einzelne Europäer mag den christlichen Glauben für falsch halten, und doch entspringt alles, was er sagt, denkt oder tut, diesem Erbgut der christlichen

36

Kultur und wird nur aus ihm heraus verständlich. Ich halte es für ausgeschlossen, daß die europäische Kultur den völligen Untergang des christlichen Glaubens überleben könnte. Diese Überzeugung hege ich nicht nur, weil ich selbst Christ bin, sondern weil ich mich mit dem Studium der modernen Gesellschaft eingehend befaßt habe. Das Ende des Christentums wäre das Ende unserer ganzen Kultur. Dann müßten wir mühselig von vorn beginnen."

August Winnig, Europa 1937, spricht noch dezidierter: „Europas Ursprung ist das Bekenntnis zum Kreuze Jesu Christi. Dieses Bekenntnis verwandelte die Vielheit der Völker zwischen Nordmeer und Mittelmeer zur Einheit. Es schuf den geistigen Raum, in dem sie alle zu Hause waren, und verband sie zu einer Gemeinschaft, die es vorher nicht gab. Ohne diese Gemeinschaft hätte nie ein Europa werden können. Man denke sich aus der Geschichte Europas alles fort, was allein dem Bekenntnis zum Kreuz und der in diesem Bekenntnis begründeten Verbundenheit zu danken ist: Was bleibt dann übrig? Was Europa geworden ist, ist es unterm Kreuz geworden. Das Kreuz steht über Europa als das Zeichen, in dem allein es leben kann. Entweicht Europa dem Kreuz, so hört es auf, Europa zu sein. Wir wissen nicht, was dann aus Europa würde; wahrscheinlich ein Gemenge von Völkern und Staaten ohne verbindende Idee, ohne gemeinsame Werte, eine Gesellschaft, aus der jedes Bewußtsein eines gemeinsamen Auftrages und einer höheren Verantwortlichkeit entwichen wären. Das ist der Abgrund, an dessen Ende Europa heute dahinschwankt."

Auch Dawson, Butterfield und Toynbee bekennen sich in der einen oder anderen Form zu dieser These. Und diese Historiker tun es manchmal in einer den säkularisierten Menschen höchst überraschenden, manchmal sogar den Kirchenmann beschämenden Weise.

Säkularisierte Menschen genießen heute die Fülle des abendländischen *künstlerischen* Erbes. Und werden sich gar nicht klar darüber, daß all das, was sie da bestaunen, ohne das Christentum nicht wäre. Man muß sie verstehen lehren, daß dieses Erbe und das heutige Chaos beweisen, daß das europäische Herz nur im christlichen Raum schlagen kann.

Wenn man modernen Industriellen, Bankleuten, Natur- und Geisteswissenschaftlern von Erbsünde, Gericht, der Gestalt des Gottesknechtes spricht, ist für viele höfliches Schweigen das Maximum ihres Verständnisses. In manchen Kreisen scheint man geradezu um Entschuldigung bitten zu müssen, wenn man in der Ehrfurcht und Anbetung, die hier am Platze sind, den hochgelobten Namen Jesus Christus des

37

Erlösers, nennt und sich zu ihm bekennt. Sie geben sich nicht Rechenschaft, wie sehr hier von nährenden W u r z e l n der abendländischen Tradition die Rede ist. Aber Butterfield zeigt ihnen, wie wir diesen Dingen von der Geschichte her nahekommen können. Und er erlaubt sich, eindringlich darauf aufmerksam zu machen, daß das Christentum gerade in den ihm eigenen Gesinnungen und Lebensäußerungen der *Demut* und *Liebe* am geschichtsmächtigsten war.

Das heutige Europa ist weithin entchristlicht. Und doch kann man es nicht gültig definieren, ohne das Vorhandensein recht kräftiger christlicher Äußerungen in die Analyse einzureihen.

Es gibt auch heute eindrucksvolle Tatsachen, die man nur zu nennen braucht, um sofort zu sehen, wie weltenweit und wie modern das ‚Christliche‘ noch heute ist.

Hier nur die Stichworte, die ich nachher etwas näher ausdeuten werde: das umfassende, Deutschland, Frankreich, England und Amerika mitprägende Gespräch zwischen den Konfessionen und die ökumenische Bewegung, das Religiöse in der modernen Literatur, vor allem der französischen, dann der englischen, aber auch der amerikanischen und deutschen; oder sogar die moralische Aufrüstung von Caux und das International Council for Christian Leadership.

4. Mancher sucht diesen Feststellungen und den sich daraus ergebenden Schlußfolgerungen über die Notwendigkeit eines christlichen Europas aus dem Wege zu gehen, indem er den genannten Erscheinungen die Wirkung in die Tiefe und Weite abspricht; indem er bei den Vertretern des Christentums zu sehr die Verwirklichung des Christentums und damit die Kraft der Umgestaltung vermißt.

Kein Christ und also auch kein christlicher Historiker kann zunächst diesen Vorwürfen ein ordentliches Stück Berechtigung absprechen. Sie müssen die Schuld bekennen, sie müssen auch ihre eigene Schuld bekennen.

Dann dürfen sie freilich darauf aufmerksam machen, daß die Verurteilung in der vorgetragenen Verallgemeinerung schroff unwahr ist. Es gibt lebendiges und heiligmäßiges Christentum auch in unsern Tagen. Daß es vielfach verborgen ist, kann ein Vorzug sein.

Andere versuchen den Schlußfolgerungen über ein christliches Europa aus dem Wege zu gehen, indem sie von Theologie und Dogmatismus reden, die über den Kreis lebensfremder Ideologen hinaus kaum jemand interessieren. Ich nehme an, daß niemand von uns sich im Ernst auf diese allzu billige Methode zurückzuziehen wünscht. Denn es ist sehr viel später am Tage, als viele glauben.

38

5. Allerdings ist vor einem Mißverständnis zu warnen. Es wäre Illusion, ja verbrecherisch, wollte man den Neubau Europas davon abhängig machen, daß alle Europäer wieder Christen würden. Dies wird *nicht* sein. Wahrscheinlich wird der prozentuale Anteil des Christentums sogar noch weiter abnehmen. Die düstere Voraussage oder Drohung des großen Newman wird sich vielleicht noch weiter erfüllen, daß in einem Zeitalter des einseitig kultivierten Verstandes und der Vernachlässigung der Weisheit des Herzens ein Einbruch allgemeinen Unglaubens beinahe unvermeidlich sein werde. Mit Luther dürfen wir daran erinnern, daß ein Christ immer ein seltener Vogel ist. Entsprechend bleibt es bereits eine echte Frage, in welchem Sinne und welcher Tiefe die Europäer vergangener Zeiten, also die Europäer eines öffentlich und offiziell christlichen Europas echte Christen waren. Aber diese weittragenden Feststellungen erschüttern nicht die Konsequenzen, die wir vorhin zogen und die wir noch weiter belegen werden. Denn nochmals: auch wer für sich persönlich die Lehren des Christentums ablehnt, kann nicht übersehen, daß die Kräfte eben dieses Christentums einst das soziale und rechtlich-kulturelle Gefüge Europas so aufbauten, daß bis heute viel von seiner Grundsubstanz bis in Sprache und Gesetze und Sitten hinein christliches Erbgut ist.

Kann aber das, von dem wir — vielfach freilich unbewußt — bis heute so wesentlich zehren, kraftlos sein? Vielmehr: nur ein sehr überheblicher Geist — oder Ungeist — kann behaupten, daß diese Kräfte den heutigen Menschen insgesamt nichts mehr zu sagen hätten, ihnen nicht mehr zu helfen vermöchten.

Der Einzelne — und heute sind das viele — kann in jeder denkbaren inneren Form als aufbauendes Element in der Entwicklung stehen; wenn aber gefragt wird, wie die Allgemeinheit aufbauen, am Aufbau beteiligt sein und nicht dem Chaos verfallen soll, so ergibt sich die Notwendigkeit *bleibender* Wahrheiten.

Hitler-Rosenberg dachten lediglich den modernen, überall rezipierten Liberalismus zuchtlos zu Ende. Und so machten sie das schon erwähnte Experiment, Europa ohne Christentum aufzubauen. Manches um uns scheint anzudeuten, daß viele die grauenvolle Lektion, die daraus erfloß, beinahe vergessen haben. Kritische Menschen sollten sich das nicht leisten. Was zum mindesten besagt, daß der Nichtchrist die Pflicht habe, seine Ablehnung des Christentums kritisch zu kontrollieren.

Die letzte Frage wird lauten: ob der heutige offenkundige

39

Schrumpfungsprozeß, der sich, wie wir sagen, wahrscheinlich noch fortsetzen werde, unaufhebbar sei.

Wenn wir an der vorhin gezogenen Schlußfolgerung festhalten, daß der Untergang des Christentums in Europa die europäische Kultur vernichten würde, dürfen wir sagen: es ist nicht utopisch, zu behaupten, aus der christlichen Vergangenheit könnten schöpferische christliche Kräfte (nämlich des aus dem Glauben an Jesus Christus, den Gekreuzigten, fließenden Lebens) in den Neubau Europas eingehen; und zu behaupten, die' wissenschaftliche Erforschung dieser Vergangenheit könnte ein vorzügliches Mittel zur Erreichung dieses Zieles ein.

6. Unter solchen Voraussetzungen ist es selbstverständlich, daß an der gestellten wissenschaftlichen Aufgabe Gelehrte verschiedenster Richtung sich beteiligen sollten. Der geforderte Verzicht auf Propaganda, auf vordergründige Abzweckung, also die Forderung dienender Wahrhaftigkeit zusammen mit der Leidenschaft, neu zu bauen, eröffnen die Möglichkeiten fruchtbaren gemeinsamen Forschens. Aber es gibt noch eine andere Voraussetzung: man kann nicht die Geschichte der Religion bzw. des Christentums schreiben, ohne für Religiöses, ohne für Christliches Verständnis zu haben. Augustinus und Bernhard haben noch immer recht: nur der Liebe gelingt es, ins Innere der Dinge zu dringen.

Weder das Religiöse überhaupt noch das Christliche im besonderen sind den allgemeinen natürlichen Kategorien historischen Werdens und Verfallens entnommen. Sie nehmen teil an gewissen formalen Grundtendenzen, formalen Entfaltungen und Schrumpfungsprozessen. Wenn in ihrem Umkreis sich Macht ansammelt, wird ihre Dämonie sogar (weil pervertiert) noch schärfer zur Revolution drängen als auf den anderen Sektoren. So spiegelt die Geschichte des Religiösen und auch des Christentums an vielen Stellen das Schema „Machtansammlung — Revolution."

Aber die ganze Geschichte des Christentums — soweit sie streng wissenschaftlich faßbar ist — nur auf dieses formalistisch definierte Geschehen zu reduzieren, ist lediglich eine moderne Form des Positivismus, des trostlos leeren. Es gibt im Christentum, wissenschaftlich faßbar, urtümliche Werte, die sich nicht formalistisch auflösen lassen. Sie müssen gesehen werden. Kollege Kühn (HZ 1952) sieht sie nicht. Auch eine bloße (und außerdem rein formale) Phänomenologie ist unzulänglich. Wenn wir zu einer fruchtbaren Verständigung kommen wollen, genügt es nicht, gemeinsame Symptome aufzuzeigen und bei deren „Zufälligkeit" stehen zu bleiben (vgl. etwa einen solchen

40

Versuch in Antares 1952, S. 7 ff.). Es bedarf einer Basis, die *gültig* ist und die *bleibt*. Gegenüber dem Ernst der Lage, in der wir uns befinden, ist alle anspruchsvolle Geistreichigkeit auch in der Geschichtsdeutung fehl am Platze: unwirksam, unfruchtbar. Nur eine Geschichtsdeutung, die auf bleibenden Fundamenten aufbaut und mit bleibenden Maßstäben mißt, und die von hier aus die Gegenwart, zuerst den gegenwärtigen Menschen zu gestalten trachtet, kann vielleicht — wir hoffen es — den aufgebrochenen und aufbrechenden sehr realen Mächten der Finsternis begegnen. Realitäten gegen Realitäten: die Wahrheit gegen die Lüge. Und dies meine ich nun freilich so wenig rhetorisch wie nur irgend denkbar. Über unsere schwächliche Haltung, wenn sie andauert und die Oberhand im Westen behält, die östliche grausame Einheit leicht triumphieren, und alle westliche Geistreichigkeit wird sein, wie wenn sie nie gedacht worden wäre. Die wirtschaftlichen, kulturellen und militärischen Kräfte und Leistungen sind zur Abwehr der Gefahr aus dem Osten unentbehrlich. Aber allein werden sie nicht genügen. Wenn ein Aufbau auf Dauer geleistet werden soll, brauchen wir ein allgemein gültiges und dauerndes Fundament.

Fassen wir unsere Nöte möglichst weit! Für die Gesundung, die wir anstreben, ist das innere Klima im Bereich unserer östlichen Nachbarn nicht nebensächlich. Wie aber sollte jener vom Bolschewismus zur Steppe ausgedörrte Raum wieder zum fruchtbaren geistigen Acker gemacht werden, wenn nicht auf dem Boden seines orthodoxen Christentums (das dogmatisch vom römischen kaum verschieden ist)?

Es war der Zweck der bisherigen Ausführungen, den fruchtbaren Zugang zu der These freizumachen, in die ich eingangs die Aufgabe des „Instituts für Europäische Geschichte" und speziell seiner Abteilung für Abendländische Religionsgeschichte zusammenfaßte.
Es ergab sich:
1. Geschichtliche Forschung vermag sehr wohl die Gegenwart zu beeinflussen.
2. Dies gilt auch, und (gemäß der wurzelhaften Christlichkeit Europas) sogar besonders für die geschichtliche Erforschung der abendländischen Religion.

UNSERE AUFGABEN

Die Analyse unserer gegenwärtigen Lage sah davon ab, ausdrücklich die Anwendungen zu formulieren, die von ihr aus zu den Aufgaben der historischen Forschung innerhalb der abendländischen Religionsgeschichte hinführten.

41

Sie ausführlich anzugeben, würde ein eigenes zu umfangreiches Kapitel erfordern. Ich beschränke mich auf das Notwendigste.

Ganz allgemein stößt die Erforschung der abendländischen Religionsgeschichte in so großem Umfange auf das *Gemeinsame,* das uns einmal zusammenhielt, daß es ohne weiteres imstande ist, zu einer heutigen Einheit hin in der einen oder anderen Weise zu wirken.

Entsprechend stellt die Darstellung des häufigen Versagens des Gemeinschaftsbewußtseins, also etwa die Herausarbeitung der meist kurzsichtigen religiös-kirchlichen Egoismen, nicht selten eindringlich vor Augen, wie Fehler hätten vermieden werden können, wie man sie wenigstens heute und morgen vermeiden könnte.

Hier haben wir einen Parallelfall der Methode vor uns, nach welcher die universalgeschichtliche Abteilung die Auswirkung vergangener politischer Fehlrechnungen zu überwinden versuchen kann. Um einen Fall zu nennen, der beide Gebiete angeht: der kirchlich-politische Bruch des 11. Jahrhunderts ist geradezu trächtig an tiefgreifenden Lehren für heute. — Oder ein spezielleres Thema: der Nachweis der vorhin nur erwähnten Parallelität zwischen Schwund des Christentums und Unterbewertung des Dogmas ist ein Thema von europäischem Rang, ist Hilfe für unsere Ratlosigkeit, wie sie vom Historischen her nicht leicht wirksamer gedacht werden kann, sobald wir den Mut haben, uns ihm zu stellen, und die Analyse selbst freigehalten wird von allen Einseitigkeiten und unzulässigen Vereinfachungen.

Aber ich muß nun endlich konkreter werden.

I. 1. Auf dem vorgelegten nicht ganz schmalen Fundament von Grundauffassungen erhebt sich eine *besondere* Aufgabe meiner Abteilung: es sind jene Arbeiten über die Reformationsgeschichte, die mir besonders am Herzen liegen, und deren besondere Ausrichtung in einem möglichst offenen und umfassenden Dialog zwischen katholischem und evangelischem Christentum bestehen soll.

Christen und Nichtchristen müssen lernen, in der Bemeisterung der praktischen Aufgaben des öffentlichen Lebens zusammenzustehen, in einer ganz dem Sachlichen aufgeschlossenen Art.

Aber, daß die Christen selbst, die Christen verschiedenen Bekenntnisses, miteinander reden lernen, ist von einer in ihrer Art noch zwingenderen Notwendigkeit. Denn die Fremdheit der Christen untereinander und ihre Feindseligkeit gegeneinander, ist ein *innerer* Widerspruch. Er ist wie eine lähmende innere Leere. Er ist auch wie ein dauernder innerer Zerfall und damit eine Seinsbedrohung der

42

soziologischen Gebilde, deren aufbauende und ausrichtende Form doch gerade ihre Gemeinschaft sein sollte. Alles, was über die christliche Wurzelhaftigkeit Europas und die christliche Tradition Europas einerseits und andererseits über die heutige Entchristlichung Europas im eigentlich Religiösen (Wirklichkeit und Gefahr des Relativismus) und im Moralischen (Materialismus) gesagt wurde, beweist es.

2. Doch habe ich hier nicht die innere Begründung meiner These zu geben. Ich halte mich an den konstatierbaren Tatbestand.

Gewiß, während vierhundert Jahren hat die große Majorität der Christen und auch der Gelehrten das schicksalhafte Gegeneinander, das den Kern der Reformation ausmacht, betrachtet, analysiert und bewertet, ohne von ihrem Objekt den scharfen Eindruck empfangen zu haben, daß hier neben allem zu Preisenden oder heroisch zu Ertragenden ein jämmerliches Versagen sich anklagend erhebt.

Was beweist das?: daß es Jahrhunderte dauernde Blindheit ganzer Völker geben kann.

Aber der Blick und die Empfindungen vieler Christen und Historiker haben sich gewandelt; sie empfinden zum mindesten, daß die Reformation *auch* ein tragisches Versagen darstellt: die Zerspaltung der Christenheit und die fortzeugende zerstörerische Kraft dieses Vorganges in einer immer weiter gediehenen Aufspaltung. Von daher (aus recht verschiedenen Überlegungen) ist die Einsicht bei ihnen zentral geworden, die Aufspaltung der Christenheit sei Substanzverlust, Bedrohung, ja — der Ausdruck wurde von verantwortlicher evangelischer Stelle gebraucht — Verbrechen. Dem entspricht ihre Forderung: die Zerspaltung möglichst zu überwinden. Für einen beträchtlichen Teil der heutigen Christenheit, und zwar den aktivsten, also für einen Teil derer, die die hier maßgeblichen Tatsachen am besten kennen, ist dies ein zentrales Anliegen ihres Lebens geworden. Das gilt sowohl für die innerevangelischen Auseinandersetzungen wie für die Erarbeitung des Verständnisses der östlichen Christenheit, und es gilt für das Gespräch zwischen Protestanten und Katholiken. Das schwerste Hemmnis für ein gesamteuropäisches Bewußtsein ist eben doch die Aufspaltung der christlichen Kirche in Konfessionen. (Daß dies vom heutigen säkularisierten Bewußtsein nicht immer erfaßt, ja, oft bestritten wird, ist kein entscheidender Einwand. Um über Probleme des religiösen Bereichs und seiner Geschichte ein sachverständiges Urteil abgeben zu können, muß man sich der Eigenart des Religiösen geöffnet und seine Auswirkungen geduldig analysiert haben.) Jedes Bemühen um eine Überwindung dieser Zerspaltung,

43

jeder Beitrag hierzu, ist deshalb — zunächst unter religiösem, dann aber auch unter politischem und kulturellem Aspekt — von größter Bedeutung. Und zwar muß dem tragischen Faktum des Auseinanderbruchs der Christenheit, das auch die universalgeschichtliche Entwicklung aufs tiefste bestimmt hat und bestimmt, bis in seine Genesis hinein nachgegangen werden.

Die Durchleuchtung der konfessionellen Spaltung, vor allem ihrer Ursachen und ihrer Anfänge, aber auch ihrer Verfestigung, ihrer theologischen Bestimmtheit und ihrer Verflechtung mit nichttheologischen Faktoren, ihrer Weiterentwicklung und ihrer Wirkungen ist zur Zeit im besonderen die Aufgabe der von mir geleiteten Abteilung unseres Instituts.

Das christliche Gewissen, das die Zerrissenheit der Christenheit als schweres Ärgernis und Schuld begriffen hat, das ökumenische Verlangen das in der Gesamtchristenheit aufgebrochen ist, lassen diese Aufgabe als besonders dringlich und als eine im tiefsten Sinne übernationale erscheinen. Und also auch als eine solche, die kräftig helfen kann, wie den konfessionalistischen so den nationalistischen Virus auszutreiben.

Die wissenschaftliche Beurteilung der Reformation und der Reformatoren klaffte und klafft noch in einer solchen Weise auseinander, daß sie weit über das wissenschaftliche historiographische Problem hinaus seit Jahrhunderten ein hervorragendes Element geistiger Beunruhigung (in einem wurzelhaften Sinn) bildete. Um das abzuschätzen, braucht man etwa nur an die bestürzende Tatsache zu denken, daß Lessing der Ansicht war, man könne von der lutherischen Position (also dem dogmatisch streng gebundenen Bekenntnis) legitim zum Atheismus gelangen. Sofort erkennt man die Linie, auf welcher sich der moderne Subjektivismus (zwar in konsequenter Auswirkung reformatorischer Ansätze, aber doch in Verfälschung des lutherischen Glaubensbekenntnisses) in der Gestaltung der reformatorischen Frömmigkeit und (auch) von da in der gesamten modernen geistesgeschichtlichen Entwicklung verheerend zur Geltung brachte.

Was würde es für die innere Festigung des europäischen Geisteslebens, des europäischen Geistes, bedeuten, wenn diese Fehlentwicklung weithin durchschaut und überwunden werden könnte? Heute liegen dafür Ansätze vor.

Neben diesem Problem, das seinen Ausgangspunkt im innerevangelischen Raum hat, gibt es das Auseinander und Gegeneinander von katholischer und evangelischer Beurteilung der Reformation. Man weiß, wieviel Animosität in Jahrhunderten sich hier sowohl auswirkte als von daher nährte.

44

Heute hat sich hier vieles gebessert, für manche Fragen sogar sehr vieles. Und dies ist eine der Tatsachen, die unsere Arbeit trägt und rechtfertigt. Aber wir wissen ebenso, daß auch heute noch an unendlich vielen Stellen von hier aus schädliche Wirkungen für das öffentliche und private Leben ausgehen. Und wir wissen um die Rückschläge. Es würde jugendliche Unreife und ein recht unwirkliches nominalistisches Denken dazu gehören, anzunehmen, störende und zerstörende Wirkungen von Jahrhunderten in der Breite der konfessionellen abendländischen Auseinandersetzungen könnten über die theoretische wissenschaftliche Überwindung hinaus auch in ihrem ontischen Sein, in ihrem durch Jahrhunderte gewachsenen Selbstand durch die Verständigungsarbeit einiger Fachgelehrten in wenigen Jahrzehnten entmächtigt werden.

Aber dies alles steigert nur die Bedeutung und die reinigende Wirkung einer dauernden Verständigungsarbeit.

Wenn man dabei an die besondere Tiefendimension denkt, die dem Religiösen zukommt und an den besonderen Grad der Entzündlichkeit, die dem konfessionellen Gegeneinander eignet, dann wird man noch leichter verstehen, welche innere Entlastung dem Gesamt der Bevölkerungen in dem Maße zuteil werden könnte, in dem das herrschende, belastende und verwirrende feindlich-feindselige Gegeneinander der Konfessionen überwunden würde. Man überlege etwa den Gewinn für den deutschen Raum, wenn es einmal gelänge, Luthers Bibel zum gemeinsamen Buch der katholischen und evangelischen Christen zu machen, oder die Darstellung der Person Luthers — trotz aller (auch wesentlichen) Kritik — gründlich von konfessionalistischer Enge frei zu halten.

3. Eine solche Überwindung des konfessionalistischen Gegeneinander würde mit innerer Notwendigkeit von einer positiven Stärkung des Religiös-Christlichen begleitet sein. Denn keine Einzelursache ist an der Entchristlichung der Welt so sehr schuldig wie die Aufspaltung der einen christlichen Botschaft in mehrere sich gegenseitig ausschließende Bekenntnisse. Jede Wendung zur Einheit hin, jeder Wunsch nach ihr, jede Vorbereitung eines gegenseitigen Verständnisses würde die Überzeugungs-, ja, Geschichtsmächtigkeit des christlichen Bekenntnisses und damit die Kraft der soziologischen Gebilde, die es verkünden, mehren. Freilich stehen wir hier an *dem* neuralgischen Punkt der Auseinandersetzungen. Die moderne Welt ist säkularisiert, und im gleichen Maß ist sie dogmenmüde; und eben dies hält sie — hält der Großteil ihrer Vertreter — für *den* Gewinn ihrer bisherigen Geschichte.

45

Gut, aber fanden wir nicht diese moderne Welt und ihr Denken recht wurzellos? recht schwächlich?

Auf alle Fälle (und jenseits von allem religiösen Bekenntnis), dies wird keinem ernsthaften Einwand begegnen: nichts brauchen wir heute so sehr wie Einheit. Alles, was die Zerrissenheit fruchtbar und in Freiheit überwindet, gewinnt lebensrettende Bedeutung. Der konfessionellen Verständigung kommt also höchste Bedeutung zu.

Zu ihrer Bewältigung kann die historische Arbeit in hohem Maße beitragen. Wir brauchen uns nicht mehr auf Behauptungen zu beschränken. Wir haben Tatsachen. Die große Historiographie, schon seit Ranke, hat weithin zu gemeinsamen Auffassungen geführt. Durch die bedeutenden katholischen Leistungen von Pastor und Janssen, auch von Grisar, und sogar von Denifle, sind gewisse Einseitigkeiten gemildert worden, ist das Verständns für so große gemeinsame Werte, wie sie das mittelalterliche Denken, Beten und Bauen umschließt, gewachsen. Die neueren Forchungen der Religionsgeschichte haben unser stummes oder lautes Gegeneinander auf der Ebene der Wissenschaft tief umgewandelt in ein bereits erfreuliches Gespräch.

Nach dem Eingeständnis von Theologen beider Seiten ist die gegenseitige Befruchtung unvergleichlich inniger als vor 20 Jahren. Wir hören in einem ganz anderen Umfang auf einander. Evangelische Theologen schreiben beglückt, wie sie heute so sehr viel mehr auf katholischer Seite gelesen werden, und bekennen, wie sie selbst in viel stärkerem Maße katholische Arbeiten studieren und sich aus ihnen nähren als früher. Die gemeinsame exegetische Arbeit von evangelischen und katholischen Forschern haben auf dem Gebiet der Wissenschaft eine Lage geschaffen, in der man weithin mit gemeinsamen Methoden gemeinsame Aufgaben angeht. Ein Standardwerk wie das Kittelsche Wörterbuch ist gemeinsames Arbeitsinstrument für Katholiken und Evangelische geworden.

Die Reformation wird heute auch auf evangelischer Seite längst nicht mehr nur als ein Ereignis betrachtet, das allen ernsten, auch gefährlichen Fragen enthoben wäre. Die Frage nach ihrem Recht wird auf evangelischer Seite in einer ganz anderen Weise gestellt als vordem.

4. Ich sprach vorhin davon, daß alle historisch belangvolle Arbeit ihren Kairos habe. Auch jedes Geschlecht hat seine Stunde. Es ist lebenswichtig, daß es sie wahrnimmt.

Nun, heute ist die große Stunde des Gesprächs zwischen den Konfessionen, und dies über alle Kontinente hin bis nach Amerika und hinein in den östlichen Raum.

46

So wie die Dinge heute liegen, geht es nicht mehr um die eine oder die andere der abendländischen Nationen, sondern um Europa. Das Gleiche oder Ähnliches gilt für die christlichen Konfessionen. Offensichtlich ist das Christentum so sehr als Ganzes bedroht, da es nicht mehr um die eine oder andere Konfession geht, sondern um Sein oder Nichtsein des Christentums schlechthin. Jede Art von innerer Konkurrenz verliert ihren Sinn. Es geht um die Zusammenarbeit. Beide Konfessionen tragen für einander, und *so* für das Ganze Europas und für die Welt entscheidende Verantwortung. Wenn je einmal, dann gewinnt das paulinische „Tragt einer des anderen Last" hier seinen vollen Sinn.

Aber, stehen wir innerhalb dieser angedeuteten Annäherung nicht schon wieder vor eine Erstarrung der Fronten? Ohne Zweifel! Und nicht nur in Europa. Eben jetzt erreichen uns Nachrichten von bedauerlicher konfessioneller Gegnerschaft aus Amerika. Aber dies vermag nur den zu entmutigen, der den Ertrag seiner Arbeit unbedingt morgen sehen will. Wichtiger als der Erfolg (und in diesem Falle das Einzige, was in unsere Hand gegeben ist) ist das *Streben* nach der Einheit. Nüchtern müssen wir uns sagen: *wir* werden sie nicht erreichen. Ein anderer sät, ein anderer erntet.

Aber was würde allein schon das Verstehen und das in wirklicher Aufgeschlossenheit miteinander Arbeiten bedeuten! Und dies sowohl gegenüber der Bedrohung von außen wie gegenüber dem Schwund christlicher Substanz im Innern!

Nur indem beide Konfessionen aufeinanderzugehen (ein Zugehen, in welchem jede selbst nach innen erstarkt) können sie ihre Verpflichtung erfüllen und ihren Beitrag zur Rettung leisten.

Einzig dieses Auf-einander-Zugehen entspricht übrigens den im Christentum grundgelegten Haltungen: jeder konfessionelle und religiöse Hochmut ist verdammt, seit Jesus Christus die Tat des barmherzigen Samariters anerkannte und das Verhalten der rechtgläubigen Priester und Leviten brandmarkte, oder seitdem Er sagte: „Wer nicht gegen uns ist, der ist für uns." (Mark. 9, 40).

Und eben diese selbe Haltung ergibt sich als verpflichtend aus der abendländischen Religionsgeschichte durch den Nachweis der vielfältigen gegenseitigen Schuld und auch des vielseitigen gegenseitigen Verdienstes um einander. Nur daß dieses Zweite noch ganz anders aus der Geschichte positiv (nicht polemisch!) erhoben werden kann, als es bisher geschah! Diese aus Liebe und Wagnis geborene Objektivität hat die Forscher schon vieles und Befreiendes sehen gelehrt,

47

was vorher den Augen der allzu Selbstgerechten beider Seiten verborgen war.

Nachdem ich vorhin die dogmatische Intoleranz als so fruchtbar, ja, unentbehrlich herausgestellt habe, kann ich wohl nicht mißverstanden werden, wenn ich feststelle: das Gemeinsame der christlichen Konfessionen ist ungleich größer, als man es meist wahrhaben will. Und wenn wir 400 Jahre darauf verwandt haben, n u r auf das Unterscheidende zu sehen, ja zu starren, so sollten wir uns endlich auch intensiv um das Gemeinsame bemühen.

Ganz allgemein ist zu sagen: es gibt eine Fülle von Werten auf evangelischer Seite und eine Fülle von Werten auf katholischer Seite, die je auf der andern Seite nicht oder nur ungenügend bekannt sind.

Und eben diese Unkenntnis oder nicht genügend präzise gegenseitige Kenntnis der getrennten Brüder ist der beste Nährboden für Legendenbildung und Mißverständnisse; zum mindestens wird so ein genügender gegenseitiger, sachlich begründeter Respekt verhindert.

Diese Mängel zu überwinden, ist eine große Aufgabe. Hier liegt auch die große Chance der wissenschaftlichen Kollaboration der verschiedenen Lager.

II. Ein Einwand: gilt das alles für eine wirklich übernationale Arbeit — oder ist es nicht zu sehr von Deutschland aus gesehen? — Dieser Einwand hat einen berechtigten Kern, aber im wesentlichen kann er geradezu in sein Gegenteil gewandelt werden.

Der berechtigte Kern: naturgemäß packen wir die wissenschaftlichen historischen Arbeiten vorzugsweise (nicht ausnahmslos) von Deutschland als Ausgangspunkt an. Und insbesondere die Probleme, die sich an die Reformation knüpfen, können sachgerecht nicht voll dargestellt werden, wenn man nicht so vorgeht. Auch ist die von der Reformation bedingte Problematik des privaten und öffentlichen Lebens zweifellos in Deutschland am akutesten lebendig geblieben.

Aber dann die Widerlegung jenes Einwandes:

1.) Ein Zentralpunkt unseres wie jeden wahrhaft europäischen Programms betrifft das gute Verhältnis Deutschland—Frankreich. Es ist übrigens eine Aufgabe, die uns in Problematik und lohnender Aussicht hier in Mainz besonders eindringlich vorgestellt wird.

Ganz allgemein wird diese Frage umso fruchtbarer gelöst werden können, je sauberer die beiden Partner ihr geistiges Wesen darstellen und zentral stärken. In diesem Sinne darf gesagt werden, daß jede

48

Säuberung der deutschen Vorstellungswelt von Vorurteilen der angestrebten Lösung zugute kommen wird.
Präziser: auch die reformationsgeschichtliche Problematik schneidet
unmittelbar und zentral in das Verhältnis der beiden Nationen historisch hinein. Die Frage nach der Stellung von Franz I zu Deutschland und zu Karl V ist schon ernst genug; sie durchzieht und belastet einen entscheidenden Teil der Reformationsgeschichte und begründet eine ganze Reihe von europäischen Schwierigkeiten der zweiten Hälfte des XVI. und des XVII. Jahrhunderts. Aber die hier liegenden Schwierigkeiten sind ein Kinderspiel gegenüber der viel
drückenderen nationalen und konfessionellen Problematik, die mit
den Stichworten Bartholomäusnacht, Richelieu und 30jähriger Krieg
angedeutet ist.
Eben dieser Tage schrieb mir ein französischer Historiker, mit dem
ich das Thema „Richelieu, religionsgeschichtlich gesehen" angeschnitten hatte, ohne eine innere Lösung dieser oder ähnlicher Fragen bleibe jeder Verständigungswille der beiden Nationen ohne bleibende
Frucht.*)
Auch im Falle des Evangelismus (der sowohl zur innerkatholischen
Reform wie zur evangelischen Reformation hinführte) ist die historische Beteiligung Frankreichs an der Entwicklung der neuen Welt
im XVI. Jahrhundert ohne weiteres klar, und die konfessionelle
Problematik greift unmittelbar in das französische politische und
geistige Werden ein.
Was die heutige innerfranzösische geistesgeschichtliche Lage angeht,
so wäre für unsere Überlegungen viel Wichtiges zu nennen. Die
praktischen Auswirkungen der konfessionellen Aufspaltung beherrschen das wirtschaftliche und politische Leben in Deutschland zwar
sehr viel stärker als in Frankreich. Aber es gibt die *geistigen* Bewegungen und Arbeiten! Vom Historischen wie vom Theologischen her
sind sie heute auch in Frankreich so stark, daß für jede nicht vordergründige Betrachtung das Gespräch zwischen den Konfessionen auch
dort mit zu den wichtigsten Elementen der Zeit gehört.
In der schönen Literatur entwickelt die barocke Welt des Katholiken
Claudel (und sein Stil, der manchmal „deutsch" anmutet) eine nicht

*) Wenn heute Katholiken aus Frankreich und Deutschland, für die Sünden französischer Ka-
tholiken in der Bartholomäusnacht gemeinsam Buße tun, so kann sich hier das Übernationale
(nicht: Internationale) des Katholischen als echte Bindung auswirken. – Im Falle Richelieu
denke ich an die erregende und verwirrende Spannung zwischen seinem christlichen Glaubensbekenntnis und seiner politischen Leistung bzw. an seine widerspruchsvolle Behandlung des
Protestantismus je in Frankreich und Deutschland, und an seine, des Katholiken, Kardinals
und mystischen Schriftstellers widerspruchsvollen Behandlung des Katholizismus in Frankreich
und Deutschland.

49

unbeträchtliche Anziehungskraft auf die Franzosen und Deutschen. Von ihm stammt (im Soulier de satin) eine bedeutende Definition des Deutschen Volkes mit Luther als Zentrum.

Von dem Vorsitzenden der reformierten Kirche Frankreichs, Marc Boegner, und anderen lesen wir im „Figaro" und anderen Zeitungen von europäischem Rang Artikel und Berichte zur Una Sancta. Eigene Zeitschriften behandeln denselben Problemkreis: „Lumière", „Vers l'Unité chrétienne", „Russie et christianisme". Sie werden ergänzt durch Bücherreihen wie „Ronds Points" und „Unam Sanctam". Es gibt die kleine, aber erstaunliche reformierte Gemeinde von Taizé-les-Cluny als ein Zentrum reformiert-mönchischen Lebens, es gibt die Studiengemeinschaft von Dombes etc.

Es gibt die theologische Arbeit des evangelischen Oskar Cullmann, der Karl Barth eine ungewöhnliche Wichtigkeit zuschreibt.

Die theologischen und historischen Arbeiten des Katholiken P. Yves Congar und diejenigen der sogenannten „théologie nouvelle" machen in geradezu „revolutionärem" Sinne neue Einsichten frei, die für das Gespräch der Konfessionen überall fruchtbar werden können: weit über alles Klerikalistische hinaus vorstoßend in die Mitte des evangelisch Kirchlichen in der Freiheit des Christenmenschen, ist sie bahnbrechend.

Die weitgespannten Studien französischer Gelehrter über alle Seiten des französischen XVI. Jahrhunderts (besonders über Humanismus und Evangelismus) machen es ohne weiteres notwendig, daß die Diskussion besonders über die nichttheologischen Faktoren der Reformation in Kontakt mit ihnen geführt werde.

All dies, ich unterstreiche es noch einmal, spielt im Gesamt des französischen Bewußtseins, spielt auch im Bewußtsein der politischen Historiker eine viel geringere Rolle als in Deutschland. Freilich handelt es sich, wie mir scheint, um sachlich nicht ganz gerechtfertigte Haltungen, zu einem Teil liegt eine Art Verschleierung vor. Das Gewicht der angedeuteten Tatsachen muß für sich selber sprechen. Aber darüber hinaus gilt, — wie gezeigt wurde — daß auch in Frankreich die allgemeine Säkularisation weder die religiösen schöpferischen Kräfte getötet noch das Interesse der Öffentlichkeit für sie ausgerottet hat. Am wenigsten sollten wir Historiker der Versuchung erliegen, eine gewisse Beruhigung der weltanschaulichen Kämpfe für eine Definitivum zu halten. Der Kampf um die Schule und um ihre religiöse oder laizistische Prägung hat die politische Entwick-

50

lung vieler Jahrzehnte des modernen Frankreich begleitet und sogar geprägt; er scheint mir nicht beendigt.*)

2. Von E n g l a n d her bildet eine besonders bedeutsame Brücke die anglikanische Frage, real und symbolhaft sich knüpfend an die große Gestalt des Konvertiten und Kardinals Newman, der ganz England gehört und dessen eigenste Stunde gerade heute anzubrechen scheint. Die traditionellen englischen Forschungen um Erasmus und More und den ganzen englischen Humanismus führen unmittelbar in unsere Problematik hinein.

Und wie die Gestalt Newmans seit den 40er Jahren im Mittelpunkt einer öffentlichen englischen Diskussion stand, an der die ganze Nation teilnahm, so vermag auch heute das religiös-kirchliche Problem der Una Sancta derart die Öffentlichkeit zu bewegen, daß die „Times" zwei Monate lang in Veröffentlichungen und Leser-Antworten diesem angeblich so „theologischen" Thema ihre Spalten öffnete und eine Auswahl der Beiträge gesammelt veröffentlichte. (Catholicism to-day, London 1949.)

3. Auf A m e r i k a weist uns die neueste, aufblühende Forschung über Humanismus, Renaissance und Reformation (Bainton, Schwiebert). Und auch drüben besteht ein erstaunliches Interesse der Öffentlichkeit am Gespräch zwischen den Konfessionen.

Und dann gibt es den in katholischen Kreisen noch ungenügend bekannten ethischen und ethisch-christlichen Reichtum mancher amerikanischer Denominationen, die dogmatisch nur ganz lose oder gar nicht gebunden sind. Hier öffnet sich die Möglichkeit einer Befruchtung unserer Arbeit gerade von Amerika aus, diesmal freilich auch durch besondere Hemmungen gebremst.

4. Und die großen religiös-moralischen W e l t bewegungen! Etwa die moralische Aufrüstung von Caux! Wir sagten schon: die heute und morgen allein erreichbare Einheit ist die des gegenseitigen Verstehens; sie kann zur Einheit der Liebe werden.

Aber man muß erfassen, wie dies wachsen könne. Da könnte das umstrittene Caux, wenn es sich vor innerem Parasitentum bewahrt, vielleicht Anregung sein. Denn Caux ist zwar nicht formal christlich; und doch ruht es — nach den eigenen Worten seines Schöpfers Buchmann — auf dem Zentrum des Christentums: *Christus* und sein *Kreuz*. Darf ich noch den interkonfessionellen „International Council for

---

*) Über die Gesamterscheinung des französischen Protestantismus vgl. das wichtige Buch von E. G. Léonard: Le protestant français, Paris 1953.

51

Christian Leadership" erwähnen, der heute bereits eine recht weite Resonnanz aufweist.

Es bedeutet schon etwas, wenn in vielen Städten dreier Kontinente Woche für Woche leitende Männer des öffentlichen Lebens, der Wirtschaft, der Industrie und des Geldwesens an einem Morgen der Woche zusammenkommen — Katholiken und Protestanten — und sich im Spiegel des Evangeliums fragen, ob sie in der vergangenen Woche ihr Leben nach den strengen Forderungen des Christentums im Dienste des Nächsten ausgerichtet haben. Wenn dabei die Morgenandacht etwa durch einen Polizeipräsidenten gehalten wird, kann das vielen von Ihnen als etwas Seltsames erscheinen. Wert der kostbaren Seltenheit!

Für das Ganze müßte noch einmal die ökumenische Bewegung im evangelischen Raum mit dem Weltkirchenrat und den Weltkirchenkonferenzen genannt werden. Es ist keine Utopie, in diesen hochernsten Diskussionen so vieler auch sehr gelehrter Männer aller Länder und aller nichtrömisch-katholischen Kirchen und Denominationen eine echte Kraft dieser unserer Zeit zu sehen. Es wäre umgekehrt unwissenschaftlich, Regungen, die sich im Menschlichen, Philosophisch-Theologischen und Christlich-Religiösen so offenkundig als echten Strebens voll und als wirklichkeitsnah erwiesen, nicht ernst zu nehmen. Niemand vergißt, daß wir hier vor einer Minderheit stehen. Aber die Majorität ist kräftig aufgerufen und noch kräftiger aufzurufen, Sein und Streben dieser Minorität ernstzunehmen, besonders, wenn diese Kreise offen die kirchliche Zerspaltung als schwerstes Übel und als Schuld bezeichnen und bekennen. Trotz der dogmatischen Verschiedenheit, die alle Grade vom dogmatisch-liturgisch Gebundenen bis zum beinahe rein Humanistischen umschließt, gibt es in dieser Bewegung das Bekenntnis zu einem ontisch Gemeinsamen, zu einer echten Einheit, das ich persönlich nicht anders als ergreifend bezeichnen kann. Da keine institutionelle Garantie gegen eine weitere Aufsplitterung eingebaut ist, könnte es allerdings leider geschehen, daß jene Einheit, statt stärker einem gemeinsamen Zentrum zuzustreben, umgekehrt einer relativistischen Peripherierung verfallen würde. Dann wären wir alle — die Gläubigen und die Ungläubigen — um einen großen Wert ärmer. Es liegt im Interesse der kraftvollen Einheit, alles Sachdienliche zu versuchen, die Bewegung zu stärken.

5. Ein großes Thema sei noch eigens erwähnt. Es hat den Vorteil, gerade dem Politiker und jenen Wissenschaftlern, die für das streng

52

geistesgeschichtliche Erkennen und Bewerten weniger Vorliebe haben, zu zeigen, (nach Ursache wie Wirkung), in welchen konkret greifbaren Beziehungen unsere Überlegungen stehen. Ich meine die *nichttheologischen* Faktoren der Spaltung der Christenheit, die politisch-dynastischen (vgl. die konfessionelle Landkarte Deutschlands) und die sozialen. Diese Tatsachen waren bereits der Edinburger Weltkonferenz 1937 von einer amerikanischen Gruppe zum Studium empfohlen worden; sie standen bei der Vorbereitung und Durchführung der Weltkirchenkonferenz in Lund 1952 mit im Mittelpunkt.

Der offizielle vorbereitende Bericht nennt sie „Räume des Mißverstehens und der Trennung". Er stellt fest: „Kirchliche Spaltungen können sich auf theologische Unterschiede berufen, aber daraus folgt nicht, daß sie darin (allein) ihre Ursachen haben." (G. A. Cragg, Kanada). In den meisten Fällen sind besonders bei den Laien die wirksamen Kräfte, die unsere Spaltungen aufrechterhalten, in Wirklichkeit sehr viel unkomplizierter, als die Wahrheiten unserer Kirche es zugeben (ebd.) — Von hier aus werden besonders einsichtig die Möglichkeiten einer exakt-strengen Forschung im Bereich der Reformationsgeschichte, wie sie von Max Weber bis zu Müller-Armack vorgelegt wurde. —

In diesem Umkreis und zugleich im Umkreis des Una-Sancta-Gesprächs taucht ein altes Thema neu auf: die logoi spermatikoi in der Geschichte der Religionen der Erde. Das Thema ist neuerdings durch so aufregende Ereignisse in unser Bewußtsein gerückt worden wie etwa durch die religiöse Entwicklung der beiden Juden Bergson und der Christus-Mystikerin Simone Weil: beide innerlich katholisch geworden, und beide weigern sich, zur Kirche überzutreten. Das Thema wird in anderer Sicht jüngst von einem übernationalen katholisch-evangelischen Kreis behandelt*. Der Erarbeitung einer Wesensbestimmung des Christlichen, die beide Konfessionen heimatlich berührt, sind hier große Möglichkeiten geboten.

III. Nun möchte ich nicht dahin mißverstanden werden, daß unsere Abteilung für Abendländische Religionsgeschichte nur ein Institut für Reformationsforschung sei. Obschon das wahrhaftig ein Auftrag von größter Bedeutung ist und Forschungsaufgaben für viele und auf Generationen hinaus umschließt.

----

*) Florovsky, Leenhardt, Prenter, Richardson, Spicq, La Sainte Eglise Universelle, Confrontation oecuménique. (Cahiers théologiques de l'actualité protestante. Paris 1948.)

Die g a n z e abendländische Religionsgeschichte gehört zu unserm Aufgabenkreis, bis in die Problematik des östlichen Kulturkreises hinein.

Schon deshalb, weil nur bei der Hereinnahme *aller* Kräfte der g a n - z e n abendländischen R e l i g i o n s geschichte die bisher angedeuteten Aufgaben voll in Angriff genommen werden können.

1. Es hat sich gerade neuerdings in vielen Arbeiten evangelischer wie katholischer Religionshistoriker, Dogmatiker und Liturgiewissenschaftler, Archäologen und Byzantinisten erwiesen, wie fruchtbar für die abendländische Verständigung sich eine neue Durcharbeitung sowohl der christlich-antiken Geistigkeit der ersten Jahrhunderte als der Frömmigkeit und geistig-geistlichen Kräfte des frühen und hohen Mittelalters erweist.

Die Erforschung der Geschichte der abendländischen Religion im Mittelalter ist ein probates Schutzmittel gegen die verdünnende Art des blassen unkonkreten Denkens, das mit einer gewissen inneren Notwendigkeit zu den vielen „ismen" der geistigen Aufspaltung führte. Man sieht dort an großen Gestalten und Problemen, wie das sublim Geistliche konkret ans Materielle gebunden und so der gesunden Ordnung der Dinge nahe bleibt. Daß diese Verbindung oft tief einschneidende Kritik unmittelbar herausfordert, ist von einer anderen Seite her heilsam. Und außerdem stellt gerade diese Kritik den Vertretern der verschiedenen Nationen und Konfessionen eine gemeinsame, dem lebendigen Heute dienende Aufgabe und stärkt so das Wissen um gemeinsame Verantwortung und also weiter das Gefühl der Zusammengehörigkeit.

Eine neue Durcharbeitung der mittelalterlichen Frömmigkeit, durchgeführt unter dem Einfluß der nachtridentinischen Erkenntnisse, aber auch unter dem Anstoß neuester Einsichten der evangelischen und katholischen Exegese, mithin gerade auch unter Einfluß einer gesunden Begegnung katholischer und evangelischer Theologie und Frömmigkeit, vermag uns zu der Erkenntnis zu führen, daß (und warum) auch bei großen christlichen Führergestalten um ihren eigentlichen Kern manches Periphere und Peripherierende liegt, das der Stärkung des Christentums nicht gedient hat. Ich hoffe z. B., daß gerade das Jubiläumsjahr des hl. Bernhard († 1153) uns manches von solcher differenzierender Erkenntnis bringen wird.

2. Ich darf noch auf eine andere Befruchtung hinweisen, die sich aus der vorgelegten Analyse ergibt: die historische Durchdringung

54

der abendländischen religiös-kirchlichen Wirklichkeit ist in nicht wenigen Fällen Voraussetzung für ein sachgerechtes Verständnis heutiger politischer Zusammenhänge.

Gewisse Fehlkonstruktionen in heutigen geschichtlichen Betrachtungen und in ihrer Anwendung auf die heutige politische Problematik erklären sich aus der ungenügenden Beobachtung. dieser Notwendigkeit. Wer z. B. nicht versteht, daß die kaisertreue Haltung mancher hervorragender Bischöfe des hohen Mittelalters und ebenso ihre antipäpstliche Politik zu einem bedeutenden Teil nichts anderes ist als die Darstellung eines für die damalige Christenheit entscheidenden Elementes, nämlich die Darstellung einer „nationalkirchlichen" Konzeption im Sinne der damals ungleich größeren Ungebundenheit in Lehre und kirchlicher Verwaltung, die aber selbstverständlich zusammengeht mit einer grundsätzlichen Verbundenheit mit der Papstkirche, der ist nicht imstande, analoge Gegebenheiten in der Neuzeit in übergreifendem geschichtlichen Zusammenhang zu sehen und sie richtig einzuordnen.

Oder noch der Ertrag der Erforschung der religiös geprägten Philosophie und der Theologie des Mittelalters für unsere heutigen Erkenntnisse auf dem Gebiet des sozialen Aufbaus! Es wäre kein Schaden, sondern ein enormer Gewinn, wenn in viel höherem Maße, als es der Fall ist, Politiker auch (nicht nur!) von Thomas von Aquin und seiner Weisheit genährt wären. Sind sie es in legitimer Weise, werden sie nicht Ballast in sich tragen, sondern, dem Geist des kühnen Thomas selbst entsprechend, lebendige Kraft, die in avantgardistischem Geist neubauen will und kann.

3. Als ein umfassendes Rahmenthema, dessen Lösung für unsere Auseinandersetzungen und unsere Ausrichtung unter mehrfachem Gesichtspunkt von besonderer Bedeutung ist, nenne ich endlich das Werden des modernen Bewußtseins. Die Einmündung dieser Frage in die Problematik und in die Kämpfe des 16. Jahrhunderts, d. h. in den Humanismus und die Reformation und ihre Auswirkungen deuten die ganze Breite der von uns besonders gepflegten Untersuchungen an und leiten zu ihnen zurück. Besondere Beachtung erfordert das Gebiet, auf dem sich der Umbruch des gesamten modernen Denkens vorbereitet. der Voluntarismus, einschließlich Wilhelm von Ockhams, der heute nicht nur in der Geschichte der Reform, sondern auch in der Logistik eine so große Rolle spielt. Hier tut sich auf das weite Gebiet dessen, was ich innerhalb der Kirche des 14. und 15. Jahrhunderts als „nicht voll katholisch" bezeichnete. Es erhebt sich

die bedrängende Frage, was für den christlichen kirchlich gebundenen Menschen des späteren Mittelalters „Wahrheit" und „Dogma" gewesen seien, ob die hier liegende „theologische Unklarheit" (innerhalb der Kirche!) die kommende Auflösung grundgelegt habe.

Von hier aus öffnet sich bei der Analyse des Humanismus italienischer und deutscher Prägung und der Complexio des Nikolaus von Cues an der Mosel eine Fülle von Grundfragen, die um ein neues Lebensgefühl, um die Idee der Identität aller Wahrheit und Religion kreisen, von da aus aber auch auf den Spiritualismus Luthers hinweisen.

Alle diese Aufgaben zu pflegen, sie alle — soweit es in einem Institut beschränkten Umfangs möglich ist — aufzufangen, ihnen eine Heimstätte zu geben, in der sie in innerer Freiheit und Weite zur wissenschaftlichen Frucht reifen können, das ist das Ziel der Abteilung für Abendländische Religionsgeschichte im „Institut für Europäische Geschichte, Mainz", wenn sie, hoffentlich, einmal voll ausgebaut sein wird.

Die ganze Fülle der in Frage kommenden Themata könnte ich natürlich nicht einmal andeuten: da wir ein Forschungsinstitut sind, darf man übrigens den Kreis der Aufgaben nicht im voraus abschließend definieren; jede echte Frage im Zusammenhang der abendländischen Religionsgeschichte im Reflex aller Völker der Erde hat das Recht, in vollem wissenschaftlichen Sinn aufgegriffen zu werden. Nur daß die wissenschaftliche Ausrichtung jede vordergründige Verzweckung ausschließt.

4. Natürlich, wie soll ich dem oder jenem Politiker klarmachen, daß mit solchen Überlegungen und Erkenntnissen, selbst wenn sie einmal durch die Geschichtsforschung zum geistigen Besitz der Zeit geworden sein werden, etwas und vielleicht vieles gewonnen sein könnte für die Neugestaltung Europas, die er in Straßburg anstrebt?

Wenn er sich dazu versteht, seine Fremdheit gegenüber den religiösen Werten und sogar der „Theologie" zu überwinden, und wenn er sich dazu aufschwingt zu verstehen, wie theologisch-kirchliche Ansätze unter Umständen ganz tief (gerade, weil indirekt) das politische Geschehen vorzubereiten und zu leiten vermögen, könnte ich wenigstens für den innerkatholischen Raum in Kürze eine andeutende Auskunft geben:

Die Wiedergeburt Europas hängt an der siegreichen Verteidigung der Würde der Einzelpersönlichkeit. Sie ist katholischerseits gegenüber

56

der Betonung der Einheit, Klarheit und Korrektheit der kirchlichen Lehre seit dem Tridentinum weniger gepflegt worden, als möglich und nützlich gewesen wäre.

Nun ist aber seit 50 Jahren in einer ungewöhlichen Weise durch eine Folge von fünf hervorragenden Päpsten eine Wende eingetreten. Trotz der fortschreitenden Zentralisierung hebt sich in erstaunlicher Stetigkeit ein neuer Zielpunkt der Entwicklung heraus: der Laie, das Volk in der Kirche. Pius XI. hat das mit einem epochemachenden Wort, das niemand zurückzunehmen die Vollmacht hat, als Hereinnahme des Laien in das apostolische Hierarchat bezeichnet. Die Vielfalt der unberechnet, ja geradezu geheimnisvoll hier zusammenströmenden Kräfte ist mehr als interessant. Und nun erleben wir — aufsteigend aus vergessenen Quellen jener altchristlichen und mittelalterlichen Jahrhunderte — wieder die Grundlegung einer Theologie des Laikalen (etwa bei Congar) an Hand des alten Satzes: „Was alle angeht, muß von allen behandelt und von allen approbiert werden."

Hier erleben wir in der historischen Forschung selbst den beglückenden Augenblick, wo sich Neuland auftut. Es wartet darauf, von uns bebaut zu werden.

Das wissenschaftliche Recht der Religionsgeschichte an sich brauche ich nach all dem Gesagten hoffentlich nicht erst zu beweisen. Ich füge nur dies noch an: die Religionsgeschichte ist so intim, so unabtrennbar mit der Geistesgeschichte aller Sektionen — einschließlich der schon erwähnten Wirtschaftsgeschichte — verbunden, daß man ihr nur dann das wissenschaftliche Recht absprechen kann, wenn man aus dem Begriffsfeld „Wissenschaft" die Ideengeschichte überhaupt ausschließt. Niemand wird das wagen. Die Geschichte müßte zur Annalistik absinken.

EINZELNE PLÄNE

1. Im Mittelpunkt des Interesses des „Instituts für Europäische Geschichte" steht seit den ersten Ansätzen in Speyer 1949 die „Entgiftung" der Schulbücher. Für den Bereich der politischen Geschichte darf ich auf die Mitteilungen meines Vorredners verweisen.

Wir in der religionsgeschichtlichen Abteilung wollen das, was bisher mehr sporadisch betrieben wurde, nunmehr systematisch verfolgen. Wir möchten (soweit unserere finanziellen Mittel es erlauben) ein eigenes Referat einrichten für die wissenschaftliche Kontrolle der Schulbücher, des Geschichts- und Religionsunterrichts in den verschiedenen Ländern.

57

Aus den Büchern katholischen Ursprungs sollen alle Äußerungen verschwinden, die das Evangelische in Geschichte und Lehre falsch darstellen; umgekehrt soll angeregt werden, daß aus den evangelischen Büchern alles Falsche und Schiefe in der Darstellung des Katholischen entfernt werde. Einige gute Resultate haben wir bereits zu verzeichnen. Die betreffenden Verfasser und Verleger zeigten Verständnis für unsere Vorschläge.

Die zusammengefaßten Resultate, die mit den Autoren der Schulbücher durchgesprochen werden sollen, können als Vorschläge für umfassendere Neugestaltung den Regierungen unterbreitet werden.

Die im Institut zusammenkommenden Stipendiaten werden sowohl von diesen Arbeiten laufend erfahren, wie sie dieselben diskutierend voranbringen und später in ihren Ländern für diese angestrebte verständnisvolle Darstellung wirken können.

Auf diesem Sektor wird auch uns die Arbeit der Kant-Hochschule Braunschweig wertvolle Hilfe leisten, wie umgekehrt die Arbeit meiner Abteilung ihr für die angegebenen Sparten von der wissenschaftlichen Forschung her zu dienen imstande sein wird.

2. Ein besonders wichtiges Einzelprojekt — ein Hoch- und Fernziel — ist die Schaffung einer Geschichte der Reformation, die, geschrieben von evangelischen und katholischen Verfassern, sowohl von katholischer wie von evangelischer kirchlicher Seite her empfohlen werden könnte.

Es steht nicht zu erwarten, daß in allen Einzelheiten Einigung erzielt wird. In solchen Fällen könnten die beiderseitigen Auffassungen redlich und maßvoll nebeneinander gestellt werden.

Ein solches dauerndes Streben nach Verständigung und das Wissen darum, daß alle Äußerungen gegenseitig kontrolliert werden, dies aber nicht im Interesse einer Propaganda oder irgendwelcher Polemik, sondern im Geiste der wagenden Freiheit, könnte kaum ohne reinigende und einigende Wirkung bleiben, weit über alles hinaus, was wir seit 400 Jahren in diesem Umkreis erlebten.

Es versteht sich von selbst, daß die Mitarbeiter entsprechend gewählt werden müssen. Eine aus persönlicher Erfahrung (nicht nur aus der Literatur) geschöpfte Kenntnis des evangelischen *und* des katholischen Raumes kann von besonderem Nutzen sein. — Auch bei der Auswahl der Redner unserer öffentlichen Vorträge, soweit sie Themen unserer Abteilung behandeln, legten wir hierauf besonderen Wert.

58

3. Das System der internationalen Stipendiaten (s. oben S. 5) war von Anfang an in der Idee des Instituts verankert und wurde bereits im Sinne übernationaler und überkonfessioneller Auswahl verwirklicht. Vertreten waren bisher in meiner Abteilung Studierende aus Schottland, Frankreich und Amerika, lutherischer, katholischer, reformierter und jüdischer Konfession*.

Meine Damen und Herren!

Eine grundlegende Erkenntnis des Liberalismus, eine der legitimsten, der er hervorbrachte, kann man etwa so formulieren: keine Erkenntnis ist in der Weise definitiv, daß sie nicht in der einen oder anderen Weise revidiert werden könnte; natürlich auch zur Vervollkommnung und zur Vertiefung.

Das bedeutet auch: der wissenschaftlich suchende Geist verpflichtet sich selbst, ungewohnte Denkinhalte und Denkarten nicht einfach abzulehnen, sei es, weil sie in seine bisherigen Kategorien nicht passen, sei es, weil sie ihm nichts oder nicht viel sagen . . .

Sondern, er verpflichtet sich selbst, auch das Ungewohnte wenigstens einmal in aller Offenheit zu hören, es an sich heran zu lassen.

Diejenigen unter Ihnen, denen das Eine oder Andere meiner Auffassungen fremd klang, bitte ich, dieses Fremde einmal zur Audienz vorzulassen.

Vielleicht erweist es sich als fruchtbar.

Die größte Schwierigkeit, vor der ein Unternehmen wie das unsere steht, ruht nicht in einer oder einigen Einzelthesen, um die wir uns bemühen.

Die große, die entscheidende Problematik liegt tiefer: wir wollen eine neue Grundhaltung schaffen helfen; eine neue Gesinnung, um daraus dann Gemeinsames zu denken. Denn nichts ist schwerer, als mit neuen Augen sehen zu lernen und sehen zu lehren.

---

*) Es sei hier ein Versäumnis unserer Reden am 17. 1. 53 nachgeholt. Wir konnten bereits voriges Jahr die Reihe der »Veröffentlichungen des Instituts für Europäische Geschichte, Mainz« beginnen. Als Nummer 1 erschien im Oktober 1952 im Verlag für Kunst und Wissenschaft, Baden-Baden (Inhaber: Bruno Grimm) die große und drucktechnisch ungewöhnlich glänzend gestaltete Arbeit von Emil Möller »Das Abendmahl des Lionardo da Vinci«. — Im Geleitwort heißt es, daß ein Institut für Europäische Geschichte seine Veröffentlichungen nicht symbolkräftiger hätte eröffnen können als mit einem Buch über Lionardo, den großen Europäer, dessen weiter und wagender Geist doch noch ganz aus ungebrochenem Christentum schöpfte. — Außerhalb der genannten Reihe unserer »Veröffentlichungen« erschienen als »Veröffentlichung *aus* dem Institut für Europäische Geschichte: Joseph Lortz, Der unvergleichliche Heilige. Gedanken um Franz von Assisi (Düsseldorf 1952); Martin Göhring, Geschichte der großen Revolution, Bd. 2 (Tübingen 1951), und die 17./18. Auflage meiner »Geschichte der Kirche in ideengeschichtlicher Betrachtung« (Münster 1953).

59

Aber es gehört zu den Grundforderungen des geistigen Lebens, daß eben dies sich vollziehe.

Wir wollen also eine neue Art, historisch zu denken.

Ich bin glücklich, daß auch hier wieder eine Zentralkategorie des Evangeliums sich anbietet zur Umschreibung dessen, was ich meine: metanoia. —

Mit diesem Wort metanoia erscheint nun noch einmal die Gefahr der Unfreiheit gebannt, und wir stehen abschließend wieder vor unserm Zentralthema.

Wenn ich mit allem Ernst und aller Offenheit mich umschaue und das Feld prüfe, ich finde keinen Menschen, der grundsätzlich freier sein könnte als der dogmatisch gebundene Christ.

Treten wir ruhig alle in diesen Wettkampf ein!

Der Freieste wird der Sieger sein.

Denn der Freieste — nicht der Zügellose — wird am nächsten an der Wirklichkeit bleiben.

In dieser (nicht ungefährlichen) Spannung ruht unsere Hoffnung: zur Freiheit gebunden! Unser Institut — oder die in ihm Arbeitenden — lebt von der tiefen Überzeugung, daß es mehr Gemeinsames in der Welt gibt als Trennendes;

daß dem Verschiedenen sowohl sein verletzendes wie sein relativierendes Gegeneinander genommen werden kann;

dann nämlich, wenn man, der Wahrheit vertrauend, sachlich, in strengster Wahrhaftigkeit sucht;

wenn man gemeinsam sucht; in harter Kritik gegen ich selbst; in Aufgeschlossenheit für den anderen und das andere!

Wiederum, und abschließend, welch verblüffend christliche Kategorien!

60

SEBASTIAN MERKLE*

Von Prof. DDr. Joseph Lortz, Mainz

Hochwürdigster Herr Weihbischof, Herr Prorektor, Spektabilitäten, meine lieben Herren Kollegen, liebe Kommilitoninnen, liebe Kommilitonen, meine Damen und Herren!

Wir haben uns hier[1] versammelt, um des hundertsten Geburtstages eines der großen Lehrer der Würzburger Alma Julia zu gedenken, des Geheimen Rates Dr. phil. et theol. *Sebastian Merkle,* geboren am 28. August 1862 in Ellwangen, gestorben 1945 in Wargolshausen in der Rhön im Hause eines seiner geistlichen Schüler, des jetzigen Pfarrers Dr. Anton Kehl in Krum.

Zuerst einen Dank an die Katholisch-Theologische Fakultät der Universität für die ehrenvolle Aufforderung, hier über den Mann zu sprechen, der mich vor nunmehr über 40 Jahren einlud, mich bei ihm an dieser selben Universität zu habilitieren — ich bin verständlicherweise bis heute auf diese Einladung stolz —, und der dann etwa ein Jahr später (1923) dem Habilitationsakt in diesem selben Kollegiengebäude präsidierte, worüber ich an anderer Stelle einige Reminiszenzen festgehalten habe[2].

Bewegt und dankbar denke ich in dieser Stunde an jenen für mich entscheidenden Tag und an die darauffolgenden Jahre zurück, in denen mir Merkle mit anderen Professoren der Universität so freundschaftlich fördernd nahe war; sie alle, und auch schon viele jüngere Weggenossen, sind dahingegangen. Mögen sie ruhen in Gottes heiligem Frieden! —

I. Das Thema

1. Nachdem ich mich in den vergangenen Monaten intensiv mit den Werken Merkles beschäftigt habe, erscheint es mir schwerer, für diese Gedenkrede ein genaues Thema anzugeben, als damals, als ich die Einladung der Fakultät annahm.

---

* *Gedächtnisrede beim akademischen Festakt der Katholisch-Theologischen Fakultät in der Universität Würzburg zur Feier von S. Merkles 100. Geburtstag, gehalten am 11. Dezember 1962.*

[1] Als »in umbilico Germaniae« gelegen, wird Würzburg in der Überschrift der von Merkle herausgegebenen Anklageschrift eines geistig kleinformatigen »Bettelhumanisten« gegen Julius Echter gekennzeichnet (Archiv des Hist. Vereins von Unterfranken und Aschaffenburg 41 [Würzburg 1899] 270). Freudenberger Nr. 34. — Sämtliche Zitationen der Werke Merkles, die bis 1934 erschienen, erfolgen auf Grund des Verzeichnisses von Th. Freudenberger, in: Sankt Wiborada. Jg. 2 (1934) 123 ff. und unten S. 116 ff.

[2] J. Lortz, Mein Umweg zur Geschichte (Wiesbaden 1960), 20 ff.

Merkle war wesentlich Wissenschaftler, seine *wissenschaftliche* Leistung ist es, die uns heute veranlaßt, von ihm über das menschliche Gedenken hinaus (das vor allem seine noch lebenden Freunde und Schüler angeht), in einer akademischen Feierstunde zu reden.

Andererseits kann es sich in einem Vortrag nicht um das große Thema handeln, die wissenschaftliche Leistung Merkles im einzelnen kritisch zu sichten. Wer dies unternehmen wollte, müßte auf verschiedenen Gebieten, an deren Erhellung Merkle sich mit entscheidenden Beiträgen beteiligte, ebenso zu Hause sein, wie er es war; in jedem Falle würde es, was mich betrifft, mit Ausnahme der Reformationsgeschichte, eine noch viel intensivere Beschäftigung mit Merkles Werk erfordern, als ich sie bis jetzt leisten konnte.

Solche große Arbeit wäre nur zu bewältigen von jemandem, der wie Merkle als Meister zu Hause war im Material, in der Problematik und in der bisherigen Behandlung der Geschichte der theologischen Fakultäten —, der Reformation —, des Tridentinums —, der Aufklärung und entscheidender Vorgänge der Kirchengeschichte des 19. Jhs. Ich sage von jemandem, der in all diesen Sparten so wie Merkle *zu Hause* war. Denn eben dieses gab es bei ihm nicht: schnell zusammengelesene Einzelheiten, mehr oder weniger geschickt nebeneinandergestellt, allenfalls in einen selbstgezimmerten Zusammenhang gebracht. Bei ihm verband sich mit einer gewaltigen Fülle der Einzelkenntnisse das Wissen um die von weither und von vielerlei Seiten herkommenden Strömungen, die erst zusammen eine bestimmte, aber in sich wieder vielfältig differenzierte Zeitsituation ergeben. Hier hatte er den Blick nicht nur des Wissenden, sondern des Weisen, der mit den Einzelheiten (und aus ihnen heraus) das Ganze erkannte, es ansprach und aussprach ... Wer sollte das so bald und erschöpfend nachzeichnen?

Übrigens, was seine *Hauptleistung* angeht, das, was er selbst im Artikel zu seiner Indizierung 1913 »mein großes Hauptwerk« über das Konzil von Trient nannte, das, was seinem Namen Weltgeltung gab, und das anerkennend zu nennen man gezwungen sein wird, solange Menschen wissenschaftlich sich mit dem Konzil von Trient beschäftigen werden — ich sage, was diese Leistung angeht, so wäre heute sowieso nur einer fähig, diese Arbeit zu leisten, Hubert Jedin in Bonn, den Merkle selbst mit solcher Betonung auf den Schild erhob[3].

Wir wollen unser Thema zugleich bescheidener und weiter fassen: da mir die Fakultät freundlicherweise versicherte, es bestehe hier nicht eine Beschränkung der Redezeit wie auf dem Konzil, und der Herr Dekan werde mir nicht das Wort entziehen, wenn ich die akademische Stunde überschreite, will ich versuchen, die reiche Gestalt Merkles und die Eigenart und die Bedeutung seines Werkes von verschiedenen Seiten her so zu beleuchten, daß ihre allgemeinen wissenschaftlichen Kennzeichen und deren Bedeutung heraustreten.

---

[3] Auf der Görrestagung 1938 (Bericht 1938): Zum 50. Jubiläum des Historischen Instituts der Görres-Gesellschaft in Rom (Köln 1939), S. 99 (unten S. 340).

2. Mit Merkles wissenschaftlicher und pädagogischer Leistung — das Wort im weitesten Sinn genommen — ist innig verbunden die Strahlkraft seiner *Persönlichkeit*.

Entsprechend bot sich mir für die Gliederung unserer Betrachtungen folgender Grundriß: Nach einer Umgrenzung des Themas wollte ich den Wissenschaftler kennzeichnen, und zwar zuerst in seiner Grundstruktur, die den Kirchenmann mit einschließt, dann in seinen einzelnen Arbeitsgebieten. — Mit einer Betrachtung des Menschen Merkle, seiner Persönlichkeit, wollte ich schließen.

Von vornherein dürfen Sie überzeugt sein: wir stehen vor einem *bedeutenden* Thema. Merkles Funktion als Forscher, Lehrer und als Publizist reicht weit über den Rahmen hinaus, den die meisten Universitätsprofessoren mit mehr oder auch weniger Erfolg auszufüllen sich mühen. Merkles Werk markiert auf allen Gebieten, denen er sich widmete, Fortschritt der Wissenschaft. Wenn das Wort »epochemachend« zu groß erscheinen sollte — für die Erforschung des Konzils von Trient trifft es im präzisen Sinn zu —, in allen Fällen wirkte er tief einschneidend. Die von ihm erarbeiteten neuen Einsichten sind in allem Wesentlichen von der wissenschaftlichen Kritik (zu einem großen Teil im Feuer der Gegenangriffe) geprüft und als haltbar erkannt worden: seine Ergebnisse sind heute Inhalt des geschichtlichen Wissens.

3. Es ist wohl verständlich, daß wir an diesem Ort zuerst des akademischen Lehrers Merkle gedenken.

Merkle hat von achtzehnhundertachtundneunzig bis neunzehnhundertvierunddreißig — solche Zahlen soll man bedächtig und bedenkend aussprechen — als ordentlich-öffentlicher Professor hier an der Würzburger Julius-Maximilian-Universität den Lehrstuhl für Kirchengeschichte (die Nebenfächer brauchen wir nicht zu nennen) innegehabt und dann noch weitere vier Semester als Emeritus sein Fach vertreten: eine ganze Generation Theologen und Priester dieser und anderer Diözesen und verschiedener Ordensgenossenschaften sind durch seinen Unterricht mitgeprägt worden. Manche der hier Anwesenden werden aus eigener Erfahrung wissen, welcher Art Merkles Vorlesungen waren und wie sie wirkten.

Ich selbst hatte nicht das Glück, sein Schüler zu sein. Aber die ganze Art des Mannes, seine Lebhaftigkeit, sein immer wacher, suchender und sprühender Geist, die ungewöhnliche Vielseitigkeit seiner Quellenkenntnis aus vielen Jahrhunderten: das alles scheint a priori nur für das eine Urteil Platz zu lassen, das viele seiner Schüler — auch Nicht-Theologen — mit dankbarer Begeisterung aussprechen, wenn sie an die Vorlesungen Merkles zurückdenken.

Auch weiß ich von besonders begabten Schülern Merkles, welch ein Lehrer im höheren Sinn des Wortes er in seinem *Seminar* war: wenn er sich mit seinen Schülern an den Tisch setzte, und mit ihnen gemeinsam die Nüsse aufzuknacken versuchte, die eine befriedigende Interpretation — oder auch die Gewinnung eines zuverlässigen Wortlautes — präsentierten; oder, wenn er ihren Geist öffnete, damit sie wenigstens das Problematische der Geschichte, ihr Wesen — die Komplexität — sehen lernten.

Merkles Wort drang weit über den eigenen Hörsaal hinaus. In vielen

Vorträgen hat er belehrend und aufrüttelnd zu weiteren Kreisen geistig Interessierter gesprochen.

Vor allem markierten in dieser Hinsicht seine großen Referate auf Historikertagungen oder in gelehrten Gesellschaften Einschnitte. Neben den Referaten auf dem Historikerkongreß zu Graz über Savonarola (1928), dem Berliner Vortrag über die Katholisch-Theologischen Fakultäten an den deutschen Universitäten (1905), seiner großen Gedächtnisrede auf Schell drüben in der Neubaukirche (1906), seiner Rektoratsrede über das Trienter Konzil und die Universitäten (1905), sind natürlich vor allem zu nennen, die beiden mächtigen Vorstöße über die Reformation hier in einem Würzburger Gerichtssaal, und der über die »Aufklärung im katholischen Urteil« auf dem Berliner Historiker-Kongreß (1908), die beide unser Bild je von der Reformation und der Aufklärung so gründlich gereinigt haben.

4. Aus dieser wissenschaftlich-pädagogischen Tätigkeit will ich hier zu Beginn gleich die unerschrockene, geistige Weite nennen, die vielen jungen Theologen einen so heilsamen Schock versetzte, der sie anleitete, die Geschichte ihrer Kirche weniger glatt einförmig zu sehen, sondern auch die vielen *krummen* Linien zu verfolgen, auf denen der Herr der Geschichte sie geschrieben; jene geistige Weite, die seine Zuhörer anleitete, über die engen Mauern des eigenen Gettos hinauszusehen, auch drüben Leben zu entdecken und zu lernen, es zu verstehen. Merkle war so, wie er selber Schell schilderte: aufgeschlossen für alles Leben, für alle Wahrheit, auch bei evangelischen Christen und bei Ungläubigen, und, obwohl selbst kompromißlos zum katholischen Dogma und gegen den Unglauben stehend, tief durchdrungen von 1 Tim 2,4: »Gott will, daß *alle* Menschen selig werden und zur Erkenntnis der Wahrheit gelangen.«[4]

Übrigens, da ich eben Merkles Gedächtnisrede auf Schell anführe — auf den großen Schell, einst so verketzert, heute, trotz wichtiger Vorbehalte, als eine Leuchte der katholischen Theologie und ein Geschenk Gottes an die damalige Kirche verehrt, in dieser Rede hat sich sein Verteidiger Merkle in auffallend vielen Wendungen selbst geschildert — so verschieden auch das Temperament und die geistige Art und Leistung beider Männer waren. Diese Rede bietet einen Schlüssel zur Erkenntnis des echten Merkle, jenes Merkle, den man hinter der manchmal herben, gar stacheligen polemischen Form erst suchen muß.

5. Für diejenigen, die einen materiell eingehenderen Überblick, ja schon einen tiefen Eindruck von der gewaltigen Arbeitsleistung gewinnen möchten, die Merkles Lebenswerk darstellt, gibt es übrigens einen ersten, einfachen Weg: die Lektüre von Freudenbergers Analyse von Merkles großer Privatbibliothek (ca. 20 000 Bänden!) und die von ihm zusammengestellten 183 Nummern des literarischen Werkes (bis zum Jahre 1934). Wie da aus höchst verschiedenen Gebieten immer wieder neue, eindringende Studien oder Rezensionen genannt werden, die vielfach neue Wege öffnen, wenigstens neue Lichter setzen, auf übersehenes (oder auf wieder vergessenes) Material aufmerksam machen, aus dem christlichen Altertum, Mittelalter,

---

[4] Auf den Pfaden des Völkerapostels, 16 (unten S. 679). Freudenberger Nr. 59.

aus Renaissance, Reformation und Gegenreformation, Aufklärung und Säkularisation, aus dem 19. und 20. Jahrhundert, zur Geschichte Würzburgs und Frankens, insbesondere dieser Universität; Stellungnahme zu Zeitfragen, wobei so vieles, vieles zurechtgerückt, vieles ganz neu gesehen wird und — nicht wenige unzulängliche Gegner in die Schranken gewiesen werden . . .

Über allem und mitten in ihm steht die große, schon erwähnte Leistung zum Concilium Tridentinum, also die vielfältig kommentierte Ausgabe der Diarien zu diesem Konzil in drei mächtigen Folianten, zu denen er das Material mit beispielhaftem Fleiß, harter Ausdauer, ungewöhnlichem Spürsinn, aber auch schönem Finderglück und unübertroffener Kombinationsgabe zusammenbrachte. In dieser Ausgabe der Diarien sehen wir den Meister der wissenschaftlich-kritischen Methode in peinlich gewissenhafter Kleinarbeit am Werk. Diese Bände im einzelnen durchzuarbeiten, sie am Objekt nachzuprüfen, kann als hoch fruchtbares Anschauungsmaterial jedem angehenden jungen Gelehrten eine an Eindringlichkeit nicht so leicht zu übertreffende Lehre sein.

6. Aber es waren andere Leistungen, die Merkle für die größere Öffentlichkeit aus dem Rahmen der vielen Universitätsprofessoren heraushoben: seine schon erwähnten Stellungnahmen zur Aufklärung und zur Reformation. Durch sie geriet er ins grelle Licht der auch vielfach mit persönlichen Spannungen geladenen Tagespolemik.

Die Schlagworte »Berlichingen-Prozeß« oder »Merkle contra Rösch und Sägmüller« genügen noch heute, um bei alten Würzburgern eine ganze Atmosphäre geistiger, kirchlicher, kirchenpolitischer, allerdings auch persönlicher Spannungen wieder erstehen zu lassen.

Dies aber ist das Bedeutende: diese weitgespannte Polemik war derart, daß sie keineswegs mit dem Tag und seinem Gezänk unterging, und heute vielleicht nur noch antiquarisches Interesse hätte! In diesen Leistungen bezieht Merkle vielmehr grundsätzliche Stellungen, die in entscheidenden, grundlegenden Fragenkomplexen der Kirchengeschichte einen neuen Durchbruch erzielten. In allen Fragen blieb Merkle, auf alles Wichtige gesehen, Sieger. Er hat dadurch tief auf das Wissen und das Bewußtsein seiner Kirche und der Wissenschaft gewirkt.

Die Stellung des Katholizismus in der Öffentlichkeit, weit über die wissenschaftliche Sphäre und den deutschen Raum hinaus, so wie wir sie heute kennen, wäre nicht ohne Merkle. Weder würden wir ohne seine Vorstöße in das Gebiet der Geschichte der Reformation, der Aufklärung, der katholischen Kirchengeschichte des 19. Jahrhunderts (gegen de Maistre, für Sailer, Möhler) diese Gebiete so durchschauen, wie das heute möglich ist, noch würden wir zu den evangelischen Brüdern sprechen, wie wir es heute in wissenschaftlicher Redlichkeit tun; und es ist auch Merkles Mitverdienst, wenn heute ungläubige Kreise nicht mehr einfach an der katholischen Geschichtswissenschaft überhaupt vorübergehen können; wenn wir vielmehr durchaus a pari mit ihnen zu verhandeln in der Lage sind. Merkle hat die Augen geöffnet für die »felix culpa« und das »mea culpa« in der Geschichte, und für Werte der Gegner.

Nicht er allein, natürlich! Aber Merkles kräftige Schultern haben mancherlei Last für uns getragen und seine breite Brust hat manchen Hieb für uns aufgefangen — so wie er es für Schell bezeugte. Seine männliche Stimme, seine nüchterne Standhaftigkeit, sein ungeheures Wissen, seine Unerschrockenheit, seine absolute geistige Integrität, haben *für uns* gewirkt.

7. Merkle kam mit einer ungewöhnlich breiten Vorbildung zu seiner wissenschaftlichen Lebensarbeit. Von früh an griff er in den Vorlesungen, die er hörte, in bemerkenswerter Aufgeschlossenheit über das rein Theologische (z. B. in Philologie, Archäologie und Rechtsgeschichte) hinaus. Seine Vorliebe für die klassischen Sprachen, die er schon am Gymnasium so beherrschte, daß er versuchen konnte, Gedichte Uhlands und Schillers ins Lateinische oder Griechische zu übersetzen[5], und die Schulung durch seinen »carissimus praeceptor«, den innerhalb der katholischen Kirchengeschichtsschreibung bahnbrechenden Tübinger Professor Franz Xaver Funk, führten ihn zunächst zur alten Kirchengeschichte. Eigentlich kritisch-forschend betätigte er sich aber nur kurze Zeit auf diesem Gebiet, wenn er auch sehr viel später (zum Augustinus-Jubiläum 1930) vorübergehend zu dieser ersten Liebe zurückkehrte. Aber welche Hilfe boten ihm die hier gewonnenen methodischen Einsichten und Kenntnisse für seine spätere Arbeit am Tridentinum[6]!

Auch dieses Hinausgreifen über das engste eigene Fach gehört zum Wesentlichen an Merkles Gestalt. Alles Enge war ihm zuwider. Insbesondere empfand er lebhaft, wie wenig würdig und ungenügend glaubhaft gerade die hohen Werte der Religion in geistiger Enge dargestellt werden können. Dann konnte er mahnen: »gibt es doch für einen Nichtkatholiken kaum etwas Widerwärtigeres als einen Theologen, der nur sein eigenes Fach kennt.«

Daß Merkle damit keinesfalls einer oberflächlichen Vielwisserei das Wort reden wollte, braucht kaum eigens betont zu werden. Für die aus Handbüchern lebenden Kirchenmänner, die sich rühmten, »überall zu Hause zu sein«, hatte er nur die Antwort: »überall zu Hause — nirgends daheim!«

II. Der Wissenschaftler

Ich betonte bereits, daß es sich in dieser Stunde und vor diesem Forum nicht um eine im engen Sinn fachwissenschaftliche Nachprüfung oder Würdigung des Werkes von Sebastian Merkle handeln kann.

Wenn wir uns nun (selbstverständlich) dennoch eigens »dem Wissenschaftler« Merkle zuwenden, fragen wir, was die angedeuteten Werke und

---

[5] Die Betonung der philologischen Schulung beansprucht nicht, die geistige Brunnenstube von Merkles geschichtswissenschaftlicher Meisterschaft zu bezeichnen. Die kommt aus tieferen, geistigen Regionen: Merkle hatte ein angeborenes Verständnis für das eigentlich Geschichtliche, das in vielfacher Komplexität Zeiten, Völker und Zuständlichkeiten seinshaft und werthaft von einander abhebt, und dies auch in der Geschichte der Kirche. Merkle vermochte in eminentem Sinne zeitgeschichtlich zu denken.

[6] Treffliche Beurteilung von Merkles wissenschaftlicher Ausrüstung bei H. Jedin, HJ. 52 (1932), 451—457.

Stellungnahmen für uns, heute, bedeuten, für die breiteren gebildeten Schichten, die katholischen zuerst, und darüber hinaus für evangelische und sogar nichtchristliche. Was bedeuten sie in ihren wissenschaftlichen, weltanschaulichen, religiösen, kirchlichen Gehalten?

Diese Frage ist nicht sachfremd, von außen, an Merkle herangetragen. Sie entspricht seinem Werk und seiner Absicht.

1. Merkle war Wissenschaftler durch und durch. In einem Höchstmaß war er, was kein Mensch *ganz* sein kann, voraussetzungslos, wenn es um die Feststellungen des historisch Tatsächlichen ging. Hier war nur die Härte der Wahrheit. Hier galt: dura lex sed lex, d. h.: ganz und gar gleich, wem oder wo eine geschichtliche Tatsache unbequem wird, sei es ein Mensch, sei es eine Gruppe, sei es eine Schule, seien es Theologen oder Laien, sei es selbst die Kirche: ihre Majestät die Tatsache steht allem voran.

Es ist oft schwer, sie festzustellen, manchmal unmöglich. Aber, wenn sie feststeht, hat alles andere sich nach ihr zu richten, nicht umgekehrt.

Man ermißt sofort die Tragweite! Natürlich, theoretisch sind das billige Brombeeren, jeder theologische Schüler bekennt derlei. Aber etwas anderes ist es, diese Überzeugung lebendig in sich zu tragen und aus ihr zu leben — oder umgekehrt, trotz jenes theoretischen Bekenntnisses, aus bewußt oder unbewußt vorgefaßten Meinungen heraus mehr oder weniger die Versuchung in sich zu spüren, »die Dinge so zu drehen, wie man sie eben braucht«[7], oder, wie es Merkle einmal gegenüber Grisar moniert, wenn »der Dogmatiker dem Historiker unnötigerweise über den Mund fährt«[8].

Es ging damals (wie heute noch immer) um den Kampf zwischen Glaube und moderner Wissenschaft, um eine Episode jener großen Auseinandersetzungen, die entbrannten, seit der moderne Mensch im Humanismus, entscheidend in den neueren Jahrhunderten, sich dem Empirischen, dem genau Wißbaren in Geschichte und Natur zugewandt hatte, aber symbolhaft im Urteil der Kirche über Galilei abgewiesen worden war.

Merkles Leistung war Verteidigung der Kirche vor der nichtkatholischen Welt durch die wissenschaftliche Tat. Aber sein Kampf wurde vorzugsweise ein innerkirchlicher. Nicht durch seine Schuld!

Merkle wußte aus der Kirchengeschichte, wie die altchristlichen Apologeten und die alten Kirchenväter, dann die Scholastiker (so gut sie es gekonnt hatten) sich der Wissenschaft ihrer Zeit bemächtigt, und mit deren Mitteln den Glauben dargestellt und verteidigt hatten. Er wußte, wie Baronius und die Mauriner sich im Rahmen ihrer Sicht furchtlos der historischen Einzelkunde und der Quellenkritik gestellt und dadurch — wenigstens für ihr Teil — die Kirche ehrenvoll gegenüber der modernen Wissenschaft vertreten hatten.

Daneben sah er eine impotente Spätscholastik und eine bedeutsame, aber doch unhistorisch denkende und aprioristisch harmonisierende Barockscholastik; vollends alarmiert war er darüber, daß diese Scholastik im

---

[7] Besprechung von L. v. Pastor, Geschichte der Päpste III. In: DLzt XLIX Sp. 1210 (Freudenberger Nr. 153).

[8] Das Lutherbild i. d. Gegenwart. In: Hochland XX (1922), 543 (Freudenberger Nr. 119); s. unten S. 226.

17./18. Jahrhundert an den katholischen Universitäten und Seminaren (die größtenteils unter die Leitung der Jesuiten gekommen waren) weithin zu einem dürren Schulbuchtraditionalismus herabsank, in der man das »erwirb es, um es zu besitzen«, den Willen zum *Voranschreiten* in Geschichte und Naturwissenschaft vergaß, wo man vielmehr die Geschichte aus dem theologischen Schulbetrieb so gut wie ganz ausschloß, die Exegese vernachlässigte, und sich gegenüber dem geistigen und national-literarischen Leben abschloß; er sah, wie diese Lehrer des 17. und 18. Jahrhunderts zwar keiner nennenswerten Heterodoxie verfallen waren, wie sich aber auch aus ihren Reihen kein einziger wirklich hervorragender Kopf nennen ließ;

er sah, wie die unentbehrliche Bindung an die Tradition und die Prüfung an ihr gemäß dem Kanon des Vinzentius v. Lerin zum öden Nur-Tradieren und Polemisieren herabsank, wie der Drang zur Forschung nicht nur erlahmte, sondern sogar unterdrückt wurde im Namen der so leicht zu berufenden nie wankenden kirchlichen Wahrheit, in der man alles schon längst besaß;

er sah, wie die damaligen Professoren vor allem die Hauptaufgabe des Lehrers vergaßen, sich selbst überflüssig zu machen, d. h., daß sie keine katholisch-schöpferische Elite heranzogen — und wie deshalb gerade auch bei ihren begabtesten Jüngern die Aufklärung so leichtes Spiel hatte ...

Merkle erlebte endlich aus der Literatur und aus eigener Anschauung, wie seit dem letzten Drittel des 19. Jahrhunderts die Neuscholastik die alten Fehler erneuerte, wobei eine schnellfertige Beweismacherei und Konklusionstheologie die hoffnungsvollen Ansätze der großen katholischen Tübinger Schule nicht etwa weiterführten, sondern wiederum alles Heil in einer billigen Demonstrationsmethode und formeller Widerlegungskunst sahen.

Was Merkle in alldem zutiefst bedrückte, und womit er sich nie abfand, war die Tatsache *des Prestigeverlustes der Kirche in der Neuzeit.* In seiner Trauerrede auf Schell, wo er dessen tragischen Kampf um die Freiheit der Wissenschaft in der Kirche beschreibt, hat er die Lage, die er vor sich sah, und auch seine eigene Aufgabe, gezeichnet: »neben manchem Erfreulichen, zahlreiche Ruinen: Gebiete, welche einstmals die Kirche beherrscht hatte, waren ihr längst entrissen; Positionen, welche sie vordem innegehabt, waren durch Unbill der Zeiten und Mangel an Verteidigern verloren gegangen und vom Feinde besetzt. Eine fortschreitende Entfremdung von der Kirche hatte Platz gegriffen; das Christentum eine überholte Religion... auf eine kleine Schar Auserwählter beschränkt..., das Christentum, das die Universalreligion ist...!«[9]

Wie Schell, so lehnt sich Merkle gegen diesen Zustand auf. Er beschwört Schillers Unterschied zwischen dem akademischen Banausen, dem jede neue Entdeckung unbequem ist, weil er umlernen muß, und dem *Priester der Wissenschaft,* der sich jeden Fortschrittes freut[10]. — Soll man den Kampf aufgeben, ruft er, wegen der »dummen Überheblichkeit jener, die den

---

[9] Schell-Rede, 8, unten 675 f. (s. Anm. 4).
[10] Das Konzil von Trient und die Universitäten (Festrede..., Würzburg 1905), 44. Freudenberger Nr. 55.

64

Kampf zwischen Glauben und Wissen nie gekämpft und von den Aufgaben theologischer Wissenschaft in unseren Tagen keine Ahnung haben?«

»Soll die Kirche«, fragt der 42-jährige in seiner Rektoratsrede, »etwa nicht mehr konkurrenzfähig mit der modernen Wissenschaft sein?«

Als sein Ziel nennt er — wie selbstverständlich, in einem Nebensatz — »einen *optimistischen,* auf eine Versöhnung der Kirche mit der modernen Kritik hoffenden Katholizismus.«

Eine große moralische Hilfe in dieser Hoffnung war ihm sein geliebter Johann Michael Sailer. Sailer hatte in nur einem Vierteljahrhundert (1799 bis 1825) die Verbindung einer »tiefgreifenden religiösen *Selbstbesinnung* des Katholizismus mit einer neuen philosophischen Richtung« (der Naturphilosophie Schellings) herbeigeführt; Sailer hatte es fertiggebracht, zwei Jahrzehnte lang an der Universität Landshut der geliebteste Mann zu sein, vielleicht — sagt Merkle — das letzte Beispiel, daß eine katholisch-theologische Fakultät... in der selbsterworbenen wissenschaftlichen und gesellschaftlichen Geltung an der Spitze der Universität stand und dieser gewissermaßen ihren Charakter aufdrückte[11].

Merkle kämpfte bis an seines Lebens Ende. Aber dennoch sah er bereits im Jahre 1912, daß Früchte heranreiften, die seine Hoffnungen bestätigen würden. Damals begrüßte er am Ende seiner kritischen Besprechung von Grisars Luther dieses Werk als Dokument katholischen Fortschritts: »Wir können aus ihm, allen widrigen Anzeichen zum Trotz, die tröstliche Gewißheit haben, daß nach und nach eine würdigere Auffassung von der katholischen Wissenschaft sich durchsetzt, welche nicht *den* für den besten Katholiken hält, der glaubt, in einseitiger, schlechthinniger Verdammung der Gegner und ebenso einseitiger Verhimmelung auch weniger erfreulicher Erscheinungen im Katholizismus, seinen Glauben zu zeigen, das Ansehen seiner Kirche in den Augen Außenstehender zu heben.«[12]

Allerdings weiß er auch von dem lauten und versteckten Spott, dem vielsagenden Achselzucken von rechts und links, denen zum Trotz man gleichwohl auf dem Posten ausharrt, weil man sich bewußt ist, dem Christentum, dem Frieden der Konfessionen und damit der großen nationalen Sache zu dienen...[13]

2. Schon das bisher Gesagte wird denen unter Ihnen, die es noch nicht wußten, gezeigt haben, daß Merkle sich nicht nur durch Sanftmut auszeichnete.

Merkle war zu einem entscheidenden Teil *Polemiker;* seine Wirkung in die Weite ist sogar hauptsächlich an diese Seite seines Wesens gebunden. Man darf sie schlechterdings nicht umgehen, wenn man den prächtigen, lieben, aber auch hochkämpferischen »Alten« sehen will, wie er wirklich war.

Vertiefen wir uns in die hier liegende Leistung, dann stoßen wir aber auf eine Spannung, die vielleicht den tiefsten Reiz an Merkles geistiger Gestalt ausmacht: der Mann der subtilen, geradezu benediktinischen Detail-

[11] Ebenda.
[12] Hochland IX (1912), 238, unten 211.
[13] Theologische Fakultäten und religiöser Friede (1905), 16, unten 550.

arbeit an der Erstellung der richtigen Lesarten verstümmelter Texte, der Mann des in diesem Gebiet rein objektiv operierenden, philologisch-historisch geschulten Intellekts, der Mann, der es auf diesem Gebiet zu ausnahmslos anerkannten Meisterleistungen brachte, der Mann also, dessen *Wesen* sich in dieser textkritischen Bearbeitung offenbart — einfach die Wahrheit sehend, feststellend —, eben dieser Mann war zugleich in maximalem Grad ein leidenschaftlicher Polemiker, gar nicht abgeklärt, gar nicht von einer höchst vollblütigen Subjektivität befreit.

Derartiges Ineinander gibt es auch sonstwo; aber in dieser Intensität, die geradezu erregend wirkt, ist sie selten.

Noch seltener, daß beide nicht zusammenhanglos, gar widerspruchsvoll, sondern sozusagen harmonisch im gleichen Menschen bestehen.

Denn: auch der Polemiker Merkle, leidenschaftlich, sarkastisch, heftig, war trotz der gleich noch zu nennenden Vorbehalte, in seinem Feuer kühl genug, um in allem Wesentlichen richtig zu sehen, und um Anerkennung wie Tadel nur dem objektiven Befund entsprechend zu verteilen.

Merkles Polemik hat viele Stufen. Sie reicht von der nachsichtig verzeihenden ironischen Überlegenheit bis zur gewalttätigen Abfuhr. Es ist für uns späte Zuschauer einigermaßen ergötzlich, seine schnell, sozusagen automatisch aufflammende Abneigung zu beobachten. Die Zahl der Beispiele ist Legion.

Für die erstere Art ist der Satz, mit dem sein »großes Hauptwerk«, in der Präfatio zum 1. Bd. der Diarien anhebt, ein reizvoller Beleg. Vielleicht darf man — ohne die Bedeutung pressen zu wollen — sogar etwas Symbolkräftiges darin sehen, daß eben dieser erste Satz, übrigens in einem besonders schönen Latein geschrieben, in dem Merkle überhaupt exzelliert, so ausfiel: »Als ich einst in Rom einem von vielen hochgerühmten deutschen Verfasser einer Kirchengeschichte von dem Plan sprach, alle Materialien zum Concilium Tridentinum herauszugeben, fragte der mit teils herablassender teils verächtlicher Miene: Was wollt ihr denn Neues? wollt ihr vielleicht Sarpi widerlegen? — His auditis ac visis non potui quin cogitassem de Christi verbis de ligno viridi ac arido.«[14]

Aber Merkle blieb nicht bei dieser liebenswürdig-überlegenen Ironie stehen. Es gibt bei ihm einen leidenschaftlichen Sarkasmus, eine Daueraversion gegen gewisse Zuständlichkeiten und gegen gewisse Personenkreise, der sehr viel tiefer reicht.

a. An dieser Seite des Polemikers Merkle wird eine seiner Grenzen sichtbar; am stärksten vielleicht in seinem Verhältnis zu den Jesuiten.

Zwar nennt Merkle im Streit mit Rösch und Sägmüller die Mär von seiner »bekannt giftigen Jesuitenfeindschaft« (und von »Haß gegen den Jesuitenorden«) eben eine »Jesuitenfabel«[15].

Tatsächlich tritt er mit starken Worten für die von der deutschen Kulturkampfgesetzgebung bedrückten Jesuiten, »von denen mehrere so-

---

[14] Concilii Tridentini Diariorum pars prima ... collegit edidit et illustravit Sebastianus Merkle. Freiburg (1901), VII. Freudenberger Nr. 41.
[15] Die kirchliche Aufklärung im katholischen Deutschland (Berlin 1910), 190. Freudenberger Nr. 67.

66

eben erst mit dem Eisernen Kreuz geschmückt aus dem Felde heimgekommen waren« ein, und brandmarkte deren Landesverweisung »als eine Unanständigkeit, deren wir uns vor der ganzen zivilisierten Welt zu schämen hätten«[16].

Man muß auch erinnern an Merkles günstiges Urteil über die wissenschaftlichen Leistungen der alten französischen Jesuiten. Er macht gleichfalls darauf aufmerksam: »Von den Mitgliedern des Bollandistenkollegiums — das allerdings das schwerste der Kreuze des schwarzen Papstes sein soll — habe ich mehr als einmal öffentlich ausgesprochen, daß jeder derselben einen akademischen Lehrstuhl zieren würde.« Liebenswürdig war auch seine Einstufung von Duhrs »Jesuitenfabeln«: »Die Jesuitenfabeln«, sagte er, »die Duhr widerlegt, habe ich nie geglaubt; aber die, die ich glaube, widerlegt er nicht.«[17]

Angesichts des allgemeinen Urteils der evangelischen Forschung ist gleichfalls zu unterstreichen, daß er neben Ehrles Leistungen auch (wie schon erwähnt) gewisse Ergebnisse in Grisars Lutherbuch sehr wohl anerkannte (natürlich mit Herausstellung entscheidender Mängel dieser mächtigen Bände, die zwar so wenig Falsches über Luther sagen, in denen aber so wenig »Luther« steht).

Schon schärfer wirkt seine oft vorgetragene Erklärung des Namens der Jesuiten. Die im Mittelalter häufige Bezeichnung »societas« müsse im Sinne einer militärischen compania als »Fähnlein«, »Bande« (letzteres ohne tadelnde Nebenbedeutung) verstanden werden[18].

Beim seligen, nachher heiligen Bellarmin vergißt er nicht anzumerken, daß er schmerzlich die Wahrheit erfahren mußte, »daß des Menschen Feinde gerade seine Hausgenossen sind«[19].

Dem Urteil über jesuitische Vertreter des Hexenglaubens durch den schon erwähnten Jesuitenpater Duhr, »in welchem ich einen ehrlichen und liebenswürdigen Mann kennen und schätzen lernte«, stimmte er zu, aber er kleidet die Übereinstimmung in die Form: »ich, nicht als Bewunderer der Jesuiten bekannt«[20].

Diese und viele weitere Aussagen sind nicht gerade ein Beweis für besondere Jesuitenfreundschaft, sie machen es jedoch unmöglich, in Merkle einen Jesuitenhasser zu sehen.

Aber es gibt anderes. Von einer gewissen, sogar kleinlichen Sucht, sich an den Jesuiten zu reiben, läßt sich Merkle kaum ganz freisprechen. Nur ungern läßt er eine Gelegenheit vorübergehen, die Überlegenheit der »deutschen historischen Wissenschaft« gegenüber der jesuitischen Theologie und ihren mangelhaften Leistungen herauszustellen. Und immer wieder muß sich »der Laie« Ludwig von Pastor, der gleichwohl über Kirchengeschichte schreibe, den Vorwurf gefallen lassen, er habe sich in den Jesuiten

---

[16] Er bedient sich dabei der berühmten Rede Windhorsts gegen das Jesuitengesetz (14. VI. 1872).
[17] Diesen Ausspruch habe ich öfters von ihm gehört.
[18] Der Streit um Savonarola. In: Hochland XXV (1927), unten 183. Freudenberger Nr. 150.
[19] Ebenda S. 483, unten 196.
[20] Reformationsgeschichtliche Streitfragen (München 1904), 31. Freudenberger Nr. 49.

die falschen — weil in historicis unerfahrenen — theologischen Helfer ausgesucht.

Aufs Ganze gesehen, wurde Merkle den Jesuiten und ihrer Riesenarbeit für die Kirche nicht annähernd gerecht. Er sah die erwähnten Versäumnisse des Ordens, der im 17./18. Jahrhundert beinahe das ganze katholische Erziehungswesen kontrollierte, ihre Unterlassungssünden und Fehlansätze auf dem Gebiet der Wissenschaft und der Erziehung, und ihre teilweise ungerechte und reaktionäre Haltung gegen ihre Nachfolger auf den Universitäten. Aber er sah an ihnen einseitig beinahe *nur* dieses.

Sicher hat er mit mehr oder weniger grober und verärgerter Polemik gegen die Jesuiten oft unnützerweise seine Ausführungen belastet und den mächtigen Gegner mehr gereizt, als für sein Ansehen in manchen auch sehr hohen kirchlichen Kreisen und für seine Ruhe gut war. —

b. Wenn von Merkle, dem Polemiker, geredet werden soll, ist aber vor allem abzuheben auf die Abfuhr an seine Verleumder im gleich zu erwähnenden Berlichingen-Streit und auf die massive Reaktion gegen die Angriffe von Rösch und Sägmüller. Hier war wirklich nicht elegantes Florettfechten, sondern Kampf mit schweren Säbeln — beinahe bis zur Vernichtung des Gegners[21].

Der Tatbestand ist hier nicht im einzelnen auszubreiten, aber er muß *erklärt* werden. Und da schneidet Merkle keineswegs schlecht ab: der herbe Ton, das vernichtende harte Urteil kann nur billig beurteilt werden, wenn man erwägt (und also wägt) die geradezu grotesken Ungerechtigkeiten, die Merkle von katholischen und priesterlichen Kollegen, von Vertretern des politischen Katholizismus und von dem Teil des Klerus zugefügt wurden, die diesem Katholizismus zu einseitig verbunden waren: Merkle, der Robuste, hatte eine recht verwundbare »Innenhaut«. Zwar schwächten die Wunden, die er im Kampfe erlitt, seine Kraft nicht. Bis in sein höchstes Alter hinein — ich sah ihn zuletzt an seinem 80. Geburtstag — war von einem Absinken der, sagen wir Energie nichts zu merken. Die Angriffe reizten ihn nicht nur, sie beflügelten auch seine Kraft.

Aber manchmal schmerzten sie ihn tief. Er hat das einige Male kurz in seinen »Reformationsgeschichtlichen Streitfragen«[22] erwähnt.

Diese Broschüre kreist um den Prozeß des Würzburger Schullehrers Beyhl gegen den Exjesuiten von Berlichingen. Dieser hatte hier in Würzburg im großen Schrannensaal populär-wissenschaftliche Vorträge über die Reformation gehalten. Da er darin die Protestanten angegriffen, strengte Beyhl Beleidigungsklage an. Merkle wurde vom Gericht als Sachverständiger geladen. Er mußte wahrheitsgemäß die im strengsten Sinn des Wortes unglaublichen Entgleisungen, Dummheiten und Widersprüche eines hemmungslosen Schwätzers als nicht der Wahrheit entsprechend bezeichnen. Er tat es in zurückhaltender Weise, mit dem Ziel, den unsympathischen geistlichen Konfrater, wenigstens so weit als möglich, zu schonen.

Aber nun geschah das Verwerfliche: Als von Berlichingen sich in seinen Vorträgen über das späte Mittelalter, über Päpste, katholische Fürsten und

---

[21] Vgl. auch Andreas Bigelmair, Lebensläufe aus Franken VI (Würzburg 1960), 432.
[22] Reformationsgeschichtliche Streitfragen (s. oben Anm. 20).

68

auch über lebende Bischöfe massive globale Verurteilungen erlaubt hatte, die ihm allenfalls eine Rüge von kirchlicher Seite hätten eintragen sollen, hatte ein großer Teil der katholischen Tagespresse ihm überlaut zugestimmt.

Jetzt, als Merkle durch sein Gutachten die katholische Wissenschaft und die Kirche vom Vorwurf der Rückständigkeit befreite, hielt dieselbe Presse, während des Prozesses und nachher, weiter zu dem Nichtwisser und Verleumder Berlichingen und fiel regelrecht über Merkle her. Es war schon ein Kesseltreiben übler Art gegen den geistlichen Professor. Die Zeitungspolemiker wurden durch eine Flut hämischer und hemmungslos verdächtigender anonymer Hetzbriefe von Katholiken ergänzt und verschärft. Es wurde eine wahre Atmosphäre der Ächtung Merkles geschaffen, seine Kirchlichkeit offen und versteckt verdächtigt.

Merkle fühlte sich in seiner Ehre, seiner wissenschaftlichen wie seiner priesterlichen, zutiefst getroffen. Erst daraufhin veröffentlichte er jene Broschüre, die die Tatsachen darlegte, mit den Behauptungen und »Beweisen« Berlichingens und den Argumenten seiner Zeitungsgegner abrechnete.

Es war — wissenschaftlich — ein voller Erfolg, bis heute.

Merkle hatte die Wucht der Tatsachen sprechen lassen, sich »aller Schimpfwörter enthalten, von denen Berlichingens grüne Hefte strotzen«, gegenüber demselben Berlichingen, der selbst sein Publikum belehrt hatte, »daß mit einer ›feinen Polemik‹ gar nichts erreicht wird«. Das Vorwort der Broschüre aber schloß Merkle so: »Für den Fall, daß auch diese Beweisführung nicht genügt, kann ich noch deutlicher reden, und man möge mir zutrauen, daß ich so frei sein werde, dies auch wirklich zu tun.«[23]

Auch ein Großteil der katholischen Reaktion auf Merkles berühmten Vortrag über »Die katholische Beurteilung des Aufklärungszeitalters« (12. August 1908) kann als Schulbeispiel dafür dienen, wie man es ehrlicher- und christlicherweise nicht machen darf.

Noch ehe der Vortrag — der wegen Zeitmangel bei der Sitzung selbst stark gekürzt worden war — im Wortlaut vorlag, stürzte man sich — nicht zuletzt der geistliche Assessor Rösch in Freiburg — in überheblicher Kritik und in massiv-negativen Wertungen auf Merkle. Und leider blieb man nicht bei der Sache. Der Versuch, Merkles Kirchlichkeit zu verdächtigen, trat klar, ja aufdringlich hervor.

Merkle antwortete im selben Jahr zunächst in den Anmerkungen, die er seinem Vortrag beigab, dann in der bis heute grundlegenden Broschüre »Die kirchliche Aufklärung im katholischen Deutschland. Eine Abwehr und zugleich ein Beitrag zur Charakteristik ›kirchlicher‹ und ›unkirchlicher‹ Geschichtsschreibung«[24]. Sie erdrückt seine Gegner geradezu mit der Zurechtrückung der von diesen vorgebrachten, z. T. unglaublichen Leichtfertigkeiten im Tatsächlichen, der Inkonsequenz im Methodischen und in der Bewertung.

Die Sprache ist echter Merkle.

Sie ist aber nicht nur geistreich und berechtigt scharf. Sie läßt die begreifliche innere Erregung doch wohl zu stark durchklingen. Die Lektüre

---

[23] Ebenda Vorwort, VI.
[24] Berlin 1910.

wirkt auf mancher Seite quälend und unerfreulich. Merkle hätte seinen Sieg — an dem nicht zu deuteln ist — durch größere Ruhe eindrucksvoller gestalten können. — — —

c. Meine Damen und meine Herren! Vielleicht wird der eine oder andere ältere Zuhörer sagen, man sollte diese Dinge, die der Vergangenheit angehören, nicht wieder aufrühren.

Ich bin nicht dieser Meinung. Dieser Streit gegen Merkle bei der Affäre Berlichingen und dem Vortrag über die katholische Aufklärung, sie haben — wie der Streit um Schell — *programmatische* Bedeutung: Es ging um die Frage der grundsätzlich rechten geistig-religiösen, kirchlichen und wissenschaftlichen Haltung des Katholiken zur Vergangenheit und Gegenwart seiner Kirche, vor allem dort, wo sie nach dem Urteil der Sachverständigen nicht auf der Höhe ihrer Aufgabe, ihres Besitzes, ja ihres Reichtums stand oder steht, oder wo sie, zu ihrem eigenen Schaden, ihre Gegner nicht ernst genug nahm.

Merkle sah, wie unvollkommen, wie verzeichnet das Bild war, das weithin von Savonarola, von Luther und anderen Reformatoren und von manchem katholischen Aufklärer unter den Katholiken propagiert wurde.

Und er sah, wie kraftlos die auf schwacher Basis aufgebaute falsche Verteidigung war, auch wie schädlich sie sich für das Ansehen der Kirche auswirkte: sein Wahrheitsfanatismus reagierte ebenso scharf wie sein Wagemut und seine männliche Liebe zur Kirche.

Es ist wahr, in den Vorlesungen über Kirchengeschichte legte Merkle bewußt besondere Betonung auf die dunklen Seiten. Aber er tat dies nicht, um die Kirche herunterzusetzen, sondern um ihren zukünftigen Priestern zu dienen. Denn er sah, welch verheerende Folgen es haben mußte, wenn evangelische oder gar ungläubige Forscher mit unwiderleglichen Argumenten das Bild von dem angeblich nahtlos-einheitlichen Wachsen der Kirche zerstörten und so die kirchliche Wissenschaft als antiquiert und überholt dartaten, und dadurch dem Glauben schadeten.

Nur, wenn die Diener der Kirche die Geschichte ihrer geistlichen Mutter sahen, so wie sie wirklich verlaufen war — (mit schier unvorstellbaren Versagern, mit vielfältigen, auch widersprüchlichen theologischen Ansichten in vielen Einzelpunkten der Lehre, der Verfassung, der Sakramente, nicht zuletzt der Tatsache, daß erst 1870 die Infallibilität des Papstes zu einem Dogma geworden und daß erst seitdem die Lehre von der Superiorität des Konzils über den Papst zu einer Häresie geworden war) —, nur dann konnten sie sie echt verteidigen und das Wesen der Kirche richtig erkennen.

Merkle verstand, daß die Kirche nicht weniger, sondern mehr Anziehungskraft ausüben würde, wenn der simonistisch gewählte Papst Alexander VI. in seiner ganzen unterchristlichen Bosheit geschildert würde, und ihm gegenüber Savonarola als leuchtende Größe der katholischen Kirche erschiene, — auch wenn das geschehen mußte im Zusammenklang mit dem Modernisten Joseph Schnitzer und im Widerspruch zu Pastor, dem offiziellen Schilderer der Papstgeschichte.

Er erkannte, daß kritisch-geschichtliche Schulung und geschichtliches Denken für die rechte Behandlung der gegenwärtigen kirchlichen Lage, für die erfolgreiche Verteidigung der Kirche, gegenüber und innerhalb der dauernd fortschreitenden modernen Wissenschaft, nicht zu entbehren sei; er warnte mit geradezu aufdringlicher Unermüdlichkeit vor dem schlimmen Verhängnis einer gewissen Theologie, deren Vertreter nicht zugleich Historiker seien, und heutige Schulmeinungen unbedenklich mit der Kirchenlehre identifizierten, die auch schon im Mittelalter gegolten haben sollte.

Wie Schell kritisierte Merkle nicht aus Freude am Widerspruch, sondern weil er als akademischer Lehrer der Theologie dies nicht nur für sein Recht, sondern für seine Pflicht hielt gegenüber der Sache, der er mit voller Begeisterung diente. Seine Kritik an der Kirche war nicht gegen, sondern für die Kirche gesprochen.

Um freilich den geistigen Nutzen einer ausführlichen Behandlung jener alten Streitigkeiten ganz einsichtig zu machen, müßte ich Zeit haben — die jetzt fehlt —, aus Merkles Darlegungen die Elemente seiner kirchengeschichtlichen Denkart zu erheben.

An erster Stelle, und immer wieder, wäre von ihm zu lernen die entwicklungsgeschichtliche Bewertung der Kirchengeschichte, die Berücksichtigung der Tatsache, daß es ungerecht ist, in der Kirche heute geltende Anschauungen und Verpflichtungen ohne weiteres auch in ihren früheren Entwicklungsstadien vorauszusetzen. Für Merkle selbst war die Mahnung zum entwicklungsgeschichtlichen Denken und einer entsprechenden Bewertung der Kirche und ihrer Gegner einer seiner unermüdlich wiederholten τόποι.

Wir haben seitdem vieles gelernt. Aber es ist — bekanntlich — noch längst nicht an dem, daß nicht viele Nutzen aus Merkles Mahnung ziehen könnten!

3. Die bisherigen Darlegungen haben bereits von verschiedenen Ausgangspunkten her die wissenschaftliche Grundstruktur Merkles, die kennzeichnende *Art* seines kirchengeschichtlichen Denkens heraustreten lassen. Eine eingehende Studie wäre in der Lage, an dieser Stelle geradezu eine Methodologie Merkleschen Geschichtsdenkens im kirchengeschichtlichen Bereich zusammenzustellen.

Ich begnüge mich damit, einige Stichworte herauszuheben.

a. Die erste, einfache, aber alles andere bedingende Grundlage besteht im Bestreben, nur das Tatsächliche des jeweils im Verlauf der Zeiten im Leben der Kirche Gewesenen festzustellen und anzuerkennen.

Das ist nicht wenig; es rührt an das Wesen christlichen Seins und an das Wesen der Erkenntnis, die wir von ihm gewinnen können. Denn das heilsgeschichtliche Zentrum des Christentums ist die Fleischwerdung Gottes in Christus. Die zentrale Tatsache aber, die sich für die kirchliche Wissenschaft, für die Theologie im weitesten Sinn, aus diesem heilsgeschichtlichen Bestand ergibt, ist, daß die Offenbarung, daß die Heilswirklichkeit in ihrer Wurzel und Entfaltung auch eine *geschichtliche* Erscheinung ist.

Als Grundfrage erhebt sich: Wie kann das Göttliche echt geschichtlich sein, wie kann das Unwandelbare sich wandeln? — Die bereits teilweise vorgetragene Antwort der Kirchengeschichte lautet:

(1) Die Kirche hat eine tiefgreifende Entwicklung durchgemacht; die Beschreibung ihrer Geschichte muß also eine entwicklungsgeschichtliche sein;

(2) die Ideale der Kirche wurden von ihren Führern und Geführten oft mangelhaft verwirklicht.

Punkt 1 wird leicht als selbstverständlich genommen; es muß aber gesagt werden, daß die verändernde Entwicklung so tief greift — auch im Verständnis des Dogmas, der Kirchenverfassung, der Sakramente — daß sie uns nachvatikanischen Katholiken schier unglaublich erscheint und wir sie uns kaum mehr vorstellen können.

Das schließt ein, daß gewisse, heute *wesentliche* Maßstäbe der Rechtgläubigkeit früher noch nicht galten, und also auch nicht zur Bewertung von kirchengeschichtlichen Taten und Urteilen jener Zeiten verwendet werden dürfen; hierher gehören in den von Merkle behandelten Themenkreisen besonders die Komplexe um die Infallibilität des Papstes[25], des Episkopalismus und des Konziliarismus, d. h. die Frage nach der Oberhoheit des Konzils über den Papst[26].

Insgesamt fordert Merkle: »Niemals darf zugunsten eines straffen dogmatischen oder kanonistischen Systems der Anschein erweckt oder begünstigt werden, als ob von Anfang an alles so klar gewesen wäre... Alles hat seine Zeit.«[26]

b) Die unter (2) genannte Tatsache bedingt einerseits die Notwendigkeit katholischer Kritik an der eigenen Kirche, bzw. an zeitgeschichtlich bedingten Zuständen in ihr, andererseits gerechte Beurteilung ihrer Kritiker, sogar ihrer Gegner, wie z. B. Luthers.

[25] Einiges aus dem Material, das Merkle immer wieder vorbringt: der Häresie-Vorwurf gegen Luther durch Theologen war, so sagt Merkle, an sich von wenig Gewicht, weil er Jahrhunderte hindurch von den Scotisten den Thomisten und umgekehrt gemacht worden war und dadurch alle Wirkung verloren hatte. Für Nominalisten war es selbstverständlich, daß die Lehre Thomas' sich nicht mit der Kirche decke (Hochland 9,2 (1911/12), 232). — Der *Konziliarismus* war zwar verdammt worden durch die Bulle »Execrabilis« Pius' II. vom 18. Januar 1460, wiederholt durch »Pastor aeternus« Leos X. vom 19. Dezember 1516. Aber die Sorbonne, damals die Wächterin der Orthodoxie, appellierte gegen den Papst an ein allgemeines Konzil am 27. März 1527, mit der Begründung, kein Fürst könne die Appelle beseitigen, da sie auf göttlichem, natürlichem und menschlichem Recht beruhten. — Klemens VII. (19. Dezember 1530) fürchtete, ein Konzil könne die Frage der Superiorität aufnehmen und eventuell gegen den Papst entscheiden. — Kaiser Ferdinand I. trägt Bedenken, die Gewährung des Kelches vom Papst statt vom Konzil zu erbitten, um kein Präjudiz zu schaffen zugunsten der Superiorität des Papstes über das Konzil (sein Beichtvater teilt seine Bedenken). — Das Konzil von Trient legt einen Kanon vor, der die Autorität des Papstes im kurialistischen Sinn definiert, läßt ihn aber wieder fallen. — Jansenistische Bischöfe appellieren gegen die Constitutio »Unigenitus« (1713), obschon 1627 die Bulle »Pastoralis officii« die Appellation mit Exkommunikation bedroht hatte. Ebenso appelliert Ludwig XIV. 1687 gegen eine päpstliche Entscheidung, ohne daß sein Beichtvater Lachaise SJ ihm deswegen die Absolution verweigert. — Bossuet formuliert 1682 die gallikanischen Artikel. 1761 sprechen sich 116 französische Jesuiten für sie aus. Der Jesuit d'Avigny († 1729) betont, die Infallibilität sei ein noch unentschiedenes Problem, bezüglich dessen jeder nach seiner Einsicht Partei ergreifen könne. — 1773 appelliert Febronius. — 1773 wird gegen Clemens XIV. der Vorwurf erhoben, er habe kein Recht, die Gesellschaft Jesu aufzuheben, weil das Konzil von Trient sie bestätigt habe (was freilich falsch war). Wenige Jahre später wiederholt Schiara, magister sacri palatii, man dürfe die Franzosen nicht zwingen, ihre Ansicht aufzugeben, daß die Infallibilität zwar die richtige Lehre sei, aber noch nicht definiert (Hochland ebd. 232 f., unten 204 f.).

[26] Wiederum das Lutherproblem (Besprechung Grisars, ebd. 233, unten 205). Freudenberger Nr. 73.

Beides ist Pflicht, sowohl wegen des einfachen Tatbestandes, wie auch wegen des christlichen Gebotes der Gerechtigkeit und der Liebe, die beide in der christlichen Verkündigung keine Ausnahme erlauben. Bei der Beurteilung der Gegner der Kirche trifft beides zusammen. Etwa Luthers Verhalten, sein allmähliches Herauswachsen aus der Kirche, sein Verhalten in den ersten Jahren des Kampfes, das alles kann gar nicht verstanden und gerecht beleuchtet werden, wenn man nicht in Betracht zieht, daß damals weder die Infallibilität des Papstes definiert, noch die Oberhoheit des Konzils über den Papst als häretisch verworfen war, oder wenn man sich nicht daran erinnert, wie sehr der Vorwurf »Häretiker« im Streit der scholastischen Schulen und im kirchenpolitischen Kampf durch unmäßige Anwendung seinen Schrecken verloren hatte.

Diesen ernsten Anforderungen entsprach der Zustand der kirchengeschichtlichen Erkenntnis in Forschung und Lehre seit der Mitte des 19. Jahrhunderts nicht mehr, oder zu wenig. Merkle erkannte, wie schon gesagt, den Schaden, den dies für die Kirche bedeutete. Mit Seripando ist er der Auffassung: »Nichts gebäre mehr häretische Lehren, als wenn man leichthin unbedacht über Irrlehren richtet.«[27]

Über der von Merkle mit bohrender Hartnäckigkeit der kirchlichen Wissenschaft und ihrer Vertretung an den Universitäten vindizierten Freiheit (die er so ausgiebig von der Kirchengeschichte des Mittelalters wie vom Tridentinum her illustriert), darf man keineswegs übersehen, wie er frank und frei auch »die Fanatiker des Deutschtums, des Protestantismus und die Zelatoren der freien Wissenschaft« abschüttelt[28], wie er in seiner Rektoratsrede ausdrücklich das Mitspracherecht der Bischöfe bei der Besetzung der theologischen Lehrstühle[29] und die Förderung der jungen Theologen in Konvikten oder Seminaren unter der Führung verständiger Konvikts- oder Seminarleiter[30] bejaht.

c) Die rein wissenschaftliche Leistung Merkles am Tridentinum, zur Geschichte der Universität Würzburg und zur Aufklärung unter ihren Professoren hebt sich zwar kennzeichnend von seiner publizistisch-wissenschaftlichen Arbeit ab; aber, abgesehen von den gelegentlichen Zeitungs- und Jubiläumsarbeiten, gehört Beides zusammen. Seine publizistischen Darlegungen — von denen wir schon sprachen — sind ein Stück gründlicher rein wissenschaftlicher Bemühungen. Sie sind hoch wichtig für die Erkenntnis Merkles wie der Zeit. Sie sind nämlich wesentlich ein Stück des Kampfes des deutschen Katholizismus, die Mauern des Gettos zu durchbrechen, in die er sich großenteils durch Kurzsichtigkeit und Schwachgläubigkeit selbst eingeschlossen hatte. Mauern, die leider seit langem von vielen Kurzsichtigen als das Signum der allein echten Kirchlichkeit bezeichnet wurden. Es ging um die *Freiheit* und die *Qualität* katholisch-theologischer, katholisch-kirchengeschichtlicher Leistung, es ging um die Konkurrenzfähigkeit mit der protestantischen Wissenschaft.

---

[27] Motto vor dem Berliner Vortrag (1908) über die Aufklärung. Freudenberger Nr. 63.
[28] Theol. Fakultäten 15, unten 554.
[29] Ebenda S. 25 f., unten 561.
[30] Ebenda S. 19, unten 556.

Ein Thema, das in Merkles Ausführungen immer wiederkehrt, ist der Nutzen und die Notwendigkeit katholischer theologischer Fakultäten an freien paritätischen Universitäten. Nicht wenige kirchliche Kreise glaubten damals, sich gegen sie wenden und gegen sie in Rom schüren zu sollen. Merkle, als Kenner der Geschichte der Universitäten, wie er sie von Denifle und aus eigenen Studien kannte, erschien das mit Recht unverständlich. Wie waren doch die Universitäten im Mittelalter frei gewesen! Fand doch damals niemand etwas dabei, wenn eine Universität ohne päpstliche Mitwirkung errichtet wurde! Und hatte doch das berühmte Seminardekret des Tridentinum mit einer Ächtung der Universitäten bzw. der theologischen Fakultäten an ihnen nicht das mindeste zu tun! In seinem Berliner Vortrag über »die theologischen Fakultäten und der religiöse Friede« kam er zum Schluß: bestünden die theologischen Fakultäten noch nicht an unseren Universitäten, man müßte sie einführen.

d) Meine Damen und Herren, wir tun uns mit Recht etwas darauf zugute, daß der Katholizismus das System der Mitte darstellt. Nun, gerade darin war Merkle hervorragend katholisch. Die innere Freiheit, die er fordert, geht — und so hat er selbst das Ziel formuliert — nach links wie nach rechts. Er war von einer prachtvollen, imponierenden Unabhängigkeit, aber gleichzeitig in Treue an seine Kirche und an ihren Glauben gebunden.

Im Bereich der literarischen Polemik gibt es hierfür bei Merkle *ein* Beispiel, das ich gerne herausheben möchte, weil es ihm nämlich so leicht keiner nachmachen wird. Ich meine seine kritische Besprechung des Lutherbuches seines Freundes Denifle (1904) in der Berliner Deutschen Literaturzeitung[31]. Wie hier trotz sehr scharfer Ablehnung des Tones und entscheidender methodischer Fehler doch das unvergleichliche Verdienst Denifles in den theologiegeschichtlichen und textkritischen Teilen seines Buches voll zum Tragen kommt, wie Merkle andererseits das Berechtigte des aufgewühlten protestantischen Protestes gegenüber Denifle anerkennt, aber auch die massiven Versäumnisse und Fehler protestantischer Lutherforschung ohne irgendwelche schamhafte oder zaghafte Verhüllung aussagt — das muß man selber nachlesen. Bis heute ist diese Besprechung von Merkle ein ehrendes Denkmal katholischer Wissenschaft und zugleich Dienst an der Wahrheit, an der Förderung der Wissenschaft und dem Verständnis der Konfessionen.

Für viele von Ihnen mag Situation, Aufgabe und Lösungsversuch dieser weittragenden publizistisch-wissenschaftlichen Leistungen Merkles am deutlichsten gekennzeichnet sein, wenn ich sage, diese Arbeit stehe im gleichen Rahmen und habe auf dem Gebiet der Kirchengeschichte das gleiche Ziel wie die große katholische Literatur-Bewegung, die um Carl Muth und sein

---

[31] Die Besprechung war, wie wir jetzt wissen, vorher Ludwig von Pastor angeboten worden. (Siehe L. v. Pastor, Tagebücher, Briefe, Erinnerungen, Heidelberg 1950, 423). Sie abzulehnen, war sein gutes Recht. Die Randbemerkungen, die er seinem Tagebuch anvertraute, stellen seiner inneren Freiheit in Fragen der Lutherdeutung kein hervorragendes Zeugnis aus. — Übrigens deutet auch Merkles Wortlaut an, daß ihm wohl nicht als erstem die Besprechung angetragen worden sei.

»Hochland« kreisen: fruchtbare Wiederbegegnung der katholischen Kirche mit der modernen Welt in Deutschland und darüber hinaus.

Der Kampf mußte fatalerweise gegen zwei Fronten, gegen die Feinde von außen und (was schlimmer war) gegen die Gegner von innen geleistet werden. Schlimmer, weil dem Kämpfer leicht und oft, häufig unglaublich leichtfertig, der Makel der Unkirchlichkeit angedichtet wurde.

Für das Verständnis und eine gerechte Beurteilung ist es nur notwendig, sich daran zu erinnern. daß entscheidende Äußerungen Merkles, die hierher gehören, im Zusammenhang stehen mit dem innerkirchlichen Ringen, das wir damals als Kampf um und gegen den Modernismus unter Pius X. durchmachten, ein Kampf, der die Geister in der Tiefe aufrührte und nur durch Männer von geistigem, religiösem und kirchlichem Format in einer für die Kirche fruchtbaren, nicht nur etwa korrekten und daher sterilen Art bestanden werden konnte. Damals wurde auf mancherlei Art und in breiter Front eine Vorstellung des »sentire cum ecclesia« gepflegt, die jeder Art der Kritik, jeder Art, die nicht in allem und jedem unterschiedslos zustimmte, »il senso della chiesa« absprach, wie es Merkle von einem römischen Kardinal passierte. Es ging auf Leben und Tod, um das Dogma. Aber im Bereich des Geistes lassen sich eben die Siege nicht sozusagen massiv und global erringen. Zum geistigen Kampf gehört die Kraft der Unterscheidung.

Zu den Kämpfern dieser Art gehörte Merkle, auch wenn er gerade in dieser Auseinandersetzung mit der kirchlichen Autorität in Konflikt und auf den Index kam (s. u.).

e) Aus manchen bisherigen Mitteilungen ergibt sich, wie großen Wert Merkle darauf legte, daß der Kirchenhistoriker *Theologe* sei: wie er denn auch die Feststellung, daß er selbst nicht nur Historiker, sondern theologisch geschulter Historiker sei, beides in strengem Sinne des Fachgelehrten genommen, und eben beides zusammen, mit Betonung vortrug.

Dieser Anspruch soll nun allerdings vor einer Überschätzung gesichert werden: Merkle war wirklich Theologe; aber er betrieb nicht Kirchengeschichte als Theologie. Ich will damit sagen, seine kirchenhistorische Betrachtung blieb beinahe ganz im Bereich des Pragmatischen; es kamen nicht auch Kategorien der neutestamentlichen Offenbarung grundlegend zur Geltung. Dieses Thema reicht weit und die Feststellung ist für Merkles geistige Ortsbestimmung ungewöhnlich wichtig, weil der weitaus größte Teil der kirchengeschichtlichen Materialien, die er behandelte, es mit Fragen der Theologie oder der Kirchenverfassung zu tun hatte. Um nur ein Stichwort zu nennen, das uns das Problem wenigstens andeutungsweise in den Griff führen kann: die Frage der Verwirklichung des eigentlich Heilsgeschichtlichen taucht unter dem kirchengeschichtlichen Material kaum empor. Oder ein anderes: es wäre wohl kein aussichtsreiches Unterfangen, aus Merkles kirchengeschichtlichen Darbietungen Ansätze zu einer theologia crucis zusammenzubringen. Dazu war der Theologe Merkle doch zu sehr Bibliothekar. Kenntnis des Historischen an sich war ihm Bedürfnis und Freude. Und hinter ihm war er her wie der Jagdhund hinter dem Wild. — Allerdings, daß sich dieses positive Wissen bei Merkle nicht positivistisch auswirkte, ergibt sich aus allem bisher Gesagten.

4. Die vorgetragenen Gedanken führen uns von selbst zur Frage nach Merkles Kirchlichkeit und Frömmigkeit. Zwar haben wir sie bereits mehrmals ausdrücklich im positiven Sinne beantwortet. Aber zu viele Stimmen der Vergangenheit, die noch nicht alle verhallt sind, machen es unvermeidlich, der Frage noch etwas eindringlicher nachzugehen.

Für den Großteil seiner katholischen Zeitgenossen war er einfach »der liberale Merkle«. Nun, »liberal« war Merkle in mehr als einer Hinsicht. Aber nicht im Sinne der Unkirchlichkeit. Er war liberal in dem bisher schon genügend angedeuteten Sinn des unerschrockenen Kritikers auch am eigenen Hause, nicht bereit, leichter Hand einen gewissen allzu behauptungsfreudigen katholischen Superlativismus mitzumachen, — liberal als behutsamer positiver Beurteiler auch von nichtkatholischen Persönlichkeiten und Leistungen, wenn die Tatsachen es verlangten (etwa wenn er einen Aufsatz schrieb: »Gutes an Luther und Übles an seinen Tadlern«[32]; er war ein im besten Sinne aufgeklärter kirchentreuer Christ.

In gewissem Sinne neigte Merkle allerdings auch zu Formulierungen, die in ihrem kennzeichnenden Habitus gar nicht besonders fromm, manchmal sogar wenig kirchenfreudig klangen. Seine Äußerungen über die Mißstände in der Kirche, etwa wie sie sich im Benefizienunwesen der spätmittelalterlichen Kurie, im damaligen Ablaßunwesen oder insbesondere bei den Renaissancepäpsten Innozenz VIII. oder Alexander VI. zeigten, die Behandlungen dieser Mißstände im Kolleg, in der privaten Unterhaltung und in der literarischen Darstellung[33] waren nicht immer frei von selbstzufriedener Spöttelei. Frömmigkeit und Kirchentreue im Sinne und Stil übermarkierter Unterwürfigkeit oder einer salbungsvollen Betulichkeit lagen dem aufrechten Mann natürlich nicht. »Ins Angesicht zu widerstehen«, war ihm so etwas wie ein dauerndes Bedürfnis.

Aber, wenn dies gesagt ist, schlägt man etwa die Gedächtnisrede auf, die Merkle unter dem Titel »Auf den Spuren des Völkerapostels« seinem Kollegen und Freund Schell gehalten hat[34]. Merkle war damals 44 Jahre alt, er stand in der vollen Kraft des Geistes, und ringsum tobte der Kampf; vielfach wurde gegen Merkle wie gegen den Verstorbenen in recht bitterem Ton, ohne christliche Liebe, manchmal mit vergifteten Waffen gestritten. Man verdächtigte leichtfertig seine Frömmigkeit wie seine Kirchlichkeit.

Und da gerät man nun in dieser Rede in religiöse und kirchliche Tiefen von einem Reichtum, der aufhorchen läßt. Wenn einer so mutige und auch so harte Worte auszusprechen fähig ist, wie wir es von Merkle kennen, dann wirken von religiöser Ehrfurcht gefüllte Sätze sehr viel unmittelbarer, sie gewinnen anderes Gewicht als im Munde derer, denen die hohen Worte so leicht und vielleicht zu oft von den Lippen kommen. Man muß es selbst nachlesen, wie Merkle sein Motto ausführt: »Ich achte mein Leben für nichts…«

Hier entdeckt man Wesentliches bei Merkle. Nach der Lektüre dieser Rede weiß man, daß es nicht ihm Fremdes, sondern Ausdruck seines We-

---

[32] In: Luther in ökumenischer Sicht (Stuttgart 1929), 9—19, unten 236 ff.
[33] Z. B. über Alexander VI. in: Der Tod Alexanders VI., in: Süddeutsche Monatshefte 27 (1930), 414—417. Freudenberger Nr. 166.
[34] Siehe oben S. 60.

76

sens war, wenn er auf dem Krankenlager in den 20er Jahren das »O Haupt voll Blut und Wunden ...«, oder in den letzten Krankheitstagen das »Dies irae« und das »Victimae paschali laudes ...« unermüdlich mit lauter Stimme betete.

Es ging halt Merkle ähnlich, wie er es von Schell schildert: Katholiken warfen ihm vor, er sei zu hart gegen die Kirche, aber zu nachsichtig gegen Außenstehende. Nichtkatholiken oder Abständige aber tadelten, er zeichne ein unrealistisches Idealbild des Katholizismus. Oder es ging ihm wie Sailer, dem man Indifferentismus vorwarf[35]. Aber gerade an Sailer schildert er, was ihm selbst als echte Frömmigkeit und zugleich als Treue zur Kirche erschien, an Sailer, dem ebenfalls kirchlicherseits so lang Verkannten, Verdächtigten, Zurückgesetzten, der aber — so schildert ihn Merkle — nie klein, nie bitter, sondern gerade im Schmerz voller Hoheit und der Kirche treu gewesen sei. Denn, so zitiert dann Merkle, die Liebe ist das Grundgesetz des Christentums, und die Liebe ist langmütig. — —

Wenn man alles, was an Merkle Lust und Sucht zum Kritisieren war, zu-zusammenstellt und es samt jeder launigen und sarkastischen Bemerkung im Kolleg oder in einer Rezension noch so sehr betont, — am Ende wiegt das alles leicht gegenüber der leidenschaftlich empfundenen Verpflichtung, der historischen Wahrheit zu dienen, gegenüber der ungebrochenen Treue zur angestammten katholischen Kirche, gegenüber seiner tiefen katholischen Frömmigkeit, die, wie wir sahen, ganz selbstverständlich auch die kirchliche Bindung der katholischen Theologie-Professoren an das Aufsichtsrecht des Bischofs in dogmaticis bejahte. — Und er, der für alle Andersgläubigen so Aufgeschlossene, er gebrauchte vor einem großenteils protestantisch-liberalen Publikum wiederum ganz selbstverständlich für sie auch (neben anderm) die Bezeichnung »Feinde«, die Positionen der Kirche besetzt halten.

5. Eine besonders eindringliche — und für manche überraschende — Illustrierung seiner katholischen Kirchlichkeit bildete s. Zt. und bildet noch heute die Art und Weise, wie Merkle die Indizierung seines Zeitschriftenaufsatzes »Die katholisch-theologischen Fakultäten in Vergangenheit und Gegenwart« aufnahm.

Wie er außer seiner offiziellen Unterwerfung diese Zensurierung und seine Unterwerfung, aus freien Stücken, in aller Öffentlichkeit in der weitverbreiteten Berliner Tageszeitung »Der Tag« bekanntgab, ist von bewundernswerter Rückhaltlosigkeit[36].

Daß uns dabei seine Feder keine Sammlung von frommen Sprüchen vorsetzt, ist selbstverständlich. Daß aber seine Darlegung (außer der Abrechnung mit seinen geheimen Gegnern) geradezu das Heilige Offizium gegen diese im Dunkel schleichenden Denunzianten in Schutz nimmt, war nicht nur ein geschickter Schachzug, sondern von beispielhafter katholischer Haltung.

Es ist zwar unmöglich, mit absoluter Sicherheit zu sagen, was der oder

---

[35] Natürlich konnte man Merkle nicht wie Sailer auch als Finsterling und Mystiker bzw. Pseudo-Mystiker anschwärzen.

[36] Meine Stellung zum Index, in: Der Tag, Berlin 1913, Nr. 300, unten 574 ff.

ein anderer in ähnlichem Falle getan haben würde. Aber man darf zum mindesten sehr ernst die Frage stellen: Ob wohl die Gegner Merkles, die sich so viel auf ihre Kirchlichkeit zugute taten, die Merkle anschwärzten, wo es nur ging, privat, öffentlich, »allein und mit anderen«, ob sie wohl ihre Unterwerfung mit dieser Nachdrücklichkeit bekannt hätten?

Es ging nicht um eine dogmatische, sondern um eine disziplinäre Frage, nämlich um die Art der Modernistenbekämpfung.

Merkle schreibt im »Tag« vom 23. XII. 1913: »Wegen (dieser) einer Zuwiderhandlung gegen eine Anordnung des Heiligen Vaters sich zu entschuldigen, ist eine selbstverständliche Pflicht des Katholiken ... Nachdem ich durch das Indexdekret auf das kirchlich Unzulässige meines Tuns aufmerksam geworden, gebe ich mein Urteil rückhaltlos, ohne jeden ›inneren und äußeren Vorbehalt‹ preis. Obwohl ich den Hinweis auf Gefahren, das ›profiteri‹ für des Theologieprofessors Recht und Pflicht halte, stehe ich doch nicht an, mein aufrichtiges Bedauern auszusprechen, wenn ich *wider meine Absicht* das schon durch sein Alter ehrwürdige Oberhaupt der Kirche gekränkt habe.«

Merkle fühlt sich in Übereinstimmung mit der Haltung von Franz Xaver Kraus, der durch ähnliche Schwierigkeiten gegangen war, aber doch bekennt: »Der katholische Theologe sollte keine Zweifel darüber lassen, daß es niemals einen legitimen Grund zum freiwilligen Bruch mit der Kirche geben kann.«

Den Versuchen seiner Gegner, ihn aus der Kirche hinauszuekeln, und dem Drängen nichtkatholischer Freunde, die für ihn keine befriedigende und ersprießliche Tätigkeit innerhalb der Kirche mehr zu sehen glaubten, antwortet er so: »Das Scheiden aus einer Kirche, mit der man ein halbes Jahrhundert hindurch gefühlt, gedacht, gebetet, gelitten und gehandelt, — für die man geschwärmt, die man verteidigte, in deren Namen man andere gelehrt hat —, deren erzichlichem Einfluß man in erster Linie eine glückliche, unentweihte Jugend zu danken überzeugt ist, und deren Idealgestalt auch dem reifenden und gereiften Mann noch seine Ziele wies, mit der ihn zahllosen Bande verknüpfen, das Scheiden aus ihr ist für den gläubigen, gemütvollen Katholiken nicht wie der Austritt aus einem Kegelklub ...« — Vielmehr: »Unbekümmert um Verkennung und Verdächtigung von rechts und links ..., um die Hydra absichtlicher und unabsichtlicher Entstellungen in der Tagespresse ... habe ich das getan, was ich vor Gott und meinem Gewissen verantworten kann, und werde es auch ferner tun. Einem lähmenden Pessimismus werde ich mich nie überlassen ...« »Die Zukunft gehört denen, die an sie glauben.«

Längst, ehe Merkle selbst im Jahre 1913 die Indizierung traf und er in eigener Sache Stellung nehmen mußte, hatte er die hier liegende Problematik durchdacht und sie illustriert gesehen am christlichen Beispiel von Schell, dessen maßgeblichste Werke auf den Index gesetzt worden waren, der sich unterworfen hatte und trotz der schweren inneren Verwundung, die ihm die Kirche zugefügt hatte, fortfuhr, mit Begeisterung und begeisternd in Wort und Schrift für sie zu arbeiten[37].

---

[37] Merkle hatte sich in seinem Berliner Vortrag von 1905 über die »theologischen Fakultäten und der religiöse Friede« 8 (unten S. 549) ausdrücklich mahnend auf diese Haltung bezogen (S. 65).

78

Es galt, die gegen Schell wegen seiner Unterwerfung erhobene Anklage der Charakterlosigkeit zu beurteilen. Merkle sagte als Ausdruck nicht nur »seiner Anschauung, sondern auch derer von Freunden, protestantischen wie katholischen« folgendes: »Um nach Erfahrungen, wie Schell sie gemacht, und beständiger Befehdung und Verdächtigung gewärtig, seinen katholischen Standpunkt so tapfer zu vertreten, wie er es tat, dazu gehört mehr Charakter und Mannesmut als zu den höchstgestimmten Dithyramben über Freiheit der Wissenschaft, Dithyramben, die um so feuriger sein können, je weniger man diese Freiheit anderen zu gewähren geneigt ist ... Um der Kirche, welche einen so hart desavouiert hat, in unwandelbarer Treue und mit ungebrochener Begeisterung weiter zu dienen, dazu gehört mehr *Kirchlichkeit* als zu dem selbstgefälligen Quietismus jener, die in ihrer molluskenhaften ›fides implicita‹ mit Dank gegen Gott sich hoch erhaben über einen indizierten Theologen fühlen, weil sie den Kampf zwischen Glauben und Wissen nie gekämpft ... haben.«[38]

Merkles Artikel über die »katholischen Fakultäten«, der zur Indizierung geführt hat, ist offenbar aus denkbar starker persönlicher Anteilnahme konzipiert. Er ist wie eine Explosion, und hervorragend geschrieben, viel besser als mancher andere, etwa als der trockene holperige Vortrag in Berlin, sieben Jahre vorher, über ein verwandtes Thema. Die gereizte Stimmung läßt sich nicht verkennen. Man begreift, daß die Masse der von Merkle vorgetragenen Vorwürfe, und auch die an manchen Stellen zu ungeschützt ausgesprochenen Verallgemeinerungen in Rom gründlich verstimmen konnten. Da Merkles Gegner in Deutschland im Welt- und Ordensklerus sicher nicht unterließen, an der Kurie gegen ihn zu arbeiten, war die Indizierung unschwer zu erreichen. Man muß sagen, Merkle hat es hier seinen Gegnern zu leicht gemacht.

Aber heute, nachdem so vieles sich geändert hat, darf man auch diesem Vortrag bescheinigen, daß er eine Tat für die Freiheit in der Kirche war.

Die Beweisstücke, mit denen Merkle seine Kritik stützte, und seine neue oder von anderen nicht genügend vertretene Betrachtung der Geschichte, sie waren nicht umsonst geschrieben; sie haben ihre Wirkung getan; sie halfen, die Atmosphäre zu reinigen, die Positionen zu klären. —

Die Schwere der modernistischen Gefahr allerdings hat Merkle wohl nicht ganz erfaßt, zum Teil, weil er zu sehr nur an Deutschland dachte, wo in der Tat die »echten Modernisten«, wie er sagte — und er erwähnt Koch und Schnitzer — selten waren. Aber eine grundsätzliche Gefährdung für den Glauben war damals von der kritizistischen Wissenschaft her tatsächlich überall sehr groß. Man kann die allergrößte Hochachtung haben vor der menschlichen Größe und subjektiv lauteren Frömmigkeit von Alfred Loisy: seine und seiner Gesinnungsgenossen Auffassung von der Heilswirklichkeit in Geschichte und Dogma liefert beide der vollen subjektivistischen Willkür und damit der Auflösung aus.

6. Auch die Dante-Rede Merkles auf dem 61. Katholikentag in Frankfurt 1921 gehört in die Gedankenreihen, die uns in diesem Augenblick beschäftigen.

---

[38] Ebenda S. 9, unten 549.

Man kann bezweifeln, ob sie ihren Zweck vor einer Massenversammlung erreichte[39]. In sich aber scheint sie mir, obgleich sie nur eine Skizze ist, zu dem Rundesten, literarisch am meisten Fertigen zu gehören, das uns Merkle hinterließ. Und welch echter, unnachahmlicher Merkle! Schon am Tonfall des Beginnes werden Sie ihn sofort erkennen. Aber dann ist da auch jener andere Ton, den seine »guten Freunde« natürlich unmerklerisch genannt haben werden, die nachhaltig unterstrichene, kirchlich treue Verehrung für den Papst: Wie zeigt eben diese Note das Innere von Merkle! Wie offenbart sie, daß dieser herbe Mann so gern bereit war, oft so leicht bereit gewesen wäre, aus vollem Mund und Herzen Kirche und Papsttum zu preisen, hätte man ihm mehr vertraut!

So hebt Merkle also an: »Wenn der Heilige Vater uns auffordert, den 600. Todestag Dantes festlich zu begehen, des Mannes, der an Päpsten seiner Zeit härteste Kritik geübt hat, so ist das ebenso ein Zeugnis für die Größe und die katholische Gesinnung des Dichters, wie für den Weitblick und die Großzügigkeit Benedikts XV. — Jahrhunderte hindurch ist Dante aus dem angedeuteten Grunde vielfach mißverstanden und geschmäht worden. Vor anderthalb Jahrhunderten konnte Voltaire an einen Jesuiten in Italien schreiben: ›Der Mut, mit dem Sie den Ausspruch wagen, daß Dante ein Narr und sein Werk eine Mißgeburt ist, imponiert mir.‹ Heute kann nicht der leiseste Zweifel mehr sein, daß wir in dem Verfasser der Göttlichen Komödie den größten christlichen Dichter aller Zeiten und den treuesten Sohn der katholischen Kirche zu verehren haben.

Und es ist ein neues, nicht hoch genug anzuschlagendes Verdienst des hochgesinnten Papstes, der im Jahre 1921 den großen Dichter des Jahres 1321 wieder in seine Rechte einsetzte, und mit alteingewurzelten Vorurteilen mutig gebrochen hat. So schauen wir denn in dieser Feierstunde mit Bewunderung und Erbauung auf zu der hochragenden Dichtergestalt und beugen uns zugleich in dankbarer Ehrfurcht vor unserem Heiligen Vater, der uns wieder zu Dante geführt und als erster Papst ihm das Siegel der Kirchlichkeit aufgeprägt hat.«[40]

Dieser kirchliche Ton ist nicht nur am Anfang angeschlagen. Bei aller Nüchternheit und auch in der Kritik der weiteren Rede klingt er voll durch bis zum Ende.

Die kirchliche Anerkennung Dantes durch den Papst klang im Munde Merkles wie eine Bestätigung seiner eigenen Haltung. Sie war ihm ein tröstliches Anzeichen für seinen erwähnten Optimismus. Er schlägt das Motiv gegen Ende seiner Rede voll an: »Die durch alle Prüfungen eines schweren Erdendaseins ungebrochene Größe des Mannes, der den bittersten Enttäuschungen zum Trotze sich nicht zu lähmendem Pessimismus herabdrücken ließ, sondern auf Gott vertraute, eine frohe Zukunft voraussagte, das mag eine Ermunterung sein für alle, nicht zu verzagen und nicht zu ermüden in allen Wirren und Mühseligkeiten des Tages«, vielmehr durch

---

[39] Es ist in dieser Beziehung reizvoll, die ausgesprochen virtuos mit Pathos und Rhetorik (durchaus echt) operierende Rede zu lesen, die im Bande des 61. Katholikentages unmittelbar auf die von Merkle folgt: »Karl Trimborn«. Gedächtnisrede von Domkapitular Leicht, Bamberg (Frankfurt 1921), S. 173 ff.

[40] Ebenda S. 161, unten S. 135. Freudenberger Nr. 111.

eine in lebendigem Christentum wurzelnde Menschenliebe die Bestimmung zu verwirklichen: »eine helle Leuchte zu sein den wandelnden Menschenkindern auf dem Weg zur ewigen Heimat.«[41]

7. Obschon die Prüfung der eigentlichen Facharbeit nicht unsere Aufgabe in dieser Stunde ist, so kann doch auch eine allgemeiner interessierende Schilderung des großen Mannes sich nicht die Mühe schenken, aus ihnen wenigstens einiges für Merkle und für die Zeit, in der er arbeitete, Kennzeichnende genauer zu erheben.

Die chronologische Reihe durchbrechend, beginnen wir unsere Betrachtungen mit Merkles Arbeiten zum Concilium Tridentinum, berühren dann Savonarola und die Reformation; an dritter Stelle kommen wir auf seinen Kampf um eine gerechte Beurteilung der Aufklärung im katholischen Raum zurück, endlich schließen wir mit Bemerkungen zu dem großen Thema der religiös-kirchlichen Entwicklung im Katholizismus des 19. Jahrhunderts, die Merkle bis auf das Totenbett beschäftigte[42].

a. Die ganze Fülle, Tragweite, Bedeutung und Stichhaltigkeit der hochgelehrten Einleitungen Merkles in die Diarienbände des Concilium Tridentinum kann heute, ich sagte es schon, erschöpfend nur H. Jedin abschätzen. Uns geht es hier nur darum, eine konkretere Vorstellung von Merkles Leistung zu gewinnen. Denn für jeden, der sich in das eine oder andere Kapitel vertieft, ist es menschlich tief anrührend und wissenschaftlich lehrreich, mit welcher Vorsicht, Umsicht und Sicherheit der Gelehrte vorgeht, wie er unendlich viele Fragen abhandelt, den viel verzweigten Dingen ihren Platz anweist und keineswegs dem Fehler verfällt, seine Funde hemmungslos zu loben oder ihnen blind zu vertrauen.

Eine tief befruchtende, lang dauernde, immer wieder erneuerte Begegnung mit wieder aufgefundenen, oder dem richtigen Autor wieder zugeschriebenen, oder verständlich gemachten unoffiziellen Tagebüchern kompetenter Persönlichkeiten zum Konzil hatte stattgefunden, und deshalb ist die Lektüre der Prolegomena eine hoch lehrreiche Beschäftigung. Merkle, der es am besten wissen mußte, sagt nach einer warnenden Eingrenzung der Eigenart und Tragweite der Diarien des Konzil-Promotors Severolus[43]: unter dieser Bedingung »commentarius promotoris fons est sine pretio pretiosus«, besonders für die vier ersten Monate des Konzils, als Massarelli noch keine Berichte schrieb. Zur Orientierung empfehle ich besonders den Rückblick über Planung und Entstehung des Concilium Tridentinum der Görresgesellschaft, den Merkle im Jahresbericht der GG. 1938 veröffentlichte[44]. Jeder am Stoff Interessierte, ja ein jeder, der am Werden eines bedeutenden, weitausgreifenden Werkes Interesse hat, wird den Aufsatz mit Gewinn zur Kenntnis nehmen. Er liest sich wie ein spannender Roman: der Bericht eines glänzenden Schriftstellers und des geborenen Bibliothekars über eine erregende Jagd nach einer Beute, deren Lager

[41] Ebenda S. 171 f., unten S. 145.
[42] Mitteilung von Pfarrer Anton Kehl (oben S. 57).
[43] Bd. 1, S. XLV.
[44] Dazu H. Jedin. Siehe Anm. 6 und 47.

man nur ungefähr ahnen konnte. Ein Bericht auch über viele Enttäuschungen, gespickt mit mancherlei Anekdoten[45]. Der Bericht des 76jährigen zeigt den noch im Vollbesitz seiner geistigen Kräfte stehenden Mann, der die verwickelte Problematik der Quellenlage »Tridentinisches Konzil« so ausgezeichnet beherrscht, die einzelnen Fakten der bibliothekarischen Irrwege genau kennt, und wie dann der fetteste Fund[46] erst am Ende der Reise in Bologna vom völlig abgearbeiteten Merkle gemacht wurde.

Welch eine körperliche Anstrengung z. B. auf der ersten Archivreise nach Spanien und Frankreich — in der überfüllten Landpost, auf staubigster Straße bei drückender Hitze, oder bei der nächtlichen Eisenbahnfahrt, wo Merkle erleichtert aufatmet, als endlich sein ihn bewunderndes Gegenüber in der zweiten Nacht den Zug verläßt, oder in Toledo, wo er zwei Tage und Nächte die Bibliothek gleichsam belagert, bis er die Öffnung »erzwingt«.

Eine Fülle von Porträtsilhouetten zieht an uns vorbei, die *uns* nur wegen der treffenden Fixierung (wie in einer Momentaufnahme) interessieren; aber, wie mag Merkle selbst in der Rückschau beglückt empfunden haben, wie zielsicher er — mit einer Ausnahme, wo er leider einem ihm aufgezwungenen Kopisten vertraute — die Arbeit von Anfang an angelegt hatte ...

Als Merkle zum erstenmal in die verschiedensten Städte, Diözesen und Kirchen Spaniens fuhr, kam er doch zum Teil in bekanntes Land. Da waren eine ganze Reihe von Sitzen, wo Bischöfe und Theologen gelehrt hatten, die aus seinen bisherigen Arbeiten am Tridentinum zu seinem täglichen Umgang gehörten. In Salamanca hatte Domingo Soto gelehrt, der große Thomist ... dort war er, wie seine Ordensbrüder berichteten, auf seinen Wunsch unter der untersten Stufe der Treppe begraben worden, damit alle ihn mit Füßen treten sollten.

Dort in Simancas befand sich das große spanische Staatsarchiv, wo einstmals Don Antonio de Acuña, Bischof von Zamora, »der Luther Spaniens«, der Führer des Comuneros-Aufstandes gegen Karl V, nach Niederwerfung der Revolution gefangen gehalten worden war, wo er den ihm das Essen bringenden Alcalden ermordete und hingerichtet worden war[47], wo unübersehbare Schätze über die Zeit des Tridentinums und dieses selbst lagerten, an deren auch nur teilweise Hebung nicht zu denken war, aus denen später Buschbell einen großen Teil seiner zwei Briefbände schöpfte.

»Daß ich an Lourdes, zumal am Vorabend von Mariae Geburt, nicht vorbeifahren konnte und das Fest dort feiern wollte, obwohl für das Tridentinum nichts zu erreichen war, wird man begreiflich finden — an einem weniger belebten Tag dürfte es aber erbaulicher sein.«[48]

---

[45] Z. B. der Stoßseufzer des Domherren in Cordoba: Er habe so viele Feinde und alle seien doch die trefflichsten Männer! Merkle hat ihn im Vorwort zu seiner Abfuhr an Rösch-Sägmüller mit einer echt Merkleschen Variante wiederholt, Die kirchliche Aufklärung ..., S. VII. Freudenberger Nr. 67.

[46] Die in Privatbesitz befindlichen acht kleinen, mit Bleistift geschriebenen Hefte von Gabriele Paleotti. Jahresbericht der Görresgesellschaft 1938, 86, unten 328.

[47] Jahresbericht der Görresgesellschaft 1938 (Köln 1939), 82, unten 325.

[48] Ebenda S. 83, unten 326.

In den s. Zt. für Lord Acton gemachten Abschriften von Pseaume in Paris stößt er auf köstliche Lesefehler oder entlarvende Ergänzungen durch Woker bzw. Husson, von denen er launig berichtet[49].

Man spürt an mancher Stelle des Berichtes noch nachträglich, wie die Erkenntnis über die wahre Lagerung der Problematik aufblitzt, sich verschärft und bestätigt, und wie dementsprechend der Plan der Arbeit umgestaltet wird, gerade gegenüber den erwähnten 8 Bändchen von Paleotti in Bologna: »Der Fund war vielleicht die bedeutendste Errungenschaft der ganzen Reise, noch wichtiger als der Guerrero-Nachlaß in Granada, vielleicht sogar als die Rekonstruktion der Pseaume-Aufzeichnungen in Paris; ich dachte zuerst nur an eine Ergänzung, nun zeigte es sich, daß man es mit einem ganz anderen Werk zu tun hatte. Hier liegen die Aufzeichnungen vor, die während der Vorträge gemacht wurden, mit Angaben von Tag, Stunde und Charakter (Zusammensetzung) der Kongregation. Diese Aufzeichnungen gingen durch eine mehrfache Bearbeitung hindurch, deren Stadien ich nachher in Rom an einer Reihe bisher in ihrer Bedeutung nicht erkannter Paleottibände des Vatikanischen Archivs feststellen konnte ... Es bedurfte einer eigenen, auf dieses ganz besondere Überlieferungsverfahren angelegten Editionstechnik.«[50]

Einen glänzenden Triumph erlebte Merkle, als viel später Originale der Massarelli-Diarien von H. Lennerz im Archiv der Jesuiten bei Al Gesù entdeckt wurden. Das wiedergefundene Original bestätigte, »daß mein textkritischer Instinkt das Richtige getroffen und ich sogar das Format der Urschrift nach den Folienzahlen der Barberinischen Abschrift zutreffend errechnet hatte«[51].

Ist es dem überragenden Meister gegenüber erlaubt, einige kritische Randbemerkungen anzubringen, die natürlich nicht den Text und seine Geschichte betreffen? Der Vortrag, in dem er von der grandiosen Leistung Rechenschaft ablegt, ist ein echter Merkle — sowohl durch die souveräne Beherrschung des Materials, wie durch die beziehungsreichen eingestreuten und nicht immer gerade besonders sanft formulierten Parallelen zu verschiedenen anderen Perioden der Kirchengeschichte.

Aber die Einheitlichkeit der Beurteilung scheint mir weniger groß als sonst. Vor allem scheint mir eine Überschätzung des auf dem Tridentinum Erreichten vorzuliegen. Daß das Tridentinum weltweite Wirkung hatte, wird niemand bestreiten. Es hat zu einem Teil der verheerenden theologischen Unklarheit, die vorher die Verkündigung und damit das Leben in der Kirche belastete, in wichtigem Ausmaß ein Ende gemacht, es hat auf wichtigen Gebieten eine wirkliche Reform der kirchlichen Disziplin herbeigeführt.

Dennoch, wie dies Konzil zu spät kam, so hat es seine Aufgabe nur als Kompromiß gelöst. Was es als Vorbereitung der inneren Einheit der Kirche leistete — ein Erfolg sondergleichen — geschah mit Methoden, die christlich gesehen keineswegs vorbildlich sind; man denke etwa an die Überwindung des Episkopalismus in der dritten Periode durch Mittel der Diplomatie, wie das ja Merkle[52] so meisterlich herausarbeitet.

---

[49] Ebenda S. 84, unten S. 327.
[50] Ebenda S. 86, 87, unten S. 329.
[51] Ebenda S. 88, unten S. 330.
[52] Ebenda S. 12 f., unten S. 281 f.

Und was das große Resultat der ersten Periode angeht, das Dekret »de justificatione«, ist es nicht eigentlich sozusagen gegen den Willen der Mehrheit, wie durch ein Wunder de facto so ausgefallen, daß wir heute mit Grund und Recht ehrlich auf seiner Basis mit den getrennten Brüdern reden können?

Auch die Freude am Ende des Konzils und die Freudentränen müssen wohl eher gemessen werden an der Gefahr, der die Kirche entronnen war, als an dem, was positiv erreicht war.

Als Einzelwarnung vor einer Überbewertung bleibt vor allem der Canon über das Verbot des Cumulus, »si commode fieri potest« von dem gerade Merkle angibt, wie furchtbar schlecht er befolgt wurde[53].

b. Es gibt eine Reihe von umkämpften Bewegungen und Gestalten, an denen Merkles kirchlich-wissenschaftliches Interesse sich immer wieder entzündete, sei es in wissenschaftlich quellenmäßiger Durcharbeitung, sei es in didaktischer Verwertung in Vorlesungen, Vorträgen oder Besprechungen.

Für die Erkenntnis des Wesens Merkles und von nicht wenigen seiner Eigenarten und geistig-seelischen Grundhaltungen wie für seine historisch-theologische Methode ist außergewöhnlich aufschlußreich seine Stellung zu Savonarola. In dieser Gestalt kommt eine Merkle interessierende kirchliche und kirchengeschichtliche Grundproblematik besonders deutlich zum Vorschein: eine katholische Persönlichkeit von mächtiger Glaubenskraft, von erschütterndem Prophetenbewußtsein, aber nicht der Hierarchie angehörend, steht kämpfend gegen den obersten Priester, Papst Alexander VI., dessen Befehlen (z. B. sein aufrüttelndes Predigen einzustellen) der Mönch nicht nachkommt. Im Verfolg der Aktion wird der Frate von einem kirchlichen Gericht verurteilt, gehängt und verbrannt.

Ein aktiver Opponent gegen den Papst war verurteilt worden. War es zu recht geschehen? In der katholischen Kirchengeschichte waren die Meinungen nicht einhellig. Der berühmte und sozusagen offizielle Kurienhistoriograph Ludwig von Pastor erkannte auf die Schuld Savonarolas. Anders Merkle. Daß seine Sympathie sich instinktiv dem großartigen Propheten von Florenz zu und gegen den Schänder des Papstthrones, den kraß unchristlich lebenden Alexander VI. wandte, ist nicht weiter verwunderlich. Aber auch nicht entscheidend.

Wichtiger: das von Christus uns erworbene und von Paulus verteidigte Recht der Freiheit eines Christenmenschen tritt als entscheidender Inhalt von Merkles katholischer Auffassung in Aktion. Auch wo es nicht ausdrücklich zur Sprache kommt, ist dieses Element der tragende Grund seiner Argumentation.

Wirksam werden und sich durchsetzen aber konnte sich dieses Grundgefühl wiederum nur, weil Merkle existentiell um das zeitgeschichtliche Auf und Ab in der Kirche wußte. Ich betone das »existentiell«. Denn Merkle wußte nicht nur theoretisch abstrakt darum, wie viele, keineswegs harmonisierende, vielmehr seltsam widersprüchliche kirchliche oder kirchenpolitische Anschauungen im Laufe der Zeit von Theologen, Kanoni-

---

[53] Ebenda S. 20, unten S. 285.

sten, Bischöfen und Päpsten als infallibel ausgesprochen worden waren, er hatte das gründlich am Studium der Quellen erlebt. Von eben daher wußte er gleichfalls, ein wie verhältnismäßig nur sehr kleiner Teil der Fragen unzurücknehmbar unfehlbar, ex cathedra, festgelegt worden war; er wußte (z. B. aus Innozenz III. und Thomas von Aquin), wie groß die christliche Freiheit innerhalb des katholischen Bekenntnisses gegenüber schlechten Oberen war, selbst wenn der Widerstand möglicherweise Ärgernis erzeugen würde[54], wie souverän die Entscheidung des einzelnen christlichen Gewissens ist, ganz besonders war, bevor die Definitionen des Tridentinum und Vaticanum ergangen waren, aber auch wiederum nach der Heiligsprechung der Jeanne d'Arc, wo ein gegen die Kirche stehendes Gewissen von dieser anerkannt worden war.

Und so stellte sich Merkle auch aus grundsätzlicher Überlegung in die Reihe der Verehrer des Frate: der heiligen Philippo Neri und Catharina de' Ricci, von denen allerdings besonders Neri dennoch sehr streng über Savonarolas Ungehorsam und Maßlosigkeit im Reden urteilte, der aber trotzdem die Berufung und das Werk des Frate bejahte; oder auch des Großinquisitors Michele Ghislieri (des späteren Papstes Pius V.), der gegenüber einem Gutachten des Jesuiten Jakob Laynez zwecks Unterdrückung der Schriften Savonarolas nachwies, daß des Frate jetzige Gegner dessen Schriften nicht gelesen oder mißverstanden hatten[55].

Neben der Betonung der Gewissensfreiheit innerhalb des katholischen Glaubensbekenntnisses stellt Merkle seine ganze Beurteilung des Frate mit Schnitzer ab auf dessen Prophetenbewußtsein. Das ist wohl in der Tat die Mitte des Problems, und von daher ist Savonarola (neben der hohen Glaubenskraft, der Liebe zur Kirche, dem Eifer für ihre Reinigung) subjektiv entschuldigt. Ob er es auch gänzlich objektiv ist, bleibt die Frage. Denn Merkle setzte das Prophetenbewußtsein Savonarolas absolut gleich mit dem der alttestamentlichen Propheten. Nun ist die große Frage: ist eine vollautonome Wirksamkeit eines Propheten noch möglich, nachdem die vorbereitende, nicht fertige Gestalt des alttestamentlichen Gottesreichs durch die Erfüllung in Christus einer definitiven Verfassung der Kirche mit Hierarchie und Papst Platz gemacht hat?

c. Wir hörten bereits aus Merkles Erklärung im »Tag«, wie wenig es seiner Überzeugung nach eine grundsätzliche Berechtigung für einen Bruch mit der Kirche geben könne (S. 22). Gern zitiert er auch das Wort des »maßvollen und deshalb von den Eiferern beider Extreme geschmähten« Bischofs von Hefele, »daß kein Übel, das man auf sich nehme, um eine Spaltung zu vermeiden, so groß sei wie das Übel der Spaltung selbst«[56].

Merkles innere Unabhängigkeit von der einen oder anderen Seite ist kaum von einem anderen erreicht oder gar übertroffen worden. Das bewährte sich auch in seiner Behandlung der Reformation. Er betont unzweideutig, ausdrücklich, wiederholt, ja oft seinen katholischen Standpunkt, und er fordert für ihn von der evangelischen Forschung dieselbe Aufge-

---

[54] Hochland XXV (1928), 472, unten 186. Freudenberger Nr. 150.
[55] Deutsche Literaturzeitung 1928, 1209. Freudenberger Nr. 153.
[56] Theologische Fakultäten und religiöser Friede, 9, unten 549. Freudenberger Nr. 54.

schlossenheit wie für die eigene Sache, die Geschichte der Reformation, des Protestantismus und Luthers. Er ist voll aufgeschlossen für die Gegenseite, sogar für Urteile, die er (wie die von Holl) für übertrieben günstig hält, wenn sie wenigstens genau belegt sind und »aus einer liebevollen und wohlwollenden Vertiefung in Luthers Gedanken und Gefühlswelt entspringen«; dem stimmt er lieber zu als dem ab irato eingegebenen Verfahren, immer das Ungünstigste heranzuziehen und alles im schlimmsten Sinne zu deuten[57].

Er will aus der Atmosphäre der Polemik herausführen und rät deshalb den Katholiken dringend an, doch ja nicht unbesehen oder gar triumphierend auf eine scharfe Verurteilung Luthers durch Protestanten hereinzufallen. Nur das wissenschaftlich Geprüfte zählt. Wenn allerdings v. Schubert die Kraft und Wirkung des deutsch-protestantischen Geistes so superlativistisch preist, so ist das ein »Lied, das, in Luthers Bilde zu reden, für unsere Stimme zu hoch wird«[58].

Vom Concilium Tridentinum her wußte Merkle, daß Luthers Lehre von der Rechtfertigung keineswegs nur widersprüchlich zur katholischen Lehre stehe. Im Vordergrund seines Bewußtseins standen dabei die Versuche von Gropper und von Contarini über eine doppelte Rechtfertigung, eine inhärente und eine zugerechnete.

Aber im Grunde hielt er die Luthersche Lehre als Ganzes ziemlich eindeutig für nur antikatholisch. Seine Irenik war hauptsächlich, wenn nicht sogar ganz, darauf abgestellt, Luthers gute *Absicht* anzuerkennen und ihn, sein Werden und die Möglichkeit seiner Thesen »historisch und psychologisch zu erklären und Luther subjektiv zu verstehen«[59]. Das heißt, Merkle sah noch nicht, was wir heute besser sehen als er, daß (1) religiöse und kirchliche Grundanliegen Luthers katholisch waren; (2) daß die Ausführung dieser Grundanliegen zwar durch einseitige Auswahl aus der Schrift auch häretischen Inhalts sind, (3) daß aber daneben auch theologische Thesen Luthers in bedeutendem Umfang katholisch sind. (4) Und dies derart, daß dieses »Katholische« nicht nur im jungen Luther sich findet, sondern auch im späteren und alten, trotz der zunehmenden polemischen Verhärtung gegen die Kirche, bes. das Papsttum bzw. die Hierarchie seiner Zeit. Merkle sah noch ungenügend das Problem des katholischen Luther, bzw. wieviel Katholisches in Luther und besonders in seiner theologia crucis enthalten sei.

Das braucht um so weniger zu verwundern, als dies auch heute weder bei uns noch in der evangelischen Lutherforschung annähernd genügend beachtet wird. Allerdings hat Merkle klarer als die meisten seiner katholischen Zeitgenossen betont, daß »Lehren, die im Munde des Wittenberger Augustiners als anstößig empfunden wurden, sich schon in mehr oder weniger keimhaftem oder ausgebildetem Stadium bei früheren Lehrern fanden, aber erst bei Luther durch den Zusammenhang und die Schlußfolgerungen, die er daraus zog, im strengen Sinn unkatholisch wurden. »Duo

---

[57] Das Lutherbild in der Gegenwart. In: Hochland 20 (1922/23), 546, unten 229. Freudenberger Nr. 119.
[58] Ebenda 547, unten 230.
[59] Ebenda 543, unten 226.

si faciunt idem non est idem.«[60] Wichtig für die Wissenschaftslage ist, daß Merkle die von Grisar überbetonte »krankhafte Seelenanlage« Luthers durchaus akzeptiert.

d. Alle Vernünftigen wissen, daß es bei der Frage der »Una Sancta« nicht um schnell zu lösende Einzeldifferenzen geht. Es handelt sich um zentrale Probleme, von denen aus je hüben und drüben das gesamte Material, wie wir es noch eben hörten, eine andere Bedeutung erhält; es handelt sich um verschiedene Denkarten, oder anders gesagt um Theologien, bei denen die gleichen Worte höchst verschieden gedeutet werden.

Wie bedrängend Merkle die Notwendigkeit des einträchtigen Zusammengehens der Konfessionen empfand, spricht er dutzendmale aus. Schon allein sein großer Berliner Vortrag über die »Theologischen Fakultäten und der religiöse Friede« (1905) ist ein bedeutsamer Beitrag zu dieser Bedrängnis. Freilich, Merkle empfand die Not der Trennung sehr stark von der national-deutschen Problematik her. Es ging ihm besonders um die Bewältigung der praktischen Spannung an den paritätischen Universitäten. Das Problem war ihm deshalb auch vor allem ein wissenschaftliches. Die Lösung (oder ihre Vorbereitung) liegt — soweit die Katholiken in Frage kommen — in der Anwendung der wissenschaftlich-historischen Methode, wie er sie auch sonst vertritt. Es darf z. B. nicht, wie in der Vergangenheit oft, so sein, daß der Gegner einfach mehr oder weniger ungekannt in Bausch und Bogen abgelehnt, umgekehrt alles Katholische nur gelobt, oder das Tadelnswerte auf katholischer Seite verschwiegen oder gar verteidigt werde. In wiederholter Formulierung hat Merkle in seiner Beschäftigung mit Luther diesen Gesichtspunkt ausgedrückt, z. B. in seiner kritischen Auseinandersetzung mit Berlichingen, die er dann so schließt: »Nichts muß das Vertrauen der Protestanten in die Ehrlichkeit und Wahrhaftigkeit der katholischen Geschichtsschreibung mehr erschüttern, nichts ein Zusammengehen der Konfessionen auf einem Gebiet, wo es der Natur der Sache nach am ehesten möglich sein sollte, in der Wissenschaft, sicherer vereiteln, als wenn der Eindruck hervorgerufen wird, daß wir um jeden Preis den Vater des deutschen Protestantismus schlecht machen wollen!«[61]

Hier wie im Berliner Vortrag ist also eine Grenze wohl zu beachten. Das eigentlich religiöse, noch mehr das ekklesiologische Problem wird weniger empfunden. Die Frage nach dem religiösen Frieden in dem konfessionell geteilten Deutschland und an den Universitäten mit überwiegend nicht katholischen oder auch christlich nicht gebundenen Professoren wird eigentlich nur vom pragmatischen Gesichtspunkt aus beurteilt, dagegen wird die Frage einer *grundsätzlichen* Auseinandersetzung der widersprüchlich formulierenden Konfessionen innerhalb der einen christlichen Wahrheit, also das Problem der dogmatischen Intoleranz einerseits und eines dadurch begrenzten konfessionellen Gesprächs kaum gestellt. D. h. der konfessionelle Dialog der getrennten — Merkle sagt nach dem damaligen Usus: der feindlichen — Brüder als Grundforderung eines echten konfessionellen Friedens wird kaum gesehen. Die Vertiefung des Begriffes Toleranz, des »to-

---

[60] Hochland a. a. O. S. 547, unten 231.
[61] Reformationsgeschichtliche Streitfragen, S. 62. Siehe Anm. 20.

lerari« vom gegenseitigen sich ertragen zum Trieb, den Bruder mit der eigenen Wahrheit anzurühren, ohne dennoch irgendwie Proselytenmacherei zu treiben, kommt nicht ins Spiel. Freilich stößt Merkle bei seinem Versuch, die Aufklärung als Ausdruck eines Erschöpfungszustandes bzw. als Rückschlag gegen die Erschöpfung Europas durch konfessionelle Kriege, konfessionellen Hader und Streitigkeiten innerhalb der Kirche zu erklären, gerade auf die Verketzerungssucht, wie sie in den endlosen Auseinandersetzungen mit dem Jansenismus zur Darstellung kam. Das alles habe zwar den Boden abgegeben für eine »fälschlich so genannte Toleranz«; »aber auch die echt christliche, dem Boden der Caritas entsprossene Toleranz fand nach solcher Erfahrung leichter Verständnis und Anhang«[62]. Dennoch wird das angedeutete ekklesiologische oder dogmatische Thema nicht ernstlich angepackt.

e. Merkles berühmter Vortrag über die Aufklärung ist keineswegs in allen Teilen ein Meisterstück. Man hat den Eindruck, als ob der Redner stellenweise vom Material erdrückt worden sei. Nicht in dem Sinn, daß er den Überblick verloren hätte. Aber die Fülle des Stoffes bedrängt ihn so, daß es nicht zu einer chronologisch durchsichtigen Darlegung kommt. Jedenfalls stehen die leitenden Gedanken keineswegs immer in einem übersichtlichen Zusammenhang. So erscheint es verständlich, daß damals die Zeitungsreferenten an Einzelthemen hängenblieben und dadurch die Mißverständnisse von Rösch und Sägmüller verursachten —, nicht verständlich ist es natürlich, daß die beiden dem erlagen.

Ungenügend hat Merkle wohl gesehen, daß eine ausgesprochene Gefahr der Aufklärung in der in ihr gepflegten Verwechslung von Glaube und Moral liegt. Es kam ihm auf seine Generallinie an, d. h. vor allem darauf, zu zeigen, »daß nicht jede Kritik an den kirchlichen Zuständen des 18. Jahrhunderts einfach ein Zeichen von Unkirchlichkeit und Rationalismus war, sondern daß nur allzuviel Grund vorgelegen hatte, auf Besserung zu dringen, und daß eine solche auch von durchaus kirchlichen Männern tatsächlich laut gefordert wurde.«

Das 18. Jahrhundert hatte in der Theologie zu jener »scheußlichen Barbarei« (Engelbert Klüpfel), zu den allenthalben beklagten »Auswüchsen des Scholastizismus« (Fürstabt Martin Gerbert von St. Blasien) geführt. Der Geist der Zeit strebte auf allen Seiten nach Lösung von hemmenden Fesseln und nach Erweiterung des Gebietes der Erkenntnis. Aber die Jesuiten, die bis zur Aufhebung des Ordens den theologischen Unterricht in Deutschland leiteten, strebten gerade nach Abschließung ihrer Schüler von den Strömungen der Zeit. »So kam es, daß der Glaube vieler, bisher sorgfältig unter Glas gehalten, einmal an die Luft gesetzt, zusammenfiel ...«[63]

Merkle stellte einfach das bleibende Verdienst der kirchlichen Aufklärung fest, daß sie die Anregung gab zu einer Erneuerung der theologischen Studien, indem sie ein zweites humanistisches Zeitalter begründete, das

---

[62] Die katholische Beurteilung des Aufklärungszeitalters S. 49, unten 393. Freudenberger Nr. 63.
[63] Ebenda S. 16, unten 370.

wieder energisches Quellenstudium betonte und eine zweckmäßige fruchtbare Methode des Studienbetriebes schaffen half[64].

Trotz der gemachten Vorbehalte spürt man, wie Merkle bei dem Thema persönlich engagiert ist. Nicht nur historisch! Er glaubte, in seiner eigenen Zeit einen ähnlich eng-strengen und innerlich unfruchtbaren Geist sich entwickeln zu sehen, wie er ihn aus der historischen Kenntnis des Scholastizismus geschildert hatte. Nun »wollte er die Kirche vor einer schließlichen Enttäuschung und wissenschaftlichen Bloßstellung bewahren«[65].

Merkle hat den Kampf um eine tiefere Erkenntnis und eine zugleich gerechte und fruchtbare Deutung der Aufklärung gewonnen, indem er exakt sah, was wirklich vorlag. Er lehrte zu distinguieren: »Aufklärung« und »Aufklärung« ist nicht dasselbe.

Er hat diesen Sieg errungen als guter Katholik, der endlich die *katholische* Aufklärung entschieden abhob von der protestantischen. Wenn für letztere Troeltschs Definition (»Antisuprarationalismus«) leider zu recht besteht, für bedeutende Teile der katholischen Aufklärung gilt sie nicht.

Die katholischen Aufklärer sind selbstverständlich dogmatisch gebunden; aber sie legen betonten Wert auf die christliche Freiheit, verwechseln nicht Dogma mit Dogmatismus, noch Scholastik mit Scholastizismus. Unter ihnen gibt es wiederum Unterschiede, bei einzelnen sogar betrügerische Verhüllungen und Zwielichtiges, wenn z. B. ungläubig gewordene Professoren der katholischen Theologie noch Hochämter hielten oder Sakramentsprozessionen führten. Das heißt, ein vollkommen einheitliches Urteil auch über die *katholische* Aufklärung ist nicht möglich, man muß hier noch einmal zwischen »Aufklärer« und »Aufklärer« unterscheiden[66].

III. Der Mensch

1. Noch sprachen wir kaum von Merkle im Alltag, etwa von seinem prächtigen Humor[67], dem allerdings, wie wir sahen, nicht nur der Schalk die Färbung gab, sondern auch schneidender Sarkasmus: welch schöne Stunden waren es im Kreise einiger gleichgesinnter Kollegen aus Würzburg und vom Rhein — Fritz Tillmann! — oder damals, als ich im heißen Sommer 1923 in seinem Häuschen meinen Habilitationsvortrag schrieb, und bei

---

[64] Ebenda S. 21, unten 373.

[65] Bigelmair A., Sebastian Merkle. In: Lebensläufe aus Franken VI (Würzburg 1960), 418—435.

[66] Die katholische Beurteilung der Aufklärung S. 77, unten 412. Freudenberger Nr. 63.

[67] Bigelmair erwähnt als Beleg die Silhouetten Würzburger Professoren oder Theologen in der Sonderbeilage der Münchner Neuesten Nachrichten zum Kilianifest 1925 (Freudenberger Nr. 129). Leider konnte ich den Text nicht erreichen.
Man müßte als Ergänzung Merkle schildern, wie der großgewachsene Mann, barhaupt mit der mächtigen Mähne, den Hut an der Weste befestigt, seinen Schäferhund Mars I, II oder III ausführte und mit diesem Zwiesprache hielt... Überhaupt dieser Schäferhund, der oft während der Vorlesung im Dozentenzimmerchen neben dem Hörsaal lag oder den Merkle auch gelegentlich gegen den Willen einiger seiner Kollegen mit in die Fakultätssitzung nahm, was nicht immer ohne grimmige Äußerungen des Alten gegenüber der »Opposition« durchzusetzen war.

den gemeinsamen Mahlzeiten zum Morgen, Mittag und Abend die Zimmer widerhallten von Witzen und Anekdoten, deren er so viele parat hatte.

Überhaupt seine Geselligkeit! — sie verdient ein eigenes Wort.

Zum echten Wissenschaftler gehört Fleiß; zum großen Gelehrten gehört die Ausdauer in der Stille des Arbeitszimmers, der Bibliothek oder des Archivs in außergewöhnlicher Weise. Merkle war ein *Genie* des Fleißes, bis in sein höchstes Alter.

Aber er wurde dadurch keinesfalls zum *Stubengelehrten*. Er hatte und suchte Freunde. Bei ihnen verkehrte er in angenehm gelockerter Gesellschaft bei einem Glase Wein (von dem er übrigens beinahe so wenig verstand wie vom Rauchen, das er lange Jahre haßte). Als Tischherr in Gesellschaft war er höchst begehrt. Sein immer beweglicher, sprühender Geist schloß Langeweile aus. Sein untrügliches Gedächtnis, das ihm außer den erwähnten Anekdoten, vielem Bemerkenswerten aus Geschichte und Gegenwart, auch z. B. viele Stellen aus antiken und deutschen Klassikern im Wortlaut zur Verfügung hielt[68], versetzte ihn in die Lage, jederzeit über vielerlei zu plaudern, ohne oberflächlich zu werden.

Pflege der Geselligkeit war aber nicht nur kennzeichnend für seine Menschlichkeit, sie hatte weitertragende Bedeutung, und zwar im Sinne seiner Arbeit: dieser Mann der Studierstube war ein ausgesprochen *aktivistischer* Typ. Sein Verkehr mit befreundeten Menschen war in einer ganz undoktrinären Weise eine Art Apostolat. Besonders bei seinen vielen nichtkatholischen Freunden war er Vertreter des katholischen Glaubens und Priestertums. In seiner Person wurde der Katholizismus hoffähig an Stellen, wo er es leider sonst nicht war. Wenn evangelische Christen bei irgend einer Gesellschaft, im Senat oder in der Dienstagsgesellschaft an Merkle die Freiheit, Unabhängigkeit oder auch beißende Schärfe des Urteils, die er ja vor niemandem verheimlichte, genossen, wußten sie gleichwohl, daß er Priester war und Tag für Tag in seiner Hauskapelle die Messe zelebrierte.

Je weniger die meisten geistlichen Professoren für Kontakt mit Nichtkatholiken sorgten, um so größer war hierin das Verdienst Merkles: seine Person und ihre Leuchtkraft warben bei nicht wenigen evangelischen Christen für eine katholische Welt, für die ihnen vorher genügendes Verständnis — weil Kenntnis — fehlte.

Hier trieb also Merkle auf seine Art praktische Una Sancta-Arbeit. Das gegenseitige Sich-Kennenlernen der Konfessionen, von dem wir heute als Voraussetzung der Una Sancta so viel sprechen, hatte er in der Geschichte der Aufklärung oder bei Sailer und Möhler so oft angetroffen, daß es ihm zum selbstverständlichen Bedürfnis geworden war.

2. Ein weiteres Kennzeichen des Mannes: Merkle war von stark ausgeprägtem *vaterländischem* Empfinden. Er, der in so ausgesprochener Weise ein Diener der unabgezweckten Wissenschaft war, stellte doch an sie und an die Stätten ihrer Pflege immer wieder die Forderung, dem Staate zu dienen.

---

[68] So auch Bigelmair, Lebensläufe 433.

Wie er mit unverhülltem, ja betontem Stolz von der deutschen, besonders der historisch-theologischen Wissenschaft im Gegensatz zur harmonisierenden neuscholastischen Behandlung der Probleme bei den Romanen sprach, hörten wir bereits[69].

Seine patriotischen Formulierungen fallen schon durch ihre relative Häufigkeit auf. Einige davon haben sogar einen für uns nicht mehr ganz nachzuvollziehenden Inhalt und Klang[70]. Man muß darüber hinaus sogar zugeben, daß Merkle gegen das von ihm oft mißbilligend berufene »Welsche« eine ziemlich tiefwurzelnde persönliche Animosität hegte. Auch hier hatte seine Weite eine Grenze.

Aber der *Kern* seines Patriotismus war gesund, maßvoll, ohne Aggressivität. Seine wissenschaftlichen Reisen und seine weitgespannten Quellenstudien hatten seinen Horizont so sehr gedehnt, daß Hurrapatriotismus und enges Unverständnis für fremde Nationen ihm fremd bleiben mußten.

Gegen weittragende Mißdeutungen des eigenen Vaterlandes allerdings wandte er sich auch öffentlich mit tapferem Mut[71].

Aber mit viel schärferer Intransigenz widersprach und widerwirkte er dem Ungeist des Dritten Reiches in aller Offenheit: an seiner eigenen Universität Würzburg, in Breslau (im Falle Jedin) und in München (im Protest gegen die Schließung der dortigen theologischen Fakultät).

3. Merkle hatte jahrelang in Rom gelebt, Reisen durch Italien und Spanien gemacht, wo der überreich ausgestreute Reichtum an bildender Kunst den Reisenden dauernd zum Dialog reizt. Er lebte im Würzburg Riemenschneiders, und er ging oft täglich an Balthasar Neumanns unvergleichlicher Residenz vorbei ... Merkle kannte und bewunderte Dante. In seinen Regalen standen die Großen der deutschen Klassik. Schiller stand ihm nahe, auch Goethe hatte ihn beeindruckt[72].

Aber: war er ein musischer Mensch? Stand er in einem lebendigen Kontakt mit der Kunst?

Ich glaube, nein.

Die Musik in einer irgendwie über das Elementarste hinausgehenden Weise scheidet aus. Aber auch zur bildenden Kunst hatte er kein sehr tief reichendes Verhältnis. Natürlich stimmte er zu und ein, wenn ich ihm von der Residenz, dem Gartensaal, dem Treppenhaus, dem weißen Saal und dem beinahe unüberbietbaren Erlebnis eines Mozartfestes im Kaisersaal vorschwärmte ... er war kein Banause. Aber — vielleicht ist dies das richtige und ihn ehrende Wort, das Sie mir gestatten wollen: er »verlor« — sozusagen — mit dergleichen keine Zeit. Hier steckt ein Stück seiner von der wissenschaftlichen Arbeit her bedingten Askese: wie er auf so manche Annehmlichkeit des Lebens verzichtete, um Bücher zu kaufen, Bücher, Bücher ..., so kaufte er die Zeit aus, um wissenschaftlich zu arbeiten. Und

---

[69] Vgl. etwa Hochland 25 (1927 28), 462, unten 177.
[70] Vgl. am Ende der Rektoratsrede die Berufung der »Waffen«!
[71] Siehe seine Besprechung des von Pfeilschifter herausgegebenen Buches über »Deutsche Kultur, Katholizismus und Weltkrieg (Freiburg 1916), in: Literarisches Zentralblatt LXVII, Sp. 565—567. Freudenberger Nr. 99.
[72] Vgl. seine wiederholten scharfen Bemerkungen gegen Baumgartners »Hinrichtung Goethes«, die von einer näheren Kenntnis Zeugnis zu geben scheinen.

eben dies gilt auch in einem Höchstmaß für seine eben erwähnten *Reisen*. In einer ungeheuren Arbeitsanstrengung[73] nützte er die Stunden voll aus, um lang, ganz lang und gierig aus den Schätzen der Archive zu schöpfen, eben: »solange es Tag war«; denn die meisten der besuchten Archive in Italien und Spanien kannten damals keine künstliche Beleuchtung.

4. Vom *Lehrer* Merkle war schon die Rede. Hier ist nur noch auf die menschliche Seite hinzuweisen.

Wie konnte er jung sein mit den Studenten! Wie hat er in seinen früheren Jahren ihren Idealismus und ihre Begeisterungsfähigkeit gepriesen, im Hörsaal oder auch bei den Korporationen, wo er »auf einem Kaiser- oder Reichskommers aus den unbefangenen Augen die Freude und Begeisterung strahlen« sah — so sagt er, »womit die jungen Herzen sich erwärmen für Ideale ...«

Und wie vielen Studenten hat er privat, seelisch und nicht zuletzt materiell geholfen! Sein Interesse für andere hörte nicht da auf, wo er sein Portemonnaie für sie in Anspruch nehmen mußte.

An Sebastian Merkle, dem Herben, war nichts Verkrampftes. Echtes und tiefes Menschentum prägte ihn. Vielen hat er Liebe getan.

Wie spricht sie doch z. B. so deutlich aus der besonders schönen Widmung (1911 an Franz Xaver Funk) des 2. Diarienbandes, der sein sollte »Praeceptoris carissimi ac gratissimi per omne aevum animi documentum«!

5. *Ein* Zug an Merkle muß noch erwähnt werden, gerade weil er dem äußeren Habitus zu widersprechen scheint: seine *Demut*. In diesem Sinn: er, der Hochgelehrte, der Selbstbewußte, blieb allezeit »bereit zum Hören«, sobald er einen Kenner vor sich hatte, persönlich oder im Buch.

Am eindrucksvollsten stellt sich das dar in seinem Verhältnis zu Philipp Funk. Merkle hatte durch seinen Berliner Vortrag, dann durch seine beiden Broschüren als erster den Durchbruch zu einer vernünftigeren, differenzierteren Auffassung der Aufklärung erzielt, unter ungewöhnlichem wissenschaftlichen und auch (wegen der erfolgten Angriffe) *persönlichem* Einsatz. Er hatte im Jahre 1919 seinen gut fundierten Aufsatz über Sailer geschrieben. — Und nun erschien 1925 das Buch von Philipp Funk »Von der Aufklärung zur Romantik« (München 1925), mit der Darlegung der Wirkweise und Wirkweite Sailers als Hauptstück. Merkle besprach das Buch im »Hochland«[74]. Diese Begrüßung — eine solche ist es — muß man lesen: mit welcher Begeisterung nimmt der so viel ältere Geheime Rat das Buch des jungen Kollegen auf, wie stellt er es als methodisches Musterbeispiel hin!

---

[73] Die er in seinem Bericht auf der Tagung der Görresgesellschaft 1938 über seine Archivreisen hervorhebt, siehe oben Anm. 3 (S. 85 ff., unten 328).
[74] XXIII (1926), 483 ff., unten 462 ff. Freudenberger Nr. 133.

IV. Ausklang

Sebastian Merkle! Der geliebte »Alte«! — — —

Viele Striche und Farben müßten noch in das Bild eingetragen werden, wenn wir den Reichtum dieses Menschen, dieses Geistes, dieser Seele ausschöpfend andeuten wollten!

Er hatte das Glück, durch seine Berufung nach Würzburg in eine Stadt zu kommen, die ihm durch die Universität zur Heimat wurde: Würzburg, das ihm in so mancherlei Erscheinungsformen, die er als geistige und geistliche Rückständigkeit empfand, zuwider war; aber Würzburg mit seiner kirchengeschichtlich-kulturellen Vergangenheit! mit dem großen Julius Echter, dem Julius-Spital, der Universität; Würzburg mit seiner unvergleichlichen Lage, wie eingebettet in eine Muschel, um den Main gesammelt, gekrönt von der Festung, vom Käppele und dem Steinberg, mit der Fülle seiner reizvollen Gassen und Häuser und Kirchen, Giebel und Statuen . . .[75]

Wie hat er es — die Stätte so vieler Kämpfe und Leiden — geliebt! Und wieviel hat er für die Geschichte der Würzburger Universität geleistet!

Und dann der schauerliche, unsinnige Abschluß im März 1945! Auch Merkle mußte den bitteren Kelch bis zur Neige trinken!

*

Greifen wir noch einmal auf die Schell-Rede zurück!

Innerhalb der hochernsten Stunde jener Gedächtnisrede auf den großen Toten erkennen wir in der gefühlsbetonten Formulierung das tiefe Gemüt Merkles, von dem so viele nur die stachelige Außenseite sehen wollten.

So sprach Merkle damals zur Trauerversammlung: »Glücklich die Kirche, glücklich das Vaterland, wenn sie immer Männer haben, die auch auf die Gefahr der Verkennung und Verdächtigung hin unerschütterlich auf ihrem Posten ausharren. Das Leiden der Gerechten ist das Heil der Menschheit.«[76]

Und dann (anschließend an das Ziel, das Schell sich gesetzt hatte: »Begeisterung für christlichen Glauben und christliche Sittlichkeit, für eine ideale Auffassung von Kirche und Beruf« zu wecken) kommt die große Aufforderung, die nun *wir* aus Merkles Mund entgegennehmen:

»Ja, der Beruf, geliebte akademische Jugend, und besonders du, *theologische* Jugend, der Beruf ist groß und wohl wert . . ., daß man Vater und Mutter und Bruder und Schwester und Haus und Hof um seinetwillen verlasse und sein Leben an ihn setze.« — — —

---

[75] Merkle pries sie im Gespräch mehr als einmal.
[76] Auf den Pfaden des Völkerapostels, S. 20, unten 681; s. Anm. 4.

Das war ein Mensch! Eine *ursprüngliche* Kraft! In jedem Zug ein lebendiger Protest gegen alles, was Schablone ist, gegen die Auffassung, das Tagespensum vor Gott und der Geschichte könne geleistet werden durch brave Korrektheit!

Zutiefst war er davon durchdrungen, daß nur Leben das Leben meistert, erkennend auch, daß die christliche Heilsoffenbarung, vor der wir ein Nichts sind, gleichwohl eine überfordernde Herausforderung ist an uns zu der von Paulus verlangten superaedificatio in Wahrheit, Freiheit und Liebe.

Für vieles sind die Katholiken, sind vor allem die Geistlichen, sind auch die theologischen Fakultäten dem großen Manne Dank schuldig, mehr, als sich in präzise Worte fassen läßt.

Gott sei sein übergroßer Lohn!

XIV.
Vernunft und Offenbarung bei Tertullian.
Von Dr. phil. Jos. Lortz, Freiburg i. Schw.

Man hat lange Zeit hindurch Tertullian einfachhin als „Gegner der Philosophie" hingestellt, mit diesem Ausdruck hauptsächlich seine vermeintliche Geringschätzung jedes natürlichen Vernunft-Erkennens anklagend. Daß dieses Urteil seither mehr und mehr berichtigt wurde, ist nicht zu leugnen. Leider ist ein großes Vorurteil gegen Tert. noch nicht überwunden. Vor allem aber herrscht noch in den meisten Fällen bei der Einschätzung dieses Denkers große Unklarheit und Unbestimmtheit.

Einen Beleg für diese Behauptung, liefert z. B. Th. Heinze in seiner Geschichte der Philosophie. Er hatte 1880 eine höhere Schätzung für Tertullian als Philosophen gefordert. 1909 faßte er seine eigene Meinung über denselben folgendermaßen zusammen: „Alle weltliche Wissenschaft und Bildung, so schreibt er, [Überweg-Heinze, Geschichte der Philosophie II. 68. 1909/10] ist ihm Torheit vor Gott. Er möchte Jerusalem von Athen, die Kirche von der Akademie schlechthin abtrennen. Seine antiphilosophische Richtung kulminiert in dem Satze: credo quia absurdum est, dessen Wortlaut bei Tertullian allerdings nicht nachweisbar ist. Dennoch finden wir viel Philosophisches, besonders phantasievolle Spekulation, aber auch Konsequenz des Gedankens bei ihm." [Vgl. auch das Urteil bei: Guignebert, Tertullien. Paris, 1901. p. 256.]

Vor einigen Jahren hat dann z. B. wieder ein gewisser Ignotus in seinen „Lettres sur l'éducation" Tertullian einfachhin mit dem „credo quia absurdum" charakterisieren wollen. [Held, Questions actuelles, II. p. 31. Luxembourg 1910].

Daß derartige Urteile vollkommen fehl gehen, und daß der offen= barungsgläubige Christ Tertullian, der zur Verteidigung eines geoffen= barten Glaubens schrieb, sowohl den Wert natürlicher Vernunfterkenntnis an sich, als auch ihren Wert dem Offenbarungsinhalte gegenüber richtig erkannte, wird sich in vorliegender Arbeit zeigen. Es wird sich ergeben, daß Tertullian durchaus nicht e i n f a c h h i n , wie das Strauß in einem oberflächlichen und unbestimmten Satze [Die christliche Glaubenslehre, I. 304] will, ein Zeuge dafür ist, daß das „Mißtrauen gegen die Philo= sophie die herrschende Stimmung in der lateinischen Kirche" gewesen sei. [Ich möchte dazu bemerken, daß diese Einschätzung Tertullians durch= aus nicht einer vorgefaßten apologetischen Tendenz entspringt. Im Gegenteil! Die erste Begegnung mit dem Philosophen Tertullian hatte mir kein günstiges Bild von ihm gegeben. Erst ein vertieftes Stu= dium hat dieses Bild wesentlich geändert und berichtigt.] Das zu lö= sende Problem läßt sich in folgende Frage zusammenfassen:

„Welchen Wert mißt Tertullian dem natürlichen Vernunfter= kennen und der Offenbarung bei, und wie versteht er ihr gegenseitiges Verhältnis?" Wir antworten: Tertullian ist eifriger Freund und praktizierender Anhänger eines gesunden, nur die Wahrheit suchenden natürlichen Erkenntnisstrebens; er ist offener Feind der offiziellen heid= nischen Philosophie, insofern sie, sei es als ganzes System, sei es in einzelnen Punkten, seinen Überzeugungen entgegentritt; ist Feind vor allem der Übergriffe dieser Philosophie in Gestalt der Häresieen, in den geoffenbarten Wahrheitsgehalt des Christentums. — Denn neben und über der natürlichen Vernunfterkenntnis steht für Tertullian der geoffen= barte Glaubensinhalt als die reinere, vollkommenere Wahrheit. Trotz= dem wahrt Tertullian der natürlichen Vernunfterkenntnis in ihrem eigenen Gebiete volle Unabhängigkeit, denn er ist überzeugt, daß zwischen beiden nie ein wirklicher Widerspruch bestehen kann.

I. Tertullian als Feind der Philosophie.

Tertullian hat oft in schroffem Tone gegen „die Philosophie" geeifert und sich selbst als ihren Feind bezeichnet. [De anima cap. 1. 18. 17. 3. 23. De praescr. 6. ibid. 7.: inanem seductionem; affecta= tricem et interpolatricem veritatis; haereses a philosophia subornan= tur. Apolog. 46. 47.] Die Meinung, daß die Philosophie die Mutter aller Häresie sei, findet sich beinahe in jedem seiner Werke und in allen Abarten behandelt. [De anima 23. Apologet. 46. a. l.]

Er will nichts zu tun haben mit der „Akademie" [Adv. Herm. 1. Migne c. 198], also der offiziellen Philosophie, „die Wahres mit Falschem mischt, Falsches durch Wahres und Wahres durch Falsches beweist" [De an. 2]. Plato ist ihm ein „Spezereiladen der Häretiker [de an. 23]. Und Aristoteles redet er folgendermaßen an: „Unglück= seliger Aristoteles, der für die Häresie die Dialektik eingeführt hat, die Meisterin im Aufbauen und Niederreißen, doppelsinnig in ihren Sätzen, gezwungen in ihren Konjekturen. . . . Was hat Athen mit Jerusalem zu schaffen, was die Akademie mit der Kirche, was die Häretiker mit den Christen? Wir brauchen keine müßige Forschung nach Jesus Christus und keine Untersuchung nach dem Evangelium." [De praescr. 7. cfr. Apologet. 46. 47. 21. De an. 1.].

Jesus Christus also ist es, auf den sich Tertullian stützen will, d. h. die Offenbarung! Nur durch die Offenbarung scheint man also nach ihm zur rechten Wahrheit gelangen zu können. Einen besseren Lehrmeister als Gott kann man nicht finden [De an. 1.] „. . . man kann nicht mehr finden, als was man von Gott lernt". [de an. 2] „Wenn sie (die Seele) nicht von Gott lernt, was sie ist, lernt sie es auch nicht von einem andern." [ibi.] „Gott wird nicht erkannt außer durch Christus." [ibid.] Diese Wahrheiten aber, die uns Gott vermittelt, gehen so weit über unsere Vernunft hinaus, daß sie unvernünftig werden! „Was hat, so ruft Tert. aus, Athen mit Jerusalem zu schaffen, was die Akademie mit der Kirche? . . . Mögen diejenigen zusehen, welche ein stoisches, platonisches und dialektisches Christentum aufgebracht haben! Wir brauchen keine Wißbegier mehr nach Christus, keine Unter= suchung mehr nach dem Evangelium. Wenn wir glauben, verlangen wir nichts weiter, indem wir eben dies glauben, daß wir über den Glauben nicht hinausgehen sollen." [De praescrip. haeret. 7.].

Heißt das alles nicht den Bankerott jeglichen natürlichen Erkennens erklären zu Gunsten der positiven Offenbarung? und das noch zu Gunsten von geoffenbarten Wahrheiten, bei denen gerade die Ungereimtheit einer Lehre der Beweis ihrer Wahrheit und Göttlichkeit ist? [Strauß, Die christl. Glaubenslehre, I. 305.]

Durchaus nicht! Hier haben wir gleich den ganzen Tertullian mit seinem Hang zur Übertreibung, aber auch mit seinem richtigen Pro= gramm, Tertullian, der nach seiner Bekehrung das Christentum mit dem ganzen Feuer seines südländischen Temperaments erfaßt hat, und sich nun allen Feinden desselben als rücksichtslosen Gegner gegenüber= stellt. Diese Feinde sind die Heiden und die christlichen Sektierer. Von der einen wie von der anderen Seite aber wurde unter dem Deckmantel philosophischen Denkens und in philosophischer Form gefochten. So kommt Tert. dazu die christliche Lehre d. h. geoffenbarte Glaubens= wahrheiten in denkbar schärfster Antithese „der Philosophie" gegen= überzustellen, als das Gute dem Schlechten, als die Wahrheit der Un= gewißheit und dem Irrtum.

Die Gegner Tertullians, oder besser gesagt: die Gegner der von Tertullian verteidigten Weltanschauung, bleiben hier stehen. Die eben gemachte Feststellung genügt ihnen, um Tertullian als Gegner des philosophischen Erkennens im allgemeinen hinzustellen; was ihnen übrigens von Tertullian selbst insofern erleichtert wird, als er (vergl. die angeführten Stellen) oft einfachhin gegen „die Philosophie" eifert, ohne seine Gegner genauer zu kennzeichnen. Und doch wirft gerade hier sich die wichtigste Frage des ganzen Problems auf: Wen oder was will Tertullian mit „Philosophie" bezeichnen und wie will er seinen Tadel verstanden wissen; eine Frage, die sich in ihrem Grundgedanken bei jedem Tertullianproblem wiederholt, und deren richtige Lösung auch hier von ausschlaggebender Bedeutung ist. [Wie viel in dieser Hinsicht durch Undeutlichkeit, zu wenig genaue Bestimmtheit gesündigt wurde, lehrt ein Blick in die diesbezügliche Literatur zum Überfluß! Wie z. B. Laguier (La méthode apologétique des pères etc. Paris) den Ausdruck „Philosophie" gebraucht, ist es nicht mehr als ein hergebrachtes Wort, mit dem keineswegs Klarheit, oft Verschwommenheit und Unwahrheit verursacht wird. — Vgl. noch Harnack, (Dogmengeschichte I 1909 p. 501) wo er zum mindesten sehr undeutlich sich ausdrückend schreibt: „Daß alle Wahrheit göttlich sei, d. h. auf Offenbarung be= ruhe, stand fest." — Auch Otto Zöckler spricht in seiner „Geschichte der Apologie des Christentums" (Gütersloh 1907) zu allgemein und unbestimmt von dem philosophiefeindlichen Verhalten, das bei den lateinischen Apologeten der ersten Jahrhunderte als Regel erscheine. (p. 68)].

Wenn im 18. Jahrhundert nach dem Auftreten der französischen „philosophes" gegen die Philosophie geeifert wurde, wenn „die Philo= phie" als Gegnerin des Christentums gebrandmarkt wurde, dann wußte jeder, was damit gemeint war; das Wort hatte seinen ganz bestimmt umgrenzten Inhalt, und es fiel niemanden ein, jemand als Gegner aller Vernunfterkenntnis auszugeben, weil er gegen die „philosophes" los= zog. Ähnlich lagen die Dinge in dem Kampfe, den Tertullian gegen „die Philosophie" führte.

Zunächst — man mag „Philosophie" fassen, wie man will — geht es nicht an, Tertullians Invektiven einfach a priori seinem Christen=

glauben in die Schuhe zu schieben, wie man das so oft getan. Das
ergibt sich ohne Weiteres aus der Tatsache, daß Tertullian darin schon
Vorbilder unter den heidnischen Philosophen selber hatte; er handelt
und spricht in solchen Fällen ganz im Sinne Senecas, der jede übertriebene Spekulation, alle gekünstelten und gesuchten Tüfteleien als
Verweichlichung und Luxus verwarf. [cfr. Ritter, Geschichte der
Philosophie V, 382. 383.] — Das Philosophieren aus Luxus bei den
einen und zur Gewinnung des Lebensunterhalts bei den andern war
eben zur Zeit Tertullians nicht gerade selten; und die Anklagen Tertullians, das Philosophieren werde ja doch nicht aus Wahrheitsliebe,
sondern aus Ruhmsucht [Apol. 46. „Mimice philosophi affectant veritatem et affectando corrumpunt, ut qui gloriam captant."] und andern
verwerflichen Beweggründen getrieben, waren recht vielen „Philosophen"
gegenüber ganz am Platze. [cfr. das ganze Kapitel 46. des Apologet.
und das „gloriae animal" De an. 1.]

Wenn wir aber nun den Gedanken Tertullians aus den zitierten
Stellen ganz genau herausschälen wollen, so ist vor allem eines nicht
zu vergessen, wie man es leider so oft getan: die Umstände, aus denen
heraus Tertullians Lehren geboren wurden. Diese Umstände aber
heißen: Ungestümstes, fiebrisches Temperament und unausgesetzt tobender
Kampf. In der Nichtbeachtung dieser Umstände liegt
nichts weniger, als die völlige Unmöglichkeit, Tertullian gerecht zu werden. Man darf einfach nicht von einem abstrakten Standpunkte aus seine Lehren betrachten, sondern man muß dieselben
von dem konkreten Standpunkte aus, den Tertullian im Kampfe mit
seinen Gegnern einzunehmen hatte, beurteilen. Das zeitgeschichtliche
Interesse, das Tertullian leitete, und das man iu seinen Schriften
überall findet, war viel zu stark und beeinflußte seine Handlungsweise
viel zu sehr, als daß man es unberücksichtigt lassen könnte. Im
Lichte der Zeitumstände aber, die ganz durch den Kampf charakterisiert
werden, den die junge Kirche um ihr Dasein führte, nehmen sich die
scharfen Ausfälle gegen Philosophie und Häresie ganz anders und viel
mehr zum Vorteil Tertullians aus, als wenn man diese Rücksicht bei
Seite läßt. [Ctr. Esser, Die Seelenlehre Tertullians. Einleitung.]

Beinahe noch wichtiger für unsere Beurteilung als die Zeitumstände, ist die subjektive Veranlagung des Kämpfers. Wir dürfen keinen
Augenblick vergessen, daß hier nicht ein Gelehrter spekulative Forschungen
bietet, sondern daß eine heißblütige Kämpfernatur einen unausgesetzten
Kampf kämpft, und zwar eine Tertullian-Natur, ein Charakter, dem an
individueller Ausprägung wenige in der Weltliteratur gleichkommen. „Ich

Ärmster, so klagt er einmal selbst, bin stets krank am Fieber der Leiden=
schaft." (De pat. 1.) Diese Heißblütigkeit und Leidenschaftlichkeit war
sein hervorstechenster Zug. Im Momente der Entscheidung drängt er
alles andere in den Hintergrund, und unbesonnen sucht er, ohne irgend=
welche Rücksicht, nur die These herauszustreichen, die er eben verteidigt.
[Nach Bardenhewer, Geschichte der altchristl. Literatur II. p. 337.]
„Mit leidenschaftlichem Ungestüm und betäubendem Getöse" braust seine
Sprache dahin, „um jeden Widerspruch zu fällen." Den Gegner
zu überzeugen und zu belehren ist nicht nach seinem Geschmack. „Er
will ihn vernichten, indem er ihn dem Gespötte oder der Verachtung
preisgibt, und er ist gewissermaßen erst befriedigt, wenn er Blut fließen
sieht . . . Jede Vermittlung als Halbheit und Schwäche verachtend,
greift er immer wieder zu Kraftausdrücken, welche wahr
und falsch zugleich sind; wahr, nur dem jedesmaligen Gegner
gegenüber, falsch sobald man sie verallgemeinert." [ibi. 338. 339.]
Es genügt, daß seine Gegner den Wert der Sinne gegenüber dem In=
tellekt herabdrücken, um ihn behaupten zu lassen, die Sinne ständen
höher als der Geist. [De an. 18.] Seine Gegner sagen, die Seele
trete erst nach der Geburt von außen in den Körper; das genügt, um
ihn die extremste Vereinigung der beiden annehmen zu lassen, ihre gleich=
zeitige Entstehung nämlich durch den einen Zeugungsakt.

Daß er durch solche Schärfe zu weit geht, seine These übertreibt
und vielleicht gar nichts — weil zu viel — beweist, mit sich selbst in
Widerspruch gerät, beunruhigt ihn keineswegs. Wie ein blitzendes
Schwert fährt seine schillernde Sophistik, sein beißender Spott auf den
Gegner los. Nur ein Gedanke lebt in der Hitze des Kampfes in ihm:
die Lehre des Gegners als falsch, als absurd hinzustellen.

Aus dieser Charakterisierung ergibt sich natürlich sofort die Not=
wendigkeit, Tertullians Invektiven von ihren Uebertreibungen, die in
der Kampfesstimmung zu den feststehenden Grundgedanken traten,
durch Vergleiche freizumachen, um so seinen richtigen Gedanken
kennen zu lernen; es ergibt sich auch daraus ohne weiteres die voll=
kommene Unmöglichkeit, Tertullian nach ein paar herausgerissenen
Zitaten zu beurteilen. Man wird mit einer solchen Methode ohne
Schwierigkeit eine ganze Reihe von tiefen Widersprüchen bei ihm nach=
weisen können. Es ist in dieser Hinsicht sehr bezeichnend, daß ihm
z. B. die einen vorwerfen, er lehre, man könne Gott mit der Ver=
nunft nicht erkennen, während andere ihn als Gewährsmann für eine
direkte Erkenntnis Gottes durch die Vernunft nach Art der Onto=
logisten in Anspruch nehmen.

Wen will also Tertullian mit seinen Angriffen treffen? Daß er
jedem System entgegentritt, das andere Wahrheiten lehrt als er, ist
selbstverständlich. Und in dieser Hinsicht stößt er mit den verschiedensten Systemen zusammen. — Auf wen aber zielt er, wenn er „die
Philosophie" verdammt? Zum großen Teil wieder auf die heidnischen
Systeme, insofern in ihnen allen eine gewisse Summe von Lehren sich
findet, die seinen Überzeugungen als Mensch und als Christ entgegen sind.

Aber noch einen speziellen Feind hat Tertullian hier im Auge:
die Häresien.

Tertullian war vor allem Christ und zwar Apologet. Wir
können a priori beinahe mit Sicherheit behaupten, daß er sich um
gegnerische philosophische Systeme nur kümmern wird, wenn sie seinem
Christentum zu nahe treten. Und so ist es.

Tertull. hat bei seinen Anklagen gegen die Philosophie hauptsächlich „eine inhaltliche Vermischung und Verquickung von heidnischer Philosophie und Christentum, wie eine solche in den Häresieen, vor allem im
Gnostizismus zutage trat, vor Augen . . ." [Grabmann, Geschichte der
scholastischen Methode I. 117.] Im Gnostizismus nämlich „war das
Streben, abstrakte Ideen als etwas Substantielles mit realer Existenz
anzunehmen, auf die Spitze getrieben. Es entstanden große spekulative Gebäude auf der schmalen Grundlage einiger christlicher Gedanken,
während die festen Tatsachen der heiligen Geschichte in lauter Dunst
verwandelt wurden." [Schelowshy, Tertullian p. 88.] In diesem
Gnostizismus sah T mit Recht die furchtbarste Gefahr für den Glauben, „die Häresie aller Häresieen, einen Versuch, das Christentum seines
übernatürlichen Charakters zu berauben und in heidnische Religions-
philosophie umzugestalten, die Offenbarung Gottes selbst zum Spiel-
ball menschlicher Philosopheme . . . herabzuwürdigen" [Bardenhewer,
Gesch. der altchristl. Lit. II, 341]. Daß Tertullian mit einer solchen
Spekulation, die seinen Glauben, der ihm als etwas eminent Vernunft-
gemäßes erschien, als Unwahrheit hinstellte, nichts zu tun haben wollte,
dürfte man wohl begreiflich finden!

Seine Angriffe richten sich auch nicht so sehr direkt gegen die
griechische Philosophie an sich, als gegen den Mißbrauch der
Dialektik und ihre uneingeschränkte Anwendung auf die christl. Lehre
durch die Häretiker: und überall wo er gegen die griechische Philosophie loszieht, sieht er in ihr den Keim der Häresie. „Von den Plato-
nikern, sagt er, wurde Valentin ausgerüstet, von den Stoikern
Marcion, von den Epicuräern rührt die Leugnung der Unsterblichkeit

der Seele her, von allen Philosophen-Schulen die Verwerfung der Auf=
erstehung usw." [Stöckl, Lehrbuch der Geschichte d. Philosoph. 285. —
De anima 3. Apolog. 47.] Die Anwendung der Dialektik an sich ver=
wirft er keineswegs; sondern handhabt sie selber oft in „virtuoser
Weise" (Freppel), um seine scharfe Logik darein zu kleiden. Daß er
dabei selber nur zu oft zum Sophisten wird, ist einer seiner größten
Fehler.

Man wird Tertullians Invektiven gegen die damalige zeit=
genössische Philosophie noch besser verstehen, wenn man bedenkt, daß
diese Philosophie letzten Grundes die offizielle Vertreterin des wissen=
schaftlichen Heidentums darstellte. Diesem Heidentume aber trat das
Christentum in seinem ganzen Wesen feindlich gegenüber und hierin
mag für den ungestümen T. die erste Gefahr gelegen haben, in blindem
Eifer alles am Heidentume in Bausch und Bogen zu verwerfen. Darin
lag aber auch für den Denker Tertullian ein Hauptsymptom der inneren
Falschheit.

Zudem stellte diese „heidnische" Philosophie ja auch nicht einmal
im entferntesten ein einheitliches Ganze dar. Die widerstreitendsten
Meinungen und Behauptungen rangen miteinander um die Palme.
Die Platoniker nahmen einen unkörperlichen, die Stoiker einen körper=
lichen, Epicur einen aus Atomen zusammengesetzten, Pythagoras
einen aus Zahlen, Heraclit einen aus Feuer bestehenden Gott an usw.
„Wer könnte es da Tertullian verargen, wenn er weder von einem
der zahlreichen philosophischen Systeme, von denen immer eins das
andere verdrängt und keines genügt hatte, etwas mehr wissen, noch mit
unterschiedlichen Scherben aus dem allgemeinen Trümmerhaufen der
Versuche zur Lösung des Welträtsels sich selbst eine philosophische Welt=
anschauung als Eklektiker aufbauen und herrichten wollte?" [Hau=
schild, Die rationelle Psychologie und Erkenntnistheorie Tertullians,
(Programm). Leipzig 1880, p. 1.] Tertullian nützt denn auch die
Zerfahrenheit der heidnischen Philosophie reichlich aus, indem er die
Uneinigkeiten und Zänkereien der einzelnen Schulen kräftig hervorhebt
[De anima, c. 3. Apologet. 47. Ad nationes 2, 2: Philosophorum
sapientia, cuius infirmitatem prima haec contestatur varietas opinio-
num, veniens de ignorantia veritatis], um so ihre Schwäche und
Unzulänglichkeit zu beweisen.

Weshalb also hätte Tertullian sich bei solchen Leuten nach zweifel=
haften Wahrheiten umsehen sollen, da doch vor ihm im Christentum
der ganze herrliche Schatz der von Gott selbst verbürgten Glaubens=
wahrheiten ausgebreitet lag?!

II. Tertullian als Freund der Philosophie.

Nein, Tertull. war kein Philosoph im Sinne der damaligen Skeptiker und Idealisten oder im Sinne unserer modernen Hyperkritiker,
aber er wollte es auch nicht sein. Den gesunden Menschenverstand, so
wie er sich bei allen normalen Menschen bekundet, der „schlummernde Besitz" (Harnack) an Wahrheit in jedem Mensche, den wollte er wieder zu
Ehren bringen. [cfr. das ganze „goldne Büchlein": De testimonio animae.] Suchen um zu suchen war ihm Torheit, denn auch „der Apostel
verbietet die endlosen Untersuchungen" [De anima 3; de praescript.
9. 11, wo er den allgemeinen Zweifel direkt verwirft; denn die Frucht
eines solchen Zweifels wird der vollständige Skeptizismus sein: „Ero
itaque nusquam" (De praescript. c. 10.)] Alles Suchen und Forschen
hat nach ihm eine Grenze, eine vernünftige Grenze, die in der Beschränktheit des Menschenverstandes, hauptsächlich aber im Gegenstande
des Gesuchten selbst, in der objektiven, unantastbaren Wahrheit liegt.
Denn es kann kein endloses Forschen geben nach etwas fest Stehendem.
[De praescript. c. 9.] Wohl gilt das „Suchet, und ihr werdet
finden"; aber das Forschen hat zu geschehen „cum interpretationis
gubernaculo". [ibid.] Und wenn schon nach etwas gesucht werden soll,
so muß doch auch etwas vorhanden sein, das man noch nicht gefunden
hat: „At enim si ... et aliud denuo puto requirendum, spero utique
aliud esse inveniendum." [De praescript. 11.]

Wer nicht das Philosophieren ansieht als Mittel zur Wahrheit
zu gelangen, der ist jenes „gloriae animal" von dem T. spricht. Die
Wahrheit par excellence liegt aber im Glauben. Wer diesen gesucht
und gefunden und sich zu eigen gemacht hat, der darf wohl zur Stärkung
und Befestigung eben dieses Glaubens noch weiter forschen, aber nicht
so, daß dieser Glaube selbst wieder in Frage gestellt würde: „Quaera-
mus ergo in nostris et de nostro, idque dumtaxat quod salva regula
fidei potest in quaestionem devenire." [De praescript. 12.]

Daß übrigens Tertullian selbst die griechische Philosophie anzuerkennen neigt, und nur das Falsche, die Auswüchse verdammen will,
zeigt sich z. B. darin, daß er zu verschiedenen Malen Seneca für seine
Theorien reklamiert, ihn „Seneca saepe noster" nennt; ja, daß er sogar von dem ihm sonst so unsympathischen Plato manches annimmt.
[de an. 10. 16.] Sein Ziel ist immer nur, die Wahrheit zu verteidigen.

In einem Passus seines „de anima" [c. 3] kennzeichnet er seinen
Standpunkt mit ausdrücklichen Worten: „Wenn", so sagt er, „irgendwo
das reine Himmelsblau der Wahrheit durch den Schimmer der Philosophie verdunkelt wird, so haben die Christen die Pflicht, diesen Nebel-

schleier wegzureißen, indem sie die enstandenen Deduktionen der Philo=
sophen niederschlagen".

Auf der andern Seite hebt er eigens hervor [de an. 1], daß
auch die heidnische Philosophie manches Wahre gefunden habe; und
zwar ganz einfach dadurch, daß sie sich des Gemeinsinnes [sensus pub-
licus], der direkt von der Natur kommt, bedient habe.   [ib.]

Aber selbst da, wo Tertullian, seinen eifernden Worten nach, das
überlieferte Geisteserbe des Heidentums ganz und ohne Einschränkung
zu verdammen scheint, legt er uns oft Theorien vor, die er aus eben
diesem Geisteserbe geschöpft hat.   Er gibt es ja auch manchmal selber
zu, daß man von den heidnischen Philosophen sich Waffen für die
Apologie des Christentums holen könne [de anima 1. 2], wie das
„manche aus unserer Mitte" getan hätten. [test. anim. 1. 2.]. Von
Aristoteles allerdings hat er — und das ist eine eigene Frage bei
einem Manne, der doch alle Systeme so gut kennt — wenig gelernt.
Von den Stoikern jedoch, die als „ausgesprochene Empiriker" (Zeller)
seiner realistischen Denkungsart am meisten entgegenkamen, hat er
vieles herübergenommen, leider auch eine beträchtliche Menge faden=
scheiniger Sophistereien, die er dann als Beweise für seine „Körper=
lichkeit" der Seele aufführt.

Ist mit dem Allem noch der Beweis nicht genügend erbracht,
daß Tertullian die natürliche Vernunfterkenntnis in ihrem vollen Werte
bestehen läßt?   Nur blindes Vorurteil kann es leugnen.

III. Vernunft und Offenbarung.

Wenn also T. der natürlichen Vernunfterkenntnis so sehr ver=
traute und sie so oft selbständig vorgehen läßt, dann geht auch schon
daraus zur Genüge hervor, daß er von ihr für den Offenbarungsinhalt
nichts fürchtete. Wenn er der Philosophie „die Freiheit des Forschens"
(libertas ingenii) [De an. 2 Migne c. 650] zugesteht, und auf der
andern Seite die Seele als naturaliter *christiana* [Apol. 17 und vgl.
de test. animae] ausruft, dann zeigt das klar genug, wie wenig für
Tertullian ein Zwist bestand zwischen Offenbarung und natürlicher
Vernunfterkenntnis.   Er sagt ja selbst: Wenn es manchmal scheint, als
ob ein Widerspruch bestehe zwischen beiden, so ist uns in Wirklichkeit
die Wahrheit nur verborgen.   Denn „der göttliche Gedanke wohnt in
der Tiefe, nicht auf der Oberfläche". [De resur. carn. 3].

Und wie wäre denn auch ein wahrer Zwiespalt denkbar?   Die
ganze Welt, aus der wir alle unsere Erkenntnis ziehen [De an. 2.]
stammt ja, wie die Offenbarung, von Gott. [an vielen Stellen. Apolog. 21.]
Alles aber, was von Gott kommt, ist der Vernunft gemäß. [De fug. 4.]

Natürlich sieht Tertullian die höhere und vollkommenere Wahrheit in der Offenbarung. [Wohlgemerkt h ö h e r e, vollkommenere, aber
nicht der Vernunft entgegengesetzte! Es dürfte recht angebracht sein
gegenüber protestantischen Gelehrten, wie Harnack, zu betonen, daß es
neben dem secundum rationem und contra rationem auch ein supra
rationem gibt. Hätte Harnack diesen Unterschied festgehalten, sein
„Ergebnis" (Dogmeng. 1909. I. 522) wäre weniger schief!] Nachdem
er in de anima des Langen und Breiten zuerst, wie er selber hervorhebt, für die Philosophen und Ärzte geschrieben hat, wendet er sich im
2. Teile an seine c h r i s t l i c h e n Mitbrüder. [De an. 26.] Jetzt, da
er nicht mehr allein dem schwachen Menschenverstand zu folgen braucht,
fühlt er sich im Offenbarungsglauben, den er aber vorher als durchaus
rationabilis festgestellt hat [s. weiter unten], erst recht sicher. Es beseelt ihn die Überzeugung, daß die durch den Glauben vermittelte Erkenntnis ja doch alles Gute, welches das Heidentum hatte bieten
können, bei weitem übertreffe, daß es das alles auch viel klarer, mühe-
loser und dazu fehlerlos herausstelle; daß diese göttliche Weisheit, im
Gegensatz zu dem Gemisch von Wahrem und Falschem der heidnischen
Philosophie ein sicherer Besitz sei. Er ist überzeugt davon, daß die
Weisheit der heidnischen Philosophie aus der uralten Heil. Schrift
stamme und nichts sei, als verdrehte und verderbte Offenbarung. „Gib
den Heiden ihre Ideen zurück", so ruft er [De resur. car. 3.]: „Warum
sollst du dir einen blinden Führer als Stütze nehmen, wenn du selber
ja siehst? Was lässest du dich von einem Nackten ankleiden, wenn du
Christum angezogen hast? Was bedienst du dich eines fremden Schildes,
wenn du vom Apostel mit Waffen ausgerüstet bist?" Wie ganz anders
mächtig steht neben der rein menschlichen Weisheit die christliche Wahrheit! „Das ist die Weisheit aus der Schule des Himmels, welche sich
freilich die Freiheit nimmt, die heidnischen Götter zu leugnen."

Die Erkenntnis, die uns die Offenbarung vermittelt, kommt von
Gott selbst (und zwar durch direkte Mitteilung!). Einen besseren Lehrmeister aber als Gott kann man nicht finden. [De an. 1.] Darum
eben bleiben dem Christen, dem Gott „das Ganze" [de an. 2.] d. i.
die volle Wahrheit geschenkt hat, jene endlosen Untersuchungen der
Heiden, die der Seele nichts als Ekel bringen, erspart [d. an. 2.].

Darum ist aber auch das geoffenbarte Christentum durchaus nicht
etwa nur eine Philosophie unter Philosophien, sondern etwas Fest-
stehendes, Gegebenes, ein negotium divinum! [Apol. 66] Es geht
nicht an, an diese Wahrheiten einfachhin den Maßstab menschlichen
Erfassens anzulegen! Die Wahrheiten der Offenbarung gehen eben,

ihrem göttlichen Ursprung gemäß, oft weit über das Maß unseres
Verstandes hinaus; und so kommt es, daß der Menschengeist einen
Widerspruch zu sehen glaubt, wo tiefste Weisheit verborgen liegt. [De
res. car. 3. de carne Chr. 4.] „Wenn wir nach unserer Denkart
über Gott urteilen, mag uns freilich manches dumm erscheinen". Aber,
so fährt Tertullian mit dem hl. Paulus fort: „Was töricht vor der
Welt ist, hat Gott auserwählt, um das, was weise, zu verwirren."
[De carne Chr. 4. —. I. Cor. 1. 27. — Vgl. weiter unten.]

Ich glaube, wenn man das Gesagte zusammenfaßt, wird von den
Vorwürfen, die man gegen Tertullians Auffassung von natürlicher Ver=
nunfterkenntnis und geoffenbartem Glauben, sowie von ihrem gegen=
seitigen Verhältnis, erhoben hat, nicht viel übrig bleiben. Ritter wird
recht behalten, wenn er in seiner Gesch. der Philosophie [V, 3, 3; p. 417]
Tertullian als eine durchaus philosophische Natur anerkennt. Ter=
tullian war ein christlicher Philosoph, allerdings! Aber eben durch
diesen Christenglauben war das Problem des Verhältnisses von Glauben
und Wissen gestellt; und darin, daß Tertullian mit einem Griff dieses
Verhältnis richtig erfaßt hat, zeigt sich seine volle philosophische Natur.

Es ist notwendig, daß wir uns nun zu einigen speziellen Fragen
wenden, die zwar schon kurz berührt wurden, deren Wichtigkeit aber
eine detailliertere Darlegung verlangt.

A. Tertullian erklärt an sehr vielen Stellen, [De resur. carn. 3.
Adv. Marc. 1. I, 10; De paenit. 5; De test. animae.; Apologet. 17.]
daß der Mensch das Dasein Gottes mit den natürlichen Kräften leicht
erkennen könne. Nun haben wir aber auch bei Tertullian Stellen ge=
funden, die etwas stark traditionalistisch gefärbt sind: „Wenn sie (d.
Seele) nicht von Gott lernt, was sie ist, lernt sie es auch nicht von
einem andern." „Gott wird nicht erkannt außer durch Christus ꝛc. [S.
oben.]

Rufen wir uns nur Tertullians Hang zur Übertreibung ins Ge=
dächtnis zurück, und es wird uns bei einem Vergleich der beiderseitigen
Aussprüche klar werden, daß ein wirklicher Widerspruch hier nicht be=
steht! Tertullian tritt klar für die Möglichkeit einer natürlichen Gottes=
erkenntnis ein. [Siehe die oben zitierten Stellen!] Darüber kann kein
vernünftiger Zweifel bestehen. Eine absolute Notwendigkeit der Offen=
barung liegt nach ihm nicht vor. Denn vor dem geschriebenen
Worte der Schrift und dem gesprochenen der Prophetie, war die Seele
und die natürliche Gotteserkenntnis [de anima, an mehreren St. und
de test. an. 5.]. Aber die Offenbarung ist uns höchst nützlich, um den
„unsichtbaren", „unfaßbaren" Gott vollkommener, irrtumslos und leicht

kennen zu lernen.   Das alles können wir nur durch den sich in direkter
Mitteilung offenbarenden Gott erreichen; denn „Was unendlich ist, kann
nur von sich selber gut erfaßt werden". [Apolog. 17.] Aber daß Gott
ist, das können wir „beweisen aus seinen Werken, die uns umgeben,
die uns tragen, die uns ergötzen, die uns erzittern lassen." Zu dieser
Erkenntnis vermag die Seele vorzudringen „obgleich beengt durch die
Fessel des Körpers, obgleich von Vorurteilen umstrickt, obgleich von der
Leidenschaften und der Lust erschöpft." [l. c.] [Vgl. das ganze de test. an.]

Was aber den Wortlaut der scheinbar entgegengesetzten (zu Anfang
der Arbeit zitierten) Texte angeht, so ist zu bemerken, daß Tertullian wohl sagt: a Deo, daß das aber nicht ohne weiteres ausgelegt
werden darf als: a Deo qua revelante.   Vielmehr nimmt er den Ausdruck, und insofern er nicht nur die vollkommene Erkenntnis Gottes im
Auge hat, wie es der Vergleich fordert, nur als: a Deo i. e. a natura
quae et qua a Deo est.

B. Durch den größten Teil der bisherigen Ausführungen ist auch
der Hauptvorwurf, den man Tertull. gemacht, nämlich, daß er das
„credo qui absurdum" lehre, zurückgewiesen.   Es wird aber trotzdem
nicht unnütz sein, gerade über diesen Punkt noch einiges zu sagen.

Außer den bereits zitierten Texten kommt es hier auf einige sehr
scharfe Aussprüche aus de carne Chr. an.   In dieser Schrift, die
dem Doketismus der Gnostiker gegenüber die wahre Menschwerdung
Christi, durch Annahme eines wirklichen, menschlichen Leibes, verteidigt, will Tertullian dem Marcion zeigen, daß die wirkliche Geburt
des Gott-Menschen aus der Jungfrau Gottes nur in dem Grade unwürdig gewesen sei, als es auch andere Fakta der hl. Geschichte sind.
[De carne Chr. 5.]   Er sagt:

„Gottes Sohn ist gekreuzigt worden, — ich schäme mich dessen
nicht, gerade weil es etwas Schmähliches ist; Gottes Sohn ist auch
gestorben, es ist recht glaubwürdig, weil es eine Torheit ist (prorsus credibile est quia ineptum est); er ist begraben
worden und auferstanden — es ist gewiß, weil es unmöglich
ist (certum est quia impossibile.) [De carne Chr. 5.]

Wie haben wir diese Worte zu verstehen? Nach dem, was wir
über den Charakter Tertullians und seine Kampfesstellung im allgemeinen, über seine Auffassung der Offenbarung vorausgeschickt haben,
kann für uns der Sinn kaum zweifelhaft sein.

Wie so oft, so dürfen auch hier Tertullians Worte nicht auf
die Goldwage gelegt werden.   Ganz gewiß wollte Tertullian hier
ebensowenig die Werke Gottes als unsinnig hinstellen, wie der hl. Paulus,

wenn er an die Korinther schreibt: Quod stultum est Dei, sapientius est hominibus [1. Kor. 1, 25.] Denn unmittelbar vor der strittigen Stelle schreibt Tertullian: „Jedoch du (Marcion) wirst nicht weise werden, als wenn du vor der Welt zum Toren geworden bist . . ." [De carne Chr. 5.] Und gleich darauf die begeisterte Stelle: „Übe doch Schonung gegen den einzigen Gegenstand der Hoffnung des ganzen Erdkreises! Warum zerstörst du die dem Glauben so nötige Schmach? Was da auch immer Gottes unwürdig ist, das ist mein Vorteil. Mein Heil ist es, wenn ich mich meines Herrn nicht schäme . . ." [ibid.] Sein ganzer Gedanke ist offenbar dieser: „Das Göttliche ist so erhaben über alle unsere Gedanken, daß es Staunen erregen muß, der menschliche Geist stutzt vor ihm, es erscheint ihm auf den ersten Blick unmöglich, töricht, widersinnig, zeigt sich aber bei tieferem Eindringen als weise, Gottes und des Menschen würdig . . ." [Beck, Katholik. 1903. II. 504.] Denn „Ratio Dei in medulla est, non in superficie." [Adv. Marc. II, 2.]

Grabmann bemerkt zu dieser Stelle, daß, „wenn sie im Zusammenhange und" (nach dem Vorausgegangenen können wir besonders das Folgende unterstreichen) „unter Berücksichtigung der literarischen Eigenart Tertullians gewürdigt wird", sie „keinen Gegensatz zwischen Glauben und vernünftigem Denken" besagt. [Geschichte der scholastischen Methode, I. 118. 119.] „Der ganze Tertullian" bemerkt Esser, „spricht aus den starken Wendungen, unter welchen er die Übernatürlichkeit und Unbegreiflichkeit, das scheinbar Paradoxe der Geheimnisse hervorhebt." [Die Seelenlehre Tertullians p. 21.]

Tertullian lehrt hier so wenig als sonstwo einen Gegensatz zwischen christlichem Glauben und vernünftigem Denken. Im Gegenteil, „er hält vielmehr den Glauben für etwas eminent Vernünftiges. Das Übernatürliche ist etwas im höchsten Sinne Vernünftiges. „Quid divinum non rationale?" [De fuga 4.] „Deus omnium conditor nihil non ratione providit, disposuit, ordinavit, *nihil non ratione tractari intelligique* voluit [De paenitentia 1.] . . ." [Grabmann, l. c.]

Wie klar Tertullian das harmonische Verhältnis von Glauben und Wissen selbst in den Einzelheiten erfaßt hat, geht zur Genüge daraus hervor, daß J. Becker den Beweis erbringen konnte, die Lehre des Vatikanums über das harmonische Verhältnis zwischen Glauben und Wissen lasse sich in den Grundzügen fast Satz für Satz bei Tertullian nachweisen. [Katholik, l. c.]

Als eine geradezu klassische Erklärung zu diesen Stellen aus de carne Christi kann man übrigens Tertullians eigene Worte aus de baptismo heranziehen. Er sagt da im 2. Kapitel: „Nichts ist so sehr imstande, den Geist der Menschen zu verhärten, als die Unscheinbarkeit der göttlichen Werke, welche bei ihrer Vollziehung sichtbar sind, neben der Erhabenheit dessen, was in ihrer Vollbringung verheißen wird . . . O armselige, ungläubige Gesinnung, die du Gottes Eigentümlichkeiten leugnest, seine Einfachheit und Macht! Wie also? Wäre es etwa nichts Auffälliges, wenn durch Wasser der Tod abgewaschen würde? — Ja wohl, aber um so glaubwürdiger ist es, wenn es deswegen keinen Glauben findet, weil es auffällig ist. Wie sollten denn die Werke Gottes sonst sein, wenn nicht über Alles staunenswert? Wir staunen auch selbst darüber, aber aus dem Grunde weil wir glauben . . Die Hartnäckigkeit . . stutzt . . vor dem Unscheinbaren als etwas Nichtsbedeutendem, vor dem Erhabenen als etwas Unmöglichem.“ Und dann zitiert Tertullian eben den Paulus-Satz [I. Kor., 1, 27] „Was töricht ist vor der Welt, hat Gott auserwählt, um ihre Klugheit zu beschämen“.

Einen weiteren, tatsächlichen Beweis für die rationabilitas des Glaubens nach Tertullians Auffassung, bietet uns seine Auffassung der motiva credibilitatis. Gemäß seinem eigenen Worte: „Nichts braucht man eher zu glauben, als daß nichts blindlings zu glauben ist“, [Adv. Marcion. V, 1.] und daß ein Glaube, der ohne Begründung Anspruch auf Annahme machte eine fides monstrosissima [Adv. Marc. III, 4, wo er auch Marcion zuruft: Aut proba esse, quae credis; aut si non probas, quomodo credis?] sei, sucht er mit großer Mühe die Belege für die Göttlichkeit der christlichen Lehre und damit für ihre Glaubwürdigkeit beizubringen. [cfr. de carne Chr. 5 — de an. 1. — Apologet. 21. 7. 9. 23 ss. 46. — Praescr. 40. — Scorp. 2. 4. 7 — Adv. Marci. V, 11. — adv. Judaeos an v. St. —] Mag auch nicht Alles, was Tertullian vorbringt, ganz stichhaltig sein, so genügt doch ein Blick in die diesbezüglichen Stellen, um zur Evidenz zu zeigen, daß Tertullian fest überzeugt war von der rationabilitas des Glaubens!

C. In ein anderes Extrem fallen diejenigen, die mit Gerdil, Staudenmaier und Klee behaupten, Tertullian habe der menschlichen Vernunft so viel zugetraut, daß er für eine dem Ontologismus ähnliche, unwillkürliche und unmittelbare Erkenntnis Gottes eingetreten sei.

Der Streit dreht sich hauptsächlich um folgende Frage: „Was hat Tertullian [cfr. das ganze de testimonio animae, wo er sich auf die Zeugnisse der reinen, natürlichen, noch nicht verbildeten Seele für das Dasein Gottes beruft] mit seinen Worten: „Doctrina naturae *congenitae et ingenitae*, conscientiae tacita commissa" [de test. an. 5.] sagen wollen?

Zuerst ist zu bemerken, daß, wenn auch Tertullian wie einige andere Väter eine angeborene Gotteserkenntnis im strengen Sinn lehren würde, daraus noch lange nicht folgte, daß er auch eine unmittelbare Gotteserkenntnis gelehrt hätte. Denn „wenn Gott, wie er den ersten Menschen mit allem Reichtum des natürlichen Wissens erschaffen, so auch die Seele eines Kindes mit einem ausgebildeten Erkenntnisvermögen ins Dasein treten ließe, würden deshalb alle Begriffe, mit welchen diese Seele geboren würde, unmittelbar sein? Ebensowenig als es jene der ersten Menschen waren." [Kleutgen, Philosophie der Vorzeit, I. 683.] Ob diese angeborene Erkenntnis Gottes auch eine unmittelbare sei, wird ganz von der Beurteilung der Frage abhängen, ob es unserer Natur entspricht, Gott durch ihn selbst oder aber durch seine Werke zu erkennen.

Dann aber sind die Ausdrücke „angeboren", „eingepflanzte Erkenntnis" hier gar nicht im buchstäblichen Sinne zu verstehen. Der hl. Thomas erklärt, „die Erkenntnis Gottes werde angeboren genannt, weil das, wodurch wir zu ihr und zwar mit Leichtigkeit gelangen, angeboren sei." [Kleutgen, l. c. 685.] Wenn dem nicht so wäre und die Erkenntnis Gottes, von der Tertullian spricht, wirklich angeboren und unmittelbar wäre, so müßten es, nach ihm, alle anderen Erkenntnisse ebenso sein. Denn Tert. wendet seine Schlußfolgerung, daß die Erkenntnis von Gott herrühren müsse, nicht auf das Zeugnis der Seele von der Gotteserkenntnis allein an, sondern auf die Zeugnisse der Seele (über die Auferstehung, Unsterblichkeit, daß Gott einer ist, gut, Richter ꝛc.) Will man diese Konsequenz auch annehmen, dann muß man Tert. mit sich selbst in offenkundigen Widerspruch setzen. Denn T. verwirft und bekämpft an anderer Stelle so ausdrücklich und entschieden und übrigens auch so schlagend wie nur möglich die Lehre Platos von den angeborenen Ideen. [an. 18. 24.] Speziell die Idee von dem Dasein Gottes betreffend, sagt er übrigens: Anima „fieri . . . non nasci solet christiana." [test. an. 1.] und: „Fiunt, non nascuntur christiani." (Ap. 18.)] Es kann hier ein Grund zum Zweifel gar nicht vorhanden sein. Denn Tertullian macht hier nicht nur kein Zugeständnis, sondern bekennt sich vielmehr ausdrücklich zur aristotelischen und stoischen Lehre, daß die Seele ihre intellektuellen Vorstellungen vermittels der sinnlichen gewinnt.

Wenn es ferner wahr ist, daß bei den meisten Vertretern

der Stoa von einer „angeborenen Idee" keine Rede sein kann,
Tertullians Auffassung sich aber in dieser Frage eng an diejenige
der Stoiker anschließt, so haben wir darin einen neuen Beweis
dafür, daß unsere Auslegung der angefochtenen Stellen die rich=
tige sei.

Wenn man zudem jene Stellen im Kontexte betrachtet, so geht
daraus klar hervor, daß Tertullian nur behaupten will, es sei der
menschlichen Seele auf natürlichem Wege die Erkenntnis Gottes
leicht und deshalb der Atheismus auch ohne und vor der Offenbarung
unentschuldbar. [De poen. 5].

Wir haben es nach Tertullian bei der Gotteserkenntnis einfach mit
einem jener *sensus* oder *notitiae communes* zu tun, die Tertull. den
stoischen κοιναὶ ἔννοιαι entsprechend annimmt. „Durch Schlüsse
aus dem Wahrgenommenen kommen wir (nämlich) zu den allgemeinen
Vorstellungen (ἔννοιαι). Sofern (nun) diese von Natur und kunstlos
aus allgemein bekannten Erfahrungen abgeleitet werden, bilden sie jene
gemeinsamen Überzeugungen (κοιναὶ ἔννοιαι, notitiae communes), welche
aller wissenschaftlichen Untersuchung vorausgehen und deshalb . . .
προλήψεις genannt werden." [Zeller, Gesch. d. Phil. 208.] — Diese
προλήψεις sind nun aber, wie schon oben angedeutet wurde, auch wenn sie
als ἔμφυτοι προλήψεις bezeichnet werden, nicht angeborene Begriffe.
(cfr. Überweg=Heinze. Gesch. d. Phil. I. 255) — Diese sensus communes
sind vielmehr Erkenntnisse, die sich gleichsam von selbst aus dem
Wesen und der Naturanlage der Seele bilden. Ohne langwirriges
Spekulieren und Nachdenken fallen sie dem nach Erkenntnis strebendem
Geiste gleichsam in den Schoß; kaum sieht er sich nach Erkenntnissen um
so sieht er auch schon jene Wahrheiten. In einem Worte, es sind die
Äußerungen des gesunden Menschenverstandes, auf dessen Bedeutung für
Tertullians Philosophie schon hingezeigt wurde. Diese sensus communes
finden sich in jedem Menschen, eben auf Grund der Naturausrüstung
der Seele, sie reden überall dasselbe Zeugnis und deshalb sind sie wahr.
Eine der vorzüglichsten Erkenntnisse in diesen sensus communes ist aber
unsere natürliche Gotteserkenntnis und deshalb wird sie allen Menschen
so leicht und deshalb „hat niemand eine Entschuldigung".

Das Christentum als Monotheismus in den Apologien des zweiten Jahrhunderts

Von

Joseph Lortz

Wenn man die mannigfaltigen Formen des religiösen Synkretismus der römischen Kaiserzeit, wie sie uns namentlich die
religionsgeschichtlichen Forschungen der letzten 40 Jahre aufge-
deckt haben, überblickt und sie mit dem Reichtum des jungen
Christentums vergleicht; wenn man sich klar macht, wieviele
Kräfte jener heidnisch-religiösen Bewegung der christlichen Religion durchaus nicht feindlich entgegenwirkten, sondern gleichen
Zielen wie diese zustrebten; wenn man sich dann wieder der
starken Exklusivität des Christentums und seines wesentlichen
Gegensatzes zum Heidentum, und wiederum seiner gewaltigen, alle
Kräfte anziehenden Universalität erinnert, dann wird es klar, daß
die Beziehungen des Christentums zum Heidentum so kompliziert
sind, daß sie in ihrer Totalität nicht auf eine kurze Formel gebracht werden können.

Man hätte in etwa erwarten dürfen, daß die christlichen
Schriftsteller der wichtigen Werde- und Übergangszeit des
2. Jahrhunderts, deren bedeutungsvolle Aufgabe es war, das neue
Christentum vor dem alten Heidentum zu verteidigen und es ihm
zu erschließen, diesen vielfachen Beziehungen lebendigen Ausdruck
verliehen hätten. Das ist nicht der Fall. Man muß ohne weiteres
zugeben, daß die griechischen Apologeten des 2. Jahrhunderts
uns nur ein sehr dürftiges, blutleeres Bild von der sie umgeben-
den religiösen Welt des Heidentums vermitteln. Hier macht sich
die literarische Gebundenheit, der Mangel an schöpferischer Selbständigkeit sehr zum Nachteil der christlichen Literatur bemerkbar.
Ein gewisser papierner Styl, konventionelle, literarische Polemik
herrschen allzusehr vor; dieselben altbekannten Beispiele (**Zeus**

tötet den Asklepios durch den Blitz; Amasis macht aus der Bade-
wanne ein Götterbild), ja manchmal genau die einmal in diesen
Beispielen festgelegte Reihenfolge kehren wieder. Schaurige Geschichten, mit denen im Heidentum niemand mehr etwas zu tun
hatte, werden unbesehen weiter verwertet und den bösen Zeitgenossen aus dem heidnischen Lager vorgehalten (Kindesopfer!). Die
positiven religiösen Kräfte des Heidentums aber finden weder im
allgemeinen noch im einzelnen genügende Erwähnung, geschweige
denn offene Anerkennung!

Daran kann kein Zweifel sein: die Apologeten des 2. Jahrhunderts sehen und betonen vor allem den Gegensatz und handeln hauptsächlich nach dem Grundsatz, daß ein Gegner eben besiegt werden muß. Dieser Gegensatz war gegeben im heidnischen
Polytheismus vielfacher Herkunft und er bildet den Hauptangriffs-
punkt für die Christen.

Diesem Angriff entspricht das Bestreben, das Christentum einfachhin als kontradiktorisches Gegenteil des Polytheismus zu definieren. Es ist eine viel beobachtete Tatsache, daß die Apologien
des 2. Jahrhunderts nicht den ganzen christlichen Glauben behandeln, so wie er in den Schriften des apostolischen und nachapostolischen Zeitalters niedergelegt ist, sondern daß sie denselben
nur in einer stark vereinfachten Form, gewissermaßen in Auswahl
bieten. Das hervorstechendste Moment dieser Auswahl besteht darin,
daß das Christentum zum Teil einfach als Monotheismus gefaßt wird,
so zwar, daß die Gleichung gilt: „Christentum ist Monotheismus"
und auch die Umkehrung davon: „Monotheismus ist Christentum".

Es handelt sich darum, Umfang und Inhalt dieser Erscheinung
festzustellen und sodann nach ihrer Bedeutung zu fragen. In
letzterer Hinsicht handelt es sich vor allem darum: Besagt dieser
engere Kreis, auf den die christlichen Schriftsteller des 2. Jahrhunderts Darstellung und Verteidigung des christlichen Glaubens
beschränken, eine religiöse Verarmung des Christentums, wie
so oft behauptet worden ist, oder nicht?

I.

Ich gebe zunächst einen Überblick über den Tatbestand.

Die monotheistische Auswahl, wenn wir einmal diesen Ausdruck gelten lassen wollen, äußert sich in einem Dreifachen:
1) Das Hauptproblem, das von den Apologeten zur Diskussion gestellt wird und dessen richtige Lösung durch das Christentum als
ausschlaggebend für seine Überlegenheit angesehen wird, heißt:
Gott oder Götter? 2) Dementsprechend wird das Wesen des

Christentums im Monotheismus gesehen, die Person Jesu tritt dagegen stark zurück. 3) Das ganze christliche Leben in seinen Richtlinien und seinen verschiedenen Auswirkungen wird dargestellt als die Frucht der richtigen Erkenntnis und Verehrung Gottes, der das gesamte religiöse Bewußtsein der Christen bestimmend beherrscht.

1. a) Des Aristides gesamte Apologie, in deren Adresse sich der Verfasser nicht ganz ohne Bedeutung nicht als Christ, sondern als Philosoph vorstellt, ist eine Beantwortung der Frage: Wer — Heide, Jude, Christ — besitzt die Wahrheit in bezug auf die Gotteserkenntnis und Gottesverehrung? Um diese Frage zu beantworten stellt Aristides im ersten Kapitel (1, 3) in sehr starker Anlehnung an hauptsächlich stoische Elemente eine Begriffsbestimmung Gottes auf. Dieser Gottesbegriff — also ein philosophisches Element — bleibt der entscheidende Maßstab, mit dem Aristides in den folgenden Kapiteln die einzelnen Religionen abschätzt. Da das Christentum dem aufgestellten Maßstab am besten entspricht — eben weil es Monotheismus ist — wird ihm der Sieg zuerkannt.

Dieser Auffassung entspricht bedeutungsvoll, daß Aristides das Judentum deswegen ablehnt, weil es seiner Meinung nach durch Engel- [1]), Sabath- und Monddienst den reinen Monotheismus durchbrochen habe.

Das gleiche dominierende Interesse wie hier wird dem Monotheismus und der rechten $\gamma\nu\tilde{\omega}\sigma\iota\varsigma$ $\vartheta\varepsilon o\tilde{\nu}$, wenn auch nicht so ausschließlich wie bei Aristides, von den späteren Apologeten des 2. Jahrhunderts entgegengebracht. Für alle Apologeten ohne Ausnahme ist es wenigstens immer eine Selbstverständlichkeit geblieben, daß die Zentralaufgabe aller apologetischen Schriftstellerei der Kampf gegen den Polytheismus, und damit die negative Herausarbeitung des Monotheismus sein mußte.

Ganz eindeutig ausgeprägt finden wir das bei Athenagoras und Theophilus.

b) Athenagoras verwendet von den 36 Kapiteln seiner Apologie deren 26 (suppl. 4—30) auf die Widerlegung der Atheismus anklage und der Herausarbeitung des christlichen Monotheismus (vgl. suppl. 37, 1).

c) Theophilus kommt immer und immer wieder auf diesen Punkt zurück. Das 1. Buch an Autolykus gehört ganz hierher. Es ist nach der Äußerung des Verfassers im letzten Satze eine

---

[1) Der Engelanbetung bezichtigt die Juden auch Celsus bei Origenes, 1. Cels. 1, 26.

Antwort auf des Adressaten Aufforderung: zeige mir deinen Gott!
Von den 38 Kapiteln des 2. Buches beschäftigen sich Kap. 1—33
mit dem Problem „Gott oder Götter" durch Kritik am Polytheismus zunächst, dann durch Darlegung der christlichen Gotteslehre [1]).
Sogar das 3. Buch wendet sich, ohne durch das Thema irgendwie
dazu Veranlassung zu haben [2]), erneut zuerst der Kritik der heidnischen Götter zu.

d) Für den gnostisch - mystisch gerichteten T a t i a n , der den
kosmologischen Heilsprozeß der Einzelseele in den Mittelpunkt der
religiösen Interessen rückt, lag keine eigentliche Veranlassung zu
einer besonders betonten Formulierung und Forderung des Monotheismus vor [3]). Aber auch er stellt gelegentlich seinen e i n e n
Herrn den vielen Dämonen gegenüber (9, 4; 19, 11), erwähnt (29, 3
Schl.) die Zurückführung aller Dinge auf e i n e n Gott als einen
für seine Bekehrung entscheidenden Punkt. Das Ziel des Menschen
ist, für Gott zu leben, „indem du dich durch Erkenntnis seines
Wesens des alten Menschen entledigst" (11, 5), trotz des Aufruhrs
der Dämonen nach der Erkenntnis des vollkommenen Gottes zu
streben (12, 9), die Wahrheit zu erkennen, d. h. die Erkenntnis
Gottes zu erringen (13, 1). Sein Bemühen geht dahin, die Heiden
von den Dämonen weg zu Gott zu ziehen (18, 4). Christen sind die,
die dem W o r t e G o t t e s folgen (25, 7) [4]), sind Freunde G o t t e s,
und von sich selbst sagt er, daß das Christentum ihn lehrte, das
Wesen Gottes und seiner Schöpfung zu erkennen (42, 1) (vgl. auch
4, 3—5 seinen Gottesbegriff).

e) Bei M i n u c i u s erhält diese Frage ihre besondere Färbung
durch den wesentlich skeptischen Standpunkt des Caecilius. Die
Hauptbemühungen können von diesem am Schluß (40, 2) so zusammengefaßt werden: „Itaque quod pertineat a d s u m m a m
q u a e s t i o n i s , et (1) de p r o v i d e n t i a fateor et (2) de d e o
cedo et (3) de sectae iam nostrae sinceritate consentio.

f) Im Brief an D i o g n e t lautet die erste Frage: was ist das
für ein Gott? Sie wird beantwortet durch Darlegung des Mono-

---

1) Mit eingehender Besprechung des Schöpfungswerkes. Dabei ist allerdings
wichtig, daß in diesem 2. Buche die Darlegung auf weite Strecken mit Material
aus den Offenbarungsquellen gespeist wird.

2) Die im 2. Buche verwerteten hl. Schriften sollen für den ihre Glaubwürdigkeit [weil n e u e Erfindung] bezweifelnden Autolykus als alt und glaubwürdig
erwiesen werden.

3) Er wird darum selten erwähnt; vgl. 29, 3 Schl.; 42, 2.

4) 18, 6 heißt es aber auch: λόγου δυνάμει κατακολούθησον (ed. G o o d -
s p e e d 285).

theismus mit der Forderung standhaften praktischen Eintretens
dafür und Ablehnung des Polytheismus.

g) Die gleiche Einstellung beobachten wir sogar bei Justin,
der sonst in diesem. Punkte, wie wir noch hören werden, eigene
Wege ging.

2. Seine volle Bedeutung und charakteristische Ergänzung gewinnt dieses erste Element der monotheistischen Auswahl durch
die Zurückdrängung des spezifisch Christlichen, speziell der Person
Jesu.

a) Am radikalsten unter den griechischen Apologeten ist
in diesem Punkte Theophilus. Wohl spricht er gelegentlich
vom Logos und vom Sohne Gottes, niemals aber, wie Heinze[1])
richtig bemerkt, davon, daß dieser Logos in Christus Fleisch geworden sei (nicht einmal 3, 27 gelegentlich der Chronologie der
Kaiserzeit), -ja überhaupt niemals von Christi Geburt, Wirken, Tod,
Himmelfahrt und Wiederkunft; er schweigt von der Person Jesu,
während er immerfort von Moses redet. Er läßt die Dämonen
nicht beim Namen Christi, sondern bei dem des wahren Gottes be-
schwören und leitet den Namen χριστιανοί nicht von Christus ab,
sondern, wie gelegentlich auch Justin, von χρίειν: die Christen
tragen ihren Namen, weil sie gesalbt werden, und zwar gesalbt
mit dem Öle Gottes! Wo er die Aussprüche Christi zitiert,
nennt er nicht diesen, sondern das Evangelium[2]).

b) Ein ähnliches Bild bietet Tatian. Er legt im 5. Kapitel
das Verhältnis des Logos (der 18, 1 Schl. einfach als Kraft Gottes
definiert wird) zum Vater und zur Schöpfung dar, spricht 7, 4 f.
von den sittlichen Vorschriften des Logos (alles für das alte Testament!). Vom historischen Christus wird nur einmal erwähnt,
daß Gott in Menschengestalt erschienen sei und daß der Bote
Gottes gelitten habe (13, 6 Schl. und 21). Das ist alles. Sogar
die Exorzismen läßt er, wie Theophilos, durch ein Machtwort
Gottes geschehen (16, 7 Schl. 17, 6).

Der „heilige Geist", der bei Tatian eine so große Rolle spielt,
und der „Gottes Abgesandter" ist (15, 7), gehört nicht in dieselbe
Reihe, da es sich dabei mehr um die innere Teilnahme der Seele
am göttlichen Wesen handelt. (Vgl. 13, 6; 15, 7; 16, 4; 29, 4; 30, 3).

---

1) Tertullians Apologeticum (Leipzig 1911) [= Berichte über die Verhandlungen der kgl. sächs. Ges. d. Wissenschaften, Phil.-hist. Klasse 62, 10] 388.

2) Dieses Evangelium zieht er allerdings neben den Propheten häufiger an
als die andern Apologeten (2, 22; 2, 9; 3, 12; 8, 3. 13).

c) Auch **Athenagoras** spricht zwar kurz vom Logos des
Vaters[1]), und Kap. 10 u. 12 wird der Monotheismus erweitert zum
Glauben an die Dreifaltigkeit, aber der historische Jesus Christus
wird nicht eingeführt. Die Erweiterung bleibt ganz innerhalb der
göttlichen Ökonomie und bedeutet eigentlich keine Durchbrechung
der monotheistischen Auswahl. Er zieht für seine Zwecke durchaus
die Gleichung: Monotheismus = Christentum vor.

d) Nur **Aristides** ist etwas ausführlicher. Er berichtet
15, 1 daß die Christen ihre Abkunft herleiten von Jesus Christus,
der vom Himmel gestiegen sei, aus einer hebräischen Jungfrau
Fleisch angenommen habe, gekreuzigt worden, auferstanden, zum
Himmel aufgefahren sei[2]). Aber diese Gedanken gewinnen im
Gesamtbestand seiner Apologie kaum Bedeutung, sie werden
in keiner Weise wirklich v e r w e r t e t! Sie bedeuten lediglich
eine kurze Notiz, die innerhalb der gestellten apologetischen Aufgabe weder Bedeutung fordert noch erlangt. Die oben gezeichnete
„philosophische" Untersuchung der Frage nach dem einen Gott,
die übrigens auch durch Bezugnahme auf die hl. Schriften nur ganz
selten gestört wird[3]), herrscht unbedingt vor.

e) **Minucius.** Die radikalste Ausgestaltung der a-christlichen Auffassung endlich bietet der Römer **Minucius Felix** im
„Octavius". Auch bei ihm gilt durchaus, daß Christ ist, wer
an e i n e n Gott glaubt[4]). Jesus wird gar nicht erwähnt. Das
ist um so auffälliger, als durch diese Auslassung eine ganz bestimmte Anklage, die der heidnische Unterredner Caecilius vorgebracht hatte[5]), in ihrem Kern unbeantwortet bleibt. Octavius
erwähnt nämlich den Anwurf wohl (29, 2 f.) und bemerkt dazu,
daß in einem Menschen seine Hoffnung sehen sehr töricht wäre;
aber von irgend einem Bekenntnis zu Christus als Gott wird nichts

---

1) Athenagoras suppl. 10 ex professo Kap. 18: ἑνὶ τῷ θεῷ καὶ τῷ παρ'
αὐτοῦ λόγῳ υἱῷ νοουμένῳ ἀμερίστῳ πάντα ὑποτέτακται (ed. Goodspeed 333). — Zu
bemerken ist, daß Athenagoras, wie ähnlich Tatian (21, 9) gelegentlich der Gottessohn-
schaftslehre, und wie später Tertullian, die heidnischen Mythen über Göttersöhne
zurückweist, aber das Abstrakt-Geheimnisvolle der Gottessohnschaft im christlichen
Glauben in wirklich schöner und tiefer Art betont.

2) Nach dem G-Text (ed. Geffcken 22/23). Die nähere Bestimmung des
e i n e n Gottes 15, 1 f. durch ἐν υἱῷ μονογενεῖ καὶ πνεύματι ἁγίῳ fehlt wichtiger Weise im syrischen Text. Der griechische Text ist etwas modernisiert und
dogmatisiert.

3) Nur 4 mal wird auf „die Schriften" der Christen verwiesen, 1 mal das
Evangelium erwähnt.

4) Octavius 20, 1.

5) Ebd. 9, 4: Et qui h o m i n e m summo supplicio pro facinore punitum
. . . eorum caeremonias fabulatur.

gesagt. Auch eine Verwendung der heiligen Schrift findet sich, außer einem Hinweis auf die „divinae praedicationis prophetarum", nicht (34, 5)[1]).

Weil sodann die ganze Darstellung bei Minucius sich sehr eng mit stoischen und akademischen Auffassungen berührt, wird der Eindruck einer radikal a-christlichen Lehrauswahl noch außerordentlich verstärkt.

3. Die Lage des Christentums, das Tertullian zu verteidigen hatte, war im wesentlichen die gleiche, wie sie Aristides vorgefunden, die gleiche. wie sie nicht lange vorher Athenagoras dargestellt hatte; die antichristliche Bewegung war ebenfalls in Anklage und Tat die gleiche geblieben: dieselben Probleme zeigten sich, eine vielfach gleiche Lösung wird gegeben.

a) Darüber, daß auch für Tertullian die Auseinandersetzung mit dem Polytheismus eine Hauptaufgabe ist, kann nicht der geringste Zweifel herrschen. Einfach quantitativ betrachtet entfallen in seinem Apologeticum von den zum eigentlichen Corpus der Apologie gehörigen 39 Kapitel (Kap. 7—45) volle 17 (Kap. 10—27) auf diese Frage. Dabei konstatieren wir noch, daß die Anklage auf Majestätsverbrechen, der die Kapitel 28—35' gewidmet sind (die übrigen Kapitel bilden wohl in mancher Beziehung eine Einheit, sind aber inhaltlich vielfach geteilt), von Anfang an als Anwendung des Atheismusvorwurfs auf einen speziellen Fall genommen wird: Opfer für und an die Kaiser darf es nicht geben, weil es, wie bewiesen worden, überhaupt keine Götter gibt.

In Ad nationes gehören hierher außer größeren Teilen des ersten das ganze 2. Buch, wo sich die betreffenden Gedanken als direkter Angriff gegen den Polytheismus präsentieren[2]).

Das Grundproblem Tertullians überhaupt ist die Frage des Verhältnisses des Christentums zur Welt. Diese Welt aber ist Götter- und Götzendienst und deshalb ist das Verbot der Idololatrie „lex nostra . . . propria Christianorum, per quam ab

---

1) Vgl. O. B a r d e n h e w e r , Geschichte d. altkirchlichen Literatur I² (Freiburg 1913) 334.

2) Das 2. Buch trägt als Überschrift das Thema: nunc de deis . . . congredi. Und dazu gehört auch alles, was diese falschen Gottheiten stützt: 2, 1 (CSEL 94, 7—12). — Es ist darauf aufmerksam zu machen, daß vom Christentum in diesem Buche überhaupt nicht die Rede ist. Ausgenommen die Bezugnahme auf den Plagiat der heidnischen Philosophen an den Propheten (Kap. 2) und vielleicht den „Deus", der die Zeiten verteilt, und die Erwähnung der „proximi Dei" (ebd. 133, 16) könnte diese ganze Polemik ebensogut von einem monotheistisch gerichteten, aufgeklärten Heiden stammen. Die Einstellung ist einfach diese: Monotheismus gegen Polytheismus.

ethnicis agnoscimur (De idololatria 24 [CSEL 57, 27—58, 1]). Der
Vorwurf ist und bleibt die Hauptanklage [1]), die Hauptaufgabe der
Kampf gegen die Götter; daran ändern auch die verschiedenen
gegenteiligen Äußerungen Tertullians, daß die Unterlassung der
geforderten Kaiserverehrung von den Römern als größeres Verbrechen angesehen werde, nichts. Diese Äußerungen sind, wie ich
in einer Monographie über „Tertullian als Apologet" zeigen werde,
zum größten Teil taktische Berechnung.

b) Demgemäß kommt also auch Tertullian zur Gleichung
Christentum = Monotheismus; er schätzt diese Gleichung und
verwertet sie im apologetischen Kampfe mehr als irgend einer
seiner Vorgänger. Das ergibt besonders eine Analyse des Kapitel 17
des Apologeticum. Auf die Kap. 16 gestellte Frage: quid ergo
colunt, qui talia non colunt, und nachdem er zu verschiedenen
Malen die Darlegung der christlichen Religion angekündigt hatte
(15, 8; 16, 4), nachdem er dann diese Lehre negativ durch Zurückweisung der „opiniones falsae" vorbereitet hat, stellt er mit starker
Betonung als das Wesen dieser Religion fest: quod colimus, deus
unus est (vgl. Scap. 2 Anfang [Oehler 1, 504]).

Wenn Tertullian im Nachsatz zu diesem Ausspruch, der
den unbedingten Charakter des „unus" (kein zweites göttliches
Element in Gestalt einer ewigen Materie!) feststellt, mit den
Worten „verbo quo iussit, ratione qua disposuit, virtute qua potuit" bereits das Material zur Unterscheidung der ersten und
zweiten göttlichen Person gibt, so läßt er mit Absicht doch darüber
nichts verlauten, um nicht den einfachen Charakter des Monotheismus zu verwischen [2]).

Dieser monotheistische Glaube tritt auch sonst stets als
wesenbestimmender Inhalt des ganzen Christentums heraus. Wenn
die Offenbarungsquellen den Inhalt der christlichen Religion mit-
teilen, so sprechen sie zuerst von der Verehrung des „deus unus" [3]).

---

1) Vgl. Apologeticum 6, 10: ipsum in quo principaliter reos transgres-
sionis christianos destinastis, studium dico deorum colendorum. Hierher vor allem
zielt auch der Gedanke Ad nat. I 10 (CSEL 74, 17): quod in nos generali
accusatione dirigitis, divortium ab institutis maiorum, wozu bei Athenagoras Kap. 1 und 2 der Gedanke zu vergleichen ist, daß jeder seine πατρία
haben dürfe, nur der Christ nicht.

2) Allerdings auch wieder, welche Vorbereitung im Schoß des Monotheismus
für die Christologie! Man darf es genial nennen, wie Tertullian hier den Platz
für die zweite göttliche Person vollkommen bereitet hat, ohne doch aus dem
reinen Monotheismus herauszutreten.

3) Ap. 18, 2. Erst auf diesem Gedanken aufbauend, „exinde" (Ap. 18, 3),
werden die andern Erkenntnisse mitgeteilt.

Wenn Tertullian Apol. 46, 8 f. die Überlegenheit des christlichen über das heidnische Wissen darlegen will, wählt er dazu nur die Frage über das Wissen um den einen Gott. Wenn die Dämonen ihr wichtiges positives Zeugnis für die Wahrheit des Christentums abgeben, so sagen sie zuerst aus über den „deus unicus" (Apolog. 23, 11 b; 46, 1 b).

Den gleichen Eindruck vermittelt wieder das von Tertullian bekanntlich mit besonderer Vorliebe behandelte Zeugnis der Seele. Schon am Schluß des eben angezogenen Kapitels 17 des Apologeticum nennt Tertullian die Seele deswegen „naturaliter christiana", weil sie Zeugnis für den einen Gott gibt. Und in dem kleinen Traktat de test. an. kann man diese Feststellung öfter machen: Im 1. Kapitel, wo Tertullian alle Stützen aus heidnischer Quelle für seine Sache, für „Uns", für das Christentum vorläufig beiseite schiebt, läßt er das Hauptinteresse so durchschimmern: „Meinetwegen mögen manche [Heiden] Aussprüche über den einzigen und wahren Gott getan haben!" Im 2. Kapitel steht dann das gesuchte Zeugnis der Seele für das Christentum: die Seele bekennt den einen Gott! (vgl. test. an. 2 [CSEL 137, 18 f.]: te testem efficit christianorum).

c) Aber Tertullian weiß auch, daß die Heiden immerhin eine gewisse, wenn auch mangelhafte Kenntnis haben von dem Stifter der christlichen Religion, und daß es demnach die Wirkung einer Apologie des Christentums bedenklich schwächen müßte, wenn darin in allzusklavischer Weiterführung des Schemas der vorchristlichen Apologetik nur von Kritik des Polytheismus und Herausarbeitung des Monotheismus, aber gar nicht von Jesus und seinem Werk die Rede wäre. Was tut nun Tertullian? Er fällt nicht in den Fehler Justins, der durch seine für uns so wertvollen Darlegungen über den innerchristlichen Besitz seine Apologie polemisch unfruchtbar machte. Nein, er bringt das Paradoxe fertig, Leben und Person Jesu relativ ausführlich und mit gewolltem Nachdruck zu behandeln, und doch nicht die monotheistische Auswahl zu schwächen. Wie Tertullian das erreicht, durch enge Verbindung des monotheistischen und christologischen Vorstellungskreises, durch Behandlung der Christologie als Funktion des Monotheismus, gehört zum Wundervollsten, was dieser eminente Taktiker im Apologeticum (Kap. 17—21) vollbracht hat. Tertullian steigert und erweitert allerdings das monotheistische Glaubensbekenntnis zu dem Höhepunkt: „Wir verehren den einen Gott durch Christum". Aber schon diese Form der Einbeziehung Christi in das Glaubensbekenntnis ist ja für unsere Frage außerordentlich

charakteristisch. Darüber hinaus betont es Tertullian im selben
Zusammenhang auch noch ausdrücklich[1]), daß die ganze Christologie nur geschrieben ist, um eben, trotz Loslösung des Christentums vom reinen Monotheismus des Judentums, das monotheistische
Glaubensbekenntnis als Zentraldogma festhalten zu können: quod
colimus, Deus unus est! Unsere Religion ist die Verehrung des
einen Gottes![2]).

Gewiß die absolute monotheistische Auswahl ist durchbrochen und Tertullian weiß diese Bereicherung des apologetischen
Materials auch sonst sehr wohl zu schätzen: „die Erkenntnis von
Christi Gottheit bewirkt den sittlichen Wandel (Ap. 21, 31),
Christi Namen bezwingt die Dämonen, Christi Wirken bekehrt zum Glauben an Gott (23, 18), Christus wird am jüngsten
Tag die Auferstandenen richten (28, 13)“. Aber das alles rechtfertigt m. E. nicht den Schluß, den Heinze (a. a. O. 389) daraus
ziehen will, daß für Tertullian, ganz wie für Justin, das Mysterium Christus „im Mittelpunkt des Glaubens steht“, und erst
recht gewinnen diese Gedanken innerhalb der apologetischen
Arbeit nicht eine zentrale Bedeutung.

Dazu paßt denn auch vollkommen, daß die christologische
Frage in den andern apologetischen Schriften, in Ad nationes I
und II, in De testimonio animae und in Ad Scapulam nicht berührt wird.

4. Allein die Übereinstimmung der Apologeten ist in diesem
Punkte nicht vollständig. Es gibt eine Ausnahme: Justin[3]). Justin
empfindet die Pflicht, den ganzen Schatz christlichen Glaubens
einem jeden zugänglich zu machen, ungemein stark. So übersieht
er den Abgrund, der die Heiden vom Verständnis der christlichen
Geheimnisse trennt und schreitet dazu fort, in seinen Apologien

---

1) Ap. 21, 3 c: Darum pauca de Christo ut deo.

2) Zu verweisen wäre auch auf die ausdrückliche Behandlung des trinitarischen Glaubens im Schlußkapitel von Adv. Praxean (Kap. 31; ed. Oehler 2, 697).
„Der starre Monotheismus, der Standpunkt des Judentums, ist die niedere Stufe
der Erkenntnis Gottes, über welcher sich die christliche Trinitätslehre als die
vollkommene Stufe der Gotteserkenntnis erhebt . . .“ (H. Kellner in der Bibliothek der Kirchenväter, Tertullian 2, 302). Aber auch in diesem Falle bleibt die
Trinitätslehre durchaus Funktion des Monotheismus: Sic deus voluit novare sacramentum (= im N. T.) ut nove unus crederetur per filium et spiritum.

3) Zu bemerken ist, daß der Brief an Diognet relativ eingehend von der
Erlösung des Menschen durch den Gottessohn redet: Kap. 7 u. 8 je einmal gelegentlich und Kap. 9 ex professo. Der Unterschied zu Tatians kosmisch-gnosti-
schem Erlösungsprozeß der Einzelseele ist zu beachten!

die Christologie [1]), die Lehre von der Taufe (Kap. 61 f.), die Vorgänge bei Agape (Kap. 67) und eucharistischer Feier (Kap. 65 f.) zu schildern. Für ihn steht Christus im Mittelpunkt nicht nur des Interesses [2]), sondern auch der apologetischen Darstellung. Damit ist materiell der Standpunkt der monotheistischen Auswahl — soweit sie sich in einem Zurückdrängen der Person Christi bekundet — verlassen. Aber auch hier muß gleich bemerkt werden, daß diese Christologie Justins nicht so sehr an den historischen Jesus anknüpft, als in viel größerem Maße an die Gestalt des Logos [3]); und damit erscheint auch Justins Christologie in ihrem tiefsten Grunde als Exponent der Lehre vom einen Gott [4]).

II.

1. Wie ist nun diese Eigenart, die sich mit so ausgesprochener Gleichmäßigkeit in den Apologien des 2. Jahrhunderts findet, zu bewerten?

a) Man darf zunächst darauf hinweisen, daß das Christentum Erbe und Fortsetzung des Judentums ist. Das Zentraldogma des Judentums war der Monotheismus. Durch Betonen dieses Zentrums und durch seine Bereicherung und Entschränkung (von nationalen Schranken) hat das Christentum gesiegt [5]).

Man darf weiter hindeuten auf die weitgehende Abhängigkeit der Apologeten von der literarischen Tradition. Die vorchristliche Apologetik hatte als Ausdruck einer fortschreitenden Vertiefung und Vergeistigung der Religiosität hauptsächlich die Kritik des Polytheismus betrieben. Eine starke Abhängigkeit von ihr, und dann der christlichen Apologeten unter einander, war ohne

---

1) Vgl. den eingehenden Beweis für die Gottheit Christi I 30—53 durch den Weissagungsbeweis, indem „wir uns auf die stützen . . . welche von ihm vorher gesagt haben, ehe er geboren wurde, denen wir notwendigerweise glauben müssen, weil wir mit Augen die Prophezeiungen erfüllt sehen . . .“ und die Angaben über Person, Leben, Predigt, Leiden Christi: II 5 per totum; I 5, 4; 6; 13, 3; 12; 21 per totum; 22, 1; 23, 2; 32, 10; 33, 6; 40, 7; 46; 31 und Schluß.

2) Vgl. dazu das Glaubensbekenntnis aus dem Martyrium Justini II 5 (ed. Rauschen 114).

3) Der historische Jesus erscheint z. B. in der 2. Apologie nur 1 oder 2 mal. Man fühlt auch bei Justin die ungeheure Wucht der zentralen monotheistischen Gottesidee, die allen religiösen Besitz überschattet.

4) Man darf in diesem Zusammenhang auch daran erinnern, daß Justin ein uns nicht mehr erhaltenes Werk über die Monarchie Gottes geschrieben hat.

5) Vgl. Überweg-Baumgarten, Grundriß der Geschichte der Philosophie, Berlin [10] 1915, 19.

weiteres gegeben, solange die apologetische Schriftstellerei von
Männern betrieben wurde, die, wie Aristides, Justin, Tatian,
Theophilus, und sogar wie Athenagoras, nicht genügend
schöpferische Kraft, nicht die notwendige literarische Selbständigkeit besaßen, um sich von der Kritik an Einzelheiten zur Behandlung größerer Zusammenhänge zu erheben und sich für die
Darstellung der religiösen Probleme und ihrer Lösungen eigene
Wege zu bahnen. Diese Abhängigkeit wies natürlich die ganze
apologetische Arbeit in eine Richtung, die wesentlich durch anti-
polytheistische und promonotheistische Interessen bestimmt war,
da ja die ganze philosophische Aufklärung, die stoische und die
jüdische Apologetik neben dem Ringen um eine tiefere, innerliche
Religiosität ausschließlich die Frage nach der einen Gottheit
stellten.

Abgesehen von anderen Erwägungen genügt aber diese Berufung auf die literarische Tradition nicht mehr, wenn wir jene
Gleichförmigkeit der Probleme und Grundauffassungen bei einem
selbständigen Kopfe wie Tertullian wiederfinden. Sicherlich, Tertullian hat seine großen Schwächen und er hat imgrunde seine
apologetischen Beweise so wenig frei erfunden wie seine Vorgänger. Aber ebenso gewiß ist, daß dieser gewaltige Rhetor die
Kraft besaß, neue Aussichten zu eröffnen und es verstand, die
Tradition restlos für seine besonderen Zwecke zu meistern. Die
Tradition ist ihm nie zur Fessel, er nie der sklavische Nachfolger
seiner Vorgänger geworden. Wenn Tertullian in so wichtigen
Dingen wie den erwähnten denselben Weg geht wie jene, dann
liegt der Grund dafür tiefer, dann ist er der Ansicht, daß seine
Vorgänger im wesentlichen richtig gesehen und gerechnet haben.

b) Wie Tertullians weitschichtigen antignostischen Werke und
seine ethisch-praktischen Traktate verschiedensten Inhalts zeigen,
umfaßte sein scharfer Blick die vielfachen Gegensätze zwischen
Heidentum und Christentum in ziemlicher Vollständigkeit. Sein
Apologeticum besonders geht über die von den Griechen behandelten Fragen vielfach hinaus; es ist z. T. lebendiger Ausdruck
der durcheinander wogenden religiösen Probleme der Zeit, ist der
lebendige Widerhall der Beschwerden der christlichen und sogar
auch der heidnischen Partei, ist viel weniger nur Literatur, nur
theoretische Abstraktion als die Apologien seiner Vorgänger.
Wenn sich nun auch bei diesem Manne aus seinem viel reicheren
Material die gleiche monotheistische Auffassung so stark heraushebt, dann gibt das doch zu denken. Es zeigt uns, daß es auch
am Ende des 2. Jahrhunderts immer noch wahr blieb, daß der

Gegensatz „hier Monotheismus, hier Polytheismus" die komplizierten Beziehungen zwischen Christentum und Heidentum am besten ausdrückte und daß den gesamten Kampf gegen das Heidentum auf diesen Kreis beschränken immer noch „höchste Pflicht und Klugheit" für den christlichen Apologeten war.

Und hier liegt eben die einzig genügende Lösung der Frage nach dem „Woher?" und „Warum?" der monotheistischen Auswahl[1]). Es war einfach ganz natürlich, daß die Apologeten bei der Verteidigung des christlichen Glaubens sich am Angriff orientierten und der Tendenz des Polytheismus den Monotheismus als siegreiche Antwort entgegenhielten; daß sie gerade die Hauptgedanken und zwar in möglichster Konzentrierung heraushoben, und daß sie das Heidentum gerade in seinen entscheidenden Positionen angriffen; es war wiederum nur klug, wenn sie aus Propagandarücksichten und aus Rücksicht auf den ja durchaus nicht immer ehrlich die Wahrheit suchenden Gegner mit Bedacht von den Grundgedanken gerade solche in den Vordergrund rückten, die dem Heidentum bekannt oder für deren Verständnis die Heiden ohne weiteres reif waren, daß sie dagegen das, was schwer zu erfassen war und zu Mißverständnissen vielfach Anlaß gab (der gezeugte Sohn Gottes), das Geheimnis im engeren Sinne, zurückstellten. Das aber trifft eben alles zu bei der Voranstellung des Glaubens an den einen Gott, der Bekämpfung des empörend rückständigen Polytheismus und bei der Zurückstellung der tiefen und zarten Geheimnisse, die mit dem fleischgewordenen Sohn Gottes zusammenhängen. Die von den Apologeten getroffene „monotheistische Auswahl" ist vor allem apologetischen Rücksichten zuzuschreiben[2]). Sie ist vor allem eine durchaus berechtigte taktische Maßnahme, bedeutet aber noch lange kein Antasten des christlichen Besitzes[3]).

---

1) Nur im Vorbeigehen möchte ich darauf hinweisen, daß Kukulas Betonung, Tatians Apologie sei eine wirklich gehaltene Rede (Bibliothek der Kirchenväter 12, 190) zwar erklären könnte, warum sich Tatian im allgemeinen mit kargen Andeutungen begnügte, daß sie aber angesichts der gesamten Tradition nicht ausreicht, diese Auswahl erschöpfend zu erklären. Die Ansicht Kukulas unterliegt übrigens den stärksten Bedenken. Ich neige stark zur Ansicht von Bardenhewer, a. a. O. 1, 250[1] und J. Geffcken, Zwei griechische Apologeten, Leipzig 1907, 107, die die Möglichkeit der gesprochenen Rede verneinen.

2) Vgl. auch P. Wendland im Archiv f. d. Gesch. d. Philosophie 1888, 630.

3) Daß diese Taktik bei den wenig selbständigen griechischen Apologeten zum größten Teil einfach übernommen, nicht aber bewußt geschaffen wurde, wird jetzt immer mehr anerkannt.

Vor allem gilt das für Tertullian. Wenn es überhaupt ein
Merkmal Tertullians ist, daß er alles aufs genaueste apologetisch
strafft und berechnet und nichts vorbringt, was nicht seinem apologetischen Zwecke diente (so auch H e i n z e a. a. O. 449), so ist
gerade bei der „monotheistischen Auswahl" diese Rücksicht wirksam gewesen. Er hatte genügend scharf und nüchtern die Menschen um sich herum beobachtet und zur Genüge den geringen
Erfolg der Arbeit der griechischen Apologeten konstatiert, um von
der naiven Zuversicht seiner Vorgänger frei zu sein: tanto abest,
ut nostris litteris annuant homines, ad quas nemo venit nisi iam
christianus! [1]).

Gegenüber Justin (und einzelnen Teilen bei Athenagoras, suppl.
c. 12!) der, in weitem Maße unfähig, den Abstand zwischen Heiden
und Christen genügend zu würdigen, endlose Reihen von Prophezeiungen und gewagtesten Auslegungen seinen heidnischen Lesern
vorlegt, viele Einzelheiten über Eucharistie und christliche Kult-
feier zur Sprache bringt, hat Tertullian hier den einzig richtigen Weg eingeschlagen. Indem er das streng Geheimnisvolle
möglichst ausscheidet (die Gottessohnschaft bot einmal für die
heidnische Psyche nichts Unmögliches und dann hat er das wunderbar vorbereitend dem heidnischen Verständnis nahe gebracht)
und sich an das Einfachere, den klaren Monotheismus hält, indem
er in den Beweisen die fremde Welt der Offenbarungsschriften [2])
nur sehr wenig heranzieht [3]) und sich dafür in dem, was er vom
Leben Christi darbietet mit dem Tatsächlichen begnügt, nähert er
alles stark der b l o ß e n V e r n u n f t e r k e n n t n i s an. Das alles
gewinnt noch mehr an taktischem Wert, wenn man sich der
Adressaten, für die der Apologet schrieb, erinnert: sei es, daß
man an die skeptischen hellenischen Geister, sei es, daß man an
den nüchtern-praktischen und zugleich rhethorisch begeistertern
Römer und Afrikaner denkt.

---

1) De test. an. 1 (135, 9 f.).

2) Die Autorität der christlichen Offenbarungsschriften war eben für die
Heiden noch nicht gegeben. Denn wenn die Seele auch insofern „christiana" ist,
als sie leicht und von selbst zum monotheistischen Gottesglauben kommen kann,
so bedarf es doch zur Erreichung des vollen Christentums Anstrengung und Zeit.
In diesem Sinne sagt Tertullian auch von der Seele (test. an. 1 [135, 28]): non es,
quod sciam christiana; fieri enim, non nasci solet christiana. Das volle Christentum ist enthalten in „den Schriften" ad quas nemo venit, nisi iam christianus.

3) Tertullian vermeidet alles r e i n Lehrhafte. Er wußte, wie wenig damit
anzufangen war und er hat sich test. an. 1 deutlich genug darüber ausgesprochen.
Nur eine Stelle des Ap. 22, 2 dürfte den Heiden, die die biblischen Erzählungen
über den Sündenfall im Paradies nicht kannten, unverständlich geblieben sein.

Eine andere Berechnung von weittragender Bedeutung konnte die Apologeten veranlassen, als Haupteinbruchstelle in die heidnischen Stellungen die Kritik des Polytheismus und die Darstellung des Monotheismus zu wählen. Das war die innerhalb des Heidentums selbst durch eine ganze Reihe von Einflüssen (philosophische und ethische Aufklärung) stark geförderte Entwicklung zum Monotheismus. Geffcken hat die weite Traditionskette, die in direkter Verbindung die antipolytheistischen Argumente der christlichen Apologeten bis zu der antipolytheistischen Kritik altgriechischer „Philosophen und Dichter" durch viele Jahrhunderte zurückführt, im Einzelnen bloßgelegt. Nun liegen ja die Dinge so, daß unsere Apologeten von jenen frühen Kämpfen keine selbständige Kenntnis haben. Aber jene Argumente standen ihnen in den Doxographen zur Verfügung; sie hatten in ihrem heidnischen Bildungsgang daraus geschöpft und sie benutzten die heidnische Arbeit als Christen weiter. Wenn Tertullian diese Arbeit möglichst hinter sich stoßen will, so hindert das nicht, daß er seine antipolytheistischen Argumente imgrunde genommen so wenig neu schafft wie seine Vorgänger.

Viele Heiden waren ferner in der monotheistischen Entwicklung „durch innere und äußere Erfahrungen" so weit gekommen, „daß die flammenden Worte gegen die Greuel des Götzendienstes sie packen und zum Monotheismus führen mußten". (Harnack, Mission und Ausbreitung des Christentums 1², 23); es war nur klug, an dem Punkte, der solche Vorteile bot, und der auch zugleich den stärksten Gegensatz zum Heidentum und das wesentlichste Problem umschloß, anzusetzen. Übrigens, um es nochmal zu sagen, nicht nur klug, sondern durch den Zusammenstoß gegeben. Die monotheistische Auswahl war eine einfache Notwendigkeit, die sich jedem klugen, taktisch sehenden Verteidiger des Christentums aufdrängen mußte.

Für Tertullian läßt sich das alles noch weiter von einer anderen Seite her belegen. Tertullian ist der einzige Apologet des 2. Jahrhunderts, von dem wir außer öffentlich-apologetischen Schriften genügend andere Darlegungen besitzen, bei denen eine apologetische Einschränkung fortfällt: seine verschiedenen für interne christliche Kreise berechneten dogmatischen und ethischen Traktate. Hier nun lehrt ein Blick, daß man Tertullians Christentum nicht nur nach dem beurteilen darf, was z. B. sein Apologeticum bietet. Sein innerchristlicher Besitz ist viel reicher, als es in dieser apologetischen Schrift manchmal scheinen könnte. Umgekehrt aber läßt sich gerade beim Apologeticum Tertullians mit

Händen greifen und in überraschender Weise nachweisen, wie stark solche Schriften bis ins Einzelne hinein ganz bestimmten polemischen und apologetischen Zielen dienen, wie sehr das darin vorgelegte Material mit Berechnung ausgewählt ist, und mit welcher Überlegung vieles absichtlich verschwiegen wird. Was für Tertullian gilt, läßt sich in diesem Punkte auch für die griechischen Apologeten nachweisen [1]), wenngleich ihre Taktik noch weit entfernt ist von der raffinierten Überlegenheit, mit der der geniale Afrikaner seine Dispositionen trifft. Was bei diesem ganz bewußt aus klarer Erfassung der Situation geschieht, äußert sich bei jenen in mehr naiver Weise mit der Zielstellung, die seit der philosophisch heidnischen Aufklärung und der stoischen Apologetik gegeben war, und die sie mitsamt den Argumenten einfach anlernten. Und eben hieraus erklärt sich der eigentümlich starre, unbeholfene, fremde Eindruck, den die griechischen Apologeten auf uns machen. Typisch in seiner Unbeholfenheit eines Schülers, der nach vorgeschriebenem Schema die Götter kritisieren soll und das ohne einen Funken von Originalität tut, ist Aristides im ersten Teil seiner Apologie.

An diese Jahrhunderte alte apologetische Tendenz vorchristlichen Ursprungs muß denn auch erinnert werden, wenn man einen Fall, wie den des Minucius Felix beurteilen will. Selbst wenn man, wie ich es hier getan habe, die radikal a-christliche Auffassung nachdrücklich unterstreicht und die Verwertung außerordentlich zahlreichen stoischen Gedankengutes rückhaltlos zugibt, ist damit durchaus nicht gegeben, daß die Philosophie und das Heidentum weiter in das Christentum des Minucius vorgedrungen waren als sich mit dessen religiöser Reinheit vertrug. Wenn vor etlichen vierzig Jahren Richard Kühn [2]) in seiner mit vorzüglichen Kenntnissen ausgearbeiteten Dissertation gelehrt hat, der Octavius des Minucius Felix sei eine heidnisch-philosophische Auffassung vom Christentum, oder wenn Bährens in der Vorrede zu seiner Ausgabe des Octavius [3]) den Minucius Felix geradezu zu einem Vorläufer von Strauß und Renan stempeln wollte, dann haben eben beide vollständig übersehen, daß dieser apologetische Dialog nur das letzte Glied einer die ganze Apologetik des 2. Jahr-

---

1) Vgl. übrigens für Athenagoras ein ausdrückliches Bekenntnis Suppl. 12 (ed. Geffcken 129, 28), wo er meint „kurze Andeutungen würden genügen, um sich ein Urteil über das Christentum überhaupt zu bilden". Bardenhewer a. a. O. 293.

2) Der Octavius des Minucius Felix. Eine heidnisch-philosophische Auffassung vom Christentum, Leipzig 1882.

3) Leipzig 1886.

hunderts durchziehenden Entwicklung bildet, und daß dieses letzte Glied lediglich die a-christliche Lehrauswahl in besonders scharfer Zuspitzung und besonders stark betonter philosophischer Einkleidung gibt; sie haben vor allem vergessen, daß für seine Beurteilung die Rücksicht auf die in ihm wirksame und durch die ganze Reihe der Apologeten bezeugte apologetische Tendenz wesentlich ist.

Hier gilt Justins Gedanke: Ehe in der christlichen Offenbarung die Fülle der Wahrheit, der ganze Logos Jesus Christus erschien, waren Teile des Logos in der natürlichen Vernunfterkenntnis der Menschenseele tätig. Wenn christliche Schriftsteller bei Heiden Gedanken und Argumente finden, die mit der christlichen Offenbarung übereinstimmen, so wird die christliche Lehre nicht verfälscht, wenn sie die Form, in der sie nun diese Lehre darstellen, heidnischen Schriftstellern entlehnen. Paulus wird nicht zum Heiden, weil er gegebenenfalls die Form seiner Darlegungen der geistigen Struktur stoischer Zuhörer möglichst anzugleichen sucht. Dem Christen — von Paulus bis Augustin reiht sich ein Beispiel an das andere — war es ein Siegergefühl, festzustellen, daß das Wertvolle der heidnischen Geistesarbeit mit der vollen christlichen Wahrheit harmonierte.

2. a) Die monotheistische Auswahl stellt einen Glaubenssatz in den Mittelpunkt des Interesses, der nicht striktes Mysterium, sondern auf natürlich-vernunftmäßigem Wege erreichbar ist. Aus dieser Annäherung des geoffenbarten Christentums an natürliches Vernunfterkennen ist den Apologeten vielfach ein Vorwurf gemacht worden. Man sah darin eine Schwächung des reinreligiösen Urchristentums und eine unzulässige Verquickung der Religion mit rationalistischen Elementen.

Stimmt das? Darf jene Art der Apologeten des 2. Jahrhunderts zum Beweise dafür herangezogen werden, daß damals eine gewisse Hellenisierung des Christentums stattgefunden habe, und daß die rein religiöse, ethisch-paulinische Auffassung, wie sie im ältesten Christentum lebte, zu Gunsten einer mehr oder minder rationalistischen Auffassung verdrängt wurde? Dringt bei den Apologeten des 2. Jahrhunderts das Wissen auf Kosten des Glaubens in die Religion ein? Ich glaube, diese Frage verneinen zu müssen. Ich bin vielmehr der Meinung, daß diese Ansicht der liberalen protestantischen Theologie auf einem Mißverständnis und einer Übertreibung beruht; daß dagegen die mit der monotheistischen Auswahl zusammenhängende philosophische Begründung einzelner christlicher Lehren auf Elementen aufbaut, die bereits in der apo-

stolischen Zeit in die christliche Lehre eingeführt worden waren,
und die, psychologisch in der vernünftigen Menschenseele grundgelegt, im 2. Jahrhundert eine berechtigte Ausgestaltung erfuhren.

b) Die vernünftige Menschenseele, die denkt und will, setzt
auch den Glaubensakt; sie ist trotz allem eine Einheit und das
Bedürfnis drängt sich ihr auf, Religion und Vernunft, Glauben
und Wissen in innere Beziehung zu bringen. Das Bestreben nun,
für die Glaubensinhalte gewisse mehr oder weniger entwickelte
philosophische Formeln zu finden, die jene Inhalte auch wissenschaftlich irgendwie begreifen lehren und vor der Vernunfterkenntnis
rechtfertigen sollen, ist noch keine Rationalisierung des Glaubens,
sondern der Ausdruck jenes unabweisbaren inneren Einheitsbedürf-
nisses des Menschengeistes einerseits, eine Auswertung der „Ver-
nünftigkeit" des Glaubens andrerseits.

Der Versuch, diesen inneren Ausgleich, diese philosophische
Unterbauung herzustellen ist eine Notwendigkeit für jede Religion,
die nicht nur von enthusiastischen Strömungen leben und sich
damit auf die Dauer von selbst zu einem Sekten- und Konventikel-
dasein verurteilen will. Dieser Versuch mußte sich auch im
Christentum aufdrängen, als philosophisch Gebildete sich bestrebten
das Erbe Jesu in ihr Denken einzuordnen, mit den Kategorien,
mit denen sie zu operieren gewohnt waren, in Einklang zu bringen.
Wohl ist dann später im Laufe der Jahrhunderte dieser Versuch
oft zu weit getrieben und die Religion zu sehr mit Verstandes-
arbeit belastet worden. Aber die Apologeten stellen einen solchen
Zustand auch nicht im Anfangsstadium dar. Die historische Entwicklung innerhalb des Protestantismus aber, wie in gewissen
Schichten des Katholizismus, hat gezeigt, daß, wer die von Paulus
auf dem Areopag und dann von den Apologeten eingeleitete sogenannte „Rationalisierung" des Christentums radikal ablehnt,
dem Rationalismus auf der andern Seite Tür und Tor öffnet und
schließlich auch die historischen Grundlagen des Christentums völlig
zerstört.

Die erste Erkenntnis also, die wir von hier aus betreffs jener
Entwicklung gewinnen, ist diese: Jene Entwicklung mußte kommen
und sie war wertvoll.

c) Es zeigt sich aber auch weiter, daß diese Entwicklung
kommen durfte, ohne eine religiöse Verarmung und ein Hinein-
gleiten in rationalistische Auffassung herbeizuführen.

aa) Ich erinnere zunächst daran, daß eben Paulus, der als
Prototyp der rein religiösen Auffassung hingestellt wird, selbst
die Elemente der sogenanten Rationalisierung in das Christentum

eingeführt hat. Ich denke hier an die Areopagrede, deren ursprüngliche Zugehörigkeit zur Apostelgeschichte neuestens wieder Harnack mit beachtenswerten Argumenten gegen Norden vertreten hat [1]), und an seine sonstigen Auslassungen über die natürliche Gotteserkenntnis [2]).. Die philosophische Unterbauung der Religion bei den Apologeten kann also zunächst nicht einfach als Abweichen vom Geiste Pauli gebucht werden.

bb) Doch das ist immerhin eine Nebensache. Entscheidend ist der religiöse Reichtum des monotheistisch betonten Christentums der Apologeten. Besonders wichtig, wenn nicht ausschlaggebend ist das außerordentlich religiös-innige Verhältnis zu Gott, das uns in diesen angeblich rationalistisch gefärbten Apologien entgegentritt und das, wie uns besonders Tertullian zeigen wird, das gesamte Leben der Christen in all seinen Beziehungen mit einer prachtvollen Innigkeit durchwaltet. Wenn jene „rationalistische Auffassung" so weit in die wesentliche Auffassung vom Christentum vorgedrungen wäre, daß es die ethisch-religiöse Auffassung wirklich geschwächt oder gar verdrängt hätte, dann müßte sich jenes Verhältnis zu Gott als ein viel nüchterneres, „philosophischeres" darstellen. Nun aber lag, wie auch Harnack einmal betont, jenen christlichen Generationen nichts ferner als das, was man heute Deismus nennt.

Gleich der älteste unserer Apologeten, Aristides, ist ein eindrucksvolles Beispiel. Er, der das ganze Problem „Christentum-Heidentum" auf der vorhin gekennzeichneten schmalen Grundlage eines philosophisch orientierten monotheistischen Gottesbegriffs löst, läßt uns am Schluß seines Werkchens auch etwas in seine Seele schauen, da nämlich, wo er von dem hochgespannten sittlichen Leben der Christen redet; die Sachlage ist sofort klar: wo man mit „wissenschaftlichen" Mitteln den eigenen Besitz rechtfertigen muß, wird, wenn wir einmal den Ausdruck gelten lassen wollen, mit „rationalistischen" Mitteln gearbeitet, im eigenen religiösen Innenleben werden sie wenig benötigt und treten dann auch kaum mehr in die Erscheinung; hier herrscht die direkte, religiöse Umfassung in voller Ursprünglichkeit. Und zwar wird diese ethisch-religiöse Sphäre nicht als ein für sich Bestehendes empfunden, das mit dem Lehrinhalt des vorher behandelten

---

1) Texte und Untersuchungen III 9, I = XXXIX 1, Leipzig 1920.
2) Paulus: Apg. 14, 15 ff.; 17, 22—32; 1 Thess. 1, 9; Gal. 4, 8; 1 Cor. 8, 4 f., 12, 2; vgl. Joh. 17, 3; vgl. K. Pieper, Die Missionspredigt des hl. Paulus, Paderborn 1921, 31 ff.

Glaubens nichts zu tun hätte; vielmehr ist es gerade die richtige Gotteserkenntnis, die als Quellgrund der sittlichen Überlegenheit erscheint [1]).

Justin hat durch die starke Hereinbeziehung des Christologischen das spezifisch Christliche viel stärker betont als die übrigen Apologeten. Auf der andern Seite aber hat doch keiner mehr für eine Annäherung des Christentums ans Philosophische getan als er durch seine Theorie vom Keim-Logos. Aber gerade in diesem Element, in der Gestalt des Logos-Jesus, hält er wie in einem Symbol beides in vollkommenster Harmonie vereinigt: Glauben und Vernunft. Gerade Justin wird zu einem Kronzeugen dafür, wie wenig die vernunftmäßige Durchdringung der christlichen Lehren eine religiöse Verarmung des christlichen Glaubens bedeutet!

Übrigens spielt neben Christus-Logos, der mehr als Überbringer der Lehren figuriert, der einfache Gottesgedanke eine viel intensivere und religiös bedeutungsvollere Rolle im Bewußtsein Justins als man gemeinhin annimmt. Auch bei Justin erscheint Gott als „spiritus rector" des gesamten religiösen Lebens. In einem so prägnanten Abschnitt wie Apologie I 8 erscheint als Ziel und Motiv des ganzen sittlichen Lebens — trotzdem eigens erwähnt wird, dieses Verhalten seien die Christen von Christus gelehrt worden — Gott, nicht aber Christus. Sehr bemerkenswert ist auch, daß diese Betonung in den 12 ersten Kapiteln der 1. Apologie [2]) durchaus vorherrscht. Die Bezugnahme auf Gott, auf die Gottheit einfachhin, ist primär; die Bezugnahme auf Christus tritt nur einigemale und da meistens sekundär auf [3]).

---

1) Aristides 15, 2. 3. 4. Auch schon 14, 3 bei Behandlung des jüdischen Monotheismus kommt diese Auffassung zum Ausdruck. — Für Justin vgl. die häufige Behandlung der charakteristischen Zusammenstellung ἀσέβεια καὶ ἀδικία: 1 Ap. 4, 7; 28, 4; 43, 6.

2) Bis dahin reicht, wie G. Rauschen (Bibliothek der Kirchenväter 12, 6) richtig sah, der erste Entwurf Justins.

3) Vgl. oben S. 311 Anm. 3 f. und I Ap. 3 Schluß; 4; 8: Ziel des Menschen ist das Streben nach dem Zusammensein mit Gott; 10 Anfang; 12 Anfang: Gott als allsehender Richter; das ganze sittliche Leben auf Gott bezogen. Die Lehre darüber brachte der Logos. II Ap. 3 per totum; 4 Anfang; 12 zweimal sehr bedeutungsvoll. Für Athenagoras vgl. Suppl. 12, wo das christliche Sittenleben, ja das ganze Erdenleben des öftern nachdrücklich als von Gott, nicht aber von Christus, dessen Aussprüche (ohne das „ich sage euch" zu erklären) den Ausgangspunkt bilden, hergeleitet erscheint. Es wird auch nicht mitgeteilt, daß der erhabene Richter im Jenseits etwa Christus wäre, sondern es ist nur die Rede von „Gott". Auch die ebendort eingestreute Erwähnung der Dreipersönlichkeit in Gott nimmt

Und nun speziell Tertullian! Gewiß, Abhandlungen wie Adv.
Judaeos, wo der Nachweis, daß Christus der Messias ist, zur Diskussion steht, oder wie die dogmatischen Schriften mit ihrem
christologischen Inhalt rücken selbstredend Jesum Christum in den
Vordergrund; das Apologeticum selbst läßt keinen Zweifel darüber,
daß der christliche Glaube in seiner Totalität ohne wesentliche
Verschiebung der Kräfteverhältnisse in Tertullians Glaubensregel
figuriert.

Wenn man aber fragt, was zutiefst im Mittelpunkt seines
religiösen Interesses steht, so ist es nach Ausweis derjenigen
Werke, die das praktisch religiöse Leben und das religiöse Erleben am nächsten berühren, nicht Christus, sondern Gott. Um
sich davon zu überzeugen, um aber auch zugleich inne zu werden,
mit welcher alles überragenden religiösen Wucht eben der
Gottesgedanke Tertullians religiöses Denken beherrscht, und
um zugleich lebendig zu erfassen, wie weit wir hier von irgendwelcher theoretisierenden Verarmung urchristlich religiösen Lebens
entfernt sind, braucht man nur einmal daraufhin seine ethischen
Traktate durchzugehen. Die Belege sind Legion. Gewiß, auch
hier steht, sobald Tertullian den ganzen Glaubensinhalt andeuten
will, Jesus neben Gott[1]) und auch im religiösen Bewußtsein bildet
das Verhältnis zum Mensch gewordenen Sohn Gottes nicht einen
so untergeordneten Punkt, daß man ihn vernachlässigen dürfte[2]).

diesen Gesamteindruck nicht fort, da sie auf den Kontext ohne Einfluß bleibt.
Ad Diognetum Kap. 10 Mitte: gutes Leben ist, Nachahmer Gottes zu sein.
Minucius Felix Octavius 17, 2: der sagt: nisi divinitatis rationem diligenter
excusseris, nescias humanitatis. Caecilius war den umgekehrten Weg gegangen
12, 7: quibus non est datum intelligere civilia, multo magis denegatum est dis-
serere divina.

1) De bapt. 13 (212, 26 f.): ubi fides aucta est credendi in nativitatem, passionem resurrectionemque eius (sc. domini). — De cor. 11 (Oehler 1, 445): unum
evangelium et idem Jesus; etc. — De praescr. haer. 13, 1—5: unum omnino deum
. . . conditorem; . . . verbum . . . delatum ex spiritu patris dei et virtute; ebd. 10, 2:
quaerendum est, quod Christus instituit.

2) Eine Anzahl Belege: De fuga 10 (Oehler 1, 479): militem Christo impe-
ratori; ebd. depretiatisti Christum, qui in te est.

De spect. 25 (CSEL 25, 19): εἰς αἰῶνας . . . alii . . . dicere nisi deo et Christo;
27 (26, 15 f.): der Christ, der als Zuschauer ins Theater geht, flieht nicht sedilia
hostium Christi; 29 (28, 11 f.): Vis autem et sanguinis aliquid? habes Christi;
30 (28, 23 f.): praesides persecutores dominici nominis; ebd. (29, 6) ad inopinati
Christi tribunal.

De cor. 13 ff. und sonst öfters. Ad martyr. 2 (Oehler 1, 8): die Liebe des
Herrn zur Einsamkeit; 3 (ebd. 10) Bonum agonem subituri estis, in quo ago-
nothetes deus vivus est, xystarches spiritus sanctus . . . Itaque epistates vester
Christus Jesus.

Aber nur eine einzige Stelle fand ich (De corona 15 [Oehler 456]), die ein gewisses intensives Christuspathos zeigt: „Was willst du mit einer bald welkenden Blume? Habes florem ex virga Jesse, super quem tota divini spiritus gratia requievit, florem incorruptum, immarcescibilem, sempiternum" [1]).

Aber daneben, welch unbedingte Herrschaft des Gottesgedankens! Alle Äußerungen des Lebens werden auf Gott bezogen, ihr Wert an seinen Vorschriften und Verboten gemessen. Leben und Denken der Christen stehen im religiösen, moralischen, öffentlich-politischen, täglich-praktischen, im privaten und gesellschaftlichen, im intellektuellen Leben, kurzum in jeder Richtung unter dem leitenden Einfluß Gottes: nicht eines philosophischen Gottes, sondern eines dem Menschen durchaus nahestehenden, väterlich liebenden oder hart strafenden Gottes. Dieser Gott unterrichtet und gibt Kraft; das Christentum ist die „religio ... dei vivi" (bapt. 5 [205, 10]) und die Philosophenschule Gottes (Scap. 6). Die Christen sind „cultores dei" (Ap. 48, 13) und ihr Ziel ist „totam dei gratiam" zu erringen (Ap. 50, 15), die Heiden sind „hostes dei" (48, 15c). Die Märtyrer sind vor Gott frei (mart. 2), Gott ladet sie zur Belohnung ein (ib. Oehler 7), des Christen Beruf ist, Soldat Gottes [2]) und „servus dei" zu sein (spect. 1. 8. u. ö.). Das Martyrium ist „causa dei" (mart. 6 [Oehler 14]; Ap. 21, 3; 30, 5), es führt „ad deum" (mart. 2 [Oehler 7]); der Christ gibt Almosen „dei causa ut et deus ... glorificetur" (idol. 22 [55, 28 f.]). Der Weisheits- und Wahrheitsbesitz bemißt sich danach, ob einer etwas über Gott weiß oder nicht [3]). Der Christ soll an Gott denken, aber im Theater: „recogitabit ... de deo, positus illic ubi nihil est de deo"? (spect. 25 [25, 1 f.]). Sogar die Apostel „omnia ... secundum deum ... docuerunt" (fuga 9 [Oehler 476])[4]). „Alles, was nicht von Gott

---

1) Nur drängt sich hier sofort die Frage auf, ob dieses Pathos nicht zum größten Teil auf Tertullians Sucht und Fähigkeit ruht, Sentenzen und Wortspiele zu konstruieren.

2) Ad mart. 3 (Oehler 9): Vocati sumus ad militiam dei vivi; ib. 10.
De corona 1 (Oehler 415): magis dei miles; ebd. 416: militem gloriosum in deo.
De fuga: mit Ausnahme von 10 (Oehler 479) beinahe immer militia dei, servus dei. Daher auch des Christen Kampf: aemulatio divinae rei et humanae.

3) 2 Nat. 2 (95, 12—14): Quis autem sapiens expers veritatis, qui ipsius sapientiae et veritatis patrem et dominum deum ignoret! Es ist übrigens darauf zu achten, daß auch „dominus" im Sinne von Gott steht. Vgl. fuga 1 f.; Ap. 33, 1: dominus noster, deus noster im Sinne des Ap. 34 abgelehnten Gotttitels dominus für den Kaiser.

4) Vgl. weiter De spect. 25 (25, 15): de ecclesia dei in diaboli ecclesiam

kommt, ist ja in sich verkehrt" [1]) und ein Mensch ist darum schlecht, weil er sich von Gott, dem Guten abwendet [2]).

Von hier aus erhält auch das nähere Verhältnis zur materiellen Welt für den Christen seine charakteristische Form: Von dem Annehmen des Gottesglaubens an empfängt das für Gläubige und Ungläubige objektiv gleich geartete (Ap. 41, 3) Weltgeschehen entgegengesetzten Wert: das Leiden in der Welt — und das ist ja ungeheuer wichtig! — wird für die Christen in Gott zur bloßen, heilsamen Ermahnung, für den Ungläubigen ist es harte Strafe. Zu den „omnes saeculi plagae" gehört aber für die Christen vor allem Verfolgung und Tod, und so sehen wir hier die Genesis der für die frühchristliche Apologetik grundlegenden Auffassung vom Martyrium, das wohl schwer zu tragen ist, aber doch nicht Schaden, sondern großen Gewinn bringt [3]). Die Heiden leiden eventuell den Tod „pro patria, pro agro, pro imperio, pro amicitia", die Christen „pro deo" (Ap. 50, 10).

Weil die Welt von Gott geschaffen ist, wird sie nicht ganz vom Apologeten verworfen [4]). Auch das Benehmen der Christen gegenüber der heidnischen Gesellschaft wird (Ap. 36, 3 und in Ad Scap.; aber in letzterm Werk Kap. 2 [Oehler 542 Z, 10 f.] deutlicher) als Ausfluß des alles beherrschenden Gottesglaubens gezeichnet: das Benehmen der Christen, das sich „silentio et modestia" und durch sittlich bessernden Einfluß kennzeichnet, ist eine „disciplina patientiae divinae", die ihre Verteidigung „a deo" erwartet.

Wie überraschend schön wird dann die reichhaltige Apologie des Verhaltens der Christen zum Kaiser auf diesem Gedanken aufgebaut: Wir wissen, daß die Macht und Autorität des Kaisers von Gott kommt, „ideoque salvum volumus esse quod deus voluit" (Ap. 32, 2 f.; 33, 1; Scap. 2 [Oehler 541 f.]).

---

intrare; 27 (26, 7): im Zirkus „nomen dei blasphematur"; ebd. Z. 15 f.: Der Zuschauer im Amphitheater „aures diabolo adversus deum ministraverit" usw. usw.

1) De cultu feminar. II 1.

2) Test. an. 2 (136, 16 f.): exprobrans ideo malum hominem, quia a deo abcesserit. Ap. 46, wo Tertullian als einzigen Prüfstein der heidnischen Weisheit die Frage nach der Gotteserkenntnis heraushebt.

3) Dem ist nicht entgegengesetzt, sondern gleichlaufend, wenn Tertullian in Satz 5 ausdrücklich als Hauptursache, warum es für den Christen kein wahres Unglück auf der Welt gebe, angibt: quia nihil nostra refert in hoc aevo, nisi de eo quam celeriter excedere", weil ja diese Sehnsucht nach dem Jenseits wesentlich auf dem Gottesglauben beruht. Vgl. dazu Ap. 39, 3.

4) Ap. 42, 2.

Die Einstellung Tertullians ist damit, denke ich, klar: überall stoßen wir bei ihm auf den Namen „deus", er schwindet nie aus dem Bewußtsein; das Gebet geht zu ihm, direkt; die Welt mit all ihrem Inhalt kommt von ihm; an ihn wird erinnert bei allen Fragen, in allen Lebenslagen; an seinem Willen wird alles gemessen. Das gesamte Leben und Denken der Christen ist ein einziger großer Hymnus für Gott, dessen Herrlichkeit und Zorn alles überschattet, was im Leben irgendwie eintritt[1]).

cc) Einer derartigen religiös-ethischen Auswirkung des philosophisch begründeten Monotheismus gegenüber können die verschiedenen Hinwendungen der einzelnen Apologeten zur Philosophie in keiner Weise mehr einen Verlust an religiösem Wert besagen. Stecken übrigens in dem Philosophischen dieser Schriftsteller nicht vor allem religiöse Werte? Was interessiert diese Philosophen? Rein wissenschaftliche Erkenntnisfragen oder der Weg zum Zentrum allen religiösen Lebens, zu Gott? Was verlangte doch Justin, als er noch Heide war, von seinem platonischen Lehrer? Aufschluß über Gott, ja, daß er ihn Gott schauen lehre! (Dialog c. Tryph. 1)[2]). Liegt übrigens dieser Popularphilosophie, um die allein es sich handelt, das eigentlich Hellenische, der Geist der Spekulation nicht sehr fern, und dafür die Ethik und das Religiöse um so näher? Was wertvoll in bezug auf die Theodizee bei den Apologeten ist, ist nicht so sehr die vielfach mangelhafte Art und Weise, wie sie die Grundwahrheiten des Glaubens philosophisch stützen, sondern die fundamentale Überzeugung, daß jene Wahrheiten des Glaubens mit dem Licht der Vernunft übereinstimmen und von dort aus gestützt werden können, die Grundüberzeugung, daß Glauben und Wissen durchaus harmonisch und komplementär zueinander stehen. Das ist weder heidnisch noch stoisch, noch hellenisierende Rationalisierung des Glaubensinhaltes, sondern einfach menschlich, dem common sense entsprechend.

An keiner entscheidenden Stelle, so wenig bei Justin wie bei Tertullian und Tatian wird die Grenze, die scharfe Trennung zwischen Philosophie — sei es Platonismus oder Stoizismus — und Christentum aufgegeben; im Gegenteil, sie wird, wie ich an anderer Stelle auszuführen gedenke, überall als wesentlich empfunden:

---

1) Nach P. Henen, Index verborum quae Tertulliani Apologetico continentur, Louvain-Paris 1910, 36 kommen im Ap. vor: Jesus keinmal; Christus 27 mal (davon 24 mal in Kap. 21, das von der Christologie handelt und 23); deus 185 mal.

2) Vgl. dazu die Aufforderung des Adressaten bei Theophilus I 14 (Otto 8, 44): Δεῖξόν μοι τὸν θεόν σου.

Im Christentum Offenbarung, im Heidentum der Schatten davon: Philosophie. Nirgendwo wird, um wenigstens die wichtigsten Einzelheiten anzudeuten, eine absolute Transzendenz des Gott-Vaters gelehrt, wie sie für den Gott Platos angenommen wurde, sondern es wird seine Teilnahme an der Schöpfung betont; Jesus wird als Sohn Gottes g e g l a u b t, nicht wie der Logos der Stoa e r k a n n t; die Schöpfung erfolgt ex nihilo, nicht mit Plato aus der unerschaffenen Materie oder gemäß der pantheistischen Auffassung der Stoa [1]).

dd) Das einzige religiöse Moment, das den apologetischen Schriften des 2. Jahrhunderts gegenüber den Schriften der beiden ersten Zeitalter mangelt, und dessen Fehlen als ein wirklicher Verlust zu gelten hat, ist die geringe Betonung des Erlösungswerkes Jesu und seiner Auswirkungen. Dieses Werk wird einzig, wie bereits gesagt bei Ad Diognetum Kap. 8 f. (vgl. Justin 2 Ap. 13) stärker unterstrichen. Dafür vollzieht sich Jesu Erlösungswerk täglich in der Besiegung der Dämonen durch die Exorzismen, und hierin sind die Apologeten direkte Erben der Synoptiker [2]).

Wir stellen also für alle Apologeten fest: der Glaube an Christus-Gott bleibt ungebrochen und ungeschmälert; das Christentum wird nirgendwo als Intellektualismus oder Rationalismus aufgefaßt, sondern als eine Religion und eine Offenbarung; die spezifisch-religiöse Einstellung wird jedoch charakterisiert a) durch das Überwiegen der Frage nach Gott und durch das Bestreben, diesen Zentralpunkt philosophisch zu stützen, b) durch Zurücktreten der Frage nach Christus und zwar sowohl in der apologetischen Darstellung, wie im religiösen Bewußtsein.

Im Christentum der Apologeten ist ohne Zweifel eine Wendung zur γνῶσις eingetreten; man muß aber sofort ergänzen zur γνῶσις θεοῦ. Nun wissen wir seit den Untersuchungen R e i t z e n s t e i n s und N o r d e n s, daß γνῶσις θεοῦ überhaupt kein hellenisch-intellektualistischer Begriff, sondern ein orientalisch-religiöser ist, und die ganze Färbung der Popularphilosophie, innerhalb deren wir dem Begriff bei den Apologeten begegnen, erhebt diesen Nachweis über jeden Zweifel.

Für das Aufkommen der These von der Hellenisierung des Christentums durch die Apologeten und für die Verwerfung ihrer Auffassung vom Christentum als einer Philosophie trägt z. T. die Schuld die ungenügende Definierung der Religion. Wenn man die Religion

---

1) Vgl. A. P u e c h, Les apologistes grecs, Paris 1912, 292 ff.; 299.
2) Ebd. 305 ff.

nur finden will in den das Innere durchbebenden Gottesschauern
(G e f f c k e n , Das Christentum in Kampf und Ausgleich ... [Leipzig
1920] 66), dann muß ihr schlechterdings jedes innere Verhältnis
zur Philosophie fehlen. Aber diese Definition ist gewachsen auf
dem Boden des übertriebenen modernen Subjektivismus und religiösen Antiintellektualismus und sie entspricht nicht der ganzen
Auffassung des christlichen Altertums, so wie sie sich in der Mehrzahl seiner Vertreter offenbarte. Diese Definition verzichtet zum
größten Teil auf die machtvolle Objektivität der christlichen Religion, sowie sie sich in den Heilstatsachen der Person und des
Werkes Jesu, sowie in der Übermittlung durchaus feststehender
Gesetze und Glaubensinhalte durch ihn offenbart und wie sie Ausdruck fand in den Evangelien und in der „regula fidei", und wie
sie der Fähigkeit des menschlichen Geistes über das Empirische
ins Metaphysische vorzudringen entspricht. Die Religion Jesu und
seiner Jünger war eben mit nichten nur subjektives Erleben und
noch weniger ein solches hauptsächlich gefühlsmäßiger Art.

Die beweisenden, rationalen Elemente, die die Apologeten in
das Christentum eingeführt haben, bestehen darin zu recht, sie
sind ihm höchstens in der Form fremd ; sie konnten ohne Zwang
in das Gebilde der Religion Jesu eingefügt werden, sobald der
Kopf kam, der das Bedürfnis und die Fähigkeit hatte, auf die
Einheit der Wahrheit hinzuweisen, ob sie nun mit dem Verstand
natürlich erkannt oder durch den Glauben übernatürlich entgegengenommen und umfaßt werde. Seit Paulus auf dem Areopag die
natürliche Erkenntnis Gottes bekannt, sich auf heidnische Ge-
währsmänner berufen und seine Ansicht in stoischer Weise formuliert hat, hat die Apologetik die Philosophie — in verschiedenem
Maße — als Wegebereiterin und Stütze anerkannt. Aber wie
Paulus selbst an der gleichen Stelle über den philosophischen
Monotheismus hinausgeht, eine n e u e Zeit verkündigt und als
Glaubensinhalt auch den Glauben an das Gericht durch den auferstandenen Jesus fordert, so war das Christentum der Apologeten
eine Offenbarung, die weit über die Philosophie hinausgeht, extensiv
und intensiv.

J u s t i n ist es, der im zweiten Jahrhundert hier einen bedeutenden Schritt vorwärts macht, mit der Lehre von der Einheit
des λογός σπερματικός in den Seelen vor der Ankunft Christi
mit dem wesentlichen Logos, der in Jesus erschien. Tertullian
fügt dem Aufbau mit seiner ratio- und natura-Terminologie
weitere wichtige Bausteine ein. Die letzte, klare Trennung der
beiden Ordnungen, der natürlichen und der übernatürlichen Er-

kenntnis religiöser Wahrheiten, bringt allerdings erst die Hochscholastik.

Das Formgebende der Apologien des 2. Jahrhunderts bleibt fraglos das Christentum, nicht die philosophische Verbrämung. Es ist darum mehr als eine geistreiche Umkehrung, sondern trifft die Sachlage genau, wenn Ehrhard (Das Christentum im römischen Reiche bis Konstantin, Rektoratsrede, Straßburg 1911, 23) dem Wort von der Hellenisierung des Christentums die Formel „Christianisierung des Hellenismus" entgegenstellt.

Die Frage darf hier wie so oft, nicht auf ein Entweder-oder gestellt werden; sie darf nicht lauten: „Vernunfterkennen oder Glaubensüberzeugung", nicht „idealistisch-rationalistische" oder „ethisch-religiöse" Auffassung. Man muß vielmehr ausgehen von einer Grundlage, die beides tragen kann. Für die christliche Religion, wie für jede, die diesen Namen verdient, ist die Glaubensüberzeugung primär; aber die Vernunfterkenntnis wird nachträgliche Stütze für jene: jene das Ganze des Christentums umfassend, diese Ausschnitte daraus betrachtend und stützend.

Die Lösung lautet: Harmonie zwischen Glauben und Wissen, und es ist die Lösung der Apologeten des zweiten Jahrhunderts.

XXIII.

Der „Canon" des Vincentius von Lerin.

Von Dr. Joseph Lortz, Freiburg i. d. Schw.

Die seltene Berühmtheit, die das Commonitorium des Vincentius von Lerin — libellus plane aureus (Bellarmin) — besonders seit dem 16. Jahrhundert umkleidete, wird uns schon allein durch die außerordentlich hohe Anzahl seiner Ausgaben und Auflagen[1]) bezeugt. Innerlich begründet ist diese Bedeutung durch den glücklich zusammenfassenden und wertvoll ergänzenden Ausdruck von bedeutenden, bis dahin nur zerstreut gegebenen Gedanken über Überlieferung und Entwickelung des Glaubensschatzes.

Diese Bewunderung für das Commonitorium hat im 19. Jahrhundert manche Einbuße erlitten. Man hat hinter manchen schönen Formeln und manchen rhetorischen Perioden allzuoft den festen Untergrund vermißt. Man ist dadurch — mit Recht, wie diese Arbeit zeigen soll — zu einer etwas nüchterneren Einschätzung des Commonitoriums gelangt, als vergangene Jahrhunderte.

Vincentius stellt sich zwei Fragen zur Beantwortung; sie sollen auch die Einteilung zu dieser Arbeit geben:

1. Gibt es ein Kriterium für die wahre katholische Lehre?
2. Ist diese Lehre einer Entwickelung fähig?

I.

Vincentius bezeichnet c. II, 1[2]) das Kriterium, das er sucht, folgendermaßen: „. . . . quonam modo possim certa quadam et quasi generali ac regulari via catholicae fidei veritatem ab haereticae pravitatis falsitate discernere. . . ."

Vincentius spricht hier von einer via generalis ac regularis; er sucht ein Kriterium, das in allen Fällen sich verwenden ließe. Auch die Art und Weise, wie Vincentius später seine einzelnen Behauptungen aufstellt, lassen nur darauf schließen, daß er eine allgemein gültige Regel sucht. Ich kann darin Ehrhard nicht zustimmen, der behauptet,[3]) Vincentius habe nicht im geringsten daran gedacht, eine für alle kommenden Zeiten gültige Regel aufzustellen. Denn, wenn auch

---

1) Kurze Zusammenstellung nach Poirel bei P. de Labriolle, Saint Vincent de Lérins p. LXIX u. LXX, rote. (Paris 1906).

2) Ich zitiere nach der Ausgabe Rauschen. (5. Heft des Florilegium Patristicum, Bonn 1906.)

3) Historisches Jahrbuch, Bd. XVIII (1897) p. 866—67.

Ehrhard meint, die Regel des Vincentius sei, wie das ganze Commonitorium, wesentlich ein einseitiges Produkt seiner Kontroversstellung im
Streite mit Augustinus; und wenn deshalb die Frage erst endgültig
dadurch entschieden werden könnte, daß man zu einem definitiven Urteile darüber kommt, ob Lerinus sein Werk wirklich als Kampfschrift
verfaßt hat, so erlaubt und zwingt uns doch der Text des Büchleins,
der vor allem maßgebend ist, anzunehmen, daß Vincentius eine allgemein gültige Regel aufstellen wollte. Denn zunächst nennt er sie
selber generalis. Ferner bringt er die Einschränkungen, die er zugesteht, ausdrücklich vor. — Im übrigen schreibt er immer so, daß man
annehmen muß, er handle von einer Regel, die nach seiner Meinung
für die ganze Kirche, für alle kommenden Zeiten gelte und den ganzen
Glaubensschatz angehe.[1]

    Vincentius antwortet c. II, 1 kurz und klar, der Glaube werde
in doppelter Weise gestärkt „. . . primum scilicet divinae legis auctoritate, tum deinde ecclesiae catholicae traditione." Also: befraget die
Schrift und die Tradition! Die Schrift könnte zwar an und für sich
genügen. Da aber der in ihr enthaltene tiefe und schwer zufassende
Sinn, wie uns die Geschichte lehrt, leicht entstellt werden kann, so
muß die Interpretation der Schrift sich orientieren „secundum eccle-
siastici et catholici sensus normam"![2] Und darum ergibt sich die
praktische Regel, der sogenannte Canon:

    „In der katholischen Kirche selbst muß vor allem darauf geachtet
werden, daß wir das festhalten, was überall, was immer, was von
allen geglaubt worden ist; denn solches ist wirklich und echt katholisch . . ."[3]
Das sind Ausführungen und Worte, die durch ihre Form und ihren
Inhalt das Wort Bellarmins vom libellus plane aureus voll und ganz

---

    1) C. XXVIII, 3 sagt Vincentius zwar „Sed *neque semper*, neque omnes
haereses hoc modo impugnandae . . .;" aber dieses „semper" wird im Folgenden
sofort nach rückwärts auf die hohe antiquitas präzisiert.

    2) c. II, 2.

    3) „In ipsa item catholica ecclesia magnopere curandum est, ut id tene-
amus, quod ubique, quod semper, quod ab omnibus creditum est; hoc est etenim vere proprieque catholicum . . ." Es sei hier anschließend gleich auf die bestimmte Reihenfolge hingewiesen, in der Vincentius seine 3 Elemente stets aufführt:
1. ubique. 2. semper. 3. ab omnibus. — Er tut das nicht ohne innern Grund.
Zuerst (vide c. III, 1—4) geht der Glaube der Allgemeinheit vor der Meinung des
Einzelnen (ubique). — Ist aber der Irrtum resp. die Unsicherheit so weit verbreitet,
daß sich in der Gegenwart eine universalitas (ubique) nicht mehr findet, „tunc . .
providebit, ut antiquitati inhaereat (semper). — Findet sich selbst in dieser antiquitas ein Irrtum, so hat man sich nach dem consensus plurium zu richten (ab
omnibus).

rechtfertigen. Sie bilden einen wundervollen Ansatz, der leider nicht
genügend klar und konsequent durchgeführt und besonders nicht begründet wird, sondern, durch die Flut rhetorischer Ausführungen überschwemmt,[1]) viel an Klarheit einbüßt.

Beinahe stets, wenn Vincentius auf seinen Canon zu reden kommt,
behält er die drei eben erwähnten Elemente (ubique-universalitas;
semper-antiquitas; ab omnibus-consensus) bei. Es ist aber bemerkenswert, daß er in der recapitulatio diese Elemente auf zwei zurückführt.
Er läßt dort das „ab omnibus-consensus" als eigenes Element bei
Seite, in der richtigen Erkenntnis, daß das semper-antiquitas nur
dann Wert hat, wenn der consensus mit eingeschlossen ist. Denn der
consensus ist eben die Form, die sowohl der universalitas (wo sie
schon im Namen ausgedrückt liegt) als auch der antiquitas ihren beweisenden Charakter gibt. Er drückt sich daher auch C. XXIX, 4 folgendermaßen aus: „Item diximus, in ipsa rursus ecclesia universitatis pariter (sc. consensionem) et antiquitatis consensionem spectari
oportere."

Den weitaus größten Nachdruck legt Vincentius auf die antiquitas. Immer wieder kommt er darauf zurück und sein ganzes Büchlein hallt wieder von den unaufhörlich wiederkehrenden Invektiven gegen
die novitas haeretica, die profana novitas usw. — Die antiquitas einer
Lehre ist das sicherste Zeichen ihrer Wahrheit. Denn zunächst, meint
Vincentius,[2]) könne eben eine alte, überlieferte Lehre nicht mehr von
einer lügnerischen Neuerung verführt werden. — Das wäre nun allerdings kein besonders überzeugender Grund, weil bereits in den vergangenen Jahrhunderten häretische Lehren in der Kirche auftraten.
Darum zeigt Vincentius sofort auf die unfehlbaren Hüter der Glaubenswahrheit: Sollten sich in den alten Zeiten Irrtümer vorfinden, sei es
gar bei ganzen Provinzen, so wird man unbedingt dem Irrtum dieser
Leute die Dekrete der allgemeinen Konzilien vorziehen (universalis concilii decreta).[3]) Wenn nun aber solche Dekrete nicht vorliegen?
„Tunc operam dabit, ut conlatas inter se *maiorum* consulat inter-
rogetque sententias, eorum dumtaxat, qui diversis licet temporibus
et locis, in unius tamen ecclesiae catholicae communione et fide per-
manentes, magistri probabiles exstiterunt."[4])

---

1) Deren Bazillus ja übrigens auch schon diese erste Formulierung des Canons
in der Dreizahl der Elemente in sich trägt.

2) III, 2: antiquitas „prorsus iam non potest ab ulla novitatis fraude
seduci".

3) III, 3 und recapitulatio c. XXIX, 5. — 4) III, 4.

Vincentius rührt hier an das einzige wirklich brauchbare Element
in seiner Regel. Denn er sucht doch einen Maßstab, der es erlaubt,
zu bestimmen, wo die kirchliche Lehre sich befindet. Daß man sich ihr,
wenn man sie kennt, anschließt, muß er doch von seinen Lesern voraus=
setzen und das tut er auch. Alle Teile seines Canons sowohl als
seiner ganzen Schrift, wo er nicht auf eine Handhabe hinweist, in
Zweifelsfällen die katholische Doktrin zu bestimmen, gehen am Thema
vorbei und sinken zu bloßen Ermahnungsreden herab. Solche Be=
trachtungen haben selbstverständlich ihren Wert, ihren großen Wert;
aber sie können nicht die Antwort bilden auf die Frage, die sich der
Verfasser gestellt. — An dieser Stelle jedoch, wo Vincentius auf die
Tradition, resp. deren Träger, die Väter, zu sprechen kommt, gibt er
wichtige und wertvolle Fingerzeige.

Er präzisiert zunächst in anerkennenswerter Weise den Väterbe=
griff und bestimmt genau seinen Wert als beweisender Faktor[1]):
1. Es muß feststehen, daß die Schriftsteller, deren Ansichten man zu
Rate zieht, sich nicht von der Kirche getrennt haben, resp. ausgeschlossen
wurden „in unius . . . ecclesiae catholicae communione et fide permanente." 2. Sie müssen von anerkannter Autorität sein (magistri
probabiles). 3. Man muß die Doktrin von verschiedenen Lehrern, die
verschiedenen Zeiten und Ländern angehören, befragen. 4. Man kann
sich nicht mit der Autorität eines oder zweier Männer begnügen, son=
dern nur das darf man annehmen, was „omnes pariter uno eodem-
que consensu aperte frequenter perseveranter tenuisse, scripsisse,
docuisse . . ."

Glücklicherweise verbessert Vincentius später die Überschreibung
der letzten Bedingung (omnes pariter). Dort, c. XXX, 6 billigt er
vollkommen, daß das Konzil von Ephesus sein Urteil auf die Belege aus
nur zehn Vätern (sacrato decalogi numero) gegründet habe, die aber
aus verschiedenen Ländern und verschiedenen Zeitaltern gewählt waren.[2])
Es genügt, wenn unter den Hervorragendsten eine gewisse Auswahl
berücksichtigt wird. An einer Stelle gibt er sogar zu, daß auch Väter,
die ausschließlich dem Abendlande angehören, einen genügenden Beweis
für die Katholizität einer Lehre bilden können.

Vincentius legt Gewicht darauf, daß er genau verstanden werde
in diesem Punkte. Es handelt sich vor allem nicht darum, dem Ur=

---

1) C. III, 4.
2) „quia neque multitudine testium negotii tempora occupari oportebat,
et decem illos non aliud fere sensisse quam ceteras omnes conlegas suos nemo
dubitabat". — Und c. XXVIII 7, setzt er „vel omnes, vel plures".

teile der Väter in jeder kleinen Frage (questiuncula) zu folgen, sondern
in Sachen des Glaubens (solum . . . in fidei regula). — Ferner kann
man nicht jeden kirchlichen Schriftsteller der alten Zeit als vollgültigen
Zeugen in Glaubenssachen ansprechen. Nur diejenigen können als
majores, „Väter", gelten, die 1. wie bereits vermerkt, im katholischen
Glauben und der Gemeinschaft der Kirche verbleibend, 2. heiligmäßig
lebten und 3. gläubig in Christus oder für Christus starben. — Die
von solchen Männern vertretene Meinung wird ferner nur dann volle
Autorität besitzen, wenn sie der Widerhall sind einer sententiae „communis et publicae ac generalis."[1] Die persönlichen Eigenschaften
eines einzelnen gelten gar nichts, sobald die Allgemeinheit gegen ihn
steht: Mag er heilig und gelehrt, mag er Bischof sein, ja selbst Bekenner und Martyrer, sobald der allgemeine Glaube gegen ihn steht,
gehört seine Meinung in die occultas et privatas opiniunculas.[2]

Einen wichtigen Fingerzeig fügt Lerinus noch gegen Schluß
seines Büchleins bei. An vielen Stellen hatte er, ohne leider das
Verhältnis genau zu bestimmen und zu begründen, die notwendige
Verbindung jeder Lehre mit dem Glaubensbewußtsein der ganzen Kirche,
betont. — Der Grund, warum letzten Endes Lerinus auf die antiquitas so sehr pocht und immer dahin zurückgreift, ist die übernatürliche Herkunft des Glaubens durch die Offenbarung. Man muß also
stets zu dieser Tatsache zurückgehen und die Lehre nehmen, wie sie
dort geboten wurde. Das Geoffenbarte hat man, eben weil es geoffenbart ist, anzunehmen, wie es einmal von Gott verkündigt worden ist,
und man darf nicht nach menschlichem Ermessen daran verbessern und
ändern, wie man das sonst versuchen mag.[3]

---

1) C. XXVIII, 8. Man sieht, wie Vincentius immer auf einen engen Anschluß an die unfehlbare Gesamtkirche drängt, in die eben nie eine falsche Lehre vollständig und allgemein übergehen kann. So kommt hier wenigstens in etwa der
überall erwartete und nirgends ausgesprochene theologische Grund, warum solch eine
Lehre unfehlbar sein kann, zum Vorschein.

2) Ich möchte noch darauf hinweisen, daß Vincentius in diesem Kapitel XXX
den wichtigen Unterschied zwischen Vätern als iudex und als testis bereits kennt
und betont. Freilich sagt er uns wiederum nicht, ob er sich des verschiedenen tieferen
Grundes bewußt ist, der in beiden Fällen den betreffenden Aussprüchen ihren Wert
verleiht. Aus seinen Worten aber können wir schließen, daß es sich an diesen Stellen
nicht etwa nur um ausschmückende Epitheta handelt, sondern, daß ihm ein wirklich
sachlicher Unterschied vorschwebte. (quorum synodus (1°) doctrinam tenens . . (2°)
credens testimoniis . . . sunt ergo hi viri, quorum in illo concilio vel (1°) tamquam iudicum vel (2°) tamquam testium scripta recitata sunt).

3) „quasi non caeleste dogma sit, quod semel revelatum esse sufficiat,
sed terrena institutio, quae aliter perfici nisi assidua emendatione, immo potius
reprehensione, non posset." (XXI, 2.)

Diese Offenbarung aber wird bewacht von der Kirche. Und so kommt Lerinus auch einmal a u s d r ü c k l i ch und, wenn auch halb unbewußt, so doch bedeutungsvoll, auf die Bedeutung der kirchlichen Entscheidung für die Reinheit der Lehre, zu sprechen. Lerinus hatte gesagt: zuerst hat man sich an die Entscheidungen der allgemeinen Konzilien zu halten. Liegt für einen Fall ein solches Dekret nicht vor, dann muß die Privat=Initiative die kirchliche Lehre festzustellen suchen, durch vergleichendes Suchen in den Schriften der Väter. Er mag wohl selbst gefühlt haben, wie gefährlich ein solches privates Suchen in der Praxis werden könnte. Und nachdem er noch dieses Gefühl durch Examierung von Origenes, Tertullian usw., resp. von den Irrtümern dieser gewaltigen Geistesheroen, verschärft hat, wendet er sich zurück an den einzigen unfehlbaren Faktor in seiner Rechnung: die Kirche. Die Tradition ist nur wahr und hat nur Wert, insoweit sie mit der Kirche in lebendigem Zusammenhange steht. Denn nur durch diesen Zusammenhang ist — das sagt allerdings Lerinus nicht ausdrücklich — nur dadurch ist die Quelle der reinen Lehre, die Apostolizität gewahrt. „Magna profecto res et ad discendum utilis et ad recolendum necessaria, quam etiam atque etiam . . . inculcare debemus, ut omnes vere catholici noverint, se *cum ecclesia* doctores recipere, non cum doctoribus ecclesiae fidem deserere debere.“ XVII, 2.

In diesem Zusammenhange wäre auch noch daran zu erinnern, daß Vincentius als höchsten Gewährsmann dafür, daß man stets an dem Überlieferten festhalten müsse und keine Neuerungen einführen dürfe, die sedes apostolica anführt,[1]) welche Kraft ihrer höheren Autorität als „beatorum apostolorum beata successio“ [2]) mehr als alle andern auf die Unversehrtheit des Glaubens zu achten hat.

Vincentius gibt sich recht gut Rechenschaft davon, daß sein Canon nicht in allen Fällen zur Entscheidung führen kann. Als bedeutungsvollste Einschränkung haben wir bereits erwähnt, daß Lerinus alles private Suchen zuletzt an der Kirche prüft. — Außerdem gesteht er zu, daß man die ganz alten Irrlehren nicht auf die angegebene Weise bekämpfen könne.[3]) Gegen diesen Feind stehen uns entweder nur die Schrift allein oder die Dekrete der allgemeinen Konzilien zu Gebote.

Hat Vincentius seine Behauptung: id catholicum est, quod

---

1) C. VI, 3. — 2) ibid.

3) „dilatatae et inveteratae haereses nequaquam hac via adgrediendae sunt.“ (XXVIII, 4.)

ubique, quod semper, quod ab omnibus creditum est, durch Beweise
gestützt? Er hat es versucht. Einen wirklichen, inneren, theologischen
Beweis hat er nicht erbracht. Denn die Elemente, worauf einzig ein
solcher Beweis sich stützen kann, Apostolizität und Beistand des
Hl. Geistes, resp. Unfehlbarkeit der Kirche, hat er nicht behandelt, sie
kaum berührt.

Wohl weiß ich, daß eine Kritik des „Canons" sich vor allem
bewußt bleiben muß, daß Lerinus sein Problem rein historisch an=
faßt,[1] er also nicht direkt gezwungen war den inneren, theologischen
Beweis für die Richtigkeit seiner Regel zu geben, d. h. den letzten
Grund aufzuzeigen, auf dem sie mit Recht sich aufbaut.

Er wäre jedoch, meines Erachtens, wenigstens indirekt genötigt
gewesen diesen tieferen Untergrund für seine These zu schaffen. Denn
einmal verträgt der „Canon" wegen seiner Eigenart als praktische
Regel dieses Ausschließen nicht, er bedarf einer allgemeinen Wahrheit
als Stütze; dann aber — und das ist viel schwerwiegender — führen
sich die vielen Mängel des Commonitoriums tatsächlich beinahe alle
auf den Mangel dieser Unterlage zurück.

Der Zusammenhang ist klar: Alle Erörterungen des Vincentius,
all seine Behauptungen, seine Ratschläge schwimmen gleichsam in der
Luft, und wenn er irgend einen Beweis versucht, kommt leicht ein
circulus vitiosus heraus.

Einmal[2] stellt sich Lerinus wirklich die Frage: „Aber ist denn
dieses Zurückweisen der Neuerungen gerechtfertigt, oder ist es aus Haß
und Abneigung gegen das Neue?" Er fragt sich also gleichsam selber
nach dem Grunde, warum die antiquitas und der consensus nicht
falsch sein könne? Trotzdem forscht er nun nicht nach dieser Richtung.
Er wendet im Gegenteil seine Regel, die er beweisen soll, an, und
bringt als Antwort Texte und Beispiele von Ambrosius, Papst
Stephan usw.

Den eigentlichen Mechanismus seiner Regel, den er im ersten
Commonitorium ja mehr als summarisch aufgezeigt, wollte Vincentius
allerdings (nach dem Schlußsatz des ersten Commonitoriums) im
zweiten voll aufdecken. Allein, man fragt sich mit Recht, ob er nicht
auch wiederum in diesem zweiten Buche dem Hang zu rhetorischer
Oberflächlichkeit zum Opfer gefallen wäre.

Innig zusammenhängend mit den bereits vermerkten Mängeln,
und verhängnisvoll für die Struktur des ganzen Commonitoriums, ist

---

1) Richtiger würde man allerdings noch sagen, er faßt sein Problem als
Rhetor an. — 2) c. V, 1.

die beschränkte Themastellung. Lerinus sucht nach einer Regel, die es
gestatte, die reine katholische Lehre zu erkennen. Er stellt sich diese
Frage aber von Anfang an — und das war für die Entwickelung
seiner Gedanken nicht ohne Einfluß — von dem enger umschriebenen
Gesichtspunkt aus: Wie kann ich dadurch die Häresie als solche er=
kennen und bekämpfen? Ein Kriterium der Wahrheit ist natürlich eo
ipso ein negatives Kriterium des Irrtums, und insofern konnte Lerinus
auch seine Schlußfolgerungen gegen die Häresien ziehen. Leider ver=
gaß er über diesem Nebenziele, dessen Verfolgung seiner Rhetor=Vor=
liebe viel mehr entgegenkam und das ihm denn auch beständig vor=
schwebt, seine Hauptaufgabe. Und so läßt er tatsächlich nach dem be=
deutungsvollen Ansatz II, 2. (Canon) das eigentlichste Element seiner
Untersuchung, die nähere Ausführung des Canons, beiseite und hält
sich allzulange bei den Invectiven gegen die Häresien auf.

Noch schwerwiegender ist der Vorwurf, den man Vincentius
machen muß wegen der direkt falschen Themabeantwortung. Er ver=
dreht an manchen Stellen Frage und Antwort zu einem offenen
circulus vitiosus. Es wurde schon oben darauf hingewiesen. Cap. II
sucht Lerinus nach einem Kriterium, das ihm erlaubte, die reine
katholische Lehre zu finden. Was tut er im ganzen Kapitel III, wo
er seinen Canon erläutert? Er supponiert andauernd, daß man schon
wisse, wo die Wahrheit sei, welcher Teil das pestiferum corruptumque
membrum sei, und welcher Teil die sanitas universi corporis besitze.
Wenn ich weiß, daß die und die Lehre häretisch d. h. nicht mehr
katholisch ist, und ich will katholisch sein, muß ich natürlich die Häresie
zurückweisen.

So vermag also Vincentius nicht nur nicht zu einer tieferen Be=
gründung seines Canons (nach dem Warum?) vorzudringen; sogar die
praktische Frage wie man das Rechte erkennen könne, beantwortet er
in höchst unvollkommener Weise.

II.

Über die Entwickelungsfähigkeit der christlichen Lehre hat Lerinus
sich in sehr glücklicher Weise geäußert. Zwar bemerkt man noch manch=
mal die nachteilige Wirkung, die seine oben gerügte beschränkte Thema=
stellung (aus dem Anfang seines Büchleins) auch in dieser Frage auf
seinen Gedankengang ausübt — er sieht allzuoft neben der katholischen
Lehre nur fertige, diametral entgegengesetzte Häresie — aber im allge=
meinen sind seine Bemerkungen durchaus treffend, klar und konsequent
durchgeführt.

Und warum? Vincentius gibt diesem neuen Problem gleich von Anfang an die richtige, tiefere Grundlage: Die katholische Lehre ist caeleste dogma quod semel revelatum sufficit.[1]) Sie ist keine terrena institutio. Daraus ergibt sich sofort die grundlegende Wahrheit, die über allem steht: Keine Veränderung (permutatio). Denn zur Veränderung gehört es, daß etwas nicht mehr dasselbe bleibe, sondern von einem in etwas anderes übergehe.

Diese Unveränderlichkeit schließt aber eine Entwickelung keineswegs aus. Denn es ist das Wesen des Fortschritts, daß eine Sache wächst, indem sie doch sie selber bleibt.[2]) Die Entwickelung der Glaubenslehren darf nichts anderes sein, denn organisches Wachsen, kein Aneinanderfügen von ursprünglich fremden Elementen. „Die Religion der Seelen ahme in ihrem Wachstum das Wachstum der Körper nach! Diese entwickeln ihre Maße mit den Jahren und dennoch bleiben sie, was sie waren. Es gibt einen großen Unterschied zwischen der aufblühenden Kindheit und dem reifen Alter, und doch ist es derselbe Mensch, der Jüngling war und zum Greise wird: es ist ein und derselbe Mensch, dessen Gestalt und Äußeres sich verändern, während doch in ihm dieselbe eine Natur und dieselbe eine Person weiterbesteht."[3]) Und so ist es nur recht, daß die Dogmen dieser himmlischen Philosophie sich entwickeln, klarer und bestimmter werden.[4])

Man ersieht bereits aus diesem letzten Satze, in welchem Sinne sich Lerinus die organische Weiterentwickelung denkt. Erst drei Jahre bevor Vincentius sein Commonitorium schrieb, hatte die Kirche auf dem allgemeinen Konzil zu Ephesus[5]) die katholische Lehre durch bedeutsame Lehrentscheidungen näher bestimmt und sie dem allgemeinen Glaubensbewußtsein nahe gebracht. Eine Dogmenentwickelung, wie sie in derartigen klärenden Lehrentscheidungen zu Tage trat, und die man treffend die Entwickelung der Dogmen=Formeln nennen kann, schwebt unserm Lerinus vor allem vor.

Die kirchliche Lehre ist himmlische Weisheit, geoffenbarte Wahrheit, und der tiefe Inhalt steht fest und unveränderlich. Aber diesen Inhalt uns ganz und voll zum Bewußtsein zu bringen; die übernatürlichen, geheimnißvollen Wahrheiten in eine dem forschenden Menschengeiste befriedigende rationelle Formel zu bringen, das ist die große zu leistende Arbeit.[6]) Denn der Geist des denkenden Menschen

---

1) c. XXI, 2. — 2) XXIII, 2. — 3) XXIII, 4 u. 5.
4) ib. 13. — 5) c. XXIX, 7.
6) „XXII, 7. *Intellegatur* te exponente inlustrius, quod antea obscurius credebatur. Per te [sc. explicanter] posteritas intellectum gratuletur, quod ante

sucht selbst die göttlichen Geheimnisse in einem gewissen Sinne zu durchdringen, seine eigene Natur drängt ihn dazu. Der Inhalt der Glaubenslehre ist in der kurzen Ausdrucksweise der Offenbarung gegeben, die einzelnen Elemente festgelegt; aber den Menschen tiefer und tiefer in den Sinn hineinzuführen, ihn, soweit dies für ihn möglich, inneren Zusammenhang und Notwendigkeit erkennen zu lassen, durch eifriges Studium, durch neue Beweise, Vergleiche und Erklärungen, durch die großen Richtung weisenden Definitionen der Kirche, das ist die erreichbare und wünschenswerte Dogmenentwicklung. Der überlieferte Glaubensschatz enthält manches, was gleichsam erst im Keime vorliegt (quod latitaverat; quae informata et inchoata); das soll klar herausgearbeitet, gefestigt, mit Unterscheidungen erklärt, definiert und immer treu bewacht werden.[1])

Man wird zugeben müssen, daß in diesen Gedankengängen und

vetustas non intellectum venerabatur." XXIII, 18 „Denique quid umquam aliud conciliorum decretis enisa est (sc. ecclesia.), nisi ut, quod antea *simpliciter* credebatur, hoc idem postea *diligentius* crederetur." 19. „. . non novum fidei sensum novae adpellationis proprietate" signat. XXII, 4. Custodi „. . . quod accepisti, non quod *excogitasti*, rem non ingenii sed doctrinae, non usurpationis *privatae* sed publicae *traditionis* . . ." XXIII, 13. „. . . illa caelestis philosophiae dogmata processu temporis excurentur, limentur, poliantur . . . Accipiant licet *evidentiam, lucem, distinctionem* . . ." Wenn man all diese Äußerungen vergleicht und sie zusammenhält mit den Bemerkungen, die Vincentius im ersten Teile seiner Studie über den Wert der Väterzeugnisse gemacht hat (XX, 2. quidquid . . ab uno praeter omnes vel contra omnes sanctos . . subinduci senserit, id non ad religionem, sed ad contemplationem . . . pertinere.) und über die Notwendigkeit, diese Zeugnisse und Erklärungen in der Kirche zu messen, so wird man zugeben, daß er in ausgezeichneter Weise den Unterschied gemacht hat im Werke der Väter zwischen dem, was feststehende, überlieferte Tradition ist und den hinzugefügten, konstruierenden Erklärungen, die auf die persönliche Rechnung des Einzelnen kommen, (occultae et privatae opiniunculae. XXVIII, 8.) mit dem Glaubensbewußtsein der Kirche aber nichts zu tun haben. Lerinus stand den großen Lehrern des 2., 3. und 4. Jahrhunderts noch nahe genug und stand selbst noch genügend in den Anstrengungen drinnen, die von allen Seiten gemacht wurden, um eine philosophisch befriedigende Synthese des gesamten Glaubensschatzes, und befriedigende rationelle Formeln für einzelne Glaubenswahrheiten (man denke besonders an die Fragen nach dem Verhältnis und der Natur der drei Personen; nach dem Verhältnis der Naturen in Christus!) zu finden, um sich voll des wesentlichen Unterschiedes bewußt zu bleiben, der die geoffenbarten Lehren von den erdachten Erklärungen schied. Eine gleich scharfe Unterscheidung im Werke der Väter, würde heute viele Schwierigkeiten des „Traditionsbeweises" völlig gegenstandlos machen.

1) Ecclesia ea „antiquitus informata et inchoata accuret et poliat; si quae iam expressa et enucleata, consolidet et firmet. si quae iam confirmata et definita, custodiat." XXIII. 17.

selbst in den einzelnen Worten (expessa, enucleata) eine sehr klare und korrekte Lehre über Dogmenentwicklung gegeben ist.[1])

Das Vatikanische Konzil hat denn auch gerade für diese Frage die Lehre des Lerinus zu der seinigen gemacht und sogar die Ausdrücke von ihm entnommen: Crescat igitur et multum vehementerque proficiat tam singulorum quam omnium, tam unius hominis quam tolius ecclesiae, aetatum ac saeculorum gradibus, intelligentia, scientia, sapientia, sed in suo dumtaxat genere, in eodem scilicet dogmate, eodem sensu eademque sententia." Constit. de fide c. IV. Denzinger [11] Nr. 1800. Commonitorium, XXIII, 4.)

---

1) Es ist schade, daß auch hier Lerinus seine Gedanken nicht an konkreten Beispielen ganz bestimmt dargelegt hat. Selbstverständlich ist es hingegen für ihn, daß er seine Ansichten in rhetorisch schöne Worte und Bilder drapiert, die in concreto reichlich schwer faßbar sind. z. B. c. XXIII, 9. „Ita etiam christianae religionis dogma . . . annis . . . consolidetur, dilatetur tempore, sublimetur aetate . . . 12. Absit etenim, ut rosea illa catholici sensus plantata in carduos spinasque vertantur . . . quodcumque igitur in hac ecclesiae dei agricultura fide patrum satum est. hoc idem filiorum industria decet excolatur et observetur, hoc idem floreat et maturescat, hoc idem proficiat et perficiatur.‘

Untersuchungen zur Missionsmethode und zur Frömmigkeit des hl. Bonifatius nach seinen Briefen

Dr. Josef Lortz

In einer Festschrift, die dem Gedächtnis des großen heiligen Willibrord ("o summæ sanctitatis pontifex, o spiritalis proretra agonis!" Willibald 25, 16), des "Priesters von wunderbarer enthaltsamkeit und heiligkeit", (Bonifatius im Brief n. 109, Tangl 235,4ff.) hat der größere heilige Bonifatius ohne weiteres hausrecht: als mitarbeiter, noch mehr als vollender in einem großen sinn. Denn auch die arbeit des hl. Willibrord half die fundamente legen, aus denen das eine christliche abendland erwuchs, das zweifelsohne in entscheidender weise das werk des hl. Bonifatius war. Deshalb (und wegen der gemeinsamen angelsächsischen heimat mit derselben bildung und der gleichen asketischreligiösen ausrichtung) gibt es auch im werk beider männer eine reihe gemeinsamer fragen, für die wir bis zu einem gewissen grade ohne weiteres gemeinsame antworten voraussetzen dürfen. es sind die grundfragen der verkündigung, der verwertung der heiligen schrift, der eigenart des religiösen: also eben die fragen, die im folgenden behandelt werden.

Außerdem dürfen wir annehmen, daß Bonifatius zu seiner bis heute schicksalhaften und im ursprünglichen sinne gnadenhaften arbeit von echternach, der stiftung und der grabstätte des hl.

247

willibrord, auszog[1]. damit wird echternach zu einer art geographischen quellpunkts für die dann anhebende lebensarbeit
des hl. bonifatius. (und damit übrigens zu einer der historisch
bedeutungsvollsten stätten mitteleuropas).

Die briefe des hl. bonifatius sind der gegenstand unzähliger
untersuchungen gewesen. ich möchte im folgenden nur eine
anzahl von randbemerkungen vorlegen, wie sie die texte dem
vorzugsweise ideengeschichtlich und religionspädagogisch in-
teressierten theologischen betrachter nahelegen. vielleicht,
daß sie den einen oder andern zusammenhang etwas stärker
als bisher geschehen herausstellen oder die eine oder andere
tatsache stärker beleuchten[2].

Ich beschränke meine untersuchungen auf die eigentliche bonifatiuskorrespondenz (unter ausscheidung des lul-bestandes
n. 110–148)[3].

+ + +

I. allgemeine kennzeichnung des materials
in seinem quellenwert.

Jeder versuch, die korrespondenz des hl. bonifatius als gültigen
beitrag zu einer darstellung des kirchlichen lebens im 8. jahrhundert zu verwerten, muß sich der schlechthin ungeheuren
diskrepanz bewußt bleiben, die besteht zwischen dem umfang
der bonifatianischen arbeit und den (daran gemessen) dürftigen
und vielfach höchst zufälligen spuren, die davon auf uns gekommen sind. die bonifatius-briefe geben nur einen kleinen

248

teil des mosaïks, das als eine authentische wiedergabe jenes lebens gelten könnte.

Ebenso wichtig ist die erkenntnis der inhaltlich geringen dichte, die dieses briefmaterial an vielen stellen kennzeichnet[4]. man ist von dieser feststellung sofort betroffen, wenn man über allgemeinheiten hinaus theologisch und psychologisch religiös detailliertere fragen stellt. sowohl ein gewisser rhetorischer überschwang der form[5] als umgekehrt ein überwiegen des nicht ausgeführten formelhaften beherrschen das bild. das für uns wichtigste wird verständlicherweise oft vorausgesetzt. hundertemal und in einer fülle von verschiedenen formulierungen werden die bezeichnungen für missionierung, missionseifer, missionsauftrag, missionserfolg, evangelium, gesetz christi, katholisch-apostolischen glauben, treue zur einen kirche u. ä. wiederholt. die fülle der ausdrucksweisen spricht nicht nur für die formgewandtheit, sondern, wie der kontext oft genug zeigt, auch für die fülle des innern lebens; wir werden proben davon näher kennen lernen. aber leider, sobald man etwas genauer wissen will, was den inhalt dieser missionspredigt bildete, welches ihre methode war, welches die etwa hervorstechende besonderheit gewesen sei, nach welcher bonifatius das christentum gepredigt habe, sieht man sich weitgehend im stich gelassen. bischof daniel von wincester gibt im brief n. 23 (41,5 ff) einige elemente des glaubensbekenntnisses und papst GREGOR II. füllt den brief n. 25 zum großen teil mit einem positiven christlichen bekenntnis; es sind teile des symbolums: jesus christus, gottes sohn, wahrer gott, mensch geworden, gelitten, gekreuzigt, begraben, am dritten tage auferstanden,

249

zum himmel aufgefahren. dem wird noch der missionsauftrag an die jünger beigefügt und die verheißung: denen, die an ihn glauben, wird ewiges leben zu teil, d. h. freude ohne qual und trübsal, ewiger ruhm, was noch keines menschen auge gesehen . . .

Daß bonifatius so wenig über den inhalt seiner predigt und damit über seine methode mitteilt, liegt an der art seiner adressaten und (weitgehend damit zusammenhängend) an der art seiner fragen, die er seinen adressaten zu stellen und den mitteilungen, die er ihnen zu machen hat, und die so gut wie ausschließlich disziplinär-pastorales, aber nicht eigentlich theologisches behandeln. daß dieser für uns mangelhafte inhalt der briefe nicht etwa auf einen mangel in der mission schließen läßt, erweist der erfolg des heiligen, erweist der ungeheure, zähe ernst seiner lebenslangen arbeit. außerdem wissen wir ja gerade von ihm, wie wenig er sich mit unverstandenen formeln zufrieden gab. die reizende szene in pfalzel (oben anmerkung 1) ist hier von programmatischer wichtigkeit: er verlangt von dem kleinen gregor, daß er das im lateinischen erbauungsbuch gelesene „secundum proprietatem linguæ tuæ et naturalem parentum tuorum locutionem" wiedergebe (liudgeri vita gregorii abb. c. 2, ed. holder-egger s. 67ff). viel später, im brief n. 75 an den erzbischof ecberth von york hat er, das bedürfnis zu unterstreichen, daß es nicht höflichkeitsphrasen sind und geheuchelte demut, wenn er ihn um seinen rat bittet: „werde mir zum berater ... und sei überzeugt, daß ich dies nicht als formel ausspreche, sondern ich bitte im ernst" (ut me non ludivaga sermonum voce, sed serie rogantem ac dicentem esse scias 157,12f).

250

Leider füllt das die lücken der mitteilungen des heiligen nicht aus. ich stelle einmal das in frage kommende material der brief-sammlung, ohne nach absender und empfänger zu scheiden, zu-sammen. auf vollständigkeit erhebe ich natürlicherweise keinen anspruch, schon weil sie viel unnütze wiederholungen nötig machen würde:

dispensatio verbi divini 17, 10; cognitio caelestis oraculi 17, 15; salutifera praedicatio 17, 15; mysterium fidei 17, 16; doctrina beati Petri 17, 25; ministerium regni Dei 17, 31; insinuatio nominis Christi 17, 18; veritatis suasio 18, 1; praedicatio utriusque testamenti 18, 3; messem Dei metere et congregare sanctarum animarum manipulos in horream regni caelestis 27, 12 f; omnem fidem et puritatem sanctae fidei catholicae exhibere et in unitate eiusdem fidei Deo operante persistere 29, 1 f; inluminatio gentium 30, 13; 31, 2 f; lumen evangelicae veritatis 55, 26; apostolicae sedis doctrina, catholica fides 30, 21; ad instruendam fidem vestram 33, 25; complementum vestrae salvationis 33, 26; Satzungen der Apostel (institutiones) 34, 20; verbum exhortationis fidei Jesu Christi 35, 10; fidei magnitudine 38, 29; die Herzen der Heiden vomere evangelicae praedicationis bearbeiten 38, 20; Christo generare filios 39, 3 f; Christo im Geiste dienen 41, 23; veritatis verbum 42, 20; praedicare quae sunt salutis 42, 31; messem fidelitatis 44, 21; Bekehrungen durch die Gnade unseres Herrn Jesu Christi 49, 20 f; 50, 5; 51–52; (Gott) praestet mihi verbum in apertione oris mei, ut currat et clarificetur inter gentes evangelium gloriae Christi 54, 18 ff (nach Eph. 6, 19); regulam et normam apostolicae et catholicae fidei Romanae ecclesiae 68, 20; Allgemeine Aufforderung des Apostels, der Berufung würdig zu wandeln 70, 15; catholica et sanctorum patrum auctoritas 70, 9; hl. katholische und apostolische Überlieferung des hl. Stuhles (71, 2 und öfters); die christliche Religion möge wachsen im Namen des Herrn 73, 15; Glaube an Christus, den allmächtigen Gott 76, 10, den Erlöser der Welt 77, 13, unsern Gott 172, 20; optantes catholicam fidem et unitatem Romanae ecclesiae 81, 11; in gremio sanctae matris ecclesiae per tuam praedicationem novi populi adduntur 86, 22; ad viam aeternae perducere vitae 91, 2; sacri canones vel etiam ab hac apostolica sede ins= tructus 91, 14 ff; fides Christi 94, 8; die Herde Christi amplius quam amplius augeatur 105, 12; ad canonica iura et ad viam verae doctrinae 110, 31; ad augendam segetem spiritualem 120, 13 f; Saat des Wortes 159, 6 ff; semen verbi, quod de sinu catholicae et apostolicae ecclesiae sumptum ... 129, 15 f; Gott möge die Fackeln in unsern Händen aufflammen machen; evangelium gloriae Christi 137, 24; Ebenbild Gottes, das in dir erschaffen ist 149, 29; labor nostri ministerii ... sive in docendo, sive in artando, sive in defendendo 162, 13; in allem precepta sancti Petri canonice sequi 163, 13; navem Christi immo carissimam sponsam eius, ecclesiam scilicet docendo, defendendo laborant et patiendo 165, 5; exhortatio sanctae catholicae et orthodoxae rectae fidei 172, 21; in ministerio Christi portando 180, 14 f; fides et bona conversatio 185, 10; precepta Dei

251

custodite et ... facite ... nihil aliud credentes, nisi ... evangelium et canones 185, 18; theologische Ausbildung eines Abtes verlangt divinam legem et sacram scripturam 187, 6; in Domino cognoscentes..., ad praedicandum ... evangelii atque sanctae fidei eius sacramentum longevum te conservet 194, 95; Erkenntnis des Lichtes Christi 202, 15.

Ähnlich unbestimmt ist die hierhergehörige Terminologie in den uns näher interessierenden Viten. Aus Willibalds Vita des hl. Bonifatius notiere ich:

evangelica praedicando 27, 6; Symbolum und traditio ecclesiae fidei 28, 11; sanctae trinitatis fidei 28, 20; fidei munitionem 28, 31; fidei documenta sua praedicatione 29, 5; intemeratae fidei documenta 31, 2; Bonifatius besiegt die falschen Brüder veris verborum oppositionibus 33, 11; verbi Dei semina 33, 20; praedicatio eius doctrinae multiformiter emanavit 33, 23; sanctae rumor praedicationis 34, 3; verbum Dei praedicabant 34, 14; fidei sacramenta 34, 16; religionis regimine 36, 11; doctrina und ammonitio 37, 3-5; praedicans et evangelizans verbum Dei, veraeque fidei ac religionis sacramenta renovavit 37, 17; cumque omnia, confirmato christianitatis ordine, rite agerentur et canonum sunt iura ... recuperata 39, 1 ff; 39, 4-6; religionis christianae confirmatum est testamentum et orthodoxorum patrum synodalia 40, 3; ob salutem doctrinae caelestis augmentum 42, 3. - Auch die Aufgabe der Konzilien nach der Lehre hin wird nur in ganz allgemeinen Redensarten ausgesprochen und zwar im rhetorischen Vergleich mit Nicaenum, Konstan= tinopolitanum, Ephesinum und dem Chalcedonense: omne funditus eradicata hereticorum perfidia ... legis divinae augerentur incrementa S. 42; spiritalis scientiae sapientia ... cognitio christianitatis 43, 25; canonicae rectitudinis speculum ... et evidens ... veri= tatis vestigium ecclesiasticae dispositionis normula 44, 3; arctam regni caelestis viam plebibus patefecit 44, 17; praedicationis studium 46, 3; divino germine 47, 5; verbum Domini ... e r r a n e o gentilitatis m o r e destructo instanter praedicabat 47, 18 f; fidei splendor 48, 12; divinae scientiae cartae 51, 16.

Aus Alcuins Vita s. Willibrordi notiere ich zum Vergleich:

S. 440: evangelicae praedicationis luce; verbo fidei; purissima verbi Dei semina; evangelizandi opus; semina vitae; praedicatio; verbi Dei clarissima multiplicatione; opus evangelii.

S. 441: veritatis agnitio et (!) ad unius omnipotentis Dei cultum; caelestis doctri= nae flumina; vitae fomentis; iter evangelizandi; veritatis praeconem.

S. 442: via salutis; verbi Dei opere; pius praedicator; evangelizabat, exhortans.

S. 443: verbi Dei agnitionem; salutares ammonitiones ... et christianae religionis regulas evangelica luce; ministerium evangelicae praedicationis (ist allen Wundern und Zeichen vorzuziehen).

252

S. 445: opus Dei peragendum.
S. 446: evangelium Christi, opus praedicantis.
S. 447: in divino opere.

Man sieht, auch hier wird uns nicht viel aufschluß geboten.

Zu diesem tatbestand paßt folgendes: nachdem bonifatius in rom über sein symbolum rechenschaft abgelegt hatte, wurde ihm vom papst aufgetragen, den im bekenntnis niedergelegten rechten glauben zu predigen. darin war natürlich die treue zur hl. schrift enthalten, bzw. vorausgesetzt. aber bemerkenswert ist doch, daß dem bonifatius nicht die bibel und etwa erklärungen zu ihr (mit)überreicht wurden, sondern eine rechtssammlung, an deren vorwiegend disziplinärem oder sogar hierarchisch-verwaltungstechnischem charakter die darin ausgesprochenen glaubensinhalte nichts ändern.

Von dieser zeichnung unterscheidet sich deutlich die um etwas genauere darstellung des bekämpften un- und besonders aberglaubens. im gesamt der briefe und der willibald-vita werden wir zwar auch hierüber nur ungenau unterrichtet. aber immerhin wird der vorschwebende begriff des ganzen oder des teilweisen heidentums stärker durch einzelheiten verdeutlicht.

Das negative ergebnis dieses überblicks ist lehrreich. das vorgelegte material entstammt so vielen verschiedenen situationen, ist in so vielfacher, frei bewegter, nicht ängstlich abgezweckter formulierung ausgesprochen, daß wir berechtigt sind anzunehmen, es gebe keine wirklich bedrängende frage, die darin

253

übergangen wäre. dann aber beweist unser ergebnis unmittelbar, daß die gesamte missionstätigkeit des heiligen sich im bereich des lehrhaften ausschließlich mit den rudimentärsten darlegungen des glaubens begnügte, mit erörterungen also, die nach keiner richtung hin ein ernst zu erörterndes problem darstellten. wir haben zwar einige andeutungen in den briefen über eine angestrebte „vertiefung" des zunächst grundgelegten glaubens der bekehrten. aber entweder handelt es sich darum, gläubigen, die von unwürdigen, also nicht sehr gewissenhaften priestern getauft worden waren, die heilslehre richtig zu vermitteln (n. 26), oder es geht um die halbchristlichen thüringer, von denen ein „wachstum (complementum) ihrer erlösung" erwartet wird (33,26). aber hier wie auch sonst verlangte das von gregor II. vorgeschriebene eingehen auf verständnis und eigenart der ungebildeten zuhörer (mentibus indoctis consona ratione 17/18, 1–4), oder das streben nach der verlangten persönlichen überzeugung der zu taufenden kein hinausgehen über die anfangsgründe des glaubens[6].

Es ist also so gut wie ausgeschlossen, daß „theologische" fragen in einem nennenswerten umfang – in dem umfang wie sie das johannesevangelium und die apostelbriefe massenweise aufwerfen bzw. behandeln – bei der missionierung aufgetreten wären. wenn diese schlußfolgerung vielen als selbstverständlich erscheinen sollte, ist es sicherlich eine der eigenarten, die das bild der germanischen missionierung von grund auf prägen, und es erscheint notwendig, derartiges nicht einfach vorauszusetzen, sondern zu beweisen und auszusprechen.

254

Allerdings wird ab und zu von häretikern und von falscher lehre gesprochen, deren anhänger sogar ganze „Völker" sein sollen (110,22; 111,9); es gibt vom glauben abfallende, und dies auch unter den gebildeteren, unter den priestern, diakonen, mönchen, die sich dann aktiv gegen die kirche wenden (130,4 ff.). Es werden insbesondere die seltsamen vorstellungen des Aldebrecht und des Klemens berichtet. Aber selbst die etwas eingehenderen darlegungen und selbst die synodalen verhandlungen über diese lehren und bräuche zeigen keine tendenz zu eigentlich theologisch vertiefter fragestellung; man begnügt sich mit der kirchlich-disziplinären ablehnung.

Zum gesamtkomplex ist vor allem festzustellen, daß Bonifatius den begriff „hæreticus" ebensowenig technisch-genau abgrenzt und gebraucht[7], wie er und die Kurie das für eine reihe weiterer begriffe oder redensarten tun[8]. Sie schreiben beide den stil der praktisch-pastoralen theologie der kanzeln und der kanzleien, die mit lob und tadel (und den entsprechenden termini) immer reichlich freigebig (und also ungenau) waren[9].

Das negative ergebnis unserer zusammenstellungen veranschaulicht also lebendig den gewaltigen unterschied zwischen der frühchristlichen und der frühmittelalterlichen missionsart: die superædificatio und die epignosis des heiligen Paulus fehlen in der doch entscheidenden arbeit des heiligen Bonifatius so gut wie ganz.

255

II. Akkommodation und christliche Fülle.

Aus dem bisher gewonnenen Resultat erhebt sich die wichtige Frage, ob etwa die entscheidende Missionierung der Germanen im 8. Jahrhundert diesen Völkern den ganzen Reichtum der Offenbarung nur ungenügend mitgeteilt habe.

Letzter Prüfstein für die Güte und für den innern Erfolg jeder geistigen Grundlegung ist eine gemäßigte Anpassung des Redenden – und das heißt auch: des dargebotenen Stoffes – an den Angesprochenen. Das gilt natürlich auch für die christliche Verkündigung. Alle bedeutenden Missionare haben hierin das Beispiel des Meisters nachgeahmt (der anders zu den Schriftgelehrten in Jerusalem redete als zu den Bauern und Fischern am See in Galilaea) und das Beispiel des Völkerapostels Paulus.

In der Verkündigung des Christentums findet die Akkommodation ihre wesenhafte Grenze in den irreduktibeln, nicht ganz ableitbaren, urtümlich-geheimnisvollen Werten der christlichen Offenbarung, in jenen Werten, die über Worte „menschlicher Weisheit" hinausragen zur „Kraft des Geistes".

Es stellt sich die Frage, wie weit beides – die Anpassung und die Verkündigung der ganzen Offenbarungsfülle – sich in der Mission des hl. Bonifatius feststellen lassen oder etwa ihr Fehlen zu tadeln ist.

a. Die Akkommodation.

Es kann kaum ernstlich bezweifelt werden, daß Bonifatius dem

256

verständnis der angeredeten heiden oder halbheiden[9a] in der notwendigen weise entgegenkam. schon daß er sich, wie gezeigt, zeitlebens an die rudimentäre (theologielose) darlegung der unentbehrlichsten glaubensfundamente hielt, spricht dafür. seine tatpredigt nach der art der fällung der donnareiche bei geismar deutet in derselben richtung. der große gesamterfolg seiner missionsarbeit erbringt die fülle des etwa noch gewünschten beweises.

Es ist auch von vornherein anzunehmen, daß ein so ausgesprochen diensteifriger und unterwürfiger diener des heiligen stuhles wie bonifatius den vernünftigen mahnungen gregors II. nachkam (n. 12; sie entsprechen dem geist seines großen vorgängers gregors I.: mentibus indoctis consona ratione ... 17/18, 1–4).

Nun haben wir freilich die etwas beunruhigten mahnungen des bischofs daniel von winchester, der anscheinend mit der missionsmethode des bonifatius nicht ganz zufrieden war und der auf eine entgegenkommendere, bis zur verstandesmäßigen überzeugung fortschreitenden darlegung der glaubensgrundlagen (widerlegung des götterglaubens; glauben an den einen gott; siehe weiter unten) bei den neuchristen drängte. indes beweist die kritik des in einem geistig hochentwickelten milieu lebenden bischofs noch nicht, daß er die situation besser beurteilt hätte, als bonifatius das an ort und stelle tat. wir stellten schon fest, daß bonifatius durchaus nicht für ein operieren mit unverstandenen formeln war. wenn er den ratschlägen des bischofs nicht nachgegeben haben sollte – worüber wir ja auch nichts wissen – so dürfte er seine gründe gehabt haben[10].

257

Dieser Brief des Bischofs Daniel (n. 23) scheint übrigens in seiner Eigenart bisher nur ungenau erkannt und deshalb bedeutend überschätzt worden zu sein. Dieser Brief ist sehr stark Literatur. In allem, was die vorgelegten Argumente gegen den Polytheismus und für den Monotheismus angeht, ist er nämlich nichts als eine mit persönlicher Anteilnahme geschriebene Wiedergabe aller (oder der meisten) Argumente, die in der frühchristlichen populären Götterkritik, hauptsächlich bei den Apologeten des 2. Jahrhunderts, Gemeingut waren. Der so persönlich warme Brief ist voll übernommener literarischer Topoi und so in seinem größern Teil nur möglich in einem Raume, dessen Interessen stark von der Schule bzw. von der in ihr gewonnenen literarischen Bildung geprägt sind.

Die Überlegungen, wie sie der Bischof den Hörern vorgelegt wünscht, mögen übrigens bei den sehr wenigen Leuten, die schon an philosophieähnliches Nachdenken gewöhnt waren, auch damals gewirkt haben. Der eigentümliche Wert des bischöflichen Briefes liegt aber nicht in diesen Überlegungen. Er zeigt sich in der Mahnung, auf die seelische Stimmung der germanischen Heiden Rücksicht zu nehmen (vgl. 39,8 f.; 40,14). Hervorragend ist dabei, wie der Bischof rät, zwischendurch – per intervalla 40,15 – der Widerlegung die positive christliche Verkündigung beizumischen, also nicht etwa in der Defensive stecken zu bleiben. Darin wird außerdem ein hochwichtiges Motiv aller Propaganda sichtbar: das Selbstbewußtsein, hier das christliche Selbstbewußtsein[11].

258

B. die christliche fülle.

Viel schwieriger und viel wichtiger (sowohl in sich als in hinsicht auf die säkularen folgen) ist die frage, wie weit die fülle der biblischen verkündigung in diese rudimentäre missionspredigt eingegangen sei.

Das problem und die gefahr, die hier sichtbar werden, haben die kirchengeschichte durch alle jahrhunderte als ein immer wiederkehrendes grundanliegen begleitet. es ist zusammenfassend ausgesprochen im begriff des logos spermatikos, bzw. in seiner abendländischen verdeutlichung (die mehr ist als eine ganz getreue übersetzung) im satz von der „anima naturaliter christiana". es drängt nach der frage, ob nicht letzten endes doch das geoffenbarte christentum der von gott geschaffenen menschlichen natur in erkennen (lehre) und wollen (moral) so sehr entgegenkomme, daß es wesentlich darauf reduziert werden könne. es ist die überspitzt formulierte zentralfrage des christlichen humanismus, der in seiner allgemeinsten form in der geschichte der kirche nie gefehlt hat seitdem der prolog zum johannesevangelium geschrieben wurde. in einem literarisch-philosophisch hochkultivierten milieu sind die apologeten des 2. jahrhunderts mit ihrer „monotheistischen auswahl" aus dem christentum und mit ihrer lehre vom christentum als einer in ihren grundlagen mit dem menschlichen verstand erkennbaren und mit den menschlichen kräften vollziehbaren lehre die ersten klassischen darsteller des problems. in einem literarisch-philosophisch primitiven milieu wird jede erste missionierung mit notwendigkeit zu

259

einer entsprechenden umgekehrten darstellung desselben problems.

Und hier ist der punkt, wo sich die verkündigung des hl. bonifatius zu bewähren hat.

Es ist sofort zuzugeben, daß uns eine apodiktisch schließende antwort auf die gestellte frage versagt ist. die quellen lassen uns im stich. wir haben keine authentischen ansprachen des heiligen an seine heidnischen oder halbheidnischen zuhörer. wir sind also auf indirekte rückschlüsse angewiesen.

Auch diese können nicht in dem gewünschten grad von sicherheit auskunft geben. die ursache liegt in der schon erwähnten ungenügenden terminologie, die in den meisten fällen in allgemeinheiten stecken bleibt.

Trotzdem bleibt ein wichtiger hilfsbeweis übrig, den es auszunützen gilt. es ist die ungewöhnliche fülle der schriftkenntnis, die bonifatius besaß und die so leicht in die aussprache seiner briefe einging. es ist doch ganz unwahrscheinlich, daß von diesem reichtum des christlich religiösen, in dem und von dem bonifatius offenbar lebte, nichts und nicht genügendes in seine predigt übergegangen sein soll.

Wir haben eine reihe von nachrichten oder von andeutungen, die uns darüber unterrichten, daß in den kreisen, aus denen bonifatius hervorging, das studium der hl. schrift eifrig betrieben wurde[12]. die hl. schrift galt als die große auskunfts-

260

stelle, in der – neben den alten kanones – sogar alle notwendigen bestimmungen für die entscheidung aufsteigender zweifel in allen praktischen fragen zu finden seien[13].

Ohne ihm den wert eines urkundlichen belegs zuzuschreiben, und besonders, ohne zu vergessen, wie freigebig die heiligenviten gemeinhin mit den superlativen zum lob ihrer helden sind, dürfen wir uns doch auch an das erinnern, was willibald in dieser frage über bonifatius berichtet. als ergebnis der klostererziehung und eigenen studiums sei bonifatius schließlich zu einer „maxima scripturarum eruditio" gelangt (cap. 2 s. 9; vgl. 10f). unter seiner leitung habe ein eifriges schriftstudium der schüler, auch von nonnen, eingesetzt (ebd.). dasselbe thema wird noch einmal (s. 11f.) ausführlich behandelt mit der schlußerklärung, daß bonifatius „in tantum enim scripturarum exarsit desiderio" (12,9). derselbe willibald gibt dann auch den erfolg dieser versenkung in die schrift für die missionspredigt wieder: „ipse populis mira eloqui dissertitudine et solertissima parabularum adsentione efficaciter prædicando retexuit"[14].

Noch eine vorbemerkung: die gestellte frage kann nicht gelöst werden von einer methode, die einen einblick in das eigentümliche der christlichen theologie nicht besitzt, bzw. diese eigentümlichkeit nicht zu ihrem rechte kommen läßt, für die also ein benutztes bibelwort lediglich ein „zitat" ist wie irgend ein anderes auch. die gestellte frage reicht wesentlich über die vorstufe der textkritik hinaus.

Um was es dabei geht, läßt sich gut an der diskussion über das

261

päpstliche schreiben n. 21 (35f.) aufzeigen. Tangl, der es nach Loofs nicht Gregor II., sondern Gregor III. zuweist, nennt es „besser gemeint als gelungen". Er erinnert (offenbar zustimmend) daran, daß schon oft gerügt wurde, „daß es ohne alle Kenntnis der Eigenart der germanischen Volksreligion abgefaßt" sei. Diese Beurteilung ist einseitig und, weil garnicht vom religiös-christlichen her orientiert, abwegig. Wenn es schon richtig und höchst wichtig war, daß Gregor II. im Geiste Gregors I. verlangte, daß den Germanen die christliche Botschaft „in einer den ungelehrten Gemütern angepaßten Weise" verkündet werden sollte, so blieb, wie schon gesagt, der andere Teil der Verkündungsaufgabe voll bestehen: die Fülle des Evangeliums auszusprechen; eine Aufgabe, die in direkter Verkündigung (ohne theologisch-philosophische Verarbeitung) nie anders erreichbar ist als mit den Worten der Schrift selbst. Auch bei Paulus finden wir ja beides zusammen: Rücksicht auf die „natürliche" Geistesart der Heiden (Areopagrede) oder der noch wenig unterrichteten, und daneben die Unbekümmertheit, mit der er seinen armen Römern die profundesten und gefährlichsten Rätsel des Römerbriefes auf die Schultern ladet.

Zweifellos hängt es stark mit der Rücksichtnahme auf das primitiv-dingliche Denken der damaligen Germanen zusammen, daß die christliche Verkündigung an sie einen moralistischen Zug annahm. (S. unten). Dem gegenüber war ein Brief wie dieser n. 21, auch wenn er zunächst weniger oder wenig unmittelbar praktischen Wert hatte, von höchster Bedeutung. Er war eine Evangelienverkündigung großen Stils und ist eines der schönsten Stücke dieser Sammlung; „die aber von euch Jesum

262

christum unsern herrn angenommen haben, die sollen in ihm wandeln, festgewurzelt, begründet und gefestigt im glauben und überströmend in danksagung" (kolosser 2,7ff) [15]. dieser brief ist ein unmittelbarer ausfluß hochgespannter hirtensorge. die gesammelten bibelstellen sind so allgemein christlich gültig, daß man noch jetzt den ansatz geistiger sorge unmittelbar empfindet: „weisen und unweisen bin ich schuldner, bekenne ich, geliebteste, indem ich will, daß ihr wisset, welche sorge ich um euch trage". und sie ist umfassend; sie geht „sowohl an die, die das wort der lehre des glaubens an unsern herrn jesus christus angenommen haben, als auch an die, die es erst annehmen werden" (35,9ff).

Am wert des ausgesprochenen würde sich auch dann nichts wesentliches ändern, wenn eines tages nachgewiesen würde, daß die gesamte zusammenstellung dieses briefes zu einem teil fertig einer früheren vorlage entnommen sei [16]. denn einmal ist der brief, wie eben gesagt, unmittelbar fühlbar voll von echter, religiöser hirtensorge. sodann: ohne auf das detail der seelisch religiösen lage der altsachsen abgepaßt zu sein, entspricht das schriftstück durchaus dem wesentlichen ihrer situation, bzw. aller missionarischen situation in ganz und halbheidnischer umgebung.

Aber, was konnten jene germanen - mit den christlichen inhalten nicht oder ungenügend bekannt und vom hellenistisch-römischen bildungskreis vollkommen getrennt - von diesen einzelnen tiefen bibelworten verstehen? das ist die typisch liberale, unreligiöse fragestellung! wir dürfen ohne umschweife

263

zugeben, daß jene germanen wahrscheinlich nur wenig vom genauen sinn der zitate verstanden. indes bleibt ein anderes: wer nicht an die geheime wirkkraft der bibelworte glaubt, der ist nicht zu überzeugen, er ist aber auch nicht kompetenter richter in dieser sache. das zeugnis der missionsgeschichte ist für uns, nicht für ihn. ich erinnerte bereits an den paulus des römerbriefes. er huldigte nicht, noch nicht, dem zaghaft kleingläubigen oder dem intellektualistisch kleinlichen grundsatz (der unzweifelhaft zur mittelmäßigkeit führt), daß man den schultern und dem geist der gläubigen nichts schweres zumuten dürfe, bzw. daß nur der „verstandene" geist wirkmächtig sei. er vertraute vielmehr auf die geheimnisvoll-immanente, gewinnende, hinreißende, ansteckende kraft der mit starkem glauben und mit starker liebe ausgesprochenen wahrheit. das ist der fall des briefes n. 12. er gehört insofern mit in eine wesentliche ursachenreihe der ausbreitung des christentums.

Welches schriftmaterial verwenden die bonifatius-briefe? die auswahl je aus dem alten testament und dem neuen testament und wieder je aus den einzelnen büchern bietet keine so hervorragende betonung nach der einen oder andern seite, daß schon daraus eine schlußfolgerung auf eine gewisse vorliebe, und von daher auf eine theologische färbung gezogen werden könnte [17].

Aber eine inhaltliche betrachtung des verwandten schriftmaterials führt weiter. die frömmigkeit der briefe ist so gut wie ausschließlich gespeist von den kategorien, die in den synopti-

264

kern vorherrschen. dagegen ist von den spezifisch paulinischen gedanken wenig zu finden: die frage der rechtfertigung ist nicht berührt. das echt demütige sündenbekenntnis, das immer wieder ausgesprochen wird (oft im zusammenhang mit einer sehr kurzschließenden geschichtsbetrachtung; aber kaum einmal ganz zur formel verbraucht), ist das bewußtsein des unnützen knechtes aus den synoptikern, mit dem die ganz natürliche erwartung eines jenseitigen lohnes für den getreuen knecht durch gottes gnade engstens zusammensteht (s. unten). das hat aber keine verwandtschaft mit der aufgewühlten, nach innerer, befreiender rechtfertigung ringenden art bei paulus. das leben nach den vorschriften des evangeliums, die ihrerseits in den kanones der römischen kirche niedergelegt sind, wird den ewigen lohn erwerben. moralische ermahnungen, unmittelbar seelsorgerlich-pastorales interesse (des ermahnens, des guten beispiels), erwartungen des ewigen lohnes und motive, die auf der linie eines natürlichen zuganges zum christentum (sei es des christlichen moralgesetzes, sei es der gotteserkenntnis) liegen: darin erschöpft sich das, was – soweit uns die briefe einen rückschluß gestatten – aus den paulusbriefen auf bonifatius einen tieferen eindruck gemacht hat.

Eine zusammenstellung des materials[18] führt in dieser hinsicht zu einem vollkommen eindeutigen schluß. zu schneller orientierung könnte schon der brief n. 73 (bonifatius an könig aetelbald) genügen. da er aber ziemlich ausschließlich unmittelbar moralische fragen behandelt, mußte auch sein belegmaterial notwendig vorwiegend moralistischer art sein. ich gebe daher die zusammenstellung des materials aus allen briefen:

265

R o m. 5, 3-5: gegen die weltlichen Leiden für die jenseitige Hoffnung (mit darauf=
folgendem 2 Kor. 12, 10 und Rom. 8, 35-37: Quis nos separabit a caritate
Christi: t r i b u l a t i o ...?) 215, 8 ff.

R o m. 10, 15: speciosi pedes portantium lucernam pacis 137, 20.

1 K o r. 2, 9: quod oculus non vidit 77, 23 f.
3, 7: neque qui plantat ...
5, 5: huiusmodi traditi satanae in interitum carnis, ut spiritus ... 11, 3 f.
3, 16 f. 9 f.: nescitis, quia templum dei estis ... 148, 26 f.
6, 9 f.: nescitis, quia iniqui regnum Dei non possidebunt? 148, 33.
6, 19: nescitis, quia corpora vestra templa sunt spiritus sancti? 148, 26 f.
15, 10: gratia domini in me vacua non sit 139, 28.
15, 58: stabiles estote et immobiles habundantes in opere Domini semper,
scientes, quod labor vester non est inanis in Domino 138-39.
16, 13. 11: vigilate et state in fide, viriliter agite et confirmamini 139, 2 f.

2 K o r. 7, 5: foris pugnae et intus timores 129, 10.
12, 9 f.: virtus in infirmitate perficitur 131, 25; 139, 9 f.

G a l. 2, 2: non in vacuum curramus 55, 28.
4, 10: dies observatis et tempora; timeo, ne sine causa laboraverim in vobis
85, 6 f. (gegen die heidnischen Bräuche in Rom, die der Papst abschaffen müsse).
6, 2: alter alterius onera portate 66, 19; 232, 7.

E p h. 6, 19: ut detur nobis sermo in assertione oris et sermo Domini currat et
clarificetur 54, 19; 55, 9; 159, 10 f.

2 T h e s s. 2, 3 mit der Deutung: violatores corporum filii perditionis esse dinoscuntur
149, 11 f.
3, 1. 2: ut sermo dei currat ... (ein Lieblingsvers des heiligen Missionars!)
54, 19; 55, 9; 139, 27; 232, 11.
3, 1. 2: liberemur ab inportunis et malis hominibus 139, 21.
3, 9: nos formam debeamus exhibere fidelibus 166, 4.

1 T i m. 1, 5: caritas ... ut vestra fraternitas in spiritali regulariter vita vivens 232, 8 f.
2, 4: qui vult omnes homines salvos fieri et ... 138, 2 und N. 38; N. 46.
3, 8: turpe lucrum sectantes 133, 15.
4, 3: abstinentes a cibis 129, 21.
6, 17: divitibus huius saeculi praecipe 170, 4. Diese Stelle 1 Tim. 6, 17, die durch
ihren Schluß (Hinweis «auf den lebendigen Gott, der alles verleiht») in wichtiger
Weise ausgeweitet wird, ist durch den Zusammenhang unzweifelhaft stark
moralistisch orientiert: gegen die Räuber von Kirchengut.

2 T i m. 4, 1 ff.: praedica verbum, insta opportune ... 129, 26; 167, 11-17; 169, 13.

Natürlich sind all diese Stellen nicht so zu nehmen, wie sie
innerhalb der paulinischen Welt Geltung hätten, sondern so,
wie sie, und so weit sie im Kontext des Bonifatius Geltung haben!

Die Verarbeitung dieser biblischen Elemente ist dünn. Eine

266

theologische ausschöpfung findet sich kaum. manchmal wird die schriftstelle aus einem lebendigen ergriffensein heraus amplifiziert, oder die verse werden untereinander verknüpft; sie werden, hingabe und mut oder liebe und stärkung entzündend, ausgesprochen (am stärksten freilich in papstbriefen, vgl. 176, 15–177,4; 183f.; 194,18–26).

Oft bleibt aber auch ein bestimmter eindruck des unpersönlichen zurück. man darf dieses unerschlossene nicht verschweigen wollen. aber doch bleibt die echte und fruchtbare ergriffenheit. wenn man das belegen und es von dem abheben will, was nur oder vorzugsweise formel ist, dann liest man zweckmäßigerweise neben den bonifatiusbriefen und auch neben den meisten partien der papstbriefe den brief des römischen archidiakons theophylakt, den tangl 748 ansetzt (n. 84 s. 188f). da ist äußerliche zusammenfügung von innerlich nicht recht zusammengehörigem. die darüber gebreitete rhetorik vermag über den geringen gehalt nicht wohl hinwegzutäuschen. brief n. 85 ist darin noch schlimmer, seine rhetorik noch ausschweifender, um nicht zu sagen byzantinisch.

+ + +

III. moralismus?

Der religiöse gehalt unserer briefe, bzw. ihre religiöse eigenart, evtl. auch ihre religiöse schwäche muß noch genauer umschrieben werden.

Kritik an der methode der großen und heiligen missionare hat

267

die kirchliche, offenbarungsgläubige, hat vor allem die katholische forschung bisher allzusehr der untheologischen, unkirchlichen, ja antichristlichen wissenschaft überlassen. wie mir scheint, aus einer gewissen unberechtigten ängstlichkeit heraus, die allzuoft kritik mit persönlichem vorwurf verwechselte. kritik wie apologie im echten sinne sind sachlich gemeint und müssen über persönliches verdienst oder persönliche schuld und über die vergehende, historisch einmalige stunde hinausreichen. es besteht deshalb kein grund, jene in infinitum beizubehalten. im gegenteil. die theologisch vertiefte erfassung der geschichte als opus dei, das sich mit der sicherheit des göttlichen heilswillens durch in manchem vergängliche, unvollkommene, fehlerhafte formen hindurch siegreich vollendet, läßt uns immer mehr erkennen, daß auch lebensbegründenden wie lebensrettenden vorgängen der kirchengeschichte sehr wohl schwere mängel innewohnen können. mängel also, die sich erst viel später auswirken. alle geschichtliche wirkung ist an die erfordernisse und möglichkeiten der historischen stunde, des „moments", gebunden. insofern das einmalige der historischen stunde vergeht, insofern offenbaren sich später die schwachen seiten einer geschichtlichen leistung gerade in dem, was zur zeit ihrer geburt ihre stärke ausmachte. gerade die großen wendungen der kirchengeschichte sind voll von dieser lehre, an der man bisher so achtlos vorüber ging. an Gregor VII. etwa, dem heiligen, und seinem machtprogramm oder an der arbeit der Jesuiten und ihrem moralistischen aktivismus, ja am kirchlichen aufbau der abendländischen kultur überhaupt, kann man sie und ihre vielfältig bis in unsere gegenwart hineinwirkenden folgen studieren.

268

Es ist nichts weniger als gleichgültig, auf welcher Basis ein Volk in das Christentum, auch in die Fülle des Christentums hineinwächst. Der strukturell richtige oder strukturell weniger richtige Ansatz bleibt entscheidend. Darauf kommt es an, ob dem Hineinwachsen in das Christentum die größtmögliche Fülle auf die Dauer garantiert werde. Die deutschen Germanen wuchsen nach der Überwindung des moralisch-religiösen Schwächezustandes der Merovingerzeit bekanntlich schnell und in wunderbarer Fülle in das Christentum hinein. Es kam die Herrlichkeit des kirchlichen Mittelalters (dessen ungewöhnliche innere Aufspaltungen und religiös-kirchliche Schwächen wir indes nicht vergessen wollen.) Aber innerhalb dieser bewundernswerten Fülle bestanden gewisse Schwächen: das Moralistisch-Periphere und ein nicht genügend tiefes Verhältnis zur Liturgie, eine offenkundig schwache Verwirklichung der sakramentalen Lebensordnung. Darf man nicht, muß man nicht fragen, ob die ungeheuer weit gediehene Verdinglichung am Ende des Mittelalters, ob darnach die Ausmerzung des Herzstückes der Liturgie (ohne radikalen Widerstand so großer Massen von Katholiken) nicht in jener frühen Grundlegung mitbedingt war? Das Spätmittelalter hatte in jener Verdinglichung die wunderbare mittelalterliche Vertiefung bewahrt; trotzdem konnte in und neben ihr die Verdinglichung siegen und der Abfall kommen. Derartiges muß man wägen.

Wenden wir diese Überlegungen auf unser besonderes Thema an: Der Erfolg der Missionspredigt der frühmittelalterlichen germanischen Missionäre beruhte in der oben besprochenen Akkommodation. Sie aber bedeutete zweifellos – zunächst einmal

269

allgemein gesprochen – eine merkliche heruntersetzung des hochgeistigen niveaus der ur- und frühchristlichen verkündigung. sie enthielt gefährliche schwächen. wir konnten bereits in einem gewissen umfang eine moralistische tendenz in der bonifatianischen predigt feststellen. daß sie, wie die gesamte frühgermanische missionspredigt, nicht im entferntesten so sehr auf das liturgische mysterium hin angelegt war oder von ihm befruchtet wurde, wie das im frühchristlichen raume der fall war, steht fest. das war sowohl eine folge jener erwähnten niveausenkung, jener akkommodation und jener moralistischen tendenz als auch ein ergebnis der tatsache, daß die liturgie einschließlich der sakramentenspendung beinahe ausschließlich im fremden, der menge unverständlichen latein, nicht aber in der muttersprache vollzogen wurde.

Die tatsache einer allgemeinen senkung des geistigen niveaus der ur- und frühchristlichen verkündigung braucht für die zwecke dieser studie nicht näher belegt zu werden. die art, wie seit gregor I. die theologie augustins (und damit paulus) dargeboten wurde – um von der kenntnis und der verwertung der andern, besonders der griechischen väter nicht zu reden – das auffällig wachsende interesse an mehr peripherischen erweisen des christlichen und seines vollkommenheitsideals (wundersucht und wunderlegenden mit den entsprechenden asketischen seltsamkeiten) und besonders das großartige, aber auch stark dingliche vertrauen auf den schutz der berührbaren heiligenreliquien[19] beweisen übergenug.

Jedoch, was ist es mit dem moralismus? heute wird mit diesem

270

schlagwort da und dort etwas mißbrauch getrieben. sehen wir
also genau zu, ob und in welchem sinne wir es auf die arbeit
des heiligen bonifatius anwenden können.

Zunächst: das halb- oder zu drei vierteln heidnische christentum[20], dessen reinigung eine hauptsorge des bonifatius war,
war zu einem großen teil folge einer auffassung, die das christentum vorzugsweise als summe von moralischen verhaltungs-
maßregeln begriff. natürlich blieb der glaube, oder deutlicher
gesagt, das bekenntnis zum einen und dreieinigen gott und dem
erlöser jesus christus und die taufe vorausgesetzt. aber die
dingliche und moralistische zersetzung der christlichen lehre,
die wir massenweise und dauernd feststellen müssen, das fehlen von konflikten, die ganz oder vorwiegend aus dem bereich
des glaubens aufgestanden wären, läßt schon einen genügenden
rückschluß zu auf die elemente, die in der missionspredigt vor
der zeit des bonifatius mit vorliebe berücksichtigt worden
waren. man weiß, daß die allgemeine frühgermanische missionsgeschichte mit ihren massentaufen ohne katechumenat diesen
rückschluß bestätigt.

Und die missionsarbeit des heiligen selbst?

Nun, man muß sich zunächst bewußt bleiben, daß diese arbeit
zweifelsohne aus einem tiefen – wenn auch wohl nicht gar zu
sehr differenzierten – glaubensleben erwuchs. seine unermüdliche, heroische hirtensorge und sein hirteneifer sind in
einer so reichen weise nachfolge des guten hirten, werden so
sehr zu ehren „unseres herrn" geleistet, stehen so sehr „in

271

christus", daß vor diesem tatbestand die kategorie „moralismus" nichtssagend wird. wir werden das bei der skizzierung dessen, was die persönliche eigenart des heiligen ausmacht, noch besser verstehen lernen.

Aber doch bleibt die gestellte frage, die ja von seinem eigenen eifer, von seinem glauben nichts wegnimmt, berechtigt.

Welche gedanken kehren am öftesten in den äußerungen des heiligen und in denen seines kreises wieder?

Das verhör der verwerteten bibelstellen gab uns bereits einen wichtigen hinweis. darüber hinaus stellen wir fest, daß unter allen einzelnen motiven, die von bonifatius und seinen korrespondenten ins feld geführt werden, der l o h n g e d a n k e , die ewige vergeltung, der gedanke an verdienst für den himmel, bei weitem die erste stelle einnimmt. es wäre schwer – von den rein urkundlichen stücken abgesehen – ein schreiben unserer sammlung zu nennen, in dem der lohngedanke nicht vorkäme. oft, sehr oft tritt er als mitentscheidend hervor. ob bonifatius einem fränkischen großen seinen knecht, oder wenn er auch nur den briefboten (n. 69; do. 133,24) empfiehlt, oder eine bitte für seine mitarbeiter an pipin ausspricht (n. 107), ob die fürsten hilfe spenden (122,5; 77,10), ob bonifatius eine ermahnung oder einen dank, freude, befürchtung oder bedrängnis ausspricht, ob er an lioba schreibt (217,9) oder an einen abt oder bischof, ob der papst heidnische gebräuche abstellt (85,14), ob bonifatius den bischof daniel um eine prophetenhandschrift (131,11) oder um ein bedawerk bittet, ob er gebetshilfe oder

272

eine glocke wünscht, unermüdlich kommt der gedanke: der lohn im himmel wird dir, wird euch dafür zuteil. eifert, damit euer lohn bei gott wachse (216,12)! die sachsenmission möchte er in angriff nehmen wegen des ewigen lohnes, seiner seele heil (76,4). und genau so schreiben ihm die päpste (67,20ff) und vor allem die englischen freunde: arbeite, arbeite, kämpfe weiter, damit die herde christi „amplius quam amplius augeatur et tibi premium æternæ retributionis maneat copiosum (105,12ff) et cum sanctis et electis dei . . . esse inveniaris particeps et apostolorum[21] consors . . . magna . . . spes remunerationis exspectat" (92,12). die überlegung, daß evtl. der jenseitige lohn ausbleiben könne, wird entscheidend für die bewertung der handlungen (126,32); oder: je mehr not hienieden, desto mehr lohn drüben. der lohngedanke gehört zweifellos zu den zentralmotiven dieser kreise. der ewige lohn ist das einzige, was bleibt und gilt gegenüber dem armseligen menschen, der nur ist wie gras (77,18ff).

Aus den synoptikern wissen wir, daß der lohn- und verdienstgedanke in ungezwungener natürlichkeit zu den grundlehren der predigt des herrn gehört. sie beweisen ebenfalls, daß dieser lohn zugleich als eine freie gabe gottes zu verstehen ist. für die religiös-christliche bewertung kommt also alles darauf an, ob der lohngedanke menschlich-selbstisch, dinglich aufgefaßt, oder ob er verstanden wird als ein werden in und durch christus, so also, daß die freie gnade gottes doch alles bleibt. (halten wir immerhin hier gleich fest, daß es nicht gar zu leichte unterscheidungen sind, die die eine auffassung von der andern trennen, und daß an sich die ausdrücke „verdienst" und „lohn" leichter einer massiveren auffassung vorschub leisten!)

273

Die demut des bonifatius, sein sündenbewußtsein des unnützen knechtes, die volle hingabe in liebe gottes zum dienst am evangelium und an den brüdern, die unablässige berufung auf gottes kraft und gnade, das ineinssetzen des lohngedankens mit dem des seelenheils, dem des ewigen lebens bei gott und seinen engeln, kurz mit der verheißung des herrn, dem der christ entgegengeht: das alles erbringt ebenso den eindeutigen beweis, daß auch für bonifatius persönlich und seine religiös gleichhoch gestimmten gebetsfreunde irgend eine minderung des aus gnaden erlöstseins nicht eingetreten ist. mag sogar gelegentlich der menschliche wille ausdrücklich als das entscheidende hingestellt werden, es wird doch wieder ganz auf die hilfe gottes zurückgewiesen: „ist euer werk nur gut gewollt . . . ex divino erit adiutorio in perfectione". (120/21 nach GREGOR I.: der sooft angezogene gedanke, daß gottes kraft sich an der menschlichen schwäche bewährt).

Die gehobenheit der christlichen gebetsstimmung in unsern briefen macht das des öftern unmittelbar deutlich. papst zacharias etwa äußert seine freude über die mitarbeit pipins und karlmanns am missionswerk mit der verheißung himmlischen lohnes: „quoniam benedictus homo, per quem benedicitur deus" (103,20f). oder man lese die ergreifenden zeilen des heiligen aus dem trostbrief[22] an äbtissin bugga (n. 94: 215,25ff.): „du aber teuerste, freue dich in der hoffnung auf das künftige erbe des himmlischen vaterlandes und halte allen widerwärtigkeiten des herzens oder des körpers den schild des glaubens und der geduld entgegen, damit du mit der hülfe des bräutigams christus den bau des evangelischen turms, den du in frischer jugend

274

begannst, in schönem alter zum ruhm gottes vollendest und so würdig befunden werdest, bei der ankunft christi mit ihm den klugen jungfrauen die mit öl versorgte lampe leuchtend entgegenzutragen." es ist die christliche hoffnung, die hier ausgesprochen wird; es ist die gleiche sehnsucht, die bonifatius für sich selbst ausdrückt, daß er nämlich, er, „der gefahrumdrohte, durch gottes lenkung ohne makel und schaden der seele ans gestade ewiger ruhe gelangen möge" (55,24ff).

Es kommen auch formulierungen vor, die theologisch genauer aufzeigen, wie in dieser vorstellungswelt in echt evangelischer weise glauben und tun in eins übergehend das genuin christliche ausmachen. man vgl. etwa 185,18–186,3. gewiß kann in solchem kontext je nach der auffassung das moralistische die kategorien des aus dem glauben wachsenden zudecken, statt daß das moralische durch den glauben zum übernatürlichen christlichen erhoben würde. aber hier bei bonifatius wird eine solche gefahr nicht wirklichkeit. der klare beweis ergibt sich aus dem gesamttenor so zahlreicher aussprüche dieser kreise, oder, wenn man einen einzelbeleg haben will, aus einer formulierung, die gregor iii. einmal gebraucht: „schafft an guten werken, daß christus in euch wohne" (36,8), christus, dem bonifatius „im geiste" dient (41,16).

Aber: bonifatius war lehrer, man muß betonen: elementarlehrer ungebildeter stämme. er sollte die glaubenserkenntnis und das glaubensbekenntnis im christentum erst grundlegen. auch wo er die bereits bestehenden gemeinden kirchlich organisierte, hatte er an der beseitigung so grober mißstände

275

und mißverständnisse zu arbeiten, daß er über die grundlegung nicht weit hinaus kommen konnte. wie wurde er also von diesen wenig gebildeten, die an feinere, geistige unterscheidungen nicht gewöhnt, ja zum größten teil ihrer noch nicht fähig waren, wie wurde er von ihnen verstanden, wenn er, wie wir mit doppeltem recht annehmen, auch in seiner missionspredigt den gedanken an lohn, verdienst (und strafe) so stark in den vordergrund stellte?[23] die frage ist alles andere als rhetorisch aufzufassen. denn die verkündigung des hl. bonifatius vollzog sich ohne eine starke ergänzung aus der sakramentalen ordnung. und wenn wir oben zu dem schluß kamen, daß die fülle der evangelischen verkündigung wohl genügend in die missionspredigt des heiligen eingegangen sei, so steckte doch die bildungshöhe und die bildungsart der zu taufenden oder zu reformierenden der vertiefungsmöglichkeit enge grenzen. die schwierigkeit und die gefahr aller primitiven oder rudimentären volkspredigt (damals wie heute) taten sich auf; die gefahr, den „kleinen" und den „armen im geist" nicht sowohl dergestalt die einfache botschaft jesu zu bringen, daß ihrer das himmelreich würde, also die ganze fülle der evangelischen predigt zu schenken, sondern daß ihnen ein handfestes, anscheinend besonders gut gesichertes moralistisches christentum des gebots und verbots, nicht des „herrn jesus christus" angemahnt würde.

Vollzog sich also doch etwa eine verlagerung des schwergewichts vom zentrum an die peripherie? die geringe geistigkeit der damaligen germanen, ihr stark an äußeres gebundenes und dingliches denken, ihre herkunft aus einer heidnischen

276

frömmigkeit, deren götterverehrung stark auf dem grundsatz des „do ut des" aufgebaut war; dann die historisch feststehende tatsache, daß die gedanken der gebets- und verdienstgemeinschaft, der buße und dann des ablasses gerade durch die germanen später tatsächlich einigermaßen verdinglicht wurden, das alles berechtigt zur vermutung, daß bereits in der missionspredigt der ersten generationen der spätere moralismus ansetzte.

Auch hier kann und muß man zugeben, daß für die frühgermanische missionierung die starke betonung des lohngedankens taktisch wie sachlich tief berechtigt war und, im verhältnis zum erreichbaren, hoch fruchtbar sein mußte. auch aus diesem grunde wäre es töricht, bei der ausgesprochenen kritik an eine schuld des heiligen missionars zu denken. aber wiederum kommt es auch hier nicht nur auf das unmittelbare resultat an, sondern auf den strukturellen wert der angelegten linie, beziehungsweise der angewandten gesamtmethode. und hier gewinnt zweifellos das zurücktreten der sakramentalen lebensordnung im damaligen germanisch-christlichen raum, die ungenügend aktive teilnahme jener germanen am mitvollzug der liturgie, insbesondere des meßopfers, wieder erhöhte bedeutung. die geschichtsbetrachtung erschöpft sich nicht in lob und tadel. das wäre unzulässige verkürzung des reichen und komplizierten bestandes ad usum delphini. es geht darum, die geschichte verstehend zu begreifen, also einsichtig zu machen, wie spätere entwicklungen logisch aus früher gesetzten prämissen erwachsen konnten. daß mit dem weizen unkraut aufwachse, gehört zur last, zur tragik alles werdens, aller arbeit auf dieser erde. denn sie steht unter dem gesetz der erbsünde.

277

Die mit den letzten überlegungen angedeutete eigenart der bonifatianischen missionspredigt bezw. missionsarbeit läßt sich noch deutlicher herausarbeiten. die fragen, die Bonifatius stellt, sei es nach Rom oder an seine englischen freunde, die beschlüsse, die er auf den konzilien herbeiführt, die berichte, die er zusammenfassend darüber nach england gibt (Brief n. 78), sie kreisen alle um disziplinäre und um rechtliche bestimmungen. sie sind es, die hundertmal erwähnt werden; und noch öfters werden einzelbelege dieser art verhandelt. neben ihnen treten die fragen der lehre durchaus zurück. das amt des missionars, wie Bonifatius es versteht und uns schildert, schließt zwar neben dem mahner und richter selbstverständlich auch den lehrer und das lehren ein, und mit höchster inbrunst geht die sorge des heiligen dahin, daß die lehre reich einwurzele und sich mehre. aber diese lehre bietet keinerlei ungelöste schwierigkeiten, um die man sich erst bemühen müßte. wo die theologie beginnt, endet das interesse. daß Bonifatius sich paulus-erklärungen und bedaschriften ausbittet, beweist, daß sein persönliches graben auch tiefer ging. aber in seiner missionsarbeit können wir den einfluß davon nicht nachweisen.[24]

Auch das ist wieder ohne weiteres verständlich angesichts der rudimentären aufgabe, die in der christianisierung literarisch und philosophisch ungebildeter völkerschaften gestellt war. aber es ist doch auch nur ganz erklärlich aus der unbedingten vorherrschaft des disziplinären über die sphäre des glaubens, des guten tuns über die des neuen seins (der „neuen kreatur"), also durch die vorherrschaft des moralistischen. übrigens nicht einmal ganz verständlich in kreisen so gehobener geistigkeit,

278

wie sie in den englischen klöstern, denen bonifatius und seine freunde entstammten, gepflegt wurde. ganz verständlich vielleicht nur, wenn in diesen klöstern selbst durchgängig und von anfang an, vielleicht in auswirkung keltisch-germanischer elemente, in auswirkung auch jener erwähnten senkung des theologischen niveaus und im zurücktreten des genuin paulinisch-augustinischen, eine M O R A L I S T I S C H E G R U N D H A L T U N G. vorhanden war.

+ + +

Daß man dies, trotz allem schon gesagten, nicht doch noch mißverstehe, füge ich bei, daß dieser „moralismus" weder mit pelagianismus noch mit semipelagianismus das geringste zu tun hat. alle überlegungen und mahnungen nämlich, auch die „humanistischen", auf die wir in diesen kreisen stoßen, werden aus der offenbarung geschöpft, ihre ausführung wird angestrebt in gott, in jesus christus und aus dem glauben an die dreifaltigkeit. ganz tief ist stets das bewußtsein: die gnade gottes ist alles, ihm gehört das werk, nicht dem, der pflanzt.

1) Diefe Wahrfcheinlichkeit knüpft an den von Liudger in der Vita Gregorii abbatis (ed. Holder=Egger, Monumenta Germaniae historica Scriptores 15, 67) mitgeteilten Aufenthalt des Bonifatius im Klofter Pfalzel bei Trier. Wenn diefer Aufenthalt, wie allgemein angenommen wird, unmittelbar vor der Inangriffnahme der Miffion in Heffen liegt, bzw. unmittelbar nach der Trennung von Willibrord ftattgefunden hat, dann kann der Auszug Bonifatius' nicht wohl anders als von Echternach aus erfolgt fein. Die Nähe von Trier=Pfalzel zu Echternach legt ohne weiteres nahe, daß Bonifatius damals auch in Echternach war. Die andere Möglichkeit, daß Bonifatius fich in F r i e s l a n d von Willibrord getrennt habe, ift unwahrfcheinlich. Denn dann wäre es das Nächftliegende gewefen, daß Bonifatius den Rhein herauf bis Koblenz, oder noch weiter, gekommen und von da zu den Heffen abgebogen wäre. Es fcheint höchft unwahrfcheinlich, daß er, bei Koblenz angekommen, in der entgegengefetzten Richtüng abgebogen und erft die Mofel hinauf gewandert oder gefahren wäre. – Man darf auch noch, freilich mit aller Referve, Folgendes vorbringen: Nach Willibalds Darftellung in der Vita des Bonifatius fcheint es fo gewefen zu fein, daß Willibrord und Bonifatius fich f e h r viel, oft und lange über

279

die Frage des Bleibens oder Gehens von Bonifatius ausgesprochen haben. (Willibald findet für das Auseinandergehen die besonders schöne Formulierung: «eine den Einklang nicht störende Entzweiung schöner Art». Die von Willibald erfundene F o r m der Rede [Levison 25, 16 f.] hat für jene Schlußfolgerung natürlich kein Gewicht.) Man möchte annehmen, das sei eher möglich gewesen an einem Ort verhältnismäßiger Arbeitsruhe und geregelten Tagesablaufs, als mitten im missionarischen Arbeitsgebiet, sozusagen an der Front.

2) Leider steht mir zur Zeit der Niederschrift dieser Studie k e i n e r l e i dogmen= geschichtliche Literatur zur Verfügung. Vielleicht hätte ich auf sie zurückgreifen oder mit ihr mich auseinandersetzen können.

3) Ich zitiere die Briefe nach der Ausgabe von Michael T a n g l : Epistolae selectae in usum scholarum ex Monumentis Germaniae historicis. Tomus I: S. Bonifatii et Lulli epistolae. Berlin 1916. - T a n g l Michael, Die Briefe des hl. Bonifatius ... in Auswahl übersetzt und erläutert von M. T. (= Die Geschichtsschreiber der deutschen Vorzeit Bd. 92) Leipzig 1912. - Vitae sancti Bonifatii archiepiscopi Moguntini. Recognovit Wilhelmus L e v i s o n . (= Scriptores rerum Germanicarum in usum scholarum ex Monu= mentis Germaniae historicis) Hannoverae et Lipsiae 1905. - T a n g l Michael, Leben des hl. Bonifatius von Wilibald ... übersetzt von M. T. (= Die Geschichtsschreiber der deutschen Vorzeit Bd. 13) Leipzig ³1920. - Die Viten des hl. Willibrord benutze ich in der Ausgabe der Bollandisten in Acta Sanctorum, 3. Novemberband, 1910. (ed. Pon= celet.)

Aus der Literatur nenne ich:

H a u c k A., Kirchengeschichte Deutschlands I. Leipzig 1914. (Haucks Darstellung des Lebens des hl. Bonifatius ist immer noch, alles in allem genommen, die beste, die wir haben.) - S c h n ü r e r G., Kirche und Kultur im Mittelalter 1, Paderborn 1924. ²1927. - v. S c h u b e r t Hans, Geschichte der christlichen Kirche im Frühmittelalter. Tübingen 1921. - F i c k e r Gerh., Kirchengeschichte des Mittelalters. (= G. Krüger, Handbuch der Kirchen= geschichte, 2. Bd.) Tübingen ²1929. - K u r t h G., Saint Boniface (= «Les Saints») Paris 1904; ⁵1924. - F l a s k a m p F., Die Missionsmethode des hl. Bonifatius ²1929. (Diese Studie ist anspruchsvoll und wenig ergiebig.) - H e f e l e = L e c l e r c q , Histoire des conciles. Tome 3, 2. Paris 1910. - V o i g t Karl, Staat und Kirche. Stuttgart 1936. - B a r i o n Hans, Das fränkisch=deutsche Synodalrecht des Frühmittelalters. (= Kanonistische Studien und Texte herausgegeben von Albert Koeniger. Bd. 5 und 6.) Bonn und Köln 1931.

4) Teilweise hängt das damit zusammen, daß wir von den Briefen des Bonifatius= briefes mit einigen Ausnahmen nur die Konzepte besitzen.

5) Das Bonifatianische Brief=Corpus kennzeichnet sich als wichtige Darstellung des vorkarolingischen Humanismus. Die von Bonifatius oder Lull oder Lioba beigesteuerten Verse sind darin das bei weitem am wenigsten Bedeutsame. Wichtiger sind Häufungen der Epitheta (besonders in den Begrüßungsformeln), der Satzbau, ein gewisser Symbolismus.

6) Die zuletzt angezogene Stelle 173, 28 ff. sagt es übrigens unmittelbar: ... nec aliquam credulitatem (= irgendwie den Anfang des Glaubens) unius deitatis et sanctae trinitatis docent 176, 3.

7) Dieselbe Ungenauigkeit ist festzustellen in Willibalds Vita, etwa (36, 1 f.) mit der Vermengung von «scismaticum» und «heretica pravitate» und dem mehrdeutigen Pau= linischen Begriff der idolatria.

280

8) Leclercq macht auf den amplifizierenden Gebrauch von adulterium aufmerksam. a. a. O. 875.

9) Sehr wichtig wurde diese Art für die Ausweitung des päpstlichen Ansehens. Bedeutsam auch das Bestreben, möglichst für alle Bereiche der Kirche bzw. des Kirchlichen u n m i t t e l b a r den Willen Gottes in Anspruch zu nehmen, oder mit dem Verlust der Seligkeit zu drohen. Die stehenden Formeln oder Quasi= formeln gewannen hier weittragende Bedeutung. Etwa das Klostergut wird einfach bezeichnet als «sanguine Christi comparata» 169, 31; der Plan, Köln zur Metropole zu machen, kommt «ex dei nutu» 121, 34; Kirchenzuwendungen sind «luminaria sanctorum» 123, 8; wer sich gegen die vom Papst bestätigte Diözesaneinteilung erhebt «sciat se aeterno dei iudicio anathematis vinculo esse innodatum». Fehler bei den Benediktionen führen zur Verdammnis 194 (mit Berufung auf Galat. 1, 9: Si quis vobis evangeliza= verit praeter id, quod evangelizatum est, anathema sit! (!) – Ein lehrreiches Beispiel undeutlicher Ineinanderschiebung von einer bestimmten kirchlichen Satzung (zweimal im Jahre eine Synode abzuhalten) und einer allgemein bindenden Vorschrift des Apostels (der Berufung würdig zu wandeln) zeigt als ein Beispiel für andere der Brief N. 44.

9a) Siehe unten Anm. 20.

10) Die Ratschläge des Bischofs sind stark von der Literatur abhängig.

11) Im gleichen Brief wird in Weiterführung eines jener vorher angeklungenen alten Motive diese interessante Betrachtung eines Nordgermanen des 8. Jahrhunderts über Norden und Süden vorgelegt: «Und während diese, die Christen, fruchtbare Länder, Wein und Oel tragende und an allen übrigen Erzeugnissen reiche Gebiete innehaben, sind ihnen, den Heiden, nur die in stetem Frost starrenden Länder übrig geblieben ...» (40, 25-28).

12) Vergleiche aus den Bonifatiusbriefen: 186, 8 (Bischöfe sollen ihre Geistlichen in der hl. Schrift unterrichten); 187, 6 ff.: vor der Abtsweihe soll dem Kandidaten die Kenntnis der hl. Schrift vermittelt werden; 53, 18 f.: Aebtissin Eadburg: das Bibelstudium sei ihr tägliches Brot. Noch der alternde Bonifatius spricht begeistert von dem neuen Licht des «instigator sacrae scripturae», d. h. von Beda Venerabilis, und möchte von seinen Schrifterklärungen haben; Bonifatius will eine Abschrift der Petrusbriefe haben, weil er sie bei der Predigt immer zur Hand haben will (ante oculos). Vergleichung einzelner Schriftsprüche und ihrer Aehnlichkeit 154, 13 ff.

13) Manchmal dürfen wir dieses Vertrauen sogar mit Recht übertrieben finden. In dieser Beziehung ist aufschlußreich der Brief N. 87 (Papst Zacharias an Bonifatius): «Zu= nächst fragst Du wegen der Vögel, der Dohlen, Krähen, Störche. Von deren Genuß sollten sich Christen vollständig enthalten; noch viel mehr gilt dies aber von Bibern, Hasen und wilden Pferden. Doch du, heiligster Bruder, bist hier ja in allen Stellen der heiligen Schrift bewandert» (196, 24-28).

14) Den Unterschied zu einer aus dem Biblischen unterbauten Darstellung illustriert die Vita Willibalds. Sie ist ein humanistisches Produkt. Nicht deshalb nur, weil der Autor in so auffallender Weise nach kunstvoller Prosa strebt und viele und nicht selten große Worte macht, um inhaltlich recht wenig zu sagen, sondern auch – was viel wichtiger ist – von jener theologischen Seite her, die uns hier beschäftigt. Es fehlt diesem Stück, das ausschließlich um Frömmigkeit und christliches Leben kreist, in weitestem Maße an Material aus der Heiligen Schrift. Das Kirchliche aber wird, dort wo man die Allgemein=

281

heiten einigermaßen zu analyſieren vermag, ziemlich beſtimmt moraliſtiſch geboten. Aus=
drücke, Formulierungen, Andeutungen, welche die «ſpiritalis scientiae sapientia», die
«cognitio christianitatis» (43, 25 ff.), das «canonicae rectitudinis speculum omnibus ad
exemplum gradibus bene vivendi» (43) energiſch vom Glauben im Sinne des Fürwahr=
haltens wie der vertrauenden Hingabe der Rechtfertigung deuten würden, finde ich nicht.

15) Nebenbei geſagt, iſt dies ein Brief, der unmittelbar und über alle Mißdeutung
hinweg die eigentliche Triebfeder der damaligen päpſtlichen Kurie zeigt: r e l i g i ö ſ e s
Bemühen um das Reich G o t t e s. Daß dieſes Schreiben aber von Gregor III. iſt, könnte
auf die opinio communis, nach welcher dieſer Papſt weniger religiös als politiſch geweſen
wäre, korrigierend wirken.

16) Man könnte in dieſer Hinſicht darauf verweiſen, daß der Tenor anderer Briefe
Gregors III. (etwa N. 43-45) ſehr viel anders iſt als dieſe N. 12.

17) Die Verteilung ergibt folgendes Bild (ich füge zum Vergleich die Ziffern aus
den Papſtbriefen bei): Unter den in Betracht kommenden Schreiben 9-109 ſind von Boni=
fatius 38 Briefe, von Päpſten 29. Dem Umfang der Briefe nach ergibt ſich ein ſtarkes
Mehr für Bonifatius. Es bieten Zitate:

	AT	(Pſalm.)	NT	Synopt.	Math.	Apg.	Paul.	andere Briefe
B o n i f a t i u s 147 und zwar:	55	22	92	30	14	2	51	9
P ä p ſ t e 153 und zwar:	34	9	119	65	38	3	49	5

In den Papſtbriefen kommt außerdem noch 1 Zitat aus der Apokal. vor. Weſentlich
geringer iſt der Beſitz an Bibelſtellen bei Lul: 29 Zitate in 16 Briefen.

18) Tangl Verzeichnis der Bibelzitate S. 315 weiſt einige Verſehen in der Zuweiſung
der Briefe an B oder P auf.

19) Von Willibald wiſſen wir, daß die Reliquien in der Miſſionsarbeit des hl. Boni=
fatius nie fehlten: er führt ſie immer bei ſich (49, 21); in Rom und Umgegend pilgert
er eifrig zu ihnen (37, 8); er nimmt reichlich Reliquien mit ſich von dort (ebd.) Das
entſprach der ganzen Zeit (vgl. 99, 27: «sanctorum patrocinia» ſind im Heereszug mit=
zuführen). Das ausgefallenſte Stück ſind die von dem Ketzer Aldebert angeprieſenen
Reliquien: ein Engel des Herrn habe ihm vom äußerſten Weltende her. «mirae et tamen
incertae sanctitatis reliquias» gebracht (111, 18). - Für die g r o ß e kirchengeſchichtliche
Entwicklung bleibt in dieſem Zuſammenhang ſtets beſonders denkwürdig der Zuſammen=
hang zwiſchen den Reliquien des hl. Petrus in St. Peter in Rom, dem päpſtlichen Primatial=
bewußtſein und der wachſenden Anerkennung des Primatialanſpruchs. Auch in dieſe
Entwicklung iſt Bonifatius unmittelbar verflochten durch die Art, wie er mehr denn ein=
mal ſeine Romtreue ausdrückt: ſeinen eigenhändig geſchriebenen Treueid an Gregor II.,
oder vielmehr nicht an Gregor, ſondern an Petrus, bzw. an deſſen Reliquien, an deſſen
Leib, auf den, hier gegenwärtig, er auch den Eid niederlegt: promitto vobis, beato Petro
... per hoc sacratissimum corpus tuum 28, 16 ff.; vgl. 130, 27. Das Geſamtwerk des
Bonifatius wird von Papſt Zacharias gekennzeichnet als: quae ei (= Petro) parere
desideras 92, 15.

20) Vgl. Willibald Vita c. 6: die erſten «heſſiſchen» Bekehrten in Amöneburg
Dettie und Deorulf: «eos a sacrilega idulorum censura, qua s u b q u o d a m
c h r i s t i a n i t a t i s n o m i n e m a l e a b u s i s u n t». Desgl. im Brief N. 17 (Gregor II.)
S. 266: «quasi sub religione christiana idulorum culturae eos servire cognoscimus». Die
maſſenhaften Details der Briefe füllen dieſen Rahmen leider nur allzu reichlich aus.

282

Vgl. «in latissimo pago fidelium, sed errantium populorum» (207, 30). - Vgl. 55, 25: «caecis proprias tenebras ignorantibus».

21) Dies geht im Gesamttenor nicht über den Begriff Belohnung hinaus, sondern ist mit ihm identisch. Vgl. aus den zahllosen Stellen etwa noch 47, 21: «praemia ... et kos veniam peccatorum invenire»; do. N. 25 und N. 27 (Berufung auf Mt. 19, 29).

22) Wenn auch Tangl in seiner Uebersetzung S. 211 f. aus diesem Brief nur Anfang und Schluß gibt, «da der mittlere Teil wesentlich aus der Aneinanderreihung von Bibel= stellen besteht», so bleibt er doch, und gerade durch dieses Bibelmaterial ein ganz herr= liches Stück.

23) Auch, daß er gezwungen war, die Fragen der geschlechtlichen Moral immer wieder so stark über die andern herauszuheben (169, 17 f. und passim gegenüber den schlechten Bischöfen und Priestern), gehört einigermaßen in dieses Bild. - Dazu die aus= führliche Sorge um das Fasten und den Unterschied der Speisen, etwa, wann man geräucherten Speck essen dürfe (199, 1 f.).

24) Ich habe z. Zt. keine Möglichkeit, mich über den religiösen Gehalt und die Theologie der von Bonifatius gewünschten Homilien des Beda zu orientieren. Das andere gewünschte Stück (Proverbia Salomonis) weist an und für sich deutlich genug nach der moralistischen Seite (207, 20 f.). Die oben gekennzeichnete Paulus=Auswahl muß natürlich in diese Ueberlegungen mit hineingestellt werden.

283

I.
Abhandlungen.

1.

Untersuchungen zur Missionsmethode und zur Frömmigkeit des heiligen Bonifatius nach seinen Briefen.

Von Univ.-Prof. Dr. **Joseph Lortz**, Münster i. W. [1]).

Die mit den Stichworten „germanisch", „deutsch", „römisch" angedeuteten Fragen nach dem Wert und der Eigenart der Missionsmethode, der Frömmigkeit und der Kirchlichkeit des heiligen Bonifatius werden in Deutschland wohl immer verschieden beantwortet werden. Das ist aber kein Grund, der Beantwortung aus dem Wege zu gehen. Es ist eher ein Ansporn, zu versuchen, das erreichbare Gemeinsame durch saubere methodische Arbeit zu erweitern.

---

1) Die folgenden Ausführungen stellen dar den Teil IV eines Aufsatzes, dessen Teile I—III unter obigem Titel erschienen in: „Wilibrordus. Echternacher Festschrift zum 1200. Todestag des Heiligen Wilibrord. Herausgegeben von Dr. N. Götzinger. Echternach-Luxemburg 1940" S. 247—283. Ich zitiere die Briefe nach der Ausgabe von T a n g l, Epistolae selectae in usum scholarum ex monumentis Germaniae historicis. Tomus I: S. Bonifatii et Lulli epistolae, Berlin 1916. Die Übersetzung meist nach Michael T a n g l, Die Briefe des hl. Bonifatius . . . (= Die Geschichtsschreiber der deutschen Vorzeit Bd. 92), Leipzig 1912. — Vitae sancti Bonifatii archiepiscopi Moguntini. Recognovit Wilhelm Levison (= scriptores rerum Germanicarum in usum scholarum . . .) Hannoverae et Lipsiae 1905. — Die Viten des hl. Wilibrord in Acta Sanctorum, 3. Novemberband, 1910 (ed. Poncelet). — Seitenangaben und Nummern ohne nähere Bezeichnung gehen auf die Briefausgabe von Tangl. Die Hinweise auf H a u c k gehen auf die Kirchengeschichte Deutschlands I, Leipzig 1914; bei S c h n ü r e r auf Kirche und Kultur im Mittelalter I, Paderborn ², 1927.

Zwei Bemerkungen seien vorangestellt! Die erste geht hauptsächlich an die Adresse der Bekämpfer des „romhörigen" Bonifatius, die andere ist vor allem den Katholiken zur Beherzigung empfohlen.

a) Es gehört zu den elementaren Erfordernissen einer methodisch richtigen Beurteilung des zeitgeschichtlich bedingten Wertes einer Persönlichkeit und des Wertes ihres Tuns zur Zeit, als dieses Werk geleistet wurde, daß man sie nach d e n Kategorien vornehme, die diese Persönlichkeit als allein maßgeblich verstanden hat. Auf unser Thema angewandt bedeutet das, daß man Bonifatius nur nach religiösen, und zwar christlichen Kategorien beurteilen darf (s. darüber weiter unten); daß man nicht ein Handeln nach Kategorien von ihm verlangen darf, die erst viel später aufkamen. Daß damit in unserm Spezialfall keinerlei Unterbewertung des Heimatlich-Vaterländischen gemeint ist, versteht sich von selbst. Für Bonifatius selbst besteht in dieser Hinsicht keine Schwierigkeit. Man kennt seine Treue zur Heimat, zu Stamm und Stammverwandtschaft, sowie die daraus geborene rührende und ergreifende Sorge für das leibliche und seelische und jenseitige Heil der Germanen, besonders der Sachsen auf den Inseln und auf dem Kontinent, sowie seiner sächsischen Mitarbeiter um ihn.

b) Daß ein Prinzip oft (oder innerhalb eines gewissen Zeitraumes sogar überwiegend) häretisch verderbt dargestellt und also gegen die Kirche ausgenutzt wurde, ist noch kein Beweis dafür, daß das Prinzip in sich unkatholisch wäre. Konkret gesprochen: die häretische, oder auch nur schismatische Darstellung der staats- oder landeskirchlichen Idee beweist noch nicht, daß es nicht auch eine voll katholische staats- oder landeskirchliche Idee geben könne und gegeben habe.

Was lehrt uns zur Lösung dieser Fragen Bonifatius?

A. Grundhaltungen.

Es wird gut sein, wenn wir uns zunächst einmal für die Grundhaltungen des Bonifatius interessieren. Die Auskunft wird ebenso auf das bisher Verhandelte [1]) neues Licht werfen als den Weg für die noch zu führende Untersuchung bahnen helfen.

1. Weniges ist schwerer in seinem Grundantrieb zu fassen als die

---

1) A. a. O.

für eine säkulare Entwicklung im eigentlichen Sinne das Fundament legenden Vorgänge des geistigen und speziell des religiösen Lebens, sofern es sich nicht um revolutionäre und hart umrissene Vorgänge handelt, je konservativer also, aus tausendfacher, täglicher Kärnerarbeit langsam wachsend solcher Vorgang sich abgespielt hat.

Zu den grundlegenden Vorgängen abendländischen Lebens gehört ohne Zweifel die Lebensarbeit des hl. Bonifatius. Ohne sie wäre die Kultureinheit des Mittelalters s o nicht gekommen, also die Geschichte des Abendlandes nicht so geworden, wie wir sie kennen, und wie wir mit ihr rechnen müssen und rechnen dürfen. Nun hat man die einzelnen Antriebe des Apostels der Deutschen längst klargelegt. Aber, wenn man diese Antriebe kennt und sie an den Briefen des Heiligen nachkontrollirt, dann bleibt doch ungelöst zurück ein merkwürdig objektiv, manchmal formelhaft anmutender Bestand. In Wirklichkeit aber ist die Arbeitsleistung, die unter vielfach enormen Schwierigkeiten materieller und religiös-sittlicher Art von Bonifatius und seinem Kreis angesetzt und durchgehalten worden ist, so gewaltig, daß nur eine g e n i a l e Kraft — nicht des Denkens, aber des Tuns — zur Erklärung genügt.

2. Wilibalds Vita zeigt uns die Atmosphäre, in der Bonifatius aufwuchs und aus der er lebte, die Briefe des Heiligen bestätigen die Angaben: Bonifatius war gefangen vom Ideal des Asketisch-Religiösen [1]); die Welt ist nicht viel mehr als Versuchung, die Augen sehen beinahe nur Sünde (132, 3); der Leib ist ein Gefängnis, aus dem der Tod befreit (80/81; vgl. Wilibald 46); hier ist Trauer und Finsternis, drüben Licht und Freude. Der Mensch ist hinfällig wie Gras, die ganze Welt liegt im Argen (77, 18); was nützt es dem Menschen, wenn er die ganze Welt gewänne? Keines Menschen Auge hat gesehen, was Gott denen bereitet hat, die ihn lieben: Gott ist alles.

Ursächlich wichtig ist, daß Bonifatius seit seinen Kinderjahren Klosterluft atmete. Entscheidend bleibt aber nur, wie diese Grundstimmung in all den unendlich vielfältigen, auf sehr weit auseinanderliegenden Schauplätzen, unter so sehr verschiedenen Verhältnissen ablaufenden Arbeiten festgehalten wurde. Hier gibt unsere Briefsammlung Auskunft. Man kann es nicht anders als

---

1) „Mentem virtutibus edomare" (Wilibald, ed. Levison 13, 20).

staunenswert nennen, in welcher Fülle und Ausnahmslosigkeit
hier alles um Gott und Christus, seine als heilig gepriesene katholische Kirche und das ewige Leben kreist. Wenn man für die
Kurien-Seite noch allenfalls Routine und Formeln, und in einem
gewissen Umfang Macht-Interesse, geltend machen wollte (obschon
das gegenüber dem unzweifelhaften religiösen Ernst Unrecht wäre;
s. darüber unten), bei Bonifatius und seinen angelsächsischen
Freunden fällt das von vornherein weg: sie sind nicht wegen irgendeines irdischen Lohnes ausgesandt (43, 25). Der „amor peregrina-
tionis" (214, 14) wird zwar freimütig als mittreibende Kraft der
Missionsarbeit anerkannt, und die zitierten Ausführungen der Welt-
verneinung bringen keinen falschen Ton und nichts Ungesundes in
das Bild; aber der Kern bleibt „timor dei" (ebd.), es geht „ad
augendam segetem spiritalem" (120, 23), um ein Werk, das mit
dem der Apostel vergleichbar ist (132, 30). Aller Erfolg wird immer wieder nur Gott zugeschrieben (42, 10 f. 21. 36; 50, 3; N. 25;
N. 26 Anf.), und nur, wenn Er will, stellt sich der Erfolg ein.
Die Bekehrungen kommen von der Gnade unseres Herrn (49, 20 f.;
50, 5), sie werden geleitet für und mit Gott und in Christus
(51/52). Wenn die Mission stagniert, sind die eigenen Sünden des
Missionars an dem ungenügenden Ertrag schuld (137, 12).

Wir kennen aus den Bonifatiusbriefen zur Genüge die Mühen,
die dieses Werk bereitete, die Schwierigkeiten, die zu überwinden
waren auf den fortgesetzten Reisen (N. 27), inmitten des Ansturms der falschen Brüder, die wie Wölfe sind und das Leben zur
Hölle machen (137); in äußerer Notdurft mit Hunger und ungenügender Kleidung (N. 93 und 94); im Fernsein von den Freunden, das den Heiligen mit brennender Sehnsucht erfüllt, die er
packend ausspricht [1]. Um so stärker ergreift dann der wunderbare Eifer in diesem „ministerium populorum et ecclesiarum"
(213, 23), das ihm wie eine große Verpflichtung auferlegt ist, und
das ihn mit drängender Hirtensorge erfüllt, damit der Wille Gottes, daß alle Menschen erlöst werden, Erfüllung finde (54, 18 ff.;
130, 29; 168, 30—169, 14; N. 93; N. 46; N. 65). Dies ist die
Sorge: daß die christliche Religion wachse im Namen des Herrn

---

[1] Brief N. 104; 205, 21 ff. Überhaupt geht Bonifatius am weitesten
aus sich heraus und am stärksten überwindet er das, was wir gelegentlich als formelhafte Andeutung in seinen Briefen empfinden, wenn
die Sorge um seine stammverwandten Freunde und das Gefühl der
Sehnsucht aus ihm spricht: N. 104 (228, 10 ff.); N. 106; N. 101.

(73, 15; 77, 13; 86, 25), und sie lebt mit der ungebrochenen Hoffnung auf Sieg: „veritas fatigari potest, vinci autem et falli non potest" (168, 51).

Es besagt für die Kennzeichnung eines als heilig anerkannten Missionars wenig, wenn man nüchtern feststellt, daß er den Schmerz über den Tod eines Verwandten eines seiner Adressaten religiös auszuwerten versucht. Aber w i e Bonifatius das tut, wie er die Auffassung entwickelt, daß dieser Tod beitragen soll zur eigenen Läuterung in Gottes Liebe, das ist ein wirkliches Zeugnis religiöser Kraft (131, 23 ff.).

Maßgeblich spricht natürlich die Gesamtheit dieses Lebens als Ganzes (mit dem krönenden Martyrium als Beweis letzter Treue) für seine heroisch-religiöse Grundeinstellung. Einen eindringlichen Beweis stellen auch die inhaltsreichen, tief christlichen Gebete dar, die dem Briefkorpus angehängt sind (vor allem N. 149 mit seinen starken liturgischen Anklängen). Man darf annehmen, daß Bonifatius diese Gebete ausschöpfte.

Wir sind nun wohl zur Schlußfolgerung berechtigt: Dies ist in gewaltigem Ausmaß ein immer wieder auf Gott und Christus zurückgehendes Leben, ganz stark und unermüdlich „das Reich" in diese Welt tragend, aber gar nicht von dieser Welt.

Diese restlose Hingabe ist auch wieder der beste Beweis dafür, daß der unermüdlich angezogene Lohngedanke („Willibrordus" S. 272 ff.) das rein Christliche nicht mindert: cognovimus tuam piissimam devotionem ferventissimumque amorem, quem habes propter beatam vitam, ut dextera Domini protegente meditaris die ac nocte ad fidem catholicam atque apostolicam pro tuae animae redemptione corda paganorum Saxonum converti (76, 4 ff.).

3. Der letzte Maßstab, der immer wieder an kirchengeschichtliche Erscheinungen angelegt werden muß, ist die Frage nach ihrem unmittelbar religiösen Gehalt, die Frage nach dem Maße des Übernatürlichen, das sie enthalten. Dessen unmittelbarster Ausdruck ist das Gebet. Nun wissen wir über die A r t des Betens des heiligen Bonifatius nicht gerade sehr viel. Aber wir sind über etwas unterrichtet, was entscheidender ist: über die Tatsache, daß sein ganzes Arbeiten auf Gebet gegründet ist. Mehr noch: Bonifatius war elementar bewegt von dem Glauben an die „communio sanctorum". Er kam aus einem Kreis, wo man das

Herrenwort tief verstanden hatte: wo zwei oder drei in meinem
Namen versammelt sind, bin ich mitten unter ihnen. Tatsächlich
wird die gesamte Missionsarbeit des Heiligen unternommen, begonnen und durchgeführt als eine Arbeit der Gebetsvereinigung
des Bonifatius, seiner Mitarbeiter und der in der Heimat Zurück-
bleibenden (vgl. etwa Brief 46; 47; 38; 65; 66; 67; 101). Unaufhörlich gehen die Bitten um Gebetshilfe in die Heimat, immer
wieder findet sich die Bitte um Aufnahme in die Gebetsvereinigung oder um deren Erneuerung.

Dies ist auch ein Punkt, der allgemein für die Exegese des
bonifatianischen Briefkorpus ergiebig wird; er kann helfen zu
entscheiden, ob und inwieweit das Formelhafte, das wir erwähnten, nur äußere Abbreviatur ist, oder innere Erstarrung ausspricht.
Nämlich: jene Bitten um Gebetshilfe folgen sich tatsächlich mit
verblüffender Regelmäßigkeit; beinahe so, wie den Briefen auch
ein Gruß oder ein Lebewohl in irgendeiner Form mitgegeben
wird. Man ist versucht, an formelhafte Erstarrung zu denken.
Aber man könnte nicht schlimmer fehlgreifen. Wir können nachweisen, daß dieser Gebetseifer aus der Tiefe kommt, und daß
das Werk des Bonifatius wirklich daraus l e b t. Für das Gesamt
des Werkes kann ein Zweifel hierüber nicht bestehen [1]). Eine
ganze Anzahl Briefe oder kleinere Billets enthalten a u s s c h l i e ß -
l i c h die Bitte um Gebet (für sich und die Völker Germaniens)
(N. 38; N. 31).

Es gibt Stellen, die das unmittelbar aussprechen, wie 33, 1.
Oder man vergleiche: „Die Gnade Eurer Huld beschwöre ich
inständigst, meiner in eurem hl. Gebet eingedenk sein zu wollen,
und das Schifflein meines Geistes, das durch mancherlei Sturmfluten unter den Völkern Germaniens bedrängt ist, in den Hafen
des festen Felsens verankern zu helfen, und wünsche, in b r ü -
d e r l i c h e r   G e m e i n s c h a f t gerade so, wie sie mir Erzbischof Berhtwald, eurer Vorgänger ehrwürdigen Andenkens, bei
meinem Abschied von der Heimat gewährte, auch mit euch durch
das g e i s t i g e   B a n d vereint und den Kitt der Liebe verbunden und würdig zu sein, zugleich mit den brüderlichen Ge-
fährten meiner Wanderschaft in der Einheit des katholischen
Glaubens und der Süßigkeit geistiger Liebe mich euch immerdar

---

1) Vgl. noch die Briefe N. 66. 67. 74. 75. 76. 77 (Zacharias für
Bonifatius). 105 (König von Kent für Bonifatius; sehr stark 230, 32).

beizugesellen" (56, 28—57, 9). Den Abt Optatus von Monte-
cassino bittet Bonifatius um Aufnahme in die „Gemeinschaft
brüderlicher Liebe und geistlicher Gemeinschaft, ... damit das
Licht der Heilsbotschaft vom Ruhme Christi und der Weg des
Lebens, den wir den Völkern und Heiden zeigen und selbst wandeln sollen, nicht vor uns selbst sich verdunkle und verhülle. Auch
bitten wir angelegentlich, es möge ein enges Verhältnis brüderlicher Liebe zwischen uns herrschen, für die Lebenden gemeinsam
gebetet, für die aus diesem Leben Abgeschiedenen Gebete und
die Feier der Messe dargebracht werden, und zu diesem Zweck
die Namen der Verstorbenen gegenseitig zugesandt werden"
(231, 30—232, 21).

Aus den zitierten Stellen geht schon hervor, daß die Bitte um
Gebetshilfe sich nicht nur auf das Werk der Missionierung bezieht. Sie gehorcht — damit eng verbunden — noch einem
andern Motiv: sie soll Hilfe bringen der eigenen Sündhaftigkeit
und den innern Anfechtungen (49, 5). Sehr oft spricht Bonifatius
von dieser innern Gefährdung, die schlimmer sei als die Beschwer-
nisse von außen; es sind die „mancherlei Sturmfluten, die das
Schifflein seines Geistes umtosen" (57, 1); durch sie besonders
wird er zum „Gefahrumdrohten" (N. 29; 31; 57, 2; 207, 9. 26;
192, 12 ff.; 215, 34; vgl. N. 94).

Hier wurzelt auch z. T. seine Ängstlichkeit (130, 28 f.; ebf.
N. 64), die seine Gewissenhaftigkeit manchmal ins Kleinliche
herabdrückt (vgl. Hauck 1, 578 ff.). Von hier aus erwächst ein
Stück seiner nicht seltenen Traurigkeit (60, 13; 129, 8; 130, 31;
131, 4), das Bewußtsein ungenügender eigener Leistung (165, 7
bis 22), das ihn veranlaßt, sich als letzten und schlechtesten
Sendboten zu bekennen (N. 67), aber vor allem immer wieder jener
Ruf um Gebetshilfe (130, 16; s. oben): „Bei Gott beschwöre ich
die teuerste Schwester (Äbtissin Bugga), meine süßeste Mutter
und Herrin, ständig für mich beten zu wollen, weil ich für meine
Sünden von vielen Widerwärtigkeiten heimgesucht und mehr
noch durch geistige Anfechtung und Bekümmernis als durch leibliche Mühsal bedrängt bin" (49, 1—6; dazu 54, 15 ff, 55, 6 ff.).

Die Tatsache, die uns als E i n z e l vorgang am unmittelbarsten
in des Bonifatius religiöse Tiefe einen Blick gestattet, ist wohl
seine zweite Reise nach dem Festland. Sie wurde erst ermöglicht
dadurch, daß Bonifatius die Abtswürde in seinem geliebten

Nhutscelle ablehnte. Hauck hat richtig empfunden, wie nach der ganzen Erziehung und Entwicklung des Heiligen die Stelle als Abt in diesem Konvent ihm als eine große, anziehende und ausfüllende Arbeit erscheinen mußte (a. a. O. 1, 456). Trotzdem verzichtete er darauf: wenn es der Wille Gottes ist, wird er in die Mission gehen.

B. Bonifatius und Rom.

1. Die angegebene religiöse Grundhaltung des Bonifatius differenziert sich weiter in der bedeutsamsten Weise: Bonifatius ist nicht und handelt nicht nur christlich, er ist, denkt und handelt k i r c h l i c h , und zwar römisch-päpstlich. „Kirchlich" zu denken und zu arbeiten war der geheime Sinn dieses Lebens, seitdem die Eltern das Kind der Kirche geweiht hatten. Bonifatius hat diesen Sinn bis in die letzte Möglichkeit ausgeschöpft.

Für jede Beurteilung der missionarischen Tätigkeit unseres Heiligen ist dies ausschlaggebend, daß Bonifatius nicht als Jüngling, auch nicht in den beginnenden Mannesjahren nach dem Festland zog: er begann zu missionieren als reifer Mensch, der in allem Wesentlichen längst seine eigentliche und definitive Form angenommen hatte. Seine Grundhaltungen sind lange überlegt, seine Handlungen sind Ausdruck erprobter innerer Überzeugungen. Erst im Licht dieser Tatsache erhalten gewisse Züge ihre volle Bedeutung. Zum Beispiel: Wilibrord nannte sich höchst selten mit dem neuen römischen Namen Klemens, Bonifatius hingegen nannte sich nur noch selten Wynfried. Man hat darin den bündigsten — und einen tief bezeichnenden! — Ausdruck für sein Bewußtsein zu sehen, römischer Beauftragter zu sein. Das Papsttum ist ihm die hohe Leuchte dieser Welt, und er ist dessen ganz und gar demütiger Diener. Man muß das „D i e n e r" unterstreichen. Von sich aus betont Bonifatius Rom gegenüber das „c o episcopus" nur sehr selten. Sogar seine verschiedenen Kritiken an römischen Zuständen lassen davon nicht viel durchklingen. Das Einzige, daß er ihm berechtigt erscheinende Forderungen, wenn sie in Rom abgelehnt wurden, mit der ihm eigenen Zähigkeit durchhielt, bis sie später bewilligt wurden (etwa die Bestallung eines Nachfolgers zu seinen Lebzeiten).

2. Man muß den Behauptungen der Bonifatius-Viten, den Papstbriefen an ihn und den eigenen Aussagen des Heiligen, wenn er von seinem „Abmühen in der Verkündigung des Evangeliums

Christi, unseres Gottes" (Papst Zacharias an Bonifatius i. J. 748) spricht, ihre ganze religiöse Bedeutung wiedergeben. Bonifatius war ein Missionar im ursprünglichen Sinn des Wortes, Verkünder des Wortes.

Sicherlich war in den meisten Gegenden, in denen Bonifatius arbeitete, das Christentum schon geraume Zeit verkündet, sicherlich bleibt die Verbindung der fränkischen Kirchen mit dem Papsttum und ihre Organisierung in Diözesen mit den entsprechenden Konzilien der Hauptruhmestitel des Heiligen. Indes, dieser Ruhm muß ganz als religiöser verstanden werden, als der eines Evangelisten. A l l e Arbeit des hl. Bonifatius ist begleitet und gesegnet von der unmittelbaren Ausstreuung des Samenkorns des göttlichen Wortes. Man muß sich sogar fragen, ob die Predigt des Wortes nicht schwieriger war gegenüber diesem vielfach verfälschten Christentum als gegenüber einem glatten Heidentum.

Bonifatius fühlte sich auch selbst durchaus als Glaubensbote; so hat er gegenüber Papst Zacharias seine ganze Aufgabe formuliert (192, 16 ff. 193, 22), und umgekehrt haben ihn die Päpste immer wieder als Glaubensboten angeredet (vgl. 201, 17 ff.). Auch die Organisierungstätigkeit des Heiligen gehört in diesen religiösen Zusammenhang der Verkündigung des Wortes Gottes. Sie ist ganz eingehüllt in eine immer wache r e l i g i ö s e Hirtensorge um die ihm anvertrauten christlichen Völker und Diözesen.

3. Und trotzdem bleibt wahr, daß die Missionierung des Bonifatius im eigentlichen Sinne des Wortes Sammlung der Völker um Rom war. Es war die Ausführung des zentralen Papstprogramms, wie es am Beginn des heraufziehenden Mittelalters Gregor der Große formuliert und in die Tat umzusetzen begonnen hatte. Die These braucht nicht erst bewiesen zu werden. Sie ergibt sich über jeden möglichen Zweifel hinaus aus dem Leben des Heiligen in einer Eindringlichkeit ohnegleichen, und sie wird von allen Seiten, freudig zustimmend oder mit Bedauern, anerkannt.

Man muß sich aber die F ü l l e dieser Tatsachen bewußt machen! Bonifatius ist überzeugt, das Wort Gottes, das er auszustreuen hat, aus dem Schoß der katholischen und apostolischen Kirche als ein anvertrautes und verpflichtendes Pfand empfangen zu haben (129, 15 f.), von der römischen Kirche, die ist unsere wahre, geistige und geistliche Mutter, die Mutter aller Bischöfe und der Gläubigen, die alle untereinander in geistlicher Verwandtschaft leben (s. oben). Vgl. 162, 13—163; 178, 10 ff.; 183 passim; 185, 6 ff.

Diese Kirche ist e i n e , in ihrer Einheit heißt es zu verbleiben (81, 10 f.).

Bonifatius ist in die „familiaritas" und das „servitium" der römischen Bischöfe aufgenommen (110, 8—12); sie will er stets von den aufeinanderfolgenden Päpsten erneuert haben. Der heilige Petrus ist sein eigentlicher Herr (60, 15), ihm hat er seinen Treueid geschworen, wie ihn bis dahin nur die dem römischen Bischof unmittelbar unterstellten Bischöfe Mittel- und Süditaliens, nicht aber einmal die von Norditalien geleistet hatten (28, 16 bis 29, 21); durch den römischen Papst „informatus" fängt er sein Werk an (34, 20), sein Werk ist eine römische legatio (66, 12), er selbst „universalis ecclesiae legatus Germaniae et servus sedis apostolicae" (N. 46 = S. 82); daß er in Germanien wirkt, daß er fern der Heimat in der Fremde arbeitet (N. 74; 75; 86), ist päpstliches „consilium et praeceptum" (66, 12). Dasselbe gilt für die Mitbischöfe (N. 74). Die Bischöfe läßt er den berühmten Treueid für Rom schwören. Die Heiden, die er missioniert, sind ihm von Rom zugewiesen (N. 65). Zur Abhaltung des Concilium Germanicum braucht er des Papstes „consilium und praeceptum" (iudicium) (82, 8); neue Bischöfe sollen „auctoritate apostolatus vestri" und „sancti Petri iussionibus apostoli" ernannt werden (81, 25 f.). Er bittet, der Papst möge mit eigenem Wort das Volk der Franken und Gallier bekehren, und er schreibt ihm dabei solche Machtfülle zu, daß durch dieses Wort die schlimmen Ketzer in jenem Reich (Adelbert und Klemens) „mittantur in carcerem" (110, 27 ff.). Der Weisheit dieses Wortes und der Autorität dieser Macht will er bis zum letzten Atemzug in der Einheit und Unterwürfigkeit der römischen Kirche treu bleiben (163, 10 ff.) und in allem die Gebote des heiligen Petrus befolgen (163, 13) [1]).

4. Die sich in dieser Tendenz ausdrückende innere Haltung ist natürlich ein Erbstück aus den Gewohnheiten der von Rom grundgelegten und ihm innig anhängenden angelsächsischen Kir-

---

[1]) Hierher gehörige Stellen finden sich passim. Vgl. etwa noch „pro auctoritate sancti Petri servi devoti et subditi discipuli" (des Papstes); Bonifatius wünscht des neuen Papstes „servi oboedientes subditi sub iure canonico" 81, 9 f.

che. Bonifatius war in diesen Prozeß deshalb besonders eng eingespannt, weil er, der Gebildete, so nahe jenem Kreise Aldhelms verbunden war, der einerseits „die Bildung des Zeitalters repräsentierte" und dessen Haupt anderseits erfüllt war „von der Überzeugung, daß die Gemeinschaft mit Rom für die Kirche notwendig sei" (Hauck 1, 453). Schnürer macht darauf aufmerksam, daß des Bonifatius ganze Jugend unter dem Eindruck stand, daß die Benediktinerregel über die keltischen Mönchsgewohnheiten und die römische Tradition über die britische Sonderart siegte.

Aber diese Auskunft genügt nicht. Bei dem nachweisbar weitestgehend selbständigen Wachsen aller einzelnen Kirchen der abendländischen Christenheit diesseits der Alpen (und das gleiche gilt für Norditalien) im frühesten Mittelalter, bei der innern Unabhängigkeit des germanischen Menschen überhaupt, fragt es sich, wieso die Unterordnung des Bonifatius gegenüber Rom so wurzelhaft sein konnte, wie wir sie feststellten. Wir müssen erstens die Wurzeln selbst dieser Unterwerfung bloßlegen und zweitens ergründen, wieso die Möglichkeit gegeben war, daß die entsprechende „römische" Erziehungsarbeit des Heiligen bei den Germanen Anklang fand.

Die Antwort kann versucht werden, indem man Bonifatius und seine Arbeit allein in Betracht zieht. Aber das reicht nicht bis zum Grunde. Denn das, was sich an und in Bonifatius vollzog, war ja nur ein Teil jener staunenswerten Gesamthinneigung des germanischen Abendlandes nach Rom hin, einer Erscheinung, die wir meist allzu selbstverständlich hinnehmen. Bis dann eine Reaktion uns mit brutaler Kraft dazu zwingt, das N i c h t-Selbstverständliche des Vorgangs wieder in unser Bewußtsein aufzunehmen.

Wir nehmen aber die Konzentrierung der Völker um Rom gemeinhin deshalb als zu selbstverständlich hin, weil wir von dem autochthonen Wachsen der frühmittelalterlichen germanischen Kirchen keine genügende Vorstellung haben. Ich werde darauf weiter unten zurückkommen (Landeskirchentum).

In jenem gigantischen Vorgang der Hinneigung des germanischen Nordens zum päpstlichen Rom spielen, eng ineinander verschlungen, politische, kulturelle und religiöse Motive, oder auch Instinkte mit. Die kulturellen aber wirken stark auch dort, wo die politische Selbständigkeit und Unabhängigkeit germanischer Fürsten eine klare Ablehnung Roms zu bedeuten scheinen.

Daß der germanische Norden des entstehenden Mittelalters sich bewußt (und ebenso stark in einem unbewußten, dunklen Drange) nach dem römischen Imperium und seiner (doch so wenig deutlich gekannten) Kultur, nach Rom und seiner „Idee", sehnte, ist eine der Grundkräfte, die das Abendland bauten. Daß diese Sehnsucht vollends auf dem Gebiet des Christlich-Kirchlichen leicht bereit war, das Ziel seiner Sehnsucht mit einem religiösen Schimmer zu umgeben, kam von der natürlichen Seite her dem christlich-übernatürlichen Anspruch des päpstlichen Rom aufs stärkste entgegen. Jene religiöse Sehnsucht und dieser kirchliche Anspruch trafen zusammen, um die Stimmung und Haltung vorzubereiten, dann zu verwirklichen, die es von innen her ermöglichte, daß das nördlichere Abendland aus der Vereinzelung seiner Kirchen zur päpstlichen Universalkirche zusammenwuchs. Diese Stimmung und diese Haltung (oder wenigstens die Bereitschaft zu ihnen) sind — vor allem auf der religiösen Ebene — in genialer Weise eingefangen (und werden dann zur Reife gebracht) durch einen der monumentalen Sätze der Benediktus-Regel, die als Devise über dem Wachstum des Abendlandes bis zu seiner Höhe stehen, dessen Bejahung die Kräftigung der Einheit des abendländischen Lebens begleitet, dessen Vernachlässigung seit dem 13. Jahrhundert und besonders im Spätmittelalter die kritische und zweifelnde Aufspaltung und teilweise das Unfruchtbarwerden dieses Lebens kennzeichnet. Es ist der Satz, den auch Schnürer einmal als für Bonifatius charakteristisch anführt: „Höre, o Sohn, die Lehren des Meisters, neige herzu das Ohr des Herzens und nimm die Ermahnung des liebevollen Vaters entgegen."

Aber freilich, dieser Satz bezeichnet erheblich mehr als eine „Treuherzigkeit" gegenüber den Päpsten, wie Schnürer es nennt (1, 310). Hier ist ausgedrückt und gefordert die Grundhaltung des Menschen gegenüber dem Religiösen: Hörer zu sein. Es ist ausgesprochen die Überlegenheit des Objektiven, das man einfach entgegenzunehmen hat, so wie es verkündet wird. Es ist die Haltung der religiösen Verehrung gegenüber der fern wohnenden kirchlichen Autorität, wie sie entsprechend jener klösterlichen Regel die Verehrung der Germanen gegenüber dem Papst in Rom, dem Besitzer des heiligen Leibes des heiligen Petrus hat wachsen lassen.

Das Bedürfnis, sich unter die kirchliche Autorität zu beugen und von ihr zu lernen, ist die formale Grundhaltung des heiligen Bonifatius.

Wenn man das überlegt und dann die sich mehrenden Scharen der Wallfahrer aus England, Bayern und Franken nach Rom sieht (Schnürer), dann gibt man Schnürer recht: der Norden wollte zu Rom (1, 292. 295). Daraus aber ergibt sich die Schlußfolgerung, daß Bonifatius mit seiner „römischen" Arbeit eine innere Tendenz des nördlichen Abendlandes erfüllt.

5. Die Papsttreue des Bonifatius ist oft und immer wieder als Romhörigkeit im unwürdigen Sinne getadelt worden. Bonifatius und seine Getreuen seien eigentlich nur Werkzeuge römischer Herrschsucht gewesen.

Das Problem, das mit dem Stichwort „römische Herrschsucht" angeklungen ist, gehört zu den zentralen kirchengeschichtlichen Fragen. Es kann natürlich nicht gelöst werden, wenn man unbesehen alles Römische mit Herrschsucht gleichstellt. Auf Bonifatius und seine Mitarbeiter angewendet, sollte indes schon bei ein bißchen freier Aufgeschlossenheit die Frage einigermaßen geklärt sein. Einmal: Bonifatius war kein Träumer. Er hatte gründlich mit den Realitäten des Lebens rechnen gelernt. Er kannte das unsachliche wie das sachlich-rücksichtslose Vorgehen politischer Gewalten oder auch verweltlichter Bischöfe. Er kannte Rom persönlich aus wiederholtem Aufenthalt an der Kurie. Er war Mann genug, um auch gegenüber den Päpsten sein nüchternes Urteil zu wahren. Wir haben einige Belege dafür, daß er in Rom ziemlich deutlich mahnt [1]); wir sehen auch, daß er eine Ablehnung aus Rom, wenn sie eine ihm sehr wichtige Sache betrifft, nicht einfach hinnimmt, sondern mit der Zähigkeit, der sein Werk die Vollendung verdankt, dieselbe Forderung später wieder aufgreift.

Zweitens: wie alle Heiligen, so ist auch St. Bonifaz keine bruchlose Idealfigur. Er ist, Gott sei Dank, wie wir alle ein Mensch von Fleisch und Blut, mit mehr oder weniger Menschlichkeiten. Wir haben kein Interesse daran, Schwächen wegzubeweisen. Bonifatius war wahrhaftig eine Reckengestalt, sein offensiver Kampf gegen das Heidentum unter Einsatz seines Lebens beweist es.

Aber es war auch etwas weniger Starkes in ihm. Jedenfalls

---

1) Vgl. 84, 14 ff.; 85, 14. 25 f; oben S. 140.

gehört hierher eine gewisse Mattherzigkeit, eine manchmal kleinliche Skrupelhaftigkeit gegenüber manchen aufsteigenden Bedenken. Die nie beruhigte Frage, ob er seinem päpstlichen Eide
treu genug gewesen, da er doch den äußern Verkehr mit tadelnswerten Bischöfen nicht immer meiden konnte, da er in der Angelegenheit der Metropolitenernennung dem wechselnden Standpunkt Pipins vielleicht zu sehr nachgegeben habe ...

Aber die Kritik, die hier einsetzen kann, hat Wichtigeres zu
tun, als das kleinliche und etwas schwächliche „Abhängigkeits-
bedürfnis" des Bonifatius zu betonen (Tangl XXII). Sie wendet
sich etwa zu der Zentralfrage, warum dieser päpstliche „legatus
germanicus" in der Liturgie so wenig das deutsche Idiom gefördert
habe? Warum er also das Verwurzeln und Verwachsen der Deutschen in die Liturgie nicht in dem Maße gefördert habe, wie es
den Romanen das Latein ermöglichte? und dies durchaus nicht
einfach entsprechend den Gewohnheiten und Ansichten der römischen Kirche [1]).

Man darf ruhig zugeben, daß die Unterwürfigkeit des heiligen
Bonifatius gegenüber Rom sich manchmal in einer Form ausspricht, die überraschend untertänig in einem etwas schwäch-
lichen Sinne erscheint. Wir wundern uns über eine Unselbständigkeit, die in Rom um Entscheidung nachsucht in Fällen, deren Beantwortung nicht zweifelhaft sein konnte, wie bei der greulichen
Unzucht gewisser Diakonen (a pueritia semper in stupris ...
concubinas 4 vel 5 vel plures noctu in lecto habentes 82, 20 ff.),
oder wenn er der päpstlichen Erlaubnis bedarf, um in dem von

---

1) Diese Fragen sind alles andere als rhetorisch. Aber sie erwarten
durchaus nicht einfach eine glatt bejahende Antwort. Um sich der
Kompliziertheit des Befundes bewußt zu werden, braucht man nur
zu überlegen: wäre wohl die Einheit der Kirche in der verwirklichten
Fülle möglich gewesen ohne das einigende Latein? Jene Einheit
also, die es vermochte, die Kultur des Abendlandes aufzubauen und
den Sturm der Reformation trotz allem zu überwinden? — Die
Schwierigkeiten, die Konstantin und Methodius auf ihrem Wege
nach Rom und in Rom im folgenden Jahrhundert wegen der Verwendung des Slavischen in der Liturgie in Mähren begegneten, beweisen aber anderseits schließlich nicht mehr als die weise Entscheidung
Hadrians II. Außerdem ließen selbst die für eine einheitlich lateinische Liturgie besorgten römischen Ansiedler z. B. Platz für eine
Spendung der Taufe in der Muttersprache.

ihm selbst gegründeten Kloster seinen vom Alter müden Leib
„aliquantulum vel paucis diebus" ausruhen lassen zu dürfen
(93, 29). Die Form, in welcher der greise Bonifatius als „exiguus
discipulus Romanae ecclesiae" (233, 25) dem neuen Papst Stephan seine Unterwürfigkeit beteuert, ihm verspricht, daß er bereit sei, wenn in seinem bisherigen Werk (das die Päpste doch
so oft und mit Emphase gelobt hatten) etwas Unrechtes sich
finde, es nach dem Urteil der römischen Kirche wieder gut zu
machen (234, 9 ff.), diese Form darf man schon etwas unmännlich
finden.

Aber dann liest man den Zusammenhang, und man dringt
tiefer. Man stößt auf die Grundüberzeugung des Bonifatius: nur
mit dem Papsttum ist die Einheit der Kirche gewährt, kann die
eine große Aufgabe der Missionierung, kann sein Lebenswerk
durchgeführt werden. In außerordentlicher Eindringlichkeit
spricht sich gerade an der angegebenen Stelle die Bitte aus, mit
Stephan in derselben Einheit der Kirche als getreuer Knecht
bleiben zu dürfen wie vorher mit Papst Gregor und Zacharias,
„die mich durch ihre Belehrungen und das Machtwort ihrer
Schreiben kräftigten ... in dieser meiner römischen Legation".
Man fühlt einmal mehr, daß die römische Oberherrschaft ihn
nicht drückt, sondern belebt und erhebt. Er stand mit dieser
Auffassung nicht allein. Die maßgeblichen Faktoren, mit denen
er im Missionsgebiet und bei der Organisationsarbeit zu rechnen
hatte, stimmten seiner Auffassung durch die Tat zu (s. unten).
Bonifatius und diese Personen waren zweifelsohne besser in der
Lage, das römische Handeln nach seinem Wert und auch einigermaßen nach seinen Triebkräften und Zielsetzungen zu beurteilen
als wir. Wenn s i e es nicht als Ausfluß der Herrschsucht betrachteten, kann eine solche von den Päpsten, mit denen es
Bonifatius zu tun hatte, als maßgebliche Haltung nicht wohl
behauptet werden.

Das aber, was in der Haltung des Heiligen an Unselbständigkeit
bleibt, darf man wenigstens nicht isoliert betrachten. Man muß
es zusammenhalten mit seiner ungewöhnlichen Gewissenhaftigkeit, die ihn überhaupt kennzeichnet, und mit der gedrückten
Stimmung, die ihn inmitten seines Werkes oft hemmt, ja mit
dem gewissen Pessimismus, der ihn gelegentlich schwächt.

Hierzu gehört noch eine andere Überlegung und ihre Anwendung auf die zur Erörterung stehende Frage nach der Bewertung

des römischen und des germanischen Elementes in der Arbeit des
heiligen Bonifatius. Lebendige Leistungen muß man zunächst
immer als ein Ganzes nehmen. Es ist unsachlich, ja utopisch, so
zu raisonieren, als ob aus einer Leistung mehr oder weniger willkürlich ein Element ausgeschieden und durch ein anderes — angeblich besseres — hätte ersetzt werden können, und daß dann
die Leistung nicht nur nicht geschädigt' worden, sondern noch
besser ausgefallen wäre. Konkret gesprochen: die Leistung des
Bonifatius, die der höheren Sitte und Kultur Bahn brach, war
die des römischen Legaten. Jedenfalls dürfte doch Bonifatius in
dieser Sache der beste Richter sein. Oder wollen wir besser wissen
als er, woher er die starken Antriebe hatte?

In diese Arbeit des Bonifatius gehört nun aber, und zwar
wesentlich, auch der unerbittliche Kampf gegen Gestalten wie
die Bischöfe Milo und Gewilip. Man gibt allgemein zu, daß Männer wie diese als Bischöfe nicht an ihrem Platze waren. Man
möchte sie freilich doch als „ganze Kerle" retten (Tangl). Seltsame Argumentierung! In dem, was ihres Hauptamtes war, waren
sie nicht an ihrem Platze, und doch sollen sie ganze Kerle gewesen sein? Als Bischöfe kannten sie die Pflichten, die sie übernommen hatten. Wenn sie diese Pflichten nicht erfüllten, so war
das zum mindesten schlimmes menschliches Versagen. Es genügt
durchaus nicht, es so zu formulieren, daß sie die kirchlichen Forderungen nicht „anerkannt" hätten. Das Nichtanerkennen war
hier Pflichtvergessenheit und für die Allgemeinheit eine dauernde
Schädigung, ein Vorbild der Auflösung. Wenn Bonifatius nicht
seine römische Art in der fränkischen Kirche, also auch in Germanien durchgesetzt hätte, dann wäre es eben bei dem geblieben,
was man sehr ungenau „die freiere Art der fränkischen Kirche"
genannt hat [1]), also bei der sittlich und religiös so wenig hohen
Art des „Christseins", das Bonifatius antraf, und das ohne jeden
Zweifel k e i n e r l e i wirkliche Kraft besaß; denn es war Zuchtlosigkeit und, was schlimmer ist, Widerspruch zu seiner eigenen
Idee, also Auflösungskeim.

6. Es versteht sich von selbst, daß man in Rom voll auf die
Haltung des Legaten einging, sie mit geschickter Ausdauer förderte und auch forderte. Wir stehen in der Zeit Gregors II., der

---

1) Gerh. F i c k e r in: Krüger, Handbuch der Kirchengeschichte,
2. Band: Das Mittelalter (Tübingen ² 1929) S. 16.

den oströmischen Kaiser bedeutsam auf das wachsende Ansehen des Papstes im Abendland hinweist (Hauck 1, 482). Dieses Wachsen war ja in aller bunten, historischen Wirklichkeit ein sehr realer Entwicklungsvorgang. Eben dieses reizvolle und für alle Geschichte der Menschheit seitdem so hochwichtige Wachsen des römischen Primates erleben wir in der Bonifatius-Korrespondenz zum Teil mit.

Man spürt gelegentlich noch deutlich, wie die mit Bonifatius und den Franken sich aufschließenden neuen Möglichkeiten in Rom, man möchte sagen: überraschen. Es macht noch immer Eindruck auf Gregor, wenn Bonifatius bei ihm in solcher Bereitwilligkeit anfragt: „Du hast wohl daran getan, weil der selige Apostel Petrus der Anfang des Apostolats und des Bischofstums war" (45, 1). Aber die päpstliche Antwort selbst kommt aus der imponierenden Selbstsicherheit des von oben Beauftragten: Deine Frage beantworten wir „non ex nobis quasi ex nobis, sed eius gratia, qui aperit os mutum et linguas infantium facit dissertas, qualiter tenere debeas, apostolici vigoris doctrina edicimus" (45, 1—4).

Die Betonung dieses allgemeinen Oberaufsichtsrechtes des Papstes als des Inhabers der „sedes apostolica" des Apostelfürsten, als Leiter der apostolischen, katholischen, einen (183, 10), allgemeinen, d. h. universalen (34, 2) Kirche, mit und aus der Autorität des Apostelfürsten, kehrt unermüdlich und mit imponierendem Selbstbewußtsein in der Korrespondenz an Bonifatius wieder [1]), ja schafft sich darin Darstellungen von unmittelbarer Eindringlichkeit.

Schon die Aussendung des Bonifatius als eines einfachen Missionars gehört zu den eindrucksvollsten Belegen. Wir haben den Niederschlag davon im Briefe N. 12 (S. 17 f.). Sicherlich konnte es für den Mönch, Priester und Theologen Bonifatius, der von seinen angelsächsischen Brüdern und etwa dem Bischof Daniel rite zur Mission entlassen war, keinem Zweifel unterliegen, daß er den Heiden das Evangelium predigen dürfe, ja müsse, wenn und wo er sie träfe. Trotzdem läßt er sich eben dies von Gregor erlauben und in Auftrag geben. Und das gewaltige päpstliche

---

[1]) 90, 31; 91, 2: „ex apostolicae sedis vigore" (auctoritate) 47, 15.17; 107, 26 und passim; „sollicitudinem nimiam gerentes" gemäß dem uns anvertrauten Wachtposten 30, 6. Der Papst hat die Bischöfe auszusenden 42, 1 ff.; er gibt „regulam et normam" 68, 20.

Machtbewußtsein, als Träger „der Lehren des heiligen Petrus",
äußert sich gerade darin, daß dem Bonifatius hier nicht eine bestimmte Region und bestimmte Völkerschaften zur Mission angewiesen werden, sondern, daß er aufgefordert (instituimus atque
praecipimus 17, 27) wird, das Christentum zu predigen, wo immer
er zu irgendwelchen im Irrtum befangenen Völkern „Deo comi-
tante" kommen werde [1]. Die Bedeutung liegt hier nicht im Juristischen, sondern im Moralisch-Religiösen.

Den äußern Höhepunkt des päpstlichen Herrschaftsanspruchs
stellt der oben erwähnte Treueid des Bonifatius dar. Das durch
ihn begründete Treueverhältnis wird außerdem als eine päpstliche Gunstbezeigung empfunden und hingestellt [2], und in Zukunft wird die Initiative zu dem Missionswerk in manchen Wendungen für Rom in Anspruch genommen: Rom sendet den Bonifatius [3]. Seit jenem Treueid leiten ihn die Päpste mit dem Recht
des Herrn; sie verbieten ihm etwa, seine weitgespannte Aufgabe einzuengen und sich an einem Bischofssitz festzusetzen
(73, 16); sie betonen, daß er Bischöfe einsetzen solle und daß die
Bischofsweihe, die er vornimmt, vollzogen werde „ex nostra
vice", und daß er die Geweihten lehren müsse, „apostolicam
atque canonum traditionem" zu halten, sie auch entsprechend
verwarnen müsse (50, 8. 15; 73, 22 f.). Synoden hält er „als unser
Stellvertreter" (72, 21 und oft), wie denn der Missionar selbstverständlich nur lehren darf, was päpstliche Ansicht ist (91, 14;
198, 15 f.). Mit Betonung erklärt man die Einheit, die besteht
zwischen dem römischen Handeln und der Lehre der Väter und
der Konzilsbeschlüsse (90, 6 f.). Die dem Bonifatius durch die
Weihe zum Erzbischof vom Papst übertragene Machtbefugnis
besitzt er „deo autore" (49, 27).

Und mit welcher Autorität wird in eigenem Schreiben an „alle
Großen und das Volk der Provinzen Germaniens", an Völkerschaften, von deren Wohnsitz und Gebräuchen man in Rom im
einzelnen kaum etwas wußte, die Oberherrschaft über sie in An-

---

1) Die Übersetzung Tangls S. 6 übertont einigermaßen das päpstliche Machtbewußtsein und unterdrückt das im lateinischen Text
mit zum Ausdruck kommende päpstliche Pflichtbewußtsein: „exigit"
= bestimmt uns; anzunehmen: „utamur".

2) So auch Wilibald: „familiaritatem ... condonavit" S. 29.

3) N. 25, 26, 28, 43 je die Einleitung; 70, 18—71, 5; 125, 26 f. Vgl.
91, 14; 198, 15.

spruch genommen! (Gregor III, Brief N. 43.) Und wenn schon einesteils Thüringen in Rom als christlich galt, so zeigt ein Brief Gregors II. (N. 25; Dezember 724), daß man ihr Land anderseits auch noch als reines Missionsgebiet betrachtete; denn der Papst fordert sie auf, sich taufen zu lassen. Und auch an sie, „das gesamte Volk der Thüringer" richtet der Papst einen Brief. Eine erstaunliche Tatsache! Er mußte voraussetzen, daß sein Wort vernommen werde.

7. Stellen wir nun dieses unausgesetzte Betonen der päpstlichen Macht und den dadurch tatsächlich erreichten Machtzuwachs in den Zusammenhang der oben verhandelten Frage. Was ist es mit der römischen Herrschsucht? Nun, für jeden, der in der Lage ist, ein wahrhaft großes, aus dem göttlichen Auftrag gewachsenes, der Sache dienendes Machtbewußtsein von Herrschsucht zu unterscheiden, für den ist die Antwort leicht: im Umkreis der bonifatianischen Briefsammlung läßt sich die Betonung päpstlicher Macht in keinem einzigen Fall als selbstsüchtiges Machtstreben nachweisen. Die Berufung auf Gott, Gottes Gnade, Christus, den Apostelfürsten, die Pflicht der Verantwortung äußert sich so unaufhörlich, so selbstverständlich, daß sich die Haltung durchaus als religiös und als Dienst an Lehre und Vorschrift des Neuen Testaments erweist.

Um einer allzu bequemen Entgegnung von vornherein zu begegnen: ich vergesse nicht, daß es auch schon in diesem frühen 8. Jahrhundert zu oft und geschäftsmäßig gebrauchte (und also verbrauchte) heilige, aus Worten der Hl. Schrift gebildete Formeln, ja sogar ganze derartige Formulare gab, daß man also solche Aussprüche nicht immer nach dem ganzen Gewicht ihres Wortlautes und einfach als adäquaten Ausdruck der Gesinnung des Schreibers nehmen darf. Die Kanzlei hat ihren bedeutenden Anteil an der Formulierung dieser Briefe. Es läßt sich auch mit Sicherheit die Tendenz nachweisen, a l l e s , was von der Kurie ausgeht, als mit dem Schimmer des Heiligen umgeben erscheinen zu lassen, was dann in sehr wichtiger Weise der Verbreitung und Steigerung der moralisch-religiösen Autorität des Hl. Stuhles zugute kam. (Sogar das Archiv des Hl. Stuhles nimmt teil an der heiligenden Kraft des Körpers des hl. Petrus, des immer gegenwärtigen Herrn Roms, und erhält so die formelhafte Bezeichnung: in s a n c t o nostro scrinio [117/18]).

Am leichtesten tut man gemeinhin die B i b e l sprüche als dem

Geschäftsgang der Kurie entnommenes Gut ab. Das ist für gewisse Aktenstücke und besonders für spätere Jahrhunderte oft sehr berechtigt. Die Entwicklung dieser Sitte, dieses Stils, ist im einzelnen noch zu schreiben. Aber hier handelt es sich um Gregor II., Gregor III. und Zacharias und um ihre Briefe an Bonifatius. Das neutestamentliche Gut, das unmittelbar zur Verwendung kommt, ist zwar nur ein geringer Ausschnitt aus dem Gesamtbestand der Hl. Schrift. Aber in dieser Beschränkung darf man sagen, daß Denken, Sprechen und Sorgen und die dafür gebrauchten Formeln unmittelbar an eine Atmosphäre erinnern, wie sie in den Schriften des Neuen Testamentes selbst uns entgegentritt. Man darf wirklich auch von Gegnern der These verlangen, daß sie versuchen, ihren Blick in der angegebenen Richtung zu lenken. Die Papstgeschichte und die Geschichte der Kurie von vornherein nur als Ablauf politischer Umtriebe zu betrachten, ist eine willkürliche Voraussetzung. Ehe die Berechtigung nicht im einzelnen erwiesen ist, bleibt die Voraussetzung falsch und muß abgelehnt werden. Auch jene Betrachter, die gewohnt sind, nur die ä u ß e r e Geschichte des Papsttums ins Auge zu fassen, gehören hier nicht zu den kompetenten Beurteilern.

Denn Papstgeschichte ist wesentlich auch religiöse Innengeschichte. Wir haben uns an dieser Stelle um diese These nur zu kümmern, soweit sie den Kreis des hl. Bonifatius angeht.

Hier nun darf zuerst gesagt werden, daß der Heilige selbst in seiner unmittelbar religiösen Art, in der er die päpstlichen Äußerungen herbeiführt und auf sie reagiert, Garant ist für die religiöse Auffassung auf der päpstlichen Seite. Man kann letztere nicht leugnen, ohne in unerträglicher Weise das Bild des Heiligen zu fälschen. Über solche Entgleisungen ist aber die ernste Forschung aller Lager seit langem hinaus.

Gerade die A r t , wie von Rom aus die Oberhoheit gegenüber Bonifatius ausgesprochen und in der Tat dargestellt wird, spricht gegen das, was man Herrschaftsgelüste nennen könnte. Papst Gregor II. zeigt seinem Legaten gegenüber eine Menschenbehandlung, die man nicht anders als fein und innerlich frei nennen kann (47, 3 ff.).

Die Haltung ist nicht bei allen drei Päpsten, mit denen Bonifatius in eigentliche Beziehung kam, gleich; aber sie ist bei Zacharias bestimmt noch ausgeprägter religiös als bei Gregor II.

Was uns, alles in allem, an diesem Verhältnis christlich stark ergreift, ist die Atmosphäre der ersten Liebe, die zwar nicht immer in der gleichen Intensität da ist, die aber immer wieder zum Ausdruck kommt. Obschon an dem a b s o l u t e n Führungsanspruch Roms kein Zweifel gelassen wird, obschon Bonifatius diesen unbedingt anerkennt, es bleibt, von Rom aus, in weitem Umfang, ein menschlich, christlich und kirchlich hoch fruchtbares Verhältnis von Gleich zu Gleich. Die Anrede „Bruder", die der Papst dem Bonifatius nach dem Formular spendet, ist noch echter Ausdruck innerer Überzeugung. Er wird noch wirklich als Mitbischof betrachtet, in jenem eminenten Sinn, daß der Papst für ihn noch in Wahrheit die Formel „ehrwürdigster und Heiligster" verwendet, Kardinaldiakon Gemmulus ihn „heiligster Vater" nennt. Ihm gegenüber bekennt der Papst offen und wirklich seine Sündhaftigkeit. Um es nochmals zu sagen, wir übersehen in alledem nicht den Bestand an Formeln und Formelhaften. Aber der Zusammenhang weckt sie immer wieder zu starker Bedeutung.

Letztlich sind einfach die päpstlichen Äußerungen der Bonifatiuskorrespondenz im einzelnen zu verhören. Nun, die religiösen Aussprüche, die man noch allenfalls als Formeln auffassen könnte, stehen nicht allein. Neben ihnen und unabtrennbar mit ihnen verwachsen, steht eine solche Fülle unmittelbarer Bekenntnisse zur Ehre Gottes, der unser Heil ist und der will, daß alle Menschen selig werden, das Bekenntnis zum Heil der Seelen, zur Erfüllung des Missionsauftrags des Herrn und zum Ruhm seines Wortes, und das Pochen nur auf die Hilfe des Herrn (aufschlußreich Brief N. 52), steht so unablässiges Beten des Papstes für diese Mission und Sehnen nach ihrem religiösen Gedeihen (92, 13 ff. 94; 159, 6 ff.; N. 77), daß man den Ernst der religiösen Haltung einfach nicht übersehen kann [1]).

Wie könnte wohl ein Einsichtiger die Art, in der Papst Zacharias Geistliche und Laien im Frankenreich auffordert, den Reformen des Bonifatius zu folgen, anders als groß, als seelsorgerlich ergriffen und tief religiös bezeichnen (Brief N. 61)?

---

1) Vgl. den Brief 21 und die Einleitung zu N. 57 und dessen Schluß: „ Quia non aliud predicamus et aliud agimus aut dirigimus . . . sed auxiliante deo illud, quod predicamus, fine tenus observandum censemus" (122, 25 ff.); oder N. 61 mit dem großen Lehrer-Bewußtsein; oder 73, 15; 41, 16. 23; 30, 22 f. 29; 33, 16. 26 und oft.

Hier spricht in Wahrheit der Lehrer der Völker. Es ist dieselbe Art, in der Zacharias — der seine Sündhaftigkeit so gut vor den weltlichen Großen wie vor Bonifatius bekennt (160, 4; 90, 31 f.; 120, 23; N. 77; N. 83) — auch sonst im Geist der Liebe, in Jesus Christus, die religiöse Sehnsucht nach dem Wachsen des Wortes Gottes betont (160, 1—14), etwa noch im Brief N. 18, wo er seine Anerkennung ausspricht für den harten Kampf, den Bonifatius aushält „für das Evangelium Christi, unseres Gottes, in dem er sich hart abmüht in exhortatione sanctae catholicae et orthodoxae rectae fidei, quam a redemtore nostro deo et domino Jesu Christo per a se institutum beatum principem apostolorum Petrum et vas electionis Paulum omnesque apostolos traditam suscepimus" (172, 20—26). Das steht zusammen mit dem Gebet um Gottes Gnade für Bonifatius, daß er die auferlegte Aufgabe vollende und mit reichem Gewinn an Seelen am Tage Christi erscheinen könne, um das Wort zu hören: kommt, ihr Gebenedeite meines Vaters! Ein Siegesbewußtsein spricht sich aus, aber ganz innerhalb der religiösen Sphäre: wenn sie nicht umkehren, Deine Predigtmühe wird nicht zuschanden werden (176, 11). „Die Trübsal des Körpers geht vorbei; ... laßt uns den Tod Jesu in unserm Leib tragen, damit das Leben Jesu am Tag seiner Ankunft offenbar werde" (176, 17 ff.).

Oder man lese den Brief N. 80, der, besonders in der Einleitung, so stark aus dem Evangelium fließt. Sind seine Sätze, sein Streben, seine Sorge nicht echt religiös (174, 20 ff.; 176, 10 bis 177, 4; 180, 16 ff.; 184, 15—22)? Oder der Brief N. 87 (Zacharias an Bonifatius): stark biblisch-fromm spricht er mit bedeutendem Schwung den Preis Gottes aus, möchte die Zerstreuten sammeln und Kraft geben zur Verkündigung des Wortes Christi. Der Brief wird eigentlich zum Gebet in der Sehnsucht, dem Bonifatius die Kraft zu weiterer Verkündigung des Evangeliums und des Geheimnisses seines heiligen Glaubens zu erhalten; ein Muster einer aus dem Evangelium (Johannes) genährten und mit dem Evangelium zusammenklingenden pastoralen Sorge (194, 18 bis 195, 4).

Wenn man liest, daß Papst Zacharias die Direktiven, die Bonifatius in Rom erhalten hat, ganz allgemein kennzeichnet als „quae ad salutem animarum pertinent" (68, 23 f.), dann mag man zunächst versucht sein, den Ausdruck als zu billige Schönfärberei zu nehmen; ähnlich können auch andere Aussagen auf den ersten

Blick wirken. Ich denke, man muß zugeben, daß ihr Gewicht im Licht der zitierten Ausführungen beträchtlich, ja wesentlich gewinnt.

C. Staatskirchentum.

1. Die ungewöhnliche religiöse und moralische Schwächung der merovingisch-fränkischen Kirche wird in völlig eindeutiger Weise durch die wenigen auf uns gekommenen Konzilsakten und durch die Briefe des heiligen Bonifatius bewiesen. Es handelt sich um eine akute Verweltlichung, deren besondere Wurzel unschwer zu erkennen ist: es war die übertrieben enge Zusammenkoppelung des Kirchlichen (der Bischofsstühle, der Abteien, der Eigenkirchen mit ihren Einkünften) mit dem Weltlichen, näherhin der zu engen Verbindung der n a c h   a u ß e n wirkkräftigen kirchlichen Macht mit der wirtschaftlich-politischen Gewalt der fränkischen Großen. Der extremste Fall, wo der Bischofsstuhl im eigentlichen Sinne des Wortes vererbt wurde und dadurch in Gefahr kam, erblich zu werden (Mainz unter Gewilip, Trier unter Milo), läßt die Tendenz und das drohende Unheil deutlich erkennen. Die bewegende Ursache im großen war das, was man im weiten Sinn des Wortes Staatskirchentum nennen kann. Seine sichtbarste Form war die Entwendung des Kirchengutes durch den politischen Machthaber zugunsten derer, die ihm politisch-militärische Dienste leisteten. Man weiß, daß diese Entwendung unter Karl Martell außerordentlichen Umfang angenommen hatte.

Dieses Staatskirchentum war im Endeffekt nicht nur kirchenschädigend, sondern tatsächlich kirchenfeindlich. War es also für die Kirche n u r Nachteil? Nein! Um gleich an den bündigsten Beweis zu erinnern: jene religiös-moralische Schwäche der fränkischen Kirche wurde maßgeblich überwunden durch die missionierende Arbeit des heiligen Wilibrord und vor allem des heiligen Bonifatius. Beider Arbeit aber ist nicht denkbar ohne ihr ganz enges Zusammengehen mit den politischen Machthabern. Das heißt, ihre kirchliche Arbeit kennzeichnet sich als „landes"-kirchlich. Die unreligiöse, ja einigermaßen antichristliche Art des vorherigen, rücksichtslosen Staats- und Landeskirchentums wurde beschnitten; es blieb: ein k a t h o l i s c h e s Landeskirchentum.

Gibt es eine katholische Idee und Wirklichkeit des Landeskirchlichen in der Geschichte?

Die Frage gehört zur nicht kleinen Zahl jener beunruhigenden

Probleme, die innerhalb des katholisch-kirchlichen Raumes durch die einseitig-häretische Beantwortung, die sie in vergangenen Zeiten oft erfahren haben, außerordentlich belastet sind. Seit den häretischen Lösungen von Wiklif, Hus und aller Reformatoren des 16. Jahrhunderts, seit den teilweise unleugbar sprengenden Wirkungen der Konziliaridee innerhalb der katholischen Theologie und der katholischen Kirche, seit der rationalistisch-antirömischen Tendenz gewisser nationalkirchlicher Versuche des 18. Jahrhunderts, seit dem Altkatholizismus in Deutschland und der verurteilten action française in Frankreich besteht ein betont scharfes kirchliches Mißtrauen gegen alle Versuche, national-völkische Kräfte im katholisch-kirchlichen Raum mehr als bisher zur Geltung zu bringen. Das überträgt sich auch auf die Beurteilung theoretischer und geschichtlicher Untersuchungen dieser Frage.

Und doch geht ihre Lösung alle in der Kirche sehr nahe an. Heute sieht man das von verschiedenen Fragestellungen aus deutlicher als früher. Aber die Mittel zur Antwort sind seit langem in der gesunden Doktrin und Theologie gegeben.

Es besteht deshalb auch, und zwar vom streng kirchlichen Standpunkt aus, kein Anlaß, jenes Mißtrauen wahllos zu verabsolutieren. Uns hat hier nur die g e s c h i c h t l i c h e bzw. kirchengeschichtliche Seite der Frage zu beschäftigen, soweit sie mit der Arbeit des heiligen Bonifatius in Zusammenhang steht.

Nun, die Kirchengeschichte ergibt mit voller Klarheit die Bejahung der oben gestellten Frage: es gab eine katholische Idee und Wirklichkeit des Landeskirchlichen. Wir brauchen dabei nicht an das vom Papsttum so sehr begünstigte Landes- und Territorialkirchentum des Spätmittelalters zu denken; nicht an die weitgehend völkisch bestimmten Liturgien der unierten östlichen Kirche. Dem Anlaß dieser Untersuchung entsprechend halten wir uns an jenes National- oder Landeskirchliche, mit dem und aus dem das gesamte Christentum diesseits der Alpen und Pyrenäen im Europa des frühesten und frühen Mittelalters (und damit die Kirche in ihrer spezifisch abendländischen Form überhaupt) gewachsen ist. Sie sind aber gewachsen aus lokal umgrenzten Kirchen, die erst allmählich den Weg zum r e c h t - l i c h e n Anschluß an Rom fanden, zur Anerkennung dessen, was der spezifisch mittelalterliche Universalismus wurde. Ohne den Schutz der verschiedenen politischen Gewalten in England-

Irland. in Gallien, im Frankenreich, wäre die Predigt des Evangeliums überhaupt nie in dem wünschenswerten Ausmaß möglich
gewesen. Wenn Pipin nicht 689 die Friesen besiegt hätte, wäre der
Zugang zu diesem Volk den Missionaren nicht geöffnet worden.
Tatsächlich aber wurden die Kräfte der zentrifugal eingestellten
politischen Großen im Frankenreich nur gebändigt durch Kirchengut, das der Vertreter der zentralen Gewalt ihnen überließ. Die
hierin liegende materielle und auch moralische Benachteiligung
der Kirche war eine geschichtliche Notwendigkeit, sobald man die
Geschichte im großen überschaut. Ohne die Überlassung des der
Kirche entwendeten Kirchengutes an die Großen (trotz der entgegenstehenden Konzilsbeschlüsse) wäre es kaum zur Durchführung von Bonifatius' religiös-kirchlicher Mission gekommen. Oder:
der Versuch, das der Kirche unter Karl Martel entwendete Gut
den damit begabten Großen wieder abzunehmen, hätte die Fortsetzung der kirchlichen Reform und damit außerdem den Kultur-
fortschritt unmöglich gemacht (Schnürer 1, 305).

Immer wieder stoßen wir in den Viten der großen frühmittelalterlichen Missionare auf ihr Zusammenarbeiten mit den politischen Gewalten. Wir haben nur insgemein den Fehler begangen,
die hierher gehörigen Tatsachen zu wenig zu betonen und zu viele
von ihnen zu vergessen. Remigius z. B., der Bischof von Reims,
tritt mit Recht immer wieder vor uns hin mit seinem bedeutenden
„Beuge Dich!", das er zu Chlodwech spricht. Aber wir hören zu selten, daß er anderseits dem König so untertan war, daß er unbedenklich über die kirchlichen Vorschriften hinweg einen vom König
gewünschten Kleriker weihte (was ihm allerdings von andern gal-
lischen Bischöfen strengen Tadel eintrug); oder die erste Synode
von Orléans „erkannte unumwunden an, daß der König das
Recht habe, in die kirchlichen Dinge einzugreifen: Synoden ein-
zuberufen, sie beschließen zu lassen" (Hauck 1, 148 f.).

Und das Wichtigste: Rom und die Päpste haben entsprechend
die von ihnen autorisierten Missionare an die Fürsten gewandt
(bzw. in sehr bezeichnender Weise an die t a t s ä c h l i c h e n
Inhaber der Gewalt); und sie haben das daraus sich ergebende
enge Verhältnis von Staat und Kirche, in dem der Staat bzw. der
Fürst weitgehend führend war, angenommen.

Es geht nicht an, die realen Verhältnisse, unter denen die Missionspredigt ausgeübt wurde, und deren Anerkennung durch Rom
und seine Missionare für etwas Belangloses zu erklären, dessen

man sich nur als Mittel zum Zweck bedient, das man nur ausgenutzt habe, um es dann wegzustoßen. Eine solche Verdächtigung der Päpste und ihrer Kurie ist durch nichts gerechtfertigt. Hier liegen l e b e n s w i c h t i g e Entwicklungskräfte und -arten vor; sie wurden von der Kirche damals und noch durch lange Jahrhunderte hindurch gesegnet. Man muß das mit in die Betrachtung einbeziehen.

2. Das oben für das fränkische 6. Jahrhundert skizzierte Bild wiederholt sich in Angelsachsen (Belege etwa bei Hauck 1, 451[1]). und es bleibt maßgebend für das Festland in den folgenden Jahrhunderten. Was in der gesamten germanischen Missionierung an Heiden gewonnen wurde, die nicht unter politisch christlicher Herrschaft standen, bzw. deren Fürst nicht christlich geworden war. ist zahlenmäßig belanglos. Hingegen steht die gesamte erfolgreiche und insofern für die Christianisierung Zentraleuropas entscheidende Arbeit der heiligen Wilibrord und Bonifatius unter dem Schutz und nicht selten dem unmittelbaren Schutz, oft genug auch im unmittelbaren Auftrag der politischen Machthaber im Frankenreich.

Wir wissen, daß Karl Martel n i e m a n d e n ein selbständiges, d. h. von ihm unabhängiges Recht zugestand, in die Kirche seines Reiches hineinzuwirken. Wir wissen, daß auch seine, dem kirchlichen Denken näher stehenden Söhne Karlmann und Pipin beide beanspruchten, die Reform und die Reorganisation der Kirche ihrer Länder in eigene Regie zu nehmen. Sie regierten durchaus nach landeskirchlichem Rezept. Das für unsere Fragestellung Wichtigere ist, daß sowohl Bonifatius wie die Päpste in verschiedener Form so weit auf diese Ansprüche eingingen, das man für jene Zeit in Zentraleuropa von einem päpstlich bejahten, also von einem katholischen Landeskirchentum zu sprechen berechtigt ist. Das will nicht sagen, daß Rom diese Anerkennung immer begeistert ausgesprochen hätte, noch viel weniger natürlich, daß die Päpste oder Bonifatius dem Religiösen und dem Kirchlich-Sakramentalen nicht die Prärogative gewahrt hätten. Man muß sich nur hüten, die Frage allzuschnell und zu allgemein nach dieser letzteren Kategorie zu stellen und zu lösen. Die Frage ist gar nicht allgemein theoretisch zu beantworten. Man muß fragen, wie sie von der Geschichte jeweils innerhalb der besonderen Lage und konkret beantwortet wurde. Die eindrucksvollste Illustrierung des ganzen Komplexes, auch der Gefahr, die es hier zu ver-

meiden gilt, ist Karl der Große. Er tastete nicht die Prärogative
des Religiösen gegenüber dem Weltlichen an. Aber er zog das
Politische in den sakralen Raum hinein. Und deshalb hinderte
ihn, den kirchentreuen und die Kirche aufbauenden Fürsten jene
Anerkennung der Überlegenheit des Religiösen nicht, eine wirkliche und volle Herrschaft über die Kirche auszuüben.

. Man muß sich ferner bewußt bleiben, daß wir in jener Zeit
sehr verschiedenartigen Verhältnissen gegenüberstehen, die sich
außerdem in vollem Fluß befinden. Auf keiner Seite sind die
Rechte genau fixiert, noch weniger sind die Rechte beider Seiten
gegeneinander genau abgegrenzt und definiert. Die Abgrenzung
der religiös-kirchlichen Sphäre von der politischen war noch nicht
vollzogen und auf Jahrhunderte hinaus noch nicht vollziehbar,
weder im Praktischen noch im Theologisch-Juristischen. (Außer
gegenüber dem Sündhaften der „Welt". Aber wie wenig genau
war gerade die in diesem Begriff angegebene Grenze!) So ist es
z. B. gar nicht möglich, aus den Texten der Ernennungsurkunden
von Karlmann oder Pipin und der von ihnen erlassenen Konzilsbeschlüsse genau festzulegen, wieweit sie sich eine „k i r c h -
l i c h e" Macht zur „Einsetzung" der Bischöfe ohne Rücksicht
auf den Papst oder etwa gegen ihn zuschreiben. Die Grenzen
bleiben fließend. Nur, daß klar wird: ein wirklicher Anspruch
wird erhoben. Die gleiche Reserve gilt umgekehrt für die Anerkennung dieses Anspruches durch die kirchliche Seite.

In diesem Sinne erinnere ich noch an die folgenden, allgemein
bekannten Belege.

Schon Beginn und Verlauf der Friesenmission zeigt das Zu-
sammengehen. In der Mission war ohne die staatliche Gewalt
nichts auszurichten. Die Vorgänger Wilibrords hatten keinerlei
Spuren ihrer Arbeit hinterlassen, obschon der König Algild den
Erzbischof von York, Wilfrith, unter seinen heidnischen Friesen
hatte predigen lassen. Auch Wilibrord hatte unter den unab-
hängigen Friesen ebensowenig Erfolg wie unter den „wilden"
Dänen. Bonifatius wiederum erlag den Streichen der heidnischen
Friesen, als er am Ende seines Lebens versuchte, unter ihnen das
Werk der Bekehrung durchzusetzen.

Die gleiche Friesenmission zeigt, wie sehr die fränkischen Machthaber eine wesentliche Mitwirkung beanspruchten; und sie zeigt
ebenso, wie stark die angelsächsischen Mönche, die von Haus aus
an eine Rücksichtnahme auf die staatliche Macht gewöhnt waren,

darauf eingingen. Pipin der Mittlere, der Wilibrord nach Rom
sandte, wo er 695 zum Bischof geweiht wurde, war es auch, der
ihm Utrecht als Bischofssitz zuwies. Stiftung wie Ausbau Echter-
nachs unter Wilibrord selbst und nach ihm stehen im gleichen
Zeichen enger Verbundenheit mit der politischen Gewalt des
Frankenreiches [1]).

Auch der Erfolg des heiligen Bonifatius ist von denselben
Kräften und deren Anerkennung abhängig. Und dies, nachdem
er schon „in mundeburdio et defensione" Karl Martels gestanden
hatte (37, 9. 14; 38, 7), auch unter den Söhnen.

Ganz allgemein — und entscheidend — ist festzustellen, daß
die Weihe der Bischöfe und Erzbischöfe und ihre Einsetzung, daß
die Abgrenzung von Diözesen, daß die Berufung und Abhaltung
von Konzilien „mit Zustimmung", bzw. unter der Leitung der
politischen Machthaber vor sich gingen. Das heißt aber nichts
weniger, als daß die maßgeblichsten Handlungen, die den Aufbau
oder die Neubelebung der fränkischen Kirche herbeiführen, von
der Zustimmung dieser Gewalten abhängig waren. Und Bonifatius
richtete sich danach. Wir können wohl feststellen, daß seine
Wünsche manchmal weiter gingen, als die Fürsten bewilligten
(besonders bezüglich der Metropolitansitze), er stöhnt darüber,
aber er hat nie versucht, gegen den Anspruch der politischen
Macht und ihre Ausübung aufzustehen.

So weiht er etwa [2]) die neuen Bischöfe für Bayern „mit Zustimmung des Bayernherzogs Odilo und seiner Großen" (72, 12 ff.).
Deutlicher erkennt man die Tragweite dieser Zusammenhänge
bei der Feier der Konzilien. Auch nach Bonifatius' Mitteilung
geht die Aufforderung zum Concilium Germanicum von Karlmann aus. Und mehr als das: Karlmann ist es (N. 56), der die
Beschlüsse als die seinen verkündet. Für die Synoden von 742
und 743 lesen wir: „In nomine domini nostri Jesu Christi. Ego,
Karlmannus ... episcopos ... et concilium et synodum pro timore
Christi congregavi ... ut ... (98/99). Et ... ordinavimus (= Wir,
der „dux et princeps") per civitates episcopos et constituimus

---

1) S. weitere Belege bei S c h n ü r e r 1, 289 f.
2) Bonifatius' Bitte an die präsumptiven Nachfolger Karl Martels
(Grifo, Karlmann und Pippin), durch die er sich bereits im voraus
den Schutz für die Missionsarbeit erbittet, ist für unsere These nicht
beweiskräftig, da besonders vom Schutz der Christen gegenüber den
Heiden die Rede ist. 82, 2 f. Wilibald hat dieselbe Auffassung 41, 6 ff.

super eos archiepiscopum Bonifatium, qui est missus sancti Petri" (99, 14 ff.). E r , Karlmann, ist es auch, der Gebote und Verbote an die Geistlichen betreffend ihrer Lebensführung erläßt, auch ihnen Gehorsam gegen ihren Ordinarius einschärft ... und sie anhält, den „ordo missarum" zu beachten. Ebenso bestimmt er, daß der Graf helfen soll bei der Vertilgung des Heidnischen.

Danach versteht man dann die volle Tragweite der zusammenfassenden Formulierung, die Bonifatius selbst so gegeben hat: „Sine patrocinio principis Francorum nec populum ecclesiae regere, nec presbyteros ... defendere possum nec ipsos paganorum ritus et sacrilegia idolorum ... sine illius mandato et timore prohibere valeo" (130, 18 ff.). Das ist deutlich: S e i n o d e r N i c h t s e i n der Mission hängt davon ab, ob der Fürst seine Macht für sie einsetzt oder nicht. Im Kampf um einen Nachfolger noch zu seinen Lebzeiten hat Bonifatius diese Auffassung durch die Tat bekräftigt: er bittet Pippin, er möge als Nachfolger den Lul „einsetzen und bestellen" „als Prediger und Lehrer der Völker" [1]. Zweifelsohne „zuerkannte er damit dem König das maßgebende Wort bei der Besetzung der Bischofsstühle" (Schnürer 1, 309). Und dies tat er, ohne ängstlich genau Einsetzung zum Amt und Verkündigung der Lehre zu trennen.

3. Päpstlicherseits hat man, wie schon erwähnt, Wesentliches dieser landeskirchlichen Ansprüche anerkannt. Daß Gregor II. des Bonifatius Weihe zum Bischof (ohne Bischofssitz!) dem Karl Martel mitteilte und den Bonifatius nach der Weihe an diesen wies, ist schon an sich wichtig. Aber man erfaßt die Tragweite besser, wenn man die Formulierung liest, in der Wilibald dieselbe Tatsache ausdrückt: der Papst habe den Bonifatius durch „sacratissimis literis" der Herrschaft des glorreichen Herzogs Karl unterworfen (subiugavit); er sagt, daß Bonifatius ist Karls „dominio ac patrocinio subiectus". So kehrt auch Bonifatius zu seinem früheren Arbeitsfeld zurück „cum consensu Caroli ducis" (alles S. 30). Später läßt er den Bonifatius Bischof von Mainz sein „ipso Carlomanno consentiente et donante" (41, 6 f.).

Beweiskräftig für unsere These ist, daß zwischen Bonifatius und den mit ihm korrespondierenden Päpsten kaum etwas von einer Diskrepanz in dieser Frage zu spüren ist. Wie er, so sehen die Päpste in den Karolingern die Kraft, deren die Kirche in

---

1) 213, 21 ff. conponere et constituere.

Franken unbedingt bedarf. Bonifatius hatte sich klagend an Gregor II. gewandt, daß Bischof Gerold von Mainz, der bisher sich um die Verkündigung des Wortes Gottes bei den Hessen nicht gekümmert, nun diese Landschaft als zu seiner Diözese gehörend reklamiere. Er hatte um Entscheidung gebeten. Der Papst entsprach dem Ansuchen nicht, sondern — leitete die Angelegenheit an Karl Martel (42, 25 ff.). Die Anerkennung, die Gregor III. der Arbeit des Bonifatius in Bayern ausspricht, versucht zwar offensichtlich die päpstliche Initiative in den Vordergrund zu rücken, schließt aber ebenso zweifelsohne in die Anerkennung die Tatsache ein, daß Bonifatius dort die Weihe der Bischöfe und die Einteilung der neuen Diözesen mit Zustimmung des Herzogs und seiner Großen vorgenommen habe (72, 15—22).

Ein paar besonders eindrucksvolle Äußerungen zu unserer Frage haben wir von Papst Zacharias. Im Brief 57 (22. Juni 744) schreibt er an Bonifatius: weil Karlmann und Pippin, „deine Genossen und Helfer sind im Predigtamt ex inspiratione divina" (103, 19 f.), wartet ihrer der reiche Lohn. Zacharias bestätigt, daß die Synode gehalten wurde „mediantibus Pippino et Carlmanno". Freilich wird der päpstliche Anteil stärker herausgestellt („gemäß unserer schriftlichen Aufforderung und peragente nostra vice tua sanctitate" (= Bonifatius) (121, 17 ff. = 125, 15 ff.). Aus der Meldung des Bonifatius nach Rom, daß er nun einen Bischofssitz in Mainz habe, geht hervor, daß Rom bei der Bestimmung dieses Stuhles nicht mitgewirkt hat; der Papst nahm die vollzogene Tatsache einfach hin (179/180; 180, 8).

Die formellste Bejahung dieses Landeskirchentums wurde am Ende des Lebens des heiligen Bonifatius, zwar ohne seine Mitwirkung, aber durchaus als Krönung seines Werkes ausgesprochen. Es war die Verbindung Pippins mit Papst Stephan II. Denn damals war es der Papst selbst, der in ein regelrechtes Schutzverhältnis zu Pippin (commendatio et defensio) trat. (Man wird zugeben, daß diese Tatsache eine sehr viel weittragendere Bedeutung gewinnt, wenn man sie nicht isoliert, sondern im Zusammenhang des bisher behandelten Landeskirchlichen betrachtet.) Man weiß auch, daß Pippin durch sein neues Verhältnis zum Papst nicht etwa veranlaßt wurde, seine fränkische Kirche rechtlich enger an Rom zu binden. Er versuchte nach wie vor die Bischöfe vor allem in s e i n e r Abhängigkeit zu halten. So, wie er schon zu Lebzeiten des Bonifatius den Aufbau der übergeordneten Metropolitangewalten zum größten Teil verhindert hatte [1]). So bestimmt er etwa auf dem Konzil von 755 bzw. durch diese Synode: alle Bischöfe schulden kanonischen Gehorsam denen, die w i r i n v i c e m metropolitanorum eingesetzt haben.

4. Wir wissen, daß die Arbeit des Bonifatius sehr viel Schwierigkeiten begegnete bei Leuten, die offenbar vom Hofe gestützt wurden. Zweifellos zielt auf sie sein trüber Ruf: „Oh Schmerz! Wenn man die Dinge recht betrachtet, dann ist mein mühevolles Amt am nächsten dem Gebaren eines Hundes vergleichbar, der bellt und sieht, wie Diebe und Räuber das Haus seines Herrn erbrechen, durchwühlen, ausplündern, der aber, weil ihm Helfer zur Verteidigung fehlen, nur knurrend und winselnd trauert" (165, 18 ff.). Es tritt auch, wie schon angedeutet aus den Dokumenten deutlich hervor, daß die fränkischen Herrscher in der mit Rom verbundenen fränkischen Landeskirche die Macht des Papstes nicht so gedeihen ließen, wie diese es gewünscht hätten. Es ist schon irgendwie wichtig, daß Karl Martel im Schutzbrief für Hessen, den er dem Bonifatius ausstellt, nicht des Fürsprechers (Gregors II.) gedenkt, wie das in Urkunden sonst meist üblich war. Wenn aber Hauck (1, 470) das so deutet: „Er schiebt den Anspruch des Papstes zurück. E r erteilt Bonifatius die Erlaubnis, in Hessen zu wirken", so scheint damit der Quellenbefund unzulässig gepreßt und ein latenter Gegensatz Karls gegen den Papst behauptet, den die Quellen nicht fordern. Überließ es doch, wie wir sahen, Gregor von sich aus Karl Martel, die beiden Diözesen gegeneinander abzugrenzen [2]).

Es scheint reichlich willkürlich, jenen Widerstand gewisser Bischöfe und teilweise des Hofes als Sieg des autochthonen, radikal-nationalen Kirchentums zu erklären [3]). Von den betreffenden Bischöfen her muß man zum mindesten als sehr wichtige Ursache ihres Widerstandes gelten lassen ihren Willen, auf ihr ausgelassenes Leben im Geschlechtlichen, im Trinken, im Jagen und Kriegen nicht zu verzichten. Und wenn die sich entwickelnde

---

1) Bonifatius selbst erhielt bekanntlich keinen Metropolitansitz. Von den von ihm geweihten Erzbischöfen von Rouen, Sens und Reims durfte nur einer das Pallium bekommen, obschon Bonifatius es für alle drei vom Papst erbeten hatte.

2) Gegen Hauck 1, 471; oben S. 161.

3) So etwa, ohne den Ausdruck „nationalkirchlich" zu gebrauchen, G. F i c k e r, a. a. O. 18.

Fürstenmacht solche Herren nicht einfach den römisch-kirch-
lichen Forderungen entsprechend niederhielt, so kann das sehr
wohl einfach ein kluges Abwägen der realen Machtverhältnisse
und der sich daraus ergebenden Möglichkeiten (oder auch ihrer
Begrenzung) bedeuten. Eine der beiden wichtigsten Persönlichkeiten, die hier im Mittelpunkt der Diskussion stehen, Gewilip
von Mainz, mußte übrigens schließlich doch weichen, und ausgerechnet Bonifatius wurde sein Nachfolger.

Es versteht sich anderseits von selbst, daß es zu der oben behaupteten päpstlichen Anerkennung des katholischen Landeskirchentums kein Widerspruch ist, wenn die Päpste ihren Einfluß
auf die fränkische Kirche über das von der politischen Gewalt
Anerkannte hinaus zu steigern versuchten. Es gibt eine ganze
Reihe von Beispielen für diese Tendenz in unsern Briefen. Gewisse unbestimmte Formulierungen sind hier aufschlußreich. Sie
zeigen, daß die Pläne weiter reichten als die Worte es deutlich
aussprachen. Man hat gewisse Dokumente verglichen und nicht
mit Unrecht gefunden, daß die Formulierung, die an den Herrscher gerichtet ist, sich zurückhaltender ausspricht als die weit
bestimmtere im Brief an die anonyme „Christenheit in Germanien" [1]).
Daß aber Gregor II. in seinem Schreiben an Karl Martel nicht
um die Anerkennung der Bischofswürde bittet [2]), ist doch wohl
selbstverständlich. Wichtiger ist, daß er im Brief N. 20 die leitende Stelle des Königs in der fränkischen Kirche nicht erwähnt.
Nur kann man das nicht mit Hauck (1, 466) ein Ignorieren nennen.
Dazu erkennt der Papst die kirchliche Arbeit des Machthabers
doch zu sehr an. Der Tatbestand ist auch nicht ganz genau wiedergegeben, wenn Hauck von einem Umschlagen der moralischen
Macht des Papstes in rechtliche Forderungen spricht. Allerdings
darf man nicht aus den Augen verlieren, daß in der Auffassung
Roms seit langem — Gelasius I., Leo I. — der moralisch-religiöse

---

1) Vgl. H a u c k 1, 468/69; vgl. Brief N. 20 mit Brief N. 17. Freilich ist Brief N. 20 nur bei Otloh überliefert. Auch die Überlegungen
von Tangl (34, 23—48) lassen ein Fragezeichen bezüglich der Zuverlässigkeit des Textes bestehen.

2) Das ist Hauck aufgefallen: „es weht ein anderer Geist in
diesem Brief als in den Briefen Gregors des Großen an die fränkischen
Herrscher" 1, 461.

Anspruch einigermaßen die rechtliche Forderung miteinschloß. Dieses In ei n an d er als religiös-kirchliche Grundhaltung sehen oder nicht sehen, bedeutet nichts weniger als die Möglichkeit oder die Unmöglichkeit, eine Geschichte des Papsttums bis Gregor VII. schreiben zu können, ohne dauernd ein oft schlechterdings ausgeschlossenes, unaufrichtiges päpstliches Herrschaftsgelüste voraussetzen zu müssen. Was die Entwicklung auf seiten der Kurie leitet, ist zutiefst, daß man doch mit der unbedingten Überlegenheit des Religiösen über das Weltliche ganz Ernst macht.

Aber das gerade berechtigt wieder nicht, von Herrschaftsgelüsten zu sprechen. Es war die natürlichste Expansion, die man sich denken kann. Wie hätte das Papsttum damals anders der Erfüllung seines Programms zustreben können, die ganze Wirklichkeit der Herrschaft Christi zu unterwerfen?

Was man aber wirklich sehen muß, ist eben dieser Trieb zur Expansion. Und als Mittel in diesem Prozeß kann man nicht nachdrücklich genug aufmerksam machen auf das, was ich die praktische Theologie der Kurien und der Kanzeln und der Erbauungsliteratur nenne, und was eben angeklungen wurde: eine noch unbestimmte Terminologie wird angewandt mit der deutlichen Tendenz, den beherrschten Kreis zu erweitern. Einzelfälle werden benutzt, um daraus ein allgemeines Recht und Anrecht zu deduzieren, wenigstens diese Ableitung anzubahnen. Ohne einen vertragsfähigen Partner vor sich zu haben (vgl. etwa die vorhin zitierten päpstlichen Briefe an die Christenheit Germaniens, an das Volk der Thüringer und Hessen usf.), werden gewisse Rechte verkündet, die sich dann auch auf diese Weise allmählich durchsetzten [1]). Daß innerhalb eines bürokratischen Apparates öfter als gut war, die Kategorien des Rechtes und der Rechthaberei sich durchsetzen, braucht in dieser Allgemeinheit nicht erst bewiesen zu werden. Nur, daß sie im konkreten Einzelfall nicht vorausgesetzt werden dürfen, sondern bewiesen werden müssen. Wo sie aber als vorliegend aufgezeigt sind, ist deshalb noch lange nicht ein hinterhältiges Verhalten anzunehmen. Es gibt wirklich noch andere Antriebe der Expansion im Kirchlichen als politische Hinterhältigkeit. Um es noch einmal zu

---

1) Man schlußfolgere, bitte, daraus nicht, daß etwa deshalb diese Ansprüche nicht voll fundiert hätten sein können.

wiederholen: die Briefe, die uns hier beschäftigen, die Arbeit also, die maßgeblich die Grundlegung des christlichen Abendlandes mit angebahnt hat, sie stehen ganz vorwiegend unter religiöser Orientierung.

5. Es gilt, die Tragweite der geschilderten Tatsachen zu erfassen. Die G e f a h r e n des frühen Landeskirchentums sind mit Händen zu greifen. Wir sprachen schon davon. Sie waren konkretisiert in den unreligiösen Laienbischöfen und dem moralisch verkommenen Klerus einschließlich nicht weniger Mitglieder des geweihten Episkopats. Hier drohte sogar nicht nur ein Zerfall der e i n e n Kirche in viele Stammeskirchen, es drohte vielmehr auf dem Weg über eine rein eigensüchtige Säkularisierung die V e r n i c h t u n g dieser Teile der Kirche.

Trotzdem reagierte die Kirche bis in das 11. Jahrhundert hinein im wesentlichen nicht durch Verneinung des Landeskirchentums. Warum? Weil sie Grundlagen ihres eigenen Wachstums unter den germanischen Völkern nicht zerstören wollte. Dieses Wachstum war durch eherne Notwendigkeiten gebunden an das Ineinander von Kirchlich-Weltlich. Die Aufgabe konnte also nur sein: die Schäden der V e r w e l t l i c h u n g dieses Ineinanders zu beschneiden. Die Kirche hat das unter Wilibrord und Bonifatius zu einem Teil erreicht: durch eine Arbeit, die ganz und gar aus dem Christlich-Frommen, aus dem Beten aufstieg, eine Arbeit, die ganz das Reich Gottes suchte, und durch Bejahung jenes Ineinanders unter weitgehender Führung der weltlichen Macht, aber mit dem nie aufgegebenen Anspruch der Prärogative des Religiösen. Nur auf diese Weise war eine romverbundene fränkische Landeskirche zu erreichen gewesen, und damit die Gefahr des Separatismus überwunden, die der vordem isoliert nationalen fränkischen Kirche gedroht hatte. Nur so aber wuchs tatsächlich die eine Kirche des Abendlandes.

Zweifelsohne stellt die Verwirklichung des Nationalen (das so viele verschiedene Ausprägungen aufweist) innerhalb der katholischen Kirche (mit ihrer Katholizität, mit ihrer geographischen und völkischen Übernationalität [1]), eine nicht leichte Aufgabe.

---

1) Das ist etwas ganz anderes als I n t e r nationalität. Die Kirche ist über-national, wie sie über-natürlich ist. Der Begriff international hat seinem Ursprung und seiner Tendenz nach in sich die Neigung zu einer bagatellisierenden Bewertung des Nationalen. Er ist zum

Aber im Grunde ist die Aufgabe nur eine Anwendung des Grundauftrags, den die Kirche stellt: die Welt zur Heiligmachung in das Reich der Himmel einzuführen. Und deshalb verlangt die Kirche auch in diesem besondern Fall keine andere Lösung als bei ihren andern großen Grundproblemen auch. Sie fordert nur einmal mehr, daß man sie sehe und anerkenne als das großartige, allein genügende S y s t e m d e r M i t t e , die dem Menschen die Kunst abverlangt, ganz der Besondere dieser Erde und ganz ein Glied des übernatürlichen Leibes der allgemeinen Kirche zu sein. Man erkennt leicht die Gefahr der Einseitigkeit nach der einen oder nach der andern Seite. Es ist von da aus erklärlich, daß die Meisterung der Schwierigkeit nicht eben übermäßig oft gelang.

Nun, auch auf diesem schwierigen Gebiet ist Bonifatius ein Vorbild geworden. Er, der ganz römischer Katholik war und seine Kirche mit römischem Geist erfüllte, war zugleich der Bejaher des katholischen Landeskirchentums. Dies aber zweifelsohne, weil er durch und durch vom Religiösen her bewegt war.

---

mindesten mißverständlich. Streng gefaßt (nach den Grundkategorien des hl. Thomas) ist er sogar dogmatisch falsch. Man sollte ihn vermeiden.

BERNHARD VON CLAIRVAUX

TRAKTATE

EINLEITUNG

Gedenkfeiern haben nur dann einen Sinn, wenn sie bleibende Frucht tragen.

Dieser Erkenntnis verdankt die folgende Übersetzung der bedeutendsten Traktate des Heiligen Bernhard von Clairvaux (gestorben 1153), dessen die ganze Welt dieses Jahr 1953 vielfältig gedachte, ihr Entstehen. Sie entstand als Beitrag zur Achthundertjahrfeier seines Todes und möchte helfen, aus diesem Gedenken dauernden Gewinn zu ziehen.

Leben und literarisches Werk des bewundernswerten Mannes sind ein wahrer Kosmos. Schwerlich wird einmal ein Einzelner seinen staunenswerten Reichtum ganz zu übersehen und zu heben vermögen. Die Fülle der seelischen und geistigen, vor allem der religiösen Kräfte und ihrer Realisierungen, ist beglückend oder auch erschütternd. Das Gesamt des Phänomens gehört zu dem Mächtigsten, das die Geschichte des Abendlandes kennt.

Das literarische Werk Bernhards hat durch die Jahrhunderte hindurch in Ausgaben und Studien die Gelehrten und die Frommen, selbst der verschiedenen Konfessionen, in einem erstaunlichen Umfang beschäftigt.

Trotzdem kann man die These vertreten, daß wir, von wichtigen Ansätzen abgesehen, erst am Anfang einer wirklich kritischen Verarbeitung des literarisch-theologischen Nachlasses des großen Mystikers des 12. Jahrhunderts stehen.

Die noch immer maßgebliche Monographie Vacandards, die 1894 erstmalig erschien, wird der notwendigen neuen Darstellung erst nach vielen noch ausstehenden Vorarbeiten Platz machen können.

Als 1936 Gilsons überragendes Buch, „Die Mystik des Hl. Bernhard" erschien, konnte Pater Philotheus Böhner schreiben, dieses Buch schenke uns den bisher unbekannten Bernhard von Clairvaux. Das Urteil bedeutet nicht, daß selbst in dem besonderen Gebiete des Themas dieses Buches die theologisch-religiöse Durcharbeitung des literarischen Werkes des Hl. Bernhard im wesentlichen abgeschlossen sei. Das ist nicht der Fall. Der Block, den Gilson in einem imponierenden Nachvollzug als geschlossene Einheit Bernhardinischer Lehre vor uns erstehen läßt, ist, so denke ich, in St. Bernhards Werk enthalten. Aber, es gibt in Bernhard noch manches, das in das Buch Gilsons nicht eingegangen ist, bzw. das als weniger mit dem Ganzen harmonierend nicht als solches kritisch gekennzeichnet ist. Es bleibt auch die Frage zu klären, ob Gilson nicht die ihm so sehr vertraute Terminologie des 13. Jahrhunderts manchmal ins 12. zurück- und dort voraussetzte. Und ganz sicher gibt es viele Ausführungen bei Bernhard, die nicht so geartet sind, daß sich an ihnen Gilsons Urteil rechtfertigen ließe: ,,Kennt man sich einmal in den Grundanschauungen und der Sprache des Autors aus, lassen sich seine Traktate und sogar seine Predigten ebenso fachmännisch genau auslegen wie die konzentriertesten Aussagen des Hl. Anselm oder des Hl. Thomas von Aquin" (Ausgabe Paris 1947 S. 10).

Ganz allgemein darf man ferner dies anmerken: die überquellende Geistigkeit und Geistlichkeit (die Franzosen haben dafür das bessere Wort spiritualité) Bernhards hat in den verschiedensten Formen manche Bearbeiter seines Werkes zu einer gewissen einseitigen, manchmal verschwommen begeisterten Aussage verleitet. Um nicht mißverstanden zu werden, nehme ich — als Beispiele — so hervorragende Bücher wie das von Wolfram von den Steinen, das genannte von Gilson und auch das neue von Pater J. Leclercq aus. Das gleiche gilt natürlich für eine große Anzahl Spezialuntersuchungen.

Aber dann bleibt doch übrig, daß für einen bedeutenden Teil der Bernhard-Literatur eine Art wissenschaftlicher opinio communis gültig wurde, die noch nicht kritisch das Überragende, Gültige und Verpflichtende im Werk des Heiligen zu trennen vermochte von dem, was keineswegs in die Tiefen des Genialen und des Geistmächtigen und des Heroischen führt, sondern eher eine dünne Amplifikation ist oder gar wie rhetorische Übung aussieht.

Und doch muß an Bernhard von Clairvaux wie an jede historische Größe die Wertfrage mit aller kritischen Eindringlichkeit und Unerbittlichkeit gestellt werden.

Die Zeit, in der Kritik mit Kritizismus verwechselt werden konnte und verwechselt wurde, haben wir, darf man sagen, hinter uns. Auch scharfe Kritik an einer als überragend erkannten Persönlichkeit und Leistung bringt uns nicht mehr so leicht in die Versuchung, die geschuldete Ehrfurcht und die entsprechende Begeisterung für diese Persönlichkeit oder Leistung zu verletzen und braucht also auch nicht die von ihnen erwartete geistige Befruchtung zu mindern.

Vielmehr macht uns gerade eine undifferenzierte und zu wahllos geleistete und geforderte Begeisterung eher mißtrauisch und mindert die Wirkkraft des Geschilderten. Nur nüchterne Begeisterung scheint uns gültig. Nur unbestechliche Kritik, die die eben erwähnten Grenzen aufweist, kann genügen, um das Vergangene echt zum Sprechen zu bringen.

Die Frage der dabei anzuwendenden Methode und der zu befragenden Kriterien läßt sich a priori und abstrakt nicht beantworten. Immerhin scheint mir die psychologische Analyse weit davon entfernt, das geringschätzige Urteil zu verdienen, mit dem man sie seit einiger Zeit wie selbstverständlich degradiert. Ich halte sie sogar für unentbehrlich, sobald ihre Maßstäbe am zu beurteilenden Gegenstand selbst abgelesen werden. Die Voraussetzungen, auf die alles ankommt, sind freilich zu beachten. Es sind diese beiden: daß man der Absicht und der Kraft nach so viel Geistesfreiheit und Geistesweite besitze, daß keine, auch noch so unwahrscheinliche Seltsamkeit (oder das, was zunächst als solche erscheint), als Tatsächlichkeit ausgeschlossen werde, und daß man für die Besonderheit des zu betrachtenden Gegenstandes das nötige Organ besitze. Ein unreligiöser Mensch kann einem religiösen Genie nicht gerecht werden. Und wer nicht wenigstens von geschichtlichen Erkenntnissen her einigermaßen für die Fülle der dem durchschnittlichen Verstand oft anstößigen Variationen, Tiefen und Höhen des Paradoxalen im Religiösen geschult ist, wird sich bei der Beurteilung eines religiösen Genius aus einem weit zurückliegenden Jahrhundert schwerlich vor Fehlleistungen bewahren.

Das Individuelle erscheint gerade beim Heiligen in einer kühnen Ausprägung, die das Gegenteil der Schablone ist, die ein impotentes Geschlecht noch so guten Willens (die 'bien pensants' der Franzosen) zur Regel erklären wollte.

Immer wieder stellt sich dem Historiker dasselbe Problem: wie er es anfangen müsse, um längst verklungene Töne, längst verwehte Gesichte so in unsere heutige Sprache einzufangen, daß sie den heutigen Menschen anzurühren imstande sind. Anzurühren in dem, was zur Mitte seines Seins gehört, weit über das abstrakte Wissen hinaus.

Und immer wieder steht der Religions-Historiker vor der dreifach schweren Aufgabe: dem heutigen, so weithin säkularisierten Menschen echt von den geistlichen Menschen zu reden, von den Heiligen, die vor vielen Jahrhunderten in dem Zeitalter lebten, das wir das Mittelalter nennen, sozial und religiös und kirchlich und intellektuell von so ganz anderen Werten bewegt als wir.

Gewiß wollen wir nicht übersehen, daß es Ansätze gibt, an die wir anknüpfen können. Inmitten der zunehmenden Säkularisierung des Denkens haben das 19. und 20. Jahrhundert eine Entwicklung gesehen, die umgekehrt verläuft. Einzelne der im 18. Jahrhundert von den Gebildeten vergessenen, und innerhalb des Protestantismus sogar perhorreszierten Heiligen wurden von evangelischen Theologen-Historikern für die evangelischen Christen wieder entdeckt. Auch der Wert des Religiösen an sich wurde neu erkannt. Seit Beginn des 20. Jahrhunderts nimmt diese Entwicklung in der Historie und in der Literatur einen nicht unwichtigen Platz ein. In der Hagiographie zeigt sie sich am meisten in der auffallenden Beschäftigung evangelischer Gelehrter von Neander über Hase, Sabatier und Tohde bis Nigg mit Franz von Assisi und Bernhard von Clairvaux. (Zuletzt hierüber E. BENZ: in Eckart 23, 1953, 60). Das heißt: Ansätze zur Lösung der Aufgabe liegen vor. Gelöst ist die Aufgabe nicht.

Bernhard von Clairvaux ist eine Größe in der Theologie-Geschichte, er ist aus der Geschichte der Kreuzzüge nicht wegzudenken, er ist auch eine der großen Darstellungen des Humanismus. Das und anderes solcher Art läßt sich genau und ziemlich leicht aussprechen.

Aber damit ist die Mitte Bernhards ja gar nicht angerührt.

Die Mitte Bernhards ist, daß er christlicher Mystiker ist, daß er von mystischen Werten lebt und aus ihnen wirkt, und dies — trotz gewisser Abhängigkeiten — in einer ungewöhnlichen Besonderheit, die sich letztlich, eben wegen ihrer Einmaligkeit, nicht mit einer Kategorie benennen läßt.

Wer Bernhard nicht geistlich und sakral liest und hört, kann an sein Eigentliches nicht herankommen.

Es kommt aber eben alles auf dies an, daß wir an dieses Eigentliche rühren und daß dieses auf uns Heutige zurückwirke.

Ist das möglich?

Man sollte sich die Antwort nicht zu leicht machen und sich nicht zu schnell mit einem 'Ja' festlegen.

Damit, daß man die gröbsten Fehlurteile vermeidet oder ablehnt, ist noch nicht viel gewonnen. Heute würde selbst ein Freigeist nicht leicht Schillers Urteil von dem wohl größten geistlichen Schuft aller Zeiten wiederholen.

Aber selbst für viele nicht nur wohlmeinende, sondern streng strebende Menschen liegt doch die gläubige, die asketische, die mönchische, die dogmatische Welt des Mittelalters innerlich bis zur völligen Unbegreiflichkeit fernab.

Bernhard war ein heiliger Mönch im streng dogmatisch begriffenen und gestalteten Christentum. Um etwas von ihm zu begreifen, muß man fähig sein zu verstehen oder wenigsten zu ahnen, daß ein Mensch schöpferisch das Gesamt des Daseins bis hinein in das Politische und das Soziale ganz und gar aus dem Religiösen, näherhin aus dem christlichen Glauben, das heißt, von der Religion des Gekreuzigten her, zu gestalten fähig ist.

Ehe jemand zu seiner eigenen Fähigkeit, dies zu begreifen, ja sagt, wolle er den Satz dreimal gründlich überlegen, denn er beinhaltet Dinge, die von ganz zu ganz verschieden sind von unserer gewöhnlichen heutigen Art zu denken.

Geschöpflichkeit besagt wesentlich Begrenzung und also auch Mangel. Im Bereich des Menschlichen besagt das auch Versagen. Und deshalb sah diese Welt, soweit die Offenbarung uns nicht eines anderen belehrt, zwar viele und große Heilige, sie sah sogar den unvergleichlichen Heiligen Franziskus von Assisi, sie sah nie den ganz makellosen Heiligen, der dem Gesetz des menschlichen Versagens nicht in irgendeiner Weise seinen Tribut gezahlt hätte.

Dies zu bedenken wird dann, wie eben angedeutet, besonders vordringlich, wenn wir uns um Heilige bemühen, die in der einen oder anderen Weise sich intensiv mit der Gestaltung auch der harten Wirklichkeit des Diesseits, des Sozialen und der Politik abgegeben haben.

Dies ist der Fall bei Bernhard von Clairvaux, der in viele Händel der großen Kirchenpolitik und der Weltpolitik als maßgeblicher Faktor hineingezogen wurde, der durch seine Kreuzzugspredigt Europa in Bewegung setzte und dadurch tief in dessen Geschicke eingriff, der andererseits die Entwicklung der Kunst und der Philosophie geradezu aufzuhalten sich bemühte und doch beiden Sparten menschlicher Betätigung direkt und indirekt wichtige Anstöße gab.

Die erhabene Größe dieses Mannes, Mönches und Politikers und die gewaltige Potenz seiner Gesamterscheinung haben nichts von einer kritischen Betrachtung zu fürchten. Vielmehr wird das Aufdecken der Grenzen und eventuell eines Versagens das unbestreitbare Übermenschliche um so glaubhafter erscheinen lassen.

Und dies ist Voraussetzung, um es noch einmal zu sagen, wenn wir nicht unsere Zeit verlieren wollen: daß wir echt und vertrauenswürdig von dem Ungewöhnlichen in der Geschichte reden. Gegenüber dem Ungewöhnlichen, ja dem Ärgernis Gebenden im religiösen Raum ist dies nötiger denn auf irgendeinem anderen Gebiet.

Diese kritisch unterscheidende Darstellung ist, wie gesagt, noch nicht in genügendem Umfang für Bernhard von Clairvaux geleistet worden, weder in der Analyse seines Charakters, noch für die Eigenart seiner Frömmigkeit, noch für die Konsequenzen und den Verpflichtungsgrad seiner Theologie.

Das Bild Bernhards ist der Gefahr der Abglättung nicht entgangen. Zwar trägt er sehr zu Recht den durch die Tradition ehrwürdig gewordenen Titel des 'Doctor mellifluus'. Und noch in diesem Jahr hat Pius XII. ihn mit Recht als Ehrennamen in seiner Enzyklika über Bernhard verwandt.

Aber es ist auch die Frage, ob mit diesem Titel nach unserem heutigen Sprachgebrauch und für unser heutiges Empfinden das Wesentliche der Werte und des Werkes von Bernhard genügend getroffen werde, und ob jene verlangte fruchtbare Berührung mit seiner Person und seinem Werk in seinem Zeichen allein erreicht werde. Denn auch jener große Titel ist der Gefahr, abgegriffene Schablone zu werden, nicht entgangen.

Bernhard ist viel mehr als honigfließend. Er ist vor allem kräftiger, näherhin geistesmächtiger, als es dieser Titel ausspricht. Sein Erbe ist auch so, daß es uns vielfältig aufrüttelnde Mahnung sein kann in einer Weise, die, wenn wir sie ehrlich hören, rauh anpackt.

Bernhard ist insbesondere auch heftiger, als es dieser Titel andeuten kann.

Diese Frage, wie weit Heftigkeit, ja Rücksichtslosigkeit sich in Bernhards Verhalten, etwa zum Gegenpapst Anaklet, oder dem Erzbischof von York, oder dem König Konrad III., oder manchem Mönch und Mönchsaspiranten aussprach; die Frage, wie weit in seinen großen Auseinandersetzungen (insbesondere mit Abaelard) seine Unterlagen etwa ungenügend gewesen seien und durch Heftigkeit ergänzt wurden; die besondere Frage, ob Bernhard nach dem Mißlingen des zweiten Kreuzzuges seinen Anteil an dem furchtbaren Leid, das er mit verursacht hatte, recht erkannt und bekannt habe oder nicht: all diese Fragen sind bisher, so meine ich, noch nicht deutlich genug gestellt worden. Eine umfassende Antwort haben sie jedenfalls nicht erhalten. Ähnliches gilt, wie schon angedeutet, auch für die geistige, religionsgeschichtliche und theologische Durcharbeitung des literarischen Werkes des Abtes von Clairvaux.

In einer Monographie über das Gesamtwerk oder über die Frömmigkeit oder über die Theologie des Hl. Bernhard wären diese stichwortartig angedeuteten Probleme durch das ganze Leben und das ganze literarische Werk Bernhards hindurch zu untersuchen, zu illustrieren, zu differenzieren und zu umgrenzen.

Hier gebe ich nur einige wenige Andeutungen. Es versteht sich, daß bei einer solchen Zusammenpressung des weitschichtigen Materials auf wenige Grundzüge die Konturen vergröbert werden. Der aufmerksame Leser wird sich dessen bewußt bleiben.

Man kann vielleicht allgemein so sagen: Bernhards Begründungen, die er für oder gegen eine Sache oder Person anführt, sind nicht immer auf der Höhe der Glut seines Wollens. Wenn der große, von Liebe brennende Mann, der so viel von einem Propheten an sich hat, zur Überzeugung gekommen war, daß eine Sache oder eine Person nicht an der Stelle stehe, die er für die allein kirchliche ansah, dann war er geneigt, reichlich schnell das, was gegen jene Sache oder Person sprach, als existent anzunehmen (s. unten S. 22). Die Behandlung einiger Einzelfälle von Klosterberuf oder von Ordenswechsel sind nicht leicht auf einen Nenner zu bringen, der Bernhards Argumentation vor jedem Tadel sichern würde.

Im Falle Abaelard hat Bernhard bewußt Sperrzeiten eingefügt, ehe er handelte und urteilte. Aber dann redete er doch manchmal auch so, alsob es bei Abaelard nur Verderbliches gäbe; und auf dem Konzil von Sens hat er gegen den Philosophen Mittel angewandt, die wir lieber missen möchten.

Dieses Problem Bernhard—Abaelard ist heikler Art. Aber es ist zugleich so ungewöhnlich wichtig, daß man selbst in einer kurzen Einleitung wie dieser einige Augenblicke bei ihm verweilen muß.

Man hat mit Recht gesagt, daß die Haltung, die Bernhard zur Kunst und zur Scholastik eingenommen habe, Ausdruck einer einzigen, gleichbleibenden Grundeinstellung sei: Ablehnung einer gewissen selbständigen Gültigkeit menschlicher Ansprüche und Beschneidung ihrer Ansprüche dort, wo sie sich durchgesetzt hatten.

Wie aber, trotz der Bernhardinischen Herbheit in der Architektur die mit Skulpturen geschmückte Gotik in der Kirche und unter ihrer Zustimmung sich durchsetzte, so siegte schließlich in der Scholastik Wesentliches von dem, was Abaelard methodisch und sachlich angestrebt hatte. Dies ist eine Tatsache ersten Ranges, auch für die Beurteilung Abaelards und Bernhards selbst.

Eine Reihe theologischer Sätze von Abaelard wurden vom Konzil von Sens unter Bernhards Leitung verurteilt und diese Verurteilung wurde vom Papst gutgeheißen.

Aber diese Sätze sind nicht der ganze Abaelard. Eine Reihe Fragen, die für die Erkenntnis seiner geistigen Art wichtig sind, liegen außerhalb des Gesichtskreises dieser Verurteilung. Wenn Bernhard sich mit Recht gegen eine Philosophie erhob, von der er glaubte, daß sie den Glauben antaste, so bedeutet dies natürlich nicht, daß der ganze Abaelard diesem Verdikt verfalle. Es gibt vielmehr in dessen Werk manche eindringliche Stelle, die in korrekter Weise und in Fülle vom Mysterium des Glaubens redet und ebenso andere, die das Mysterium des Heiles, das nicht aus Menschenkraft kommt, sondern aus frei geschenkter Gnade, unberührt stehen lassen und es preisen.

Um diese Fragen der Klärung näherzubringen, wird sich unsere Übersetzung bzw. der Kommentar zu Bernhards Schrift gegen Abaelard bemühen, alle Parallelstellen vorzulegen, damit eine erschöpfende Gegenüberstellung leicht möglich werde. In Migne sind längst nicht alle Stellen dieser Art nachgewiesen, manche sind nur dem Sinn nach angegeben, alle aber sind so genannt, daß die angegebenen Seiten von niemanden leicht verifiziert werden können. Man wird mit unseren Unterlagen rein durch Textvergleichungen feststellen können, ob, auch in wichtigen Dingen, Bernhard Abaelards Ansichten ganz gerecht wurde, und man wird auch feststellen können, ob nicht Abaelard sich mit Recht bereits auf die Tradition berufen konnte und wiederum andererseits, daß und worin ihm die spätere Entwicklung recht gegeben hat. Es wird sich auch zeigen, daß mancher Einwand, den Bernhard erhebt, von Abaelard selbst angeführt und dann auch von ihm widerlegt worden war. —

Bernhards Kritik gegen die Dialektiker und die Dialektik stellt die grundsätzliche Frage: darf es eine christliche Kultur geben?

Wenn man Bernhards Feindschaft zur selbstwertigen Kultur lebendig anschauen will, hält man zweckmäßigerweise nebeneinander das Bild einer rein zisterziensischen Kirche — sagen wir einmal Eberbach — und einer Barock-Rokoko-Kirche, denken wir etwa an Die Wies oder Vierzehnheiligen. Bernhard würde in schärfster Weise protestiert haben gegen die Selbstfeier und den Genuß der Sinne, den er in jeder kostbaren Ausschmückung einer Kirche, besonders mit Gold und Skulpturen glaubte sehen zu sollen. Die einigermaßen spielerisch mit den Werkzeugen der Abtötung agierenden Gestalten einer Hl. Theresa oder einer Maria Magdalena in Barockkirchen wären ihm ein Greuel gewesen, weil nach seiner Ansicht Verfälschung der echten harten und härtesten Abtötung, die er als Grundlage des gesamten Lebens und vor allem des Betens verlangte. (Sein grundsätzliches Maßhalten, das bestimmte, die Askese dürfe den zu knechtenden Leib nicht zu Tode reiten (GILSON a. a. O. S. 90 mit Anm. 2) ändert daran nichts Wesentliches.)

Man kann diese Einwände nicht ernst genug nehmen. Die freie Art mit der etwa Franz von Assisi im folgenden Jahrhundert die Schönheit der Welt als Kind Gottes pries, war Bernhard nicht gegeben. Und die Nähe echter Mystik zur Formen- und Farbenfreudigkeit des Barock — hier reicht die Problematik auch für uns noch ungelöst in zentrale Tiefen — wäre ihm wohl vollends unverständlich gewesen.

Einige ängstliche und wohl auch enge Geister werden solche hier angedeutete Kritik möglicherweise pietätlos nennen. Sie hätten unrecht.

Diese Mängel, die in ihrer sprengenden Wucht einen mittelmäßigen Menschen im Fluge gehemmt hätten, haben Bernhard nicht daran gehindert, ein ganz großer Heiliger und der von seiner Zeit anerkannte Richter seines Jahrhunderts zu werden.

Und dann wolle man dieses Ungewöhnliche nicht übersehen: das, was an Gegnerschaft etwa gegen Papst Anaklet und Abaelard in Bernhard lebendig war und sich in sehr realen Gegenmaßnahmen entlud, erscheint bei ihm über alles persönlich Triebhafte hinaus in eine hohe Spiritualität und Objektivität emporgehoben.

Wenn ich dies sage, nämlich daß bei Bernhard seine Härte und Leidenschaftlichkeit in einer manchmal unheimlichen Weise zur objektiven Spiritualität emporgeläutert sei, so daß von einer Triebhaftigkeit kaum auch nur im Ansatz geredet werden könne, auch da nicht, wo ihm in der Erregung das Blut in die Wangen schoß, so möge dies nicht dahin mißverstanden werden, als sei die gewaltige emotionale Energie des Mannes so etwas wie eine äußerlich an und aus ihm wirkende Kraft. Im Gegenteil, man kann die vitale Realität Bernhards als Menschen, dieses aus der Gnade lebenden, so oft kranken, aber doch so überlebendigen Menschen, nicht stark genug in Anschlag bringen. Das Ungebrochene des herrscherlich Menschlichen, das aus blutmäßigem Erbe, besonders aber aus unaussprechlichen Erfahrungen lebt, der unwiderstehlich Fordernde und Richtende: dieser Bernhard ist echtester Menschlichkeit voll.

Der Mensch ist Person. Und was ihn letztlich anspricht, ist nicht ein Gedanke oder eine Tat, es ist stärker die Persönlichkeit.

Je echter, voller, ursprünglicher, also je weniger geläufig und durchschnittlich ein Mensch ist, je spannungsvoller auch und doch über die schroffsten inneren und äußeren Bedrohungen siegend, je voller fordernd aus einer zuletzt undefinierbaren Glut, aus höchstem Schwung und Unerbittlichkeit, aus vollster innerer Sicherheit: desto stärker vermag er anzurühren und umzuwandeln, einen Einzelnen oder viele, oder Massen, ja vielleicht seine ganze Zeit. So ist Bernhard.

Wir setzen auch hierneben sofort die nüchterne Selbstkontrolle: ist Bernhards Größe uns Heutigen nicht zu rauh? Nicht zu unwirklich? Können und dürfen wir seine 'Verdammung' der Schöpfungsschönheit mit vollziehen?

Eine solche Frage reicht wieder in Tiefen, die hier nicht einmal angedeutet werden können. Und dem Eingeweihten zeigt die Frage selbst, welche complexio oppositorum das Phänomen Bernhard von Clairvaux umschließt, der doch von anderer Seite her eine so großartige Einheit darstellt.

Ich gehe nur kurz auf die Frage selbst ein. Wenn man nach einem Gesamtmotiv in Bernhards Leben und Gedankenwelt sucht, dann stößt man auf den Begriff und die Wirklichkeit 'Liebe', und dies in einer stupenden Fülle: sie leitet unmittelbar in die Nähe des höchsten Gutes, zu Gott.

Aber die Gottesliebe, in der alles in der höchsten Wonne zerschmilzt, ist für Bernhard in dieser Welt nicht eigentlich realisierbar außerhalb der rauhesten Abtötung. Das gilt für die persönliche Lebensführung in strengster Armut, in dauerndem Nahrungsentzug, in ungenügender Behausung und mangelnder Nachtruhe, das gilt ebenso für Bernhards Widerspruch gegen den Versuch, menschliche Einsicht dialektisch in die Geheimnisse der Offenbarung eindringen zu lassen; das gilt ebenso für die Kunst: alleiniges, absolutes Recht hat das Geistige und Geistliche. Die Kunst der Kirchen und Klöster muß schmucklos und herb sein und die Entsagung predigen. Schmuck und Gold und Pomp dürfen nicht sein, wo Arme Hunger leiden.

Das Überlebensgroße an Bernhard kann niemand leugnen, der sein Leben liest. Nicht einmal dann, wenn er für die metaphysischen Tiefen kein Verständnis aufbringt, aus denen heraus dieses Leben die Geschichte bewegte.

Dieses Leben war von einer unerhörten Selbstsicherheit. Und doch war es ganz versenkt in die Demut des Sünders, an dessen Schwäche nur und ganz allein Gott seine Kraft bewährt. Aber daß diese Kraft ihn emporhob, ihn sichtbar und nachprüfbar die Seelen und die Welt bewegen ließ, dessen war sich Bernhard sehr wohl bewußt. Er nahm die Kraft Gottes, des Menschen Würde zur Höhe zu führen, sehr kräftig ernst. So ernst, daß man neben den erstaunlich kühnen Beschreibungen des ganz und gar sündigen Menschen kaum einmal das Sünden-Erlebnis und das Erlebnis der Rechtfertigung als Sündenbefreiung feststellen kann.

Aber auch: dieses Leben war im Innersten bedroht und am Ende sogar überschattet von der Unsicherheit im Elementarsten.

Zur Erreichung der so angedeuteten Ziele und zur monographischen Bearbeitung der damit skizzierten Probleme und vieler anderer, will die folgende Ausgabe und Übersetzung der wichtigsten Traktate des Hl. Bernhard einen Beitrag liefern. Auf mehrfache Weise.

Von den Traktaten des Hl. Bernhards wurden in unserem Jahrhundert nur zwei in deutscher Übersetzung vorgelegt. Greifbar ist zur Zeit keine einzige (Nützlich ist die gute Auswahl von Pater Leclercq in der trefflichen Übersetzung der Zisterzienser-Mönche von Mehrerau, die er unter dem Titel Die Botschaft der Freude 1953 hat erscheinen lassen).

Nun ist es selbstverständlich, daß jede wissenschaftliche Beschäftigung mit Bernhard nur vom lateinischen Urtext ausgehen kann.

Aber erstens ist eine sorgfältige Übersetzung in jedem Fall schon eine erhebliche erste Vorarbeit zu einem tieferen Eindringen in den Urtext. Bernhard ist ein hervorragender Schriftsteller. An einigen Stellen liest er sich leicht. Sehr oft aber bereitet eine genaue Erfassung des Inhalts erhebliche Schwierigkeiten. Einen wichtigen Teil dieser Schwierigkeiten will unsere Übersetzung den kommenden Bearbeitern abnehmen.

Es versteht sich von selbst, daß wir uns bewußt sind, wie weit unser geschriebenes Deutsch hinter dem lebendigen Latein Bernhards zurückbleibt. Die Traktate enthalten zwar Partien, die man nicht zu Unrecht als Übungsstücke antiker Rhetorik bezeichnen könnte; aber es gibt in ihnen neben den sachlich ernsten Auseinandersetzungen von großer Tiefe auch Ergüsse seiner Seele, die in die Nähe der großen Predigten rücken. Solchen Absätzen gegenüber ist es ein hoffnungsloses Unterfangen, dem Urtext ein adäquates Deutsch an die Seite setzen zu wollen. Das Latein des Heiligen ist an solchen Stellen von einer unerreichbaren Differenzierung, Kraft und Schönheit, schön von allen Elementen stilistischer Kunst, eben der lateinischen Sprache.

Die Schönheit der menschlichen Sprache, auch das Bewußtsein, ihre Ausdrucksweisen souverän zu beherrschen, ja sogar das Spielen mit dem Wort, dem Satz und der Periode, kurz das Wort ist das einzige Element geschöpflicher Schönheit, dessen Genuß Bernhard sich nie versagte.

Sodann ergänzen wir unsere Übersetzung durch sachliche Anmerkungen. Sie gehen über das bisher, auch bei Williams, Gebotene hinaus. Auch sie sollen den kommenden Bearbeitern der großen Themen der Bernhardinischen Gedankenwelt manche Schwierigkeiten abzunehmen versuchen oder den Weg zur Lösung erleichtern.

Es bleibt aber selbstverständlich vorbehalten, daß unser sachlicher Anmerkungsapparat nicht diese Arbeit kommender Monographien ersetzen will. Die beigegebenen Fußnoten erstreben also keineswegs Vollständigkeit. Sonst müßte, um nur ein Beispiel zu geben, dem Traktat von der Gottesliebe eine vollständige Darstellung der Theorie der Liebe und auch z. B. des amour pur beigegeben werden, was offensichtlich über den Rahmen sogar einer textkritischen Ausgabe hinausgehen würde.

An einem Punkt kann übrigens unserer wissenschaftlichen Vorarbeit der Charakter der Vorläufigkeit leider nicht genommen werden: bei der Textunterlage. Die notwendige textkritische Neuausgabe der Werke Bernhards steht noch aus, und jeder, der ein wenig mit den Schwierigkeiten und dem Umfang eines solchen Unternehmens vertraut ist, weiß,

daß dieser unbefriedigende Zustand noch lange dauern wird. Wir haben
zwar die kritischen Neuausgaben von Williams und Mills. Und zu den
Hoffnungen, daß es doch in nicht allzu ferner Zeit zu einer kritischen
Neuausgabe, wenigstens einzelner Werke, kommen werde, zählen die
bedeutenden Vorarbeiten von Pater Leclercq. Trotzdem, bis eine vollständige kritische Neuausgabe vorliegen wird, wird es sicher noch
Dezennien dauern.

Wir setzen neben den deutschen Text den bei Migne abgedruckten
Mabillon-Text. Da Migne den einzelnen Gelehrten nicht immer in wün-
schenswertem Umfang zur Verfügung steht, glauben wir auch hiermit
der Wissenschaft einen Dienst zu leisten. Insbesondere dürfte unsere
Aufgabe auch von den Leitern und Teilnehmern wissenschaftlicher
Seminarübungen begrüßt werden und zur Heranbildung eines wissenschaftlichen Nachwuchses, der mit Bernhards Terminologie — der so
sehr schwierigen und noch nicht durchuntersuchten — vertraut wäre,
dienen. Im textkritischen Apparat fügen wir übrigens die Lesarten,
welche die neueren Textausgaben von Williams und Mills bringen, bei.

Aber all dies und die unbestrittene säkulare Größe des Hl. Bernhard
rechtfertigen noch nicht für sich allein, daß man seine Werke ins Deutsche
übersetze. Wenn das, was heute noch an Bernhard lebendig ist, nur einige
wenige Spezialgelehrte angeht, kann man ihnen das Eindringen in die
Gedankenwelt des lang verstorbenen Mystikers für jeden einzelnen Fall
allein überlassen.

Die Entscheidung hängt davon ab, ob die religiöse und die philosophisch-theologische Kraft Bernhards so groß ist, daß er zu den großen
Geistesmännern in dem Sinn gerechnet werden darf, die uns heute lebendig und schöpferisch noch anzusprechen vermögen.

Mit Größen wie Thomas von Aquin und Bonaventura, deren Bedeutung
auch in der engeren Sparte des streng wissenschaftlich-philosophischen
Denkens säkular zu nennen ist, kann Bernhard nicht konkurrieren, selbst
dann nicht, wenn man der oben zitierten These Gilsons zustimmen könnte,
daß man die Gedanken Bernhards genau so scharf distinguieren könne
wie die konzentriertesten Seiten des Hl. Thomas von Aquin.

Aber einmal gibt es selbst im Bereich des rein Denkerischen bei Bernhard Erleuchtungen, die so zwingend, ja überwältigend sind, daß sie
immer wieder zum Besitz der sich folgenden Generationen gemacht
werden sollten. Und dann gibt es noch ein Doppeltes, das den Versuch
lohnend macht, Bernhard weiteren Kreisen der Gebildeten zugänglich
zu machen.

Dahin gehört einmal sein nicht konzeptualisches Denken, über das weiter unten einiges zu sagen sein wird.

Und da ist vor allem die unerhört hohe und reiche Welt seiner Mystik. Wenn uns die nicht selten hemmungslose Allegorese den Zugang zu dieser Welt erschwert, wenn es erheblicher Ausdauer bedarf, sich durch den endlos sich ergießenden, nie gehemmten und nie sich selbst hemmenden Strom des betrachtenden Redens durchzuarbeiten, sich weder von den Wiederholungen noch den erheblichen logischen Lücken entmutigen zu lassen, so bleibt nach Überwindung dieser Schwierigkeiten eben doch ein wahrhaft königlicher Reichtum an Erkenntnissen und Aufschwüngen, an Erschautem, der alle Mühe lohnt.

In aller Nüchternheit und ohne die Hoffnungen irgendwie zu Illusionen zu überspannen, möchte ich deshalb die am Anfang dieser Betrachtungen gestellte Frage nun so beantworten: Bernhard hat heute nicht wenigen Gebildeten viel zu sagen, vieles, das so nur er vermitteln kann.

Er wird aber, um es nochmals zu betonen, diese Aufgabe an uns um so eher erfüllen können, je wahrhaftiger wir den Weg zu ihm gehen, d. h. je kritischer wir ihn betrachten, um die Spreu, die es auch bei ihm gibt, von dem nährenden Weizen zu trennen.

Hier deutet sich nun ein weiteres Ziel unserer Übersetzung an, das mit einer Eigenart unseres Instituts für Europäische Geschichte Mainz, oder seiner Art, Geschichte zu treiben, zusammenhängt: wir wollen die reine historische Wissenschaft auch für das Leben, das konkrete von heute und morgen, fruchtbar machen und ihr selbst von diesem Leben her neue Impulse geben lassen.

Ähnlich möchte diese Übersetzung wirken. Wir denken auch an einen breiteren Leserkreis des deutschen Sprachraumes (über die Spezialgelehrten hinaus). Es ist für die strenge Forschung keineswegs gleichgültig, ob ihr Gegenstand im Bewußtsein der Mitwelt in kräftiger Anschaulichkeit steht, oder ob er für diese Mitwelt nur ein dünner Begriff ist. Im ersteren Fall wird die Forschung auf manchen Wegen von jener Anschaulichkeit Nutzen ziehen.

Das führt zu verschiedenen Anwendungen, worüber ich einige Worte anfüge.

Nach den bedrückenden Erfahrungen, die uns eine Politik ohne Christentum, ja ohne religiöse Bindung im Dritten Reich bescherte und heute im Totalitarismus diverser Prägung noch beschert, hat das Thema 'Politik und Religion' eine neue und unmittelbare Aktualität gewonnen.

Auch zur Lösung dieses Themas hat Bernhard Wichtiges beigetragen. Es unterliegt keinem vernünftigen Zweifel, daß er am liebsten die Weltflucht, die sein Ideal war, radikal durchgehalten und die klösterliche Einsamkeit zu seinem einzigen Bereich gemacht hätte. Das wurde ihm verwehrt. Aber dann bewahrheitete sich an Bernhard wie an vielen anderen bahnbrechenden Denkern und Christen jenes Gesetz, das für das Wachsen des Reiches des Geistes grundlegend ist: je mehr auf die Suche oder gar die Sucht nach Erfolg verzichtet wird, je weniger die geleistete Arbeit abgezweckt wird, desto reicher stellt der Erfolg sich ein. Auch nach außen. Der mächtige Impuls zum Klosterideal, der von Bernhard ausging, floß einfach über und stellte sich in einem uns kaum faßbaren Reichtum der heroischen Nachfolge und also auch der klösterlichen Neugründungen dar. Mehr oder weniger haben sie alle durch ihre Rodungen und Kulturarbeiten und dann durch ihre Neubauten von Kirchen, Klöstern und Kreuzgängen und durch das Abschreiben und die Abfassung von Büchern die Kultur mächtig gefördert. Schon auf diese Weise geriet auch Bernhard in vielfältige aktive Berührung mit der Welt. Aber dies alles blieb letztlich doch in die Welt des Betens und Schweigens und der Einsamkeit beschlossen.

Anders war es, wenn Bernhard von den weltlichen Mächten und den Päpsten oder durch Bischöfe in die großen und auch kleinen kirchenpolitischen oder politischen Angelegenheiten hineingezogen wurde. Er leistete seine Arbeit hier mit Erfolgen, die offenbaren, wie sehr er innerlich und von der Wurzel seines Seins her für derartige Aufgaben geformt war.

Man entstellt wiederum Bernhard, wenn man meint, er habe in diesem Milieu nur das aktiviert, was im Titel des 'Doctor mellifluus' anklingt. Man muß einmal die ungewöhnliche Heftigkeit, mit der Bernhard z. B. am zweiten Weihnachtstag 1146 den deutschen König, Konrad III., oder wie er, die Hostie in der Hand, den Herzog Wilhelm von Aquitanien apostrophiert, betrachten, um zu sehen, wie sehr dieser Mönch 'verstanden' hatte, daß Politik ohne das Element 'Macht' nicht zu realisieren ist.

Aber dann muß eben wieder genau so nachdrücklich wiederholt werden, was schon angedeutet wurde: daß sich nirgends ein Anzeichen dafür findet, daß Bernhard in irgendeiner egoistischen Weise dem Trieb zur Macht verfallen ist. Und jenes andere auch schon Angedeutete, daß er den politisch Handelnden immer wieder die Ausnahmslosigkeit der verbindlichen religiösen und sittlichen Gesetze predigte.

Ob nicht Politiker von der hier sichtbar werdenden Kraft und Chance der vertrauenden insecuritas lernen, und von da die Realisierung einer 'christlichen' Politik mit größerem und häufigerem Wagemut versuchen könnten? —

Eine politische Handlung größten Stils ist Bernhards Teilnahme an der Kreuzzugsbewegung.

Der Tatbestand ist bekannt. Auf Wunsch des Papstes Eugens III., seines geistlichen Sohnes und ehemaligen Zisterziensers, entfesselt Bernhard über eine Masse Schwierigkeiten hinweg durch seine Person, seine Predigt und sein geschriebenes Wort bis nach England und Bayern und Polen hinein und unter apodiktischen Siegesverheißungen eine die Völker zu einem gemeinsamen Werk einigenden großartigen Schwung. Ströme von Kreuzzugsfahrern bildeten sich.

Und der zweite Kreuzzug wird zu einer der furchtbarsten Katastrophen des Mittelalters.

Die Enttäuschung und das Leid entlädt sich natürlich auch in schärfster Weise in Äußerungen gegen Bernhard. Er schweigt. Dann nimmt er in einem unsterblichen Kapitel seines Buches über die Betrachtung — es ist das erste des zweiten Buches — Stellung.

Geradezu atemberaubend, was Bernhard hier bekennt, und wie er sich über die Wucht der Tatsächlichkeiten und die Kritik hinweghebt. Es äußert sich eine wahrhaft große Prophetenhaltung. Ein einziges gilt, sagt er: Der Wille Gottes, und also, daß wir seine Gerichte für gerecht bekennen.

Zu diesen Gerichten steht Bernhard auch nun, wo sie die abendländische Christenheit so furchtbar zusammengeschlagen haben. Und Bernhard kommt zu einem Satz, den wahrhaftig nur ein Prophet und Heiliger wagen durfte: Muß ich mich also nicht als selig bekennen, da ich auch jetzt, in diesem abyssus calamitatum, in diesem Abgrund alles Unglücks, nicht Anstoß nehme! (Migne 182, 743).

Eine unvergleichliche Stelle!

Aber doch bleibt uns die aus der Mitte des Christlichen aufsteigende Frage: hat Bernhard das Leid, an dem er objektiv so sehr mitschuldig war, genügend real gesehen und empfunden? Hat er sich ihm gestellt? Oder hat er sich zu schnell über die harte Wirklichkeit, wie ich sagte, hinweggehoben? Papst Eugen III. war selbst nicht absolut mit der Handlungsweise seines geistlichen Vaters einverstanden, nicht einverstanden damit, daß Bernhard Weihnachten 1146 in Speyer so persönlich und aus eigener Initiative den König drängte und vermochte, das Kreuz zu nehmen. Eugen III. brauchte den König, um Ordnung in Italien zu schaffen: er dachte hier realistisch genau wie der Mönch Suger, Minister Ludwigs VI. und VII.

Bei der Entfesselung des Kreuzzugs setzt Bernhard offenbar die Überlegungen des nüchternen Verstandes zu einem Teil beiseite. Und ich denke,
daß Ähnliches sich in seinem Leben auch bei anderen Gelegenheiten zeigt,
z. B. wenn es diesen oder jenen Fall von Berufung zum Kloster behandelt.

Und dann bleibt noch jene Problematik, die im Kreuzzugsunternehmen
so vielfältig nicht per Akzidens, sondern notwendig enthalten ist, die Ausbreitung des Evangeliums durch Mittel der Macht und besonders des
Krieges, außer Betracht. Und wieviel ernste Fragen wirft gerade sie auf
und gerade im Umkreis der betenden Welt des aus dem Glauben lebenden
Christen Bernhard von Clairvaux!

Wie vieles wäre noch zum Problem 'Politik im christlichen Raum' von
Bernhard her zu sagen! Welche Masse von wichtigsten Gedanken bietet
allein der letzte Traktat, den Bernhard schrieb, das erwähnte 'de conside-
ratione' an Eugen III.! Es bedeutet schon etwas, wenn vor dem kommenden Hochmittelalter und vor dem Ausbau der römischen Kurie zu dem,
was sie unter Innozenz III., dann Bonifaz VIII., dann erst recht in Avignon wurde, ein Verteidiger des Papsttums von der Strahlungsweite
Bernhards es ausspricht, daß jeder Hof und auch der römische päpstliche
Hof aus seiner Natur heraus korrumpierender Natur sei.

Die scharfe Kritik, die Bernhard an allem übt, das als Mißbrauch des
Religiösen und Kirchlichen zugunsten von Macht, Pomp und Genuß
aussehen könnte, gibt weiterhin die Richtung der politischen Aktivität
an: Christliche Politik bedeutet für ihn keinesfalls klerikale Politik.

Freilich liegen die Dinge hier kompliziert, sobald man die Fernwirkun-
gen von Bernhards Klostergründungen mit in die Betrachtung einbezieht. Die mittelalterliche Kirche wurde in steigendem Maße eine
Kirche des Klerus, und dann sogar des Klerikalismus. Beides schließt in
verschiedenem Sinn eine Verengerung, dann sogar eine Erkrankung ein.

Gewiß, es ist nicht daran zu denken, daß die Ideale der großen mittelalterlichen Ordenstifter, und unter ihnen die von Bernhard von Clairvaux,
an sich an dieser negativen Entwicklung Schuld trügen.

Aber sie stehen tatsächlich in der Reihe der Ursachen jener Erscheinungen. Im entstehenden Europa spielen die monastischen und dadurch die klerikalen Kräfte quantitativ und qualitativ eine so überragende Rolle, daß das sehr hohe Ideal von so vielen auf die Dauer kaum
gehalten werden konnte und ein Rückschlag kaum vermeidbar war.

Man darf in allem Ernst fragen, ob durch den monastischen Aufbau
Europas im Sinne der Zisterzienser der Mündigkeit des christlichen
Laien von Anfang an nicht zu wenig Chancen gegeben wurden. Man soll
so fragen; und daraus lernen. —

Die Gedankenwelt Bernhards von Clairvaux kann uns im Zusammenhang mit der wissenschaftlichen Arbeit unseres Instituts für Europäische Geschichte noch einen besonderen Dienst erweisen.

Ich möchte den schon etwas verbrauchten Begriff des 'mittelalterlichen Europäers' nicht noch weiter strapazieren. Weder gab es zu Bernhards Zeiten 'Frankreich' und 'Franzosen', noch 'Deutschland', und 'Deutsche' im heutigen Sinn. Und selbst im damaligen Sinn war Bernhard nicht einfach hin ein 'Franzose'.

Auch möchte ich mich nicht der Übertreibung schuldig machen, die in diesem Gedächtnisjahr allzu oft weitergereicht wurde, der Übertreibung also, die in der nicht näher oder falsch begründeten Behauptung liegt, Bernhard sei der Apostel der abendländischen Einheit gewesen.

Bernhard war Apostel dieser Einheit. Niemand kann daran zweifeln. In verschiedenen großen und schicksalhaften Einzelaktionen hat er das unter Beweis gestellt. Bernhards erfolgreiches Bemühen um die Anerkennung des Papstes Innozenz II. wie um das Zustandekommen des zweiten Kreuzzugs gehören hierher. Das alles ist längst erkannt und oft laut gesagt worden.

Es scheint aber nicht ganz mit der historischen Nüchternheit zu harmonieren, wenn man die Bedrohlichkeit des damaligen päpstlichen Schismas überbetont, und wenn man die höchst reale Problematik der Kreuzzüge und speziell des zweiten Kreuzzugs unterschlägt oder kaum anklingen läßt. Es gab viele Gegenpäpste in der Geschichte der Kirche. Ich bin geneigt, ihr Auftreten im frühen und hohen Mittelalter in ihrer vorbereitenden Verderblichkeit entschieden höher anzuschlagen, als es meist geschieht. Aber eine wirkliche Bedrohung der abendländischen Einheit bedeuteten sie erst durch ihre sich summierende Wirkung, also vom 14. Jahrhundert ab, als außerdem durch die Entwicklung des Nationalen, Demokratischen, Rationalen und eines bestimmten Prozesses der Säkularisierung im Verlauf des 14. Jahrhunderts gegen sein Ende die Möglichkeit auftauchte, die Erscheinung eines Gegenpapstes ideologisch zu unterbauen, und also zu einer Dauereinrichtung und so zur Gefahr einer Häresie werden zu lassen. Vor dem großen abendländischen Schisma war die abendländische Einheit durch die Gegenpäpste nie ernstlich bedroht.

Was die Kreuzzüge, von denen wir schon sprachen, anlangt, so kann nur ein Blinder die europäisch einigende Kraft des ungeheuren Glaubensschwunges und der gemeinsamen Leistung der Könige, Ritter und Volksstämme aus West und Ost übersehen. Ohne die Kreuzzüge ist das werdende universale Bewußtsein des Mittelalters nicht zu verstehen. Aber auch die innerhalb der gemeinsamen Aktion aufbrechende Rivalität und Differenzierung darf man nicht gering anschlagen.Und wenn wir gar auf die Fern- und Rückwirkung der Kreuzzüge abheben, so stoßen wir auf so viele Wurzeln des innereuropäischen Gegeneinanders, der Säkularisierung des christlichen Raumes und des aufsteigenden Zweifels, daß man sich erst recht zur Vorsicht gemahnt fühlt.

Bernhard ist Künder und Verwirklicher der abendländischen Einheit dadurch, daß er als einer der Ersten dem christlichen Europa zu einer authentischen, ihrer selbst voll bewußten Aussprache und Darstellung seiner aus Antike, Kirche und Romanentum bzw. Germanentum gewordenen Eigenart verholfen hat.

Bernhard tat das durch Realisierung der zisterziensischen Klosterwirklichkeit und durch sein pastoral-literarisches Werk.

Beides bildet eine Einheit, weil Predigt und literarisches Werk des Heiligen durch das Ausschwärmen seiner Mönche über ganz Europa hin eine große Zahl von Zentren schufen, die vom geistig-religiösen wie vom äußeren Leben her einheitlich geprägt waren. Diese Schaffung einer stark eigenartig geprägten klassisch gültigen Art des Christentums und die mächtige Wirkung, die Bernhard hier durch das heroische Beispiel eines schlechthin überragenden Willens und eines genialen Geistes erreichte: das ist das Wesentliche an Bernhards Beitrag zur europäischen Einheit; eine hochgeistige klassisch gültige Definition des Christentums, von ganz Europa angenommen als Fortsetzung der monastischen Grundlegung des einheitlichen Abendlandes durch die regula von St. Benedikt.

Ich wende mich wieder zu unserer Hauptfrage: können die Werte, die Bernhard zu bieten hat, können Inhalt und Form seiner mystischen Ergüsse uns heute noch treffen?

Ob die Kraft seiner Sprache und Formulierungen, ob der sich in seinen Schriften darstellende Niederschlag geistiger Einsichten, also das Gestaltwerden einer geistigen-christlichen Renaissance auch dem Nichtchristen erhebliche Werte vermitteln könne, ist nicht eine unerhebliche Frage, soll aber hier nur angedeutet werden. Dem Inhalt des von Bernhard Gesagten und seiner Intention entsprechend, stellt sich die Frage aber recht eigentlich nur für den innerchristlichen Raum.

Hier wird freilich wichtig, daß man Fülle und Wahrheit scheide, d. h., daß man die betend, predigend oder lehrend sich aus dem Herzen ergießende Fülle nach ihrem Recht, also nach dem Grad ihrer Verbindlichkeit befrage.

An dieser Stelle stehen wir wohl in der Mitte der Problematik, die uns Bernhard in seinen Traktaten aufgibt, aber ebenso in der Mitte der uns von ihm gebotenen Möglichkeiten der Bereicherung.

Denn, soviel Anregungen auch aus der Persönlichkeit Bernhards zu gewinnen sind (und so sehr nur sie, wie wir sagten, der Mittelpunkt seines Weiterwirkens ist), oder aus dem literarischen Glanz seiner Werke, oder auch noch aus dem, was wir seine Philosophie nennen, besonders aber aus seinen Analysen des Religiösen und Mystischen (das Erlebnis als Grundform Bernhards!), so Tiefes Bernhard von Clairvaux als anregendes und forderndes heiliges Vorbild uns zu schenken vermag, all dies erlangt erst dort seine volle Kraft und Wirkmöglichkeit, wo es nicht nur als tatsächlich anregend oder ergreifend, erhöhend und vertiefend auftritt, sondern wo es den Charakter des Verbindlichen, des mich im Gewissen Verpflichtenden gewinnt.

Es leuchtet ein, daß im Raum des Dogmas dies eine schlechthin entscheidende, ja die zentrale Frage ist.

Die Vita prima lobt Bernhard wegen der Art, wie er die Schrift gebraucht habe, nämlich mit einer solchen Freiheit, daß er ihr nicht so sehr zu folgen scheine, als vielmehr ihr voraus eilend sie dorthin geführt habe, wohin er wolle (Vita prima 3, 3 nr. 7; Ed. Mabillon 2, 2, 2194; Migne PL 185, 300).

Selbstverständlich sind wir darauf verwiesen an den Stellen, wo Bernhard 'der Schrift nicht so sehr folgte, als ihr voranging', nach dem Recht seiner Aussage zu fragen. Es kann sein, daß die Untersuchung seiner Quellen uns zeigt, daß er an Stellen, wo er die Fülle seiner inneren Gesichte an ein Bibelwort hängt, ohne sich um den Kontext zu kümmern, in der Tradition der Väter steht. So kann seine aus innerer Schau und persönlichem Erlebnis gegebene Lehre einen je nachdem höheren oder minderen Grad der Verbindlichkeit gewinnen. Es könnte aber auch sein, daß sich dieser Zusammenhang nicht beweisen ließe, und dann müßten wir den Aussagen mit aller Kritik begegnen.

Dies alles hängt erheblich mit an der Eigenart des großen Mystikers, Theologisches auszusagen. Sie kann sowohl die Theologie bereichern als bedrohen. Die Bedrohung würde dann real, wenn die Wahrheitsfrage im Sinne einer wissenschaftlichen Kritik nicht berücksichtigt würde. Die mangelnde Logik, die fließende Terminologie, die assoziative Art des Denkens, kurz, das uferlos und logisch ungenügend gebändigte Wuchern müssen gesehen werden. Wenn sie nicht als ein Mangel in der Analyse erscheinen sollen, muß ihre theologische Berechtigung nachgewiesen werden.

Dieselbe Art des Denkens Bernhards, die weithin auf abstrakte Begriffe und daraus gebildete Syllogismen verzichtet, weist aber auch in die

Richtung, woher die Bereicherung kommen könnte. Das Christentum und seine Lehre ist voller paradoxa; der am Kreuz als verfluchter Verbrecher sterbende Gott Jesus Christus ist dessen die harte Darstellung.

Entsprechend spricht die Bibel die Offenbarung in einer durchaus unsystematischen und sehr wenig abstrakten Art aus. Sie spricht nach religiös prophetischer Art die Wahrheit ungebrochen und ohne sich im Einzelfall viel um die notwendigen Einschränkungen zu kümmern. Aber die Aussagen ergänzen sich je und je. Das Ganze der biblischen Aussage zeigt trotz den scharfen Spannungen eine erstaunliche Einheit.

Bernhard denkt ganz aus der Heiligen Schrift. Die Anklänge an sie sind, wie man es bewundernd oft ausgesprochen hat, von einem geradezu unglaublichen Reichtum. Bernhard besitzt die Schrift so sehr, daß die Art seines Denkens ganz von ihren Wurzelvorstellungen und ihren einzelnen Bildern und Worten her wächst und geprägt ist.

Offensichtlich kann aber der Mensch nicht darauf verzichten, eine gewisse Einheit in die von ihm erkannten Einzelheiten zu bringen. Von diesem elementaren Drang, den wir einmal mit der Kurzformel 'philosophisch' benennen wollen, gibt es bereits Ansätze in der Bibel, auch des Neuen Testaments, besonders bei Johannes und Einzelstellen von Paulus.

Ähnlich bei Bernhard. Er gibt Grundlinien, die mit großer Kraft festgehalten werden. Es gibt eine erstaunliche Kraft des geistigen Erschauens und des manchmal bewundernswert genauen und tief aufschließenden Formulierens. Aber es gibt kein System und wie gesagt, wenig abstrakte Begriffe und aus ihnen gebaute Syllogismen.

Nun hat die Geschichte des religiösen Gedankens im Abendland gezeigt, daß die eigentliche philosophische Formulierung christlicher Gedanken auch zu einer der stärksten Quellen der Uneinigkeit gemacht wurde.

Abgesehen von dieser Verbiegung hat diese philosophisch-konzeptualistische Ausprägung immer wieder einmal auch zur Verwechslung der Korrektheit mit der Wahrheit geführt und dadurch die Aussprache christlicher Wahrheiten unfruchtbar gemacht.

Heute ist diese Art auch eine der großen Quellen des Aus- und Gegeneinanders der verschiedenen christlichen Konfessionen. Beide nähren im Gespräch ihren Widerstand zu einem bedeutenden Teil von begrifflichen Distinktionen, nicht nur unmittelbar aus dem Schriftwort.

Eine geläuterte Thomasinterpretation spricht heute nachhaltig zu soviel Gebildeten, daß man sie in der Analyse der Zeit nicht mehr gut übergehen kann. Aber andere Gebildete, die unmißverständlich ihren religiösen und sogar theologischen Hunger zeigen, finden keinen Zugang zu einem Denken, das so wesentlich mit scharf geschliffenen Begriffen und aus ihnen gebauten Syllogismen arbeitet. Ihre ganze seelisch-geistige Art streckt sich aus nach einer Art des Denkens, die mehr assoziativ und affektiv ist.

Unter der Voraussetzung einer zuchtvollen Deutung bzw. Anwendung der notwendigen Kriterien, nach denen oben gefragt wurde, könnte die große Autorität des Hl. Bernhard dazu helfen, in der Theologie die religiös-prophetische Verkündigungsart zu stärken.

Diese Art der Ausnützung kann heute mit Aussicht auf Erfolg angestrebt werden, weil die philologisch-kritische und theologische Analyse eine genaue Erarbeitung des Sinnes der Aussagen Bernhards ermöglicht. Ich will damit sagen, wir sind heute in der Lage, gewissen Mißverständnissen seiner Terminologie nicht, bzw. nicht mehr zu verfallen.

Wir wissen, wie sehr Luther Bernhard verehrte und ihn immer wieder als echten Heiligen, der aus dem von ihm geforderten Glauben gelebt habe, preist. Wenn aber Luther bei Bernhard auf die Lehre stieß, daß der Mensch in organischer Entwicklung vom 'amor carnalis' zur höchsten Gottesliebe aufsteigen könne, so konnte ihm das nicht gut anders als anstößig klingen. Er kam von der neuzeitlich okhamistischen Theologie her, die ähnlicher Ausdrucksweisen sich bedient hatte und dabei in ihrem unmittelbaren Wortsinn die natürlichen Kräfte des Menschen in einer unzulässigen Art zu übersteigern schien. Luther protestierte.

Die historische Wirkmächtigkeit eines jeden Wortes, mit andern Worten, die Erkenntnis seines berechtigten oder nicht berechtigten Sinnes ist eben sehr stark an den geschichtlichen Ort gebunden, an dem dieses Wort vernommen wird. Heute wissen wir, daß bei Bernhard von einer Entwicklung der natürlichen fleischlichen Liebe zur höchsten Gottesliebe keine Rede sein kann. Denn auch für Bernhard ist der Mensch Sünder, sündhaft aus Sündigem geboren, und seine Rettung kommt aus dem Glauben. Bernhard verlangt gemäß dem Evangelium die heroischen guten Werke der Abtötung, aber er verdammt mit einer Radikalität sondergleichen, wenn der Mensch etwa auf seine Werke pochen will. Das Heil ist freies Geschenk des gütigen Gottes.

Hier liegt ein Grund, warum Luther Bernhard so verehrte. Aber hier tut sich auch das Rätsel auf, wie es dann möglich war, daß Luther eben diesen heiligen Mönch in seinem Mönchtum so kraß verkennen konnte.

Bernhard ist ein Eiferer. Er hielt sich keineswegs immer von Übersteigerungen im Raum der moralischen Forderungen und ihrer mona-

stischen Verwirklichung frei. Es wurde bereits oben (S. 16) angedeutet,
daß seine Behandlung von Klosterberufen (oder auch von Menschen, von
denen er so leicht annahm, daß Gott sie zum Kloster rufe), aber auch
sogar die Art, wie er Klosterinsassen, die nach der Welt zurückstrebten
(oder deren Verwandte) oder zu Cluny übergetreten waren (sein Vetter
Robert) begegnete, manchmal die Kritik herausfordert. Die Briefe, in
denen der große Schriftsteller und der gleichbedeutende Menschenfischer
diese Dinge behandelt, gehören zu einem Teil zum eindringlichsten —
und sogar zum Schönsten — was wir von ihm besitzen. Aber dies sollte
uns nicht daran hindern, anzumerken, daß Bernhard, dem Gott die Liebe
ist, hier recht massiv mit den Motiven der Furcht, ja der Angst vor Gott
zu arbeiten versteht. Auch braucht der erhabene Schwung des Strebens
nach höchster Vollkommenheit uns nicht blind zu machen für die Tatsache, daß Bernhard in einer nicht ungefährlichen Weise hier manchmal
das Leben in der Welt mit Sünde und Höllengefahr beinahe gleichsetzt.
(Vgl. etwa die Briefe 108, 111, 292 und 1: Migne PL 182, 252—55; 497f.;
69—79; — das Material jetzt leicht übersehbar in A. Dimier, St. Bernard,
Pêcheur de Dieu, Paris 1953.)

Und doch faßt man auch hier seine Fülle nur, wenn man zugleich
dieses andere bedenkt und berücksichtigt: innerhalb des christlichen,
näherhin des kirchlichen Raumes kann Bernhard zu einem eindringlichen
Lehrer der christlichen Freiheit werden. Wenn diese Seite ausgemünzt
würde, könnte er zu unserem Wohltäter werden. Denn es gibt nun einmal
keine geistige Qualität ohne Freiheit.

Bernhard war der große Anwalt des Papsttums seines Jahrhunderts.
Aber Bernhard hat auch der päpstlichen Kurie in seinem De considera-
tione einen Spiegel vorgehalten, dessen Inhalt wir nicht mehr konkret
genug besitzen. In einer unerschrockenen Kühnheit vollen aber ritter-
lichen Dienens realisiert hier Bernhard die Forderung aller hohen Kritik
im kirchlichen Raum: daß auch die schärfste Kritik an Kirchlichem nicht
gegen die Kirche, sondern für sie und in ihrem Dienst ausgesprochen
werde.

Weder der Reformator Bernhard noch der Reformator Franziskus haben
ihr Ziel ganz erreicht: sie vermochten nicht, alle Menschen zu Heiligen
zu machen. Und seitdem hat der Säkularisierungsprozeß, weiß Gott, in
der Welt Fortschritte gemacht.

Die diesseitigen Gewalten haben eine Macht errungen, die auf ihrer
Eigenständigkeit hartnäckig und selbstverständlich besteht. Wer Europa
neu bauen will, muß sie mit ihnen bauen. Es kommt darauf an, ob in ihrer

Mitte das christliche Erbe religiöser und kultureller Art genügend Form-
kraft bewahrt oder zurückgewinnt, das Kommende maßgebend mit zu
prägen.

Die gesamte Geschichte der abendländischen Religion, d. h. des
Christentums, ist gekennzeichnet durch den Kampf um die Erkenntnis
und die praktische Darstellung seines Wesens. Immer wieder hatte sich
die Erkenntnis seiner Universalität gegen aussondernde Abspaltungen in
Form von Sonderlehren durchzusetzen. Und immer wieder mußte sich
das Wesen des Christentums, das Fülle der Heiligkeit ist, durchsetzen
gegen Versuche, das christliche Wesen in billigerer Form zu erwerben.

Vor der Reformation und ihren besonderen Auffassungen und christlichen Darstellungen waren die Versuche, das ursprüngliche Ideal der
heiligen Fülle wiederzugewinnen, immer zugleich auch wesentlich gebunden an die Tradition. Bernhard von Clairvaux stellt eine solche innerkirchliche Form großen Stils dar und zwar in der Verwirklichung der
Regula des Hl. Benedict, von der uns Gilson in einer vielleicht etwas zu
apodiktischen Auslegung, aber doch unvergeßbar, gelehrt hat, zu wissen,
daß sie mit ihrem letzten Kapitel dem asketisch-spirituellen Leben schier
unbegrenzte Möglichkeiten freigibt.

Die Rückkehr zur Verwirklichung der ganzen alten Regel in einer Fülle
neuer Erkenntnisse und Erlebnisse einer großen schöpferischen Persönlichkeit ausgesprochen heroisch-religiöser Begabung und der Versuch,
diese Lebenshaltung möglichst vielen Christen zugänglich zu machen,
und so die Christenheit nach ihrem inneren Gesetz zu erneuern, das ist
Bernhard von Clairvaux. Sein ganzes monastisches Werk, seine Klostergründungen, seine Predigten, seine Briefe wie seine Traktaten beweisen,
daß er ein sehr klares Bewußtsein von dem Neuen hatte, das er anstrebte.
Seine Auseinandersetzungen mit Cluny und die Art, wie er sich von Cluny
absetzte und an ihm Kritik übte, illustriert das Gesagte am einfachsten.

Indes, so sehr Bernhard Citeaux war, an ihm ist nichts von jener verhängnisvollen monastischen Eigensucht und Enge, die im Verlauf der
Geschichte so oft die eigene Klosterregel zu einem kleinen Götzen machte.
Man konnte mit Recht Bernhard einen Reformator aller Orden nennen.
Er vermochte es, in einer rein der Sache hingegebenen Weise, seinen
eigenen Mönchen eindringlich zu zeigen, wie sie sehr wohl mit ihrer
strengen Lebensart religiös hinter den Cluniazensern zurückbleiben könnten, die bequemer lebten. (Ich möchte freilich nicht sagen, daß ich die
von Bernhard vorgetragenen Beweise immer für sehr ansprechend hielte.
Ich empfehle allen, die sich näher unterrichten wollen, die Stellen der
Apologie nachzulesen: PL 182, 903.) —

Die spezifische Eigenart unserer Arbeit im Institut für Europäische
Geschichte Mainz, tendiert dahin, politisch wie religiös (oder auch konfessionell) das Geschichtsbewußtsein zu entgiften. Bernhard von Clairvaux gehört einer Zeit an, in der die Trennung Europas politisch noch
wenig vorangeschritten war, und die Einheit im christlichen Glauben
noch alle umfaßte. Auf den von zentralen geistig-religiösen Positionen aus
geleisteten Beitrag Bernhards zur Ausformung dieser Einheit wurde oben
hingewiesen. Die menschlichen, geistigen und religiösen Werte, die in
Bernhards Werk enthalten sind, einer breiteren Leserschaft zugänglich
zu machen, könnte entsprechend diesem unserem Hauptziel trefflich
dienen.

Nun ist aber Bernhard von Clairvaux in sehr hohen geistigen Regionen
beheimatet. Ehemals vermochte seine wunderbar (im wörtlichen Sinne
des Wortes) wirkende Persönlichkeit auch den einfachen Mann, den ungebildeten, zu erschüttern. Sein geschriebenes Wort, die Wiedergabe seines
erhabenen Betens und Kontemplierens, in seinen Büchern aufbewahrt,
vermag das nicht in gleichem Umfang. Es wird sicher so sein, daß einige,
von der Frömmigkeit besonders geprägte Seelen, die man nicht zu den
Gebildeten zählen kann, von Bernhard tief angesprochen werden. Im
allgemeinen ist es eine Utopie, zu glauben, daß sehr weite Kreise nicht
Gebildeter unmittelbar von Bernhard reiche Anregungen empfangen
könnten.

Endigt unsere Betrachtung also dennoch und wider Willen bei der
Verneinung unserer Grundfrage? Ist also Bernhard von Clairvaux für
uns doch letztlich etwas definitiv Vergangenes? Und erweist sich also die
Feier auch seines Gedächtnisses als eine Scheinblüte?

In aller Nüchternheit und ohne die tiefe Skepsis zu vertuschen, die
sich angesichts so vieler unfruchtbar gebliebenen Gedenkfeiern geradezu
aufdrängt, beantworte ich die Frage — wie schon oben (S. 13) — mit
'Nein'. Denn es handelt sich ja im Prozeß des Neuwerdens je und je um
den Vorgang des Durchsäuerns und also um die Arbeit von Eliten.

Wir möchten also mit der folgenden kommentierten Übersetzung in
der angegebenen Begrenzung sowohl eine saubere, selbständige wissenschaftliche Leistung vorlegen, als sie für die Ziele der geistigen Erziehung
der Gegenwart fruchtbar machen.

Weit entfernt, hierin eine Minderung der Wissenschaftlichkeit zu
sehen, sind wir der Meinung, daß die historische Besinnung heute mehr
denn je Kontakt mit der lebendigen Gegenwart gewinnen und halten
sollte.

Die ermutigende Art, in der etwa bei den großen Bernhard-Feiern dieses Jahres in Speyer und Dijon Spannungen im Zeichen Bernhards von Clairvaux als überwunden, mehr noch zu einer fruchtbaren christlich-europäischen Einheit integriert erschienen, kann uns bescheinigen, daß wir realistisch urteilen und handeln[1].

[1] Zu oben S. 16 (Kreuzzüge) vgl. jetzt P. LORSON, Saint Bernard devant la guerre et la paix. In: Nouvelle Revue Théologique, 1953 (Sept.-Oct.), 785—802.

Mainz, den 25. 10. 1953   LORTZ

Zur Problematik der kirchlichen Mißstände im Spät-Mittelalter

In memoriam S e b a s t i a n N e c k l e († 1945)

Von Universitätsprofessor DDr. Joseph Lortz, Münster i. W.

Ergiebigkeit der historischen Betrachtung hängt nicht nur von der Kenntnis der einzelnen Tatsachen ab. Umfassender und entscheidender wirkt sich aus die richtige, die füllige oder umgekehrt die zu dürftige Auffassung vom Wesen des Geschichtlichen.

Das Ganze ist mehr als die Summe seiner Teile; oder dieses Ganze ist tot. Die Geschichte aber war lebendiger Strom. Wir besitzen von ihm nur Überbleibsel. Beides bewirkt, daß auch die Rechnung des zurückgewandten Deuters nie ganz aufgehen kann. Und dies ist eines der stärksten Erlebnisse des Historikers: je intimer er an seinen Gegenstand herankommt, je vielseitiger er ihn packt, desto weiter scheint sich dieser gleichzeitig zu entfernen, sich dem Verstehen und Deuten zu entziehen.

Für Zeiten, in denen die Fülle der Quellen das Material massenweise vor uns aufhäuft, wird diese Erkenntnis besonders schmerzlich. In Angelegenheiten, die bis heute mit zum leidvollen Schicksal der Welt gehören, kann sich dieses Empfinden bis zu einer Art Qual steigern. Wenn man die Frage nach den ‚Ursachen‘ der Reformation so umfassend wie möglich stellt, scheint immer wieder die Reformation als unausweiglich vor uns zu treten. Je mehr man aber das Wesen der Reformation erfaßt, d. h. ihre Unterlagen mit ihren Ansprüchen vergleicht, desto rätselhafter wird, wieso und warum die Reformation hat kommen können. Zum Beispiel: in der Eigenart Luthers gibt es tief aufschlußreiche Details und gibt es besonders die ungeheure persönliche Gewalt, welche dieses Kommen erklärlich machen. Und doch wird es gerade vor s e i n e m religiösen Ernst zum Rätsel, warum er so gar nicht sah, wie sehr seine tiefsten Anliegen[1] in der Wirklichkeit der römischen Kirche gesichert waren.

---

[1] Zu diesem Komplex wäre besonders in der heutigen ökumenischen Lage sehr vieles zu sagen. Es ist nichts weniger als eine nebensächliche Doktorfrage, das Anliegen Luthers von der theologischen Formulierung zu trennen. Und wenn auch Sommerladt (bei Sasse S. 95) die Notwendigkeit betont, auch Luthers theologische Form zu wahren, so trifft das für wichtigste Materien in Luthers Verkündigung nicht zu. Muß doch z. B. Sommerladt selbst ebd. S. 117 zugeben: „Im Grunde ging es Luther dabei nicht darum, die Weise der Gegenwart Christi genau zu bestimmen." Das ist sicher eine Minderbewertung der theologischen Einkleidung gegenüber dem religiösen Anliegen der Realpräsenz. Vollends für den Angriff Luthers auf die Messe, auf das sakramentale Priestertum sind die religiösen Uranliegen des Reformators von seinen eigenen theologischen Formulierungen und allerdings auch von seinen Schlußfolgerungen so weit entfernt, daß diese wie durch einen breiten Graben von der katholischen Lehre getrennt, jene aber in der katholischen Lehre voll gewahrt sind. S. dazu jetzt meine ‚Reformation als religiöses Anliegen heute‘ (Trier 1948).

1

Die hier zutage tretende Kurzsichtigkeit Luthers und seine entsprechenden objektiven Fehlzeichnungen des ‚Papismus' haben nach den Verlästerungen der Humanisten jenes Zerrbild vom Zustand der Kirche im Spätmittelalter geschaffen, das bis vor wenigen Jahrzehnten dem Urteil der Zünftigen und Nichtzünftigen als Unterlage diente.

Aber auch noch in der Kirchengeschichte von Hermann Schuster (Das Werden der Kirche. Berlin 1941) mit Beiträgen von v. Campenhausen und Dörries liest man S. 204 die maßlose Behauptung: „Die sittliche Verwahrlosung der meisten (!) Glieder des Mönchstandes wird nicht nur durch den Spott der Dunkelmännerbriefe (!) belegt, sondern durch" . . . die Jetzertragödie! Weil es so viele heilige „Stätten, Zeiten, Personen, Einrichtungen und Bräuche" gab, ist „das Land voll Götzenbilder" (zu Apg 17, 16). Auf den vielen Bildern der Krönung Mariä erscheint diese dem Verfasser „als dritte Person der Trinität" (S. 206). „Der Herr Christus war durch die scholastische Theologie den Gläubigen entfremdet." Daß in den Gebetsbruderschaften auch (und, trotz vieler nomistischer Vereinzelung, in welcher Kraft! s. aber auch unten S. 16, Anm. 11!) der Gedanke der Gemeinschaft der Heiligen wirkte, wird gar nicht gesehen (S. 207). Die gesamte damalige „vulgäre kirchliche Praxis . . . bedeutete eine Verkehrung des Evangeliums in sein Gegenteil" (S. 207 f.)[2].

Umgekehrt zeigt sich nicht selten auf katholischer Seite eine gewisse Scheu, die wirklich vorliegende Zersetzung zuzugeben. Es handelt sich nicht mehr um die frühere Sturheit, man äußert sich heute mit verfeinerter Methode; aber doch zeichnet sich eine Tendenz ab, nicht nur das Bild aufzuhellen, sondern von ihm sich abzuwenden.

Je mehr das Bild aufgehellt werden kann, je mehr katholische Kräfte in der vorreformatorischen Zeit nachgewiesen werden können, desto besser, selbstverständlich. Aber keine Bagatellisierung und keine Abwendung kann der Wahrheitsfindung dienlich sein. Außerdem macht solche Methode das Kommen der Reformation abermals zu einem noch quälenderen Rätsel. An der Lösung dieses Rätsels haben wir aber alle ein nicht nur wissenschaftliches Interesse.

Die vom Stifter der Kirche vorausgesagte Entwicklung des Reiches Gottes auf Erden hat sich so stark auf Umwegen und durch so viel mangelhafte Verwirklichungen hindurch vollzogen, daß kein Mensch sie hätte voraussehen können. Viele Einzelheiten und ganze Reihen dieser Entwicklung scheinen auf den ersten Blick so wenig der Ehre Gottes und dem Willen des Stifters der Kirche und also der Wahrheit und Heiligkeit der Kirche selbst zu entsprechen, daß es gerade dem ‚frommen' Menschen oft schwer fiel und schwer fällt, die Wirklichkeit dieser Mangelhaftigkeiten zuzugeben. Das ist zwar menschlich ver-

---

[2] Ganz anders überlegen und sachlich meistert diese Dinge Wilh. Schubart, Christentum und Abendland, München 1947 S. 175—219.

2

ständlich, aber doch seltsam. Denn niemand, so sollte man meinen, ist besser gerüstet, alles Wirkliche als tatsächlich gegeben ohne Hemmung hinzunehmen, als der Glaubende, für den nach den Worten des Herrn n i c h t s geschieht ohne den Willen des Vaters, und sei es das Ende eines Spatzes, der vom Dache fällt. Und doch bleibt es eine betrübliche Tatsache, daß die gläubige Geschichts- und Kirchengeschichtsschreibung auch in wichtigen Fragen nicht nur einmal von der ungläubigen oder von der kirchlich nicht ernst gebundenen christlichen Forschung zur Aufgabe unhaltbarer Thesen über den historischen Verlauf der Entwicklung der Kirche hat gezwungen werden müssen. Die Tatsache ist oft gegen die katholische Forschung an sich ausgenützt worden und muß noch heute diesem Zweck dienen.

Man kann Folgendes dazu bemerken. Der angezogene Tatbestand ist für uns Katholiken belastend und darf insofern von Gegnern zu recht gegen uns angeführt werden; aber jede daraus gezogene g r u n d s ä t z - l i c h e Folgerung des Inhaltes, eine streng kirchliche Bindung verhindere die volle Erkenntnis der geschichtlichen Wahrheit, ist leicht zu widerlegen. Jenes Versagen kirchlich gebundener Forschung kam nicht aus dem Wesen katholischer Haltung, sondern aus deren Fälschung, weil sie nämlich mit ihren eigenen Grundanschauungen nicht ernst machte. Die großen Leistungen katholischer Kirchengeschichtsforschung des 17. und 18. Jahrhunderts, die Grundlegung der eigentlichen modernen kritischen historischen Wissenschaft sind, genügen allein zur Erhärtung dieser Behauptung. Was jenes Versagen herbeiführte, war — soweit das Formale in Frage steht — unerleuchteter Eifer und mangelnde innere Freiheit, war ungenügende Realisierung des Vorsehungsgedankens.

Eines der Gebiete, deren Darstellung immer wieder beträchtlich unter diesem Versagen zu leiden hatte, ist der Komplex der kirchlichen Mißstände im späten Mittelalter.

Gewiß ist das Problem der spätmittelalterlichen Mißstände seit Lamprecht — Finke — Janssen — Pastor so oft, so materialgehäuft behandelt worden, hat so starke Wandlungen der Methode und der Gesamtbeurteilung durchgemacht, daß man begreifen kann, wenn man des Themas fast überdrüssig geworden ist; und wenn man also, wie angedeutet, da und dort versucht, die Aufmerksamkeit abzulenken. Diese Tendenz zeichnet sich auch bei einigen katholischen Besprechungen meines Buches über die Reformation in Deutschland[3] ab. Leider hat keine versucht, das Problem genauer zu formulieren, es der Klärung näher zu bringen und Andeutungen zu beweisen.

Einen Versuch, die Dinge breiter und tiefer zu fassen, brachte Wilhelm N e u ß[4]. Aber sein Versuch, die ‚S c h u l d‘ zum guten Teil auf außer-

---

[3] Freiburg² 1940; neue Auflage im Erscheinen.
[4] Siehe Literaturverzeichnis am Schluß des Beitrags.

3

kirchliche Faktoren abzuwälzen (nicht nur von daher zu erklären!)¹, läuft doch eigentlich darauf hinaus zu behaupten, daß es Krankheiten und kranke Organismen nicht gebe, sondern nur üble Parasiten, die einen gesunden Organismus anfallen.

Anderseits haben wir jene seit drei Jahrzehnten wachsende Literatur, teils in Grevings RST, teils in selbständigen Einzelmonographien, besonders in Finkes Vorreformationsgeschichtlichen Forschungen, die sich bemühen, das Material für einzelne Sachgebiete und Landschaften exakt zu erarbeiten².

Insgesamt zeigt aber kaum eine dieser wichtigen Leistungen eine einheitlich durchgeführte, die Möglichkeiten der Analys erschöpfende Methode. Die Maßstäbe wechseln auch innerhalb derselben Arbeit. Das Komplexe der Geschichte wird sehr oft nicht annähernd genügend auseinandergefaltet. Es bleibt ein Gefühl der Unsicherheit.

Es sollte nicht notwendig sein, eigens zu betonen, daß eine immer genauer werdende Erfassung des spätmittelalterlichen kirchlichen Bestandes unerläßlich ist. Nur durch saubere Feststellung der kirchlichen Verhältnisse in den einzelnen Ländern, Landschaften und Diözesen zu Ende des Mittelalters, und dies wieder nach den einzelnen Gebieten des Lebens und für die einzelnen Stände, kann uns nach und nach die notwendige intime Kenntnis der Kirche am Ende des Mittelalters, und das heißt auch am Vorabend der Reformation, vermittelt werden.

Indes, mit der notwendigen Erarbeitung des Materials ist die Erledigung der Aufgabe erst begonnen, nicht zu Ende geführt. Es geht eigentlich um die Frage nach dem Wesen der Kirche: das heißt auch, des Menschlichen in der Kirche, dies aber in der besonderen Lagerung des Spätmittelalters. Und so ist es auch heute eine wichtige Aufgabe, immer wieder den Versuch zu unternehmen, an Hand des bereits bekannten Materials durch bessere, vertieftere und verfeinertere Fragestellung den ganzen Komplex zu durchleuchten, um auf eine sachgerechtere Frage eine genauere Antwort oder genauere Antworten zu erhalten.

I.

Zum Begriff des spätmittelalterlichen Mißstandes und zur Methode seiner Erforschung

‚Mißstände‘ (und entsprechend ‚Reform‘)¹ sind nicht ein isoliertes Thema der spätmittelalterlichen Kirchengeschichte, sie sind d a s kirchengeschichtliche Thema dieser Zeit und wurden auch schon damals von weiten Kreisen in allen Nationen als d a s Anliegen empfunden (J.

---

² Aus dieser Reihe möchte ich das Buch von Braun über den Klerus des Bistums Konstanz besonders herausheben. Es enthält in einzelnen Partien so treffende und in der gut begründeten Zusammenfassung so aufklärende Bemerkungen, wie man sie so noch nicht gelesen hat.

4

Haller, Papsttum und Reform I (1903)' 3; Gerson bei Redlich 9f.)'. Sie sind aber auch sachlich nicht ein isoliertes Gebiet. Mißstände und Schisma und unkorrekte oder verwirrende Theologie und formalrechtliches Denken hängen gemäß den Lebensgesetzen, die der Herr seiner Stiftung mitgab, engstens zusammen. Das abendländische Schisma zum Beispiel ist unmittelbarster Ausfluß der groben Mißstände an der Kurie (die überall hin ausstrahlen), die Konziliaridee wird durch das Schisma aus dem Gebiet der Literatur herausgehoben und rückwirkend wieder zu einem gefährlichen Agens der Theologie (das bleibt auch dann wahr, wenn man beim Konziliarismus den Charakter einer Notlösung besonders betont). Die Konziliaridee selbst aber ist wieder in maßgeblichen, ständisch und national, demokratisch und aristokratisch, englisch, französisch, spanisch und deutsch beeinflußten Forderungen eine Darstellung desselben unchristlichen Egoismus, der das Genießen der Kirchenleute an die Stelle des Dienens am Christenvolke gesetzt hatte. Ohne die Mißstände: kaum Wikliff, kaum Hus. Denn, beide erwachsen intim aus dem Kampf gegen den s ä k u l a r i s i e r t e n , egoistischen Universalismus der damaligen Kurie in der Pfründenvergabe einerseits, sind anderseits Exponent des sich erhebenden nationalen Egoismus. Sogar so eingewurzelt und allgemein verbreitet waren diese Mißstände im 15. Jahrhundert, daß sie für das damalige Bewußtsein vielfach den Charakter des Mißstandes eingebüßt hatten, und selbst vom kanonischen Recht, falls die erforderlichen Dispense gegeben waren, einfach als Tatsache hingenommen wurden[6].

Cognitio non est nisi de universalibus. Das gilt auch für unsere Frage. Man muß versuchen, hinter den zahllosen Einzelheiten gleichartige Zuständlichkeiten und gleichartige Kräfte zu fassen. Also muß man die Beobachtungsbasis möglichst weit nehmen. Dabei ist die Gefahr, Späteres in Früheres unberechtigt hineinzutragen, zu vermeiden.

Diese Verbreiterung der Beobachtungsbasis führt, wenn man den Komplex ganz durcharbeiten wollte, chronologisch viel weiter zurück, als der Begriff Spätmittelalter andeutet; anderseits sind die Zeitspannen, für die ein irgendwo erkennbarer Zustand als kennzeichnend angesprochen wird, je nachdem erheblich kürzer zu fassen als vielfach üblich. Etwa: 1508 starben mit einem Schlage alle Bischöfe Westfalens, von

---

[6] Braun 66. Sowohl für die Feststellung der Werte und Mängel wie für ihre Bewertung bedeutet eine atomisierende Isolierung eine große Gefahr, die für eine theologische Betrachtung innerhalb der communio sanctorum noch steigt. Päpste, Kardinäle, Kurie, Bischöfe, Pfarrer, Altaristen, Theologen, Mönche, Kirchenvolk, Stadt und Land: eine innere Gemeinschaft, sich gegenseitig belebend und (oder) belastend. — Für die Feststellung kann es sich also natürlich auch nicht mehr handeln um die im Kampf gegen die Reformation und lange nachher viel geübte Methode, deren sich etwa Fabri an Adrian VI. rühmt: „fünff und dreißig mißbruch oberantwort zu haben." Helbing 38. (Die Titel der abgekürzt zitierten Werke s. am Schluß.)

5

Osnabrück, Münster, Minden, Paderborn und Köln. Sie waren zusammengegangen in der Reform des Klerus. Nach ihnen aber kamen „Männer, welche die hohen Aufgaben ihres Amtes nicht einmal erfaßten, geschweige denn daß sie dieselben in so ernsten Zeiten erfüllt hätten" (Lineborn, Reformation 167). Nun bekennt aber Vincke, der dies zitiert, selbst: Die Bischöfe von etwa 1370 bis über 1450 hinaus seien n u r mit Regierungsgeschäften beschäftigt gewesen. Das bedeutet doch, daß die gewissen Reformansätze unter den 1508 verstorbenen Bischöfen höchstens eine Episode innerhalb von etwa 50 Jahren waren, wobei aber am System selbst nichts geändert wurde. In Zwickau wurde der Streit Klerus-Bettelorden 1462 geschlichtet, er braucht also vor der Reformation nicht wieder aufgelebt zu sein. Vielmehr ist wahrscheinlich, daß er nicht mehr aufkam, weil die Barfüßer und der Rat kurz vor der Reformation in gutem Einvernehmen standen (Dölle, Kursachsen 37).

Die uns gestellte Frage ist eine kirchengeschichtliche. Sie muß also auch wesentlich ausgehen und befruchtet oder gelenkt werden von den Notwendigkeiten der Kirche und den Kategorien der Theologie. D. h. sie muß wesentlich christlich-religiös betrachtet werden. Die Grundgesetze, die Jesus seiner Kirche einpflanzte, müssen Maßstab sein.

Das Erste: nur durch ein starkes Abstufen innerhalb dessen, was man als Mißstände oder als deren Verneinung ansieht, können wir der Wahrheit nahe kommen. Wir wissen z. B. heute bereits, daß die Verhältnisse in zahlreichen Klöstern zu Beginn der Reformation besser waren, als das seit Luther allmählich selbstverständlich gewordene Urteil es behauptete. Wenn solche Klöster ohne Wanken dem angestammten Glauben und der Regel die Treue hielten, jahrelang, bis sie endlich der äußerlichen Übermacht des städtischen Rates erlagen, so liegt darin ein eindringlicher Beweis, daß bei ihnen von einem sittlichen und religiösen Tiefstand keine Rede sein kann. Dort war noch Gesundheit. Aber nach dieser ziemlich leichten Feststellung beginnt erst die eigentliche Problematik, hat sich die Analyse erst zu bewähren, gleich fern von aller Schwarzmalerei wie von aller kleingläubigen Apologetenmanier und weit über schnellschlüssige Kurzsichtigkeit hinaus. Mit dem für jene Klöster angezogenen Tatbestand selbst ist das Urteil ‚kerngesund‘ noch längst nicht gerechtfertigt (Doelle, Kursachsen S. 28), zumindest ist es nicht erschöpfend. Die Aussage bleibt zu allgemein. Erasmus blieb in der Kirche und sagte sich von Luther los. Das war ein großer Erfolg der Kirche, oder genauer gesagt für die Kirche. Aber selbst die eifrigsten Lobredner des Humanistenfürsten werden nicht so anspruchslos sein, in dieser Entscheidung für sich allein einfach einen vollen Beweis dafür zu finden, daß es seitdem im Leben und Werk des großen Mannes nichts kirchlich Zersetzendes mehr gegeben habe. Wir werden also nach tieferen Kate-

6

gorien fragen müssen. Die Feststellung der Kraft des Glaubens und der Liebe, und daß aus ihnen gelebt wurde, wäre das Erste; leider sind die Quellen hier oft sehr schweigsam. Also fragen wir: schöpferisch oder nur korrekt? Initiative oder brave Gewohnheit? Ganz entscheidend ist eben nie und nirgends der hic et nunc sich darstellende Zustand an sich, sondern es kommt auf die Art und die Struktur und die Tendenz der Kräfte an, die diesen Zustand tragen. Wird der Zustand noch gehalten, obschon er von innen her geschwächt ist, obschon er vielleicht seiner Basis gemäß sich auflösen müßte? Oder zeichnet sich ein Prozeß der Kräftigung ab? In welchem Umfange darf die angezogene Standhaftigkeit beanspruchen, repräsentativ für das religiöse Dasein im allgemeinen zu sein? Auch geht es heute nicht mehr an, sich generaliter auf sehr gelegentliche und undifferenzierte Anerkennungen der „Tiefe der religiösen Anschauung" und der „Kraft und Innerlichkeit des Antriebes" zu berufen, um in einer wissenschaftlichen Feststellung die katholischen Kräfte der ansetzenden Erneuerung im 16. Jahrhundert zu kennzeichnen[7].

Es ist erstaunlich, wie viel hemmende Ängstlichkeit und verdrängtes Ressentiment die Erfassung dieser Dinge immer wieder gehemmt hat und hemmt. Um das, worum es geht, rein in den Blick zu bekommen, und um jeden unklaren Hintergedanken auszuräumen, als ob unbeirrt-kritische Haltung in diesen Fragen etwas mit ,unkirchlichem Geist' oder Pietätlosigkeit zu tun habe, genügt es, den Blick auf die große, auf die herrliche Leistung der innerkatholischen Reform des 16. Jahrhunderts zu richten. Sie belegt aufs unverdächtigste die ungeheure innerkatholische Zersetzung, die als Erbe aus dem 15. Jahrhundert vorlag. Oder soll man die Verdikte Adrians VI., der offiziellen Reformgutachten unter Paul III., des Tridentinums, des Hl. Petrus Canisius in diesem Zusammenhang auf einmal für leere Worte halten? — Und also: was ließ vordem die Kirche krank werden, oder, anders gesagt: wie wurde diese Zersetzung überwunden? Durch Heiligkeit. Durch Gebet und Opfer. Durch Sein und Beten aus der Kirche. Und dadurch, daß allmählich nach einem „langen, mühseligen" Marsch die vielen gutgemeinten Ansätze und die neuen heroischen Kräfte unter dem Papsttum zur Einheit gebunden wurden.

Das vergleiche man mit dem Befund des 15. Jahrhunderts, und der Begriff ,spätmittelalterlicher Mißstand' wird sich darstellen. Und wird eine aufbauende Diskussion ermöglichen, gleich fern von übersteigerter Polemik und apolegetischer Eilfertigung. Eine Diskussion, an deren Ende dann für die Deutung der innerkirchlichen Selbstverjüngung des 16. Jahrhunderts nicht mehr peinlich salbungsvolle Ergüsse stehen, sondern ein wissenschaftlich gehärteter starker Hinweis auf die im Historischen sich erweisende göttliche Kraft der Kirche.

In der Debatte um diese Dinge wird gerade in neuerer Zeit stark die

---

[7] So Helbling 67/68, 85 nach Ranke über die ,katholischen Führerpersönlichkeiten eines Eck, Fabri, Nausea, Cochlaeus'. Auch über seinen eigentlichen Helden Dr. Fabri schreibt Helbling solche undifferenzierten Urteile.

7

Milieugebundenheit (nach Zeit und Raum) der einzelnen Phänomene im Umkreis der spätmittelalterlichen Zersetzung oder ihrer Gegenstücke, der Reformversuche, betont (Miller S. 18). Die Anerkennung des damit bezeichneten Zusammenhangs ist für jede unbefangene historische Betrachtung eine Selbstverständlichkeit. Indes kirchengeschichtliche Betrachtung als Theologie steht damit wieder erst an einem vorletzten Punkt ihrer Aufgabe. Der letzte Fragepunkt will den absoluten, christlichen, theologischen Wert der kirchengeschichtlichen Facta feststellen.

Und zwar deren o b j e k t i v e n Wert; das Kirchengeschichtliche genommen als Ausbreitung des Reiches Gottes auf Erden oder als seine Hemmung. Wenn ich etwa die Lauheit weiter spätmittelalterlicher Kreise im Empfang der hl. Kommunion signalisiere, so ist damit nicht hauptsächlich die Frage gestellt, wen die moralische Schuld an dieser Lauheit treffe; mit andern Worten, nicht einfach gefragt, ob das Volk der Hauptschuldige sei oder etwa der Klerus. Von vornherein ist zwar anzunehmen, daß für diese Zeit ein groß Teil der Schuld auf den Klerus fällt. Und auf diesen von mehreren Seiten; einmal wegen der übertriebenen Art, in der die Seelsorge das göttliche Tremendum betonte, dem gegenüber der Mensch so unwürdig sei, daß er nur selten wagen dürfe, hinzuzutreten. Die dadurch pastoral geförderte Abstinenz von der hl. Kommunion war eine Kraftberaubung und führte über diese Zwischenstation zur Lauheit. — Anderseits zelebrierte ein Teil des Klerus selbst damals, im 14. Jahrhundert, so selten, daß Synoden ein Minimum dafür ansetzen mußten (Ravenna 1314 can. 13 wenigstens einmal im Jahr; Aranda 1473 can. 12 dieselbe Vorschrift für die Bischöfe). Solches Beispiel wirkte entsprechend auf das Volk. Von der entgegengesetzten Seite wirkte die unreligiöse Messeleserei zum selben Ziel hin. Worauf es aber letztlich ankommt, nämlich auf die religiöse Kraft oder Unkraft in der Kirche, darin ist das Resultat beidemal gleich: Ermattung, Lauheit. Nach diesem o b j e k t i v e n Bestand ist stets zuerst zu fragen.

Oder wenn Neuß die Schuld am päpstlichen saeculum obscurum auf die Vergewaltiger des Papsttums zurückfallen läßt, ist damit kirchengeschichtlich nur Vordergründiges genannt. Die Tatsache bleibt, daß unwürdige Päpste auf dem Stuhl Petri saßen und Stellvertreter des Herrn und Verwalter des Heiligtums waren. Außerdem wird kaum jemand nachweisen wollen, daß in diesem vergewaltigten Umkreis genügend Kräfte des Glaubens und Betens und Opferns vorhanden waren, um beim Wegfall der Vergewaltigung ein auch nur annähernd genügend ‚evangelisches‘ Leben zu garantieren. Denn auch an die meisten der ‚würdigen‘ (Neuß Anm. 6 S. 28) Päpste der damaligen Zeit ist die Frage zu richten, ob sie nicht nur korrekt waren, sondern wieweit in ihnen und im Umkreis um sie Glaube und Glaubensleben f r u c h t b a r waren, nämlich ‚die Welt zu überwinden‘.

Das alles schließt die Frage nach Schuld oder Verdienst des mensch-

8

lichen Trägers des Kirchlichen nicht aus, sondern ein. Aber es ist mit ihm keinesfalls identisch. Erstens einmal ist dem Menschen nur in sehr beschränktem Maße gegeben, hier klar zu sehen. Vor allem besitzt die Frage nach der subjektiven Schuld geschichtswissenschaftlich nicht die gleiche Bedeutung. Vielmehr, um es noch einmal zu sagen, alles kommt entscheidend an auf die objektive Wahrheit und Kraft, auf den richtigen oder falschen Strukturansatz. Längst, ehe ein Dogma in der Kirchengeschichte ausdrücklich entschieden wurde, schälte sich diese Unterscheidung als d i e katholische Zentralhaltung heraus Und das Problem wurde im Ketzertaufstreit bereits zugunsten des opus operatum (im weitesten Sinne) gelöst.

In der angegebenen Abhandlung hat Neuß die Mahnung ausgegeben, sich mehr an die positiven Werte des Spätmittelalters zu halten. Sicherlich gibt es eine große, eine wunderbare Masse positiv-religiös-christlicher Gestaltungen im Spätmittelalter. Das Frömmigkeitsleben, wie es sich niederschlägt in den Gestalten der Bußprediger, der Heiligen und Reformer; in den Büchern und Predigten und Briefen der Mystiker; in der in breitere Kreise ausströmenden Frömmigkeit der devotio moderna und der Erbauungsliteratur überhaupt; in gewissen Aufschwüngen der Liturgie; sehr stark in der herrlichen, überragenden religiösen Kunst: man darf sagen, dieser Schatz sei unerschöpflich.

Man kann aber nicht sagen, daß er die Zeit ebenso stark kennzeichne, wie das, was im allgemeinsten Sinn ,Mißstand' zu nennen ist.

Vor allem wegen des religiösen Versagens des hohen Klerus und seiner Apparate, worunter ganz besonders die Arbeits- und Denk a r t der um das Benefizienwesen kreisenden avignonischen oder römischen Kurie und dann der Renaissancekurie mit ihrem Überkurialismus und ihr Ausstrahlen in den Gesamtbereich der Kirche zu rechnen ist. Die Pervertierung des echt mittelalterlichen r e l i g i ö s e n päpstlichen Universalismus, wie ihn Gregor VII. gewollt hatte, in einen säkularisierten Pseudouniversalismus, in dem Geld und Recht und Hausmachtpolitik die große Rolle spielten, ist einer der Aspekte, die uns zeigen, was eigentlich die spätmittelalterliche kirchengeschichtliche Zersetzung war. Eine umfassende Zersetzung an solcher, absolut maßgeblichen Stelle m u ß t e einfach Schwächung des Gesamt bewirken. Es ist w e s e n t l i c h falsch, diesen Aspekt nicht als ersten ins Auge zu fassen. Man stößt übrigens auch im positiv-religiösen Besitz des Spätmittelalters dauernd auf seine hemmenden Auswirkungen! (siehe unten etwa über die Rolle der Kurie im Kampf um die Klosterreformen).

Aus dem Gesamt der Kirchengeschichte hebt sich als ein Doppelgesetz des Wachstums heraus: das Gesetz der Fülle und das Gesetz der gemäßigten Akkommodation. Wo immer die (verlangte) Fülle der Verkündigung Jesu zum Sauerteig wird, geschieht es in der Form der

9

gemäßigten Akkommodation. Die Gefahr des ‚Mißstandes' liegt allemal in der a k u t e n Akkommodation. Für den Vorgang der kirchlichen Zersetzung im Spätmittelalter war maßgeblich die akute Durchdringung des für den Christen allein zulässigen Lebens aus der Botschaft und Stiftung Jesu mit rechtlichen Kategorien. Die Belege sind zahllos. Aber vielleicht nirgends offenbart sich das stärker als in der Umdeutung der bekannten, religiös gemeinten Stellen der Schrift zur Begründung und Ausnützung der Zweischwertertheorie. Diese Dinge sind nicht hier anzuziehen, weil sie irgendwie nur in einem ideengeschichtlichen Zusammenhang mit den Zersetzungen des Spätmittelalters ständen, sondern, weil sie damals fort und fort wirksam waren. Kein Geringerer und Unverdächtigerer als Kardinal Ehrle hat es bitter beklagt, daß (wie die libelli de lite im Investiturstreit) die Traktate im Schisma von einem nackten formaljuristischen Denken geprägt waren, die die Theologie zur Magd des jus machten.

Die Dinge, um die es in concreto hier geht, sind allbekannt. Aber sie sind so vielschichtig, und in manchem als Bestandteil des Lebens der heiligen Kirche so geheimnisvoll unverständlich, sie stehen zu dem gleichzeitigen positiven Besitz der Kirche in so bedrängendem Widerspruch, daß nach Ausweis unbesorgter Äußerungen auch sehr unterrichteter Köpfe ihre ganze Wucht immer wieder aus dem Bewußtsein schwindet. Jenes formalrechtliche Denken, jenes stärkstens egoistisch geprägte Denken und Handeln (auch im Gegensatz zu unbestrittensten Rechten der Kirche) zeigt sich, wie schon angedeutet, besonders im Schisma. War es denn wirklich möglich, daß Päpste so lange Jahre hindurch die Zerspaltung der Kirche aufrecht erhalten konnten? Oder will jemand leugnen, daß hier viel, unbegreiflich viel kleinlicher Egoismus vorliegt, und daß nicht im entferntesten ebenso stark innerste Gewissensüberzeugung die Triebfeder des Handelns ist? Nicht das private Leben Johannes' XXIII. ist das Belastendste. Aber er wird gewählt von einem Reformkonzil, von Kardinälen, die sich vielfältig scharf über die fällige Reform an Haupt und Gliedern, die nicht mehr aufzuschiebende, geäußert hatten.

Überhaupt die Reformkonzilien!, Man muß ihren Namen oft in Anführungszeichen setzen. Ihre große Leistung, die Wiederherstellung der Einheit der Kirche in Konstanz, ist stark mit Anstößigem und elementarem Versagen belastet, und dies im Umkreis der Einheit der Kirche, im Papsttum! Trotzdem die Atmosphäre mit Reformforderungen von allen Seiten direkt geladen war, trotzdem diese Konzilien sich weit ins Detail der Kirchen- und Klosterreformen einmischten, haben sie in der Reform so gut wie nichts erreicht. Warum? Weil das säkularisierte Benefizienwesen, weil der säkularisierte Überkurialismus nicht beseitigt wurden, sondern stärker triumphierten. Nichts bezeichnender als das, was die Kanzleiregeln des Papstes der Einheit bringen. Sogar Pastor redet hier radikal: sie brachten alles das wieder, was zu beseitigen war.

10

Im angedeuteten weiten Sinn genommen, umfaßt der Komplex ‚Miß-stand' all das, was auf den Reformkonzilien als causa fidei, unionis und reformationis zusammengefaßt zur Diskussion stand: das gesamte Gebiet der korrekten Lehre, der rechten kirchlichen Verfassung, des religiösen und des christlich-sittlichen Lebens. Nur, daß man einen solchen Satz von allem Abstrakt-Theoretischen befreien muß; man muß vielmehr die a priori für einen Christen ganz undenkbare Schwere, Weite und Bedrückung dieser Themata in den Blick bekommen!

Die causa fidei im engern Sinn scheidet für uns aus. Die Lehre des Johannes Hus gehört nicht zum katholischen Bezirk. Wie wesentlich aber die Frage der reinen Lehre dennoch zu unserm Thema gehört, werden wir im Abschnitt über die Theologie sehen.

Die Frage der unio: notwendigerweise mußte eine gewaltige innere Zersetzung in maßgebliche kirchliche Kreise eingedrungen sein, wenn (wie schon gesagt) so lange und so leichtfertig egoistisch die Einheit der Kirche zerstört, also ihr Wesen gefälscht wurde.

Die causa reformationis aber war durch all das, was das säkularisierte und fiskalisierte Benefizienwesen einschließt, eigentlich die Wurzel der Spaltung geworden. Sie war ebenso der bohrende Stachel zu ihrer Beseitigung. Sicherlich äußerten sich hier echt religiöse und kirchliche Beweggründe. Aber das Entscheidende: die Reformangelegenheit war und blieb eine Interessenfrage. Egoismus auf der ganzen Linie: vor dem Schisma als dessen Ursache; im Schisma; und nachher wieder als schwere Bedrohung der eben wiedergewonnenen Einheit. Und auch hier nicht von einer Seite nur, sondern von oben und von unten[8].

Gewiß, immense Schwierigkeiten standen der Reform entgegen; sie reichten bis zur sehr realen Drohung eines neuen Schismas. Aber diese Schwierigkeiten waren, objektiv gesprochen, ein V e r s a g e n der verschiedenen kirchlichen Kreise und Provinzen. Dies nämlich war der eigentliche Mißstand, nämlich der Keimboden, aus dem unweigerlich die Krankheit sich erneuern mußte, und sich tatsächlich erneuert hat: daß die Lage in jenen verschiedenen kirchlichen Teilen, in ihrem Verhältnis untereinander (und darin das Verhältnis zur Kurie einbegriffen) so war, daß eine echte Reform eben wiederum ein Schisma zu riskieren hatte. In der zeitgeschichtlichen Ausgestaltung des S y s t e m s lag der Fehler. Dieses System war ebenso der damalige Kurialismus wie all jene a l l z u w e i t (nämlich in egoistischem und säkularisiertem Sinne, statt in gemeinkirchlicher religiöser Haltung) in die Kirche eingedrungenen Auffassungen und Kräfte des Nationalkirchlichen, auch des Laikalen, und schon des Rationalen.

Das G e s a m t des damaligen kirchlichen Lebens war von vielen Wurzeln her und seit langer Zeit, wenn nicht in seiner Korrektheit, so doch in seiner Fruchtbarkeit bedroht.

---

[8] Wobei denn nebenbei immerhin bemerkt werden darf, daß, wie die Rettung der Einheit ausgiebig das Werk des d e u t s c h e n Königs war, so auch die Deutschen es immerhin mit der Reform am sachlichsten und ernstesten meinten.

11

Und hier erlaube ich mir, wieder einmal daran zu erinnern, daß das Leben nicht nur durch Mord tödlich bedroht werden kann, sondern auch durch ungenügende Bluterneuerung, durch Auszehrung. Dasselbe gilt für die Wahrheit. Mißwachs oder doch Hemmungserscheinungen durchdrangen so stark alle möglichen Äußerungen kirchlichen Lebens, daß eine echte Umkehr vielen ‚unmöglich‘ erschien. Zu sehr waren Mißstände verschiedener Reihen miteinander und besonders mit dem Gesamt des konkreten Lebens verfilzt, mit der sozialen Ordnung wie mit den Grundlagen des Besitzes und der Ernährung. Ein Benediktinerkloster mit seiner Abgeschlossenheit im innern wie im äußern Leben, wohlgegründet in seinem eigenen Dasein, scheint weitgehend immun sein zu müssen gegen Streitigkeiten um die Besetzung eines Bischofsstuhles in seiner Nähe. Im Spätmittelalter war das nicht so. Derartige Streitigkeit wurde z. B. in Trier höchst bedeutungsvoll für die Frage der Benediktinerreform in St. Matthias und das von dort ausstrahlende reformierte Leben. Die Reform war stark gestützt worden durch Kurfürst und Bischof Otto von Ziegenhain. Nach seinem Tode 1430 kam es zu einer Doppelwahl. Beide Kandidaten versuchen persönlich in Rom ihre Wahl zur Anerkennung zu bringen. Martin V. hebt die Wahl auf, ernennt seinerseits einen Bischof. Johann von Sierck dankt ab, aber sein Gegenkandidat Ulrich von Manderscheid wird in Koblenz einstimmig zum Bischof gewählt; er wurde nicht geweiht, behauptete sich aber doch bis 1436 gegen den vom Papst ernannten Raban von Helmstadt. ‚Denn eine mächtige politische Gruppe setzte sich für ihn ein. Anderseits war die Stadt Sierck gegen ihn. Also wurde noch 1430 der Bann durch Martin V. über Ulrich und das Domkapitel verhängt. Und siehe da: der reformierende Abt Johannes Rode tritt auf die Seite von Ulrich! Er geht sogar als sein Abgesandter nach Basel. Als Rode nach Trier zurückkam, war inzwischen Bann und Interdikt über die Stadt verhängt. Erst leistete man Widerstand (es wurde noch Messe gelesen), dann 1432 fiel der Gottesdienst weg, das Interdikt dauerte beinahe vier Jahre. 1436 zog Raban von Speier in Koblenz ein, mußte aber vor der Waffengewalt des erbitterten Volkes fliehen. Die Bürger traten offen gegen die Geistlichkeit und die Klöster auf. Die Reformarbeit in St. Matthias war aufs schwerste getroffen (Redlich 51 ff; Störmann 153 f. 157).

Aus den bisherigen Überlegungen ergibt sich auch dies: wir müssen den Begriff ‚Mißstand‘ frei machen von jener Einengung auf die beliebten Skandalgeschichten, also von der Überbetonung der ‚squalores‘, wie sie von vielen Gutachten und libelli etwa im Schisma der römischen Kurie vorgerückt wurden (oder schon in Avignon vorgetragen wurden)*, oder

---

* Wobei aber sowohl Pelayo wie Katharina von Siena schon viel tiefer in das Zentralchristliche und Seelsorgerliche vorstoßen, das Problem also von kirchlicher Sicht aus sachgerecht gesehen wird.

12

wie sie seit Alexánder VI. und seiner Kurie in der Literatur allzu häufig behandelt und nicht selten maßlos übertrieben wurden. Die Entgleisungen geschlechtlicher Art sind weder in noch besonders außerhalb der Klöster selten im Klerus des späten Mittelalters (Einzelnes siehe unten S. 26). Es gibt unverdächtige Feststellungen hierzu, die das Bild dieses Klerus außerordentlich belasten. Und sicher ist es nicht gleichgültig, ob wir in einer Ordensprovinz oder ob sich in einer Diözese ein Dutzend Konkubinarier mehr oder weniger finden. Im Christentum, im Klerus der hl. Kirche, ist Derartiges von hoher Wichtigkeit. Aber es ist nicht d a s Ausschlaggebende. Jene häufig anzutreffende, allzu flache Fassung des Begriffs Mißstand ist insofern berechtigt — oder sie war es und mochte genügen —, als die vielen verzerrenden Fehlzeichnungen einer angeblich allgemeinen und beinahe ausnahmslosen Korrumpierung ihrerseits eben diese dünne Auffassung des Begriffs Mißstand zugrunde legten; also erfuhren sie auch schon mit seiner Hilfe eine berechtigte Widerlegung. Aber heute liest man immerhin seltener — außer bei Tagesschreibern — Allgemeinheiten wie bei Gieseler; außerdem erfordert die Sache selbst, daß wir tiefer greifen. Das allgemeine Problem ‚Verweltlichung' reicht über den sittlichen Bezirk im engeren Sinne weit hinaus.

Die Kraft allen Aufstiegs ist Leben, l e b e n d i g e r Besitz. Alles, was dieses Lebendigsein, dieses Ausstrahlen, dieses Zeugen und Gebären mindert, ist Mißstand. Dazu gehört nicht zuletzt die Gewohnheit und die Gewöhnung, wenn sie zum Gewohnheitsmäßigen geworden sind, wenn sie nicht auch genügend neu erobern. Eben dies ist weithin die Lage im Spätmittelalter. Maßgebliche Inhalte auf allen Gebieten des Kirchlichen sind seit Jahrhunderten so selbstverständlicher Besitz, daß ein gefährdendes Sicherheitsgefühl aufgekommen war.

Hier liegt die Gefahr eines falschen Einwandes: wir hören doch hundertfach von der Unzufriedenheit mit den herrschenden Zuständen! Und wir sehen den Einbruch radikaler Neugestaltungen in Nominalismus und Humanismus! — Nun, d i e s e Unzufriedenheit und d i e s e Neugestaltungen sind ja nicht das Ganze; außerdem entwickeln sie leider kirchlich nicht jene wirklich umschaffende Kraft, die aus der Unzufriedenheit zu einer neuen positiven Lösung hätte emporheben können. Wir werden noch ausgiebig von den wichtigen Reformen des 15. Jahrhunderts zu sprechen haben. Sie waren kirchlich-religiös unvergleichlich positiver als Nominalismus und ein entscheidender Teil des Humanismus. Aber es fehlten doch dieser Reformarbeit die g r o ß e n , die g e n i a l e n Persönlichkeiten, es fehlten die zur Einheit bindenden Organisatoren und genügend H e i l i g e . Es gab bemerkenswerte Persönlichkeiten, die großen Reformeifer zeigten, die Bußprediger, Geerd Groot, Johannes Busch, der Kusaner, Abt Rode usw. Aber wie weit waren sie neuschöpferisch? Oder — wie beim Kusaner — wie weit wurden ihre um-

13

wälzenden Ideen von der Zeit aufgenommen? — Viel öfters stoßen wir statt auf Initiative der maßgebenden Kreise auf ein schwaches Treibenlassen. Sogar das Klagen über die Mißstände war zu etwas Gewohnheitsmäßigem und also Unfruchtbarem geworden. Die genannten Bewegungen des Nominalismus und ein Teil des Humanismus führen kirchlich nicht eigentlich und in ihrem Letzten zu einem Neuerringen des überlieferten Besitzes, sondern zu seiner Bedrohung, wenigstens solange nicht von anderer Seite eine positive und schöpferische, vor allem religiöse Kraft hinzustieß (später etwa Gaetano da Thiene, Philipp Neri, Ignatius, Teresa). Die bedeutenden Reformansätze des Spätmittelalters haben im großen und ganzen die Rolle des Vorbereitens gespielt, aber jener Vorbereitung, die unter dem Gesetz von Joh. 12, 21 steht. Die Ernte kam viel später, und ganz andere Sämänner mußten erst erscheinen.

Das Problem ‚spätmittelalterlicher Mißstand' interessiert uns naturgemäß auch wegen seiner Ausmündung in die Reformation bzw. in die katholische Auseinandersetzung mit ihr. Die Tatsache will erklärt sein, wieso es kam, daß diese Auseinandersetzung an so vielen Stellen gänzlich ungenügend geführt wurde. Dieses ‚ungenügend' in dem Sinne genommen, daß in der Auseinandersetzung die katholische Wahrheit lange Zeit nicht annähernd voll zur Darstellung kam. Die Schwierigkeit drängt sich schon auf für die Auseinandersetzung mit dem Humanismus, soweit er sich unberechtigt kirchenfeindlich gab. Es unterliegt ja keinem Zweifel, daß das, was die Humanisten an Theologie zu bieten hatten, nicht an die Gründlichkeit der Scholastik, auch ihrer weniger wertvollen Teile des 15. Jahrhunderts, heranreichte. Warum drangen doch die Humanisten mehr durch als die Scholastiker? Warum wandten sich ihnen die studierenden Kleriker mehr zu als jenen Universitäten, die sich dem Humanistischen weniger öffneten? Die allgemeine Antwort liegt in der geistigen Beweglichkeit des Humanismus.

Das Problem liegt für die Auseinandersetzung mit der reformatorischen Theologie ähnlich und führt zu ähnlichen Erkenntnissen. Manche theologiegeschichtlichen Untersuchungen gehen zu sehr an dieser Problemlage vorbei; ein breiter Teil der Theologie des 15. Jahrhunderts in Frankreich und Deutschland trug einerseits in sich die Unkonsequenz des kirchlich korrekt zurechtgebogenen Ockamismus. Das Erbe des Ockamismus hätte zu einer starken i n n e r n Bewegtheit führen können. Tatsächlich kam es nur zu einer (oder doch ganz vorwiegend) f o r m a l e n Bewegtheit. Eine eigentliche Befruchtung in dem Sinne, daß die Gesamtheit des kirchlich Theologischen in einem echten Sinne neu erobert worden wäre, zeigt sich auch in Italien nicht sehr oft. So fehlt es bei vielen Auseinandersetzungen an jener Elastizität, an jener ursprünglichen Fruchtbarkeit, die allein es ermöglicht hätte, daß man z. B. katholischerseits nicht einzelne Sätze des Gegners widerlegt, sondern den Gegner

14

als Ganzes verstanden, ihn ernst genommen, und ihn dann überwunden hätte. Die grundsätzliche Unangefochtenheit nicht des Glaubens, sondern des gesamten wissenschaftlichen Daseins, hatte zu einer Erstarrung geführt, die unfruchtbar machte, die zur Niederlage prädestinierte. Als der Sturm der Reformation losbrach, wußten die katholischen Theologen vielfach nicht, was geschah. Teilweise formal außerordentlich bewegt, aber im Eigentlichen seit Jahrhunderten unangefochten, gelang es ihnen nicht (oder konnte es ihnen gar nicht gelingen), die Initiative an sich zu reißen und ihre Arbeit konstruktiv zu gestalten; sie vermochten nicht „gegenüber den Revolutionären der neuen Lehre Position zu beziehen" (Braun 105).

Die spätmittelalterlichen Mißstände sind alles andere als nur zusammenhanglose Episoden oder bedeutungslose Einzelsymptome. Sie sind Offenbarmachung tiefliegender, im System verankerter Fehlansätze. ‚System', wie schon gesagt, im zeitgeschichtlichen Sinne gemeint. In allen Mißständen, die als für das spätere Mittelalter kennzeichnend angesprochen werden können, stellt sich das Problem des M i t t e l a l t e r - l i c h e n a n s i c h zur Diskussion, d. h. des wesentlichen Ineinander von kirchlich und weltlich, von kirchlich und wirtschaftlich, von kirchlich und politisch. All die umfassenden Ursachen kirchlicher Schwächung oder gar Zersetzung, auf die eine erschöpfende Auseinandersetzung zurückkommen müßte (Patronat, Inkorporierung, Adelsmonopol und die fiskalistische Verdinglichung und damit der Verbrauch der geistlichen Strafen Bann, Suspension und Interdikt), erscheinen wesentlich als stark mitverursacht durch jenes germanische Ineinander, das seinerseits (außer vielfachem Brauchtum und Rechtsanschauungen) auf der allgemein menschlichen, aber im Germanischen konstitutiven Auffassung des ‚do ut des' auch im Religiösen aufruht.

Mehr formal und geistesgeschichtlich gesehen, kennzeichnet sich der spätmittelalterliche Umbruch (innerhalb des Kirchengeschichtlichen!) entscheidend, aber auch erschöpfend, in der akuten und dann fortschreitenden Störung des vorher vorhandenen, und alles Leben wesentlich tragenden Gleichgewichts (das ja nicht ein Gleichgewicht der Starre, sondern der Spannung war) zugunsten mannigfacher Einseitigkeiten, Übertreibungen und Peripherierungen. Scholastik, Kirchenrecht wie Humanismus, Kurie wie Frömmigkeit bieten dafür Belege[10].

Die gegenteiligen Ansätze etwa beim Humanismus und dem Nominalismus sind nur scheinbare Ausnahmen. Alles, was beim Humanismus in so wichtiger Weise Berücksichtigung des Allgemeinen oder etwa Be-

---

[10] Im Unterschied zu manchem humanistisch Erweichten zeigt etwa noch Vespasiano da Bisticci das Unbefangene und Erfrischende gegenüber der abstrakten und gewollt problematischen Übersteigerung und Auflösung. v. Martin in Festgabe Finke 328.

15

schneidung des Vielfältigen zugunsten einer einfachen Religiosität ist, wird gründlich aufgehoben oder bedroht durch seinen individualistischen Grundzug (so lange nicht vom Kirchlichen her der Ausgleich geschaffen wird wie in der katholischen Reform in Italien und Spanien und im französischen humanisme dévot). Das Sparprinzip der via moderna aber ist ähnlich von vornherein in entscheidender Weise lahmgelegt — wenigstens im Nominalismus — durch die hoffnungslose Zerstörung des ‚universale' zugunsten der Vereinzelung.

Dieselbe Störung des Gleichgewichts kann man fassen als eine weitverbreitete einseitige spätmittelalterliche Sympathie für das ruckartig einströmende Neue, für das Revolutionäre und für die Veranwortungsfreudigkeit, mit der in radikaler Kritik an Vieles und zu Vieles herangegangen wird, aus der heraus man sich der Tradition gegenüber gefährlich unabhängig empfindet. Das ausgesprochen Konservative, das für jede organische Entwicklung so notwendig ist, nimmt ab.

In einer eindringlichen Form äußert sich die spätmittelalterliche Zersetzung in der vorhin genannten überall auftretenden Peripherierung und Massierung. Für die Peripherierung ist die Gefährdung ohne weiteres klar: es ist Substanzschwund mit der gleichzeitigen Tendenz, durch Häufung von weniger Wichtigem das Fehlen echter Kraft zu verdecken. Für die Massierung hat man wohl darauf zu achten, daß sie noch nicht an sich einen Übelstand darstellt, wie es ein Trugschluß des modernen ‚liberalen' Menschen mit seinem spiritualistischen Kirchen- und Frömmigkeitsbegriff behaupten möchte. Das Übel besteht in der Verbindung der Multiplizierung mit der Peripherierung[11].

Das Material, besonders in Theologie und Frömmigkeit, ist bekannt. Wichtig ist, daß man beachte, zu welcher Selbstverständlichkeit diese Dinge gediehen waren, wie sehr der Blick gewisser katholischer Kreise für die hier liegende offenkundige Schwäche getrübt war, wie leicht diese Erscheinungen von den sich mehrenden Feinden der Kirche im Humanismus und in der Reformation gegen die Kirche ausgenützt wurden, aber auch, wie sehr zu Unrecht übertriebene Behauptungen darüber verbreitet wurden, und wie sehr mancherlei Lächerlichkeiten im Kampf gegen die

---

[11] Freilich ist die Grenze oft schwer zu ziehen. Und auch das Korrekte wird leicht verdächtig, wenn die Gefahr der Werkheiligkeit — also einer s a c h l i c h e n Peripherierung — vorliegt; dieser Verdacht wiederum steigt, so oft der Heilsweg durch leicht ‚gewonnene' Gnaden bequem und bequemer gemacht wird. Das Kreuz ist ein echtes Zeichen des Christlichen, seine Erleichterung noch lange nicht. Die vielen Affiliationen sind an sich durchaus korrekt, besonders wenn die primäre Rolle der Gnade dabei gebührend hervorgehoben wird. Trotzdem kann die Multiplizierung gefährlich werden. Doelle, Kursachsen S. 43 erwähnt die Affiliation, die der Provinzial Ludwig von Segen auf dem Zwickauer Kapitel für alle Wohltäter ausgab, und die sie teilhaftig machen werde aller Verdienste der hl. Messen, Tagzeiten, Vigilien, Gebete, Fasten, Geißelungen, aller guten Werke . . . in 2186 Klöstern; er vergißt aber nicht hinzuzufügen: die ‚durch Gottes Gnade erworben würden'.
Der Text vermerkt ausdrücklich ‚die durch Gottes Gnade erworben würden'. Der Verzichteifer dieses Kapitels macht die Formel glaubwürdig. Die Belastung der äußerlichen Addierung bleibt als o b j e k t i v e r Schwächepunkt bestehen.

16

Kirche eine nicht zu rechtfertigende Rolle spielten. Dölle (Kursachsen
S. 41) bringt ein aufschlußreiches Einzelbeispiel: In Zwickau war der
Annenkult besonders hoch im Schwange. Johann Wildenauer aus Eger
in Zwickau war Gegner der Legende der dreimaligen Ehe der hl. Anna.
Darin sahen die Franziskaner und einige Weltpriester einen Angriff auf
St. Anna. Das entwickelte sich dann in Predigten und vor dem Naum-
burger Bischof zu einer Konkurrenz ‚humanistischer Wissenschaft‘ gegen
‚etliche den Musen und Grazien abgeneigte Priester‘ und ‚bornierte
Mönchlein‘ und wurde von Egranus, Münzer und Hausmann für die
Einführung des neuen Glaubens ausgenutzt.

Die geistlichen Bruderschaften und Kalanden belegen zweifelsohne
in bedeutsamem Maße das gute Zusammenleben und Zusammenarbeiten
eines Teiles des Klerus und der Laien. Aber dieses Prae ist belastet
durch die hier gepflegte oder wenigstens für uns erkennbar werdende
Peripherierung und Zerstückelung der religiösen Betätigung: eigene Kir-
chenfeste, eigene Altäre, eigene von ihnen präsentierte Geistliche, eigene
Rosenkranzbruderschaften der einzelnen Zunftämter usw.

Daß die Multiplizierung der Messen und entsprechend der Altaristen
einfach durch den Zwang der Zahl dazu führte, Geistliche wochenlang
vom Zelebrieren fern‘ zu halten (darüber unten), oder daß sie die
Seelsorge belasteten, indem sie zu Reibungen zwischen Pfarr- und Stif-
tungsklerus führten (weil letztere etwa zugleich mit dem Frühmesser oder
gar vor ihm zelebrierten, und ihn dadurch am Opfer des Volkes schädig-
ten) (Braun S. 128 f.), enthüllt die Schwäche von verschiedenen Seiten.

Zusammenfassende Darstellung des spätmittelalterlichen Zersetzungs-
prozesses ist auch der I n d i v i d u a l i s m u s. Man kann ihn feststellen
als egoistisch ausgenutzte Dezentralisierung des mittelalterlichen Universalismus auf den Gebieten der Theologie, der Frömmigkeit und besonders der kirchlichen Verfassung: die große antipäpstliche Angriffsbewegung des Spätmittelalters mit Avignon, Schisma, Konziliaridee und
Appellationen an das Konzil bis zur Reformation hin; Vermehrung der
Macht der Kardinäle gegenüber dem Papst, der Domkapitel gegenüber
dem Bischof (geringe Ausnahmen als Auswirkung der Reformkonzile),
der Klosterinsassen gegenüber dem Abt oder Prior; das Landeskirchentum. In der Theologie verfolgen wir den Rückzug des Nominalismus auf
das Individuelle (etwa in der Zertrümmerung oder Schwächung des
sakramentalen Kirchenbegriffs); in der Frömmigkeit stoßen wir auf ihn
in der Hochmystik wie in der devotio moderna, wie in der vulgären Fröm-
migkeitspraxis; der Humanismus ist von ihm geprägt und gefährdet[12].

[12] Der Individualismus der gleichzeitigen christlichen Kunst ist besonders
multivalent und in Kürze nur schwer einzureihen. Die Auflösung ist in der Architektur des endenden 15. Jahrhunderts gefährlich weit gediehen. In der Leistung der
großen Meister der Skulptur, Malerei und Graphik wird dann der Individualismus
beinahe nur Wert.

17

Dementsprechend hat es seinen Sinn, wenn Vincke (Klerus S. 120/21) meint, die nennbaren ‚Entartungserscheinungen am damaligen Klerus, Gewalttätigkeiten, sexuelle Vergehen, übermäßiges Streben nach Macht und Geltung' (man sieht, durchwegs eine Einengung auf die moralische Sphäre!), ‚seien durchweg Folgen des sich breit machenden Individualismus, in gewissem Sinne Charakteristika jener Zeit überhaupt'. Aber ohne die Hereinnahme der eben angedeuteten umfassenden Aspekte dürfte diese Art Deutung nicht sehr fruchtbar werden. ‚Gewalttätigkeiten, sexuelle Vergehen und übermäßiges Streben nach Macht' sind Gefahr des erbsündigen Menschen zu allen Zeiten. Nicht an sich, sondern in der besonderen Art ihrer Verursachung (und der Multiplizierung ihres Vorkommens) können sie als Äußerung des Individualismus für eine tiefer greifende Analyse des Spätmittelalterlichen fruchtbar gemacht werden.

Das, was im kirchlichen Sinn als Mißstand im Spätmittelalter angesprochen werden darf, ist nicht immer in j e d e m Sinne unterwertig. Es kann menschlich, kulturell, wissenschaftlich von einem oder mehreren Teilaspekten her positive Bedeutung besitzen. Es kann positive Werte auch im kirchlichen Sinne gewinnen. Das Moralistische und das Individualistische erscheinen in der devotio moderna und in der christlichen Kunst überwiegend zu einem kirchlich Positiven überhöht. — Wenn wir den Begriff Mißstand im angegebenen umfassenden Sinn nehmen, so reiht sich unter ihn ein alles das, was jenen umfassenden Umschichtungsprozeß trägt, der die Distanzierung (bewußt und mehr unbewußt; sichtbar, aber noch mehr latent) der abendländischen Völkerfamilie von der Kirche begünstigt oder verursacht. In diesem Sinne würde unter ‚Mißstände' alles fallen, was im weiteren Sinne als Ursache des Eindringens des rationalen oder kirchlichen oder religiösen Subjektivismus in die Kirchenidee und Kirchenpraxis angesprochen werden kann.

Das darf mit Recht als eine zu weite Deutung abgelehnt werden. Aber man kann jenen Umschichtungsprozeß enger fassen: wenn man sich der wesentlichen Unruhe des 14. und besonders des 15. Jahrhunderts erinnert, und des unorganischen Einbruchs eines Neuen in das abendländische Denken in dieser Zeit (etwa das pantheisierende Element im Neuplatonismus der Mystik und des Humanismus nach Art der platonischen Akademie in Florenz; die ungesunde Erregung vielfältigster Art; das Undogmatische des radikalen Humanismus; die das Christentum dogmatisch gefährdende Grundart des Nominalismus) stößt man überall auf die schlechthin entscheidende Frage: Ist dieses Neue seinsmäßig noch voll katholisch? (nicht: wollte es noch voll katholisch sein!)

Man kann sich nicht auf die relativistische Behauptung zurückziehen, das werdende Neue habe sich nur auf diese grundstürzende Art verwirklichen können. Gewiß bleibt es immer die Gefahr eines Umbruchs, sein Neues zu übersteigern und dadurch in feindlichen Gegensatz zu setzen

18

zum Überkommenen. So ist die große Gefahr des Humanismus durchaus die Änderung der Blickrichtung und das Moralistische, das übersteigerte humanum. Daß es aber möglich war, das Neue i n n e r h a l b der Tradition, nämlich innerhalb des Mittelalterlichen, unter organischer Fortbildung dieses Mittelalterlichen zu erreichen, das kann man z. B. rein äußerlich am architektonischen Bild oberitalienischer Städte ablesen. Ganz anders als in Frankreich, das es fertig brachte, halbfertige Gotik-Kirchen einfach stehen zu lassen und ihnen ohne Umbildung eine Renaissancefortsetzung unbekümmert brutal überzustülpen, kann man in Verona oder Bologna, sogar im Tempel der Malatesta in Rimini, unmittelbar verfolgen, wie die Renaissance aus dem echtesten Mittelalter in kühnem Schwung, aber organisch und lückenlos herauswächst. Literarisch zeigen etwa die Viten des Vespasiono da Bisticci dasselbe Bild: dem mittelalterlichen sehr nahestehend, durchaus kirchlich, und doch entzückend fruchtbar dem neuen Leben zugewandt. Gerade jene aufspaltenden Neuerungen, die dann die Einseitigkeit und das Unkirchliche der Reformation begleiten und die den Bruch ins abendländische Dasein für ihr Teil hineintragen sollten, werden signalisiert und abgelehnt: „Fragen aufwerfen, statt absolute Wahrheit zu verkünden", „Zweifel erfinden, um darüber zu disputieren" (vgl. Alfred v. Martin in Festgabe Finke 318). Die siegreichsten Leistungen dieser Art bringt der spezifisch christliche Humanismus in Spanien, Italien und Frankreich des 15./16./ 17. Jahrhunderts: Ximenes, manche Bruderschaften, Adrian VI., Borromeo, Franz v. Sales.

Das ‚Positive' in der Tatsache ‚Mißstand' reicht noch tiefer. Wenn — wie im Spätmittelalter — Mißstände eine Zeit kennzeichnend bestimmen, aus der sich später große Bewegungen in Kirche und Welt erheben, erkennt man sie leicht auch als aufbauend, neugruppierend. Hier beginnt das Ernstmachen mit dem Begriff der ‚felix culpa', der nun einmal zu den Grundpfeilern j e d e r nicht voll materialistischen oder nur pessimistischen Geschichtsphilosophie gehört. Hier beginnt das Problem der positiven Bedeutung des Irrtums in der Geschichte, und also beginnt die crux jener Dogmatiker, die zwar nicht geschichtlich zu denken vermögen, dafür aber das Geschichtliche — das unbequem Unsystematische! — berufsmäßig als Kleingläubige bewerten.

Die Zeit der Scholastik war eine ausgesprochene ‚Inzucht'-Periode; sie rief gemäß dem Wellengesetz der Natur nach einer Ergänzung durch einen ‚Kreuzungs'vorgang (Beispiel: das Neuplatonische im pantheistisch erklärten Aristoteles; als Illustration: die Weiterbildung des Kusaners durch Giordano Bruno). Wenn also gefordert werden muß, daß man die gewisse g e s c h i c h t l i c h e Notwendigkeit im damaligen Krankheitsbild erkenne, so darf das nicht nur von der Vergangenheit her (besonders vom mittelalterlichen Ineinander kirchlich-weltlich, geistlich-dinglich), sondern muß auch von dem sich abzeichnenden Neubau her ver-

19

standen werden. Die theologische Unklarheit — die wir als d e n spätmittelalterlichen Mißstand erkennen werden — wurde entscheidend durch den Nominalismus und den radikalen Humanismus statuiert. Aber beide, auch der Ockhamismus, waren „Ausdruck eines neuen Weltempfindens" (Biehlmeyer, Kirchengeschichte II 403), und d e s h a l b errang der Ockhamismus den Sieg in England, Frankreich und Deutschland des 14. und 15. Jahrhunderts, so daß „gerade die regsamsten und einflußreichsten Gelehrten an den Hochschulen ihm huldigten" (ebd.).

II

Zur Kritik der Quellen

Seitdem man versuchte, aus den Quellen ein objektives Bild der kirchlichen Zustände des 14. und besonders des 15. Jahrhunderts zu gewinnen, und nicht nur aus ihnen Belege für eine vorgefaßte Ansicht zu erheben, fielen die ungewöhnlichen Spannungen auf, die vielfältig zwischen ihren Aussagen bestehen. Haller hat schon 1903 die pessimistische Ansicht geäußert (die bei ihm, dem Vertreter machtpolitischen Denkens, vielleicht noch am ehesten zu verstehen ist), daß „eine dem wirklichen Sachverhalt entsprechende Anschauung kaum noch möglich ist und vielleicht auch niemals mehr werden wird" (Papsttum und Kirchenreform I, 1903, 6). Vincke hat das dahin abgeschwächt: „Offenkundig stimmt nicht alles in der Objektivität der Quellen" (Klerus 156), diesen Schluß aber anderseits dahin erweitert: „aus den Quellen jener Zeit läßt sich alles beweisen." Indes, die von Vincke zur Stütze seiner These angeführten spannungsreichen Urteile von Lamprecht sind kein genügender Beweis; denn sie stehen untereinander keineswegs in Widerspruch. Es ist vielmehr so, daß offenbar die Kirche noch unbestrittene Führerin des Lebens war zur selben Zeit, als das Auseinander von Volk und Klerus sich längst und vielfältig und intensiv durchsetzte, als dasselbe Volk aller Schichten schon vielfach der Kirche entwuchs, ja teilweise zu ihrem Gegner geworden war. Zweifelsohne war auch eine auf Reform gerichtete Verinnerlichung vorhanden, aber zusammen mit einer starken Veräußerlichung. Die Veräußerlichung der currendi libido, der Reliquienverehrung, des Ablaßwesens war zweifelsohne vorhanden zugleich mit (und zugleich die Zeit k e n n z e i c h n e n d) jener Verinnerlichung, die unzweideutig aus der Erbauungsliteratur und der christlichen Kunst als dieselbe Zeit maßgeblich beherrschend festgestellt ist. In all dem kommt lediglich ein Wesenszug alles Geschichtlichen besonders stark zum Ausdruck: daß es komplex sei, manchmal widersprüchlich komplex. Das Werden der Moderne ist ein Vorgang des Entwachsens aus dem Mutterschoß des Mittelalters, das die abendländische Kultur ab ovo gebildet hatte. Ein solcher Entwachsungsprozeß zeitigt Wehen; aber erst der Riß der Geburt macht die Situation allen offenkundig. Das 15. Jahrhundert als unmittelbar vor diesem Akt der Geburt stehend,

20

ist nicht zufällig, sondern mit innerer Notwendigkeit eine klassische Zeit der Gegensätze, wo im Zerfall das Neue entsteht, und im Entstehen des Neuen sich das Alte belastend, aber auch belebend noch behauptet. Notwendigerweise kommt in den Spuren, die das damalige Leben uns hinterließ, beides zum Ausdruck, also auch — je nach dem — Lob und Tadel. Umgekehrt (und von uns aus betrachtet) ist es nun Ziel echter Geschichtsschreibung und echt objektiver Haltung, nicht eine Gleichwalzung dieser verschiedenen, in höchstem Kampf gegeneinander stehenden Kräfte vorzunehmen, sondern die Herausarbeitung ihrer jeweiligen Funktion anzustreben. Die Multivalenz der historischen Verursachung ist aufzulösen. Voraussetzung ist die Kunst des lebendigen und freien Anschauens dieser ungebrochenen Gegensätze, und das Verständnis für das Fruchtbare solchen starken Gegeneinanders für den Fortschritt der Geschichte.

Selbstverständlich unterliegen die Quellen — die einen wie die andern — der Kritik, um über sie hinaus jeweils möglichst nahe an den lebendigen, tatsächlichen Bestand heranzukommen. Je mehr die Existenz des damaligen Menschen als solche unsicher geworden war, sein Dasein in allen Bezirken des politischen, wirtschaftlichen, geistigen, leiblichen Lebens (auch, aber noch nicht so allgemein und nicht in der gleichen Art im religiös-kirchlichen Leben) bedroht war, desto stärker drängte verständlicherweise subjektiver Wunsch und persönliche Haltung danach, sich im Bericht und Urteil über die Zeit zur Geltung zu bringen. Es ist erklärlich, daß dadurch die Objektivität in Gefahr kam. Ich möchte aber bezweifeln, ob diese Gefahr so allgemein realisiert wurde, daß es w e s e n t l i c h schwerer wäre, ein objektives Bild von dieser Zeit zu erarbeiten als von andern. Das Hindernis scheint, wie schon angedeutet, eher subjektiv-modernen Ursprungs und im Verlangen nach einem einheitlichen Bild der Zeit verankert zu sein.

Am häufigsten wird in der Literatur abgehoben auf die Übertreibungen und Verallgemeinerungen in den zeitgenössischen Aussagen über die damaligen Mißstände. Tatsächlich sind Superlativismen und undifferenzierte Aussagen dieser Art in damaligen Chroniken, Predigten, Briefen, Statuten s e h r häufig. Nachweise von böswilligen Erfindungen und Übertreibungen grober und gröbster Art bringt für Konstanz etwa Braun (Klerus 108, 110 f. Dazu: Hashagen H., Zur Sittengeschichte des westfälischen Klerus im späten Mittelalter. Westdeutsche Zeitschrift für Geschichte und Kunst 23, Trier 1904). Auch das Vorgehen des Zwickauer Rates gegen die Franziskaner mit den immer wiederkehrenden Vorwürfen über Verhetzung des Volkes und die Gefahr des Aufruhrs zeigt solche allgemeinste, unbestimmte, unkontrollierte Verdächtigungen; sie enthalten außer der Tatsache der Verärgerung bei den Franziskanern und deren Anhängern unter den Bürgern nicht die Spur eines Beweises. Umgekehrt sah der Rat seinerseits gefährliche Verhetzungen des Volkes

21

gegen die Franziskaner und sogar tätliches Vorgehen gegen sie nicht ungern (Doelle, Kursachsen 70 u. ö.). Die carta visitationis von 1436 für die Reichenau ist wie so viele andern in den bekannten verallgemeinernden Formeln nach einem mehr oder weniger bestimmten Grundschema abgefaßt (Redlich 81.62⁺'; Miller 24.25). Über den Verfall der Benediktinerabtei St. Maria ad martyres heißt es: . . . satis lamentabiliter in utroque statu erat collapsum adeo, ut neque vestigum religionis in ipso quispiam experire potuisset (Redlich ebd.). Auch die frommen Worte „in non modicum animarum suarum periculum ac perversum et sinistrum laicorum exemplum . . . zelo caritatis et ordinis devotione" (Miller 28³⁴') im Munde schlau berechnender Ratsherren bieten ebensowenig Gewähr für eine exakte Widergabe des Tatbestandes wie das spätere Bekenntnis des Breviers in der 2. Nokturn (5. Lektion)' zu Gaetano da Thiene, das uneingeschränkt eine „collapsa ecclesiasticorum disciplina" einräumt.

Aber die Kehrseite! Das Elementarste und nie zu Vergessende ist bei all diesen Klagen zum mindesten die erschütternde, sehr allgemeine Unzufriedenheit mit den damaligen Zuständen in der Kirche. Und dies in einem breiten Strom durch mindestens zwei Jahrhunderte hindurch, und aus allen Kreisen der abendländischen Gesellschaft kommend, aus kirchentreuesten Kreisen wie von egoistischen Gegnern der Kirche. Daß die Kritik von beiden Seiten im Inhalt zusammentrifft, ist ein Authentizitätszeichen erster Ordnung. Abgesehen von den im einzeln behaupteten Schäden, ist jene Unzufriedenheit der Beleg für einen ungewöhnlichen Schwächezustand in der damaligen Kirche. Die Tatsache der Kritik selbst in einem solchen Umfang und in solcher Tiefe ist an sich (selbst wenn sie ungenügend begründet wäre) Mißstand.

Zum andern wird in der Literatur nicht selten der Tatbestand der Übertreibung zu schnell und zu summarisch als gegeben angenommen. Ein genaueres Zusehen vermag vielleicht doch weiterzukommen. Man sagt: „Es ist verständlich, daß der Reformwille, von dem die Synodalstatuten und Visitationsberichte beseelt sind, sich leicht zu Übertreibungen hinreißen lasse." Daran ist natürlich ein Teil richtig. Aber nur ein Teil. Es liegt zwar in der Tendenz des Predigens zu verallgemeinern, nicht aber einfachhin in der Tendenz einer Synode, wo immerhin die verschiedensten Kreise vertreten sind und bei solcher Übertreibung auch sich selbst belasten müssen. Bei Visitationsberichten kann man feststellen, daß der Visitator gelegentlich gerne bereit war, ein Auge zuzudrücken, oder auch einfach froh war, einen besseren Bestand berichten zu können. Die Reformarbeit des Johannes Rode bietet dafür Belege, die von Nikolaus von Kues ebenfalls. Um ganz sicher zu gehen, muß man also — so gut es die Umstände erlauben — von Fall zu Fall die größere oder geringere Gewissenhaftigkeit der betreffenden Quelle feststellen, eine Forderung, die sich für alle Zeiten und für alle Quellen in der einen oder andern Form stellt. Man muß den einschränkenden, differenzierenden

22

Andeutungen nachgehen. Die sind nicht so ganz selten. Wenn wir z. B.
die gleichen formelhaften Verallgemeinerungen in verschiedenen Visi-
taitonsakten finden, in einem Fall aber deren Verlesung monatlich, statt
wie sonst vierteljährlich verlangt wird, dürfen wir annehmen, daß der
Verfall hier wirklich stark war (Redlich 81[1]). Daß man Anekdoten, in
denen offensichtlich Schabernack oder Spott die Feder führt, nicht als
Wiedergabe des historischen Tatbestandes ernst nehmen darf, ist selbstverständlich. Wenn aber offenbar ein allgemeiner Mißstand zugrunde
liegt, so wird solcher Schabernack zur Illustrierung des allgemeinen Bewußtseins dieses Mißstandes und gewinnt seinen ernsten Wert für die
historische Schilderung (wenn auch nicht genau nach Ort und Zeit und
für die konkreten Einzelheiten). Die Verzerrungen des Mönchslebens
bei Bocaccio sind offenkundig. Aber sein Spott über die falschen Reliquien und übertriebenen Ablässe usw. haben bei ihm wie bei andern
leider nur allzu viel fundamentum in re und sind in sich wie in ihrem
Widerhall ein Beleg für tiefgreifende Mißstände auf diesen Gebieten.
Wenn Nikolaus von Kues auf einer Visitationsreise sich am Leben in
dem einen Nonnenkloster hoch erbaute (Diepenveen), aber gegen andere
einen scharfen Reformerlaß herausgab, so zeugt das doch wohl von sachlicher Unterscheidung und spricht f ü r die Objektivität seiner Äußerungen (Hüffer 79 zu S. 80). Die G e s a m tverurteilung des Dominikanerordens durch seinen General Leonard Statius (1414—25) bei Rensing
(S. 49) ist offenkundig übertrieben. Aber wenn der General dabei seinem
Orden auch vorwirft, daß ,die Keuschheit häufig übertreten wird', so ist
es kritisch unzulässig, diesem bestimmteren Vorwurf einfach wegen jener
Übertreibung jeden Zeugniswert abzusprechen.

Umgekehrt: wenn man mit Recht kritisch ist gegen allgemeine Verdächtigungen des Klerus, so muß man ebenso vorsichtig sein, wenn man
in Präsentationsurkunden oder Nachrufen den „vorbildlichen priesterlichen Wandel der Präsentierten lobend hervorgehoben" (vgl. Braun
119) findet. Die Formelhaftigkeit ist immer ein Feind der exakten
historischen Wiedergabe, im Lob wie im Tadel. Wenn ein Chronist einen
Bischof wegen seines Reformeifers lobt, und wenn noch mehrere es tun
(vgl. Braun 174), so ist das erfreulich, aber kein Beweis dafür, „wie
stark von d e n Zeitgenossen das Bedürfnis nach einer allgemeinen Reform empfunden wurde" usw. Außerdem ist wiederum das allgemeine
Reformbedürfnis ein Beweis für die Tatsächlichkeit der Mißstände
und die Reformbedürftigkeit, aber noch nicht für deren Durchführung.
Wenn ein gegen die Konventualen eifernder Observant es fertigbringt,
in einem Brief ein Gedicht „ganz obszönen Charakters" im Wortlaut mitzuteilen (bei Rensing 51), das den Geist im Weseler Dominikanerkloster
kennzeichnen soll, so zeigt diese Tatsache so wenig echte Reinheit und
so wenig Rücksicht auf den Empfänger des Briefes, daß man den Schreiber nicht als besonders gut qualifizierte Quelle in dieser Angelegenheit
der Observanz ansehen kann.

23

[Hier tut sich übrigens ein Fragenkomplex auf, der für die Beurteilung einer wesentlichen Seite Luthers wichtig ist. Ich habe an Luther die häufige und manchmal unerträgliche Mischung von Heiligem und grob Derbem kritisiert. Aber auch hierin war Luther Kind seiner Zeit. Miller (S. 59 f) gibt Belege. Auch bei Staupitz findet sich ähnliches. Oder in ‚Schimpf und Ernst‘ des Franziskanerkonventualen Johannes Pauli (gedruckt 1522) wird derb und anschaulich von Buhlern und Ehebrechern, sittenlosen Pfaffen, Mönchen und Nonnen gesprochen, und das nicht selten. Dabei schrieb dieser Mönch sein Buch zugestandenermaßen auch für klausurierte Nonnen.]

Bei der historisch genauen Feststellung von Mißständen erhebt sich wie bei so vielen kirchengeschichtlichen Fragen[13] die Notwendigkeit einer Bewertung des zum Superlativismus neigenden und ohne die wünschenswerte, ja eigentlich notwendige Genauigkeit sich äußernden k u r i a l e n S t i l s. Im Spätmittelalter erhält das Problem seine besondere Steigerung durch das Willkürregiment an der Kurie, das zu gleicher Zeit die heilsamen Schranken des Klosterlebens leicht und bedenkenlos lockerte, und zugleich in Reformbullen (deren Unterlagen aber manchmal gar nicht tragfest oder auf ihre Tragfestigkeit hin gar nicht kontrolliert waren) das zuchtlose Leben von Mönchen und Nonnen rügte (Beispiel bei Miller S. 48 ff.). Wir tadeln mit Recht die so oft maßlosen Superlativismen in Luthers Invektiven gegen Papst und Mönche, oder wenn er etwa in massiven Behauptungen die donatio Constantini als Stück des altkirchlichen G l a u b e n s bezeichnet (WA 50, 69 ff.); wir sind aber auch in Verlegenheit, wenn wir genau feststellen sollen, wie weit etwa der Erguß in der Konstitution Julius’ II. vom 30. 3. 1512 ernst zu nehmen sei, wo Klage erhoben wird gegen die päpstlichen Beamten, die teils aus Habsucht, teils durch die unglücklichen Zeitverhälnisse gedrängt nach ihrem Gutdünken die Gelder eintreiben „zum Nachteil ihrer eigenen Seele, zum Verderben der Petenten, zum Ärgernis vieler und zur Schmach und Schande der ganzen römischen Kurie“ (E. Göller in Finke-Festschrift 383—384).

Einen ungewöhnlich aufhellenden Beitrag zu unserm Problem der spätmittelalterlichen Mißstände leistete Max Miller mit seinem bedeutenden Buch über die berühmten oder berüchtigten Söflinger Briefe, auf die wir noch des öfteren zurückkommen werden. Miller hat durch seine Untersuchungen die Söflinger Nonnen vom Vorwurf des unkeuschen Lebens restlos befreit. Der Fall ist gerade für unsere m e t h o d i s c h e Frage deshalb so wichtig, weil (1.) einerseits vom Ulmer Stadtrat alles nur Mögliche getan wurde an Unter- und Durchsuchung, um die Belege

---

[13] Alle Gebiete sind daran beteiligt, das kirchenpolitische so gut wie das der inneren Diszlplin, wie gelegentliche (nicht lehramtliche) Äußerungen über gewisse Lehrpunkte und Fragen der Verfassung; je näher der Peripherie, desto schlimmer: z. B. unechte Ablässe; Begriff des Anathems (z. B. in der Bulle von Nikolaus II. über die Lateransynode von 1059; s. auch unten).

24

für Mißstände in die Hand zu bekommen, (2.) uns ein bedeutender Teil des Zersetzungsbestandes zur eigenen Nachprüfung überliefert ist. Millers Resultat — d. h. seine Ehrenrettung — ist aber einer Mißdeutung ausgesetzt. Weil vorher ungerechterweise von sexuellen Vergehen in Masse die Rede war und dieser Vorwurf nun buchstäblich in Nichts zerrinnt, erscheint das Leben der Nonnen leicht als makellos. Sie scheinen auch wirklich s u b j e k i v ohne nachweisbare b e d e u t e n d e Vergehen zu sein. Aber dabei kann man unmöglich stehen bleiben. Das Resultat gewinnt andere Färbung, wenn man es nimmt als Beitrag zum objektiven Bestand (a) spätmittelalterlicher Religiosität, (b) bei Klarissen (!), (c) das alles mißt am Evangelium. Hier war trotz dem keuschen Leben der Nonnen die Form des Lebens — die Klarissenregel — so mißdeutet, und das Institut Kloster vielfach seinem innersten Sinn so sehr entfremdet, daß die Idee diese Peripherierung nicht mehr ohne schweren Schaden tragen konnte. Ein Substanzschwund war gegeben und mußte bei aller negativen Korrektheit für sein Teil zur kommenden Sprengung erheblich beitragen.

Um der Subjektivität der Chroniken, Predigten und Reformerlasse zu entgehen, hat man mit Erfolg den Weg beschritten, die sittliche und wirtschaftliche Lage des Klerus und etwaige Vergehen — also die klerikalen Mißstände — aus den behördlichen Rechnungen und Straflisten zu erschließen (vgl. Vincke S. 124).

Diese Quellen eröffnen in der Tat einen viel sichereren Zugang zu einzelnen Partien des spätmittelalterlichen klerikalen Daseins als andere Unterlagen. Die Frage des geistlichen Proletariats z. B. scheint nur von hier aus einer genauen Umgrenzung entgegengeführt werden zu können; die Frage des cumulus beneficiorum ebenfalls. Doch muß auch hier die Grenze der Zeugniskraft nicht nur genannt, sondern stark im Bewußtsein gehalten werden.

Das erste große Minus, das hier anzumelden ist: der Mensch wird nur als Nummer, und diese nur höchst fragmentarisch erfaßt. Das eigentlich Religiöse, oder auch die Kennzeichnung des damaligen Klerikers von der Theologie oder von der Erbauungsliteratur her, bleibt außerhalb des Gesichtskreises.

Außerdem: die Analyse dieser Quellen ist überall, wo sie vorgelegt wurde, so abstrakt und kompliziert zugleich, zieht so viele Nebenumstände herbei, ruht auf einem für große Zeiträume vergleichsmäßig so geringem, also wesentlich lückenhaftem Material (das außerdem seiner Natur nach jeweils nur einen Punktausschnitt erfaßt), daß man den Eindruck nicht los wird, mit dieser Methode werde etwas zu sehr Mohrenwäsche geleistet. Dagegen stehen etwa für geschlechtliche Ausschreitungen (1.) die zugegebenermaßen geringe Achtung des hohen Klerus vor dem Zölibat; (2.) die asketisch ungenügende Erziehung so gut wie des ge-

25

samten Klerus, soweit man davon überhaupt reden kann; (3.) das Erbe germanischer Auffassung; (4.) das Vorandrängen humanistischer Ansichten über die voluptas im 15. Jahrhundert; (5.) vor allem die m a s - s e n h a f t e n Klagen ernster und kirchlicher Männer über weite und weiteste Verbreitung gerade dieser Mißstände. Gewiß hat man hier wie überall die Fehlerquellen aufzudecken und voll in Rechnung zu setzen. Aber, man mag Übertreibungen und sogar gewohnheitsmäßige Herübernahme der Klage betonen so viel man will: man wird nicht glaubhaft machen können, daß die a l l g e m e i n e Klage von Chronisten, Konzilien, von direkten Beobachtern mit genauen Angaben (wie bei Eck), ganz unzutreffend seien. I h r e unmittelbaren Feststellungen aber gehen um ein Beträchtliches über das Resultat jener Rechenmethode hinaus. Zudem, wer sich zu dieser Methode bekennt (wie Vincke 128 f.), müßte dasselbe Mißtrauen aufbringen für die Beurteilung ähnlicher Fragen bei andern Volksschichten. Hier aber sagt Vincke: der Reichtum stieg, die alte Zucht nahm ab. „Uneheliches Zusammenleben war nichts Seltenes; die Bürger schämten sich ihrer Bastardkinder so wenig als die Fürsten und Junker." Zugleich wird zugegeben, daß die Kleriker ‚an dieser Üppigkeit teilnahmen' (S. 130). Oder — um im Fragekreis gerade von Vincke zu bleiben — es ist einfach unmöglich, die bestimmten und wiederholten Ausführungen des Osnabrücker Dompredigers Hollen aus dem Augustinerkonvent über ungenierte Unzucht von Geistlichen auszuräumen. Insbesondere nicht mit den gutgemeinten Allgemeinheiten von Landmann (zitiert bei Vincke 134). Man kann ebenso gut und mit mehr Recht Landmanns Überlegungen umdrehen: wenn die betreffenden Fälle so selten waren, wird der Prediger, der die ‚moderne' Unzucht anprangert, n i c h t auf das böse Beispiel der Geistlichen als Anregung dazu abheben. Aber wenn Holle „das Volk ermahnt, nicht wegen einiger unwürdiger Ausnahmen ein ganzes Kloster in Verruf zu bringen", so deutet das nicht an, „daß seine Auslassungen als Übertreibungen zu gelten haben", sondern beweist, daß er hier gewissenhaft ist und keine Übertreibung übt.

Vincke selbst gibt zu: „Es fehlte bei vielen Stadtklerikern an geordneter Beschäftigung; der Altaristen und Vikare waren zu viele; Müßiggang mußte immer aufs neue ein übles Ende nehmen . . ." Also! Die vorher (S. 135 ff) von Vincke ziemlich wegdisputierten ‚Papenkinder' beurteilt er (S. 154) so: „Schon der Umstand, daß solche Vorschriften bestanden (keine Papenkinder in die Zünfte; eheliche Geburt als Vorbedingung für die Weihen), wirkte wie ein Dorn, der immer wieder auf eine wunde Stelle aufmerksam machte, die es zu heilen galt."

Wenn außerdem zugestanden wird, daß im 16. Jahrhundert „die Vererbung von Pfarrstellen nichts Ungewöhnliches" war, dann wäre doch zu fragen, wann und wodurch diese Verschlechterung ansetzte.

(Weitere Beiträge über die Mißstände in den Klöstern und beim Klerus folgen.)

26

Zur Problematik der kirchlichen Mißstände im Spätmittelalter*)

In memoriam S e b a s t i a n M e r k l e

Von Universitätsprofessor DDr. Joseph Lortz, Münster i. W.

III

K l o s t e r   u n d   K l o s t e r r e f o r m

Die religiös-sittliche Gesamtlage in den Klöstern ist im späten Mittelalter besser, als wir es noch vor wenigen Jahrzehnten wußten. („Besser' bedeutet aber keineswegs, wir sagten es schon, oben S. 6, kerngesund!). Sie ist aber auch in den einzelnen Klöstern viel verschiedenartiger, und auch nach ein und demselben Problemkreis uneinheitlicher, als oft angenommen wird. Die Situation bzw. ihre Problematik ist also nicht mit einem Stichwort zu fassen.

Z. B. die Rolle des Besitzes. Daß er maßgeblich am Verfall mancher Klöster beteiligt ist, wissen wir. Aber er erweist sich auch als notwendig für das ordnungsgemäße und zuchtvolle Leben mancher klösterlicher Gemeinschaften alten Gepräges, und er ist gleichfalls Resultat dieser Zucht, die sich in gemeinsamem Mühen um ein bleibendes und wachsendes Werk darstellt. Umgekehrt geht Zerfall des Besitzes im 15. Jahrhundert öfters parallel mit der innern Zersetzung des Klosterlebens (etwa Redlich 19 f., 21). Daneben gibt es wieder Fälle, wo der wirtschaftliche Niedergang mit innerer Zersetzung nichts zu tun hat (vielmehr etwa auf Kriege oder Teuerung zurückgeht). Anderseits besagt selbst riesiger Grundbesitz noch nicht Reichtum im Sinne von Genuß. Wie im 12. Jahrhundert waren manche ‚reiche' Klöster im 15. Jahrhundert kaum in der Lage, ihre Insassen zu ernähren weil der Streubesitz eine rentable Verwaltung unmöglich machte[14].

Eine genaue Schilderung bzw. Bewertung erfordert also besonders behutsames Unterscheiden, bzw. die Berücksichtigung der einen u n d der anderen Elemente. Abt Rode hatte Recht: Religio peperit divitias, sed

---

*) Siehe den ersten Teil in Heft 1/2 (1949) S. 1—26 d i e s e r Zeitschrift. — Durch einen bedauerlichen Druckfehler ist leider auf S. 1 der Name „S e b a s t i a n M e r k l e" entstellt worden.

[14] Redlich 46 f. „Es konnte der Ordensdisziplin auf der Reichenau sicherlich nicht förderlich sein, wenn die Mönche nicht genug zu essen hatten und bei ihren Freunden und Verwandten Zusatzkost einnehmen mußten. Abt Ulrich gab offen zu, daß an der Magenfrage die Ordensdisziplin scheitere" Braun S. 119. Die Reduzierung des klösterlichen Besitzes ließ dann auch die Kapazität der Klöster im 15. Jahrhundert bedeutend sinken; Himmerode wurde 1234 auf 60 Mönche und 200 Laienbrüder beschränkt, 1438 lebten dort 33 Mönche und 9 Brüder in drückender Armut.

212

heu! heu! filia suffocavit matrem, so daß keine Spur von Ordensleben (die typisch rhetorisch-pastorale Übertreibung!) in den Benediktinerklöstern übriggeblieben sei. Aber für Sponheim gilt Anfang des 16. Jahrhunderts: „Allzu große Armut und der Mangel an Zeitlichem haben die Mönche zur Verzweiflung am Geistlichen gebracht" (Redlich 93). Freilich ist hier abermals zu unterscheiden. Denn die Armut war manchmal Ausdruck der Mißwirtschaft durch Verschuldung. Gerade die Verschuldung aber hatte sehr mannigfache Ursachen. Jedenfalls zeigte sie sich immer wieder als entscheidendes Hindernis einer Reform der Benediktinerklöster (ebd. 69/70).

Wieder darf diese genauere Abschattierung nicht dazu führen, den weitgehenden Verfall der Klöster im Spätmittelalter weniger ernst zu nehmen. Man braucht nur den Begriff Mißstand im angegebenen, umfassenden Sinn zu verstehen, und nach neuschöpferischem Leben, nach Initiative großen Formats, nach Reform und Heiligkeit säkularen Ausmaßes, nach Priesterlichem und nach Seelenhunger usw. zu fragen oder umgekehrt nach Gewohnheit und Ermüdungserscheinungen, um stärker inne zu werden, wie sehr man von einer tiefgreifenden Dekadenz vieler spätmittelalterlicher Klöster im Unterschied zur Gründerzeit sprechen muß. Die Tatsachen und die Problematik, die sich im Begriffspaar ‚Konventualen und Observanten' darstellen, und die sich am grellsten im Kampf gegen die Reform (leider auch im Kampf für sie) offenbaren, werden wir gleich kennen lernen.

Für die B e n e d i k t i n e r gesteht Redlich (S. 16. 20 ff.), daß im 14. Jahrhundert und zu Beginn des 15. „im allgemeinen . . . die Klöster der Kölner und Trierer Ordensprovinz . . . immer mehr ihrem eigentlichen Beruf entfremdet waren. Da es Visitationen so gut wie nicht mehr gab, konnte, bzw. mußte der Verfall seinen Lauf nehmen (S. 22). Die durch das Konstanzer Konzil (dazu allgemein oben S. 10!) begonnene Reform aber darf nicht überschätzt werden, denn sie war z. T. nur Schein und hatte entsprechend Scheinerfolg. Jedenfalls war vorher und nachher von starkem religiösem Feuer nichts zu merken. Die eindringlichen Selbstanklagen im Einladungsschreiben zum Reformkapitel nach Petershausen über die monachalis pernicitatis abusiones (ebd. 8) können gewiß nicht als peinlich genaue Wiedergabe des Tatbestandes im einzelnen gelten; aber für die Wirklichkeit einer ernsten Reformbedürftigkeit sind sie vollgültiger Beweis, oder die Worte haben keinen Sinn mehr. Das Baseler Konzil, dessen Klage an Abt Rode (ebd. S. 17²) vielleicht an sich weniger zuverlässig wäre, bestätigt nur jenen Tatbestand und gewinnt dadurch sein Gewicht. Wenn in adligen Benediktinerabteien wie Reichenau und Elwangen die Mönche gelegentlich nicht mehr Profeß ablegten, sondern nach einer gewissen Zeit in die Welt zurücktraten, um zu heiraten, dann kann man darin leider nicht nur bedeutungslose Episode

213

sehen. Allzusehr klingt derartiges zusammen mit der weitest verbreiteten unreligiösen oder unmonastischen Gesamtauffassung des Lebens in adeligen Klöstern: sein Leben feudal zu sichern und zu genießen.

An diesen Zuständen änderten die Reformbewegungen des 15. Jahrhunderts vieles; aber sie änderten es nicht durchgreifend im Sinne des christlich immer entscheidenden Neu-werdens. Wir kommen gleich darauf zurück.

Doelle hat in seinen stoffbeladenen Darstellungen über die deutschen F r a n z i s k a n e r viel getan, um das Bild des damaligen Klosterlebens bei den Söhnen des heiligen Franz in helleren Farben zu zeichnen. Seine Studien über die Aufhebung von Altenburg und Zwickau, über die Martinianische Reform und über Henning haben darin viel erreicht (s. unten). Aber auch s e i n e Skizzierung des Lebens in den Klöstern Danzig, Braunschweig, Lauban, Schweidnitz, Riga, Berlin, Wittenberg, Kiel, Bremen etc. etc., stellt immer wieder die Vernichtung des gemeinsamen Lebens, die Verachtung der Klausur, die leichtsinnige Übertretung der Gelübde, die Abkehr von der Armut, weltliches Leben im Kloster bis zu Hochzeiten, Rechtstagen und Geschäftsverhandlungen bis zu schwerem Ärgernis um die Jahre 1480/90 fest (Doelle, Martinianische Reform 138. 139. 141. 83).

Von Wichtigkeit für die Feststellung des moralisch-religiösen Zustandes in den Klöstern ist auch Kraft oder Schwäche des g e i s t i g e n Lebens[15]. Der Verfall der Klosterschulen im späten Mittelalter gehört zu unserm Fragenkomplex.

Braun (S. 88) unterscheidet bedeutsam dahin, daß dieser Verfall nicht ohne weiteres mit einem Nachlassen des Bildungseifers und einem Erlahmen jeglichen wissenschaftlichen Strebens in den Klöstern gleichzusetzen sei, sondern z. T. aus der Ablösung der Klosterschulen durch andere Schulformen (besonders Hochschulen) verstanden werden müsse. Das ist zuzugeben. Man wird aber die einschränkenden Partikeln ,ohne weiteres' und ,jeglichen' schon bei Braun selbst beachten müssen. Außerdem ist der Verfall der K l o s t e r s c h u l e n zum mindesten nicht ein Ausdruck von Kraft und Leben. Wenn etwa der Verfall der Schule wie in Einsiedeln durch das allmähliche Aussterben der Abtei zwangsläufig mitgegeben ist, dieses Aussterben aber wiederum verschuldet ist durch die egoistische, hochadelige Exklusivität des Klosters der Pfründen wegen,

---

[15] Nicht allerdings im Sinne des sokratischen Irrtums, den die Humanisten so oft vertraten, und dem ihr Leben oft eine schlagende Widerlegung war. Der Irrtum findet sich auch bei dem Reformabt Trithemius. Diese Feststellung hinwiederum darf aber nicht dazu verleiten, seine offenbar rhetorisch stilisierten Anklagen gegen den Klerus (Auszug bei Gieseler) in Bausch und Bogen zu verwerfen. Die dort gerügte Unwissenheit, Ungeistlichkeit des niederen Klerus, die Nachlässigkeit der Bischöfe in der Sorge um die Qualität des Klerus sind so massiv vorgetragen, daß schon ein Teil davon genügt, um im Munde des reformeifrigen Mannes eine starke Zersetzung unter Beweis zu stellen.

214

dann ist jede aufhellende Deutung hoffnungslos. Dann ist letzten Endes also doch „innere Erschlaffung" (Braun 89) die Signatur. „Im 15. Jahrhundert erlosch auch in St. Blasien jede geistige und literarische Tätigkeit. Die Schule wurde für gering genug erachtet, um sie Weltpriestern zu überlassen" (Braun 88). Wären die Mönche in sich geistig oder gar wissenschaftlich lebendig gewesen, bzw. geistig bewegt von den Hochschulen zurückgekommen, hätte derartiges doch wohl nicht geschehen können. Analog ist in anderen Fällen zu entscheiden.

Auch mit der Feststellung eines starken wissenschaftlichen Strebens (durch enormen Zustrom zu den Universitäten) ist lediglich der Vorwurf abgewiesen, es sei dieser Klerus des Spätmittelalters geistig ganz versumpft gewesen. Das eigentliche Problem beginnt erst mit der Feststellung der A r t des Bildungsstrebens. Die Antwort lautet ganz eindeutig dahin, daß die Theologie unter-, die Jurisprudenz aber überbewertet wurde (Braun 98; s. unten).

Eine Schwierigkeit in der Beurteilung des inneren Lebens der Klöster ergibt sich, wenn — wie üblich — der Inhalt des Armutsgelübdes als in den verschiedenen Orden identisch angenommen wird. Und doch erscheint bei den Klosterreformen etwa der Benediktinerinnen und der Klarissen die Forderung der persönlichen Armut und auch der Klausur a u ß e r - o r d e n t l i c h verschieden abgestuft. Schon im 13. Jahrhundert hatte Innozenz IV. den Benediktinerinnen der Reichsabtei Rijnsburg das Recht gegeben, Erbschaften anzutreten. Im 14. Jahrhundert durften sie allen Rechtens Geld, Schmuckstücke und sonstige Wertgegenstände als Geschenk annehmen, durften Leibrenten, Häuser und Grundbesitz erwerben (Hüffer 29 f.). Auch die Reform des 15. Jahrhunderts brachte für Rijnsburg verhältnismäßig milde Vorschriften (6. 4. 1454; ebd. 90 ff.). Entsprechend wurde auch kaum eine Besserung erzielt. Das Hauptübel war nicht beseitigt, die Idee des klösterlichen Lebens war nurmehr ganz unrein gesehen: die Auffassung vom feudalen Kloster als einer adeligen Versorgungsanstalt blieb; es blieb auch der Einfluß des Adels, und es konnte der „Verweltlichung nicht mit bleibendem Erfolg gesteuert werden" (93).

Für das Klarissenkloster Söflingen liegen die Dinge seit Beginn des 14. Jahrhunderts (Miller S. 18 f.) ähnlich. Im Jahre 1469 verkauft etwa die Äbtissin einen Klosterhof an zwei Insassinnen des eigenen Klosters auf Lebenszeit. Es handelt sich um ein Objekt von 200 fl. rh. (Miller 31).

Die auf dem Baseler Konzil und in Rom gegen dieses Kloster vorgebrachten Verdächtigungen belegen instruktiv, wie wenig skrupelhaft man gelegentlich eine Reform zu begründen wußte, leider auch, wie leicht falsche Behauptungen vom Konzil und von der Kurie aufgegriffen wurden (s. unten S. 221 f.). Sachlich ist darauf hier nicht einzugehen. Miller hat diese Allgemeinheiten entkräftigt und die greulichen Schlußfolgerungen

215

aus dem falsch übersezten ‚praegnantes' (= hochmütig; nicht: schwanger) endgültig vernichtet.

Aber wir besitzen die zahlreichen ‚Liebes'-Briefe von Franziskanern an Söflinger Nonnen. Seelenfreundschaften dieser Art sind uns aus dem 14./15. Jahrhundert am bekanntesten aus den Kreisen der Mystiker bzw. der Gottesfreunde[16]. Im Söflinger Fall nimmt die Intimität schriftlich beträchtlich zu und kleidet sich in ein doch seltsames Liebesgesäusel. Es bleibt durchaus bei der schriftlichen Annäherung, deren Tatsache z. T. auch den Mitbrüdern und Mitschwestern bekannt war. Etwas direkt Anstößiges kommt in den Briefen keinesfalls vor. Weder bei den von Miller angezogenen Straßburger Prozessen noch in Söflingen fand eine Begegnung der Partner im inneren Kloster statt; es blieb bei den Briefen und in einigen Fällen bei den zu häufigen Treffen am Redefenster. Trotzdem muß man, auf unser Problem abhebend, sagen, daß auch hier sich zum mindesten eine Verflachung, eine Verwässerung des Ordenslebens zeigt (etwa im gewaltigen Unterschied zum Verhältnis Franziskus-Klara, oder Seuse-Elsbeth Stagel).

Einen ähnlichen Eindruck vermittelt der sachliche Inhalt der Briefe. Sie weisen eindeutig auf geistigen Tiefstand. Aus keinem dieser Briefe, die sie schreiben und empfangen, erfahren wir auch nur irgend etwas von geistiger Betätigung der Nonnen (Miller 109).

Schlimmer ist folgendes: im Umkreis dieser Klarissen und Barfüßer gibt es eine ungewöhnliche Fülle von Intrigen, üblen Nachreden, von Abneigung, von Haß und Verwünschungen (Miller S. 86. 90. 101 f.), von gelegentlichem Drohen mit dem Austritt aus dem Orden (S. 100), von Schimpfworten (S. 99), es zeigt sich bewußtes Hinweggehen über Bestimmungen des Provinzials (S. 98), das Anprangern des einen Pfarrers durch den anderen (S. 97), böswillige Verletzung der einen Schwester durch die andere (S. 93). Wenn auch das Meiste auf das Konto des einen Paares Wind-Suntheim kommt, so bleibt doch für die Gegenspieler noch manches übrig (übrigens blieb Wind Lesemeister im Würzburger Kloster, d. h. es wurde ihm eines der wichtigsten Ämter im Kloster abermals übertragen). Wir stoßen weiter auf Mißgunst des bisherigen Beichtvaters zu Söflingen, Hans Ganser, weil Wind die Beichtvaterstelle in Würzburg bei den Klarissen erhalten hatte, die sich ihrerseits vor Freude hierüber kaum kannten (S. 102). Ein Würzburger Pater Heinz wollte die Beichtvaterstelle in Söflingen haben; er war nicht abkömmlich; auf jeden Fall sollen aber die Nonnen verhindern, daß ein Pater Fuchs, von ihnen gehässig der rote Fuchs genannt, die Stelle bekomme. Kommt er doch, sollen

---

[16] Weitere Belege aus Oehl, Mystikerbriefe S. 684 bei Miller S. 79 f. Als eine Art geistlicher Ehe in einer Eingabe der Observanten in Konstanz zwischen Franziskanern und Klarissen bezeugt: filias suas habent deputatas (= anvertraute) et quasi ad sponsales nuptias opulenta convivia faciunt. Ebd. 80, 82, 84, 89. Vgl. C. Schmitz, Konventualen S. 34. Für Minnebriefe bei den Fraterherren vgl. Oehl 461.

die Nonnen, die Beichtkinder, sich ihm nicht nett erweisen (S. 102). Wir begegnen dem frommen Wunsch gegen einen Unbekannten „der tiuffel müß sy ußsegen" (S. 102. 226); wir finden Eifersucht bei den Nonnen (S. 102. 226), Eifersucht und wilden Haßgroll beim Pater, der den verhaßten gegnerischen Patres in Ulm den Pesttod anwünscht (S. 104).

Die Quelle all dieser Unarten ist durchaus der Privatbesitz im Kloster, auch ungenügende Klausur, Zerfall der vita communis. Diese Ursachen haben in der adeligen Reichsabtei Rijnsburg ebenfalls zu einer „nicht abzuleugnenden Verweltlichung" in dem Sinn geführt, daß die dortigen Nonnen sich tatsächlich, wenn auch nicht offiziell, nicht mehr als Nonnen fühlten, sondern als Insassen bzw. als Inhaberinnen eines adeligen Frauenstiftes. Und doch werden wir wieder vor schneller Verallgemeinerung gewarnt: in diesem selben, stark verweltlichten Kloster blieb das nächtliche Chorgebet in Übung bis ins 16. Jahrhundert; damals nahm unter der von Karl V. gegen den Willen einiger Nonnen nominierten stark verweltlichten Äbtissin Maria v. Tautenburg der Zerfall des religiösen Lebens schnell zu (1535; Hüffer 33. 149). Im Jahre 1536 unterbreiteten die Nonnen Karl V. die Bitte, das Kloster wirklich in ein adeliges Kanonissenstift umwandeln zu dürfen. Da die Genehmigung anscheinend hinausgezögert wurde, schlossen die Nonnen der Abtei einen Vertrag unter sich selbst (Konventschwestern-Äbtissin) zur Regelung der Pflichten und Rechte. Das Klosterleben wurde äußerlich beibehalten, aber die gewünschten Erleichterungen wurden eingeführt, besonders eine größere finanzielle Selbständigkeit (die Äbtissin erhielt fast das Zwanzigfache einer Nonnenpfründe; es gab eigene Küchen der einzelnen Schwestern, eigene Speisen, eigene Dienerinnen, auch wenn noch gemeinsam gegessen wurde. Seit 1545 gab es auch Präsenzgelder für das Chorgebet, um die Teilnahme daran zu heben. Aber um diese Zeit stellen wir auch eine besonders große Wohltätigkeit fest).

Die Tatsache einer Klosterreform besagt an sich noch nicht eine echte Bereinigung der beklagten Zustände. Die Reform muß b e w e r t e t werden. Dabei sind sowohl zu befragen die Begründung der Reformnotwendigkeit, die Persönlichkeiten derer, die die Reform durchführten, die Art ihres Vorgehens, die Reaktion der Klosterinsassen, und endlich der Erfolg.

Es gab, wie allbekannt, im 15. Jahrhundert echte und tiefgreifende Reform. Ein Teil der Franziskanerobservanten legt davon besonders rühmliches Zeugnis ab. Eine Visitation des reformierten und nun aufgehobenen Klosters Altenburg im Jahre 1529 bewies, daß dort nur ein einfachstes Leben nach Wohnung und Nahrung möglich war (man fand auch wenig Paramente) (Doelle, Kursachsen 22). Das reformierte Kloster in Zwickau bat 1485 den sächsischen Kurfürsten: wegen der eingeführten Reform möge er die Zinsen für Vigilien nicht mehr an sie auszahlen, da sie Zinsen, Renten und sichere jährliche Einkünfte ohne Gewissensbeschwerde nicht mehr annehmen dürften (ebd. S. 42). Am 27. September 1491 leistete der ganze Zwickauer Konvent mit Zustimmung des Ministers und des Visitators zugunsten des Zwickauer Rats wegen der Observanz vollständig Verzicht auf alle Zinsen, die ihnen für erbliche Begängnisse und Jahrgedächtnisse gestiftet worden waren (ebd. S. 42).

Daß eine noch heute vorhandene ungewöhnlich reiche Bibliothek als Zeugnis genommen wird dafür, daß im Dominikanerinnenkloster St. Katharina in Nürnberg seit seiner Reformierung 1428 wieder ein starkes religiöses Leben begann[17], kann man gelten lassen. Es ist auch richtig und wichtig, wenn Redlich (S. 47) die klösterlichen Gebetsverbrüderungen zu den untrüglichen Zeichen der Reformen zählt. Es ist also bedeutsam, daß man auch bei der Reformierung von St. Matthias „wieder mit großem Eifer die Verbrüderungslisten genau zu führen" begann. Aber: hier wie dort kam alles an auf den Gebrauch, den man davon machte. Bei den Gebetsverbrüderungen insbesondere kam alles auf den Geist der Innerlichkeit an; es muß genau gefragt werden, ob sich der Lohn- und Verdienstgedanke rein erhielt oder ob er sich moralistisch in den Vordergrund drängte. Das hat Redlich nicht untersucht. Die Problematik der frühgermanischen Missionierung könnte den Blick für diesen Aspekt schärfen. (Vgl. meinen Aufsatz: Untersuchungen zur Missionsmethode und zur Frömmigkeit des heiligen Bonifatius nach seinen Briefen. Teil 1: Willibrordus. Echternacher Festschrift Luxemburg 1940 S. 247—83; Teil 2: Tübinger Theol. Quartalschr. 1940, 133—167.)

Denn es gab ja genug Scheinreformen (Abt Rode weiß davon), „bei denen es bei bloßen Worten bleibe, wie in einer gewissen Provinz, in der nach sovielen Jahren keine Erfolge, aber viele Ärgernisse und Mißstände" sich zeigten (Redlich S. 82 f.). Auch ein Ordenskapitel ist noch kein Beweis für wirkliche Reform. Der ernste Rode warnt auch hier. „Ich kenne die Gesinnung der Kölner Äbte, die durch diese Versammlung (Ordenskapitel) eine Reform vorschützen, damit sie der tatsächlichen Visitation entgehen könnten" (ebd. S. 84. vgl. 93).

Solchen Äbten erwuchs gelegentlich willkommene Hilfe von ihrem Bischof, dem die Kirchenhoheit wichtiger war als die Reform. So etwa verhinderte der Bischof von Lüttich die Heranziehung fremder Visitatoren, ja er verbot den Äbten seiner Diözese, am Provinzialkonzil teilzunehmen. Der Grund: er stand zu Eugen IV. gegen Basel, das die Reform durchführen wollte. Das bedeutet also: Das Schisma zerstört seine eigene Arbeit; das Schisma verhindert die notwendigen vom Konzil selbst gewollten Reformen.

Man sieht auch aus diesen Details: eine Fülle von uneinheitlichen

---

[17] Nach Ruf Paul, Mittelalterliche Bibliothekskataloge Bamberg 3, 3, 1939 S. 570: 600 Bücher, fast alles d e u t s c h e Handschriften. Theologische Revue 1941, 76.

218

Kräften prägten damals das klösterliche Dasein. Ähnliches gilt für die Reform des Weltklerus. Vincke (S. 146) meint: „Die Archidiakone, Dechanten, Offiziale hatten in Zensuren und Geldstrafen alle erforderlichen Zuchtmittel in der Hand." Nun, mit solchen Prämissen käme man zu einer seltsamen Definition des christlichen Lebens. Vor allem: mit den Zuchtmitteln besaßen jene Instanzen nicht auch schon die Aufbaumittel. (Eindringlich beweisen das viele Reformvorschriften, die sich erschöpfen in einem „Verboten ist!") Braun seinerseits stimmt Haller zu: die Reformen waren „im Grunde nichts als Anwendung des Kirchenrechts". Sehr richtig. Aber dann bleibt weiter in unendlich vielen Fällen die Klage darüber, daß dieses Kirchenrecht praktisch oder gar grundsätzlich (durch kirchenrechtliche Erlasse der Kurie) durchbrochen wurde. Auch das stimmt, daß der Ruf nach Reform so alt ist wie die Kirche selbst (Braun 160), und die Tatsache ist sogar hoch wichtig (und sie beweist, wie sehr das Problem der ‚Mißstände' ein Hauptanliegen der Kirche ist). Irgendwie ist der Ruf nach Reform immer auch eine positive kirchliche Kraft. Aber, wenn die Analyse einen bestimmten Tatbestand wirklich erhellen soll, sind doch eine Fülle von Voraussetzungen anzumerken. Und die Hauptsache: fand der Ruf tatkräftige Erfüllung? Oder war er stereotyp und blieb ohnmächtig?

Wie wichtig es ist, so zu fragen, ergibt sich in besonderer Eindringlichkeit aus dem hoffnungslosen Erliegen geradezu bester Reformbischöfe, etwa bei Johann III. Windlock in Konstanz, der sich gegen die von ihm bekannte ‚allgemeine Verwahrlosung des Klerus' und ‚die kirchliche Verderbnis' trotz seines sich ‚dagegen aufbäumenden Widerstandes' einfach nicht durchzusetzen vermochte, und auf dessen Reformansatz zunächst ein starkes Versanden der Reformbestrebungen unter H. v. Brandis („Phlegma des saturierten Adels") folgte (Braun 162 f.).

Die enorme Arbeit des bedeutenden, geschickten, liebenswürdigen und unermüdlichen Karthäuser-Benediktiners Johannes Rode brachte es zu echten Reformen. Aber es gab weder einen Massenerfolg, noch zeigte sich die schöpferische Idee. Gewiß war das 15. Jahrhundert mit ‚schuld' daran; aber, daß dieses Jahrhundert schwerer, langsamer, weltlicher reagierte: das gerade ist ‚Mißstand' (Redlich 102).

Die mannigfachen Reformansätze in Konstanz für das 14. und dann steigend für das 15. Jahrhundert zeigen in den Diözesan- bzw. Synodalstatuten zwar, daß gewisse Mißstände im Pfründenwesen (Besetzungsart; ungenügendes Einkommen; Auspressung inkorporierter Pfarreien; mit immer neuen Methoden versuchter Kumulus) zurückgedrängt wurden, aber sie offenbaren so gar keine echt erneuernde religiöse Kraft, die einen wirklichen Einschnitt bedeutet hätte (die Ausnahme des ermordeten Bischofs Johann III. Windlock und ihr Schicksal erwähnten wir schon). Da ist viel Ernst, viel guter Ansatz, vieles kennen wir wohl auch nicht;

es liegt (bis auf den Wortlaut früherer Statuten) manchmal sogar direkt u n e r m ü d l i c h e s Fahnden nach Mißständen und viele reformatorische Kleinarbeit vor, aber kein Ausbrechen aus den bisherigen Bahnen.

Die Regesten über die Regierung des Konstanzer Bischofs Heinrich IV. von Hewen „sind streckenweise ein ausschließliches Skandalregister". War also damals die moralische Verwahrlosung besonders schlimm? Braun schließt aus dem Tatbestand mit Recht, daß damals nur fest zugegriffen und „die Eiterbeulen rücksichtslos aufgestochen" wurden (S. 168). Gut! Aber dann ist man auch verpflichtet, den umgekehrten Schluß für die vorhergehende Zeit zu ziehen: daß ‚man' nämlich damals die Dinge bis zu einer schlimmen Tiefe hatte treiben lassen. Braun hat Recht: das stärkere Bekanntwerden von Delikten ist noch nicht Beweis für den Tatbestand ‚schlechter als früher'. Aber das heißt weder: früher war es nicht schlecht; noch beweist es, daß die damalige ehrenwerte Reformarbeit durchdrang.

Darüber hinaus ist zu fragen, w a r u m denn soviel echter persönlicher Eifer nicht endgültiger durchdrang? Offenbar, weil ein einzelner Mann oder die Regierungszeit eines einzelnen Bischofs gar nicht mehr genügten, um durchdringen zu können[18]. Dies aber wegen der so weit vorgedrungenen und vielfach im herrschenden System verankerten Zersetzung (s. oben S. 10 ff.). Braun hebt hervor, daß Bischof Otto von Konstanz „tat, was noch kein Bischof vor ihm getan hatte, indem er selbst auf die Kanzel stieg und eine Predigt an seinen Klerus hielt" (S. 177). Aber dann muß man wiederum konsequent weiterschließen: also war die noch so tüchtige Reformarbeit der früheren Bischöfe zu sehr Verwaltungsarbeit und nicht religiöse Verkündigung. Echte Reformarbeit im Christentum m u ß die religiösen Kräfte des Gebetes und der Sakramente, das Leben aus dem Glauben, in Aktion setzen. Davon aber finden wir in der Reformarbeit der Konstanzer wie der andern damaligen Bischöfe wenig. Es ist noch kein Beweis für echte Reformarbeit, wenn in einem Erlaß einer bischöflichen Kurie die Rede ist von den ‚großen Nachteilen für das Heil der Seelen', die durch mißbräuchliches Verlängern des Interdiktes entstehen (Braun 164). Es kommt auf den Geist an. Gerade in diesem angezogenen Fall ist der Autor religiös-reformerisch ganz kraftlos, so daß die Äußerung als Beleg für r e l i g i ö s e n Reformeifer nichts besagt.

Wir wissen, daß sich schärfste Opposition der Konventualen gegen die Reformversuche des 15. Jahrhunderts erhob. Wie ist sie innerhalb

---

[18] Nicht selten fehlte in den Reformbestrebungen oder auch in dem, was sich dafür ausgab, der Blick für das Wesentliche. Das mindert dann vielleicht nichts am guten Willen der Reformer, enthüllt aber ihre geringe Kraft zum großen Werk, und ergänzt so wiederum unser Bild von der spätmittelalterlichen kirchlichen Unsicherheit. Daß man sich in Basel so viel und so unfruchtbar über Details der Nahrung und Kleidung der Mönche stritt, gehört in aufschlußreicher Weise hierher. Redlich S. 44 nach Haller, Conc. Bas. 1, 82.

unseres Fragenkomplexes zu bewerten, bzw. was lehrt sie für das genauere Erfassen der Mißstände?

Zunächst: die Gegenwehr der Konventualen ist nicht leicht adäquat zu erfassen. Das Entgegenkommen manches Franziskanergenerals oder Provinzials gegenüber den Wünschen stark verweltlichter Klöster geht überraschend weit. Die Haltung erscheint manchmal direkt zweideutig. So etwa, wenn der Franziskanergeneral Zanetto da Undine, nach oder neben seinen sehr liberalen Privilegien für die Klarissen in Söflingen eine andere Urkunde (zu seiner Salvierung?)[19] erläßt, die unvereinbar gegensätzlich zu jenen Privilegien steht. Dieser Gnadenbrief forderte geradezu zur Lässigkeit gegenüber der Ordensregel auf, erlaubte ausdrücklich Privatbesitz für damals und später, begünstigte also direkt die Auflösung der vita communis (Miller 31 ff.).

Auch im Kampf um die Observanz bei den Dominikanern kann man solche Inkonsequenz beobachten. Das Dominikanerkloster in Wesel wußte sich den sehr vielfältigen Reformversuchen gegenüber zeitweilig „die Hilfe des Provinzials, des Ordensgenerals der Bürgerschaft", zu sichern (Rensing 51).

Klosterreform ist eine ernste Angelegenheit. Sie kann selbstverständlich nur innerhalb der Wahrhaftigkeit und Liebe echt sein. Die Wirklichkeit im Umkreis mancher spätmittelalterlichen Reformen ließ hier nicht wenig zu wünschen und wird uns dadurch verdächtig. Häufig wird die Reformnotwendigkeit skrupellos begründet. Das Baseler Konzil verlangt Oktober 1434 die Reform von Söflingen, weil einige Minoriten unter dem Vorwand der Visitation und dergleichen häufig das Kloster besucht und mit einer großen Anzahl junger Männer da längere Zeit verweilt, auch innerhalb der Mauern übernachtet und durch Scherze, Laszivitäten und Gespräche die Schwestern von der Ordensregel abgehalten h a b e n s o l l t e n. Das gleiche taten Ordensobere wiederholt (Generalkapitel 1411 zu Rom; Provinzial Jodocus Langenberg [1415—38], ein besonderer Eiferer für die Reformierung der Provinz Straßburg).

Es ist ebenso begreiflich, daß die falsch Angeklagten — wenn auch sonst Reformbedürftigen — sich zur Wehr setzten. Als man den Söflinger Nonnen die Baseler Bulle erläutern wollte, machten sie Lärm, hörten nicht zu, verschlossen die Klausur. Das wiederholte sich zweimal (ebd. 24). Die in der Anklage vorliegende Unwahrhaftigkeit, ja Verleum-

---

[19] Vgl. das Einfügen gewisser das Gewissen salvierender Einschränkungen in diesem laxen Privilegienerlaß: ‚soweit meine Gewalt reicht'; ‚Almosen' zu ‚ordensgemäßem Verbrauch' (Privateigentum). Beispiele von ähnlich fregebigen Provinzialen ebd. 32, Anm. 67. Zanetto da Undine ist in Austeilung von Privilegien den Ulmer Bürgern und ihrem Pfarrer verdächtig ausgiebig entgegengekommen, direkt zum Unheil des Klosters und des Ordens. Außer dem Gesagten: er gestattet den Ulmern, von sich aus zwei Pfleger zum Schutze der zeitlichen Güter des Klosters Söflingen zu bestellen. Der Pfarrer darf zwei Franziskaner, von wo er will, als Kapläne in sein Haus nehmen und als Begleiter haben.

221

dung (Miller 28), deutet an, wie religiös schwach die Kräfte waren, welche die Reform durchzuführen unternahmen. Sie erwiesen sich selbst als vom ‚Mißstand' belastet[20].

Die Sache der Klosterreform war damals vielfältig mit ·Egoismus belastet durch ränkereiches und bedenkenloses Intrigenspiel mit allen Mitteln bis zur Bestechung verweltlichter Kurialen durchgeführt. (HJG 277). Also war diese Arbeit in sich wie im Bewußtsein der Konventualen in ihrem Wert und in ihrer Berechtigung heruntergesetzt. Wenn der Ulmer Gesandte in Rom, Locher, mit der Haltung des gemeinen Mannes operiert, „der ein solches Wohlgefallen an der Reformation habe und der das unobservante Leben der Brüder und Nonnen nicht dulden werde" (HJG 289), so ist dies Motiv im Munde dieses skrupellos dem Ulmer Egoismus dienenden Abgeordneten ohne weiteres religiös bedeutungslos.

Umgekehrt ist natürlich mit diesen Feststellungen die Haltung der die Reform Verweigernden noch nicht als etwas Hochwertiges festgestellt. Es bleibt vielmehr bedenklich, wenn das Gegeneinander von Mitgliedern derselben Ordensfamilie so bewußt gepflegt und vorausgesetzt wird wie zwischen Konventualen und Observanten, und wenn dementsprechend ein Barfüßer renitente Nonnen zur Verweigerung der Reform anleitet. Das steigert sich, wenn als Mittel zum Widerstand gegen die Reform das Mittel empfohlen wird, das wir schon kennenlernten: den Beichtvater und die Beicht abzulehnen (Miller 29).

Das Schlimmste ist wiederum, daß die ganze Angelegenheit von seiten der Konventualen sehr oft so behandelt wird, daß die Fragen des Religiösen, des Vollkommenheitsstrebens überhaupt nicht, auch nicht von ferne anklingen (es sei denn in rein persönlichen Bedrängnissen, wo allgemein christlich das Vertrauen auf Gott und das Gedenken im Gebet eben zur Andeutung kommt). Von b e i d e n Seiten zeigt die A r t des Kampfes Observanten-Konventualen eine religiös unterwertige Haltung: die gegenseitige Verketzerung, die unbedenkliche Art der Mittel entsprechen wenig den evangelischen Forderungen, ja nicht einmal den positiven, sogar unter schwerer Strafe verpflichtenden kanonischen Vorschriften. Das heißt: auch hier zeigt sich das wichtigste Kennzeichen jeder Dekadenz, die Aufspaltung zwischen Idee und Wirklichkeit.

Besonders fragwürdig wird erfahrungsgemäß allemal der Wert der angestrebten Reform, wenn sich die weltliche Obrigkeit gar zu geschäftig ihrer annimmt. Doch gelingt es auch hier nur einer weiteren Diffe-

---

[20] In der gleichen Richtung könnte weisen die immerhin nicht ungefährliche, zur Verallgemeinerung verlockende Zusammenkoppelung, ja Gleichsetzung von ‚observantia' und ‚honestas', von Nichtobservant und inhonestus im Schreiben des päpstlichen Legaten, des Bischofs von Castelli, Miller 39. Volle Sicherheit könnte nur eine systematisch durchgeführte wortgeschichtliche Untersuchung über derartige Zusammenkoppelungen bringen.

222

renzierung, den Reformeifer als echt zu bejahen oder ihn als ungenügend zu erweisen.

Die weltlichen Herren hatten zunächst vielfach kein Interesse an einer Rückkehr der Klöster zur Observanz, weil die laxere Art der Insassen ihnen den Zugriff in vieler Hinsicht erleichterte: durch deren Verkehr mit der Außenwelt und umgekehrt; durch Kauf, Verkauf, Vererbung . . . (vgl. den Fall des Dominikanerklosters in Wesel bei Rensing 54). Später wechselten sie die Stellung, weil ihnen die Klosterinsassen durch den gleichen Mangel an religiöser Haltung Vorwand, jedenfalls Handhabe zu einem Eingriff gaben. Mit andern Worten: die Klosterreform spielt eine beträchtliche, aber auch wechselnde Rolle in der langen Arbeit der Stadtobrigkeiten um die Ausbildung eines mehr oder weniger strammen Stadtkirchentums. Längst vor der eigentlichen Reform hatten rechtliche Institutionen oder mehr zufällige, lokal bedingte Verhältnisse den Weg zu dieser Einmischung gebahnt. ‚Für die mittelalterliche Kirchenpolitik der Reichsstadt Ulm war das öffentliche Amt weltlicher Pfleger geistlicher Einrichtungen von größter Bedeutung; mit ihrer Hilfe versuchte die Stadt im einzelnen gewissen geistlichen Einrichtungen ihr exterritoriales Wesen zu nehmen . . . bis zur Ausbildung der Landeskirchenhoheit‘ (A. Schäfer, Forschungen über Ulm 1937 bei Miller 15). Immer mehr treten diese Pfleger, ‚Hofmeister‘, ‚Klosterpfleger‘ auch auf in allen Verhandlungen, die das Verhältnis des Klosters zu seinen Untertanen (Dorf oder Hofinsassen) betreffen. Die Denkwürdigkeiten der Charitas Pirkheimer machen uns mit solchen Pflegern bekannt, die in echt mittelalterlich-r e l i g i ö s e r Bindung sich als aufrichtige Treuhänder des Klosters betrachteten. Aber daneben lernen wir bei ihr auch und vor allem solche kennen, deren Arbeit stärkstens oder nur von städtischem Egoismus geleitet war. Auch der Wert des Reformeingriffs der Ulmer in das Kloster Söflingen wird beträchtlich herabgesetzt durch die stark egoistischen Ziele der sie betreibenden weltlichen Obrigkeiten und ihres von moralischen Hemmungen unbeschwerten Vorgehens in Rom (oben S. 221 f), das hierin freilich der Haltung der Nonnen nur gleichwertig war. Denn die Konventualen erwirkten, daß die für die Reformpartei ausgestellte Bulle dieser nicht ausgehändigt wurde; vielmehr erlangten sie selbst eine Bulle, die ihnen Schutz vor den Zugriffen der Reformpartei zusagte. Kaum hatten sie aber im Vertrauen auf ihre Bulle das Feld geräumt, erwarben die Ulmer durch das Eintreten des Kardinals Genzaga auch eine Bulle, deren Inhalt in offenem Widerspruch zu jener anderen stand (Miller 37).

In Zwickau war der Rat im Jahre 1491 (s. oben S. 217f) natürlich mit der Reform sehr gern einverstanden, weil damals der Franziskanerkonvent auf alle festen Zinsen aus Gedächtnissen verzichtete. Der Rat übernahm dafür zwar die Verpflichtung, das ihm übergebene Kapital für die Erhaltung und Ausschmückung der Klosterkirche, Klostergebäude und für Bücher aufzuwenden, aber auf diese Weise hatte er nicht nur das Kapital in der Hand, sondern verfügte zugleich über weitere Zugriffsmöglichkeiten in das Leben des Klosters (Doelle, Kursachsen 42).

In Bern half man sich unter anderm dadurch, daß man mit Hilfe der Kurie ein neues Stift mit großer Kirche errichtete, für deren Propst man bischöfliche Reservatrechte von Rom erbat, um so den Rechtsbereich der Bischöfe in der Stadt zu beschneiden. Denn danach bestimmte etwa der Rat, „daß ohne seine Zustimmung das Stift den Bann nicht verhängen noch handhaben solle". Das war dann freilich viel mehr als ein Kampf gegen die Mißstände, wie Vasella meint (Vasella 10 f.).

In anderen Fällen versuchte der städtische Rat die Klosterreform gemeinsam mit dem Bischof durchzuführen (Beispiele bei O. Vasella, Geschichte des Dominikanerklosters St. Nicolai, Paris 1931, 40 ff., besonders 49 f.). In Konstanz ersuchte Bischof Thomas Berlower die Schweizer Tagsatzung, ihm bei der Reform des Klerus behilflich zu sein (Braun). Aber natürlich diente auch dieser kirchlich korrekte und religiös wertvolle Schritt dem Wachstum des Stadtkirchentums. Da sich dieses Stadtkirchentum so oft als intimer Feind des Kirchlichen erwies, wird auch hier sichtbar, wie kompliziert das Wesen dessen ist, was wir als spätmittelalterlichen ‚Mißstand' anzusprechen haben. Der Befund wird noch komplizierter, wenn der reformierende Kirchenobere eine so unklare Haltung einnimmt, wie wir sie beim General der Franziskaner fanden, der mit den Ulmern zusammenarbeitete (Miller 32).

Bei den Versuchen, Klöster für die Neuerung des 16. Jahrhunderts zu beschlagnahmen, werden diese verschiedenen Mittel stark vergröbert. Im Dezember 1528 glauben die Visitatoren in Altenburg die Aneignung des Franziskanerklosters folgendermaßen rechtfertigen zu können: „weil das Kloster günstig liege, die Brüder zu nichts nütze seien als Zwietracht zu säen, . . . wären sie am besten bei ihresgleichen, die ja zur Gastfreundschaft verpflichtet seien. Dann könne man Pfarrer, Prediger, Kaplan, Schulmeister und Küster im Kloster unterbringen und ihre jetzigen Wohnungen den Bürgern verkaufen" (Doelle, Kursachsen 28). Oder: Wegen „Gefahr der Sektenbildung und anderer Ungehörigkeit . . . sei es nicht gut, wenn innerhalb einer Stadt an zwei Stellen gepredigt und die Pfarrrechte ausgeübt würden. Die zwei Pfarrkirchen lägen aber an der Peripherie der Stadt. Aber das Franziskanerkloster liege mitten in der Stadt. Das Kloster sei auch in Stein gebaut, also brauche es weniger jährlichen Unterhalt . . .; es seien nurmehr 3 (5) alte Mönche: „die monche so noch vorhanden (solle man), mit ziemlicher leibs notdurfft, so ferne sie bleiben wollen versorgen, damit sie nicht Not zu leiden hätten" (Januar 1529; S. 19).

Hier wird der Egoismus kaum noch verschleiert. Ehe man soweit war, wurde nach außen mehr Wert auf dogmatische Verdächtigung gelegt.

224

Immer wieder begegnet da die Unterstellung, die Mönche predigten verführerische Werke, Menschenfabeln, sie übten ‚Traumheiligkeit', ‚lügenhafte, selbsterdichtete Götzendienste entgegen dem lauteren Evangelium', ‚machten aus Gottes Wort Lüge'. Es sei also Pflicht des Magistrats, kein Ärgernis aufkommen, die Gewissen nicht verwirren zu lassen, also unchristliche Predigt zu verbieten, die einen andern außer Christus predigten. (Doelle Kursachsen 11 ff.) Die Massivität der verallgemeinernden Verdächtigungen springt in die Augen. Wir sind berechtigt, von hier aus die Zuverlässigkeit früherer Anwürfe desselben Rates gegen Klerus und Mönche in Frage zu stellen, wenn sie nicht durch andere, unverdächtigere Faktoren gestützt sind. (Was den Inhalt der benutzten Schlagworte betrifft so enthüllen sie die gefährliche Einseitigkeit der reformatorischen Predigt, zeigen freilich auch das Zentrale an ihr, verweisen uns anderseits auf mancherlei Peripherisches in der zeitgenössischen katholischen Verkündigung, von dem sie abrücken.)

Nicht alles in diesen vorreformatorischen und reformatorischen stadtkirchlichen Bestrebungen braucht als u n m i t t e l b a r e r und grober Egoismus aufgefaßt zu werden (vgl. Miller 22). Aber das bleibt: der Eingriff wurde allzusehr in die Schicht des Ringens um wirtschaftliche Rechte herabgezogen. In diesem Bereich erklärt sich mancher heftige Widerstand gegen eine Reform sehr wohl, ohne daß man ihn unmittelbar als religiösen Mißstand ansprechen dürfte. So kamen manche Reformen nur zur Durchführung, weil man die bezahlte militärische Macht zu Hilfe nahm. Das war so in Rijnsburg[21]: die Nonnen gehorchten nur dem Zwang, weil die Reformäbte den weltlichen Arm mit Erfolg angerufen hatten; das war ebenso in Söflingen bei den Klarissen[22] und in Düsseldorf bei den Dominikanern (Rensing 55).

Auch der unter verschiedenen Formen (Domkapitel; Bischofsstühle; Abteien; Adelsmonopol; Kommenden; Laienäbte; Ablaßgelder etc.) sich vollziehende Einbruch des f ü r s t l i c h e n oder gar des dynastischen Egoismus in das kirchliche Gebiet war eine wichtige Ursache der Verweltlichung. Es muß beklagt werden, daß Klostervisitationen für manche Fürsten nur Vorwand und Mittel zur Befriedigung jenes Egoismus waren. Aber der Einbruch fürstlicher Gewalt in den kirchlichen Bereich vollzog sich nicht nur g e g e n die Träger kirchlicher Macht, sondern in entscheidenden Formen (Landes- oder Territorialkirchentum) mit deren Zustimmung und Förderung. Anderseits hängen die großen bene-

---

[21] Der Auftrag (mit detailliertem Programm in der forma reformationis defectuum istius monasterii de Reynsburg) war von Alexander VI. ergangen 24. Juli 1494. Hüffer 96 ff. 112 ff.

[22] Miller 38. ‚Tore mußten gewaltsam aufgebrochen werden. Nur unter Zwang konnten die Nonnen im Kapitelssaal zusammengebracht werden zur Eröffnung der Bulle. Eine Klosterfrau wollte dem Notar die Bulle entreißen. Eine andere stach mit einem Messer nach ihr, um sie zu verletzen und so rechtsunwirksam zu machen. Erst nach Gewaltanwendung wurden Schlüssel und Siegel ausgehändigt.' ebd. 41.

225

diktinischen Reformbewegungen des 15. Jahrhunderts wesentlich auch an der tätigen Mitwirkung von Fürsten. Das ist so bei Otto von Ziegenhain von Trier in der Zusammenarbeit mit Rode, beim Herzog von Braunschweig, Otto dem Einäugigen, als Mitarbeiter von Johannes Dederoth von Minden (für Kloster Klus), bei der Unterstützung Albrechts V. für die Reformierung von Melk (Redlich 64).

Wenn die Absichten der reformierenden Kräfte teilweise so wenig rein waren, wenn selbst das kirchliche Recht zu einem Eingriff oft so wenig eindeutig vorlag, wenn endlich dem Zwang eine so große Rolle bei ihrer Arbeit zufiel, wurde es sinnvoll, daß sich viele Klöster die erwähnte energische Gegenwehr gegen eine solche Reform leisten. Nach der oben angezogenen erzwungenen Reform in Rijnsburg setzte sofort ein stiller, zäher Kampf ein, der die Reform schon nach zwei Monaten zu Fall brachte (Hüffer 96 ff. 112 ff.). Der Kampf selbst entlarvt allerdings wieder die ungenügende religiöse Substanz. Eben Rijnsburg versuchte sich durchzusetzen mit Hilfe eines ausgeklügelten juristischen Gutachtens, das auf die religiösen Belange gar nicht eingeht (vgl. Hüffer 110 f.). Es zeigt sich die gleiche formaljuristische Haltung, die wir in den spätmittelalterlichen kirchlichen Verfassungskämpfen zu beklagen haben. Auch hier liegt nicht ohne weiteres eine subjektive Schuld der Nonnen vor. Sie fühlten sich zu ihrem adelig-weltlichen Leben auf Grund der Privilegien und einer uralten Gewohnheit berechtigt. Das Bestreben von Abteien, die Anerkennung als weltliche Stifte zu erwerben, ist im 15. Jahrhundert weit verbreitet. In der Benediktinerprovinz Mainz-Bamberg allein erreichten elf angesehenste Konvente damals dieses Ziel (Redlich 18). Aber es offenbart sich, wenn schon nicht subjektive Schuld, doch subjektive Schwäche, und vor allem sehen wir vor uns wieder einen starken objektiven Kräfteschwund im kirchlich religiösen Raum. Der Abstand vom Ordensideal wurde nicht mehr gesehen, weil diese Klöster vom eigentlichen Ordensleben nichts mehr wußten.

Die Franziskanerkonventualen in Brieg hetzten fast die ganze Stadt gegen die reformierten Observanten auf; sie beschimpften den Kustos und seine Brüder, warfen Steine aus den Fenstern nach ihnen. Von der Kanzel und auch sonst öffentlich erklärten sie, die Reform werde nur deshalb betrieben, um dem Konvent die Kostbarkeiten abzunehmen (Doelle, Henning S. 4). Daß das ein wichtiger Punkt bei der Reform war, steht fest. Der reformierende Henning fordert auch z. B. die Klarissen in Ribnitz auf „dat se allesampt resigneren, alle clenodia, paternoster, golt, sulver gelt" (ebd. S. 9). Freilich versteht man auch, wie gefährlich gerade dieses Element der Reinheit der ganzen Aktion werden konnte.

Daß nun aber jene Klöster nichts mehr vom strengen Leben nach der Regel wußten, daran trug in weitem Maße bei den vornehmen Klöstern das Adelsmonopol die Schuld. Daß die Klosterinsassinnen ihre

226

adeligen Verwandten zu Hilfe riefen, um nicht in ihren Rechten geschmälert zu werden, war juristisch gerechtfertigt und menschlich verständlich. Aber immer wieder: religiös ist es als Dekadenz zu werten,
wenn die angelegten Maßstäbe von irgendwelchem Vollkommenheits-
streben gar nichts mehr verraten. Um so mehr, wenn der Widerstand sich
in unchristlichen Formen äußert, die die Liebe verletzen. Die Vorgänge
bei der Reformierung in Breslau, die Doelle berichtet, sind dafür instruktiv. Welch ein ungeistliches, unterchristliches Durcheinander in diesem
Klarissenkonvent unter der geistlich unmöglichen, stolzen Äbtissin und
Herzogin Margareta, deren Wutausbruch im Kloster sich steigerte bis
zu dem Fluch: „Bleibt nur sitzen, ihr teuflischen Mönche; alle Teufel
mögen euch besitzen!" (Henning 12). Und dann wurde die Wahl eben
dieser Frau — die auch noch eine sittlich so verheerende Günstlings-
wirtschaft betrieb (ihre Lieblingsschwester vergaß sich außerhalb des
Klosters, bekam ein Kind und wurde aus dem Orden entlassen; ebd. S. 34)
und sich zu ungeheuerlichen Verleumdungen über einen angeblichen
Mißbrauch des Beichtstuhles hinreißen ließ — die Wahl also dieser Frau
wurde wiederholt und sie wurde bestätigt. Schließlich aber verklagten die
Nonnen den reformierenden Minister beim Ordensprotektor. Und der
„befahl . . . bei schweren kirchlichen Strafen, den Schwestern ihre Privilegien und Gewohnheiten zu lassen . . ., keine Neuerungen, die den
Schwestern beschwerlich, ungewohnt . . . seien" einzuführen. Die Observanten appellierten hiergegen an Julius II. Der Papst übertrug aber die
Sache eben dem Ordensprotektor. Und der verurteilte Henning und seine
Brüder[23].

So verfilzt war zum Unheil der Religion Kirchliches und Weltlich-
Staatliches, so sehr säkularisiert war die Kurie, so ohnmächtig waren
die gutmeinenden Reformkräfte. Diese Tragödie spielt in den Jahren
1512—15 (Doelle, Henning 14, 16, 20, 22, 25).

In diese Linie ordnet sich wieder ein die uneinheitliche Haltung vieler
Bischöfe, die, vorwiegend als Landesfürsten denkend, sich den Reformern
feindlich entgegenstellten, wie es Abt Rode passierte, als er vom Baseler
Konzil abermals zur Reform von St. Gallen ausgesandt wurde und
Bischof Friedrich von Konstanz sich ihm widersetzte: er forderte die Stadt
Gallen auf, diesen ganz fremden Leuten nicht die Visitation in seinem
Bistum zu gestatten (Redlich 73; s. auch oben S. 218).

---

[23] Mancherorts ging man über Haß und Verwünschung bis zur Leibesbedrohung
weiter. Der untadelhafte Rode sah sich Verschwörungen der Mönche ausgesetzt.
Redlich 38. Für Westfalen gibt Linneborn ‚Die Reformation' weitere Belege.

Zur Problematik der kirchlichen Mißstände im Spätmittelalter*)

In memoriam Sebastian Merkle

Von Universitätsprofessor DDr. Joseph Lortz, Münster i. W.

IV

Die Belastung von außen

Man hat sich seit einiger Zeit viel Mühe gemacht, zum Bewußtsein zu bringen, daß die kirchliche Zersetzung im Spätmittelalter nicht eigentlich auf das Konto der Kirche allein komme; mancher möchte sogar die Schuld zum g r ö ß t e n Teil von ihr abwälzen. Man hat sich in diesem Zusammenhang zu Trugschlüssen verleiten lassen, die es zu vermeiden gilt.

Immer wieder: der Maßstab, den man anlegt, muß einheitlich sein; die Einstellung muß konsequent bleiben. Nun betonen wir doch so gern, und zwar mit vollstem Recht, daß die Kirche das Mittelalter gebildet, die abendländische Völkerfamilie erzogen habe, dies aber nach echt evangelischer Weise in der Art, daß sie nicht im luftleeren Raume blieb, sondern das Volkstum in sich aufnahm, in das Volkstum einging, allen alles wurde. Man kann aber diese innige Verbindung nicht nur für die vorteilhaften Zeiten und Ergebnisse gelten lassen. Die mittelalterliche Verbindung Kirche—abendländische Völker ist in tiefstem Sinne wurzelhaft und in weitestem Sinne schicksalhaft. Es ist selbstverständlich, daß die Kirche aus den Reaktionen ihres Erziehungsprojektes nicht nur Gewinn erzielte, sondern auch durch sie Belastung erfuhr: hier mußte sie sich also bewähren. Wenn sie das etwa in ungenügendem Maße tat, ist das auch i h r als Schwäche und Mißstand anzurechnen. Gerade der heiligen Kirche, der heiligen Erzieherin der Völker wird man hier sachgemäß nicht die Verantwortung mindern wollen.

Es ist also selbstverständlich, daß die spätmittelalterliche Ermüdung nicht n u r als ein i n n e r kirchlicher Prozeß verstanden werden kann (Braun S. 58; die voranstehenden Ausführungen brachten bereits reiches Material), aber eben doch als ein kirchlicher. Die Kirche ist nicht spiritualistisch unsichtbar, sondern geistlich, d. h. innen-außwendig. Es ist wahr, daß die Schwäche des Reiches, die Kämpfe des Adels, Einfälle von außen, Geldentwertung, Eingriffe des Adels in die Besetzung kirchlicher Stellen u. ä. tiefgreifend an der Herbeiführung der spätmittelalterlichen kirchlichen Schwäche mitgewirkt haben; es ist selbstverständlich, daß man widrige Zeitumstände und

---

* Siehe den ersten und zweiten Teil in den Heften 1/2 und 7/8 (1949) d i e s e r Zeitschrift.

9/10 – 1949

257

Einflüsse einrechnen muß, denen sich ein Bischof, ein Kloster oder der Papst schlechterdings nicht entziehen konnten[24]. Aber damit ist die Frage nach der innerkirchlichen Kraft oder Schwäche, ist die Frage nach dem religiös-kirchlichen Wert des Mittelalterlichen und Spätmittelalterlichen an sich nur noch schärfer gestellt. Besonders, wenn die Fälle, in denen die Umstände so nachteilig von außen hereinwirken, in solcher Fülle auftreten, stellt sich die Frage in besonderer Eindringlichkeit. Die Lösung führt immer wieder zur religiös-kirchlichen Gefährlichkeit, ja Fragwürdigkeit des anderseits heilsgeschichtlich so unübersehbar wichtigen, ja unentbehrlichen spezifisch Mittelalterlichen in der Kirche.

Wenn man etwa die Pestjahre seit 1348 mit Recht anzieht, um die innere Desorganisation der Klöster zu erklären (Miller S. 17), so reicht die gleiche Tatsache schon viel weniger aus, um den vernichtenden Niedergang des inneren Wertes der Konventsmitglieder (ebd.) zu erklären, also doch immerhin von Kreisen, die nach der Idee ihres Institutes und gemäß ihrer Regel eine Elite hätten darstellen müssen. (Im Falle Söflingen räumt Miller dies selbst indirekt ein, indem er, ebd. S. 17, angibt, daß das Kloster schon vorher stark zersetzt war). Wenn man aber die Wirkung der Pestjahre, nämlich die Ausleerung der Klöster, dadurch beseitigen wollte, daß man „scharenweise Kinder" aufnahm (Redlich), so war das keine berechtigte Rücksicht auf unausweichliche widrige Zeitumstände, sondern ein Versagen gegenüber der Hauptaufgabe des Ordenslebens, die unbedingt eine religiöse war und hätte bleiben müssen.

In dieser Art ist auch das Laienpatronat (auch dasjenige vieler Klöster, denen die betreffende Pfründe inkorporiert war) nicht einfach als Mißstand da und dort festzustellen, sondern es gilt zu erkennen die religiöse Belastung, die dieses Institut g r u n d s ä t z - l i c h für die mittelalterliche Kirche bedeutete. Die bischöfliche Einweisung und das ungenügende bischöfliche Examen (s. unten) boten auch nicht annähernd Ersatz. Ausgezeichnet äußert sich Braun (S. 48 f.) hierzu: „So lange die Bischöfe nicht einen maßgebenden Einfluß auf die Besetzung vor allem der Pfarreien (desgleichen der Domherrnstellen, der Kaplanstellen) besaßen . . ., mochten sie sich persönlich von noch so edlen Absichten leiten und noch so gehaltvolle Hirtenbriefe von ihrer Kanzlei ausgehen lassen, es mußten das alles vergebliche Bemühungen bleiben."

Aber auch diese Erklärung enthüllt letztlich die ungenügende innere Schöpferkraft. Sie ist nicht eine genügende Entlastung der Verantwortlichen. Zwar klagt Bischof Otto III. von Konstanz dem Papst Martin V., daß der Adel ihn „geradezu zwinge, Knaben, Laien und andere ungeeignete Personen zu investieren" (Braun 49). Die

---

[24] Das Zweiseitige des Problems kann man sich am besten klarmachen am großen Beispiel von Papst Adrian VI. Bei ihm war Reformkraft; er sah den Unrat an heiliger Stätte und bekannte die Schuld des Klerus. Aber die Ungunst der Zeiten machte ihm (wegen der Kürze seiner Regierung) den Erfolg einfach unmöglich.

258

Schuld des Adels voll zugegeben, muß man doch fragen: durfte es ein solches „Zwingenlassen' geben? Vor allem: konnte es dies in einem das Gesamtbild kennzeichnenden Umfang geben, wenn bei einem Großteil der Bischöfe religiöse Kraft und nicht etwa nur Korrektheit im Rahmen der eigenen kirchlich-weltlichen Macht vorhanden war? Hätte es dann so weit kommen können? Die Möglichkeit dieser Art Zwang führt wieder zur Problematik des Mittelalterlichen. Noch deutlicher übrigens bei den Klöstern, die von umsitzenden Rittern mürbe gemacht wurden zur Präsentierung ungeeigneter Personen (ebd.). Und selbst die Entlastung „der" Bischöfe einmal zugegeben, ändert das den objektiven Gesamtbestand wesentlich? Wäre das Übel in der Kirche nicht vorhanden?

Noch eine ganze Reihe anderer Erscheinungen des kirchlichen Spätmittelalters, die wir als Mißstände ansprechen, führen zur gleichen Frage: war das mittelalterliche Ineinander von geistlich-dinglich nicht in sich eine schwere Belastung des Kirchlichen? Umschloß es sogar (im Sinne des Milieu-Problems) nach dem Durchbruch des Christlichen seit etwa dem 12./13. Jahrhundert nicht mehr Hemmungen als Förderungen der missionarischen Aufgabe der Kirche?

Etwa der Bann, und zwar der Bann in seiner echt spätmittelalterlichen, d. h. m a s s e n h a f t e n Anwendung in der engen Bindung an das Wirtschaftliche! Vasella hat aus der Diözese Chur eine Reihe Briefe von und an den dortigen bischöflichen Siegler veröffentlicht. Der Bann erscheint einfach wie das liebe tägliche Brot, und immer als Druckmittel, um eine erbärmliche Schuld von diesen kleinen und kleinsten Leuten zugunsten Sr. Fürstbischöflichen Gnaden einzutreiben[25]. Daß der Bann das wichtigste Mittel des geistlichen Prozesses war (Vasella S. 14), konnte einen echt kirchlichen Sinn haben. Aber bei der Fülle der Prozesse, die sich aus den Zins- und Geldverpflichtungen ergaben, war immer die Gefahr gegeben, daß der Bann unmittelbar finanzielle, also säkularisierte Funktion gewann. Das aber war ein in sich tief unchristlicher Zustand, der nicht dadurch christlicher wird, daß er damals als selbstverständlich galt und heute als für damals selbstverständlich eben zur Kenntnis genommen wird. Wie radikal schließlich die Reaktion vom Wirtschaftlich-Sozialen zum Gebiet der christlichen Lehre hinüberschwenkte, das beweist zur Genüge der reformatorisch unterbaute Bauernkrieg. Es genügt nicht zu konstatieren, „gerade hier überschnitten sich wirtschaftliche und kirchliche Ordnung" (Vasella S. 14), es muß die Frage nach der christlich-kirchlichen Berechtigung dieser Überschneidung gestellt werden, sobald man die Dinge (um ihrer innersten Art gerecht zu werden) k i r c h e n g e s c h i c h t l i c h nimmt. Die Frage aber stellen, heißt, sie wenigstens innerhalb der damals so zugespitzten Verhältnisse, verneinen: wieder einmal stößt

---

[25] Oder der Bann wird wegen Schulden des Vaters gegen dessen Kinder ausgesprochen, denen vorher dieserhalb die Verfügung über das Erbe entzogen worden war. (Vasella.)

man auf die Tragik des kirchlichen Mittelalterlichen. Es ist zweifellos, christlich gesehen, ein sehr schlimmer Mißstand, wenn die Dinge kirchlich so gediehen sind, daß „Wandlungen der materiellen Lebensbedingungen weitgehend das Verhältnis der Gläubigen zur Kirche (negativ) beeinflussen konnten" (Vasella 14), und dies bis zum Massenabfall.

Daß innerhalb der Zentralisation die Entfernung Entfremdung bedeutet, und notwendigerweise zu einer Anwendung des Rechtes ohne menschlichere Beeinflussung bzw. Milderung führt, ist im weltlichen Bereich eine bedauerliche Tatsache, mehr nicht. Auch im geistlichen Bereich k a n n diese Wirkung nicht ausbleiben. Aber die bedauerliche Tatsache wird hier zum Versagen im innersten Gebiet der Liebe, also des wesentlich Christlichen. Daß damit nicht der Stab gebrochen ist über den einzelnen Beamten, welcher der Gerechtigkeit ihren Lauf ließ, ist selbstverständlich (s. die instruktiven Details bei Vasella S. 16 f. mit Anm. 2). Das Ineinander von Geldschulden und geistlichen Strafen mag ihre Steigerung verdanken der Zwangslage „des bischöflichen Staates, der, geschwächt durch die politische Hochentwicklung der Gemeinden, neue finanzielle Quellen erschließen mußte" (Vasella 23). Aber er konnte das nur wegen des im Mittelalterlichen bzw. in kirchlichem Recht und der kirchlichen Praxis Grundgelegtem. Das eigentliche Problem, kirchengeschichtlich gesehen, steckt also zutiefst wieder im Problem des kirchlichen Mittelalterlichen. Dieses Ineinander war für Volk und Laien „ein häufig beängstigender Druck" (ebd. S. 24), von dem die Reformation sie befreite. Man ermißt die Stärke der Versuchung.

Außerdem brachte dieses System mit sich eine Zersetzung der Seelsorgsarbeit, weil es das Vertrauen der Gemeindemitglieder zum Pfarrer untergrub. Der Pfarrer war Auskunftei des bischöflichen Gerichts auch gegen seine Pfarrkinder. Das geistliche Gericht in Chur gibt dem Pfarrer von Rankweil den verpflichtenden Auftrag zu publizieren, daß, wenn sein eigener Pfarrhelfer nicht binnen 14 Tagen seine Schuld an den bischöflichen Siegler für den Bischof von Chur bezahlen werde, er suspendiert sei. Der Pfarrer nahm die Ausführung vor, wohl, wie üblich durch Publizierung von der Kanzel. Der Pfarrhelfer erbot sich darauf, genügende Kaution zu stellen, damit die Suspension nicht ausgeführt würde. Da er die Kaution nicht termingerecht beibrachte, wurde die geistliche Strafe verhängt. Das ganze spielt 1518 (Vasella, Brief Nr. 10).

Auch beim Interdikt liegt die Verkoppelung mit wirtschaftlichen Interessen vor. Seine schädigende Wirkung ragt ebenfalls, aber noch unmittelbarer sakral, in das seelsorgliche Wesen hinein. „Unter Berücksichtigung der damaligen Zeitanschauungen" kann man es zwar ‚v e r s t e h e n, daß die Kirche, ihre irdischen Rechtsansprüche mit Mitteln des übernatürlichen Bereichs durchsetzte' (Braun 154), aber man sollte nicht unterlassen, deutlichst zu sagen, daß man das nicht billigen kann; wenigstens nicht, wenn diese Waffen so massenweise und direkt leichtfertig gebraucht und verbraucht wurden, so daß

260

man in einer Fülle von Fällen sagen muß, hier sei die Auffassung vom Ausschluß der Gläubigen und der Priester von den Gnadenmitteln der Kirche hoffnungslos veräußerlicht, hier zeige sich eine w e s e n t l i c h ungenügende Hochschätzung dieser theoretisch so hoch gepriesenen sakramentalen Vereinigung mit der Kirche. Auch eine durchaus nüchterne, reale Betrachtung dieser Dinge muß zu ihrer Verurteilung kommen, sobald sie nur religiös und kirchlich, nicht hingegen vorzugsweise politisch und exklusiv zeitgeschichtlich gebunden denkt. Das zeitgeschichtlich Gebundene aber hat in der Kirche immer nur so weit Recht, als es die unantastbaren Gesetze, die Jesus der Kirche einpflanzte, nicht verletzt, d. h. so weit das Gesetz der Fülle nicht durch die Akkommodation verletzt wird.

Damit ist auch schon die Berechtigung einer p o l i t i s c h e n Verwendung des Interdiktes eingegrenzt. Das Interdikt ist ein zweischneidiges Schwert. Jedenfalls ernst zu nehmen mit jenem Ernst, der im Umkreis der Anbetung des Herrn in seiner Kirche und durch sie gefordert ist. Das Mindeste was verlangt werden muß, ist Einsatz dieser Waffe nur nach verantwortungsbewußter Überlegung, und also zum mindesten in konsequenzvoller Durchführung. Wenn also Johannes XXII. mit seiner ‚Zermürbungspolitik‘ in Sachen des Interdiktes, d. h. durch ‚die Abwechslung von zeitweiliger Gewährung und plötzlichem Entzug der kirchlichen Gnadenmittel‘ Erfolg hatte, so ist das nicht eine Minderung, sondern eine Verschärfung des Mißstandes. Daß der religiös viel bessere Benedikt XII. diese Kunst nicht verstand, ist für ihn religiös nicht eine Belastung, sondern Entlastung. Daß sein Mißerfolg in einer unkirchlichen, revolutionären Beeinflussung des Volkes sich äußerte, kommt vor allem auf das Konto eben des Mißstandes ‚Interdikt‘, so wie er damals gehandhabt wurde, an sich. Auch in diesen Dingen ist die politische Betrachtungsweise, für die der mehr oder weniger unmittelbare Nutzen entscheidet, abzulehnen. Daß das Interdikt infolge mannigfacher Durchbrechungen „die Seelsorge nicht völlig gelähmt hat" (ebd. S. 152), ist eine Milderung per accidens, die man froh ist, feststellen zu können, mehr nicht.

In ähnlicher Weise ist die Gewaltanwendung im Kirchenregiment als eine Schwächung des eigentlich Kirchlichen anzusprechen. So vermißte man wohl in der Bekämpfung mancher Häretiker — mit denen man doch etwa disputierte — die echte Sorge um deren Bekehrung, also die christlich notwendige Seelsorge. Und dann reagierte die kurzschließende volkstümliche Streittheologie z. B. so: „Ain hencker gehört zu diser bekehrung als Huß bekehrt ist worden vnd nicht ain Apostel oder Priester." (Flugschriften hrgb. v. Otto Clemen 1, 351.) „Denn Christglauben ist nicht annders dan erlösung und freiheit, nicht zwüngnus und gefangnus" (ebd.).

In diesen Erscheinungen, dann in der Waffenfreudigkeit des Klerus im Mittelalter und im Spätmittelalter, in seiner Gewalttätigkeit, (die selbst reformfreudige Bischöfe nicht verleugneten; Vincke S. 121), die sich gelegentlich bis zum Totschlag in der Kirche steigerte, bei der gewalttätigen Roheit geistlicher Grundherren gegen die Eigenhörigen (Vincke ebd.; Braun S. 111), im Nepotismus[26]: in all diesen Erscheinungen stoßen wir auf ein g e r m a n i s c h e s Fundament, das uns wieder aufschlußreichen Einblick in die Problematik des mittelalterlichen und spätmittelalterlichen Mißstandes tun läßt.

Neuß (S. 16) erwähnt für das deutsche 10. und 11. Jahrhundert „einen ganz ausgezeichneten Episkopat . . ., von dessen Mitgliedern nicht wenige als Heilige fortleben", räumt aber trotzdem ein, daß die Kirche damals das ganze 10. und 11. Jahrhundert „in entwürdigenden Fesseln lag". Man darf fragen: sahen denn wohl jene ausgezeichneten und heiligmäßigen Bischöfe diese entwürdigende Lage nicht, da sie doch so national ausgerichtet vor uns stehen? Daß das n i e d e r e Kirchenwesen unter Druck stand, kann nicht entscheidend sein, da das eigentliche Streitobjekt, wie im 11. Jahrhundert der Investiturstreit enthüllt, durchaus vorwiegend zwischen dem König und den Bischöfen bzw. den Äbten ging. Für das 10. Jahrhundert müßte außerdem scharf unterschieden werden zwischen der Lage in Italien und in Deutschland.

Neuß (S. 7) deutet an, daß im Ritter und in den Kreuzzügen die veränderte Stellung des christlichen Mittelalters zu Kampf und Krieg sich äußere als Erbe oder Ausdruck der so ganz andern germanischen Auffassung als die des alten Christentums. Gewiß; aber gerade hier wird das eigentliche Problem erst sichtbar: die historische Sinnerfülltheit kann sich nie mit religiösem Recht g e g e n das Evangelium wenden. Die Haßatmosphäre und der blutige Offensivkrieg sind nur sehr schwer mit der Religion der Liebe zu vereinigen. Nicht einmal das ganze Mittelalter bejahte diese Art. Franz von Assisi ist nach den Clunyazensern ein wesentlicher Teil des Mittelalters, und er war gegen diese Bewertung des Kampfes. Daß wiederum das germanische Erbe so weit vordrang, daß es zu den bedauerlichen blutigen Zusammenstößen der Franziskaner untereinander kam, oder daß die separatistischen Franziskaner so hemmungslos mit Ludwig dem Bayern gegen den Papst kämpften, zeigt auch für ihr Teil das Falsche oder doch Gefährliche des Grundansatzes.

In diesem Zusammenhang ‚Germanisch-Kirchlich' bedarf es eines energischen Wortes zur kirchengeschichtlichen Beurteilung des religiösen Volksbrauchtums. Als die Beschäftigung mit dem Brauchtum Mode wurde, hat man es öfters an genügender Vorsicht des Urteils fehlen lassen. An dieses Brauchtum kann (wie an alles, das seine Aufgabe in der Ausbreitung oder Darstellung des Reiches Gottes auf Erden hat) abschließend nur e i n Maßstab angelegt

---

[26] Für die germanische Wurzel des Nepotismus und seine Deutung als germanische Sippenverbundenheit vgl. die germanische Verwandtschaft bei Avignoner Päpsten (aus burgundisch-westgotischen Geschlechtern), Martin V. und andern Päpsten und Würdenträgern (aus langobardischen oder nomanischen Geschlechtern); s. Theol. Revue 1941, 75.

werden: der religiös-christliche. Das Volksbrauchtum unterliegt genau so wie die Theologie und sonstige Äußerungen des Kirchlichen der Gefahr der Verbildung, der Gefahr des Unterchristlichen oder auch der Erstarrung: der Gefahr der akuten Akkommodation an das Geschichtliche; es ist dieser Gefahr sogar in erhöhtem Maße ausgesetzt. Da ist denn Aberglaube Aberglaube zu nennen, und mag er sich noch so reich in eine interessante und bunte Fülle des Brauchtums kleiden. Die Abstufungen sind nicht immer so grob, daß man gleich von Aberglauben reden müßte, aber es gibt die zahlreichen Schattierungen des Unterchristlichen.

Besonders verhängnisvoll wirkte sich das Germanische aus an einer Stelle, wo man es zunächst nicht vermutet. Das heißt, man sollte es wohl dort vermuten, aber die Reformation hat uns dafür den Blick genommen. Der germanische Ur-Grundsatz lautet: auf Gegenseitigkeit! Nicht Gehorsam zum Fürsten, sondern Treue, also Zusammengehen mit dem Fürsten, vorbehaltlich der Erfüllung der Treuepflicht durch den Fürsten. Daher haben mittelalterliche Autoren ausdrücklich Treueeide, die nicht mit solchem Vorbehalt geschworen seien, für ungültig erklärt (Neuß 18; Fritz Kern, Gottes Gnadentum und Widerstandsrecht im früheren Mittelalter, 1914). Dieselbe Haltung galt in der altgermanischen Religion. Der Germane dient dem Gott seiner Wahl, damit und soweit dieser ihn schützt. Andernfalls kündigt er das Verhältnis. Im germanischen Rechtsleben wird sogar das Geschenk erst voll und endgültig, wenn es durch ein Gegengeschenk anerkannt ist. Zusammen mit der dinglichen Auffassung, die — erstaunlich! — auch so letzte Dinge wie Treulosigkeit und hinterhältigen Mord durch eine Summe Geldes, das Wehrgeld, abzulösen erlaubt, haben wir hier neben dem allgemein menschlichen Egoismus die entscheidende Grundlage für den mittelalterlichen Moralismus, den übertrieben vordringenden Lohngedanken[27] und all die Veräußerlichungen in der Messe-Früchte-Lehre und in der finanziellen Funktion des Ablasses, also gerade jene Art des Priesterlichen und der Frömmigkeit, gegen die sich die Reformation so schroff erhob. Als Luther dies tat und im Namen seines germanisch-christlichen Gewissens das welsche Papsttum anklagte, stand er auf gegen Dinge, die wurzelhaft germanisch waren.

---

[27] Über die Stiftungen, vereinfachend und vergröbernd, aber im Wesentlichen zutreffend: „Der germanische Mensch möchte nach alt-heidnischer Weise, wenn ihm seine wilden Taten auf das Gewissen fallen, mit reichen Schenkungen als mit einem Lösegeld seine Sünden sühnen, er möchte Fürsprecher gewinnen, die mit ihren fertigen Gebeten und frommen Leistungen vor Gott für ihn hintreten. . . Man lebt (im Eigenkirchenwesen) nicht in der Demut des Gehorsams gegen Gott, sondern in der a l t ü b e r l i e f e r t e n Anmaßung, über die Gottheit . . . zum eigenen Nutzen verfügen zu können." Hermann Schuster, Das Werden der Kirche 135.

V

Der Klerus

Die erörterten Dinge spielen, wie wir sahen, zumeist im privaten und offiziellen Dasein des Klerus, von der Kurie bis zum Altaristen. Es bleiben noch besondere Anliegen dieser Art zu besprechen, die ihrerseits unser Thema weiter aufzuhellen vermögen.

A. (Die Kurie). Es versteht sich von selbst, daß in diesem Rahmen nicht die gesamte Problematik, die mit der Kurie zusammenhängt, erörtert werden kann. Diese Arbeit kann man überhaupt heute noch nicht in vollem Umfang leisten. Dazu fehlt uns beispielsweise noch eine Geschichte des kurialen Stils, wie für frühere Epochen, so für das späte Mittelalter (vgl. oben). Eine Geschichte des kurialen Stils würde erstaunliche Erkenntnisse für die bewußt geleitete wie für die unfreiwillig eingeleitete Entwicklung auf allen Gebieten des kirchlichen Wesens vermitteln. Sie würde auch das Werden von Zersetzungserscheinungen neu beleuchten. Der kuriale Stil ist zu einem beachtenswerten Teil nicht nur aufbauend gewesen. Seine Gefahr besteht offenkundig im undifferenzierten Superlativismus in Lob wie Tadel, im Geben wie im Nehmen. Er steht seltsamerweise in einer auffallenden Spannung, so scheint es, zu der in Rom so beheimateten Art des juristischen Denkens. In der Formulierung mancher Verurteilung hat er sich oft vergriffen, besonders wenn (gelegentlich reichlich hemmungslos) auch auf den Träger der getadelten Lehren abgehoben wurde. (Ein besonders eindrucksvolles Beispiel bieten die Worte, in welche die Avignoner Verurteilung Meister Eckeharts gekleidet ist; Mirbt N. 381; auch die Einleitungssätze der Bulle Exsurge gegen Luther gehören zum Teil hierher). In der Anpreisung des Ablasses erscheint die Gefahr, daß es so aussehen könnte, als ob das Peripherische auf die gleiche Ebene mit dem eigentlich Zentralen — der einen Erlösungstat — gestellt werde. Die Superlativismen der Humanisten ließ man sich gefallen, oder machte sie mit. Aber wenn formal dieselben Übertreibungen vorgebracht wurden bei Anpreisung des Jubiläumsablasses oder des Petersablasses als unerhört besonderer Erlösungsgnaden (aber gleichzeitig diese Werte von vielen Seiten der Skepsis oder dem Spott preisgegeben wurden), so mußte das viele auf die Dauer innerlich unsicher machen und das Vertrauen in die gesunde Lehre belasten. Bei Bann und Interdikt deckt sich die wirkliche Tragweite durchaus nicht immer mit den Worten absolutester Sicherheit der gefällten Sentenz. Tragweite und Wirkung dieser so massenweise gebrauchten Strafen bleiben überhaupt im einzelnen durchaus unklar. Wie denn dem Begriff der excommunicatio im Zusammenhang der Geldleistungen eine verheerende Undeutlichkeit geradezu wesensmäßig geworden war. Ist excommunicatio eine wirkliche Lostrennung von der Kirche, so daß kein „verdienstliches" Leben mehr möglich ist? Und wieweit spielt hier verheerend die übertreibende pastorale bzw. kurialistische Terminologie herein?

264

Ein Kenner wie Göller hat sich nicht gescheut, die römische Lage für das Spätmittelalter so zu kennzeichnen: „Der Organismus der Kurie trieb der Auflösung entgegen" (Finke-Festschrift 375). Dieser Prozeß ist echt mittelalterlich gekennzeichnet durch eine ungewöhnliche Peripherierung und Massierung, die mit wenigen Ausnahmen sich in dauernd steigendem Tempo durchsetzen. Die Zahl der skrupellos besetzten Stellen wuchs ins Unermeßliche. Und das Ganze steht unter dem Zeichen der fiskalistischen Säkularisierung, also der Pervertierung des echt mittelalterlichen päpstlichen Universalismus, der religiös war, in sein Gegenteil. Auf die Einzelheiten ist hier nicht zurückzukommen. Wohl aber vollzieht sich auch hier jene Verlagerung, die der Kirche mehr geschadet hat als irgendein anderer Vorgang: die Kirche stand nicht mehr über den Parteien, sie war selbst Partei geworden im Konkurrenzkampf um den besten Platz an der reichsten Krippe. Erst war der Papst vom Oberhaupt der Christenheit, dessen Person ein religiöser, mystischer Glanz umgab (ein unvergleichlicher Vorteil!), heruntergestiegen zu einem Fürst unter Fürsten (den man also auch genau so wie seinesgleichen bekämpfte); jetzt ,geriet die Kurie durch ihre Ämterpolitik sogar in eine unwürdige Abhängigkeit von ihren eigenen Beamten' (Göller a. a. O. 382).

Das wirkte nicht nur in Rom, sondern, oft und übertrieben kolportiert, auch in der Ferne vielfältig zersetzend. Und das geschah nicht nur auf dem Wege des natürlichen Bewußtseins, sondern nach den besonderen Gesetzen, die für das Leben des corpus Christi mysticum maßgeblich sind: wo die Schwäche des einen den andern schwächt, wo der ganze Körper leidet, wenn ein Glied schwach ist. Wahrheit und Heiligkeit sind im Christentum wesentlich mit einander verbunden[28]. Sobald die Abnahme des Kult- und Frömmigkeitslebens nicht mehr nur Versagen einzelner Persönlichkeiten war, sondern zu einem wesentlichen Teil die zeitgeschichtliche Formung des Systems kennzeichnete, mußte dies sich a u c h dahin auswirken, daß die Erkenntnissicherheit im Theologischen, nicht zuletzt in Verfassungsfragen, sank. Der Überkurialismus der unbeschränkten päpstlichen Willkürmacht hätte, wenn er es vermocht, sich selbst die Existenzmöglichkeit zerstört. Das Hinübergleiten der großen antipäpstlichen Angriffsbewegung des Spätmittelalters zu einer Bestreitung des dogmatischen Jurisdiktionsprimates hätte ohne die wahl- und hemmungslose Übersteigerung der kurialistischen päpstlichen Machtidee kaum entstehen können[29]. Hier ist die kanonistische und theologische Unklarheit des Spätmittelalters zu ihrem Teil grundgelegt. Der Überkurialismus wird zur theologischen Ge-

---

[28] Daß die Bindung eine wiederum wesentliche Grenze hat in der Unabhängigkeit der objektiven christlichen Wahrheit von der subjektiven Würdigkeit des Trägers, darf nicht vergessen werden.

[29] Höchst wichtig, daß die Sprengerscheinungen auf dem Gebiet der Lehre und der Verfassung (der Nominalismus Ockhams, Wiklif) entscheidend mitverursacht sind durch die unreligiöse, unpriesterliche, unterchristliche Übersteigerung der kurialistischen Macht, bzw. ihrer Ausübung.

fahr, d. h. er wächst über den Charakter des gewöhnlichen kirchlichen· ‚Mißstandes' weit hinaus. Denn der Überkurialismus wird zu einer Gefahr für die Reinheit der päpstlichen Unfehlbarkeit. Die Versuchung, die Unfehlbarkeit auszudehnen auf möglichst a l l e Verkündigungen, ja Äußerungen und Handlungen des Papstes, auch auf Peripherisches, bis zu allen unübersehbaren Praktiken der Kurie, bedeutete eine schwere Bedrohung im Zentralkirchlichen. Nur wenn den kirchlichen Führern die Gabe der Unsündlichkeit verliehen wäre (Newman, Einheit der Kirche S. 21), hätte diese Bedrohung vermieden werden können.

Ein besonders gefährliches Element der Zersetzung war zu allen Zeiten und überall die mangelnde Bindung eines Systems an gleichbleibende und alle gleichermaßen bindende Maßstäbe. In einer Institution, die, wie die Kurie, in eminentem Sinn Zentralbehörde einer Kirche ist, deren Wesen sich geradezu darin darstellt, daß sie eine einzige, immer unverrückbare Lehre für alle verkündet, muß sich eine Versündigung jener Art besonders zerstörerisch auswirken[30a]. Ttsächlich ist nun die Haltung der Kurie im Spätmittelalter vielfach konsequenzlos: so konnten das Vertrauen in ihre Sachlichkeit erschüttert werden und die Meinung von der römischen Lüge so weite Verbreitung finden[30]. Nicht nur ‚verschenkte die römische Kurie freigebig an die weltlichen Obrigkeiten, wenn immer politische Interessen es forderten, was sie der bischöflichen Kurie unbedenklich nahm' (Vasella 10), in der Kernfrage der spätmittelalterlichen Klosterreform äußert sich dieses Schwanken besonders auffällig. Es gibt harmlose Fälle: Nikolaus V. schickt den Kusaner zur Reformierung aus. Der Legat verordnet den verweltlichten Nonnen von Rijnsburg einen bestimmten Beichtvater unter Ausschluß anderer. Die Nonnen wenden sich an Nikolaus um das Privileg freier Wahl des Beichtvaters. Nikolaus gewährt die Bitte (Hüffer S. 84). — Oder wir finden etwa den Fall, daß eine wichtige Reformbulle am selben Tage durch eine andere ins Gegenteil verkehrt wurde[31]. Diese Gegensätzlichkeit wurde vor allem

---

[30a] Erlaß des Generalvikars von 1458: Kapläne erschleichen sich die Weihen, haben das Examen umgangen, sind in die Seelsorge gekommen ohne amtliche Zulassung.

[30] Vgl. Locher in seinem römischen Tagebuch über die Reformangelegenheiten der Franziskaner in Ulm und Söflingen: „und ist salva dignitate mehr denn halb gelogen, womit man zu Rom umgeht, niemand denn die frommen Deutschen ausgeschlossen". HJG 60 (1940) 293.

[31] Besonders äußerte sich solches Durchbrechen der von der Kurie selbst erlassenen Bestimmungen in der Kumulierung. Ein besonders krasses Beispiel bringt Braun 74 bei: Bischof Nikolaus von Frauenfeld besaß 3 Pfarreien, 3 Kanonikate, 1 Propstei, hatte keine Dispens, stand unter dem vorschriftsmäßigen Alter, ließ sich nicht weihen; trotzdem schenkte Johannes XXII., der die Bulle gegen den Kumul erlassen hatte, ihm 1334 die unrechtmäßig aus jenen Pfründen bezogenen Einkünfte, bestätigte ihm alle Pfründen, überwies ihm dazu noch das Bistum Konstanz; mit der Begründung, der Nachfolger Petri könne entgegen den kanonischen Bestimmungen die Mängel tüchtiger Männer ausgleichen. — Beweggrund: Nikolaus war der beste Mann gegen Ludwig den Bayer im Südwesten des Reiches.

266

ermöglicht durch die Bestechlichkeit der kurialen Beamten, im weiteren Sinne durch die fiskalisch veräußerlichte Gesamtlage und Arbeitsweise an der Kurie. Daß der kurialistische Fiskalismus religiöse Zersetzung verursachen mußte, braucht hier nicht eigens betont zu werden. Aber daß Johannes XXII. die Taxen regelte, daß der Geschäftsgang sicherer war als in manchen anderen Institutionen, daß die Kurie nicht so viel aus Deutschland herausholte, wie man behauptet hat, daß sich nicht nachweisen läßt, daß vor allem Ausländer auf deutsche Pfründen gesetzt wurden, all das ändert nichts — nicht nur wenig — an dem religiös Zerstörerischen der akuten Verweltlichung vielfältiger Verstrickung, wie er an der Kurie, unmittelbar mit Seelsorgerlichem verknüpft, sich äußerte.

Über die Einwirkung auf die Seelsorge ist noch ein Wort zu sagen. Es ist einfach so, daß bei der Besetzung von Pfarreien durch päpstliche Provisionsurkunden „gerade die ausgesprochenen Pfründenjäger am meisten Erfolg hatten" (Braun 69). Daneben will aber auch beachtet sein, daß sich erfreulicherweise nicht wenige Fälle nachweisen lassen, in denen die Provisionen reformierend wirkten, indem durch sie ungeeignete Pfarrer und Kapläne durch die Kurie abgesetzt wurden. Wenn aber Braun (S. 27) behauptet, die Provisionen seien harmlos gegenüber Patronat und Inkorporation, auch schon, weil die Kurie oft sich nicht durchsetzte, so ist dem zum mindesten hinzuzufügen: nicht im geringsten harmlos als Ausdruck des religiös gefährlichen fiskalistischen Systems!

Im Zusammenhang mit diesem fiskalistischen System steht die Frage auf nach dem simonistischen Charakter der Finanzoperationen an der Kurie. Man neigt mancherorts zu einer Verharmlosung der hier liegenden r e l i g i ö s e n Zersetzung. Gewiß ist es unbedingt nötig, die uneingeschränkten Verurteilungen so genau wie möglich zu umgrenzen. Es ist ebenso wichtig wie selbstverständlich, daß nicht die finanziellen Praktiken der Kurie in sich mit dem Makel der Simonie behaftet sind. „Man kann nicht sagen, daß das System der Ämterkäuflichkeit simonistisch war, da das Gebiet der rein geistlichen Stellen und Gnadenverleihungen nicht mit einbegriffen war" (Göller in Finke-Festschrift 383). „Aber manche Finanzoperationen streiften daran, insbesondere die fast ausschließliche Besetzung der höheren Stellen durch Bischöfe . . ." (ebd.). Wichtig ist nicht nur, daß jeweils der Tatbestand der Simonie im strengsten Sinn erfüllt ist; auch das Simonistische im weiteren Sinne war religiös gefährdend. Auf alle Fälle: wie zerrüttend und wie infizierend, wie verweltlichend in sich war und wirkte das Fiskalistische! Und wie wurden von daher die elementarsten Beziehungen Roms zu den Gläubigen aller Länder belastet, zu Klerus und Laien, zu Regierenden und Bürgern! Gewiß, für die Ämterkäuflichkeit und die Schwierigkeit, sie zu beseitigen, lag die Hemmung weniger in der Geldgier der Beamten und dem Luxus an der Kurie als in der Finanzpolitik (ebd. S. 384). Aber eben diese Finanzpolitik ist so stark mit Unreligiösem belastet, daß kirchlich und kirchengeschichtlich d i e s zuerst betont werden muß.

267

Die Mißstände an der Kurie waren tatsächlich so sehr an den konkreten Aufbau des kurialen Apparates gebunden, daß der Weg zu ihrer Reform — wie die Reformgutachten zeigen — nur durch ein Labyrinth von festgewordenen und bindenden Einrichtungen (z. B. Beamtenvorrechte) hindurchführte. V o r der sittlich-religiösen Zersetzung oder Besserung standen die vielen fiskalischen Zersetzungsherde, an deren Dasein und Funktionieren das Leben der Kurie gebunden schien, viele Kurialisten jedenfalls hoch interessiert waren. Die fiskalistischen Mißstände waren so sehr in hundert verwaltungstechnische Einzelheiten hinein gebunden, daß es geradezu scheinen konnte, ihre Beseitigung könne nur durch Selbstauflösung erreicht werden.

Das Geld wurde das Verhängnis der Kurie wie das ‚Recht‘ und die klein-egoistische Politik (S. 383).

Durch die unmittelbare Verstrickung des A b l a ß wesens mit der Entstehung der Reformation des 16. Jahrhunderts hat sich der kuriale Fiskalismus am stärksten dem Bewußtsein der Christenheit bis heute eingeprägt. Wir wissen um den tiefen Gedanken der Gemeinschaft der Heiligen, der dem Ablaß mit zugrunde liegt. Aber wir wissen auch, daß dieser Gedanke praktisch einfach nicht mehr zählte in der Verleihung der Millionen Jahre Ablässe, die in Verbindung mit der Verehrung unglaublicher Reliquien erworben wurden. Man kann durchaus richtig sagen: „die Ablaßpredigten bildeten ihrer kirchlichen Idee nach, und wo sie recht gehalten wurden, für das Volk eine Art Mission" Grisar, Luther 1, 288; vgl. Pastor 4, 1, 230; Paulus, Die sittlichen Früchte S. 333 f.). Aber das sind doch nur verklausulierte Allgemeinheiten, die angesichts der bitteren Wirklichkeit versagen. Auch die Tatsache, daß der Ablaßprediger Johannes Heylin im Jahre 1476, 1478 und 1480 in Bern tagelang 50, 80, 100 Beichtvätern Arbeit gegeben habe, genügt nicht zur Entlastung der damaligen Ablaßpraxis; denn wie beim Ablaß würden wir bei d i e s e n Massenbeichten die gleiche Frage stellen nach dem W e r t ihrer Multiplizierung und der Gefahr der Werkgerechtigkeit. Oder soll man die Versicherungen des Ablaßpredigers Johann von der Pfalz von den 100 000den von Sündern, die durch den Jubiläumsablaß unter Peraudi bekehrt wurden, einfach als authentische Wiedergabe der Wirklichkeit hinnehmen und hier die sonstige Mahnung, Übertreibungen gegenüber mißtrauisch zu sein, vergessen? Es ist schon kirchlicher, wenn man sich bewußt bleibt, daß die Sorglosigkeit im Gewähren von immer sich weiter überbietenden Ablaßgnaden und die Sorglosigkeit im superlativistischen Anpreisen dieser Gnaden die Geringschätzung des Ablasses wie die Bedenkenlosigkeit gegenüber der kirchlichen Autorität mehrte (Braun 146).

B. Eine Hauptschwäche des mittelalterlichen Klerus war die überscharfe Trennung des hohen vom niedern Klerus. Neuß (S. 7, s. oben) hat mit Recht wieder auf die germanische Wurzel dieses

268

Übels hingewiesen. Nur darf diese Erklärung nicht dazu verleiten, weniger scharf zu sehen, wie ungewöhnlich tief die Idee des Priesterlichen verletzt werden mußte, wenn die Wertung des Priesters so wenig vom Sakrament der Weihe und so übermäßig von äußerem Besitz und Macht hergenommen wurde. Und dies ist es, was wir Mißstand nennen.

Das Übel liegt vorab beim hohen Klerus. Die meisten damaligen Bischöfe in Deutschland hatten weder genügend Ahnung von der echten Tiefe des Priesterlichen, noch des Theologischen. (Von daher wird es verständlich, daß sie in der Reformationszeit nicht ein genügend klares Bewußtsein von der Tiefe der geistigen und religiösen Revolution hatten; Jedin, Deutsche auf dem Konzil von Trient, S. 43; Tübinger Quartalschrift 1941.) Dieser Mangel wirkte sich verheerend aus in der ungenügenden Abwehr und Beschneidung unter- und gegenkatholischer Lehren, unter- und gegenpriesterlicher Lebensgewohnheiten; er verhinderte echte und rechtzeitige Reformen. Das lebendige Beispiel ist in der Ausgestaltung des christlichen Wesens immer von ausschlaggebender Wichtigkeit. Das schlechte Beispiel vieler Bischöfe und Domherren war schwerer Mißstand. Eine p o s i t i v e Bewertung des Zölibats z. B. kommt selten zum Ausdruck. Wie sollte da die große Menge des verächtlich behandelten niederen Klerus noch ideal denken und leben?

Auch die Trennung an sich, die geistige und geistliche Zusammenhanglosigkeit zwischen beiden Schichten, wirkten sich naturgemäß als schwere Belastung des kirchlichen Organismus aus. Hier liegt eine besonders gefährliche Vorbereitung der revolutionären Gehorsamsaufkündigung, wie sie sich in der Reformation vollzog. Für die deutsche Schweiz stellt Vasella (S. 4) fest: „Jahre bevor die weltliche Obrigkeit irgendwo den Entscheid im Glauben gefällt hat, ersteht der religiösen Neuerung die Masse der Prediger, selbst in einfachen Pfarrern und Kaplänen." Er fragt: „Lebte schon lange in der Seele der Geistlichen ein persönliches Gefühl der Verbitterung und des Hasses gegen die kirchliche Obrigkeit? Ist es das Gefühl, in kranker Gemeinschaft zu leben, selbst krank zu sein?" Es war jedenfalls so, daß schon vor der Reformation „scharfe Spannungen zwischen der kirchlichen Obrigkeit und der ihr untertanen Geistlichkeit bestanden haben".

Ein Hauptinteresse kommt der Bewertung der Seelsorge zu. Das Gebiet ist sehr undurchsichtig.

Vom Evangelium und sogar vom Wesentlichen der Liturgie her könnte es so scheinen, als ob B i l d u n g nicht zum Wesen des gutgeformten Klerus gehöre. Vom Humanismus her sind wir außerdem noch gründlich mißtrauisch geworden gegen den sokratischen Irrtum, also gegen die Auffassung, daß der gebildete Mensch durch seine Bildung auch der bessere oder gar christlichere sei. Und doch gehört Bildung und Streben nach ihr schon seit der Frühzeit der Kirche zu den Eigenschaften des wirklich guten Klerus. Nur äußerst selten — so wie die echten Wunder — findet sich der Fall in der Kirchengeschichte, daß das Charisma der innern, religiösen Begnadung die Lücken der Bildung aufhebt und überhöht wie beim Pfarrer von Ars.

Bei der Massenhaftigkeit des spätmittelalterlichen Klerus stellt sich die Frage zunächst nur von der untersten Grenze der Bildung her. Hier aber in Verbindung mit ihrem religiösen Inhalt und der religiös-theologischen Durchformung. Diese Frage wiederum darf nicht zu sehr isoliert und einseitig von den Symptomen her in Angriff genommen werden. Fruchtbar ist der Hinweis von Braun (S. 82), daß die vita communis im Domkapitel, solange sie bestand, eine ‚fortwirkende Schule‘ gewesen sei, und daß die Auflösung des Gemeinschaftslebens im allgemeinen auflösend auf die Domschule wirkte. Es gilt, diese Erkenntnis auszuwerten. Denn nicht nur löste sich das Gemeinschaftsleben auf, sondern es säkularisierte sich, und zwar radikal. Es leuchtet ein, daß der Geist der weiter bestehenden Domschulen davon nicht unbeeinflußt bleiben konnte. So wird auch bereits von hier aus die Frage nach der religiös-theologischen Qualität der den künftigen Priestern vermittelten Bildung gestellt.

Auch die höchst erfreuliche Hinwendung vieler Kleriker zur Universität bedeutet aus mehreren Gründen nur eine recht leichte Korrektur des hier behandelten Mißstandes. ‚Die meisten bleiben in der philosophischen Fakultät stecken, brachten also gerade d a s Rüstzeug, das ihnen am unentbehrlichsten war, die Theologie, am wenigsten mit in den Beruf. Das aber bedeutet nichts anderes als eine der schlimmsten Gefahren, die einem geistigen Organismus überhaupt drohen können: Halbbildung.

Hier ist eine Art geistig-geistliches Proletariat angebahnt, das unter Umständen sprengender wirken konnte, und im Humanismus vielleicht auch so gewirkt hat, als jenes andere geistliche Proletariat, dessen Wurzeln Übermultiplizierung der Mitgliederzahl, ungenügendes Auskommen, also sozial unbefriedigte und unbefriedigende Stellung sind. Das massenhafte Vorkommen der Geistlichen wie der Mönche und Nonnen war schon in sich ein Mißstand, weil ein Ausnahmeberuf nie in dieser ungesunden Häufung rein und kraftvoll erhalten bleiben kann. Hier widerspricht bereits die Multiplizierung an sich der Idee des Berufes.

Ganz eindringlich und unmittelbar zeigt sich das sogar an der Hauptaufgabe der vielen Altaristen, beim Messelesen. (Ganz bestimmt wäre hier der Ausdruck: Feier des hl. Opfers allzu oft fehl am Platz.) Für Konstanz, Freiburg und Ulm meldet Braun je 40—60 und mehr Stiftungskleriker. Um einigermaßen die Zelebriermöglichkeit zu ordnen, erfindet man eine Aufteilung nach mehrwöchentlichem Turnus. In Freiburg z. B. zelebrierte dann der Altarist eine Woche lang, drei Wochen war er ‚frei‘. Entweder zelebrierte er dann nicht und ging ausschließlich einer nicht geistlichen Nebenbeschäftigung nach, oder er erlag der Versuchung zum Kumulus[32]. Eine offenkundige Gefährdung des Berufes gerade vom Zentrum her.

---

[32] Braun 128. In Konstanz wurde für die zweite Woche Chorgebet angesetzt, so daß 2 Wochen frei blieben; ebd. 129. Dazu die Übung der Schachtelämter.

270

Trotz vieler Synodalbeschlüsse und Diözesanstatuten war die Vorbildung des Klerus gering, und sie war uneinheitlich. Das bedeutet u. a., daß viel mehr als heute das meiste auf die persönliche Fähigkeit und Leistung des einzelnen Pfarrers ankam[33]. Daß aber d i e s e größere Freiheit im damaligen Milieu und innerhalb der bisher schon gezeichneten Problematik durchaus nicht a priori und in den meisten Fällen als Garantie eines reicheren Lebens gedeutet werden kann, dürfte einleuchten.

Über das Detail dieser Vorbildung sind wir noch schlecht unterrichtet. Die Frage ist, ob wir darin überhaupt je weiterkommen werden. Denn dies steht fest, daß, ganz allgemein gesprochen, die Sorge um den klerikalen Nachwuchs den geringsten Platz unter den Anliegen der spätmittelalterlichen Bischöfe einnimmt. Hier liegt einer der wichtigsten Versager der damaligen kirchlichen Praxis. (Die Anstrengungen - und auch Klagen - des Theatinerordens, der Jesuiten, des hl. Philippo Neri werden dereinst den Tatbestand überdeutlich belegen.)

Braun hat diese Dinge für Konstanz etwas klarzustellen versucht. Er bringt Beispiele für das vor dem bischöflichen Examinator abzulegende Examen, ehe der Kandidat nach Ableistung einer Schule zur Seelsorge zugelassen wurde; bei ‚ungenügend' mußte die Prüfung wiederholt werden. Eventuell erfolgte auch Suspendierung des Geistlichen bis zu einem erfolgreichen neuen Examen[34]. Hauptwert wurde gelegt auf hinreichende Kenntnis des Latein, praktische Beherrschung des kirchlichen Zeremoniells und auf Gesang. Die Schlußfolgerungen von Braun zugegeben, die von ihm selbst vorgenommenen Einschränkungen des Resultats genügen nicht. Diese Kontrollnachrichten besagen schon etwas. Aber sie besagen nicht viel, solange sie so rudimentär waren, so formalistisch (und als a) lückenhaft, b) wenig religiös) funktionierten. Dann erscheinen vielmehr die gleichzeitigen massenhaften Klagen über die ungebildeten Kapläne und noch mehr Vikare (etwa des Konstanzer Generalvikars von 1458; Braun 103. Anm. 30.; von der Indolenz vieler Chorherren nicht zu reden), und es erscheint der Tatbestand geringer religiöser Volksbildung, wie er in den Jahren der Reformation sich dokumentierte, nicht erstaunlich. Die nachgewiesenen Vorsichtsmaßregeln für ein gewisses Bildungsniveau des Klerus als conditio sine qua non für die Seelsorge müssen also ergänzt werden durch die Einzeichnung der unmittelbaren und mittelbaren Schädigung des Seelsorgeeifers durch diejenigen Mißstände in der Seelsorge,

---

[33] Darüber sind wir mit wenigen Ausnahmen schlecht unterrichtet. Dazu Ed. Hegel, Städtische Pfarrseelsorge im deutschen Spätmittelalter (Trierer Theol. Zt. 57 (1948 207—220) und meine Stellungnahme am Schluß dieser Abhandlung.

[34] Ein Zeugnis von 1461: bene legere, canere, textum planum bene exponere, bene practicare, in aliis vero impertinens ex ostenso nobis sui examinis titulo est repertus. Dieser Kandidat fiel durch, wurde aber zur Priesterweihe und zu einem Benefizium ohne Seelsorge zugelassen bis zu dem neuen Examen. Ebd. S. 100.

271

die Braun (natürlich) selbst an anderer Stelle behandelt: Übermultiplizierung der Seelsorgstellen — ungenügende Lebenslage —
Kumulus — finanzielle Infizierung der Seelsorgsarbeit selbst —
Konkurrenz zwischen Welt- und Ordensklerus in der Seelsorge —
die faktische Unwissenheit des Klerus (S. 102 f.) usw. Außerdem
ist die Auskunft über die an den Kandidaten gestellten Anforderungen doch recht mager. Irgendein anschauliches Bild eines theologisch oder gar seelsorgerlich Durchgeformten wird uns weder im
allgemeinen von der behördlichen Seite als Forderung noch als
Leistung des Examenskandidaten genannt. Das Resultat könnte
allenfalls auf eine einigermaßen (!) befriedigende Korrektheit lauten.
Die einzelnen betont erfreulichen Beispiele sind so selten und liegen
so zerstreut, daß sie das Bild nicht eigentlich zu kennzeichnen vermögen. Die Gefahr, das zufällig Überlieferte zu überschätzen, besteht auch nach dieser Seite und muß durch kritische Vorsicht überwunden werden.

Ein Grundübel liegt hier noch in dem kläglichen Mißverhältnis,
in dem der unmittelbare Einfluß des Bischofs auf die Besetzung der
Pfarrpfründen im Vergleich zur Gesamtzahl der zu vergebenden
Pfründen bestand. (Braun 65.) In Konstanz standen von rund 1700
Pfarreien 8 dem Bischof zur Besetzung offen. Der Wormser Bischof
hatte 2 Pfarreien zu besetzen. Einige andere Möglichkeiten für die
Bischöfe, indirekt auf die Besetzung Einfluß zu gewinnen, ändern
das Gesamtverhältnis nicht wesentlich.

Aber auch das ist wieder nur e i n Gesichtspunkt. Er bedarf der
Ergänzung. Die Lage wäre schon bedrückend[35], auch wenn die
spätmittelalterlichen Bischöfe in der Mehrzahl sich durch Seeleneifer ausgezeichnet hätten. Nach dem faktischen Stand des religiös-
pastoralen Eifers, den wir von vielen Seiten und in vielen Einzelheiten kennen, hätte eine allgemeine Besetzung der Pfarreien durch
die Bischöfe kaum ein wesentlich besseres Resultat vermittelt.
Machten sich doch gelegentlich selbst reformeifrige Bischöfe kein
Gewissen daraus, Seelsorgs(?)pfründen an Minderjährige zu ver-
leihen! (Braun 65/66.)

Es wird nicht bestritten, daß die Kirche des Spätmittelalters
nicht nur eine Kirche des Klerus, sondern des Klerikalismus war.
Dem allgemeinen Priestertum wurde in erschreckendem Umfang
sein Recht vorenthalten. In Deutschland kamen auch die nationalen
Werte zu kurz. Ungenügend war sogar die Befriedigung des
Kirchenvolkes in der Frömmigkeitspflege. Trotz allem einströmenden Volksbrauchtum sind ihre Grundformen nicht original volks-

---

[35] Daß zu gleicher Zeit dem Lokalbischof auch noch die Priesterweihe
aus der Hand genommen wurde durch die zunehmend an der römischen
Kurie ohne Vorwissen der bischöflichen Heimatbehörde erteilten Priester-
weihen (Vasella 71) ist ein neuer Mißstand; und mit welch vielseitiger Auswirkung!

272

mäßig erwachsen, sondern sind eine Transponierung von Formen, die in einem entscheidenden Sinne vom Mönchtum geprägt und durch das Mönchtum vermittelt waren. Das Problem, vor dem die heutige liturgische Volksbewegung steht, lag auch damals vor; nur, daß man es nicht beachtete.

Dort aber, wo die Kirche dem Volksverlangen kräftig nachkam, ist (wie beim Brauchtum überhaupt), vorab die Frage zu stellen, ob die Geistlichkeit dem Volk nicht — zu weit entgegenkam. Zum Beispiel: es ist sicher einer der großen Werte der spätmittelalterlichen Volksfrömmigkeit, daß die Verehrung des leidenden Herrn darin einen so breiten Raum einnimmt. Wenn aber neben die Verehrung des leidenden Heilandes (mit der übertriebenen Vereinzelung und Multiplizierung der Heiligenverehrung!) die besondere Verehrung der fünf Wunden, des heiligen Blutes usw. den breiten Raum einnimmt, den wir kennen, so kann das als Peripherierung (besonders im Zusammenhang mit den gleichzeitigen grundstürzenden Zersetzungserscheinungen in der Verfassungslehre und in der Theologie) schon eine alarmierende Erscheinung sein. Wenn die Kirche d i e s e Entwicklung durch Ablässe begünstigte, darf man nicht mehr einfach feststellen, sie habe die ‚Ablässe seelsorgerlich geschickt gehandhabt‘, weil ‚die Verehrung des Leidens und Sterbens des Herrn im Zug der Volksreligiosität‘ lag (Braun 139). Auch, daß die Kirche „durch Ablaßgewährung für das Küssen von Reliquien dem Volksempfinden Rechnung getragen" (ebd. 139) habe, ist eine theologisch ungenügende Bewertung. Wie schon gesagt: der Bezirk ‚Volksfrömmigkeit‘ unterliegt letztlich denselben strengen Maßstäben des Evangeliums, der Liturgie und der dogmatischen Tradition wie irgendein anderer Bezirk des Christlichen. Das Abgleiten in Unterchristliches drohte ihr nicht nur, sie ist ihm oft verfallen. Wo das Mitgehen der ‚Kirche‘ diese Entwicklung begünstigte, liegt Mißstand vor, gefährlicher Mißstand.

Ähnlich ist zu befinden über die Bewertung des Ablasses als Kulturfaktor: es muß einfach verlangt werden, daß vor und über allem andern immer deutlich bleibe, daß dies n u r ein höchst peripherer Gesichtspunkt sein kann. Und daß wir es zum Beispiel überall da mit Mißstand zu tun haben, wo der Ablaß ein Werkzeug von Finanzoperationen geworden war (zu Braun 140). Es ist sehr eindrucksvoll, sich zu sagen, daß die Münster von Freiburg und Ulm nicht stünden ohne Ablaß. Und sicherlich behält in einem gewissen Umfang auch diese Funktion des Ablasses im Gesamt der civitas christiana ihr Recht. Aber ebenso sicher bleibt, daß auch diese Funktion geprüft werden muß an den unerbittlichen Maßstäben des Christentums. Daß der Stadtrat oft der drängende war, entlastet die kirchlichen Führer um so weniger, als diese ihre Unabhängigkeit gegenüber dem wenig anerkannten allgemeinen Priestertum der Laien sonst genugsam betonten.

Man kann es füglich nicht anders als tragisch nennen, daß maßgebliche kirchliche Kreise auf der einen Seite christlich unterwerti-

273

gen Bedürfnissen des Volkes stark entgegenkamen, anderseits im eigentlichen Dienst an der Gemeinde zu wenig leisteten. Das ist freilich kein Widerspruch. Es besteht vielmehr Identität der Grundlage: der Fiskalismus.

Durch die Einordnung des Pfarrers in die zunehmende Fiskalisierung der kirchlich-bistümlichen Verwaltung (parallel zur Zentralisierung, Vasella 7) entstand notwendigerweise in vielen Einzelfällen eine Spannung zwischen Pfarrer und Gemeinde. Das Verhältnis zwischen Bischof und Klerus war in vielen, vielen Fällen einfach dasjenige von Gläubiger und Schuldner. Und Ähnliches galt für das Verhältnis Bischof—Volk. Die bischöfliche Judikatur war ja zu Ende des Mittelalters nicht etwa einfach im Abnehmen, sondern auch in starkem Wachsen. (Vgl. dazu die massenhafte Zunahme der bischöflichen Prozesse durch die Formlosigkeit der heimlichen Ehe und der zahlreichen umstrittenen Ehegelöbnisse. Von hier aus wurden breitere Massen des Volkes gerichtlich — und das bedeutet im Endeffekt Geldstrafe, mit drohendem Bann bei Nichtbezahlung — vom Ordinariat erfaßt. Vasella 13.) Gerichtlich, finanziell — statt seelsorgerlich-religiös: da wird das Problem sichtbar!

Das Verhältnis Klerus-Volk fand vielfältigen charakteristischen Ausdruck im Kampf der Städte gegen die sozialen und wirtschaftlichen Vorrechte der Geistlichkeit. Vincke (S. 159) äußert die Ansicht: „Nach Lage der Dinge konnte der Klerus ebensowenig auf seine Rechte verzichten, als die Stadt dieser Entwicklung (die massenhaften, steuerfreien ‚ewigen Renten‘ zugunsten der Vikare, Kapläne, Stiftsherren, Klöster) ruhig zusehen durfte." Diese Bewertung vereinfacht in unzulässiger Weise. Hier liegt vielmehr eines der Hauptprobleme in aller Geschichte, eines, das allerdings am seltensten gelöst wurde; nämlich die Aufforderung der Zeit an die Reichtum oder Recht Besitzenden, zu rechter Zeit von einem echten oder vermeintlichen Recht freiwillig zurückzutreten. Immer wieder hat das Versagen an diesem Punkt die Entwicklung zum Radikalismus und zur Revolution getrieben und die Geschichte zu einer Kette der verpaßten Gelegenheiten gemacht. Bei einzelnen materiellen Rechten und Fragepunkten mag es unmöglich erscheinen, dergestalt freiwillig zu verzichten. Aber hier stehen bleiben, heißt zu kurz sehen. Und innerhalb der spezifisch christlich-kirchlichen Problematik heißt es, dem kirchlichen Teil das Recht zugestehen, in doppelter ‚Moral‘ zu denken: anders (‚asketisch‘) nach innen; weltlichrechtlich nach außen. Wenn so viele Reformforderungen den Egoismus des Reichtums usw. verwarfen, hätten dann einsichtige Führer nicht zu einer solchen Bereinigung unter eigenen Opfern die Hand bieten sollen? Es wäre eine Kapitulation vor der Reformfähigkeit, wollte man die Unmöglichkeit des freiwilligen rechtzeitigen Verzichtes statuieren. (Die Tatsache, daß z. B. in Osnabrück der Klerus „in der Praxis doch nach und nach den Widerstand aufgab", beweist übrigens, daß die Möglichkeit des Verzichts sehr wohl gegeben war.) Außerdem: die Überspitzungen des spätmittelalterlichen Klerikalis-

274

mus im Sinne des privilegierten und des genießenden Standes stehen zur Diskussion. Und zwar als objektive Form des christlichen Daseins, die mangelhaft war und an sich einen Mißstand konstituierte. Mit subjektiver Schuld hat das wiederum an sich und unmittelbar noch nichts zu tun.

Die im Spätmittelalter (schon seit dem 14. Jahrhundert) nicht seltenen tumultuarischen Erhebungen des Volkes gegen Klerus und Klöster haben nicht nur unberechtigte Wurzeln. Der Klerus hatte Besitz[36]; und er hatte durchaus das ‚Recht‘, Zinsen und alle möglichen Abgaben zu verlangen. Fragt sich nur, ob jenes Recht es ihm nicht zu oft unmöglich machte, echter Seelsorger zu sein. In Zeiten der Teuerung wurde die Diskrepanz zwischen Idee und Wirklichkeit des Klerus leicht besonders gefährlich. (Vgl. dazu Rensing 77.) Wenn also die Trierer Bürger, die 1432 und 1433 so stark gegen ihre Klöster standen, unter dem Druck der Beschießung ein Schutzgelöbnis abgeben „umb sunderlicher gunst und liebe, dy wir lain zo geistliche stainde..." haben (Redlich 56), so muß man die Beteuerung mit berechtigtem Mißtrauen aufnehmen und nicht als Beleg für das gute Verhältnis beider Parteien deuten. Tatsächlich gab es dort bald nachher neue Angriffe und in den Jahren 1437—39 hören wir wieder von Klagen über Ausschreitungen, Quälereien und Plünderungen durch die Trierer. (Redlich 57.)

Es ist also schon richtig, daß der Gegensatz Klerus—Bürger im 14. Jahrhundert und anfangs des 15. gerichtet war „gegen die ausfallende Steuerkraft des Privilegierten, der zufällig Geistlicher war" (Vincke 161), und sich gegen den Konkurrenten oder gegen die Erheber der mehr oder weniger drückenden Abgaben wandte. Aber es ist wesentlich nicht erschöpfend. Besitz, Recht auf Zinsforderung, Gewerbebetrieb und Steuerfreiheit hatten den Geistlichen von der zivilen Seite her so stark, ja so wesensmäßig zum natürlichen Gegenpart, ja Gegner des Laienvolkes gemacht, daß hier dauernd die Versuchung lauerte, den Laien nicht als Objekt der Seelsorge, sondern des Erwerbs zu betrachten. Die Geistlichen hätten allesamt Heilige sein müssen, wenn nicht viele (und diese sehr oft) der Versuchung erlegen wären. Die Laien aber, die in grundlegenden Dingen, wie es Soll und Haben immer sind, so heftig, so oft, so lang zu protestieren sich veranlaßt sahen, hätten nicht Menschen sein müssen, wenn ihre Verehrung für diesen Klerus (und also ihre innere Verbindung mit ihm) nicht gelitten hätte.

Daß trotz dem energischen Widerstand gegen den Klerus die Führer der städtischen Bewegung (in Osnabrück) „unter den nächsten Verwandten Geistliche hatten oder gar ihre Söhne zu Geistlichen weihen ließen" (Vincke 161), widerlegt natürlich das Gesagte nicht.

---

[36] Der Klerus wurde außerdem durch seine Erwerbstätigkeit zu einem Konkurrenten (zusammen mit seiner Steuerfreiheit in unlauterem Wettbewerb) des Volkes. An Rhein und Mosel gab es besonders Klagen über den großen Weinumsatz der Klöster. St. Matthias in Trier hatte 103 000 Weinstöcke, Himmerod 556 000. Also wurden ihnen die kleinen Geschäfte und die Handwerker feind. Man begreift die im Text erwähnten Angriffe auf das Kloster eher.

Das Leben war ja auch damals und auch nicht in Osnabrück ein logisches System, in dem Widerspruch und Wankelmut und sonstige Vielschichtigkeit keinen Platz hätten haben können. Außerdem gab es die gleichen Erscheinungen auch im weiteren Verlauf des 15. Jahrhunderts und im 16. Und doch: p l ö t z l i c h schrien vielfach dieselben Leute, Gelübde und Zölibat und Messe seien Götzendienst, und das Pfaffentum müsse verschwinden. Das ist einfach nicht erklärbar ohne einen vorhergegangenen inneren Bruch und ein vorhergegangenes langsames Abrücken des Volkes vom Klerus.

Freilich differenziert sich anderseits die Problematik der Mißstände noch einmal: es offenbart sich mancherorts eine geradezu rührende Art der Anhänglichkeit des Kirchenvolkes an die kirchliche Obrigkeit. Aber dies macht manchmal auch die ungewöhnliche Last der Mißstände und ihre drohende Sprengkraft in besonderer Art fühlbar; wenn nämlich die klerikalen Verhältnisse ihnen zum Trotz unerschütterlich scheinen. Vasella hat zwei Briefe veröffentlicht, die in dieser Beziehung besonders eindrucksvoll sind. Als Ergebnis eines fleißigen Lebens im Dienste der bischöflichen Kurie hat ein ehemaliger Lehrer 30 Gulden Schulden. Der Siegler hat gegen ihn Exkommunikation erklärt, ungeachtet der Bitte des geistlichen Sohnes (eines Kaplanes, der für acht Angehörige aufzukommen hat), ihn zum Bürgen anzunehmen. Dem Schulmeister droht schließlich Pfändung und Verlust von Familie und Heimat. Und doch ist es nicht irgendwie die Stimme der Auflehnung, die wir vernehmen, sondern wir sehen geduldiges, selbstverständliches Sich-Bücken. — Aber welch ein Druck! Und wie mußte das ,Recht' zum Zorn, zum Aufbegehren bei diesen Enterbten auflodern, gerade bei diesen Geduldigen, wenn einmal das Maß voll war u n d ihnen ihr Recht gründlich eingeredet wurde!

In erfreulichem Gegensatz zu dieser Seite der damaligen kirchlichen Wirklichkeit steht die Tatsache, daß es am Ende des 15. und zu Beginn des 16. Jahrhunderts auch ein sehr gutes Verhältnis zwischen Volk und Klerus gab, das innerlich fundiert war. Das hatte teilweise seinen einleuchtenden Grund in einer überraschend reichen Caritastätigkeit des Klerus aller Grade. (Vgl. Braun 116 ff.) Und dies ist wahrhaftig ein großes Prae für die damalige Geistlichkeit, in der Welt wie in den Klöstern. — Aber auch dies ist nicht in sich eindeutig. Dieselben Fragen sind hier zu beantworten wie sie sich für die Bewertung der kirchlichen Stiftungen stellen (s. gleich unten und Anm. 37) bis zur Feststellung eines etwaigen klerikalen Geltungsbedürfnisses. — Man darf aber auch anderseits beileibe nicht undifferenziert von ,dem' Klerus sprechen. Es gibt ja nachweisbar untadelhafte Schichten in ihm. Man kann z. B. die Beschwerung der Bürgerschaft durch Zinsen und Naturalien, durch Ausübung des einen oder anderen Gewerbes nicht ohne weiteres den Barfüßern zur Last legen. In Altenburg lebten sie jedenfalls nur „vom Ertrage ihrer Bettelgänge und von dem Einkommen für ihre Dienste in den städtischen Gotteshäusern". Dort hat es ,niemals

276

Streitigkeiten gegeben zwischen Magistrat und Franziskanerkloster, das getreu den Ordenssatzungen weder Grundeigentum noch Parochialrechte besessen hat'. (Doelle, Kursachsen, S. 23f.) In Zwickau standen die Bürger auch während der Reformation noch zum großen Teil auf seiten der Brüder, und selbst die Gewaltmaßregeln des Rates vermochten nicht, die Treue vieler Bürger zu den Franziskanern zu erschüttern ... so daß noch in der letzten Zeit vor der Vertreibung der Brüder (1525) der Rat Aufruhr und Empörung von jenen Bürgern befürchtete. (Doelle, Kursachsen 38; oder handelte es sich beim Rat nur um eine der vielen Behauptungen über angeblich drohenden Aufruhr?)

Die selbstverständliche methodische Forderung: daß man solche Einzelbilder nicht für das Ganze nehme! Die festgestellten Mängel sind nicht weggewischt. Wo der wirtschaftliche Gegensatz zwischen Volk und Klerus bestand, ging er in zahllosen Fällen über auf den Geistlichen als solchen. Sogar aus den ü b e r t r e i b e n d e n Vorwürfen der Humanisten, der städtischen Gravamina und der Flugschriften kann man dieses Resultat mit voller Sicherheit gewinnen. Daß die massenhaften Stiftungen für Kirchen und Klöster von Laien — also die Hingabe bedeutender wirtschaftlicher Werte — nicht einfach als reiner Ausdruck religiöser Gesinnung bewertet werden dürfen, wurde schon gesagt[37]. Sie können auch nicht e i n f a c h h i n als Beweis für ein innerlich ungebrochenes Verhältnis zwischen Volk und Klerus angesprochen werden. Zahlreiche Stiftungen des Spätmittelalters gehen vorzüglich darauf aus, den Töchtern ein A n r e c h t auf den Eintritt ins Kloster, also auf Versorgung zu sichern. „Später war sogar die Verwaltung von einzelnen Stiftungsgütern geradezu in die Hände der jeweils (im Kloster) anwesenden Familienmitglieder" vereinbart[38]. Die so zahlreichen Stiftungen der Stadtobrigkeit sind nicht ein Ausdruck dafür, daß man der Kirche unterwürfig sein wollte, vielmehr drängte man (wie ähnlich bei vielen Klosterreformen; s. oben) darauf, sie sich untertan zu machen. Die Kirche wurde kaum mehr verstanden als corpus Christi mysticum, aus dem man die religiöse Existenz hatte, sondern einseitig als Anstalt. Diese Anstalt aber war ‚unser'. Es hatte sich sozusagen der germanische Eigenkirchenbegriff in einer geradezu phantastischen Erweiterung siegreich durchgesetzt. Einen besonders tiefen Einblick in die Schwächung der r e l i g i ö s e n Bindung zwischen den beiden Partnern läßt uns ausgerechnet Müntzer in Zwickau tun. Nach den üblichen Vorwürfen gegen die Geistlichen sagt er, daß die Laien in gleicher Weise

---

[37] Auch hier ist uns vielfach geradezu d a s Zentralproblem der gesamten germanisch-mittelalterlichen Frömmigkeitsübung gestellt: wie weit leben die Stiftungen von einem echt christlichen Gedanken der communico sanctorum oder aber von einer moralistisch--pelagianisierenden Auffassung, einer Art Heilsversicherung (dies auch bei der Sorge, sich Gebete der Hinterlassenen zu sichern)?

[38] Miller 7. Meist behielten sich die Stifter die Patronate ihrer Stiftung selbst, bzw. für später dem Ältesten des Geschlechtes vor. Braun 51.

277

an dieser Ungeistlichkeit Schuld trügen, da sie ganz und gar das Gebet und Seufzen für die Seelenhirten vernachlässigt hätten; deshalb habe ihnen Gott mit Recht als blinden Schafen blinde Hirten gegeben. (1520.) (Müntzer an Luther 13. Juli 1520. LWW Briefe 2, 139.)

Auch die Problematik der landläufigsten Anwürfe gegen den Klerus, also die Behauptung und Bewertung der klerikalen Vergehen gegen den Zölibat und gegen die Residenzpflicht verlangt eine feiner unterscheidende Betrachtung.

Für die Sittlichkeit im engeren, geschlechtlichen Sinn ist natürlich wichtig die elementare Unterscheidung zwischen clericus ohne höhere Weihen und dem clericus mit höheren Weihen. Es überwiegen ja der Zahl nach unbedingt die Kleriker, die nur die Vorteile des Standes wollten, ohne die Absicht zu haben, jemals höhere Weihen zu empfangen[39].

Das rechtfertigt nun keineswegs die Bagatellisierung des häufigen Konkubinats. Weder die allgemeinen, aber nie verstummenden, sehr oft aus persönlicher Anschauung stammenden diesbezüglichen Klagen von einzelnen Predigern, Chronisten, Theologen (Eck!), Synoden und von reformierenden Bischöfen[40], noch die vergleichsmäßig milde gerichtliche Bestrafung der Zölibatsvergehen gehören zu den unwichtigen Dingen. Spätmittelalterliche bischöfliche Gerichte scheinen sie freilich gelegentlich als solche behandelt zu haben und dabei in Übereinstimmung mit der leichtfertigen Auffassung einzelner Geistlicher geblieben zu sein[41]. Mir scheint es z. B. aufschlußreich, daß der Frühmesser in Sennfeld in seiner Supplik an den bischöflichen Siegler sein Vergehen überhaupt nicht spezifiziert, von diesem aber sofort richtig dahin verstanden wird, daß er ein Kind in die Welt gesetzt hat[42]. Dies wiederum wird vom bischöflichen Siegler nur nebenbei erwähnt, und zwar nur, insofern der Frühmesser durch die erbetene Dispenz dem bischöflichen Siegler Gebühren schuldet.

Bezeichnend ist doch wohl auch, wenn 1493 der Klerus des Schweizer Teiles des Bistums Konstanz in einem Konkordat mit dem Bischof sich ausbedingt, daß die Sätze für Zölibatsvergehen nicht mehr erhöht werden dürften. (Braun 124.)

---

[39] Braun 113. Der Begriff des clericus coniugatus (meist Notare oder Stadtschreiber) ist von offizieller Gültigkeit; ebd.

[40] Reformerlaß des Bischofs Rudolfs von Montfort: Zölibatsvergehen seien das Übel, an dem der Klerus des Bistums Konstanz am meisten leide. Braun 113. Weiteres Material bei Pastor, Janssen, Andras passim.

[41] Gegenteilige Beispiele von Angst vor der Schande bei Braun 114.

[42] In der Eingabe des Frühmessers an den ihm etwas befreundeten Siegler heißt es ganz kurz: „Mir ist not ainer absolucion. Die schickend mir." Der Siegler deutet das als Bitte „umb ain absolutz super procreatione prolis seu publice fornicacionis."

278

In tiefere Schichten führt die Beobachtung, daß in den Verwaltungsverfahren, die uns über diese Dinge unterrichten, kaum irgendwo eine religiöse Auffassung anklingt. Klarer könnten wir hier sehen, wenn eine Monographie uns Aufschluß darüber gäbe, in welchem Umfang die damalige Pastoraltheologie, die Kontrovers- und Erbauungsliteratur eine tiefere und reichere Rechtfertigung des Zölibats im Sinne des ,ungeteilten Dienstes' bietet oder nicht.

Die Frage der Residenzverletzung[43] wird selbstverständlich unrichtig gelöst, wenn man ,hinter jedem nichtresidierenden Pfarrer einen pflichtvergessenen Seelsorger vermutet' (Braun 97). Aber es gilt zu erklären die M a s s e n h a f t i g k e i t der nicht residierenden Pfarrer, und zwar hier auch derjenigen, die kirchenrechtlich korrekt von ihrer Stelle fern waren. Denn es ist ja nicht so, als ob das Kirchenrecht und seine Praxis aus der Reihe der zersetzenden Kräfte auszuscheiden hätten. Im Gegenteil, in ihnen tritt uns wieder die Frage nach den Mängeln der zeitgeschichtlichen Bindung des Systems entgegen. Und eben von dieser Grundlage aus wäre dann die unreligiöse Verursachung jener Massenhaftigkeit aufzudecken.

In all diesen Mißständen stoßen wir immer wieder auf das eine Grundübel: Pfründe (bzw. Fiskalismus) statt Seelsorge. Dabei ist nun zu beachten: es kommt viel weniger auf die einzelne Bewertung oder die einzelne Finanzaktion an, als auf die finanzielle Gesamtfunktion des Systems im Sinne des „qui oves suas plus radit quam pascit" (der astrologische Arzt Joh. Capus, Gegner Usingens, bei Häring S. 24 Anm. 115), oder gemäß der Auffassung: ,der Offizial ist ain Dinng, das sy ain jar ain Sum geben jrem Bischoff, des sy die Leut schätzen und schinden Das hayst: pasce oves meas! das sy reich werden, grosse heüsser kauffen, zinß machen, schöne weyber, ain, zwu, drey halten . . .' (Flugschrift des Hans Schwalb in Flugschriften Otto Clemen 1, 9 S. 349). — Natürlich kann man gerade bei der volkstümlichen Kampfliteratur hunderte Mal mit Händen die völlig unhaltbaren massiven Übertreibungen, oder das naive Unverständnis des historisch Gewordenen etc. greifen. Aber mit diesem Nachweis ist — abgesehen von allem schon Festgestellten — noch nicht die Frage nach der Tatsache erklärt: wie konnte solches ungeheure, totale Mißverständnis aufkommen und sich so allgemein durchsetzen? Besonders ist nicht beantwortet: wie konnte es bei so vielen Menschen aufkommen, die bis ,gestern' treue Katholiken waren? Vielmehr, noch einmal: ein Riß muß seit langem mehr oder weniger unbewußt sich zwischen Volk und Kirche aufgetan haben. Das heißt aber auch, das Bewußtsein von dem, was in Fülle und Reinheit kirchlich ist, muß seit langem verschwommen und ungenügend gewesen sein.   (Schluß folgt)

---

[43] Die Klagen verstummen ja nie. Die Synoden geben massenhaftes Material. Es gibt auch sehr schwere Fälle, etwa eine Absenz bis zu 20 Jahren, s. Braun 129.

Zur Problematik der kirchlichen Mißstande im Spätmittelalter[*]

In memoriam Sebastian Merkle

Von Universitätsprofessor DDr. Joseph Lortz, Münster i. W.

VI. Die Theologie

Das Wichtigste am Phänomen der spätmittelalterlichen Mißstände liegt darin, daß es sich nicht aus losen Einzelerscheinungen
zusammensetzt, sondern daß diese Mißstände ein vielfältig ver-
flochtenes Ganzes bilden; dies aber, weil sie längst nicht nur der
moralischen Schwäche damaliger Menschen ihr Dasein verdanken,
sondern mit bedeutender geschichtlicher Konsequenz sich aus dem
Zeitgeschichtlichen des mittelalterlichen Kirchentums ergaben. Zum
Wichtigsten gehört also, die Tragik der mittelalterlichen Mißstände
zu sehen. Mit zeitgeschichtlicher ‚Notwendigkeit' erwuchsen sie (zu
einem großen Teil) aus eben jenen Gegebenheiten, die dem Mittelalter unentrinnbar vorgegeben waren, aus denen es entstand, die es
zur Höhe führten, aber in sich selber auch den Keim der Auflösung
trugen.

Maßgeblich war hier das germanische Ineinander von Weltlich-
Kirchlich, auf dessen Auswirkungen wir immer wieder stießen (oben
S. 259 ff.). Das g a n z e Mittelalter hat mit dieser Gefahr gekämpft,
und schon im erst halb christianisierten Frühmittelalter hat sie in
nicht geringem Umfang triumphiert. Die sich hier manifestierende
Versuchung lag nahe genug. Denn die Kirche ist in mystischer Fortsetzung der Inkarnation nicht eine spiritualistische, sondern eine
l e i b haftige Größe. Der Mißstand lag darin, daß dieses der Kirche
wesentliche Element vom Dinglich-Germanischen her einseitig übersteigert wurde. (Man suche dieses Germanische aber ja nicht nur im
deutschen Raum!)

Auf dem Gebiet der Theologie hatte es immerhin die ungewöhnlich begnadete Stunde der ausgeglichenen Spannungseinheit im
Werke des hl. Thomas gegeben. Daß das Gleichgewicht nicht gehalten werden konnte, ist nicht erstaunlich. Daß aber das Ausein-
andertreten der vordem zur Einheit gebundenen Elemente, daß die
Störung des Gleichgewichts und die Peripherierung so radikal
wurden, daß wir in einem bedeutenden Teil der spätmittelalterlichen
Theologie geradezu eine der entscheidensten Darstellungen dessen
vor uns haben, was kirchlicher Mißstand im tiefsten Sinn ist, das
hängt wieder zusammen mit der gleichen germanischen, nämlich
dinglichen, ‚weltlichen' Auffassung der Kirche als Anstalt, Herrschaft und Besitz.

---

[*] Siehe die früheren Teile in den Heften 1/2, 7/8 und 9/10 d i e s e r
Zeitschrift.

347

Wenn wir einmal die diffizile Frage beiseite lassen, wo die geistigen und seelischen Wurzeln für das schicksalhafte siegreiche Aufkommen des Voluntarismus in Philosophie und Theologie liegen, der von Duns Scotus zu Ockham, und von Ockham zum Nominalismus des 15. Jahrhunderts führte; wenn wir auch die Frage nach dem Zusammenhang des Theologen Ockham mit dem Kirchenpolitiker Ockham im Dienst Ludwigs des Bayern (Ockham als Paradigma für viele genommen) liegen lassen, so können wir als e i n e Begründung der ausgesprochenen These so formulieren: die Theologie wurde im Spätmittelalter die Magd und so das Opfer des kanonischen Rechts und seiner Realisierung. Der Weg verläuft zum guten Teil über Idee und Verwirklichung der plenitudo potestatis in temporalibus und seine Darstellung im Überkurialismus bzw. seiner Begründung.

Kirchlicher Mißstand im weitesten Sinn des Wortes ist alles, was gegen die Wahrheit und Heiligkeit des Christentums ist.

In diesem weitesten Sinn gibt es e i n Element, e i n e Haltung, e i n e Wurzel, die das Übel verursachte und trug, und dies vom kleinen Schönheitsfehler an bis zur vollen Häresie Luthers: der bewußte o d e r u n b e w u ß t e Subjektivismus, das Fehlen des - um mich des später üblich gewordenen Ausdrucks zu bedienen - (echten!) ‚sentire cum ecclesia‘, des Willens, mit dem übereinzustimmen, was die Kirche lehrt, mit der wesentlichen Schlußfolgerung, sich ihrem Urteil (besonders dem verwerfenden) zu unterstellen. D i e s e s Fehlen ist - in theologisch sehr verschiedener Abstufung - die objektive Schuld des politischen, kirchenpolitischen und theologischen Egoismus der staufischen Kaiseridee, Friedrichs II., Philipps IV. und seiner Legisten, des Nominalismus mit Ockham und dem Defensor pacis, des vielgestaltigen Egoismus des Schismas über Basel hinaus bis zu 1447 und des Humanismus mit dem Erfurter Kreis und Erasmus.

Jenes ‚sentire cum ecclesia‘ ist zweifellos seit der Frühzeit der Kirche die grundlegende katholische Forderung gewesen, längst vor dem päpstlichen Aufstieg im 11. Jahrhundert (und um so mehr vor Trient). Erasmus setzte auf das Titelblatt seines griechischen Neuen Testaments den Vermerk: Salvo utique et illabefacto ecclesiae iudicio. Und in der Vorbemerkung zur dritten Auflage (1523) lese ich fol. B 4^r: Primum illud testamur et ubique testatum esse volumus, nos nusquam a iudicio ecclesiae catholicae vel unquam aut digitum latum velle discedere. Die Tragweite einer solchen Versicherung, zweifellos ernst gemeint, ist bei Erasmus, der ein gefährlich zur Unkirchlichkeit tendierendes Schriftprinzip vertritt, nicht leicht zu bestimmen; in Anbetracht seines geringen Interesses an dogmatischer Fixierung kann sie zumindest nicht als erschöpfende Deutung seines Verhältnisses zur Kirche angesprochen werden. Auch Luther hat die Forderung, das Urteil der Kirche anzuerkennen, in der 1. Psalmenvorlesung, in der Römerbriefvorlesung und noch in der Leipziger Disputation 1519 (als er die Möglichkeit, sich von der

348

römischen Kirche zu trennen, radikal verneinte) sehr nachdrücklich ausgesprochen. Daß er diese Forderung in seinem eigenen Voranschreiten nicht wahrmachte, zeigt neben vielem andern, daß es mit solchem Bekenntnis allein nicht getan war; zutiefst fehlte das artmäßig aus kirchlicher Haltung wachsende Fragen. Die Schuld lag aber nicht nur bei Luther, sondern auch im zuchtlosen spätmittelalterlichen Theologisieren, das ihn mitgebildet (und seine gefährliche Singularität gestärkt) hatte. (Vom I n h a l t der ockhamistisch-nominalistischen Theologie her wäre wohl ihr ‚sola scriptura!' mit in Rechnung zu setzen, das in so seltsamer Spannung zum herrschenden formaljuristischen Denken der Zeit steht.)

Dasselbe ‚sentire cum ecclesia' war auf der andern Seite auch bei den Kurialisten mangelhaft gewahrt. Denn ihr Begriff ‚Kirche' war zu sehr vom temporale, von der Macht her, war zu sehr verweltlicht gefaßt, also gefälscht; gefälscht vor allem, weil sich hier wesentlich Egoismus äußerte: Macht oder Genuß durch die Kirche und an der Kirche.

Auch diese Haltung findet sich nicht nur bei e i n e m kirchlichen Stand, beim Klerus, er prägt das Ganze. Denn das eben Gesagte gilt abgewandelt vielfach auch für die „kirchliche" Haltung des spätmittelalterlichen Bürgertums in seinem Verhältnis zu den Kirchenbauten, den Klöstern und dem Klerus. Auch hier ist der echte Begriff Kirche weithin verdunkelt. Wie man nämlich die Kirche auch ‚definieren' möge, dies ist ihr unzweifelhaft zu eigen: ein vorgegebenes Organisches zu sein, a u s der der Gläubige wird, und dem er dient. In spätmittelalterlicher Zeit aber, parallel mit der nominalistischen Atomisierung, ist Kirche zu oft nur die Summe der Gläubigen; ‚Kirche', das sind wir. Die Kirche war Eigenbesitz des Bürgertums geworden. So wenig die praktische Theologie und der gesamte Klerikalismus den Gedanken vom allgemeinen Priestertum zu einer echten Geltung kommen ließen (und in dieser Unbefriedigtheit eine Hauptursache der Reformation schufen), so sehr war praktisch vielfach die Kirche, das Kloster, der Altar, die Pfründe, Sache und Eigentum der Familie oder der Zunft geworden. Dem vielfältigen, sogar überspitzten Klerikalismus antwortete ein unorganisch entwickelter, theoretisch wenig oder unklar formulierter pragmatischer Laikalismus.

An der Wurzel der (auch hier hereinspielenden) werdenden theologischen Unklarheit stand, wie schon angedeutet, am Ende des 13. und im beginnenden 14. Jahrhundert die Vorherrschaft des formaljuristischen Denkens über das theologische Denken, das Kardinal Ehrle so laut beklagte[44], also das Zurücktreten der aus dem Neuen Testament genährten Theologie[45].

---

[44] Für die libelli de lite und die Schisma-Traktate siehe M. Seidlmayer, Die Anfänge des großen abendländ. Schismas 1940 (Spanische Forschungen der Görres-G., 2. R. V) S. 118 f.

[45] Hier wird ungewollt die Reaktion zugunsten der einseitigen Benutzung des Neuen Testamentes vorbereitet (Reaktionen schießen meist über ihr Ziel hinaus), und hier liegt z. T. die Rechtfertigung von Vertretern des Konziliarismus, die jenes formaljuristische Denken nicht mehr mitmachen wollten.

349

Zur lebensbedrohenden Krankheit wurde diese theologische Unklarheit hauptsächlich durch drei Gebilde: den Überkurialismus auf der einen Seite und (als offener oder versteckter Widerpart) auf der anderen Seite den Ockhamismus und den radikalen Humanismus, hier vor allem durch Erasmus.

Der Überkurialismus mit seiner jeder vernünftigen Einsicht in in die realen Verhältnisse baren Übersteigerung[46] mußte beinahe notwendigerweise durch die undiskutierbar berechtigte Reaktion auf Seite der Laien, der Völker, der Fürsten, aber auch in der Theologie, eine Unklarheit des Glaubensbewußtseins in Bezug auf die Idee des Primates erzeugen. Und welcher Wirrwarr bezeichnet in dieser Beziehung das endende Mittelalter!

Daß das System Ockhams von mindestens drei wesentlichen Ansätzen her nicht mehr voll katholisch war, ist wohl nicht zu bestreiten. Aber: nicht die einzelne falsche oder gefährliche These ist das in unserem Falle Wichtigste, also das eigentlich Zersetzende. Das Gefährlichste war die A r t des Theologisierens, die notwendig die gesunde Lehre mit Auflösung bedrohte. Sie stellt sich am akutesten dar in Ockham selbst. Aber auch in Ockham eben nicht einmal so sehr in seinen Grundthemen als in seiner Grundart des geistigen Sehens und Arbeitens: überkritische Haltung, die ihm sozusagen eine wesenhafte Kritikmöglichkeit an allen früheren Meistern und in vollster Selbstverständlichkeit gibt (vgl. Häring 42); atomisierendes, nominalistisches Denken, das die Elemente der complexio oppositorum zu Gegensätzen auseinanderreißt; das für das Aufhellen des Sakramentalen untauglich macht; das den Weg zum Skeptizismus zu bahnen geeignet war.

Diese Art des Denkens blieb auch im kirchlich zurechtgebogenen (allerdings sehr vielfältigen) Ockhamismus des 15. Jahrhunderts[47]. Es blieb z. B. nicht zum wenigsten die nominalistische Auflösung der organischen Kirchenidee, die Auflösung des echt sakramentalen Denkens, die etwa in Ecks und anderer Theologen scharfer Trennung zwischen Opfer und Sakrament, beinahe zwischen Kreuzopfer und Messe zum Ausdruck kam, die andererseits sowohl die Reformatoren zu einer falschen Auffassung der katholischen Meßopfertheorie ver-

---

[46] Die Identifizierung kirchlicher Haltung überhaupt, ja des Glaubens, mit den so zeitgebundenen und peripheren Ansprüchen der plenitudo potestatis in temporalibus fand seine Parallele in der Identifizierung der theologisch-philosophischen Methode mit dem Glaubensinhalt, wenigstens mit gewissen einzelnen Glaubenssätzen. Als Einzelbeleg: ein Vertreter der via antiqua versucht gegen die moderni deren Spargesetz (entia non sunt multiplicanda) einigermaßen mit der Leugnung des Daseins Gottes gleichzusetzen (Häring 35). Oder es heißt schlankweg: est . . . distinctio realis potentiarum animae . . . fidei nostrae necessaria, sine quarum existentia nec occureret beatitudo nostra, quam expectamus in alia patria. Ebd.

[47] Diese allgemeine Kennzeichnung möchte selbstverständlich nicht das Verdienstliche dieser Theologen leugnen. S. unten und etwa Gerson, epistola secunda de reformatione theolog. und Usingen, dem die zeitgenössische Theologie zu sehr Philosophie geworden ist. „Dem theologischen Wein haben sie soviel philosophischen Wasser beigemengt, daß er seinen wahren ursprünglichen Geschmack fast ganz verloren hat." Häring 27.

350

führte, als es den katholischen Theologen, so weit sie dieser nominalistischen Denkart verhaftet blieben, unmöglich machte, die Lehren Luthers eigentlich theologisch zu überwinden (Iserloh).

Nun gab es zwar früh theologische Kritik an Ockham, und man machte ihm den Prozeß. Auch kennen wir eine Reihe Verbote des Ockhamismus an den Universitäten im 15. Jahrhundert. Aber in keiner Weise läßt sich sagen, daß die vorliegende schwere Bedrohung der katholischen Wahrheit auch nur annähernd genügend in das Bewußtsein der Theologen eingegangen wäre. Ockham ist auch im 15. Jahrhundert der ‚venerabilis inceptor‘[48]. Man nahm ahnungslos den Ockhamismus in die Theologie auf. Es zeigte sich eine Instinktlosigkeit, die eine fortgeschrittene Kraftlosigkeit (ungenügende Nahrungszufuhr aus dem Evangelium) offenbart.

Daß Erasmus eine akute Bedrohung des Dogmas bedeute, wurde in der Diskussion um meine ‚Reformation‘ einige Male in der einen oder anderen Form bestritten; leider wurde auch nicht der Ansatz eines Gegenbeweises versucht. Ich darf also auf meine Ausführungen dort verweisen[49].

Das Bedrohlichste an der theologischen Unklarheit bestand darin,

---

[48] Usingen bei Häring 29; Ritter, Studien 2, 31.

[49] Lortz, 1, 130 ff. S. jetzt auch mein Buch „Die Reformation als religiöses Anliegen heute, Trier 1948, und meinen Beitrag zur Tillmann-Festschrift (Düsseldorf 1950, im Druck): Erasmus kirchengeschichtlich. - Des Erasmus ungenügend katholische Haltung zeigt sich teilweise auch in seinen besten Werten. Sein großes Anliegen z. B., die Vertiefung und Reinigung des Christentums durch Erstellung der echten philosophia Christi, die Forderung und das lebenslange Ringen um die Verinnerlichung gehören hierher. Denn die von Erasmus geforderte ‚Anbetung im Geist und in der Wahrheit‘ (Jo 4, 24) ist weit davon entfernt adäquate Wiedergabe der biblischen ‚besseren inneren Gerechtigkeit‘ zu sein; sie ist philosophisch-stoischer Herkunft und vor allem eine moralistische Vertiefung, nicht zunächst Anbetung in dem Heiligen Geist. - Ein Teil des Humanismus gehörte damals zu den christlich auflösenden Kräften auch insofern, als er den sokratischen Irrtum begünstigte. Bei vielen Schönrednern des humanistischen Zeitalters ist das verständlich. Seine zerstörende Wichtigkeit offenbart er im Umkreis so genialer Kräfte, wie sie Erasmus besitzt, oder in gefährlichen Formulierungen des zur Vollkommenheit strebenden Pico della Mirandola, oder sogar bei so ernst gemeinten klösterlichen Reformversuchen, wie sie der fromme Benediktiner Johann Trithemius in Neumünster unternahm. — In diesen Fragenbereich gehört auch die Bewertung der devotio moderna bzw. der Fraterherren. Rensing 48 riskiert die These, man habe „bisher ihre religiöse Wirksamkeit gewaltig überschätzt, ihre humanistischen Tendenzen haben ihr die Sympathie von Jahrhunderten erobert, das Buch von der Nachfolge Christi habe viele Herzen zur Ruhe gebracht. Im Grunde bedeute ihr Leben ... eine Verkapselung in ein religiöses Schäferidyll‘. Wo aber ist der Beweis für diese Behauptung? Der ist jedenfalls nicht gegeben durch die Tatsache, daß die Bettelorden ihnen unfreundlich gesinnt waren und daß in Konstanz der Dominikaner Grabow versuchte, ihre Verurteilung durchzusetzen. Man wird umgekehrt in ihrer Frömmigkeit mit Nachdruck und mit Freude die zentrale Stellung der Person des Herrn sehen und die echt biblisch-sakramentale Verinnerlichung mit der ernsten Askese. Wenn man schon eine einigermaßen theologisch tiefgreifende Kritik an der devotio moderna einschließlich des Buches von der Nachfolge Christi versuchen will, dann muß man sich an die Frage heranmachen, wie weit hier trotz jener Christozentrik ein gewisser Moralismus ansetzt; d. h. man muß das diffizile Problem eines echten, christlichen Humanismus stellen.

351

daß jene nicht voll katholischen, und sich außerdem gegenseitig unverträglich ausschließenden Auffassungen wesentlich unangefochten gemeinsam innerhalb desselben katholischen Raumes vertreten wurden: eine Überbelastung des Katholischen, der die Idee nicht gewachsen sein konnte[50].

Zur Schwächung der spätmittelalterlichen Theologie gehört natürlich auch ihre Aufspaltung. Die Theologie lebt vom lebendigen Wort Gottes. Ihre übertriebene Peripherierung zu ganz spitzfindigen Distinktionen und nebensächlichen Dingen, die das Glaubensanliegen der Theologie, also ihre eigentliche christliche Funktion, nicht mehr genügend durchscheinen ließ, war grober Mißstand[51].

Aber auch hier müssen wir tiefer graben: die in dem Komplex Dogmenentwicklung aufgeworfene Frage ist und bleibt, so weit die Theologie zur Debatte steht, ein ernstes Problem und insofern immer christlich auch beunruhigend. Wie der Herr voraussagte und wie die Kirchengeschichte zeigt, wohnt dieser Entwicklung eine tiefe Notwendigkeit und innerste Berechtigung inne. Jedoch muß die mit der Entwicklung gegebene Auseinanderfaltung jeweils sorgfältig darauf achten, daß sie nicht Leerlauf wird, bzw. selbstherrlicher Einbruch des Menschen in den Raum der Offenbarung. Immer steht der Theologe in der Gefahr der Konsequenzmacherei. Mit anscheinend ganz korrekter Deduktion aber kann man leicht bei einem Resultat landen, das so hypertroph ausgebaut ist, daß es über das ursprüngliche Fundament viel zu weit hinausragt, als daß es von diesem Fundament noch getragen werden könnte. Das heißt also:

---

[50] Einzelbelege, in denen sich diese theologische Unklarheit ausspricht, gibt es massenhaft aus der Reformationszeit, sowohl in der katholischen Kontroverstheologie wie auch aus unmittelbar der Praxis angehörenden Äußerungen. Ein Beispiel: Unter Berufung auf ihr sie verpflichtendes Gewissen hatten sich die wackeren und treu durchhaltenden Franziskaner in Zwickau verpflichtet auf den ‚alten christlichen hergebrachten Gebrauch, wie der von der christlichen Kirche ausgesetzt und bisher gehalten‘. Aber diese Grundlage scheint ihnen nicht so feststehend, daß sie nicht geändert werden könnte. Denn sie sagen in ihrer Eingabe an Herzog Johann vom 26. 5. 1524: „Wenn aber die ganze christliche Kirche („sammlung"), die nur eine ist und außer der niemand selig werden kann, etwas anderes in dieser Angelegenheit (= der reformatorischen Neuerung) bestimmt, so wollen wir dann allenthalben als getreue und gehorsame Christen, so Gott will, befunden werden. Doelle, Kursachsen 80, 82 und Beilage 9. – Die volle Tragweite der theol. Unklarheit wird auch erwiesen durch einen großen Teil der praktischen Maßnahmen der Kurie im Kampf gegen die Reformation, durch den Reichstag von Augsburg 1530 und durch die Religionsgespräche der 40er Jahre; s. Lortz, Vorträge 51 ff., bes. 60,

[51] Als Belege könnten die vielen Angaben dienen, die Erasmus und Vivès liefern, eine Menge Kapitelüberschriften bei Ockham, Ecks Thesenreihen in Bologna und Wien, oder auch die unglaublichen Thesen des Franziskaners Tiburtius von Weißenfels, gegen die sich Müntzer wendet (Doelle, Kursachsen 48 f.). Wenn auch nur ein Teil von diesen ‚Thesen‘ dem entspricht, was Tiburtius wirklich gepredigt hat, dann liegt eine ganz unverantwortliche Zerrederei des Biblischen vor. Von solchen Ergüssen dürfte man schlechterdings nicht mit Doelle 53 sagen, der Franziskaner habe mit ihnen „als treuer Sohn der katholischen Kirche den Standpunkt seiner Zwickauer Brüder gebilligt".

352

immer muß in der Theologie gerade in der notwendigen Weiterentwicklung die religiöse Funktion, die Offenbarungsfunktion, sichtbar werden und bleiben. Kann man aber sagen, daß dies bei den nach dem 13. Jahrhundert bis ins 15. so verwirrend weit getriebenen Unter-Unterscheidungen über den Glauben, die Hoffnung, die Liebe, den langen Gang der Rechtfertigung, die verschiedensten ,qua' oder ,quoad', die verschiedenen Arten der Gnade, des credere deo, deum, in deum etc.[52], daß also hier genügend das gemeinsame Uranliegen, das Zentralchristlich-Religiöse im Bewußtsein geblieben wäre? Wurde nicht eine Reaktion zur religiös-theologischen Vereinfachung herausgefordert: psychologisch und theologisch? Der ,Nominalismus' bereitet sie vor, auch der korrekt katholische. Luther übersteigert sie, verfehlt die Lehre; aber Stimulans war ganz offenbar a u c h ein berechtigtes religiöses Anliegen (s. unten S. 354).

Man kann durchaus Langs Urteil zustimmen (Beiträge zur Phil. u. Theol. München 1931, 30, 1/2, 241), daß die Spätscholastik um so mehr gewinnt, je mehr man sie kennt. Häring konnte uns in seinem stoffreichen Beitrag über Usingen zweifellos durch rein sachliche Darlegung das Bild dieses Lehrers Luthers viel fülliger und auch wertvoller zeigen, als es etwa Otto Scheel gelungen war, der ihn nur von Luther her sah. Zweifelsohne rücken manche zentrale t h e o l o g i s c h e Thesen viel näher an das heran, was wir nach dem Gesamtbestand der Heiligen Schrift wie nach dem Tridentinum als ,vollkatholisch' bezeichnen dürfen (vgl. besonders viele Ausführungen über die Rechtfertigung aus Glauben und aus Glauben allein). Aber ein Zentralmißstand bleibt: das dem gesamten kirchlichen Spätmittelalter gemeinsame Phänomen der Peripherierung und damit der Multiplizierung[53]. Sehr häufig schiebt sich in den Preis der Gnade so stark oder so unklar ihre vielfältige Distinguierung und wieder in sie hinein die Mitwirkung des Willens in einer Weise, daß der anscheinend ganz eindeutg überwundene pelagianisierende Standpunkt wieder bedrohlich näher rückt. Außerdem: von dem über die theologische Unklarheit, die Vorherrschaft des formal-juristischen Denkens oben Gesagten nimmt alles Rühmenswerte der spätmittelalterlichen Scholastik überhaupt nichts fort.

---

[52] Es ist erstaunlich, welches s e l b s t ä n d i g e Recht (und mit welcher Selbstverständlichkeit!) das rein dialektische Schlußfolgern bei Usingen im Kampf mit den Reformatoren, besonders Erfurts, beansprucht (Häring 131). Leider hat es Häring meist unterlassen, zu untersuchen, ob Usingen mit seinen Antworten das eigentliche Anliegen des oder der Gegner wirklich trifft. Dies festzustellen, ist eine der Hauptaufgaben, die unserm heutigen Bemühen um eine Geschichte der katholischen Kontroverstheologie (eine Geschichte der theologischen Probleme, nicht nur pragmatische Berichterstattung) gestellt ist. Vgl. den ganzen Text bei Häring 131.

[53] Die Ausnahmen. (1) Mystik, devotio moderna, christliche Kunst, (2) der ,Spargrundsatz' der via moderna heben die Gültigkeit des Gesagten nicht auf. — Vgl. hierzu die Ausführungen von de Wulf in der 6. Auflage des Schlußbandes (3.) seiner Histoire de la philosophie médiévali (Lourain 1947) S. 217 ff.; 256 ff.; in denen ich meine Auffassungen voll bestätigt finde.

Ein untrügliches, freilich sehr bitteres, Mittel, die ganze Reichweite dieser spätmittelalterlichen theologischen Unklarheit zu erfassen, ist das Befragen des werdenden Luthers. Wenn es eine wesentliche theologische Unklarheit um 1510 nicht gab, dann bleibt der Entwicklungsgang Luthers nur aus purer Verstocktheit und Bosheit oder aus schwerer akuter seelischer Krankheit erklärbar, was indes allen festen Gegebenheiten widerspricht. Im weithin unabsichtlichen Entstehen der reformatorischen Lehre in Luther wirkt die theologische Unklarheit sich maßgeblich aus. Noch mehr: wenn man die damalige theologische Lage nicht als Mißstand erkennt und anerkennt, sondern die theologische Haltung im katholischen Raum wesentlich als korrekt kirchliche Einheit und als voll katholisch einschätzt, dann bleibt die kirchliche Verurteilung Luthers zwar dogmatisch als Äußerung des Lehramtes nach wie vor berechtigt, nicht aber so theologiegeschichtlich begreiflich. Denn maßgebliche Ansätze, die in Luther verurteilt wurden, waren unangefochten innerhalb des katholischen Raumes vertreten worden, wurden auch nicht etwa bei der Verurteilung Luthers durch einen Hinweis auf sie nachträglich abgewiesen. Dann hätte vielmehr Walter Köhler recht, der behauptet, die Reformation dürfe theologisch nur begriffen werden als die Diskussion zwischen zwei Arten des kirchlichen Christentums, deren Unvereinbarkeit erst allmählich herausgetreten sei. - Und wenn es eine theologische Unklarheit um 1500 bis 1540 nicht gab, bleibt die Haltung der Kurie gegenüber der Reformation, bleibt die Haltung Leos X. 1518 bis 1520, Pauls III. 1547, bleibt vieles im Kampf um das Tridentinum und auf dem Konzil selbst ein Rätsel.

Die Verbindung der spätmittelalterlichen Theologie zur Lehre Luthers hin, bzw. Luthers Beeinflussung durch jene, also deren ‚Mitwirkung‘ in der Ausbildung der reformatorischen Lehre ist mit dem Gesagten nicht erschöpft. Es handelt sich um eine Mitwirkung, die nicht durch unkorrekte Umbildung entstand, sondern, von den Reformatoren aus gesehen, in einer berechtigten Herübernahme besteht. Und abermals ergibt sich, wenn man diesen Dingen nachgeht, eine weitere Verfeinerung in der Analyse unseres Problemkomplexes der spätmittelalterlichen Mißstände.

Luthers formal-philosophische Bildung und sein religiöses Urerlebnis decken sich im Element der Einfachheit. Von der Philosophie her: das Sparprinzip der via moderna; vom Religiösen her: der Sünder, der nach dem gnädigen Gott ringt, und gleichzeitig weniger und weniger Verständnis aufbringt für die Auseinanderfaltung des religiösen Aktes, des Glaubensaktes, des Rechtfertigungsvorgangs, des Heilsprozesses in mehrere unterschiedene und koordinierte Elemente, sondern alles auf e i n Element zusammendrängt. Häring hat gegen Scheel nachgewiesen, daß dieses Sparprinzip von dem theologischen Lehrer Luthers, Usingen, in theologischen Fragen in wichtigen Punkten verlassen ist (S. 136[6]). Aber an der Grundlage auch seines Systems stand doch jener Grundsatz. Dort aber, wo er davon abging, wie in der Lehre von der Rechtfertigung und der Gnade, da stellt sich einfach wieder jene Multiplizierung ein, die notwendigerweise die oft erreichte Klarheit (kein gutes verdienstliches Werk ohne Gnade) in Gefahr bringt. Der Grund liegt darin, daß immer wieder das Bestreben sichtbar wird, jenes G e h e i m n i s der Mitwirkung des Willens des Menschen mit Gott doch noch erklären zu wollen, statt dieses unauflösliche Geheimnis unaufgelöst stehen zu lassen. Hier war die Möglichkeit einer vereinfachenden Reaktion dann wieder gegeben. - Es ist viel zuviel gesagt, wenn Häring meint, die Modernen seien zu dieser Multiplizierung gekommen, weil sie ,die Autorität der Kirche beachteten'; das tat Thomas doch wohl auch, aber er vermeidet durchaus jene Multiplizierung und er wies trotz all seinen Erklärungen die Vernunft wirklich aus dem Mysterium hinaus. (Man sollte mit den Begriffen ,Kirche' und ,Autorität der Kirche' überhaupt viel zurückhaltender operieren. Theologische Meinungen und theologische Schulen sind nicht die Kirche; selbst ihre sententia communis ist von der Autorität der Kirche nur insoweit gedeckt, als diese sententia sich als berechtigt erwiesen hat. Dogma und Theologie sind sorgfältigst zu unterscheiden.)

Auch gegenüber dem ,Wissensstolz' (Bihlmeyer, Kirchengeschichte 2, 408) der Scholastik wird die innere Berechtigung, vielleicht auch Unvermeidbarkeit eines Rückschlags sichtbar, etwa in der docta ignorantia und verwandten Haltungen. Daß die spätmittelalterliche Theologie insgesamt kirchentreu war und nicht ,vorreformatorisch' im früher gebrauchten Sinn, ist entscheidend. Aber wichtig, und für die Zukunft (jedenfalls bis heute) verhängnisvoll war: die Linie ,Skepsis' hebt an und zeichnet sich durch, das Empfinden für die Grenzen der Vernunft ist erwacht, und zwar ganz anders einseitig, als Thomas es gemeint: Duns Scotus beginnt, Ockham wird radikal, es folgen der kirchliche Nominalismus und der Kusaner, bei denen man die Sprengkeime und die schon offenen Risse ja nicht übersehen darf. Das alles bedeutete ja auch: Trennung der Einheit Glauben-Wissen; und eben diese Trennung ist eines der Hauptsymptome wie eine der Hauptursachen des spätmittelalterlichen Verfalls; konsequent gehört sie zu den „Fundamenten" des stärksten Gegensatzes zur römischen Kirche: zu der Verkündigung der Reformatoren des 16. Jahrhunderts.

Kirchliche Duldung von Erscheinungen, die wir als Mißstände erkennen, kann unter das große Gesetz der Heils-Ökonomie fallen; die Forderung der Liebe wie die restlose Verwirklichung des Vertrauens in den Willen des Vaters kann darin seinen Ausdruck finden. Zu dieser Anschauung aber hat sich das späte Mittelalter nicht emporgeschwungen, im Gegenteil, es hat von zwei entgegengesetzten Seiten dagegen gesündigt. Einmal galt in Denken und Praxis der Kurie das wohlerwogene und verantwortungsbewußt realisierte Gesetz des „Lasset das Unkraut wachsen bis zur Ernte!" kaum.

355

Andererseits waren der Blick für die Unantastbarkeit der Lehre und das Verantwortungsbewußtsein außerordentlich getrübt. Die Grenze jenes Ökonomiegesetzes aber ist angegeben durch das andere Gesetz der stets geforderten und allein entscheidenden richtigen Struktur, der Vermeidung sowohl jeder Lücke wie jeder Hypertrophie, die Bewahrung der E i n h e i t. Dieses Gesetz aber war in der Erscheinung der spätmittelalterlichen Mißstände tief verletzt.

*

Kürzlich erschien der Aufsatz von Eduard Hegel über „Städtische Pfarrseelsorge im deutschen Spätmittelalter" (d i e s e Zeitschrift 57 (1948) 207 bis 220. Auch diese sachliche, klar aufgebaute Darlegung schöpft die Problematik nicht aus. Die hochwichtige Unterscheidung zwischen historischer Ursache und Schuld, die einmal auftaucht (S. 208 unten), wird leider nicht durchgeführt. Daß aber das Ungenügende der damaligen städtischen Seelsorge in Deutschland vor allem zurückgehe auf ‚seit langem gewordene objektive Verhältnisse' (S. 213, 220), die zu ändern nicht in der Macht des Pfarrklerus lag, und nicht zu seiner Pflicht gehörte (S. 219), hellt das Bild nicht auf, es macht es düsterer. Denn es geht nicht primär um die subjektive Schuld oder Unschuld der Menschen, sondern um objektive Kraft oder Unkraft. Es geht darum, ob der Acker, das Reich Gottes, hundertfältige Frucht brachte, oder ob das Unkraut (der alles durchdringende finanzielle Gesichtspunkt, die [sehr gut gezeichnete] Zerbröckelung der Pfarrseelsorge, die Massierung und Entleerung des Gottesdienstes etc.) den Weizen hinderte, genügend reich aufzuwachsen.

Zu den Predigten: eine Analyse nach religiös-seelsorgerlichen Gesichtspunkten fehlt noch. Die von Brandt über Ecks Predigttätigkeit gegebene Auskunft genügt ja nicht. Die Gelehrsamkeit und der Doktortitel (S. 219) sind für sich allein keine Gegeninstanz. Vielleicht erweist sich das bei niemand klarer als bei Johann Eck, sobald man nach der eigentlichen theologischen und religiös aufschließenden Substanz seiner Arbeit fragt (s. oben S. 351).

Natürlich hat die Untersuchung eines Ausschnittes aus der spätmittelalterlichen Seelsorge ihr Recht, sie ist sogar notwendig, um den Tatbestand sauber zu beschreiben. Es verbietet sich aber, von diesem Ausschnitt allein aus für oder wider Stellung zu nehmen zu Grundfragen des Gesamts der damaligen Lage, etwa zur (historischen) Notwendigkeit eines radikalen Aufstandes gegen die Mißstände.

Es kann sehr wohl sein, daß Pfleger recht hat, wenn er die „überlaute Kritik von Wimpfeling, Brandt und Geiler von Kaisersberg am Pfarrklerus" (S. 220) schädlich nennt. Aber es nimmt vom Tatbestand, den sie schildern, nichts weg; und man wird das Wort dieser Männer, die man sonst stark herausstellt (vgl. W. Neuß, Die Kirche des Mittelalters 1946, 330), nicht weniger gelten lassen, wenn sie Tadel aussprechen.

Verzeichnis
der im Text abgekürzt zitierten Werke

Braun Albert, Der Klerus des Bistums Konstanz im Ausgang des Mittelalters. Münster 1938 (Vorreformationsgeschichtliche Forschungen hrg. v. H. Finke 14).

Doelle Ferdinand, Reformationsgeschichtliches aus Kursachsen. Münster 1933 (Franziskanische Studien Beiheft 15).

Doelle Ferdinand, Die Observanzbewegung in der Sächsischen Franziskanerprovinz bis . . . 1529. Münster 1918 (Reformationsgeschichtl. Stud. u. Texte 30/31).

Doelle Ferdinand, Reformtätigkeit des Provinzials Ludwig Henning. Münster 1915 (Franzisk. St. Beiheft 3).

356

Doelle Ferdinand, Die Martinianische Reformbewegung in der sächsischen Franziskanerprovinz . . . Münster 1921 (Franzisk. St. Beiheft 7).

Eberhardt Hildegard, Die Diözese Worms am Ende des 15. Jahrhunderts . . . Münster 1919 (Vorreformationsgeschichtliche Forschungen 9).

Festgabe Finke = Abhandlungen aus dem Gebiete der mittleren und neueren Geschichte . . . Eine Festgabe zum 70. Geburtstag Geh. Rat Dr. H. Finke gewidmet von Schülern und Verehrern . . . Münster 1925 (Vorreformationsgeschichtliche Forschungen. Supplementband).

Gieseler Carl Ludw., Lehrbuch der Kirchengeschichte. Zweiten Bandes Vierte Abteilung. Bonn 1835.

Häring Nikolaus, Die Theologie des Erfurter Augustiner-Eremiten Bartholomäus Arnoldi von Usingen. Limburg 1939.

Helbling Leo, Dr. Johann Fabri . . . Münster 1941 (Reformationsgeschichtliche Studien und Texte 67/68).

Hüffer Maria, Die Reformen in der Abtei Rijnsburg im 15. Jahrhundert. Münster 1937 (Vorreformationsgeschichtliche Forschungen 13).

Hoffmann Fritz, Die erste Kritik des Ockamismus durch den Oxforder Kanzler Johannes Lutterell. Breslau 1941 (Breslauer Studien zur histor. Theologie hrg. von Seppelt, Maier, Koch. NF 9).

Iserloh Erwin, Eucharistie und Meßopfer in der Theologie des Johann Eck. (= Reformationsg. Studien u. Texte; im Druck.)

Lortz Joseph, Die Reformation in Deutschland. Freiburg 1940 (3. Aufl. 1949).

Lortz Joseph, Die Reformation als religiöses Anliegen heute, Trier 1948 (Vier Vorträge).

Miller Max, Die Söflinger Briefe und das Klarissenkloster Söflingen bei Ulm a. D. im Spätmittelalter. Würzburg- Aumühle 1940.

Mirbt Carl, Quellen zur Geschichte des Papsttums und des römischen Katholizismus. Tübingen ⁴1924.

Neuß Wilhelm, Wege zum Verständnis des Mittelalters und seiner Kunst (Kunstjahrb. des Vereins für christl. Kunst im Erzbistum Köln u. Bistum Aachen 1940). M.-Gladbach 1940.

Neuß Wilhelm, Das Problem des Mittelalters. Kolmar o. J. (1944).

Redlich Virgil, Johann Rode von St. Matthias bei Trier. Ein deutscher Reformabt des 15. Jahrhunderts. Münster 1923 (Beiträge zur Geschichte des alten Mönchtums und des Benediktinerordens hrg. von Ildefons Herwegen 11).

Rensing Theodor, Das Dortmunder Dominikanerkloster. Münster 1936.

Sasse Hermann, Vom Sakrament des Altars. Lutherische Beiträge zur Frage des heiligen Abendmahls unter Mitarbeit von . . . Erst Sommerlath . . . herausgegeben. Leipzig 1941.

Störmann Anton, Die städtischen Gravamina gegen den Klerus am Ausgang des Mittelalters und in der Reformationszeit. Münster 1916 (Reformationsgeschichtliche Studien und Texte 24-26).

Vasella Oskar, Bischöfliche Kurie und Seelsorgeklerus. Sonderdruck aus ‚Zeitschrift für Schweizerische Kirchengeschichte' 2. und 3. Heft 1938 (Freiburg Schweiz).

Vincke Johannes, Der Klerus des Bistums Osnabrück im späten Mittelalter. Münster 1928 (Vorreformationsgeschichtliche Forschungen 11).

Die Leipziger Disputation 1519.

Von Privatdozent DDr. Jos. Lortz in Würzburg[1].

Über den Verlauf der Leipziger Disputation zwischen Eck einerseits, Karlstadt und Luther anderseits sind wir bekanntlich besonders gut unterrichtet. Die Ausführungen der Redner wurden nicht nur (gemäß der von Karlstadt gegen Eck durchgedrückten Vereinbarung) von den vier amtlich bestellten Notaren, sondern auch von vielen andern Anwesenden nachgeschrieben und trotz des ergangenen Verbotes auch bald veröffentlicht. Der Text liegt heute bequem zugänglich vor in der Sonderausgabe von *O. Seitz* (Berlin 1903) und für den mittleren Teil (Eck-Luther) im 2. Bande der Weimarer Lutherausgabe (LWW 2, 252—383). Nach der textkritischen Seite bedeutet besonders erstere einen Fortschritt, indem sie bisher unbekannte authentische Protokolle für die Herstellung des Textes zugrundelegt. Doch ist die Überlieferung, zu der auch die gleichzeitige Streitliteratur Einzelheiten beisteuert, nicht restlos und nicht übersichtlich genug verwertet. Dazu kommen noch eine Reihe Mißverständnisse im Text.

Einen wesentlichen Mangel aber weisen diese beiden modernsten Ausgaben dadurch auf, daß sie sich in keiner Weise um Erklärung des sachlichen Inhalts bemühen. In der Disputation spielen, wie in der Spätscholastik überhaupt, die „auctoritates" aus Schrift, Vätern, Dekretalen und Theologen eine hervorragende Rolle; der Streit dreht sich oft genug um die richtige Deutung einer solchen Belegstelle. Eine erschöpfende wissenschaftliche Beurteilung der Ausführungen ist ohne genaue Identifizierung dieser Belege schlechterdings unmöglich. An einem solchen Nachweis aber, selbst im bescheidensten Umfange, lassen es *Seitz* und die Weimarer Ausgabe durchaus fehlen.

So ist denn auch bis heute für eine kritische Analyse der vorgebrachten Argumente noch wenig geschehen. Die hierher gehörigen Äußerungen von *Barge* und *Köstlin-Kawerau* bedürfen sehr der Korrektur und der Vertiefung, eine Arbeit, die aber erst geleistet werden kann, wenn die kommentierte Ausgabe der Akten der Leipziger Disputation (LD), die ich für das *Corpus Catholicorum* vorbereite, vorliegen wird. Eine Arbeit übrigens, durch die allein ein restloses Verständnis der LD sich keineswegs erreichen läßt.

Auch die früher oft gestellte Frage: Wer war Sieger in der LD? führt nicht zum Ziel. Es ist allerdings die Frage, die sich 1519 jeder stellte. Das Widerstreben der Leipziger theologischen Fakultät gegenüber der geplanten Disputation (die Angst der Mittelmäßigkeit vor den überlegenen Köpfen), die Bemühungen des Herzogs Georg, das Zustandekommen dieses rhetorischen

---

[1] Entnommen einer größeren Arbeit: „*Reformationsgeschichtliche Grundfragen*", die demnächst im Verlage von L. Schwann in Düsseldorf erscheint. Diese wird auch die quellenmäßigen Belege bringen.

Kampfes zu sichern, mit dem er Reklame für seine Universität machen wollte, das Interesse der gesamten Humanisten- und Theologenzunft, die Hoffnungen der Hauptbeteiligten — alles das stand damals vorzugsweise im Zeichen dieser Frage. Sowohl Eck als auch zum Teil Luther haben sie in dem für sich günstigen Sinne beantwortet. Doch war Luther nicht zufrieden, und Ecks Anspruch dürfte sich mit der Auffassung der Mehrzahl der Zuhörer gedeckt haben. — Indes, abgesehen davon, daß die Frage in dieser Form gar nicht eindeutig beantwortet werden kann, ist sie auch falsch gestellt. Sie ist hergenommen von der Auffassung der LD als eines mehr oder weniger rein akademischen Aktes. Nun liegt aber die Bedeutung d i e s e r Disputation gerade darin, daß sie über einen Schulstreit weit hinauswuchs und zu einem für die Welt wichtigen Geschehen wurde; daß sie nicht innerhalb der Schule blieb, sondern Leben wurde. So verbaut man sich denn mit dieser Fragestellung eher die Erkenntnis der tieferen Bedeutung der LD, und ich möchte das Thema nicht von hier aus in Angriff nehmen.

Ich möchte vielmehr versuchen, von verschiedenen Punkten her einen Durchblick durch das Ganze zu gewinnen, um so an die g e i s t i g e   G e s a m t e i n s t e l l u n g der Disputation heranzukommen. Das nun scheint mir das Entscheidende für ein tieferes Verständnis dieses Aktes zu sein, daß man ihn als Ausdruck einer bestimmten weltgeschichtlichen Zeitlage, einer geistigen Bewegung verstehe oder vielmehr mehrerer geistiger Bewegungen, die hier um die Palme ringen.

Eine Aufgabe ist dabei vor allem zu lösen: daß man versuche, durch die Streitigkeiten vor Leipzig und durch die langatmigen scholastischen Argumente der Disputation selbst hindurch zu gelangen zu einer Charakteristik der geistigen und seelischen Einstellung der drei Hauptakteure, aus der heraus diese auf die Disputation hinarbeiteten und auf ihr sich äußerten. Wir müssen die wissenschaftliche, sittliche und religiöse, die ernste oder frivole Einstellung der drei Hauptpersonen kennen, um erfassen zu können, was die LD für sie bedeutete, und was sie von da aus für die Zeitgenossen sein konnte.

Um den sachlichen Gehalt der Disputation wenigstens kurz anzudeuten, erinnere ich daran, daß sie charakteristischer Ausdruck der damaligen religiösen Kontroverse war. Der Kampf ging erstens um die Frage nach dem Heilswege, bzw. dem Verhältnis zwischen Gnade und freiem Willen; zweitens um die Frage nach der Kirche und ihrer Gewalt, bzw. nach dem Primat und seinem Recht. In der ersten Frage verteidigte Eck die Mitwirkung des menschlichen Willens zum guten Werk, zwang Karlstadt dieser Lehre in etwa zuzustimmen und prägte schließlich für den Sachverhalt die Formel, die nachher eine gewisse Berühmtheit erlangte und in einer weitläufigen literarischen Polemik zwischen Eck und Karlstadt behandelt wurde: opus bonum esse a Deo totum et totaliter, a voluntate totum, sed non totaliter. Auf den Streit über den Primat werde ich weiter unten eingehen.

Den Vortritt hat wie auch in Leipzig der „senior doctor"

I. Eck.

In einer wenig bekannten, aber vortrefflichen Arbeit über den Luxemburger Humanisten Bartholomäus Latomus aus Arlon sagt *E. Wolff*, das 16. Jahrhundert sei nicht eine Zeit der Genies, sondern der einflußreichen Männer zweiten Ranges gewesen. Der Satz besteht sicher nur mit bedeutungsvollen Einschränkungen zu Recht. Aber so wie er gemeint ist, mag es für ihn kaum einen eindrucksvolleren Einzelbeleg geben als die Gestalt des Dr. Johann Maier aus Egg.

1. Eck war begabt mit außergewöhnlichen Talenten; es standen ihm ein Gedächtnis und eine Arbeitskraft zur Verfügung, welche die Bewunderung seiner Zeitgenossen, teilweise auch seiner Gegner, hervorriefen. Er hatte sich das ganze Wissen seiner Zeit, besonders die gewaltige Masse des von der Tradition überlieferten theologischen Gutes in staunenerregender Vollständigkeit angeeignet. Er griff mit zahlreichen wichtigen Werken in die Entwicklung jener stürmisch bewegten Zeit ein, ja mehr als einmal — 1519 in Leipzig; 1542 in Regensburg — hielt er die Entscheidung in der Hand. Er hat seiner Kirche ein Leben lang außergewöhnliche Dienste geleistet. Als er dem Kampf für ihr Recht sein Leben weihte, verzichtete er auf die Befriedigung einer Menge wissenschaftlicher Neigungen, deren Auswirkungen ihn nach Ausweis seiner Leistungen vor 1517 zum bedeutenden Polyhistor hätten werden lassen.

Indes: Eck war keine wirklich überragende Persönlichkeit. Von der ethischen Seite zunächst einmal abgesehen: das Temperament im schöpferischen Sinne fehlte ihm. Er wußte mehr als Luther, er war ein gründlicher, viel besser durchgebildeter Theologe. Auch innerhalb dieser Theologie war er nicht von der Unselbständigkeit vieler Vertreter der spätesten Scholastik, etwa eines Wimpina, der nur das Ziel hatte, Überliefertes kennenzulernen und weiterzugeben. Aber er besaß nicht die geheimnisvolle Kraft, Überkommenes so mit dem Siegel eigenen Geisteslebens zu bezeichnen, daß ein Neues, Unverbrauchtes, Lebenweckendes daraus würde. Die Damaskusstunde, die Geburtsstunde allen großen geistigen Werdens, kam für ihn nie. Eck blieb in der Bahn, auf die den frühreifen Knaben sein Onkel Martin Maier gesetzt, und auf die ihn der komplizierte, aber auch erstarrte Universitätsbetrieb der Zeit mit seinem so oft leerlaufenden Mechanismus festgelegt hatte. Eine große, innere, schmerzliche Erschütterung blieb ihm — man muß sagen: leider — versagt, und damit eben jenes Erlebnis, das allen geistigen Besitz erst befruchtet und ihn dadurch befähigt, auch bei andern neues Leben zu wecken. Es blieb ihm die wichtigste und wertvollste Eigenschaft geistigen Besitzes versagt: daß er innerlichst errungen sei. Jeder, dem einmal die Stützen irgendeiner Position, so wie er sie „gelernt" hatte, ganz oder zum Teil unter den Händen zerbrachen, so daß er von unten auf neu zu bauen gezwungen war, wird das verstehen. Daß ein solches Umlernen auch innerhalb des dogmatischen Glaubens durchaus möglich und für die fruchtbare Bewegung der Religion eine Notwendigkeit ist, braucht nur gesagt, nicht bewiesen zu werden. Die Wahrheit wandelt sich nicht. Aber für ihre Wirksamkeit unter den Menschen ist sie an die Eindruckskraft ihrer Form gebunden. Ecks Beispiel zeigt, wie wenig fruchtbar Wahrheit in abgebrauchtem Gewande ist.

Die außergewöhnliche rein religiöse Veranlagung aber, die Ersatz hätte leisten können (und z. B. bei einem viel kleineren Geiste wie K. Schatzgeyer wirklich Ersatz geleistet hat), war Eck leider auch nicht zuteil geworden.

2. Die LD läßt das alles klar in die Erscheinung treten. Meines Erachtens kann kein Zweifel daran sein, daß rein wissenschaftlich betrachtet die Leistung Ecks in Leipzig diejenige Luthers und Karlstadts weit überragt. Auch wenn man die ungeheure Masse von Argumenten aus Schrift, Vätern, Theologen und Dekretalen, wie sie von beiden Seiten vorgebracht wurden, gegeneinander abwägt, so erweist sich Eck als derjenige, der das bessere Material besitzt und es wissenschaftlich am korrektesten verwertet.

Seine Argumente und die Erklärungen, die er Luther abtrotzte, haben sodann vielen bis dahin unentschlossenen Katholiken die Gefahren gezeigt, die in der Neuerung drohten: in dieser Weise hat er klärend gewirkt. Ob er allerdings dabei nicht zu scharf vorging und auch großen Schaden anrichtete, mag hier auf sich beruhen.

Aber: die Stoßkraft der neuen Ideen hat er kaum geschwächt. Syllogismen können so wenig eine religiös-geistige Bewegung neuschaffen, als eine bestehende, sofern sie wirklich lebendig ist, tödlich treffen. Eck wußte am meisten, er bewies und widerlegte am besten, während Luther recht oft nichts anderes als bereits widerlegte Einseitigkeiten zu entgegnen hatte. Aber diese Gedanken Luthers, gering an Zahl, waren innerlich errungen, gehörten ihm ganz zu eigen, waren lebendig. Glühend strömt seine innere Erregung, der Widerhall der bestandenen seelischen Kämpfe, und die aus ihnen geborene Kraft auf die Zuhörer nieder; mit dem unheimlich sicheren Instinkt des genialen Revolutionärs kehrt er immer wieder zu den wenigen entscheidenden Sätzen zurück und rammt sie ein in das Bewußtsein der Zuhörer und darüber hinaus der Zeitgenossen.

Daß Eck, wie so vielen tüchtigen katholischen Mitkämpfern der Zeit, dieses Hinreißende versagt blieb, gehört zu der tiefen Tragik, die in so mannigfacher Weise über der mühevollen Arbeit liegt, die damals zugunsten der alten Kirche und ihrer ewig wahren Lehre geleistet wurde. Hätten Eck und seine Mitstreiter dieses Eine in den Dienst des Katholizismus zu stellen gehabt, dieses Unentbehrliche, das allein im Reiche des Natürlichen geschichtlich neues Leben schafft, wie anders hätten sich die unseligen religiösen Kämpfe des 16. Jahrhunderts entwickeln können! So aber blieb Eck wie so viele seiner katholischen Mitkämpfer im Grunde genommen immer in der Defensive. Die primäre Kraft der Bewegung aber lag damals, wie immer, in der Offensive, und diese kam von der Gegenseite. Über die aufgedrängte Polemik hinaus eigne Ideale aufleuchten zu lassen, war den teilweise doch so ungeschickten Apologeten des 2. Jahrhunderts einst noch geglückt, weil in ihnen ein Christentum arbeitete, das neu, unverbraucht, eminent lebendig war. Bei den katholischen Apologeten des 16. Jahrhunderts gab es warmreligiöse Naturen genug. Aber sie standen, umgekehrt wie die frühchristlichen Apologeten gegenüber den heidnischen Zeitgenossen, an Format den Gegnern nach, und schließlich: sie blieben eben zumeist, leider, an der zweiten Stelle.

3. Die Frage nach Ecks geistig-seelischer Einstellung spitzt sich für die LD aber noch weiter zu: Wie war seine religiös-sittliche Haltung?

Die Antwort darauf kann leider nicht günstig lauten. Eck kommt nach Leipzig hauptsächlich als Disputator zu einem akademischen Gelehrtenkampf vor ungewöhnlich breiter Öffentlichkeit. Ganz Deutschland und die gebildete Welt weit darüber hinaus sind Zuhörer. Am eignen Ruhm liegt ihm viel, so viel, daß er vor einer Fälschung, die zunächst vielleicht ein bloßes Versehen gewesen war, nicht zurückscheut. An einer sachlichen Klärung der Fragen dagegen oder an einer Überbrückung der Gegensätze scheint er weniger interessiert. Man vermißt schmerzlich in seinen Disputationsreden sowohl wie in privaten Äußerungen jener Tage den ausgesprochen religiösen Ernst. Man hat nicht den Eindruck, daß er sich der im Gewissen bindenden Verantwortung der Stunde bewußt gewesen wäre.

Noch mehr: Aus einigen dieser Äußerungen muß man auf eine nicht unbedenkliche Frivolität des Vertreters des Katholizismus in dieser entscheidenden Stunde schließen. Wir stehen hier quellenmäßig auf sehr gutem Boden. Wir besitzen einen Brief, den Eck am 1. Juli 1519 eine Stunde vor Beginn der Nachmittagsdisputation an seine Kollegen Hauer und Burkhard nach Ingolstadt geschrieben, und den Prälat *J. Schlecht* jüngst in Grevings Reformationsgeschichtlichen Studien und Texten zum ersten Male vollständig veröffentlicht hat. *Schlecht* sagt darüber: „Eck beginnt mit Bacchus und hört mit Venus auf." Es handelt sich bei dem zweiten Punkte nur um eine unklare Andeutung. Aber diese in einer solchen Stunde zum mindesten frivole Bemerkung Ecks, sodann aus Ingolstadt (!) stammende recht deutliche Spottverse, eine bisher nicht verwertete Notiz in einer Schrift des Katholiken Bartholomäus Latomus gegen Bucer und endlich die überraschend nachdrücklichen, wenn auch indirekten Zugeständnisse in den auf Eck gehaltenen Leichenreden machen es leider unmöglich, die früheinsetzenden und sich hartnäckig erhaltenden Anklagen der Gegner Ecks einfach und ganz als Verleumdungen gehässiger Polemik beiseite zu schieben.

Auch der gegnerische Tadel über Ecks Hochmut ist nicht einfach abzuweisen. Man muß zwar hier dem Humanisten vieles nachsehen. Weitgehend trifft die Mode, nicht den einzelnen Schriftsteller die Schuld. Man darf auch nicht vergessen, daß das öffentliche Ansehen als siegreicher Disputator damals eine wirkliche Macht war, nach der zu streben und deren sich bewußt

16

zu sein durchaus berechtigt war. Aber Eck hat doch reichlich viel für dieses äußere Ansehen getan. Er rühmt zwar zu allen Zeiten gerne seine Demut durch die auch in Leipzig gebrauchte, wie es scheint, für ihn stehende Formel „modestia Eckiana". Wenn indes solches Lob der eigenen Bescheidenheit zu oft wiederkehrt, wirkt es verdächtig. Vollends dann, wenn es in einem Zusammenhang auftaucht, der sonst unzweideutig voller Hochmut ist.

Und das ist durchaus das Bild, das uns der angezogene Brief aus Leipzig zeigt. Wie auf der Disputation selbst, so ist Eck auch hier voll von einer souveränen Verachtung für das Äußere Karlstadts, für seine Art des Disputierens, für sein schwaches Gedächtnis und für seine geringe philosophische Begabung. Mit welchem Wohlgefallen notiert Eck, daß er als „senior doctor semper aliis fui praelatus", daß Karlstadt offen zugebe, daß er an Gedächtniskraft dem Eck nachstehe, daß er Punkt für Punkt die Argumente Karlstadts behandelt und sie „cum omnium admiratione" besser wiederholt, als Karlstadt selber sie aufgestellt habe! Nur einen Fehler schreibt er sich bedauernd zu: „posui rationes replicas de nocte et dedi ei spatium deliberandi usque in crastinum hora octava. Venit mane, et notarius contra pacta ei fecerat copiam actorum et dictorum." Mit welcher Geschäftigkeit läßt er sich Zeugnisse geben! Selbst gegenüber Luthers Verlangen, den Inhalt seiner Disputation vorläufig veröffentlichen zu dürfen, ist seine einzige Sorge, Luther und die Seinen würden dann zweifelsohne „epistolas et alia" hinzufügen „in eorum laudem, quod viderentur triumphasse".

Es handelt sich, wie schon angedeutet, bei dieser Selbstbeweihräucherung nicht um grobe Fehler, und was dem einen unsympathisch erscheint, sieht ein anderer Geschmack als belanglos oder berechtigt an. Ich für mein Teil möchte sagen, daß das starke Hervortreten der Eitelkeit in dieser wichtigen Stunde zu bedauern ist. Man wird beklagen dürfen, daß dem Vertreter der katholischen Sache die ganz ideale Einstellung, die alles tragende Ehrfurcht fehlte, dagegen persönliche Empfindlichkeit und die Sucht Recht zu behalten sich allzu sehr vordrängten.

Nicht ohne Bedeutung ist auch ein anderer Vorfall aus den Tagen der LD. Luther hatte an Peter und Paul unter gewaltigem Andrang vor dem Herzog von Pommern in der Burg das Festevangelium Mt 16, 13—20 ausgelegt; er hatte darin seine irrigen Ansichten über den Primat vorgetragen, vor allem aber seiner damaligen Predigtart gemäß stark auf die religiöse Vertiefung der Zuhörer hingewirkt. In dem eben angezogenen Briefe kommt Eck auf diesen „sermo totus Bohemicus" zu sprechen. Nicht ohne Selbstgefälligkeit weiß er zu berichten, daß er auf Aufforderung der Bürgerschaft und der doctores zweimal dagegen predigen werde: „subtiliter illius errores destructurus." Man ist doch überrascht, daß die religiöse Sorge um das Seelenheil und die Gewissensruhe der Gläubigen nicht stärker hervortritt und auch hier das Interesse ganz aufs Distinguieren und Widerlegen und aufs Rechtbehalten gerichtet ist.

So erscheint schließlich Eck in Leipzig als der gelehrte, aber auch ausgelernte Magister, der die gesamten Fragen und Fragestellungen und „auctoritates" und „difficultates" längst durchgearbeitet, sich für eine bestimmte Lösung entschieden hat und die Fülle des Materials in einem wunderbaren Gedächtnis aufbewahrt. Sein Tiefstes, sein Ich wird davon längst nicht mehr berührt. Etwas von der Gewalt, mit der immer und immer wieder das Himmelreich erobert werden muß, ein wirkliches Verständnis dafür, daß geistige Werte stete und tiefe — nicht nur rhetorische! — Bewegung voraussetzen, ein Ausdruck davon, daß es hier um Fragen geht, von denen das Heil der Seele abhängt, der Seele, für die der Mensch n i c h t s hat, was er als Lösegeld dafür gäbe, davon finden sich bei Eck — vor und bei der Disputation — leider zu wenig Spuren.

4. Gewiß, die Starrheit, die hier zum Ausdruck kommt, hat auch ihre Vorzüge. Sie ist auch — wenn schon nicht genügender — Ausdruck der abschließenden Objektivität der kirchlichen Dogmen, Ausdruck eines objektiven Dogmatismus, wenn man so sagen darf, gegenüber Luthers subjektivem Dogmatismus. Ist katholische Haltung, die zunächst darauf eingestellt ist, die Lehre entgegenzunehmen, sie zu „hören" (vgl. Röm 10, 14), nicht aber philosophisch-subjektive Einstellung, die psychologisch vor allem das Bedürfnis fühlt und das Recht beansprucht, die Offenbarung zu prüfen. In Luthers Haltung gegenüber dem ihn bindenden Wort der Schrift gibt es ohne allen Zweifel a u c h viel Demut. Aber es gibt sie nicht immer, sie ist nicht seiner Haltung wesentlich, nicht radikal eigen, nicht immer das Erste, und nicht immer das, was schließlich den Ausschlag gibt. Bei den Kenntnissen und geistigen Kräften, die Eck einzusetzen hatte, war diese Festigkeit eine wirkliche Leistung; bei Leuten wie Prierias z. B. war sie n u r Kurzsichtigkeit und schülerhafte Verständnislosigkeit. Es war eine Leistung, den Lockungen des Humanismus auf theologischem Gebiet nicht zu unterliegen. Eck hatte sich nicht umsonst vom Nominalismus fern und zu der via antiqua des Realismus gehalten.

Anderseits lebte diese dogmatische Festigkeit schon damals der Überzeugung, die der sterbende Eck noch ausgesprochen haben soll: „ecclesiastica illa lues" müsse geheilt werden, „non olei lenitudine, sed acerbitate vini". Daß seine dogmatische Festigkeit nur zu loben ist, selbstverständlich! Ob aber der früh einsetzende Vorwurf, er habe durch seine rücksichtslose Strenge den Riß vergrößert, nur Verleumdung ist, ist eine Frage, die ich wiederum nur stellen, nicht beantworten kann. Es handelte sich eben nicht nur um dogmatische Korrektheit, sondern auch um taktische Klugheit.

Eck zeigt sich hier in Leipzig bereits als der furchtlose Unbesiegte, als den ihn die Leichenreden feiern: „Ecce Eckius, semper Eckius, semper intrepidus, semper invictus!" Er steht vor uns in unerschütterlicher Nüchternheit. Er ist nach seiner geistigen Konstruktion der Vertreter eines klaren, entschiedenen, dialektisch sieghaften, aber auch kalten Intellektualismus. Eines Intellektualismus schulmäßiger Art, nicht genialer Spekulation. Angesichts des eben gezeichneten Bildes könnte man sogar versucht sein zu bedauern, daß Eck in

18

den theoretischen Fragen so überlegen, so selbstsicher, aber auch so selbstzufrieden dastand. Man würde selbst eine gewisse wissenschaftliche Schwäche in Kauf nehmen, wenn man dafür gleich stark das Schwergewicht wirklich lebendiger innerer, sittlicher und religiöser Kräfte eintauschen könnte. Denn nochmals: Die LD griff unmittelbar ins Leben hinüber, wie noch nie ein akademischer Akt. Im Leben aber entscheiden nicht Begriffe und Distinktionen, und im Christentum, das Tat ist und durch sie erwiesen werden muß, erst recht nicht. Daß Eck hier versagte, machte es den Neuerern leichter zu gewinnen. Eck verkündete stolz und mit Recht seinen auch von Luther nicht ganz geleugneten Disputatorensieg; aber während an seinen Syllogismen über die Tage der Disputation hinaus nur mehr einige Gelehrte Interesse zeigten, dem Glauben aber, den er vertrat, durch sie keine entscheidende Hilfe wurde, wirkten die neuen grundstürzenden Ideen draußen, und die Katholiken unterlagen. Unterlagen trotz Ecks wertvoller Hilfe.

Zu dieser Hilfe rechne ich außer der Klärung, die Ecks unerbittliche Konsequenz herbeiführen half, in erster Linie, daß seine kaum zu überbietende Selbstsicherheit dazu beitrug, einen der großen Fehler des damaligen Katholizismus in den nördlichen Ländern: sein geringes Selbstbewußtsein, zu beseitigen. Aber der große und dauernd wertvolle Vorzug Ecks auf der LD war nicht seine Eigenleistung, sondern der katholische Glaube, der ihm eine fest umschriebene Position gab.

Wie sehr gerade eine solche prinzipiell klare Haltung den Neuerern mangelte, und wie nachteilig sich dieses Fehlen bei der Disputation bemerkbar machte, zeigt sich am deutlichsten bei

II. Karlstadt.

1. Man hat bekanntlich den Vorwurf mangelnder Festigkeit oft gerade gegen Eck erhoben. Man sagt, er habe zu Leipzig, wenn er den Argumenten der Gegner nicht habe entschlüpfen können, skrupellos und geschickt seine Meinung derjenigen des Opponenten angenähert und gleichzeitig verkündet, er habe nie eine andere Meinung vertreten. Von kleineren Schwankungen, wie sie in einer Disputation so großen Stils nicht leicht zu vermeiden sind, abgesehen, glaube ich feststellen zu können, daß dieser Vorwurf Eck nicht trifft. Und mehr als das: diese Unterstellung ist im Grunde eine Verkennung des katholischen Standpunktes. Der formale Grundirrtum der Neuerer lag wesentlich in ihrer Einseitigkeit. Demgegenüber ist es der tiefste Sinn der katholischen Gegenwehr, auch derjenigen Ecks, daß sie jenes einseitige Bild ergänzt und damit berichtigt; daß sie Gott und Mensch, Gnade und Willen zu einem harmonischen Zusammenwirken zu vereinigen sucht und nicht auf die Heranziehung des einen Elements verzichtet, weil es der Systematisierung Schwierigkeiten bereitet. Was *Barge* im Sinne Karlstadts selber als geschickte Zweideutigkeit Ecks brandmarken will, ist nichts als der berechtigte Ausdruck dieser umfassenden Einstellung.

Das gilt auch für die bereits angezogene Formel: opus bonum esse a deo totum et totaliter, a voluntate totum, sed non totaliter. Genau besehen besagt ja diese Formulierung nicht gerade viel. Aber als eine Art Paradoxon, das gleichzeitig die beiden zu vereinigenden Elemente festhält, die Unmöglichkeit, ihre Vereinbarkeit restlos auf eine befriedigende Formel zu bringen, gut andeutet und für die hierüber gegebenen weitläufigen Darlegungen eine kurze und bestimmte Formel schafft, hat sie doch vielleicht ein kleines Verdienst. Daß *Barge* sich nicht damit begnügt, diese Formulierung etwa als eine überflüssige, rationalisierende Beschwerung eines nicht ganz aufzuklärenden Mysteriums zu bezeichnen, sondern sie einen unehrlichen Kompromiß nennt, zeigt zweierlei: einmal, daß er einer früher weit verbreiteten protestantischen Anschauung nicht entgangen ist, die nichts davon zu wissen schien, daß auch nach alter katholischer Lehre ohne Gnade nichts, absolut nichts zum Heile Förderliches vollbracht werden kann. Es zeigt weiter, daß *Barge* die Theologie Ecks nicht kennt. Eine Durchsicht von Ecks „Defensio" von 1518 hätte ihn genügend unterrichten können. Ecks Lehre auf der Disputation selbst wird übrigens vollständig klar, wenn man die Formulierung dessen daneben hält, was er dort a b l e h n t, und wofür er immer wieder vergebens von Karlstadt den Beweis verlangt: liberum arbitrium se habere m e r e passive ad opus meritorium.

2. Ein Schwanken und eine Annäherung kommen in Leipzig allerdings vor, aber nicht bei Eck, der diesbezügliche Behauptungen Karlstadts auf der Disputation mit guten Gründen zurückgewiesen hat, sondern bei K a r l s t a d t, der trotz der Bemühungen *Barges* wohl kaum zu einer überragenden Persönlichkeit zu stempeln sein wird.

Ich denke dabei nicht etwa wie Eck an Karlstadts Unbeholfenheit im Disputieren, an sein schwaches Gedächtnis, das ihn zwang, aus Büchern und Zetteln abzulesen. Ich denke vielmehr an eine gewisse unsichere Gesamthaltung, die für Karlstadt im allgemeinen und für die Stellung, die er in Leipzig einnahm, im besonderen bezeichnend ist.

Diese Unsicherheit ist einmal der Ausdruck des seelischen Übergangsstadiums, in dem sich Karlstadt damals befand. Obwohl er sich nicht ganz verhehlte, daß, auf die Gesamtlage angesehen, alles zum Bruch hindrängte, konnte er sich doch nicht mit der Entschiedenheit Luthers zum Abbruch der Brücken verstehen. Dieser Übergangsprozeß mußte sich wiederum deshalb stärker auswirken, weil Karlstadts Denken überhaupt an Verschwommenheit und logischer Unsicherheit leidet. Eine Analyse seiner Leipziger Argumente bestätigt durchaus den wenig günstigen Eindruck, den man aus seiner ersten Kampfschrift gegen Eck aus dem Jahre 1518 gewinnt: Scharfe Formulierung der Begriffe und Konsequenz der Gedankenführung sind nicht seine starke Seite. Nichts war denn auch Karlstadt so verhaßt als die philosophisch-scholastische Darstellung und Behandlung der Religion. Die Abneigung und der Kampf gegen Aristoteles, die Scholastiker, die Theologen sind geradezu als eines seiner Hauptkennzeichen anzusprechen.

20

Im Schlusse von „De spiritu et littera" (Februar 1519), in der Vorrede zu „De impii justificatione", wie bei der Veröffentlichung seiner 17 Thesen (26. April) gibt er als Ziel an, gegenüber den zu eignem Ruhme disputierenden spitzfindigen Theologen, Scholastikern und Sophisten, gegenüber philosophischer Umbildung des Christentums und gegenüber „heidnischen Sätzen" die „Lehre Christi, die Heilige Schrift und die himmlische Philosophie" zu verteidigen. Und mit einem Anathema gegen Aristoteles, den geistigen Vater der ihm unsympathischen Formulierungen, endet er auf der Disputation seine erste zusammenhängende Rede. — Diese Gegnerschaft ist nun zwar ein gemeinsames Charakteristikum der gegen die Scholastiker wütenden Humanisten und Reformatoren überhaupt. Bei Karlstadt aber tritt es mit besonderer Schärfe hervor und entwickelt sich immer mehr zu einer Grundanschauung. Sie äußert sich positiv bei ihm nicht nur in einer nichtzunftmäßigen Theologie und einer höheren Einschätzung der Laien überhaupt, sondern vor allem der ungelehrten einfältigen Laien.

Diese Gegnerschaft bzw. die ihr entsprechende verschiedene geistige Grundhaltung der beiden Parteien trat auf der Disputation von Anfang an bedeutungsvoll zutage. Bei Eck war es die katholische größere Fülle des Bildes, die (organische) complexio oppositorum, ein Vielerlei (multa) von Texten und „auctoritates"; bei der Gegenseite weniger Wahrheiten, weniger Texte, weniger Zeugnisse und der Versuch, die Schrift von einem einheitlichen Standpunkt aus zu verstehen. Das zeigt sich gleich in der grundlegenden Forderung, die Karlstadt vor Beginn der Disputation (27. Juni) aufstellt, die Schrift müsse „ex integro" behandelt werden, sofern man darunter die auf den Wesenskern gehende Blickrichtung zu verstehen hat; zeigt sich auch in einer grundsätzlichen Polemik gegen Ecks Schriftbeweise: „Die Heilige Schrift verstehen heißt nicht viele Autoritäten (spitz fügt Karlstadt bei: aus dem Gedächtnis) zu zitieren, sondern den in den Buchstaben eingeschlossenen Geist und unsern Herrn Christum suchen und schmecken."

Es paßt durchaus zu dieser geistigen Physiognomie, wenn Karlstadts Religiosität stark gefühlsmäßigen Charakter trägt. Persönliches, gefühlsmäßiges Erleben war bei ihm in noch höherem Maße als bei der explosiven Entwicklung Luthers die Ursache, die ihn zum Bruche mit den scholastischen Ansichten drängte.

Nun stelle man mit diesen Voraussetzungen Karlstadt dem dialektisch scharfen Eck gegenüber! Aus der religiösen Frage ist eine theologische geworden; der aufs Gefühl eingestellte Karlstadt soll logische Argumente formulieren und autoritative Belegstellen beibringen: er muß unterliegen. Wenn dann in Verfolg dieser Sachlage Karlstadt schließlich entgegen seiner ursprünglichen These zugesteht, daß auch der Wille irgendwie beim guten Werk beteiligt sei, so durfte Eck das mit Recht als einen Sieg für sich buchen.

3. Diesen Eigentümlichkeiten, die man in mehr als einer Hinsicht als Mängel bezeichnen darf, steht ein ansprechender Ernst und eine ehrlich gemeinte

religiöse Einstellung gegenüber, mit denen sich Karlstadt im allgemeinen um eine Klärung der Fragen bemüht. Zwar fehlen ihm die Streitlust und eine Bissigkeit, die gelegentlich recht massiv wird, durchaus nicht; seine Zurückhaltung in der Frage des Primats scheint sogar aus der Sorge um seine Pfründe geboren zu sein. Trotzdem ist seine ehrliche Unbeholfenheit, die sich das von Eck so abfällig beurteilte Ablesen der Zitate aus den Büchern eher als Ruhmestitel anrechnet und die Gesetze des Disputierens, auf die Eck solches Gewicht legt, als nichts erachtet gegenüber dem hohen Ziel: den Sinn der Schrift aufzudecken, ethisch höher zu bewerten als die routinierte Gewandtheit Ecks, der wegen seiner Hieronymusfälschung den Vorwurf eines „falsarius" einstecken mußte.

III. Luther.

1. Während das im ersten und dritten Teil der Disputation behandelte Material den Nichtfachmann nur wenig interessiert, und der Konflikt zwischen Eck und Karlstadt, der die Disputation eine Zeitlang zu sprengen drohte, nur Zänkerei war und Episode blieb, und während besonders der Ausgang des ersten Waffenganges zwischen Eck und Karlstadt nur ein uninteressantes Hinüber und Herüber von lose aneinander gereihten Argumenten war, interessiert im Kampf zwischen Eck und Luther das Material selbst bis heute auf das lebhafteste. Wenn man von der Lektüre des ersten Teiles der Disputation zum zweiten kommt, fühlt man noch heute die völlig veränderte Atmosphäre. Die volle Aufmerksamkeit ist wieder da, die Spannung hoch gestiegen. Luthers Worte haben ein anderes Gewicht als diejenigen seines Wittenberger Kollegen. Seine erste, knappe, vielleicht sogar etwas ironische Abfertigung Ecks („ad me nihil pertinet") wird auch diesem sofort gezeigt haben, daß der Sieg über den neuen Partner nicht so leicht zu erringen sein werde.

Der Streit drehte sich um die beiderseitige 13. These. Diejenige Ecks lautete: „Wir leugnen, daß die römische Kirche vor den Zeiten Silvesters [314—335] nicht über den andern Kirchen gestanden habe; wir haben vielmehr den, welcher den Stuhl Petri einnahm, für den Nachfolger Petri und den allgemeinen Nachfolger Christi jederzeit erkannt."

Dagegen hatte Luther seine 13. These gerichtet: „Daß die römische Kirche über allen andern stehe, wird bewiesen aus den frostigen, innerhalb der letzten 400 Jahre aufgekommenen päpstlichen Dekretalen, gegen welche zeugt die beglaubigte Geschichte von 1100 Jahren, der Text der Heiligen Schrift und das Dekret des Nizänischen Konzils, des heiligsten unter allen."

2. Der Kampf begann am 4. Juli. Am zweiten Tage, dem 5. Juli, kam man auf die von dem Konstanzer Konzil verurteilten Hussitischen Lehren zu sprechen. Luther mußte sich äußern. Er wollte ausweichen, aber Eck ließ nicht locker. Da erklärte Luther denn rund heraus, unter den verurteilten hussitischen Sätzen befänden sich etwelche sehr christliche und evangelische; es sei unrichtig, wenn das Konzil erkläre, daß der Glaube an den päpstlichen Primat von jedem

festgehalten werden müsse, der Glied der Kirche sein wolle; vielmehr nur aus der Heiligen Schrift müßten wir entnehmen, was göttliches Recht sei; die Meinung auch eines einzelnen Christen müsse mehr gelten als die eines Papstes und Konzils, wenn sie besseren Grund für sich habe. Konzilien k ö n n t e n nicht bloß im Glauben irren, sondern hätten auch tatsächlich geirrt, wie eben jenes von Konstanz.

Das waren trotz allem, was bis dahin geäußert worden war, unerhörte Worte. Auf derartigen Radikalismus und solch rücksichtsloses Zugreifen war man nicht gefaßt. Herzog Georg hatte noch kurz vorher bei Tisch zu Luther bemerkt: „Ob göttlichen oder menschlichen Rechts, der Papst bleibt doch Papst!" Er hatte damit in bezeichnend ahnungsloser Weise der etwas sorglosen positivistischen Auffassung Ausdruck verliehen, für die tatsächliche Gewalt und positives Recht zu fest in der Wirklichkeit verankert sind, als daß sie durch eine Disputation tangiert werden könnten. Kirche und Papsttum s i n d; was liegt an der Formel, die sie theoretisch rechtfertigen soll? Desselben Herzogs aufgeregter Zwischenruf: „Das walt die Sucht!" spiegelt nunmehr die allgemeine Bestürzung deutlich genug. Das war nicht mehr eine der gewöhnlichen Schuldisputationen ohne reale Folgen; das ging nicht mehr um eine Schulthese oder eine andere; das wurde ernst. Die Disputation griff ins Leben hinüber und rüttelte an den bestehenden Verhältnissen. Seit 1517 war der von lang her begonnene Prozeß, der zu einer allgemeinen Entscheidung für oder gegen das Papsttum drängte, rasch weiter gediehen. Jetzt hat sich die Situation wiederum stark geklärt, und der Eindruck ist ein dementsprechend nachhaltiger. Man sieht: Luther steht unzweideutig außerhalb der Kirchenlehre, der Kirche selbst; und man ahnt (stärker wohl als jemals seit 1517), daß in diesem Manne die Schicksalsfrage an die Zeit gestellt ist, der gegenüber Stellung zu nehmen zur gebieterischen Notwendigkeit wird. Leipzig wird zu einer entscheidenden Stunde.

Wohl gemerkt: ich beabsichtige nicht zu behaupten, die LD besitze eine absolut überragende, eine schlechterdings entscheidende Bedeutung, sei es für Luther, sei es für das theologische und kirchliche Bewußtsein der Zeit, sie stehe ohne Parallele da. Für Luther selbst stellen die Äußerungen des 5. Juli nur die formelle Erklärung einer Erkenntnis dar, die bereits in ihm grundgelegt war, wenn sie auch noch nicht unzweideutig ins Bewußtsein getreten und demgemäß noch nie so klar und entschieden formuliert worden war. Luther begegnet keinem neuen befruchtenden Gedanken in Leipzig, wir wissen nichts von einem neuen vorwärtstreibenden inneren Erlebnis. Die Absage an die Irrtumslosigkeit der allgemeinen Konzilien wird ihm einfach durch Ecks Dialektik abgepreßt. Was aber die Wirkung auf das allgemeine Bewußtsein anlangt, so tritt die LD in die Reihe jener Ereignisse, die mit der Veröffentlichung der Ablaßthesen beginnen und von da an unaufhaltsam auf eine allgemeine Entscheidung für oder gegen die alte Kirche hindrängten. In diesem Prozeß ist Leipzig nur eine Episode. Aber wegen ihrer außergewöhnlichen Publizität, wegen ihrer ganzen Eigenart, wegen des in Frage stehenden Einzelfalles (das Konstanzer Konzil!) und schließlich wegen der unzweideutigen Form, in der hier von Luther erstmals so nachdrücklich die Irrtumslosigkeit der allgemeinen Konzilien verworfen wird, wird die Episode zu einer Entscheidung.

Luther steht an einem wichtigen Abschluß, vielleicht — unbeschadet der großen Programmschriften des Jahres 1520, die erst unzweideutig die Konsequenzen ziehen — an dem Abschluß, die theologisch-kirchliche Gesamtlage an einem Wendepunkt der Entwicklung. Die schicksalschweren Worte des 5. Juli offenbaren das eine, ihr Eindruck auf die Zeitgenossen das andere. Beides bleibt zu untersuchen.

3. a) Die theologisch-kirchliche Lage des Abendlandes wird um das Jahr 1500 gekennzeichnet durch einen Zwiespalt, der auch eine Unklarheit ist. Von außen gesehen haben wir, trotz der erfolgten gewaltigen, vielfältigen nationalen, sozialen und geistigen Differenzierung, wie im Hoch-Mittelalter vor uns die eine große kirchlich geleitete civitas christiana, deren Einheit und Einheitsbewußtsein die furchtbaren Schläge der Wiclifie und besonders des Hussitismus kaum geschwächt zu haben scheinen. Der stärkste Exponent dieser civitas, das Papsttum, steht glänzender da denn je. Der ganze Umkreis des Lebens ist selbstverständlich christlich-kirchlich und wird es immer sein; die Kirche selbst ist die starke Burg, innerhalb deren alles abendländische Leben wohl behütet ist, ohne deren alles lenkende, segnende und richtende Hand man die Welt nicht denken kann, nicht für heute und nicht für alle Zukunft.

Das war noch Wahrheit. Es war aber nicht mehr restlose Wahrheit. Die Einheit war nicht mehr ohne Riß. Die alten Formen zeigten noch das gleiche altgewohnte Bild, aber sie umschlossen nicht mehr das Leben in gleicher Vollständigkeit wie ehedem. Seit langem hatten sich im Innern tiefgreifende Wandlungen vorbereitet und vielfach schon vollzogen. Es waren Wandlungen zentrifugaler Natur, die auf der Linie zum Individualismus, zur moralisch-geistigen Autonomie, zum Rationalismus lagen; Wandlungen, die aus einer gewissen inneren Verbundenheit heraus parallel gehen mit dem geistigen Selbständigwerden der von der Kirche erzogenen abendländischen Völker.

Der deutlichste Exponent der Lage war das Verhältnis zum Primat. Dieses Verhältnis aber war nicht eindeutig klar; es zeigte vielmehr der allgemeinen Lage entsprechend ein Doppelantlitz: Der Papst ist selbstverständlich der oberste Herr der Christenheit, Gottes Stellvertreter; seine Macht ist sogar größer denn je. Anderseits aber ist die Achtung, wie vor jeder, so auch vor der kirchlichen Autorität schwer erschüttert, „die Idee des Primates in den Augen vieler verdunkelt".

Wer die kirchliche und theologische Lage um 1500 und die Möglichkeit und Eigenart der ersten Jahre der Reformationszeit wirklich verstehen will, wer die geistig-seelische Lage einer Entscheidungsstunde wie der LD zwischen Eck und Luther intim nacherleben will, kann diese Tatsache nicht fest genug im Bewußtsein behalten.

Wie war es so weit gekommen? Dogmengeschichtlich gedeutet ist dies der tiefste Sinn der Kirchengeschichte: daß sie uns sehend mache für das, was an der Kirche wesentlich ist und was nicht; daß sie uns das an der Kirche Unveränderliche von dem unterscheiden lehre, was nur Kleid, nur Erscheinung ist; daß sie uns also das Wesen der Kirche offenbare.

Jede Epoche hat hier ihre näher umschriebene Aufgabe. Dem Spätmittelalter war als gefährliches Erbe aus der Zeit der spezifisch mittelalterlichen Papalhoheit die Frage überkommen, wie der Primat jener nur zeitgeschichtlich bedingten spezifisch mittelalterlichen Machtfülle entkleidet werden könne, ohne daß der dogmatische Jurisdiktionsprimat angetastet würde. Das ist vom Standpunkte des rückwärtsschauenden Dogmenhistorikers gesprochen. In Wirklichkeit galt es Stellung zu nehmen, ging der Kampf gegen, oder die kurialistische Verteidigung für das hic et nunc eine, lebendige, zugleich mächtige und dogmatische Papsttum. Beide Parteien, die zentrifugal gerichteten Kräfte wie die Kurialisten, zeigten begreiflicher-, aber verhängnisvollerweise viel Neigung zur Übertreibung und nur wenig Neigung, mit jener Trennung zwischen zeitgeschichtlich bedingter, also zufälliger Erscheinungsform und göttlichem, unveränderlichem dogmatischem Kern Ernst zu machen. Die offenbare Übertreibung nach beiden Seiten konnte aber nur ein Resultat zeitigen: Umfang, Gebiet, Recht und Natur des päpstlichen Primates, der Geltungsbereich der Gehorsamspflicht gegenüber päpstlichen Sentenzen, die Idee des Primates selber mußten unsicher werden. Die abendländische Theologie und darüber hinaus weite Kreise der Christenheit gerieten in dieser Frage in einen Prozeß, dessen Verlauf äußerst kompliziert ist, und dessen vielfältige Peripetien eine Geschichte des Primatsgedankens im ausgehenden Mittelalter (übrigens als wichtige Vorbedingung für ein volles Verständnis des jungen Luther und der Entscheidungsjahre der Reformation!) erst noch klarzulegen hat.

Um die Eigenart und die zähe Kraft dieser Entwicklung zu begreifen und um eine genügend klare Anschauung zu gewinnen von dem Gärungsprozeß, in dem auch die Allgemeinheit sich befand, als Luther seine grundstürzenden Ideen über Kirche und Papsttum vor und auf der LD proklamierte, muß man zurückgehen bis zu der beginnenden prinzipiellen Bestreitung des Primats unter Friedrich II., bis zu dem vergeblichen Versuch Bonifaz' VIII., die spezifisch mittelalterliche Vollgewalt des Primats den veränderten Zeiten zum Trotz zurückzuerobern und definitiv zu behaupten, zu diesen beiden Entwicklungsstadien, an denen die Christenheit es weithin tief erlebte, daß päpstliche Macht Grenzen hatte; man muß zurückgehen bis zur Selbstverneinung des Primates, die das abendländische Schisma darstellt, und zu der aus ihm geborenen und durch es stark gewordenen Konziliaridee, ja, bis zu deren erster revolutionärer Umbildung bei *Occam* und im „Defensor pacis". Man muß sich dabei klarmachen, daß Konziliaridee und -bewegung alles andere geworden waren als nur im Kreise der Schulen vertretene Thesen, ohne Widerhall in der realen Gestaltung der Geschichte; daß sie um so zähere Lebenskraft besaßen, als sie in den breitesten Schichten der Gesellschaft Wurzel geschlagen; daß sie trotz aller Erstarkung der päpstlichen Zentralgewalt und trotz der Verurteilung durch das Laterankonzil mitnichten tot waren; daß sie vielmehr aus zahlreichen Quellen — die nicht erledigte reformatio in capite et membris — dauernd neue Nahrung empfingen. Man muß sich endlich erinnern der noch immer an der Kurie sich äußernden unheilvollen religiösen Schwäche des Renaissancepapsttums, dessen Interessen um die Zentren „Macht" und „Kultur" kreisten, ein Papsttum, das den Widerspruch zwischen Idee und deren Verwirklichung, zwischen Institution und ihren Trägern oft so kraß in die Erscheinung hatte treten lassen, daß das Ansehen der Idee und der Institution selbst schwerstens darunter leiden mußte.

Dieser innerkirchliche Prozeß der Gärung, dieser Zustand der Unklarheit war zur Zeit Luthers bis dicht an die Krisis heran gediehen. Luthers ganze Frühentwicklung kann verstanden werden als eine letzte Vorbereitung auf diese Krisis hin.

Nunmehr, auf der LD war, nach manchen vorangehenden Wehen und Zuckungen, die Zeit der Entscheidung da. Die ungeahnten, schwerwiegenden praktischen Konsequenzen, die Luther am 5. Juli aus seiner 13. These zog, öffnete vielen seiner ahnungslosen Zeitgenossen schmerzlich die Augen.

Man war wirklich ahnungslos gewesen. In der Tat: trotz der Bedeutung, die man der Auseinandersetzung über die 13. These Luthers zuschrieb, hatte man ihren grundstürzenden Charakter bis dahin nicht klar erkannt. Hätte sonst Herzog Georg die Sache in der angezogenen Tischunterhaltung so obenhin behandeln können? Hätte man sonst eine Disputation über die These überhaupt zugelassen? Hätte man sonst auf der Forderung eines Schiedsrichters bestanden, dessen Spruch nur Sinn hat, wo ein gemeinsamer Boden die Parteien eint? Das ist alles um so merkwürdiger, als bereits Luthers Äußerungen in den „Acta Augustana" gegen die Autorität der Papstkirche vorlagen und seine „Resolutio de potestate papae" schon erschienen war, worin dem Papste so gut wie alle geistliche Macht und die Rechtstitel der Schrift, auf denen sie aufbaute, abgesprochen wurden.

Man fühlte die sich hier äußernden Gegensätze wohl. Beweis dafür ist schon das ungeheure Interesse, das man diesem Kampf entgegenbrachte, dem Kampf des anerkannt päpstlichen Theologen mit dem Wittenberger Mönch, um dessen Gestalt sich mehr und mehr die Gloriole des Reformators spann. Beweis ist auch das Zugeständnis an Luther, „daß die Acta dieser Disputation nicht in päpstlichen Hof aus Ursachen ihne bewegend, darüber zu erkennen sollen geschickt werden," sondern, daß eine Universität um ihr Urteil angegangen werden sollte. Aber man verschloß sich immer noch der Einsicht, daß diese Gegensätze aus grundsätzlich verschiedener Gesamtauffassung des Christentums entsprangen. Auch die starke Erregung über Luthers Radikalismus vom 5. Juli besagt durchaus nicht, daß man die ganze Schwere der Gefahr klar mit allen ihren Konsequenzen erfaßt hätte. Ist es nicht eigentlich seltsam, daß die Disputation nach jenen Erklärungen noch fortgeführt wurde? Wäre das überhaupt verständlich, wenn man heller gesehen hätte? Wäre es denkbar, daß man sich noch Jahre hindurch an die Möglichkeit einer Überbrückung der Gegensätze geklammert hätte?

Diese mangelhafte Einsicht, vielmehr die innere Unfähigkeit, in der man sich befand, das Dasein einer grundstürzenden Neuerung überhaupt zu sehen, das innere Sträuben, einen solchen definitiven, katastrophalen Riß zuzugeben, offenbart uns die ganze Zwiespältigkeit der damaligen kirchlichen Lage, wie sie oben gezeichnet wurde. Es ist nicht ganz leicht, sich die Bedeutung dieses Punktes genügend klarzumachen. Man muß ja erst zu einem geistigen Erlebniszustand zurückkehren, welcher so weit abliegt von der heutigen geistigen Einstellung, die von vornherein leicht dazu neigt, in allen Wesensfragen die Möglichkeit verschiedener Lösungen relativistisch zu bejahen; zu einem Erlebniszustand, für den trotz aller Stürme der literarischen Polemik unter Philipp dem Schönen und Ludwig dem Bayer, trotz des Schismas und seines Zweifel schaffenden Eindrucks, trotz der Reformkonzilien und ihrer teilweise grundstürzenden Theologie und trotz der dogmatischen Ungebundenheit der vortridentinischen Christenheit das Leben in Staat und Kirche eine große geschlossene, für immer fertige, unantastbare Einheit bildete. Innerhalb dieser Einheit bekämpfte man sich in Disputationen und Disputatiönchen manchmal in schärfster Tonart, und oft richtete man die Warnungstafel „haeretica pravitas" auf. Aber im Grunde wußte man sich doch so wohl geborgen innerhalb des längst gezogenen Kreises!

Freilich, wie genügend betont, die innere geistige Haltung war trotz allem nicht mehr ohne tiefe Risse. An vielen Punkten waren gar viele ganz nahe an die Peripherie herangekommen; nur noch eine ganz dünne Wand schützte vor einem förmlichen Bruch. Aber sie wußten es nicht. Einmal hatte die Kirche die dogmatische Grenzlinie noch nicht scharf festgelegt. Sodann: der innere Kristallisationsprozeß, der nach langer, tiefliegender, vielfach unbewußter Vorbereitung (bei gleichzeitig kaum veränderter äußerer Haltung!) plötzlich eintritt, und der dann ein ganz anderes Bewußtseinsbild von innen zurückwirft, so daß man staunend merkt, wie manche Begriffe, mit denen man so lange operiert hat, unter der Hand leer geworden, wie die auf ihnen aufgebauten Beweise ihre Widerstandskraft zum vielleicht größten Teil eingebüßt haben, dieser Kristallisationsprozeß war noch nicht eingetreten. Luther wurde der Anstoß, der ihn bei vielen auslöste.

b) Aber vorläufig war Luther selbst noch nicht so weit trotz revolutionärster Wandlungen. Zwar, jener schon angezogene Anspruch, nicht Rom, sondern eine Universität als Richter zu bestellen, wie auch seine allerdings abgelehnte

Forderung, die sämtlichen Fakultäten der anzurufenden Universität den Spruch fällen zu lassen, zeigen, daß er (unbeschadet dessen, was von seiner ungleichmäßigen Haltung zu sagen sein wird) seinen Abstand von der Kurie und der Theologie der Schule stark fühlte. In dieselbe Richtung weist es, wenn Luther nur nach heftigem Sträuben und unter gewissen Vorbehalten die von Eck verlangte Klausel annahm, daß die Akten der Disputation erst nach erfolgtem Schiedsspruch veröffentlicht werden dürften: er wußte, daß keine Instanz seine 13. These gutheißen werde. Daran vermag auch seine Beteuerung an Lang vom 24. Februar 1519, der in Sorgen wegen der bevorstehenden Disputation war, nichts zu ändern. Wenn er da sagt, die 12. (nachher 13.) These „non debere tam molestam videri (nämlich den Vertretern des Papstes), nisi disputandi libertatem meminerint," so zeigen die danebenstehenden herbenVerdammungsurteile gegen Rom („vastatricem scripturae et ecclesiae"), wie wenig die These für ihn nur Disputationsthese war; sie drückte sein innerstes Empfinden aus.

Trotz alledem: auch für Luther lag der Streit noch zu irgendeinem Teil beschlossen in dem Umkreis einer Schuldisputation, für die es eine Art humanistischen Ehrenkodex, etwas wie einen literarischen Komment gab, der die Geister gefangen hielt, und dessen Einfluß man ebenfalls nicht gering anschlagen darf. Welche Macht diese Sorge um die literarische Ehre bedeutete, und wie stark formal sie gerichtet war, kann man gut aus Luthers Verhalten gegenüber Eck ablesen, als dessen „Adnotationes" (Obelisci) verbreitet wurden. Luther hatte damals seit ungefähr einem Jahrzehnt die tiefsten inneren Wandlungen durchgemacht. Eck hatte gegen ihren Niederschlag sehr scharf Stellung genommen: erronea propositio; frivola propositio; procax propositio. Trotzdem gibt sich Luther auf eine einfache Erklärung Ecks hin zufrieden. Eck schwieg denn auch seinerseits auf die „Asterisci" hin still. Aus ähnlicher Einstellung wieder greift anderseits Karlstadt Eck an, „weil er, der sonst so gelehrte, die Freundschaft mit den Wittenbergern, die er früher gesucht, jetzt willkürlich zerrissen habe und sofort zum Angriff übergegangen sei, ohne ihnen Fehde anzukündigen. Eck habe ein hervorragendes Mitglied ihrer Universität gekränkt und dadurch die ganze Universität, besonders die theologische Fakultät angeschwärzt". Karlstadt vermutet ein Durchbrechen des bloß literarischen Wettstreites: Eck wolle sie verderben, und habe deswegen über den Kreis der Fachgenossen hinausgreifend, deren alleinige Sache die Angelegenheit zu sein schien, dem Papst und den Bischöfen geschmeichelt. Der Kreis, innerhalb dessen sich dieser Streit, wie so viele vorher, abspielen sollte, war viel mehr die „sodalitas literatoria" als die Christenheit und die Kirche. Die wissenschaftliche Bewegtheit der Zeit war nicht mehr ursprünglicher Ausdruck wirklichen geistigen Geschehens. Sie war weitgehend zu rein formaler Bewegung, die ausgehende Scholastik leer laufender Mechanismus geworden und gerade dadurch erstarrt. Die starken Bewegungen des teilweise auch theologisch so stürmischen Humanismus hatten auffallenderweise eine wirkliche Befruchtung der Schultheologie nicht erreicht.

Die Tatsache hat schwerwiegende Folgen gehabt: sie versperrte so vielen von vornherein die Möglichkeit irgendwelchen Verständnisses für grundsätzlich neue Fragestellungen. Je mehr das Interesse in belanglosesten Subtilitäten aufging, um so verknöcherter wurde man und um so weniger aufgeschlossen für wirkliche Probleme. Die meisten aber, die sich zu einer größeren Freiheit durchrangen, drängte die Wucht des Gegensatzes zum radikalen Bruch; des Gegensatzes zwischen der Überzeugung, ein unmittelbares, naiv lebendigeres Verhältnis zum Christentum gefunden zu haben und dem unerträglichen Empfinden, daß die Theologie der Schulen infolge einer übertriebenen Konsequenzmacherei vom ursprünglichen Boden allzuweit abgekommen sei. Wenn aber etwas die Reformatoren in kirchlichen Bahnen hätte festhalten können, so wäre es die frühzeitige Anerkennung nicht ihres Standpunktes schlechthin, wohl aber des Berechtigten, echt Christlichen und Katholischen in ihm gewesen. Luther selbst äußert sich am Ende seiner Laufbahn in ähnlichem Sinne. Man wird schwer beweisen können, daß er recht, aber ebenso schwer, daß er unrecht hat. Der immer unbändiger werdende Stolz und Trotz ist auch durch die radikale Bekämpfung genährt worden. Nur wenn die Neuerer das Gefühl gehabt hätten, verstanden zu sein, und nicht nur starrer Polemik zu begegnen, nur dann hätte man vielleicht das Falsche beschneiden und aussondern können. Hier war ein Fall gegeben, in dem die Behandlung mit kluger Taktik, aber auch aus jenem Gefühl der ehrfürchtigen Scheu heraus hätte geschehen müssen, das Newman beseelte, wenn er von sich bekennt, daß er es gelegentlich nicht über sich brachte, andere durch gefühllose logische Folgerungen zu erschrecken und zu ärgern, die sie bis zu ihrem Tode nie aufgeregt hätten, wenn sie nicht gezwungen worden wären, sie anzuerkennen.

Daran ließen es die katholischen Gegner Luthers teilweise fehlen. Schon in den Schriften gegen die Ablaßthesen, sowohl von Prierias als von Tetzel als von Eck, wurde (objektiv durchaus mit Recht) starker Ton darauf gelegt, daß Luther mit seinen Grundsätzen der päpstlichen Autorität entgegentrete, die hinter dem Ablaß stehe. Dieser Punkt ward nun der entscheidende. Durch die immer stärkere Heraushebung des Primates, bzw. der im Namen des Primates an Luther gestellten Forderung von seinen Ansichten abzugehen, wächst die Entscheidung heran, die Luther vor ein ihm bisher verhülltes „Entweder-Oder" stellte, die ihn zu wählen zwang zwischen seiner Heilstheorie, die er bis dahin als mit dem Kern der Kirche einiggehend geglaubt hatte, und dem Primat.

Und das gehört wieder mit zu dem tragischen Verdienst eines Prierias, eines Tetzel-Wimpina, eines Cajetan, und dann vor allem auch Ecks, daß sie diesen Punkt so grell und so einseitig ans Licht zerrten. Hätten sie das nicht getan, wer weiß, ob Luthers gigantische Kräfte nicht der Kirche erhalten geblieben wären! Eine ruhige, innere Entwicklung hat schon viel Übereifer abgestreift; äußere Ketzergerichte haben ebenso oft eine verderbliche Wirkung gehabt. Es ist nicht bedeutungslos, daß Ecks rechthaberische Intransigenz noch viel später von Rom aus nicht einfach gebilligt wurde.

Man kann mit Recht sagen — und ich nehme selbstredend keine Silbe von dem zurück, was ich oben über das Grundstürzende der neuen Lehre gesagt habe —, daß in Luthers einseitiger Heilstheorie so große Spannungen zur kirchlichen Lehre lagen, daß sie von selbst und mit innerer Konsequenz zum Bruche drängten, daß also Eck nur Lob gebühre dafür, daß er die gefährliche Unklarheit beizeiten entdeckte und beseitigte. Vielleicht war es auch, nachdem die Polemik schon seit den Ablaßthesen so vielfach gewirkt hatte, und nachdem Luthers innerer Entwicklungsgang spätestens mit 1519 abgeschlossen ist, auf der LD auf alle Fälle schon zu spät; vielleicht! Es läßt sich aber auch manches dagegen sagen, und es ist nicht ganz unfruchtbar, sich die Frage vorzulegen, was geworden wäre, wenn die Neuerung zunächst auf die Vermittlungstheologen gestoßen wäre. Ein Contarini, so klein als Theologe gegenüber Eck, wie würde seine irenische Einstellung, sein innerlich freies Verständnis, sein sittlicher Ernst der Lebensführung und seine religiöse Tiefe gewirkt haben? Sie kamen zu spät.

4. So gewinnt von diesen Überlegungen aus der Satz, daß die Bedeutung der LD in Luthers Angriff auf den Primat beruhe, eine viel weittragendere Bedeutung. Luther spricht nicht etwas aus, das in seiner ursprünglichen Position notwendig miteingeschlossen gewesen wäre, auch nicht etwas, worüber er sich selbst längst im klaren gewesen wäre. Vielmehr kommt er in einem langen Prozeß, der mit der Polemik gegen seine Ablaßthesen in das akute Stadium trat, und auf der LD zum Bruch führte, zu der neuen Erkenntnis, die Kirche, die seine Heilstheorie so unbedingt verwirft, könne nicht die rechte sein.

Luthers Äußerungen auf der LD stellen in der Tat ein eigenartiges Nebeneinander oder vielmehr Ineinander ruckweisen, aber kühnen Vorstoßens und ängstlichen Zurückweichens vor den Konsequenzen dar, die sich vor ihm auftun; aber es half nichts mehr. Was sich in ihm seit langem vorbereitet hatte, der vollständige Bruch mit der Kirche im überlieferten Sinne, war vollzogen.

Ich sage: was sich vorbereitet hatte. Denn ich glaube, daß es den Texten und Tatsachen nicht entspricht und zum mindesten mißverständlich ist, wenn man die Behauptung aufstellt, es sei „ein durchgehender psychologischer Charakterzug ... bei Luther in jener Zeit das klug berechnete Bestreben, das Wesen seiner Ansichten und Ziele bis zu einem gewissen Grade ... zu verhüllen". Ich glaube vielmehr, daß nichts, nicht einmal ein ganzes Jahr später der ominöse dritte Brief Luthers vom 13. Oktober 1520 an Leo X. dazu berechtigt anzunehmen, Luther sei mit sich selbst längst im reinen gewesen.

Daß in der Haltung Luthers zur Kirche sich Schwankungen finden, sieht jeder, der nicht blind sein will. Daß diese Schwankungen, diese Doppelhaltung der psychologischen Erklärung große Schwierigkeiten bereiten, gebe ich zu. Ich gebe sogar zu, daß die Schwankungen manchmal so stark sind, daß sie unfaßlich zu sein scheinen. So, gerade in dem angezogenen Brief an Leo X.

30

Wie ist es möglich, daß in offenbarem Widerspruch zu der Schwere und Deutlichkeit seiner Leipziger und sonstiger Erklärungen Luther dort zu klagen wagt, Eck habe in seiner Tücke ein ihm (Luther) „ungefähr entfallenes Wörtlein von dem Papsttum ergriffen, um ihn in Rom zu verderben". Wie kann man einen solchen Satz schreiben inmitten eines Manifestes, das sonst voll ist von stärksten Verdammungsurteilen gegen „Rom" und „den römischen Stuhl", „über dem Gottes Zorn ohne Ende ist", das der Sitz des Antichrist sei!

Ich gebe sogar noch mehr zu. Luther war durchaus nicht ohne diplomatische Begabung, durchaus nicht ohne kluge Berechnung der Möglichkeiten. Es fehlte ihm durchaus nicht die praktische Klugheit, zu versuchen, sich gegen eine Verurteilung durch Rom — eine Verurteilung, der die tatsächliche Macht zur sehr unangenehmen und radikalen Ausführung nicht fehlen würde — möglichst zu sichern. Er verstand es, sowohl seine eigene Meinung zurückhaltend zu formulieren oder das Disputieren über den heiklen Punkt als einen ihm von Eck auferlegten Zwang hinzustellen, als seine Unterwürfigkeit gegen Rom in einer übertrieben devoten Weise zu betonen, die ihm sicher nicht von Herzen kam. Die Schwankungen und Widersprüche beweisen das ganz klar. Und daß sich Luther gegebenenfalls auf ein diplomatisches Heuchelspiel ganz nett verstand, sagt er selber ausdrücklich im Falle Miltitz'.

Aber es ist ein anderes, seinen Widerpart im Gegensatz zu sonstigen eigenen Äußerungen nicht so schildern, wie man es im Grunde möchte, ein anderes, gröbste Verdammung und devote Schmeichelei unmittelbar nebeneinander setzen, und wieder ein anderes, die eigene innere, neue, werdende Lage eindeutig sehen und darstellen. Und darum ist Widerspruch durchaus noch kein Beweis dafür, daß man überhaupt und bewußt verdeckt und damit in wichtigster und heiligster Sache andere bewußt irreführt.

Und wirklich: berechnende, bewußte Verschleierung verfährt nicht, wie Luther getan hat. Sie hätte nicht in einer einfach unbegreiflich plumpen Weise derartig ungeheuerliche Widersprüche, wie sie gerade in jenem Brief an Leo X. friedlich nebeneinander ausgeführt werden, stehen lassen! Gerade die außergewöhnliche Schwere der Spannungen, die einem das Wort „Heuchler" auf die Lippen drängen möchte, wird zum Entlastungsbeweis.

Die Lösung liegt in der richtigen Erkenntnis der psychischen Lage Luthers. Die These von der bewußten Verdeckung ist keine Lösung, sondern ein Durchhauen des Knotens, eine Auskunft, die niemandem nutzt, das sachliche Problem nicht fördert und Luthers Entwicklung nicht gerecht wird.

Eine unvoreingenommene Beurteilung wird demgegenüber hier leicht den Ausdruck eines außerordentlich schweren Ringens zweier Seelen in einer Brust, eines Gärungsprozesses von ungewöhnlicher Tiefe erkennen. Und weil eine Gärung vorliegt, deswegen konnte die Situation nicht in allem durchsichtig sein, und konnte sie nicht in allem klar erkannt werden. Es wäre das allen Gesetzen psychologischer Eigenbeobachtung zuwider. Dazu kommt noch eine (schon einmal angezogene) weitere Belastung des Problems: es handelt sich um einen Katholiken[2], also einen Menschen, der von Kindheit auf die Kirche als allein seligmachende geglaubt, sein ganzes ewiges Seelenheil an sie gehängt hatte, und zwar um einen Katholiken, der inmitten einer trotz allem geschlossen christlich-kirchlichen Welt steht, die man trotz der damals noch dogmatisch ungeklärten Lage so weit von der modernen geistigen und religiösen Freizügigkeit abrücken muß. Und da wäre es denn nun doppelt und dreifach allen Gesetzen psychologischer Entwicklung entgegen, wenn in einer solchen Lage die Tradition mit einem Ruck abgeworfen worden wäre und eine völlig klare Situation sich der Feststellung bequem dargeboten hätte. Denn diese Tradition, die von Jahrhunderte altem Leben stark und starr war, war ja kein äußeres Kleid, das man einfach hätte auswechseln können, es war ein Stück der Seele selbst, eine Grundüberzeugung, in der die Seele dachte, war in tausendfach intimer Verwachsung ein Teil ihres Denkens und Glaubens selbst. Die enge Verknüpfung aber mit den dogmatischen Autoritäten der Kirche bestand noch sehr lange fort, als Luther bereits in den Fragen der Rechtfertigung, des Glaubens und der Konkupiszenz längst die katholische Lehre von sich geworfen hatte.

Je mehr nun ein Historiker selber von der Unfehlbarkeit der Kirche und davon, daß außer ihr kein Heil ist, überzeugt ist, desto mehr sollte er nachfühlen, welche — sehr heilsame — Riesenlast ein Revolutionär, aber auch ein Grübler wie Luther von sich abtun mußte, bis er völlig von ihr gelöst dastand. Wie in der Geschichte nicht eine neue Zeit fertig neben einer völlig abgeschlossenen Epoche aufsteht, sondern gleichzeitig die eine sich zersetzt und die neue sich aus ihr und an ihr entwickelt, so verläuft auch der seelische Fortbildungsprozeß des einzelnen Menschen. Und man vergesse nicht: Luther machte eine wirkliche transformatio substantialis durch!

Grundsätzliche Durchbrechungen bedeuten noch nicht Beseitigung aller realen Macht der zerbrochenen Grundsätze. Und so war es in der Tat gar nicht anders möglich, als daß Luthers Loslösungsprozeß von der Mutterkirche nur ruckweise in ungleichmäßigem Tempo, unter schwersten Wehen, bei denen auch Rückschläge nicht ausbleiben, sich vollzog. Wie stark ihm trotz seines außerordentlichen Selbstbewußtseins der Gedanken zusetzte: „Solltest dw allein klug sein, ey dw möchtest irren," wissen wir ja zur Genüge.

Allerdings, beim Versuch ein zusammenfassendes Urteil zu fällen, zeigt sich immer wieder die ungewöhnliche, ja ungeheuerliche Schwierigkeit, diesem

---

[2] Wenn ich hier Luther einen Katholiken nenne, so will ich damit natürlich nicht den gewaltigen Unterschied der dogmatischen Lage verwischen, der die damaligen Christen, die mitunter so leicht das Lager wechselten, von den Katholiken der nachvatikanischen Zeit trennt. Das was ich über den Zwiespalt der kirchlich-theologischen Lage vor der Reformation und die Wirkungen und die Wirksamkeit vor allem der Konziliaridee und der von ihr beherrschten Theologie gesagt habe (Occam lehrte, daß der Fall eintreten könne, daß der wahre Glaube nur mehr in einigen kleinen Kindern vorhanden sei; Clémanges wird sagen „in una muliercula"), dürfte genügen, ein Mißverständnis zu verhüten.

32

Manne ganz gerecht zu werden. Gegenüber seinen wahnsinnigen Verdrehungen, z. B. des Sinnes der Gelübde, der Messe oder, um ein Einzelbeispiel herauszugreifen, des Bernhardwortes „perdite vixi" usw., wird es manchmal so schwer, an Luthers gutem Glauben festzuhalten. Kann bei dem Bernhardwort wirklich noch von einer ehrlichen, vorurteilslosen Auslegung Luthers die Rede sein, bei einem Wort, aus dem jeder Christ doch sofort und ohne weiteres nichts anderes heraushört als den demütigen Heiligen, der seiner Sündenlast sich um so bewußter ist, je mehr seine Heiligkeit ihn jeden geringen Makel schwer empfinden läßt? Ist Luther hier nicht ausschließlich beherrscht von wirklichem, triebhaftem Haß gegen die Kirche? Ja, ist es denkbar, daß Luther ohne verblendenden Haß zu der Überzeugung gekommen wäre, die allein jene Verdrehungen subjektiv verständlich macht: „Sie machten aus der Regel das Fundament ohne Rücksicht auf das einzige Fundament Jesus Christus"? Eine Behauptung, von der theologiegeschichtlich nach Denifles Kritik auch nicht mehr das geringste übrig bleibt! (Die schwache Antwort von *Walther*, „Für Luther wider Rom", 465 ff., rettet nichts.) — Gegenüber solchen Tatsachen steigt, ich wiederhole es, nachdrücklichst die gewaltige Schwierigkeit auf, diesen Mann, in dessen Seele so entgegengesetzte Triebe wohnen: sanfteste und wundervollste Innerlichkeit und Demut, gröbster Haß in oft klobigster Ausprägung und unbeugsamster Stolz — die Schwierigkeit, diese in Extreme zerspaltene Seele ganz zu begreifen und ganz zu schildern.

Man wird vielleicht sagen, es werde hier Luther eine Rücksicht gewährt, die ich Eck gegenüber nicht kenne. Der Einwand ist leicht auszuräumen. Denn hier rühren wir wieder an einen der fundamentalen Unterschiede zwischen beiden Männern. Eck war Vertreter eines feststehenden, klar formulierten Systems, ein wirklicher Theologe im scholastischen Sinn; Luther war das nicht. Luther war Temperament und Wille und Gefühl. Die Möglichkeit innerer Widersprüche aber vermindert sich mit der Schärfe der begrifflichen Formulierung, und der theologische Disputator Eck hat sicher seinen Stolz darein gesetzt, ein ganz untadelhaftes, lückenlos gebautes System von Thesen und Beweisen zu besitzen und zu vertreten. Bei einer inneren Einstellung hingegen, die alle Dialektik so souverän von sich weist, die zu ihr so gar kein positives Verhältnis gewinnt, dafür stark subjektiv gefühlsmäßig vorgeht, dem Augenblick und seiner Gunst oder Ungunst, dem lodernden, unruhig zuckenden Temperament ausgeliefert, häufen sich die Möglichkeiten innerer Widersprüche ganz anders. Das, was bei Luther an die Stelle des Systems tritt, sind trotz der noch gebrauchten vielfältig differenzierten scholastischen Begriffe ein paar grundlegende Überzeugungen, die alles tragen: der Gedanke der Alleinwirksamkeit des barmherzigen Gottes, seine Ausgestaltung in der Rechtfertigungslehre und seine Krönung, die Heilsgewißheit. Wie von einem solchen Fundamente aus Luther die Kirche, ja seine eigene Vergangenheit falsch sehen und deuten konnte, werde ich an anderer Stelle ausführen.

Hier ist ein Doppeltes festzustellen. Einmal: Luthers ganze Polemik gegen die Kirche wie auch etwa seine verständnislose Exegese zu Mt 16,18 in seiner Resolutio super propositione XIII. (LWW 2, 189 f.) ist ständig beeinflußt von der damaligen konkreten Ausgestaltung und Handhabung des Papsttums, in dem ja wirklich der Geist des Herrschens oder des sorglosen Genießens so stark sich ausgeprägt hatte, daß der Geist des Evangeliums — Geist der Demut und des Dienens in der Hirtensorge — weithin verschüttet war. Sodann ist wieder an Luthers eigenartige seelische Konstruktion und den entsprechenden Entwicklungsprozeß zu erinnern: eine Reihe innerer und äußerer Einflüsse haben ihn auf den Punkt der Entwicklung geführt, wo alles Autoritative, von außen Herangebrachte die Seele nicht mehr anpackt, ihr fremd bleibt; wo nur ein ganz subjektives Erarbeiten oder Neuerarbeiten des Besitzes befriedigt. Diese Einstellung 'verbunden mit einem außerordentlichen, hohen Selbstbewußtsein, das zuerst noch naiv-demütig ist, später immer mehr zum Trotz wird, gibt Luther dann erst ganz jene revolutionäre und wirklich staunenswerte Unabhängigkeit gegenüber der Tradition, ohne die sein Werk nicht möglich gewesen wäre. Diese Unabhängigkeit wurde leider zur Unfähigkeit, die Tradition zu verstehen. Weil nun aber jener Innenprozeß sich so wenig auf intellektueller Basis entwickelte, so gar wenig mit strengen Begriffen und einer echten Theologie arbeitete, stellte sich in demselben Grade die Unmöglichkeit heraus, diese Unfähigkeit von außen her zu beheben. Luthers Unkenntnis der Scholastik rächte sich bitter. Nur wenn er der Wucht eines streng logischen, streng theologischen Beweises zugänglich gewesen wäre, hätte es gelingen können, den Zauber, den eine selbst errungene innere Position — noch dazu in solch genialer Fülle und Kraft wie bei Luther — auf den Entdecker und Besitzer ausüben muß, zu brechen. Bei Naturen hingegen, die das Errungene stark triebhaft, stark gefühlsmäßig umfassen, wird der Mangel eines genügenden logischen Ausbaues einer Stellung nur wenig empfunden; der eine erfaßte, errungene, erkämpfte Punkt erscheint so wichtig, daß der Geist befriedigt in ihm ruht. Das wieder um so mehr, je stärker alle Probleme und alle Lösungen in einem Punkte zusammengeschaut werden. So war es bei Luther. Die stürmisch-gefühlsmäßige Eroberung der neuen Stellung vermehrt dann wieder rückwirkend die Verachtung der Tradition, der Geschichte, der bis dahin von andern geleisteten Arbeit. Das innere Hell- und Lebendigwerden einer Ansicht wird alles, der Beweis, besonders der von außen herangebrachte, nichts sein.

Das Resultat mußte, wenn diese Einstellung wirklich stark war, einem Genie entsprang, sofort an einem fundamentalen Fehler leiden: der Einseitigkeit. Die gewaltsam abgebrochene Linie der Tradition mußte sich in einer starken Verarmung äußern.

5. Damit dürfte Luthers Haltung auf der LD genügend deutlich gezeichnet sein.

Nur darauf möchte ich gegenüber vielfach irriger Darstellung noch hinweisen, daß Luther nicht minder als Eck mit großer Ungeduld nach einer Auseinandersetzung in einer Disputation sich sehnte. In der Entgegnung auf einen Brief Ecks, in dem dieser sich in bescheidenem Tone äußert, betont Luther, daß in dieser Sache niemand mehr Geduld von ihm erwarten solle; er verflucht den Ruhm der gottlosen Milde, mit der einst Israels König (1 Kön 20) den Fürsten Syriens, den Feind Israels geschont; er wünscht sich vielmehr jetzt recht stark zu sein im Beißen, ja im Verschlingen der „Cajetane und Ecke". Daß dieses Streiten für ihn nicht nur akademische Bedeutung hatte, daß es sich für ihn um eine lebenswichtige Entscheidung handelte, wird von Katholiken wie Protestanten zugegeben. Daß aber auch Trotz und Streitlust mitsprachen, sollte nicht übersehen werden. Den unendlich feinen Strich, der den heiligen Eifer für Gottes Ehre trennt von dem selbstsüchtigen Aufbegehren, und neben dem Zorn die Demut bestehen läßt, diesen Strich gibt es bei Luther nur ganz früh; auf der LD ist er bereits verschwunden.

Luthers Haltung vergröberte sich übrigens mit fortschreitender Entwicklung. Und das ist es vor allem, was sein Charakterbild, seinen ethischen Wert (ohne daß seine Positionen selbst auf ihr Recht oder Unrecht hin untersucht würden) immer mehr herunterdrückt: das Triebhafte in ihm, die maßlosen Ausbrüche des Hasses und der Wut, die als solche, in ihrer utrierten Form nicht mehr gerechtfertigt werden können aus der Gehorsamspflicht gegenüber dem unerbittlichen Spruch des Gewissens. Heiliger Zorn ist etwas Großes. Wo er sich bei Luther findet und mit dem religiösen Zentrum seines Strebens zusammenfällt, da dürfen wir ihn ruhig anerkennen und daraus lernen. Aber Wut und triebhafter Haß in maßloser Form sind nichts Heiliges. Sie zerstören; Gottes Gnade aber baut auf, auch wo sie Trümmer und Ruinen schafft.

*　　*　　*

In Leipzig stoßen zwei Zeiten, zwei Welten, zwei in vielfacher Hinsicht grundverschiedene Geistesverfassungen aufeinander. Daß sie vielfach unausgeglichen nebeneinander stehen, und doch auch innerlich verknüpft sind; daß der Kampf ausgetragen werden soll in einer Form, die eine gemeinsame Basis voraussetzt, daß aber gerade dieser gemeinsame Boden nicht mehr vorhanden ist; daß wiederum das Neue noch unfertig und in Gärung ist, und von seinen eigenen Vertretern nur unklar erkannt wird; daß aber auch auf der Gegenseite der volle Gegensatz der neuen Position zur katholischen Lehre bei weitem nicht restlos durchschaut wurde: das gibt der geistigen Lage ihr Gepräge.

Die LD ist eine Übung der „Schulkunst" (Herzog Georg), ein rein akademischer Akt mit einer seit langem festgelegten Turnierordnung, mit einem oberflächlichen humanistischen Redeakt von zwei Stunden am Anfang und einem Schiedsrichter am Schluß. Sie ist eine theoretische Auseinandersetzung, und doch ist das Milieu gefüllt mit Polemik, Mißgunst und häßlichem Konkurrenzneid bis in das Verhältnis zwischen Karlstadt und Luther hinein (der es noch fünf Jahre später nicht verschmerzen konnte, daß er in Leipzig Karlstadt als dem doctor senior den Vortritt lassen mußte). Sie ist anderseits ein Kampf auf Leben und Tod um eine neue Grundauffassung des Christentums. Letzteres überwiegt. Das Verhältnis der beiden Strömungen, die zur LD hindrängen und die Allgemeinheit dafür in Bewegung setzen, wird in Leipzig und durch die Nachwirkung der Disputation umgekehrt: das scholastische und humanistische Interesse am Disputieren und am Disputierruhm, das auch noch bei Luther bedeutsam zum Vorschein kam, verschwindet zwar nicht, sinkt aber doch allmählich; das Bemühen um den Inhalt steigt, ja wird beherrschend. Dem Humanismus war Denken weitgehend eins geworden mit der Kunst zu räsonieren und zu disputieren. Eck war innerhalb der Theologie ihr wirklich hervorragender Vertreter. Die LD gehört zu den Ereignissen, die dazu beitragen, daß diese Einstellung prinzipiell erledigt wird. Es wird ernst. Der Humanismus wird absterben, die religiöse Bewegung „spaltet" ihn entzwei. Die Form wird entthront, es geht wieder um die Seele.

Auch derjenige, der in Leipzig trotz seiner Scholastik am meisten Vertreter des Humanismus war, Eck, nimmt teil an dieser Läuterung. Die LD freilich bildet in seiner persönlichen Entwicklung noch keinen Einschnitt. Aber mit fortschreitendem Kampf entfaltet er doch immer mehr positive Kräfte; die Polemik füllt ihn immer weniger aus, und die Freude am Disputieren nimmt auch bei ihm ab. Wie seine Arbeit im Dienste der Theologie ernster wird, so wird auch seine ganze Persönlichkeit, wie die Arbeiten von *Greving* und *Brandt* über die seelsorgerliche Tätigkeit Ecks gezeigt haben, immer achtungswerter.

Die LD ist weiterhin ein Streit zwischen religiöser und theologisch-spekulativer Einstellung. Die stark verbrauchte Scholastik eines humanistischen Disputators und tüchtigen Theologen kämpfte mit einer dogmatisch falschen, aber urwüchsig lebendigen Religiosität. Die eine Partei war grundsätzlich (aber tatsächlich noch nicht ganz) unbeschwert von der Tradition, sah Texte und Institutionen naiv und neu. Wenn sie die vielfältig und sorglich unterschiedenen Ausdrücke der Scholastik weiterbrauchte, so steckten in den alten Ausdrücken neue Gedanken, und oft genug drückt Luther in einer ganzen Anzahl von ihnen ein und dasselbe aus. Die andere Partei trat an die Probleme heran mit einem komplizierten und schwerfälligen Apparat von Formeln, Distinktionen, Beweisen und exegetischen Kunstregeln, einem Apparat, der trotz seines wertvollen, ausprobierten, tadellos funktionierenden, aber übertriebenen Mechanismus belastend wirkte, insofern er ein wirkliches Verständnis wesentlich anders gearteter Problemstellungen seiner ganzen Natur nach sehr erschwerte.

Vor allem aber ist die LD ein Kampf des alten Glaubens mit seiner universalistischen Weite, seinem festen Standpunkt und ausgearbeiteten System, seiner Bindung an Tradition und Autorität auf der einen, dem einseitig persönlich erlebten und errungenen, in seiner Grundlage nahezu rein subjektiven Christentum weniger Sätze auf der anderen Seite. Wer von hier aus über die kämpfenden Systeme selbst ein Urteil fällen wollte, dürfte nicht vergessen, daß die tiefinnerlich religiöse Kraft des Katholizismus auf der LD in dessen Vertreter Eck nur unvollkommen zum Ausdruck kam. Eck war Theologe, nicht aber eigentlich Repräsentant des katholisch-religiösen Menschen.

Berichte

Zur Lutherforschung [1]

Mit starker Zustimmung liest man neuerdings an verschiedenen Stellen die Forderung nach einem wirklichen „Gespräch" zwischen Katholiken und Protestanten. Zwar taucht heute am Horizont der sich vollziehenden Umschichtung die Möglichkeit auf, daß der bittere Riß in unserer Mitte von der nationalen Ebene her überdacht werde und dadurch wie von ungefähr an Spreng- und Trennkraft verliere. Es könnten sich von hier aus unerwartete, herrliche Dinge anbahnen. Möchten sie zur Reife gelangen! Bis dahin wird freilich gerade die Versuchung des Gegenteils, eines neuen Kulturkampfes nämlich, zu überwinden sein. Aber auch im glücklichsten Fall wird eine geistig-theologische Bereinigung der Grundlagen unserer konfessionellen Spaltung unerläßlich bleiben. Nur sie wird letztlich das Verhältnis der Konfessionen in Deutschland ganz aus seiner unfruchtbaren, ja destruktiven Verkrampfung erlösen können. — Ich benutze die mir angetragene Besprechung des Scheelschen Luther dazu, an diesem Gespräch teilzunehmen.

Die anzuzeigende 3. und 4. Auflage des 2. Bandes ist in dem Sinne neu, als „alle entscheidenden Abschnitte vollständig umgearbeitet" wurden (S. V). Der Verfasser hatte im Vorwort zur 1. und 2. Auflage die Möglichkeit erwogen, bei fortschreitender Vereinheitlichung der Auffassung das Maß der kritischen Untersuchungen zu beschneiden. Statt einer solchen Verminderung ist der Band bei gleichgebliebener Grundauffassung von 458 auf 694 Seiten angewachsen. Die äußere Anordnung hat insofern eine Änderung erfahren, als die Hauptmasse der Anmerkungen jetzt unter dem Strich erscheinen und nur die größeren am Schluß zusammengestellt sind. Ich stimme dem unbedingt zu. Es spart in angenehmster Weise Zeit und Mühe, wenn die Hinweise — oftmals der Belegtext im Wortlaut — durch einen schnellen Blick nach unten kontrolliert werden können.

Scheels Lutherbuch ist ein mächtiges Werk, mit dem sich jede eingehendere Äußerung über den Reformator auseinandersetzen muß. Die Arbeit lohnt. Scheel bietet eine peinlich aus den Quellen erarbeitete und die bisherige Forschung ergiebig diskutierende, äußerst vorsichtig voranschreitende Deutung des Werdeganges Luthers. Unter den Quellen hat man nicht nur Luther selbst oder die über ihn sich äußernden Dokumente zu verstehen, sondern in bisher nirgends erreichtem Umfang auch die literarischen Spuren, die zur Rekonstruktion der religiösen und geistigen Um - und Innenwelt Luthers auf der Universität (Bursen, Philosophie und Theologie) und im Kloster notwendig sind. Hier zeigt sich übrigens, wie fruchtbar die derbe Lektion Denifles trotz ihrer ungerechten Einseitigkeiten sich über Grisar hin ausgewirkt hat.

I.

Zur Debatte steht die entscheidende Frage der Lutherforschung: wie aus dem korrekt-kirchlichen Mönch durch inneren Umschwung der Reformator wurde, erst sich anbahnte, dann durchstieß. Scheel ist sich stärkstens der

---

[1] Bemerkungen zu Otto Scheel, Martin Luther. Vom Katholizismus zur Reformation. Bd. 2. Im Kloster. 3. u. 4. Aufl. Mohr, Tübingen 1930.

immensen Schwierigkeiten bewußt, die einer hieb- und stichfesten Rekonstruktion dieses Werdeganges entgegenstehen. Er hat recht, wenn er immer
wieder betont, daß das „nicht rasch und mühelos angegeben werden könne.
Der Weg ist weit und keineswegs eben" (S. 182). Jeder Tritt will behutsam
gemacht werden. „Mit den bisher üblich gewesenen robusten Schritten ver-
sackt man sehr bald" (S. 23²).

Das Haupthindernis sieht Scheel in der anstandslos zugegebenen, massiven
protestantischen Legende, die seit der zweiten Generation die katholische
Zeit Luthers zugedeckt hat. Dies ist denn auch die immer und manchmal mit
mißmutigem Ärger wiederholte Forderung, doch endlich die dramatischeren
sekundären Quellen einschließlich der für einen historischen Aufbau un-
brauchbaren „Biographie" Melanchthons preiszugeben zugunsten des
authentischen Luther. Mit Recht wird nachdrücklich gesagt, wie wenig klare
Vorstellungen der Protestantismus jener zweiten Generation vom Klosterleben hatte, und daß darum die entsprechenden Worte des Reformators dort
oft stark mißverstanden wurden. Mit den massiven Vorwürfen der vollen
Werkheiligkeit auf katholischer Seite, der restlosen Unkenntnis der Schrift
usw. haben wir es also hier nicht mehr zu tun. Luther wird etwa durch das
Kloster selbst viel näher mit der Bibel bekannt gemacht, als selbst Grisar es
wahr haben wollte (S. 3 f.; 4²).

Infolgedessen wird nun allerdings auch die Auseinandersetzung mit Scheel
und Luther um vieles schwerer. Gerade die Wertsteigerung, die Scheel der
katholischen Theologie und Frömmigkeit im Unterschied zu früheren protestantischen Auffassungen beimißt, scheint einen Menschen, der im Kloster so
unerbittlich ringt wie Luther, erst recht in eine ausweglose Zwangslage zu
führen. Wir werden darauf zurückkommen.

Wo aber spricht der „authentische" Luther? Das große Fragezeichen
hinter den Rückblicken des späteren Luther und hinter den nachgeschrie-
benen Tischreden, Vorlesungen und Predigten wird sichtbar. Keine Frage,
daß Scheel an vielen Stellen dieses Fragezeichen kräftiger herausarbeitet als
irgendeiner seiner protestantischen Vorgänger. Aber man kann zweierlei
feststellen: einmal, daß die Untersuchungen hier nicht wenig von einer um-
ständlichen, ja quälenden Überkritik an sich haben, die zweitens besonders
dadurch an Überzeugungskraft verliert, daß statt vollkommener Konsequenz
in ihrer Handhabung auch ein Schwanken unverkennbar ist, je nachdem die
von den sekundären Quellen berichteten Einzelheiten in die Grundthesen
Scheels passen oder nicht.

Und ferner: die Dinge liegen ja nicht so, daß die Entstehung der dramatischeren und nun zum Teil als Legende erkannten Darstellungen der zweiten
Generation über Katholizismus und den werdenden Luther von dem Reformator unabhängig wären. Vielmehr ist Luther ihre Hauptursache: der ältere,
mit Ressentiment geladene Reformator wie Luther überhaupt; die eigen-
willige und sehr bald auch triebhafte Art des Aufrüttlers Luther wie die gewalttätige, so vieles auf eine Formel zusammendrängende Art des Theologen
Luther und die damit zusammenhängende Manier, unter verschiedenen scholastischen Formeln das Gleiche (als „lebendigen Inhalt"; Hirsch) zu fassen,
wie das betont eruptiv-affektiv Bekenntnismäßige des erdrückenden Teils all
seiner Äußerungen! Von dieser Art, als sie in oft hemmungsloser und ent-
stellender Weise den Katholizismus und die eigene Klosterzeit zeichnete, hat
die zweite Generation gelernt. Gewiß kommen arge und ärgste Vergröbe-
rungen, ja Fälschungen hinzu. Aber der Hauptschuldige bleibt Luther selbst.
Und gerade diese zuallererst sich aufdrängende Lösung sieht Scheel zum

mindesten nicht so, daß er sie als eine Hauptfrage konsequent durchuntersucht hätte. Ein grundlegender Fehler der Methode. Gewiß würde die Diskussion, auch wenn Scheel den angegebenen Gesichtspunkt konsequent in
Rechnung gestellt hätte, bei ihm ein anders gefärbtes Resultat ergeben, als
z. B. ich es mir erarbeitet habe, aber die notwendige gemeinsame Basis
wäre da.

Beweise für die von Scheel geforderte vorsichtigere Methode bringt der
Band in Menge. Man nehme etwa die Darlegungen über eine persönliche
Berührung Luthers mit Staupitz im Noviziatsjahr (zu S. 71 ff.)! Wenn
manches nicht zu einer apodiktischen Gewißheit kommt, so liegt das an
den Quellen, die uns im Stiche lassen. Die von Scheel sehr richtig angestrebte
und weithin erreichte Abstufung der Wahrscheinlichkeit ist festerer Boden
als die luftig konstruierten dramatischen Erzählungen der alten und neueren
Schilderer. Schade, daß S. 74 (Schluß des ersten Absatzes und Anfang des
zweiten Absatzes) die Formulierung ohne Beibringung neuer Beweise
apodiktisch und damit jene Wahrscheinlichkeitsabstufung durchbrochen wird.

Ähnliches ist zu berichten von der Beurteilung des auf seine katholische
Zeit rückblickenden Reformators. Scheel gibt des öfteren zu, daß bei diesen
Rückblicken reformatorische Anschauungen das Tatsachenbild in eine nicht
korrekte Beleuchtung stellen, wodurch eine gewisse Wertminderung für die
Rückblicke des Reformators angedeutet wird (vgl. S. 82). Er befaßt sich
auch in einer längeren Anmerkung des Anhangs mit diesen „Tendenzschilderungen" Luthers (vgl. S. 21). Er spricht Luther jedoch das Recht zu
solchen Tendenzschilderungen zu. Es ist auffallend, daß Scheel dabei dem
Ressentiment Luthers, das sich doch in seinen späteren antipäpstlichen und
antimönchischen Auslassungen in Schrift und Bild in denkbar massiver Form
äußert — und von dem es unverständlich wäre, wenn es g a r nicht zum
Ausdruck käme —, so gar keinen Platz einräumt. Sogar, wenn Luther behauptet, man könne mit Fug die letzte Tendenz des Mönchtums bezeichnen
als „odisse bonas artes et studiosos", und zwar aus fauler Furcht gegenüber
den Studierten, wird diesem Verdikt zugestimmt. Um so unverständlicher,
als vorher großes Gewicht gelegt wurde auf das allgemeine, strenge und
echte Streben nach Heiligkeit im Kloster einerseits und andererseits auf die
Tatsache des Eintritts so mancher Magister in dasselbe (vgl. S. 18). Hier
ist das Messen mit einerlei Maß nicht erreicht.

Die polemische Auseinandersetzung Scheels mit der neueren Literatur geht
gegen Katholiken wie Protestanten. Unter jenen ist es vor allem (neben
Denifle) Grisar, der mit und ohne Namensnennung mit einer unverkennbaren
Animosität bekämpft wird [2]. Die weiteren Ausführungen werden Veranlassung bieten, in einzelnen Fragen zu Grisar Stellung zu nehmen. Aber Scheel
erklärt allzuoft, daß dessen Thesen einer Widerlegung nicht bedürfen. Einmal (S. 590[4]) meint er sogar, Denifles und Grisars Deutung von Luthers
Rechtfertigung seien „an leichtfertiger Oberflächlichkeit nicht zu über-
treffen". Damit sollte man doch vorsichtiger sein. Besonders, wenn auch
von eigener, protestantischer Seite die kompetente Kritik so zahlreiche
Mängel an Scheels Methode wie deren Anwendung (zu straff geschlossene
Beweisführung, Überkonsequenz, überscharfsinnige Willkür und Apriris-
mus) angemeldet hat. Um so mehr, als ohne Denifle und Grisar Scheels
Buch gar nicht zu schreiben gewesen wäre.

---

[2] Gelegentlich wird eine Erklärung zugestanden, „wenn auch dadurch
Grisar eine kleine Freude gemacht wird" (S. 603 unten)!

Diese etwas überhebliche Art der Äußerung ist insofern verständlich, als Grisars profunde Gelehrsamkeit sich nicht selten wie mit eisiger Ablehnung von Scheels Helden distanziert. Immerhin gibt es in Grisars e i n bändigem Luther einige recht erfreuliche Anzeichen einer möglichen positiveren Wertung des Reformators. Die verschiedentlich angeklungene Frage nach dem Seelenheil Luthers, und die Art, wie eine Antwort angedeutet wird, sind dafür bezeichnend. Aber auch dem dreibändigen Werk Grisars gegenüber bleibt Scheels Haltung nicht ohne weitere Schwäche. Gerade gegenüber der erwähnten, so oft verwirklichten und noch näher zu besprechenden Forderung Scheels nach vorsichtigster Formulierung überrascht die hier wie sonst (auch der protestantischen Forschung gegenüber) auftretende betonte Selbstsicherheit des Urteils. Ob auch Scheel es bis ins Tiefste hinein empfunden hat, wie gerade ein vertieftes und wiederholt eindringendes Studium Luthers die anscheinend gelösten Probleme immer wieder neu und sozusagen widerspenstiger aufleben läßt? Fast möchte man daran zweifeln.

Unter den Nichtkatholiken ist es vor allem der arme A. V. M ü l l e r , der von der ersten Seite an unter den unermüdlich und in gereiztem Ton vorgetragenen Repliken Scheels zu leiden hat. Die hierher gehörigen Äußerungen sind für das Buch nicht lediglich Bereicherung, sie belasten es auch. Es wäre zu wünschen, daß in einer weiteren Auflage der offensichtliche Sieger in diesem Streite sich durchgehender daran erinnern möchte, daß Müllers Einwände doch auch Veranlassung zu einer genauer gefaßten Darstellung wurden (vgl. S. 69 mit Anm. 1 u. ö.), und daß diese Streitereien wenigstens auf ein Maß zurückgedrängt würden, das notwendig ist, um sachlich Stellung zu nehmen.

Das wird Scheel vielleicht schwer fallen. Denn die in diesen Repliken geübte Breite ist eine Eigentümlichkeit des ganzen Buches, das mit Leichtigkeit, ohne an Substanz zu verlieren, um mindestens hundert Seiten gekürzt werden könnte. Man merkt dem Buch zu oft seine Entstehung aus den notwendigen, zahllosen Einzeluntersuchungen an. An sich ist das wohl die beste Empfehlung, die das Werk selbst seiner Solidität ausstellen kann: immer wieder wird dieselbe Frage gestellt, immer noch eine Möglichkeit des Einwandes gegeben, immer noch die Beantwortung hinausgeschoben; aber dabei auch öfters Gleiches mit den gleichen Worten wiederholt. Ich sehe nicht nur ein, daß endlich einmal in letzt erreichbarer Vollständigkeit der ganze Stoff und die gesamte Diskussion a limine durchgearbeitet werden mußten; daß nichts vorausgesetzt, nichts ohne Rechenschaftsablage gesagt werden durfte (vgl. passim, z. B. 208). Scheel hat seine Darstellung seit der ersten Auflage bewußt auf die Tatsache abgestellt, daß bis heute von irgendeiner wesentlichen Übereinstimmung in der Einschätzung der Quellen und ihrer Deutung kaum die Rede sein könne. Das ist methodisch unanfechtbar und nur zu begrüßen. Vielleicht m u ß t e auch den ersten Auflagen hier ein Zuviel anhaften. Ich glaube aber: ohne daß sachlich irgendetwas zu fallen brauchte (beim ersten Band gibt es wohl mehr Entbehrliches), könnte von den Präliminarien des Fragens, von dem Zurechtrücken der Thesen und ähnlichem vieles wegbleiben [3]. Auch in dieser Art eines notwendigerweise materialgeladenen

---

[3] Von den sehr zahlreichen Belegen einen: Wenn nach intensivster und wiederholter Beschäftigung mit der Frage des ä u ß e r e n Verlaufs des Angsterlebnisses bei der Primiz schließlich gesagt wird: ob das Angsterlebnis „szenische" Formen angenommen habe, sei „aber auch eine völlig nebensächliche Frage", dann fragt man, wozu dann die ungewöhnlich ausführlichen Äußerungen über die Frage gegeben wurden.

Buches sollte es, meine ich, jetzt Scheel gelingen, so etwas wie eine ihren Rahmen klassisch füllende Darstellung zu geben. Niemand beherrscht so den Stoff wie er, niemand könnte ihn darum so wie er auf ein inneres Maß in letzter Dichtheit zusammendrängen.

Auch dann wird das Buch freilich kaum eine Lektüre für „weitere Kreise" sein. Leider! Denn trotz aller sehr tief greifenden Bedenken gegenüber der Methode und ihrer Anwendung: hier ist doch jene schon besprochene Luther-legende preisgegeben. Das aber ist die Legende, von der das breite evange-lische Bewußtsein über den jungen Luther und damit über die katholische Kirche bis heute lebt. Es ist die Legende, die mit dem Ressentiment des Protestes belastet ist und deswegen eine fruchtbare Auseinandersetzung der Konfessionen so erheblich erschwert. Wenn Scheel an die Stelle der von ihm zerstörten Legende etwa seinerseits eine neue Fehldeutung des Katholizis-mus setzt, so wird diese Darstellung der gegenseitigen Verständigung nicht annähernd mit dem gleichen Schwergewicht im Wege stehen als jene von dem säkularen Genie Luther veranlaßte.

Scheels Untersuchungen sind getragen von einer restlosen Bejahung des Reformators. Nicht in dem Sinne etwa, als ob der liberalprotestantische Scheel sich dogmatisch zu Luthers Glauben bekennte. Nebenbei: es ist zwar methodisch unanfechtbar, den dogmatischen Abfall der Erben Luthers gegen Luther selbst auszuspielen. Der dialektische Trieb offenbart eben im Laufe der Jahrhunderte mit erbarmungsloser Schärfe die durch den ersten Eingriff geschaffene Zerstörung des Gleichgewichts der Kräfte und stellt durch Ver-absolutierung der einzelnen aus ihrem Gesamtverband gelösten Teile und da-durch wiederum durch Rückschlag ins Gegenteil das Unberechtigte des ersten Angriffs auf die Substanz ans Licht; er offenbart die tiefste Verant-wortlichkeit. Das beste Beispiel ist die destruktive Verabsolutierung des bei Luther noch an den Dogmatismus des geoffenbarten Wortes gebundenen Subjektivismus im Verlauf der Neuzeit[1]. — Aber es ist methodisch unzu-lässig, diesen Abfall ohne weiteres als Belastung des Lutherwerkes eines liberalen Protestanten einzusetzen, wie Grisar es in seinen verschiedenen Rezensionen des Scheelschen Buches mit einigem Nachdruck getan hat. Nicht nur deshalb, weil es auch heute, im Zeitalter des Wesenschau, wo man Aufgeschlossenheit so gerne als relativistische Erweichung brandmarkt (was wird nur aus dem logos-spermatikos-Gedanken?!), noch gilt, daß der einiger-maßen vernünftige Mensch sich beträchtlich weit auch in fremder Geistig-keit zurechtfinden kann. Auch nicht nur deshalb, weil ja sonst Grisar nie seine drei Bände hätte schreiben dürfen. Sondern zutiefst einfach deswegen, weil es sich bei der heutigen protestantischen Bejahung, besonders natürlich auch bei derjenigen des Historikers Scheel, nicht handelt um die Bejahung eines statischen Glaubensinhalts und dogmatischen Zustandes, sondern eines seelischen A b l a u f s. Und dies ist Scheels Bejahung des Reformators: d a ß d i e s e r   m i t   a b s o l u t e m   R e c h t,   i n   u n t a d e l h a f t e r   K o n - s e q u e n z   u n d   o h n e   d i e   S p u r   e i n e s   K r a n k h a f t e n   d e m K a t h o l i z i s m u s   e n t w a c h s e n   s e i.   Die Darstellung des inneren Werdens des Mönches Luther wird zu einer vollkommenen Entlastung des die Kirche Verlassenden.

Dieses Bekenntnis zu Luther kommt gleich im Vorwort ganz offen zum Ausdruck. Niemand nimmt Anstoß daran, und auf evangelischer Seite wird man vermutlich erstaunt sein, daß so etwas überhaupt hervorgehoben wird.

---

[1] Vgl. dazu meine Geschichte der Kirche (Münster, 3. Aufl., 1933), 256 ff.

Aber ich tue damit nichts anderes, als was umgekehrt dem Katholiken ziemlich regelmäßig, und nicht immer in besonders schonender Form, in protestantischen Besprechungen bescheinigt wird.

Wir sind also weit entfernt von katholischen Urteilen. Wie weit dabei Scheel im einzelnen richtig urteilt oder seine Thesen der Korrektur bedürftig erscheinen, hat die Diskussion der Einzelfragen zu zeigen. A l l g e m e i n aber möchte ich, in beträchtlicher Abweichung der vorhin erwähnten katholischen Besprechungen, dies feststellen: Scheel gehört erfreulicherweise zu der Reihe protestantischer Reformationsgeschichtler, die von konfessioneller Engstirnigkeit weit entfernt sind; und, was mehr ist, die sich eine gründliche Kenntnis der katholischen Elemente in Philosophie, Theologie, Liturgie, Gebetsleben und Klosteraszese angeeignet haben (eine Kenntnis, die an vielen Stellen über die katholische Reformationsgeschichtsschreibung hinauskommt) und dieses katholische Gut ausgiebig zu Wort kommen lassen.

An entscheidenden Stellen werden dabei katholische Lehre und Praxis falsch oder ungenügend wiedergegeben. Das schwächt ebenso wesentlich den Unterbau der ganzen Deutung Scheels. Indes: nicht irrtümliche Auffassungen sind das stärkste Hemmnis einer Verständigung (sie können ja durch Gegennachweise berichtigt werden); entscheidend hemmend wirkt nur böser Wille. Nun kann man nicht behaupten, Scheel habe es vermocht, sich ganz frei zu halten von dem schon erwähnten Ressentiment, das den Protestantismus seit seinem Entstehen belastet und ein Stück seines Wesens geworden ist. Aber das bleibt bei Scheel nur nebensächlicher Einschlag, den abzustreifen ihm nicht schwer fallen sollte, — auch nicht, wenn es gegen Grisar geht.

Und vor allem bleibt es ebenso offenbar als dankenswert, daß durch Scheels Buch die katholische Welt des beginnenden 16. Jahrhunderts den protestantischen Lesern w e s e n t l i c h nähergebracht wird, als das vordem üblich war. Und eben das erachte ich als entscheidend, wenn die Fruchtbarkeit unserer Auseinandersetzungen auf dem Gebiet der Reformationsgeschichte nicht weiter durch unsachliche Motive bedroht werden soll.

Und sie i s t heute bedroht. Es ließen sich aus der evangelischen Reformationsliteratur der letzten Jahre nicht wenig Beispiele beibringen, in denen ein merkwürdig und ungerecht gereizter Ton gegen den Katholizismus angeschlagen und von einer angeblich eingeleiteten katholischen Gegenreformation gesprochen wird, auch wo der Bestand diese Behauptung glatt widerlegt. Die gesamte ernst zu nehmende katholische reformationsgeschichtliche Forschung der letzten Generation hat ein Anrecht auf eine Beurteilung, die von aller Gereiztheit frei ist. Daß Theodor Haecker eine historisch (weil an dem Problem der „Ursachen" der Reformation und damit unserer eigenen Schuld, maxima culpa, vorbeigehend) wie dogmatisch unhaltbare und mit Recht als beleidigend empfundene Entgleisung sich leistet (Der Brenner, 13. Folge, Herbst 1932, S. 28 und 31), kann nicht als Gegeninstanz angeführt werden.

Man darf also feststellen, daß nicht nur die eingehenden Äußerungen, die Scheel von katholischer Theologie des 15. Jahrhunderts gibt, von großer Sachkenntnis zeugen, sondern daß auch das früheren protestantischen Lutherdarstellungen so auffallend fremde Milieu des katholischen Klosterlebens, einer katholischen Profeß, einer katholischen Primiz mit beachtlichem Einfühlungsvermögen durchaus würdig geschildert wird und so, daß die eigentümlichen Werte dieser Frömmigkeit einigermaßen ungehindert sich aussprechen. Kloster, Mönch und Mönchsaszese sind für Scheel kein Schreck mehr. Er betont so und so oft die große Diskretion dieser Aszese, weiß sich in die

Rolle des Novizenmeisters als katholischen Seelenführers sehr wohl hinein-
zudenken, und derartiges mehr. Innere und äußere Haltung sowie die ganze
Stimmung bei der Kollation vor der Komplet etwa (S. 59 f.) werden mustergültig wiedergegeben. Hier und sonst (z. B. 61 f. Profeßritus, oder auch in
den zahlreichen Zitaten aus Jordan von Sachsen, oder den Konstitutionen)
kommt etwas vom objektiven Reichtum katholischer Liturgie zum Ausdruck.
Das weht den Katholiken heimatlich an; anderseits bedrängt wohl jeden
nachdenklichen Leser bei den verschiedenen Profeß-Gebeten und dem Gelübde der ganze Ernst der Situation unmittelbarer, als es eine Umschreibung
vermitteln könnte. — Wenn bei solcher Wiedergabe katholischen Denkens
und Fühlens eine nicht mehr unbekannte „protestantische" Art der Formulierung sich beimengt, so braucht man das nicht gerade tragisch zu nehmen.

Dieses Sich-Hineindenken in Katholisches hat aber auch mannigfache
Grenzen.

Um mit weniger Wichtigem zu beginnen: die Äußerungen über die vorschriftsmäßigen Gebetsübungen der Laienbrüder (S. 28), näherhin die Zu-
sammenrechnung der abzuleistenden Vaterunser! Ich bin der letzte, der die
hier lauernde Gefahr der Mechanisierung und damit die Gefahr eines Gegensatzes zu der von Scheel angerufenen Stellung Jesu zum Gebet verkennen
möchte. Die Gefahr ist öfter Wirklichkeit geworden, als viele Katholiken es
wahr haben wollen. Aber die Z a h l allein der verrichteten Gebete ist dafür
noch kein Beweis. Es kommt alles darauf an, ob die Formel mit Geist gefüllt
wird. Daß das möglich ist, dafür gibt es auch heute unter theologisch und
allgemein geistig Ungebildeten (also einigermaßen vollgültigen Parallelen zu
jenen Laienbrüdern) Beweise genug. Man trifft hierin bei einfachen Leuten,
etwa in Frauenklöstern mit ungebildeten Insassen, oft eine überraschende
Tiefe und Verinnerlichung, ein ganz tiefes Ruhen in der Hand Gottes. Und
doch ist neben der Messe mit dem Sakrament sehr oft nur der Rosenkranz
(in manchen Frauenklöstern regelmäßig täglich dreimal die 50 Ave mit den
Vaterunsern) die Hauptform, in der diese Menschen vor ihrem Herrgott sind.

S. 208[1] heißt es: „Der Reformator kann dennoch berechtigt gewesen sein,
die Kasteiungen im Kloster für seine späteren Leiden verantwortlich zu
machen. Jahrelange ‚Aszese' kann schließlich auch einem gesunden Körper
zusetzen." Die Behauptung dieser Anmerkung will schlecht zu den im Text
gegebenen Beweisen passen. Wenn man die Diskretion „augustinischer"
Aszese in Wachen, Frieren und Fasten (z. B. S. 35) so betont hat wie
Scheel und dazu ausdrücklich herausstellt, wie körperlich rüstig Luther in
den Jahren 1505—09 gewesen sei, dann fällt jene behauptete ursächliche Verbindung in den Bereich des Unmöglichen [5]. Was neben der 208[1] gegebenen
richtigen Quellenkritik möglich bleibt, ist dies: daß die inneren Kämpfe,
teilweise in Skrupulosität verankert, auf Luthers Nervosität zurückwirkten
und sie steigerten. I n s o f e r n konnte Luther sehr wohl später die Schuld
auf das Kloster schieben.

In Scheels Beweisführung stößt man nicht selten auf eine abstrakte Art
der Methode, die Walter Köhler bereits gleich nach dem ersten Erscheinen
des ersten Bandes getadelt hatte. Scheel „verwechselt" Statuten für die
Regelung des Lebens einigermaßen mit dem Leben selbst. Was Köhler

---

[5] Auch Luthers Kritik an der rigorosen Gleichförmigkeit der Regel wird
verdächtig durch seine Übertreibung: multi occisi sunt durch zu wenig
Schlaf 35[1]. Es sei denn, daß ihm Fälle des mancherorts auch heute noch
getriebenen unklugen, gesundheitsschädigenden Raubbaus vorschwebten.

(und Grisar) gegenüber dem Versuch, das tatsächliche Leben und Treiben der damaligen Studenten aus den Statuten der Bursen und der Universität zu erheben, verlangte, nämlich die Einbeziehung des unendlich vielfältigen, konkreten Lebendigen, das gilt auch für die Zeichnung des damaligen Katholizismus. Die Fülle der Atmosphäre kann man nicht aus Einzelheiten und Einzel„wissen" rekonstruieren, man muß sie erfühlen oder als Katholik besitzen.

Und hier stoßen wir nun auch auf einen w e s e n t l i c h e n Mangel des Buches: Seine Deutung des katholischen Systems (nicht etwa nur einer Praxis in katholischen Kreisen!) als einer Verdrehung des Urchristentums in eine von Judaismus durchsetzte „Religion der Vergeltung" — schon seit dem ersten Klemensbrief —, die dann erst Luther durch Zurückgehen auf den echten Paulus und darüber hinaus wieder zum reinen Christentum gebildet habe, bleibt, so sehr sie im Protestantismus selbstverständlich geworden ist, für den Katholiken grotesk. Aus dem einen Grund, weil der Katholik es als innersten Besitz weiß und es als Theologe lehrt, daß bei allem selbstverständlichen Festhalten an den im Evangelium verkündeten Kategorien des Lohnes und der Strafe und damit Gottes als des Richters die Gnade alles trägt; daß von einer „Beeinflussung" Gottes durch die guten Werke nur von jemand gesprochen werden kann, der die selbstverständliche und grundlegende Allursächlichkeit Gottes in allem und jedem, also auch in jeder Gebetsregung und in jeder Sakramentswirkung, außer acht läßt; daß der Richter und der Gnadenspender ein und derselbe ist, daß neben und in der Furcht und dem Zittern das vertrauensvolle Aufblicken steht, daß neben der Furcht vor dem Richter gleichzeitig die gläubige Zuversicht zu der uns verpfändeten Erbarmung steht. Daß dies allein wahre Erfüllung der vertrauenden Hingabe an den Vater ist: daß dem Menschen die unmittelbare und definitive Gewißheit seines persönlichen ewigen Heiles nicht gegeben sei. Ja, daß ihr Besitz dem Begriff des viator widersprechen würde. Wir stoßen auf den Fundamentalbegriff des „Hörer sein". In seiner verschiedenen Anwendung wird die letzte Trennung des Protestantismus vom Katholizismus sichtbar. Jener Punkt, an dem sich die Gegensätze der christlichen Bekenntnisse berühren — und scheiden: Der Katholik ist wesentlich Hörer, Hinnehmer, „Für-wahr-Halter" der Offenbarung, der Protestant, soweit er hierin Luther gleicht: Aneigner der Offenbarung. Weil aber dieses Aneignen primär ist, tritt das Menschliche zu weit im psychologischen Ablauf des Heilsprozesses in den Vordergrund. Die Überbetonung des Nurgöttlichen, die Vernichtung alles Menschlichen rächt sich durch einen Rückschlag. Das unabhängig Objektive der Wahrheit im Lehramt und der Heiligkeit im opus operatum der Sakramente und im Priester, also die E x i s t e n z des Bezirks der Offenbarung und des Heiligen, wird so an den Glauben gebunden, daß eben diese Existenz bedroht ist. Nur wo der einzelne Mensch glaubt, i s t Kirche, i s t Gnade, i s t Sakrament. Trotz aller Vernichtung des Menschlichen, trotz aller Hingabe an Gott, steht im Innersten ein Anthropozentrisches, nicht Theozentrisches. Das Resultat ist nicht Religion, sondern Religiosität. Auf den hier liegenden Grundunterschied werden die Untersuchungen über Luthers theologisch-religiöse Welt immer wieder hinführen.

II

Diesen allgemeineren Überlegungen kann nicht eine Besprechung auch nur aller H a u p t fragen, die der Klosterkampf Luthers aufwirft, folgen. Das ergäbe in manchen Fällen eine allzu wenig kurzweilige Duplik und Replik. Und

vor allem: einen mächtigen Band von 667 eng bedruckten Großformatseiten,
die von zu kontrollierenden Quellen strotzen, ganz durchzuarbeiten, verlangt
viel mehr Zeit und Raum, als mir zur Verfügung steht. Man müßte ein
ganzes Buch über den jungen Luther schreiben. Ich hoffe das zu tun. Hier
aber möchte ich nur zu wenigem Stellung nehmen.

Wenn Scheel mit bisher in diesem Umfang in keiner protestantischen
Lutherdarstellung erreichten Unbefangenheit Schritt für Schritt an den Stoff
herantritt, so bedeutet dieses „Schritt für Schritt" zunächst zweifelsohne
eine Verminderung der Fehlerquellen. Die gleiche Methode offenbart aber
auch ihre Begrenzung, indem gerade sie anderseits zu Ergebnissen verleitet,
die wegen ihrer Vereinzelung dem Tatbestand und seiner Begründung im
„Gesamtluther" nicht gerecht werden. Es kristallisieren sich zu früh durch-
laufende Thesen heraus; sie sind bereits grundgelegt, ehe das ganze Material
verhört ist. Nehmen wir z. B. die vornehmlich gegen Grisar gerichtete Ablehnung alles Krankhaften in Luthers Seelenleben. Scheels verfeinerte
Methode wittert mit Recht den eigentlichen, ja den einzig gefährlichen
Gegner jener These in einer entsprechend verfeinerten Methode, nämlich
Kritik an Luther zu üben durch Rekonstruktion und Kritik der seelischen
Veranlagung und des darauf aufbauenden Werdeganges. Diese Methode hat
eben besonders Grisar in tiefdringenden Einzeluntersuchungen angewandt.
Sich von den Übertreibungen Hausraths freimachend, erklärt er doch die
seelische Grundlage Luthers für krankhaft.

Hiergegen wendet sich konsequent Scheel. Er sieht natürlich die seelischen
Erschütterungen Luthers, aber er macht einen Wesensunterschied zwischen
ihnen und dem Krankhaften. Weitgehend mit Recht! Ich sage „weitgehend",
weil bekanntlich gerade auf diesem Gebiet die Medizin sehr vorsichtig im
Abstecken der schwankenden Grenzen ist. Zum mindesten aber möchte ich
aus methodischen Bedenken heraus empfehlen, diese Frage wenigstens zunächst offen zu lassen. — Aber: zwischen den beiden Begriffen „volle seelische Gesundheit" und „ausgesprochenes Krankheitsbild" im medizinischen
Sinne gibt es noch ein Drittes. Ich kenne keinen Einzelausdurck, der den
Tatbestand eindeutig fassen würde. Aber das, was Grisar die singuläre Veranlagung Luthers, und was so viele seine Skrupulosität genannt haben, gehört hinein. Besonders die letztere. Ich habe sie bereits in meiner Geschichte
der Kirche (S. 245) als ein Wesentliches an Luther, nämlich seinen Subjektivismus, offenbarend angesprochen. Denn beide Male ist die Grundhaltung
die gleiche: nicht primär Hörer sein, sondern trotz allem quälenden, ja
heroischen Suchen letzten Endes nur die eigene Erkenntnis gelten lassen.
Trotz allen Aufklärungsversuchen von außen im Kreise oder im Zickzack
immer wieder zurückkehren zur eigenen Auffassung, die d o c h stimmen
muß. Luthers Subjektivismus ist hier nicht zu besprechen. Aber gerade durch
ihn, für dessen Vorhandensein sich aus Luthers Gestalt und Gesamtleistung
eine ungewöhnlich breite Beweisführung gewinnen läßt, wird die Tatsache
der Skrupulosität gesichert.

Nun, auch hiergegen wendet sich Scheel. Nicht mit Erfolg, wie ich meine.

Scheel lehnt sonst nicht gedeckte Werturteile von Katholiken, die nach
Luthers Abfall liegen, wenn sie nicht genauere Einzelheiten bringen, als dem
üblichen Ketzerschema entnommen, ab. Mit Recht. Aber z. B. Luthers Anfall
im Chor beim Verlesen des Evangeliums vom Besessenen! Ich sehe nicht,
wie man darin nicht ein „Krankhaftes" finden soll. Natürlich ist damit das
Urteil nicht fertig (außerdem konnte ja auch dieses Krankhafte Mittel zur
Heiligkeit sein); es kommt vielmehr alles darauf an, ob ein solcher Vorfall

allein steht oder sich als Glied einer Reihe erweisen läßt und also der Sinn des einzelnen aus dem Sinn der Kette bestätigt bzw. auch erst gewonnen werden kann.

Und nun läßt sich in der Tat zeigen, daß seelische Erregung bei Luther in einem solchen Umfange vorliegt, daß man mit den Begriffen des zarten Gewissens und des unerbittlichen Ringens allein nicht auskommt. Dieses zarte Gewissen spreche ich Luther nicht ab, sondern in ganz eminentem Maße zu. Sein heroischer Klosterkampf wäre sonst nicht zu verstehen, außer wir hätten einen kompletten Hysteriker vor uns, wovon gar keine Rede sein kann. Aber ein überaus zartes Gewissen haben Tausende in der Kirche gehabt, viele Heilige in einer ungleich fruchtbareren Art als Luther, auch Theologen, und doch sind sie an der Lehre der Kirche nicht irre geworden.

Scheel meint, das Schreckerlebnis bei der Verlesung des Besessenen-Evangeliums sei nichts anderes, als wenn der Ordensheilige Nikolaus vom Teufel geschüttelt worden sei. Man darf wohl darauf hinweisen, daß ein kleiner Unterschied besteht zwischen — Legende und Wirklichkeit; und ein ebenso entscheidender Unterschied zwischen dem von außen erfolgenden Angriff des Teufels auf einen tapfer den Kampf aushaltenden Menschen und dem vor innerer Angst und Verstörung aufschreienden und dann zusammenstürzenden Luther. Zudem hat Luther weder damals noch später Proben jener Kraft gegeben, die in der Legende stets als Folie jener „heroischen" Dämonenkämpfe erscheinen: Proben der Heiligkeit.

Scheel eröffnet den Kampf gegen die Theorie irgendeiner seelischen Erkrankung in diesem Bande sehr bald, aber nicht ganz offen. Er beginnt damit, daß er zeigt, Luther sei im Noviziatsjahre gar nicht „notorisch starrsinnig" oder von „störrischem Eigenwillen" gewesen (S. 11). Das führt ihn dazu, die These, Luther sei zum Klosterleben unfähig gewesen, zurückzuweisen. Durchaus mit Recht. Grisar hätte selbst zum gleichen Resultat kommen sollen, da er doch zugesteht, daß, alles in allem genommen, Luther ein korrekter Mönch gewesen sei [6].

Indes, soviel ich sehe, hat niemand für das P r o f e ß jahr einen derartigen Starrsinn behauptet. Das wußte auch Grisar sehr wohl, daß Luther dann kaum im Orden behalten worden wäre. Für die späteren Jahre aber liegt die Sache anders, — sobald man den Fehler vermeidet, den Scheel hier dadurch begeht, daß er die Kategorie des Eigenwillens zu eng faßt. Es handelt sich bei diesem Z e n t r a l problem nicht nur um notorischen Starrsinn, sondern um jene staunenswerte Selbstsicherheit des kritischen Urteils und der darin zum Vorschein kommenden Verwegenheit von den ersten Aufzeichnungen an, die wir von Luther haben, die sehr bald zu einer gefährlichen Unabhängigkeit von der Tradition überhaupt, ja zu unberechtigtem Absprechen über sie wird, und ohne die Luther niemals das säkulare System der Kirche hätte erschüttern können. Es ist jene Haltung, die nach dem Zeugnis Boehmers die eigenen Gedanken immer in Fremdes hineinlas, die in der Bibel nur auf das

---

[6] Bei dieser Frage spielt die Deutung des immer wieder auftauchenden, 1516 fallenden Ausspruchs Luthers an Lang hinein, er sei so überlastet, daß er nicht genügend Zeit habe zum Persolvieren seiner Pflichtgebete und zum Zelebrieren (S. 14). Man stelle doch solch einen Ausspruch einmal in den Bericht eines heutigen fleißigen geistlichen Professors! Dann würde er lauten: Ich komme kaum zum Zelebrieren und zur Messe — und bedeuten: ich bin mit Arbeit zugedeckt. Nichts mehr, außer, daß die Art des Ausdruckes nicht ein Beweis ist dafür, daß Luther die Worte schon damals ganz genau gewählt hätte.

reagierte, ja, nur das „sah", was in seine Fragestellungen hineinpaßte. Und es ist eine wurzelhaft subjektivistische Haltung, an deren Auflockerung die Ermahnungen des Staupitz schließlich doch vergebens arbeiten.

Diese Selbstherrlichkeit, die früh Einschläge von Verwegenheit zeigt, äußert sich vielfältig. Und auch sie steht nicht allein, etwa in der Form des Gegen-andere-Recht-haben-Wollens, sondern sie geht parallel oder ist Ausdruck einer grundlegenden seelischen Formalhaltung: Wie Luther nie im Vollmaß des Wortes „Hörer" peinlich getreuer Übernehmer eines von außen an ihn herantretenden Gehaltes ist, so ist er auch nie reiner Betrachter und Schilderer seines Innern. Auch seinem eigenen Innern gegenüber ist er irgendwie gewalttätig, Beherrschender, Aneigner. D. h., er besitzt die für die propagandistische Wirkung unschätzbare, aber die Treue der objektiven Wiedergabe wesentlich gefährdende Fähigkeit, sich in das, was ihn eben beschäftigt, ganz hineinzusteigern und damit in die Sphäre der Übertreibung zu geraten. Das gilt nicht nur für die gleichzeitigen Schilderungen, sondern auch für die rückblickende mündliche oder schriftliche Erwähnung. Gewiß, die Unstimmigkeiten (S. 111) zwischen Luthers Äußerungen über die Aussprache mit seinem Vater über seinen Eintritt ins Kloster (September 1521 an Melanchthon, Enders 3, 225; Vorrrede zu De votis monasticis, Clemen 2, 189) sind zu gering, um das Vertrauen zur Zuverlässigkeit der jüngeren Darstellung zu schwächen. Zugegeben. Aber die Unstimmigkeit ist andeutungsreich für jene eben erwähnte, aber von Scheel zu sehr vernachlässigte Fähigkeit. Wenn man die hierher gehörigen Äußerungen miteinander vergleicht, dann wird ein Grundschema formaler seelischer Grundhaltungen sichtbar. Diese formale Haltung, diese dynamische Tendenz zur Überbetonung gehören mit zum Zentrum Luthers. Wir besitzen nach dieser Seite hin noch nicht die notwendige und aufschlußreiche Formal-Morphologie Luthers. Jedenfalls kann man ihm an entscheidenden Punkten kaum gerecht werden, ohne die hier liegende Frage zu bereinigen. — Das an den eben erwähnten Stellen zur Sprache stehende Detail ist übrigens wieder deswegen besonders wichtig, weil es andeutet, wie unschwer Luthers Seelenleben durch innere Bedrängnis aus dem Gleichgewicht geworfen wurde (vgl. S. 116, letzter Absatz). — Ich stelle neben die beiden erwähnten Stellen noch zwei Äußerungen Luthers, die in der Geschichte seines reformatorischen Umschwungs eine hochwichtige Rolle spielen: aus der Beschreibung des Turmerlebnisses in der Vorrede von 1545 über den Begriff „iustitia dei" und aus dem Brief an Staupitz vom 30. Mai 1518 über den Begriff „poenitentia" und bitte zu vergleichen:

Enders 3, 225, 136 f.: ut nihil ex ore eius (= des Vaters Luther) unquam audierim, quod tenacius servaverim ...;

Clemen 2, 189, 19 f.: ut in tota vita mea ex homine vix audierim verbum, quod potentius ... (zu beachten, daß es sich aber hier um ein n e u e s Wort handelt, das in jener ersten Äußerung an Melanchthon gar nicht vorkam!);

Enders 1, 196, 16 ff. (30. Mai 1518 an Staupitz): Haesit hoc verbum tuum in me sicut sagitta potentis acuta, ... ita, ut, cum prius non fuerit ferme in scriptura tota amarius mihi verbum quam „poenitentia" ... nunc nihil dulcius aut gratius mihi sonet quam „poenitentia".

Clemen 4, 427: Oderam enim vocabulum istud „iustitia dei" ... non amabam, imo odiebam iustum et punientem ... deum ..., ingenti murmuratione indignabar Deo ... Furebam ita saeva et perturbata conscientia ... Hic me prorsus renatum sensi, et apertis portis in ipsum paradisum intrasse ... Iam quanto odio vocabulum „iustitia dei" oderam ante, tanto amore ...

Schon diese Neigung zu innerer Selbstübersteigerung im Zusammenspiel der außerordentlichen Kräfte des Genies bedingt von vornherein einen gewissen Mangel an seelischer Gleichmäßigkeit. Wenn man hinzunimmt den mit den gleichen gigantischen Kräften ausgefochtenen Klosterkampf Luthers, mit den gewalttätigen, hartnäckigen Versuchen, durch die Schwierigkeiten durchzustoßen, und die dadurch erzeugten schmerzhaften inneren Reibungen, so kommt man bei der anerkannten affektiven Art Luthers zu einem allgemeinen seelischen Erlebnisbild, das zum mindesten von einer gefährlichen Erregbarkeit und Erregtheit ist. In dieses allgemeine Bild hineingestellt, gewinnen dann Einzelheiten wie jenes Erlebnis bei der Verlesung des Besessenen-Evangeliums ein viel bestimmteres und auch bedenklicheres Gesicht. Und man wird gegenüber Scheels Versuchen, so gut wie alles schreckhaft Verängstigte von Luther auszuschließen, sehr mißtrauisch. Wer zuviel beweist, beweist nicht genug.

Und nun läßt es sich doch einfach nicht aus der Welt schaffen, daß Luther selbst eindringlich von seinen Angst- und Beklemmungszuständen gesprochen hat; sie sollen sogar gelegentlich so stark gewesen sein, daß sie ihn wohl zu Asche hätten verbrennen können; das Erleiden des Zornes Gottes („der angefochtene Christus" bei Luther) hat er in der Art geschildert, daß es den Menschen überschwemmt und zu vernichten droht. Auch seine Traurigkeit und seine Prädestinationsleiden sind doch eine Tatsache. Scheel drängt zwar diese Züge mit ängstlichem Mißtrauen an die Seite. Aber die Berechtigung dazu wird nicht erwiesen.

Ebensowenig wird für die Erklärung des werdenden Luther verwertet die den späteren Luther w e s e n t l i c h belastende und leider gar nicht anzuzweifelnde Art, in starker, ja stärkster Hemmungslosigkeit Haß und Schmähungen in gereiztester Form von sich zu geben. Über die sachliche Berechtigung dieser Ausbrüche werde ich nachher ein Wort sagen. Aber selbst, wenn man mit Scheel so gut wie alles, was Luther wirklich geäußert hat, als rein sachlich gemeint und als gerechtfertigt annehmen oder es mit leichter Geste als „Werturteil" beiseite schieben wollte, bliebe doch das ü b e r t r i e b e n   D y n a m i s c h e dieser Äußerungen. Und darin sehe ich das Entscheidende, weil Durchgehende und Unbezweifelbare: Wie man die Inhalte der Äußerungen beurteilen möge, es bleiben Anlagen und Angewöhnungen, die zum mindesten auf ein, unausgeglichenes, sich nicht in gleichmäßiger Zucht haltendes, sondern vom eigenen Schwung gefangengenommenes und vom eigenen Schwung leicht über das sachliche Ziel hinausgetragenes Seelenleben schließen lassen. Damit ist die Gefahr des Triebhaften in unmittelbare Nähe gerückt. Und selbst einzelne Äußerungen erhalten auf Grund dieser durchgehenden Art eine größere Belastungskraft.

Die späteren heftigen Ausbrüche machen es notwendig, nach frühen Anlagen zu fragen, die das spätere Resultat erklären. Tatsächlich kennt man sie denn auch aus Disputationen und Predigten Luthers in recht scharfer Anmaßung gegenüber seinen theologischen Gegnern und solchen im Orden oder etwa dem „fabulator" Aristoteles „cum suis frivolis defensoribus" (Scheel, Dokumente zu Luthers Entwicklung ², S. 219, 30), den er — des dürfe er sich ohne Hoffart rühmen — mit mehr Verstand gelesen habe denn St. Thomas und Skotus! Dieser gegen die Erfurter und in Gotha gegen die Oppositionspartei ganz schlimm losbrechende frühe Luther ist bereits „streitsüchtig", einigermaßen hemmungslos und triebhaft. (Das zu dem richtigen Schluß S. 10 Z. 6 ff. von unten zugefügte „und Mönch" ist also nicht korrekt.)

Kritiker mögen sich nicht zu schnell an dieses „triebhaft" klammern! Der

Begriff enthält ein Werturteil, das nicht ohne weiteres apodiktisch zu begründen ist. Zwei Fragen spielen herein: Wie weit ist Luthers scharfe
Sprache diktiert n u r von seinem unerbittlichen Gewissen, also rein sachlich gemeint, und wie weit ist für die scharfe Sprache einfach der Grobianismus
der Zeit die Ursache? Jedenfalls ist bei der Beurteilung des früheren Luthers
das „Triebhafte" einer jener Punkte, wo die Konfessionen sich am wenigsten
schnell verständigen werden. Um so weniger dürfte hier eine vereinzelnde
Betrachtungsart am Platz sein. Die Vergleichsbasis muß möglichst breit
genommen werden; d. h. das g a n z e Leben Luthers ist auf diesen Punkt hin
zu untersuchen. Das Resultat wird m. E. der Nachweis einer absinkenden
Höhenlage sein, in der das Rechthaberische und auch verwegen Selbst-
sichere, das Streitsüchtige, immer stärker zum Ausbruch kommt. Ich formulierte es schon einmal so: „Der feine Strich, der den Eifer für das Haus des
Herrn trennt von dem Eifer pro domo sua" schwindet bei Luther sehr früh.
Ich hebe wiederum hervor (vgl. meine Geschichte der Kirche S. 255), daß
der doch wesentliche Unterschied zwischen beiden Einstellungen bei einem
für die Reinheit des Christentums und die Unversehrtheit des eigenen Gewissens mit Riesenkräften streitenden und Gott in tiefer Selbstvernichtung
dienenden Menschen wie Luther nicht leicht zu sehen ist. Mir persönlich ist
hier das Studium des Poverello Führer geworden: mit den Kräften eines
Genies im unmittelbarsten Dienste Gottes stehen, mit einer Exklusivität
dessen Willen erfüllend und seine Erfüllung von anderen fordernd, daß die
Überzeugung klar wird: selbst jedes Abweichen im k l e i n e n ist Verrat
an der ganzen Sache; und doch in jedem Augenblick von allem eigenen
Wollen des guten Erfolges so weit frei sein, daß man in jedem Augenblick
bereit ist, zurückzutreten. Das darf man natürlich nicht an einem reflektier-
ten Bewußtsein prüfen wollen, etwa mit der Frage, ob denn wohl Luther
nicht in jedem Augenblick bereit gewesen sein würde, sich unter das Gericht Gottes zu stellen! Ich glaube, daß er gegenüber einer solchen ausdrücklich gestellten Frage dazu bereit gewesen wäre. Entscheidend aber ist
allein, ob derartige Bereitschaft in solchem Maße Substanz im Menschen ist,
daß auch t a t s ä c h l i c h nie die eigene Aktivität, das Wollen einer Sache
so weit vordringe, daß das reine „nur Diener sein" angetastet werde. Denn
das muß man sich klar machen, daß hier die letzte Probe letzter Größe zu
suchen ist; daß ein mit Riesenkräften begabter Mensch eine über die Ewigkeit entscheidende Forderung vor sich sehe, und doch inmitten solcher
riesenhaften Aktivität n u r Diener bleibe. Auch von dieser Seite kommt
man, d. h. komme ich, zur gleichen Grundformel für Luther: Er war nie und
nirgends in reinem Sinne Hörer und nur Hörer, nur Annehmer des
Evangeliums.

Ich habe in meinem „Hosius" an einem geistig viel weniger bedeutenden
Manne zu zeigen versucht, wie eine rücksichtsloseste Gegnerschaft, die Luther
und seine Anhänger als Teufelssöhne behandelt und ihnen den Namen Christen verweigert, doch ohne die Spur einer persönlichen Lieblosigkeit, ohne
Haßgefühl selbst in der sachlich ungerechten Beurteilung sein kann. Gerade
an solchem Gegenbeispiel kann man das Dynamisch-Triebhafte bei Luther
gut illustrieren. In keiner Weise steht in dieser Beziehung seine s a c h -
l i c h e Verdammung der Papstkirche zur Diskussion. Da gilt selbstverständlich wie für Hosius so für Luther das Urteil Kiefls: Wenn Luther zur innersten Überzeugung von der Widerchristlichkeit der Papstkirche gekommen
war, dann konnte keine Verurteilung scharf genug sein. Es kommen der
damalige Grobianismus einer nicht eben zimperlichen Zeit und das derbe

Bauerntum Luthers hinzu. Aber auch trotz dieser beträchtlichen Ent-
lastungen (einem Religionsstifter wie Luther können sie übrigens nicht in
vollem Maße zukommen; man darf von ihm mit Recht größere Feinheit verlangen; Religion ist ein wesentlich anderes Gebiet als Politik!) bleibt doch
das subjektivistische Ressentiment, das Triebhafte, unverkennbar. Weder
vor, neben, noch nach Luther findet man einen Grobianismus, der an den
seinen heranreicht: an Stärke und besonders in seiner Vermischung mit
heiligen Gedanken. Luther hat hier eine Art Säkularisierung der Frömmigkeit
verwirklicht, die auf sein Bild drückt und sich bei den Nachfolgern verhängnisvoll auswirkte. Wenn ich in manchen Predigten oder im Wider Hans
Worst oder so oft sonst unmittelbar in und neben frommen Darlegungen
den Gebrauch, ja ein hemmungsloses Hineinwühlen in niedere Bilder feststelle, so vermag ich das nicht mehr nur als ungebrochene religiöse Kraft
des Bauernsohnes zu qualifizieren. Irgendwie ist hier das „Tremendum", das
Luther sonst sehr wohl kennt, angetastet. Irgendwie kann eben der Mensch
nur gesenkten Blickes vor dem furchtbaren Heiligen stehen. Wenn er es
aber in einer Art trotzig-vertrauenden Ergreifens Gottes versucht, und wenn
solch große Kräfte im Spiel sind wie bei Luther, dann kann das Gleichgewicht nur garantiert werden durch h e r o i s c h e Demut, d. h. Heiligkeit.
Aber Luther war kein Heiliger.

Man wolle das nicht mißverstehen: Die angedeuteten Mängel können mich
weder daran hindern, die großen religiösen Werte, die sich unmittelbar in
solch „säkularisierter" Frömmigkeit äußern, restlos zu würdigen, noch das
auszusprechen. Neben dem gewalttätig Unausgeglichenen finden wir bis in
die letzten Lebenstage Luthers ein so geruhsam-gelassenes Sich-Hingeben
in Gottes Willen, daß die wesentliche Demut seiner Glaubenstheorie auch
praktisch erfüllt erscheint. Aber dieses Nebeneinander ist nicht ausgeglichen.
Das Unausgeglichene (und in ihm das Triebhafte) bleibt, und deshalb führe
ich diese Dinge, die teilweise vom Luther der ersten Klosterzeit so weit ab-
liegen, an: O h n e z u b e r ü c k s i c h t i g e n , w a s L u t h e r w u r d e ,
k a n n m a n n i c h t e r k e n n e n , w a s L u t h e r i n s e i n e n A n -
f ä n g e n w a r .

Kehren wir also zu diesen Anfängen zurück, näherhin zur Frage nach der
seelischen Stimmung des katholischen Mönches Luther.

Um die Frage im Anschluß an Scheel zu beleuchten, begnüge ich mich
mit der Besprechung des Absatzes 4 von § 2; er behandelt die Vorgänge bei
Luthers erster Messe. Ausgangspunkt der Untersuchung sind Luthers gleichzeitige Äußerungen über seine Primiz, also der Einladungsbrief bei Enders
1, 1 ff. und in etwa auch derjenige vom 28. April 1507 an seinen „praeceptor"
(Enders 17, 84 f.). Welche Frömmigkeitshaltung spricht aus ihnen? Scheel
entscheidet vollkommen zu Recht (S. 95), daß von einer „krankhaften Über-
reizung" keine Rede sein könne. Sein Vergleich mit den heutigen katholischen Primizianten stimmt. Aber wieder zeigt sich der schon erwähnte
Mangel von Scheels etwas auseinanderreißender Methode. Denn das Urteil
über Luthers seelische Lage darf gar nicht auf den angezogenen Brief
allein aufgebaut werden. Vielmehr müssen die von Scheel erst nachher behandelten Rückblicke Luthers bzw. die Referate, die wir darüber in der
Ennarratio in Genesim und in den Tischreden haben, bzw. muß die seelische
Haltung des späteren Luther mit in das Urteil eingebaut werden. Und hier
beginnt ja erst das Problem, weil diese Rückblicke alle in solcher Weise
von einem bei der Primizmesse aufgetretenen starken Schreckerlebnis

reden, daß man es nach Scheels eigener Aussage nicht in den Bereich der
Fabel verweisen kann (S. 97). Nun aber wäre es unmethodisch, den
Schrecken Luthers n u r aus der ersten Messe erklären zu wollen. Derartige
Erlebnisse haben meist bleibende Unterlagen in der seelischen Veranlagung
und einer entsprechenden Angewöhnung. Es läßt sich aber nicht leugnen, daß
Luther Sünden- und Gerichtsangst in starkem Maße schon vor Eintritt ins
Kloster gezeigt hat; er hat Ähnliches auch in seinen nach der Primiz liegen-
den Kloster-Priester-Jahren in bedeutender Stärke erlebt: man darf also
seine Durchschnittsstimmung nicht aus jenen zufällig erhaltenen einzelnen
Äußerungen feststellen wollen. Solche seelische Erlebnislagen sind nämlich,
wenn sie nicht gerade in ihrem akutesten Stadium und als ausgesprochenes
Krankheitsbild im eng medizinischen Sinne auftreten (und auch da gibt es
ganz seltsame Unterbrechungen), durchsetzt mit Freizeiten. Eine gewisse,
ja sogar starke ängstliche Erregung vermag sehr wohl zusammen zu bestehen mit dem Gefühl des Gehobenseins, dem Luther zu seiner Primiz an
Leute Ausdruck gibt, mit denen er anscheinend seit langer Zeit nicht mehr
sich ausgesprochen hat.

Der Kritik an der Stelle aus Ennarr. in Gen. (WA 43, 382) vermag ich
nicht zuzustimmen. Denn die beiden darin erwähnten Stellen der Messe
sind gar nicht c h r o n o l o g i s c h aneinander gereiht. Die richtige Darstellung, die Scheel S. 99 vom Zusammenhang gibt, kommt im Text der
Ennarratio durchaus zum Ausdruck; er behauptet gar nicht, daß die Worte
„wir opfern Dir . . ." im Kanon stünden. Man muß nur das „item" richtig
mit „ebenfalls", nicht aber mit Scheel als chronologisch gefaßtes „und
weiter" (S. 98, Z. 2) übersetzen. Ebensowenig gerechtfertigt ist die S. 99,
Anm. 2 gegen Grisar erhobene Beschuldigung. Sie ist direkt falsch. Denn
Grisar trennt a. a. O. ganz deutlich und weist die Worte „Tibi deo vero . . ."
richtig dem Offertorium zu. (Die Worte: aeterno deo, vivo et vero stehen
übrigens auch im sog. Kanon unmittelbar vor dem „Communicantes".) —
Es kommt hinzu die auch von Scheel eingeräumte Möglichkeit, daß der
rückblickende Luther seine frühen Messeerlebnisse reformatorisch (um)ge-
deutet habe (S. 101; ebd.: „Wie andere Ängste und Anfechtungen, wird
auch diese Angst zu einer Anklage gegen die Papstkirche"). An dieser wie
an anderen Stellen hält Scheel trotz seinen öfteren Zugeständnissen nicht
k o n s e q u e n t im Auge, daß der rückblickende Luther übertreibend färbt.
Die in dieser Färbung zutage tretenden Widersprüche sind nicht abzuweisen.
Einmal gibt Scheel selbst Rückdeutungen, die den Tatsachen nicht entsprechen, zu (s. oben und Scheel S. 101), anderseits lassen sich diese Widersprüche Luthers bestens erklären aus seiner apologetischen Einstellung zu
seinen eigenen Gunsten, die wiederum identisch ist mit seiner aggressiven
Haltung gegen die Kirche.

Um in diesen Fragen zu einem einwandfreien Ergebnis zu kommen, darf
man nicht folgendermaßen operieren: die und die behauptete Tatsache ist
falsch, also konnte sie der rückblickende Luther nicht behaupten. Bei einem
Mann, dem die Überbetonung bis zur objektiven Verdrehung so leicht fiel,
heißt das, die Methode auf den Kopf stellen (s. z. B. S. 102 oben). Es ist
notwendig, die Tatsachen und ihre Bewertung streng auseinander zu halten.
Wenn solch eine spätere Deutung eventuell für die Rekonstruktion des
objektiven Herganges (etwa der Primiz) ausfallen muß, so noch lange nicht
für die Analyse der seelischen Veranlagung Luthers, auch — als Andeutung — des früheren Luther! In concreto: wenn Luther später seine
Ängste bei der Messe mit angeblichen frühen reformatorischen Einsichten

vermengt (S. 103), so darf man mit Recht diese Verbindung, nicht aber die
Tatsache der Ängste abweisen. Und das gewinnt große Bedeutung, weil
alle schwerwiegenden Inkonsequenzen in dieser Frage auf eine reformatorische Bewertung zurückgehen.

Wichtigste Voraussetzung ist hier freilich, daß man sich klar werde und
in umfassender Weise untersuche, wie Luther, der eine wirkliche transformatio substantialis durchmachte, in dem alle guten und alle üblen Kräfte
des Affekts bis zum Haß die innere Gärung noch weniger durchsichtig
machten, wie Luther, sage ich, sehr wohl das objektive Bild verzerren
konnte — ja sogar mit moralischer Wahrscheinlichkeit verzerren mußte —,
ohne Lügner zu sein.

Umgekehrt wird die grundsätzliche (s. oben) Minderbewertung der Rückblicke des späteren Luther bzw. die grundsätzliche Forderung strengster
Prüfung nicht konsequent durchgeführt. Die Erzählungen Luthers, daß er
einmal in Rom in einer Stunde sieben Priester an einem Altar die Messe
habe zelebrieren sehen, oder daß die römischen Geistlichen mit der Messe
fertig gewesen seien, ehe er zum Evangelium gekommen sei, werden ohne
irgendein Bedenken mit auffallender Gläubigkeit weitergegeben (S. 514).
Es genügt wahrhaftig nicht zur Rettung dieser Aussagen, wenn man Grisars
zu dürftige Erklärung zurückweist, Luther habe dies mehr als „Humorist"
geäußert. Man mag auch zustimmen, daß einem Italiener das langsamere
Messelesen im Norden überhaupt auffiel (S. 515, Anm. 2), es also als möglich
hinnehmen, daß das Messelesen in Italien sehr viel schneller als bei uns,
ja für deutsche Begriffe einigermaßen unwürdig vollzogen wurde. Abgesehen
davon, daß solche Eindrücke ziemlich regelmäßig auf einer Fehldeutung des
Deutschen gegenüber südländischer Art beruhen, bleibt es entscheidend, daß
der Verlauf, wie ihn Luther erzählt, technisch einfach nicht möglich war,
außer (im zweiten Falle) „wenn Luther nicht krankhaft zögerte" (Grisar
in Stimmen d. Zeit 100 [1921] 382).

Eine typische Verkennung des Wesens der Skrupulosität findet sich
S. 102 oben. Daß man andern gut raten könne, ist leider noch nicht der
geringste Beweis dafür, daß man es auch sich selbst gegenüber könne, bzw.
daß man selber die Kraft aufbringe, aus dem Rat eine Entscheidung zu
machen. Man kann vielmehr nicht selten beobachten, daß skrupulöse Beicht-
väter und Moralisten andern glänzend, sich aber nicht helfen können.

Zu 102, Zeile 4 ff. und 103, Zeile 13 f.: w i s s e n , daß man sich auf die
Intention der Kirche zurückziehen kann, und das auch tun, schließt weder
überhaupt noch für immer aus, daß die eigenen Ängste und Skrupeln realiter
die Oberhand behalten. Dies entscheidet: welche Realität ist im Innern die
stärkere: jenes Wissen oder die Angst?

Zu S. 103: ob der Prior bei der Primiz zum verängstigten Luther dies
oder das am Altar sprach, ist nicht so wichtig, als daß er überhaupt eingreifen mußte. Das aber behauptet auch die Tischrede Lauterbach — Weller
28. 3. 37. Deshalb sind auch die Deutungen S. 617 nicht zwingend. Um so
weniger, als das angebliche „Hinan!" des Priors gar nicht voraussetzen
muß, daß Luther den Altar bereits hinuntergestiegen sei. Man kann es sehr
wohl verstehen etwa als ein „Voran!", wie es in der Zusammensetzung
„hinan wollen" = daran gehen wollen gebräuchlich war.

Mit dieser Feststellung der Fehldeutung des seelischen Bestandes und der
seelischen Entwicklung Luthers ist nun auch ein zweites (s. oben S. 233 ff.)
Fundament von Scheels Darstellung als nicht in allem tragfähig angedeutet,
soweit das in diesem beschränkten Rahmen möglich war.

III.

Nun erst wäre das Hauptproblem des werdenden Luther zu diskutieren: der reformatorische Umschwung. Ich muß mich an dieser Stelle auf Andeutungen beschränken. Schon das bisher Besprochene führt auch in dieser Frage zu einer teilweise anderen Deutung, als Scheel sie gibt. Außer der behandelten, m. E. viel zu schwachen Betonung von Luthers Skrupulosität und Singularität weise ich auch für diese Frage hin auf das Gefühls- und Erlebnismäßige in seiner Entwicklung. Es scheint mir für den Verlauf des Umschwungs, d. h. für die Lösung, welche das Ringen um die Sündenfreiheit fand, wesentlich: Luther jagte nicht einer irgendwelchen Sicherheit der Sündenvergebung nach, etwa einer im Glauben fest anzunehmenden, sondern er wollte ihrer hier und jetzt gefühlsmäßig innewerden. Das aber war gegenüber der Konkupiszenz natürlich unmöglich. Auch hier wirkte sich die gleiche Grundhaltung aus: Luther war nicht primär Hörer, Entgegennehmer des Wortes, genau so, wie er es nie gegenüber Aristoteles oder später gegenüber Tauler und dem Frankfurter war, sondern primär Aneigner.

Dies vorweggenommen, kann ich einfach die These meiner Geschichte der Kirche wiederholen: Luther stand vor einer unmöglichen Aufgabe: der angeblich alles vermögende Wille sollte der Willkür des schrecklich drohenden Gottes genugtun. Nur war es nicht — wie Scheels und Koehlers große These lautet — der Katholizismus, der die Aufgabe unmöglich machte, sondern der Occamismus. Der aber stieß bei Luther auf eine zwar einseitige, aber auch rücksichtslos durchgreifende Veranlagung, welche die unkatholischen Gegensätze dieses durch glückliche Inkonsequenz korrekt kirchlich gewordenen Systems wieder zum Vorschein brachte.

Die Tatsache des Occamismus als eines f u n d a m e n t a l unkirchlichen Systems müßte auch in der katholischen Literatur viel mehr betont werden. Daß es kirchlich korrekt zurecht gebogen worden war, vernichtet nicht, sondern verschleiert nur die Tatsache, daß es (vom Satz von der doppelten Wahrheit her) zur Wahrheit kein existenzielles Verhältnis hatte. Und es war kein Zufall, sondern innere Konsequenz gewesen, wenn sich für Occam selbst aus solchem System die revolutionäre kirchenpolitische Theorie des „je nachdem" ergeben hatte. Wenn Luther auch diese letzteren Konsequenzen nicht kennenlernte, der sie bezeichnende Geist drang mit dem Geist des Nominalismus Occams in ihn ein. Luther war hier konsequenter als seine katholischen Lehrer.

Das Zentrum des reformatorischen Umschwungs ist gekennzeichnet durch das Gebiet um den Begriff der Vergeltung, so wie er angedeutet ist mit dem später von Luther gebrauchten Ausdruck der iustitia dei activa, dem Zorn des Richters, den Schrecken des Gerichts und dem Ringen, von ihrer Last befreit zu werden. Luther hat das eindeutig genug festgestellt, und es ist in der Ordnung, daß Scheel in vielerlei Untersuchungen das heraushebt. Die anscheinend so schweren Gegeninstanzen Denifles wiegen hier nichts. Gewiß, Brevier und Missale stellten vorzugsweise den erbarmenden Gott vor Luther hin, und die gleichzeitige Erbauungsliteratur betonte bekanntlich durchaus Liebe und vollkommene Reue stärker als die Furcht. Aber weder für die Kindheit noch für die Zeit des Klosters ist damit auch schon festgestellt, ob dieses Bild so in Luther eindrang, daß es sein Bewußtsein stärker beherrschte als die Vorstellung des Richters. Für die Vorklosterzeit läßt sich die Parallele zur heutigen religiösen Lage im Katholizismus ziehen. In unserer Erbauungsliteratur herrscht durchaus der Gedanke der Liebe und der vollkommenen

Reue vor, neuestens dankenswerterweise sogar auch die Herausarbeitung
des eigentümlichen R e i c h t u m s der Religion. Durch die hoffnungsvolle
liturgische Bewegung liegen jetzt die Dinge sogar noch etwas günstiger für
eine These, wie sie Denifle gegenüber Luthers Behauptung vom richtenden
Gott aufstellte. Hört man sich aber dann die praktische Auswertung dieser
hohen Gesichtspunkte an, wie sie von Pfarrer und Kaplan Sonntag für Sonntag in ihren von Gebot und Verbot nicht selten übermäßig beherrschten
Predigten oder in Volksmissionen und Exerzitien handfest in die Praxis
umgesetzt werden, dann wird man neben, ja vor den edleren Motiven durchaus die Furcht vor dem Richter bzw. vor der Hölle nicht an letzter Stelle
finden. Wenigstens dürfte das für die vorige Generation zutreffen. Über
Vorteil, Notwendigkeit und Mangel dieser Methode habe ich mich hier
nicht zu äußern.

Indes, vom Voranstehen dieses Gedankens bis zum angstvollen Erregt-
werden und den von Scheel bei Luther v o r dem Klostereintritt beobachteten Gerichtsschrecken (S. 263 mit Rückverweis auf den 1. Bd.) ist ein weiter
Weg. Die Tatsache, daß so viele Katholiken ernsten, zarten, ja zartesten
Gewissens unter den gleichen drohenden Gedanken standen, ohne zum Erleiden jener Ängste zu kommen, macht mir nach wie vor ein Verständnis
Luthers nur möglich durch die Annahme einer skrupulösen Anlage. Skrupulosität ist ein zartes Gewissen in labilem Zustand.

Die gleiche Erklärung, sowohl gegen Denifle wie für Luthers Skrupulosität, ist für die Klosterzeit, näherhin die Zeit des theologischen Studiums
zu geben. Vermöge der Veranlagung, der Erziehung [7] und des Studiums
Luthers konnte der Gottgedanke des Occamismus ihn beherrschen. Aber nur
aus Luthers Skrupulosität ergaben sich jene besonderen inneren Reibungen,
die den Mönch zu zerreiben drohten und ihn in die Angstzustände hinein-
jagten.

Ich vermag Scheel absolut nicht zu folgen, wenn er glaubt, der Skrupu-
losätätsthese zu entgehen durch Luthers Erwähnungen von den „furchtbaren
Ängsten vieler Mönche" vor und neben ihm. Daß es a u c h solche gegeben
hat, ja, aber es waren eben die Skrupulanten. Sie sind immer zu zahlreich,
so wenige ihrer sein mögen. Und die Indiskretion mancher Seelenführer mit
innerer Unfreiheit mag sich der traurigen Wirkungen verantworten. Aber
für jeden einigermaßen mit dem Fall der Novizen- und Seminaristenskrupel
und mit der Atmosphäre in Klöstern Vertrauten liegen Luthers Übertreibungen auf der Hand. Um so mehr, ich wiederhole es, als die Übertreibung
in seinem (apologetischen) Interesse lag und sich in allen Formen des Lobes
und Tadels, gegenüber seinen eigenen Anhängern so gut wie evangelischen
und katholischen Gegnern gegenüber, äußerte. Wenn etwas Luthers Psyche
kennzeichnet, dann ist es der Mangel an Gleichgewicht. Was bekanntlich mit
Mangel an Kraft nicht das Geringste zu tun hat.

Wenn weiter Denifle auch noch Luthers Behauptung, er habe n u r (ab
omnibus doctoribus) die Deutung der iustitia dei als activa kennengelernt,
als Lüge bezeichnet, so huldigt er der unmöglich primitiven Methode, wonach zwei Dinge, zwei Thesen, zwei Systeme schon identisch sind, wenn
sie überhaupt Gemeinsames in sich schließen. Während es natürlich darauf

---

[7] Auch hier bemüht sich Scheel, offensichtlich im Dienst seiner These,
vom innerlich nur „gesunden" Luther, die von diesem eindeutig bezeugte
Härte der Erziehung im Elternhaus in Abrede zu stellen, um nur ja alles
Verängstigte von Luther fern zu halten.

ankommt, ob das Gemeinsame beide Male dieselbe Funktion ausübt oder
nicht, vielleicht einmal im Zentrum, beim andern an der Peripherie steht;
ob das Gemeinsame das Ganze ausmacht, oder ob es in beiden Fällen in
verschiedener Weise derartig ergänzt wird, daß das Gesamtresultat ein
wesentlich verschiedenes ist. Seltsam genug, daß Denifle in seinem Übereifer nicht sah, daß er durch seine Lösung Luthers These, wie er sie in der
Vorrede 1545 entwickelt, zu einer — katholischen machte. Luthers reformatorischer Umschwung erschöpft sich eben nicht in der exegetischen Deutung
der iustitia dei als passiva, sondern in der Überzeugung, daß im Evangelium
iustitia dei nur und immer als passiva zu nehmen sei, also im Gegensatz
von Gesetz und Evangelium.

Allerdings ist Luther nicht unschuldig an dieser Fehldeutung. Deswegen
nicht, weil er in seiner Erzählung über das Turmerlebnis (wieder gefühlsmäßig sich in das eben Darzustellende bis zur Übersteigerung hineinfühlend)
dramatisch überspitzt und mehrere Erlebnisse in eins zusammenschiebt. Die
Analyse der Vorrede von 1545, die die Untersuchung über den reformatorischen Umschwung Luthers zugleich bereichert und belastet, ist ungewöhnlich schwierig. Ich könnte gar nicht in Kürze zu Scheels Deutung
Stellung nehmen. Es gehört jedenfalls zu seinen Verdiensten, daß er es ablehnt, die Vorrede isoliert zu verhören. Die These Grisars, welche das
Wesen des Turmerlebnisses im Erfassen der Heilsgewißheit sehen und als
Zeitpunkt an 1519 festhalten will, hat im Text keine Unterlage und wird
gleichfalls mit Recht abgelehnt. — Aber in den uns bekannten Texten des
frühen Luther findet sich trotz aller Bemühungen bei Scheel und bei andern
m. E. keine Stelle, an der man Luthers Turmerlebnis nach der Vorrede
von 1545 eindeutig und ganz einordnen könnte, ohne eine Reihe Widersprüche in der Praefatio selbst und zwischen dieser und dem entsprechenden
gleichzeitigen Schrifttum Luthers ungelöst zu lassen. Der Schwankungen
Luthers in der allmählich werdenden reformatorischen Lösung und in den
weitergetragenen katholischen Lehren bzw. der „Rückfälle" ins Katholische
sind zu viele und zu schwere. Ich vermag nirgendwo vor Ende der Römerbriefvorlesung einen Standpunkt als erreicht anzusehen, der mit der in der
Vorrede ohne Schwanken so laut proklamierten, restlos erlösenden Klarheit
die reformatorische Entdeckung als vorliegend beweisen würde. Noch
weniger findet sich an den Stellen, die wenigstens Spuren und Teilerkennt-
nisse des reformatorischen Umschwungs eindeutig belegen, auch nur ein
Funke jener erlösenden Begeisterung, die nach der Praefatio das Erlebnis
durchleuchtet hat. Vielmehr zwingt mich der Bestand des frühen lutherischen
Schrifttums, die noch in der Praefatio selbst nachweisbaren Nähte und der
schon angezogene Brief an Staupitz aus dem Jahre 1518 (der ein ähnliches
erlösendes Einzelerlebnis am Begriff der „poenitentia" festlegt und der wirklichen Situation um volle 27 Jahre näher steht), zu der Annahme, daß es
e i n „Turmerlebnis" in dem Umfange, wie die Praefatio es umschreibt,
nicht gegeben hat, daß vielmehr die Praefatio verschiedene Erlebnisse in
eins zusammenschiebt. Die erlebnismäßig plötzliche, nicht intellekualistisch,
begrifflich diskursiv verlaufende innere Erkenntnisarbeit Luthers, dessen
Bewußtsein jeweils von dem Erreichten ganz erfüllt ist und es infolgedessen
als befreiend, also gewissermaßen als abschließend empfindet und also entsprechend schildert, gibt dieser Deutung eine breite Unterlage.

Abschließend — soweit das Wort auf die wenigen vorangegangenen Andeutungen Anwendung finden darf: wie wenig ein restlos ernstes Gewissen
durch die „Vergeltungstheologie des Katholizismus" zu einer reformato-

rischen These kommen mußte, dafür sind die katholischen großen Mönchs-
heiligen, etwa Bernhard oder auch die von Scheel im 1. Bande geschilderte
Elisabeth von Thüringen, genügender Beweis. Ohne die Annahme a) einer
schwankenden (nicht unbedingt direkt krankhaften) Skrupulosität, b) der
Forderung unmittelbar persönlich der Sündenfreiheit „gefühlsmäßig" gewiß
zu werden, c) also einer stark singulären Subjektivität, d) der kompromiß-
vollen und darum widerspruchsvollen Aufgabe, die der Occamismus stellte,
ist m. E. eine eindeutige Erklärung von Luthers innerem Umschwung als
eines absichtslosen, konsequenten Werdens in einem heroischen Gewissenskampf nicht zu geben.

Eine unbefangene Würdigung Luthers wird dem Reformator sehr viel
mehr positive religiöse Bedeutung zuerkennen müssen, als es die katholische
Reformationsgeschichtsschreibung bisher getan hat. Den Weg zu einer solchen Beurteilung macht dem Katholiken die Erkenntnis der jahrhundertealten „Ursachen" der Reformation und ihrer positiven Bedeutung im Heilsplane Gottes frei: quae temporis, dei sunt. Ansätze dazu habe ich unter
Zuhilfenahme des Vorsehungsgedankens und des für eine Bewertung auf
weite Sicht und nach dem Wesensgehalt unentbehrlichen Begriff der felix
culpa (positive Rolle des Irrtums und der Schuld in aller Geschichte) in
meiner Geschichte der Kirche gegeben (S. 237 ff.). Gerade von katholischer
Seite sollte diese positivere Beschreibung kommen. Denn nur wir können
Luther wirklich von innen heraus überwinden, indem wir seinen Teilbesitz
zum Vollbesitz erweitern. Das geht naturgemäß nicht in Ableugnung seiner
Werte, sondern umgekehrt: Voraussetzung ist ihre Erkenntnis.

Diese Erkenntnis und Bejahung wird eine Entwicklungs-
geschichte von Luther und besonders von Luthers Frömmigkeit zu
geben haben. Die entscheidende historische Frage wurde schon erwähnt:
vermochte Luther die bemerkenswerte Höhe seines Klosterkampfes zu
halten, oder haben wir ein Absinken und einen Verlust an feineren Werten
festzustellen?

Gegenüber dieser Frage möchte ich aufs lebhafteste wünschen, daß Scheel
seinen Bänden über den werdenden Luther weitere über den Reformator
folgen ließe (nicht eben in gleichem Umfang!). Nachdem m. E., wie ausgeführt, die Haltung des späteren Luther wesentlich zu kurz in Ansatz gebracht worden ist, müßte Scheels Methode die Feuerprobe besonders etwa
vom Jahre 1525 ab in ganz anderem Grade bestehen als für die Jahre des
Klosterkampfes, in denen das absichtslose Werden Luthers in einem trotz
Skrupulosität und geistiger Starrheit erhabenen Gewissenskampf das
Werturteil so viel leichter macht als über den Reformator, der sich in so
viel Menschlichkeit mitten hineinbegeben hat.

Auf alle Fälle würden auch diese Bände, so darf man hoffen, einen wesentlichen Schritt vorwärts tun in der Bereinigung einer Frage, die für unser
gesamtes religiöses und nationales Leben von größter Bedeutung ist.

*

Zu 29[9]: B ä u m e r , Geschichte des Breviers sollte benutzt werden in
der französischen Übertragung (mit Ergänzungen) des Benediktiners
Reginald Biron, Paris 1905.

Zu 36: Im Text fehlt das in der Anmerkung 3 mitgeteilte „Per eundem
Christum Dominum nostrum". Die Formel ist für eine korrekte Auffassung
katholischer Frömmigkeit wesentlich.

Zu 36[2]: Woher stammt der Text des Salve regina mit „gementes et stantes" statt „et flentes"? Handelt es sich um ein Verlesen? Wie der Salve-regina-Streit 1526 zeigt, kennt ihn Alfeld jedenfalls in der lateinischen und deutschen Ausgabe in unserer heutigen Form (CC 11, 54 u. 71).

Zu 62 f.: Handelt es sich wirklich um das „Veni, sancte spiritus" (Sequenz oder Versikel?) oder um das „Veni, creator spiritus"?

Zu 83[4]: Scheel tut sehr recht daran, hinter Heilers Schilderung der Empfindungen des zelebrierenden Priesters ein Fragezeichen zu setzen. Was Heiler über die liturgische Freude am k ü n s t l e r i s c h e n Spiel sagt, trifft bereits sicher nicht den Tatbestand für die überwiegende Mehrzahl katholischer Priester. Wohl könnte man den Begriff „Spiel" in jenem tiefsten Sinn nehmend, wie ihn Guardini im Anschluß an Spr. 8, 30 analysiert hat, von einem h e i l i g e n „Spiel" reden: in sichtbaren Formen sich ausdrückende Anbetung. — Vollends die Wirkung des fremdartigen Gewandes, des Glöckleins, des sich Drehens und Wendens ist bekannterweise zu bejahen für „Messe spielende" Knaben, aber nicht etwa allgemein für Priester. Und dann gibt es allerdings auch einzelne — und das hat S c h e e l nicht beachtet —, die skrupulös belastet sind, und bei ihnen kann das Zeremoniell der Messe, bzw. die unklug und unfrei aufgefaßte Verpflichtung zur peinlichen Genauigkeit geradezu eine Marter bedeuten. Es kommt also immer wieder alles auf die Frage an: war Luther skrupulös veranlagt? Natürlich liegt das Problem nicht im Zeremoniell allein (zu S. 84[0]), sondern im Zeremoniell vor dem auf dem Altar gegenwärtigen Allmächtigen.

Zu S. 90 f.: Scheel schließt, daß Luther Papalist gewesen sei. An sich ist schon das ziemlich reiche und vollkommen unoccamistische Material aus Biels Kanonerklärung (91 ff.) hierfür beweiskräftig. Bleibt nur die Frage, wie tief diese Überzeugungen in Luther eindrangen, bzw. welches Gewicht ihnen im Gesamtumkreis von Luthers theologischem Denken zukommt. Wurde etwa dieses Material durch die folgenden theologischen Studien zugedeckt? Vor allem, wirkten etwa diese Ansichten Biels in der Richtung auf Luther, daß sie ihm das Bewußtsein vermittelten, er müsse seine theologischen Ansichten primär stets am allgemeinen Glaubensbewußtsein der Kirche und also auch an der theologischen Tradition messen? Bei der auch von Boehmer mit Recht betonten auffallend frühreifen kritischen Unabhängigkeit Luthers gewinnt diese Frage enormes Gewicht. Scheel hat mit viel Geschick herausgearbeitet, wie ein Wort des Vaters eine scheinbar zum tiefsten persönlichen Besitz gehörende Überzeugung ins Wanken bringen konnte. Nun dauerte aber die Einwirkung jener Gedanken Biels nur wenige Monate, nämlich während der Zeit zwischen Profeß und Weihe. Außerdem ist ihr Gewicht nicht zu bewerten, als ob sie auf theologisch ganz jungfräulichen Boden gefallen wären. Der Katholik, der mit irgendeiner Auffassung dieser Dinge aus Predigt, Beicht, Gottesdienst und Legende seit frühester Kindheit vollgesogen ist, wird von Derartigem nicht in dem Sinne und Umfang beeindruckt wie ein Protestant. Nun aber steht fest, daß in der Theologie, die Luther später zu sich nahm, der Traktat De ecclesia sehr zurücktrat und daß außerdem stark zurücktrat jenes bereits angezogene Bewußtsein — das die theologischen Aussagen der Männer des zweiten und dritten frühchristlichen Jahrhunderts trotz aller Eigenarten so wesentlich kennzeichnet —, daß jede theologische Ansicht am allgemeinen Glaubensbewußtsein der Kirche gemessen werden müsse.

Braunsberg.   Joseph Lortz.

Josef Lortz:

Zum Menschbild Luthers.

Luthers theologisches Werk hat ein tragisches Geschick gehabt. Man hat es in seiner eigenen Kirche nicht verstanden. Ich denke bei diesem Urteil nicht nur an die grundstürzende Entwicklung, die vom dogmatisch gebundenen Luther der Gottheit Christi, des Sakramentbegriffs und der inspirierten Bibel zur liberalen und teilweise ungläubigen modernen protestantischen Theologie führte, oder an die unter dem Einfluß des Protestantismus entstandene moderne, entgottete Kultur. Vielmehr haben auch die eigentlichen Lutheraner ihren Meister nicht wahrhaft erkannt. Gegenüber den Bedürfnissen des praktisch-religiösen, des kirchenpolitischen und nicht zuletzt des kulturellen Lebens erschienen gerade tiefste Ansatzpunkte des Evangeliums Luthers als nicht wesentlich oder als allzu wirklichkeitsfremd. In logischer Fortführung der in Luthers Grundlagen vorhandenen Mängel und Lücken wie in praktischem Versagen gegenüber gewissen hohen Forderungen der theologia crucis und auch infolge einer nicht ohne Schwanken geübten Betonung gerade dieser Punkte durch Luther selbst schob man das rücksichtslos Religiöse, das sich dem eigenen Wohlergehen gegenüber so übertont uninteressiert gab, beiseite und wandte sich mit einer reichlich flachen rationalen Methode der Lehre von der Heiligung zu, begnügte sich mit wenigen einprägsamen Formeln und einem mehr sentimentalen als mächtigen Vertrauen in die Wunden Jesu.

Erst unsere Zeit, die durch so mancherlei Erschütterungen geht, erlebt auch im Lutherverständnis einen entscheidenden Aufbruch. Wie in der historischen Forschung, so im theologischen Denken. Wie erst die heutige Forschung beider Konfessionen den Tatsachenbestand des Lutherlebens „naturgetreu" zu rekonstruieren beginnt, wie also erst wir heute beginnen, Luther zu sehen, wie er wirklich war, so kommt heute auch, hauptsächlich durch die „dialektische" Theologie[1] mit ihrer „Sündendevise", die Eigenart von Luthers Theologie eben als Sündentheologie, als theologia crucis, erstmals zu voller Geltung. Deshalb, weil hier eine protestantische Theologie erscheint, die wenigstens in einzelnen Vertretern, und vor allem in Karl Barth, den wahrhaft großen Mut aufbringt, wirklich protestantisch, d. h. vollkommen irrational zu sein, in dem unerhörten Umfang und der betonten Torheit, wie Luther es war. Eine Schule freilich, die damit zu einer wirklichen — Theologie natürlich nicht kommen kann. Es sei denn, man entkleide den Begriff oder auch

58

nur das Wort λόγος seines Gehaltes und nehme das „Wort" trotz der entbundenen religiösen Energien sehr oft nur für ruheloses „Gerede", das wie Noahs erste Taube nicht findet, wo es Fuß fassen könne. Diese Theologie müßte sich bescheiden, das zu sein, was auch Luther sein wollte, freilich auch nicht sein konnte: nur Evangelist[2].

Die Ursache der bisherigen „Unkenntnis" Luthers ist zuerst eine falsche praktische und theologische oder (von katholischer und sonstiger nichtlutherischer Seite) polemische Einstellung, vor allem ein nicht umfassendes Geöffnetsein für die Wirklichkeit „Luther". Die materielle Ursache aber ist eine nicht gleichmäßige Berücksichtigung des ganzen Luther. Man hat einfach Luther bisher nur mit Auswahl in sich aufgenommen — und gelesen.

Dies gilt auch für die katholische Forschung. Wenn ich schon gegenüber dem allgemeinen und umfassenderen Problem „Luther und die Reformation" nach Merkle und Kiefl mit Nachdruck eine viel tiefer grabende und positivere Bewältigung des Reformators (statt einer noch so soliden „Widerlegung") gefordert habe, so muß ich gegenüber Luthers Theologie diesen Nachdruck verdoppeln. Nicht ein Exzerpieren ad hoc kann zum ganzen Luther hinführen, sondern nur ein systematisches Verarbeiten seiner Schriften, und zwar vor allem seiner zu sehr vernachlässigten ungeheuren exegetischen Leistung. Die mustergültige Arbeit des Königsberger Privatdozenten Erich Vogelsang „Der angefochtene Christus bei Luther"[3], auf knappem Raum ein außerordentliches Material konzentrierend, kann anschaulich machen, was alles in Luther noch zu untersuchen ist. Daß Vogelsang der gewaltigen Sprache Luthers bis in die allerdunkelsten Umkehrungen und Rücksicherungen mit Andacht so gut wie ganz erliegt und seine Schrift eine beinahe lückenlose Apologie der theologia crucis sein will, ändert daran nichts. Auch dies gehört wesentlich mit zum Bilde Luthers, und zwar zu dem Bedeutsamsten in ihm, daß er nicht ein leicht übersehbares, konsequent-systematisches System, noch weniger ein Sätzesystem vor uns doziert, sondern in unerhörten Erschütterungsstößen ein tief, sehr tief durchfurchtes Meer von bewegten, unausgeglichenen, bei weitem nicht immer ausgegorenen und gegenseitig abgewogenen Gedankenmassen vor uns ausbreitet.

Vom Boden einer rationalen Betrachtung aus, mit einer wirklich denkenden Theologie ist Luther leicht zu widerlegen. Nur fängt alsbald dieser widerlegte Luther in seiner höchst eigenen, neuen und unheimlich eindringlichen Denk- und Sprechweise wieder zu reden an, und seine religiöse, biblische Substanz ist so enorm, daß auch sein widerspruchsvolles und übersteigertes Wort über viele tadellose Widerlegungen hinwegrollt, als wären sie nicht. Das war schon zu einem großen Teil die Technik (wenn man das Wort gelten lassen will) der Auseinandersetzung des lebenden Luther mit seinen Gegnern, die de facto ein siegreiches Voranschreiten des Re-

59

formators war. Wir haben nicht die geringste Veranlassung, dem zu einer Neuauflage zu verhelfen.

Die katholische Forschung muß sich darüber klar werden: Die innere, historisch-theologische Gesamtüberwindung Luthers, dessen dogmatische Widerlegung so leicht ist, wird um so schwerer, je tiefer man sich mit ihm einläßt, so zwar, daß man es auf ein wirkliches Ringen ankommen läßt. Mit einer leichten Widerlegung ist niemand gedient. Die Kirche bedarf ihrer nicht. Die Wissenschaft aber braucht um so mehr eine gründliche Auseinandersetzung. Und die große christliche und national-deutsche Aufgabe, die wir in der Reformationsforschung als ganz primär verpflichtend fühlen, kann nur Sinn haben bei einer Auseinandersetzung, die gegenseitiges Vertrauen schafft. Das aber kann sie nur, wenn alle Halbheit und noch mehr alle Spiegelfechterei unterbleibt, wenn alle uninteressierte, eiskalte „Objektivität" aus dem Spiel verbannt wird, wenn man den Mut hat, wirklich in den gewaltigen Kreis dieser biblischen Frömmigkeit zu treten und ihn zu durchmessen, ehe man sie darstellt und beiseiteschiebt.

In diesem Sinne gebe ich die folgenden Andeutungen[4]. Es sind nur solche: Ertrag einer Auseinandersetzung mit den Problemen des Menschbildes Luthers, wie er sich mir in einer ersten Übersicht, ohne systematische Benutzung der Literatur (siehe die Anm. 1) ergab. Material wie Fragestellungen müssen noch wesentlich ergänzt und sicher auch nicht selten die Ergebnisse korrigiert werden.

Die Wurzel und das alles beherrschende Zentrum des „Denkens" Luthers ist die Alleinursächlichkeit Gottes. Dem entspricht auf der Seite des Menschen notwendigerweise das Nichts. Dieses Nichtsein steigert sich nach den verschiedenen Richtungen: der Mensch besitzt keinen freien Willen, ja, dieser Wille ist böse; der Mensch ist nur unselbständige Funktion des göttlichen Willens, sei es des Erbarmens, sei es der Verwerfung, immer aber auch des Zornes. Denn der Mensch ist Sünde, und nach dem Beispiel des in Niedrigkeit und Versuchung und Todesangst und Höllenanfechtung und Tod gekommenen Herrn muß sich das Nichtsein des Menschen steigern zu den Erfahrungen des Leidens und der Versuchungen, „ohne welche kann kein Mensch weder die Schrift verstehen noch Gottesfurcht und Liebe erkennen". Und zwar so ganz ist der Mensch ein Nichts, daß selbst unter der Einwirkung des allmächtigen Erbarmens die Sünde, die ihn im letzten Sinne zu Nichts gemacht hat, nicht ausgeräumt wird: gerecht und Sünder zugleich.

Luthers Mensch hat also im letzten Verstand keine irgendwie eigene Existenz. Für Luther besteht kein Zweifel darüber, daß der Mensch in sich das Gegenteil von Wert ist. Der Mensch wird zwar von Gott in einer Stärke in Anspruch genommen, die angesichts der vernichteten Existenz des Menschen in seiner Sünde und seinem

60

unfreien Willen schlechterdings gar nicht mehr steigerungsfähig ist (s. unten); aber nachdem die Stammeltern diesen Anspruch Gottes durch die Sünde abgelehnt haben, besteht für den Menschen keine Möglichkeit mehr, dem geforderten „Sollen" durch ein Sittliches zu entsprechen.

Alle Fragen also, wie sie vom Wesen des Menschen als entscheidungsmächtiger Person aus gestellt werden, verlieren bei Luther ihren eigentlichen Sinn. Die behauptete, alles beherrschende Realität der Sünde und des Abfalls von Gott, zusammen mit Gottes Allwirksamkeit am unfreien Menschen bringen zwar durch eine furchtbare Zusammenkoppelung der härtesten Antinomien jene Frage der Entscheidung doch wieder, und zwar in nicht zu bewältigender Realität in den Mittelpunkt der Diskussion zurück; aber sie können bei Luther aus dem angegebenen Grunde immer nur eine mangelhafte, unkonsequente und darum auch widerspruchsvolle Antwort finden.

Woran findet der Mensch Haltung und Bindung? Es gibt zwei klare Antworten: die eine bindet den Menschen an eine objektive, ihm „gegenüber" stehende Größe; die andere überläßt ihn seiner eigenen Autonomie. Luther geht keinen dieser Wege. Er vereinigt aber auch nicht beide zu einer organischen Einheit. Sondern er stellt den Menschen durch Ablehnung des lebendigen Lehramtes auf sich selbst, d. h. auf sein Gewissen, preßt ihn aber zugleich ohne eine gegen den Irrtum sichernde Instanz an ein Objektives, an das absolut zwingende, geoffenbarte Wort der Bibel. Dieser „subjektivistische Dogmatismus" ist das Grundschema schlechthin für alle Antworten, die Luther auf die Frage nach dem Menschen zu geben hat.

Das Verhältnis Gott-Mensch ist das Entscheidende. Erst an Gott erkennt der Mensch, was er ist, bzw. was er, und daß er nicht ist. Aber diese Erkenntnis kommt nicht aus einem Vernunfterkennen, also aus einer Eigentätigkeit des Menschen. Im Gegenteil, von da kann nur Unweisheit kommen. Natürliche Gotteserkenntnis ist Lüge, weil dadurch der Mensch, der nichts ist, sich zu einem Maßstab Gottes macht. Für Luther ist die Anthropologie nur Ausfluß der Theologie.

Das Wissen um seine vollkommene Abhängigkeit von Gott ist vielmehr dem Menschen durch die Offenbarung gegeben. Im Glauben besitzt er diese schlechthin fundamentale Tatsache mit absoluter Gewißheit. Die allein den Menschen weise machende Offenbarung aber besteht in der Erniedrigung des Sohnes in das Fleisch bis zur Torheit, d. h. zum Widersinn des Kreuzes. Aus dieser geoffenbarten Schmach lernen wir als Christen, und dieser Widersinn ist unser Glaube. Alle Auseinanderfaltung des Glaubensinhaltes ins einzelne muß hiervon leben. Christus, unser exemplum, ist ganz und nur Niedrigkeit und Schmach und Torheit, also Vernichtung. Und gerade deswegen ist er der Vermittler der Gnade. So muß unser Glaube sein.

61

Von beiden Seiten her, negativ wie positiv, hat hierin Luther die Grenze des eigenen menschlichen a) Könnens und b) Erkennens erfaßt. Negativ: durch das persönliche Erfahren des Versagens der natürlichen Kräfte in seinem Ringen um den gnädigen Gott im Kloster vor dem reformatorischen Durchbruch. Positiv: durch Annahme der Offenbarung der Erniedrigung in dem Gott, der ein Mensch wurde und als Verfluchter, als unsere Sünde, in Erfahrung der Qualen der Hölle und der Verzweiflung starb.

Aber das Wissen des Menschen um seine „Abhängigkeit" von Gott ist nur ein schmaler Ausgangspunkt. Die ganze Realität dieser Abhängigkeit öffnet sich erst in der Tatsache, daß immer der Zorn Gottes über uns ist. Der Mensch lebt immer unter der Drohung Gottes. Die Trosttheologie Luthers und seine Kreuztheologie sind zwar in sich scharfe Gegensätze, und beide sind sowohl unvollkommene als auch übersteigerte Wiedergabe der neutestamentlichen Offenbarung; aber in und für Luther stehen sie zusammen als zwei unablösbare Seiten derselben Sache. Und jedenfalls sollte das uns davor bewahren, Luthers Trosttheologie[5] als geruhsame Bequemlichkeit zu verstehen.

Aber der Glaube selbst muß sich bewähren. Zwar in praktisch sehr verschiedenem Sinn für die „Starken" und für den „großen Haufen", aber doch in wirklicher Entscheidung. Denn weder die Heilsgewißheit des Glaubens noch die Drohung der Verstoßung oder die Zuversicht der Auserwählung noch die Unfreiheit des Willens ersparen dem Menschen dieses Entscheiden.

Die wesentliche Schwierigkeit liegt darin, daß Gott seinen Anspruch an den vernichteten Menschen stellt. Nämlich: alles Ringen und Fragen des Menschen, so sehr es auch aus dem engen Bezirk des Einzelmenschen zur Gemeinschaft und vom Menschen zum Übermenschlichen und Überweltlichen hinstrebt, es bleibt immer Ringen und Fragen des Menschen. Insofern hat alle geistige Betätigung des Menschen ihr Zentrum im Menschen selbst. Auch dann, wenn das Zentrum dieses Menschen ganz und gar Gott und die Gottesidee wäre.

Die höchste Zuspitzung dieser Problemlage ist da erreicht, wo das kaum überbietbare persönliche Ringen eines Menschen, dessen Zentrum ganz und gar Gott, also nicht der Mensch ist, dazu führt, nun auch dem Menschen jegliche positive Kraft in diesem Kampf abzustreiten. Da ist dann zugleich der Mensch in seiner Subjektivität und durch die Absolutheit seines göttlichen Gegenübers zur höchsten Entscheidung aufgerufen und zugleich in die vollkommene Unmöglichkeit versetzt, diese Entscheidung zu treffen. Da ist die Frage nach dem Menschen zugleich aufs höchste gesteigert und zugleich vollkommen relativiert. Und das ist der Fall Luthers. Er stellt den Menschen angesichts der absolut fordernden Größe Gottes zugleich auf sich selbst, und zugleich wird seine „Anthropologie" vollständig durch Theologie verdrängt.

62

Hierin sind die Eigentümlichkeiten des Menschbildes Luthers mit ihren wesentlich unlösbaren Spannungen bis zum inneren Widerspruch grundgelegt.

Das Entscheidende für ein Verständnis des Lutherischen Menschbildes ist also dies: trotz der radikalen Zerstörung des menschlichen Könnens, trotz der bleibenden Sünde in ihm, trotz der in der Torheit des Kreuzes sich offenbarenden Erbarmung, die aber zugleich wieder Vernichtung und Bedrohung des Menschen ist, ihm aber zugleich auch die Sicherheit der Erwählung gibt: trotz alledem ist dem Menschen im Heilsprozeß eine wirkliche, und zwar unerbittliche Aufgabe zugewiesen. Die These am Anfang der Römerbriefvorlesung, daß vielerlei Erprobungen nötig seien, um die von uns geforderte perfectio zu erreichen, bleibt trotz aller theoretisch-theologischen Entleerungen dauernd bestehen. Das Wesen des Christenlebens ist Aufgabe. Das ganze Leben des Christen muß Buße sein, wie es die berühmte Anfangsthese der 95 Ablaßthesen verkündet. Und trotz aller elementaren Verderbnis und aller Unfreiheit geht hier auch nach Luther eine Entwicklung vor sich, ein langsames Absterben des alten Adam. Der Mensch wird auch, ja gerade als Christ nie fertig; er muß dauernd um das Ergreifen des Heiles ringen. Man kann nachweisen, daß die gewaltige innere Unruhe bei Luther selbst und in seinen praktischen Forderungen an den Durchschnitt seiner Gemeinden und gegenüber den bis zur Zerstörung konsequenten Schwärmern mit den Jahren durch etwas geruhsam Gesichertes gemäßigt wird; man kann aber nicht nachweisen, daß diese Unruhe und die Forderung des Dauernd-sich-bewähren-müssens aus der praktisch-religiösen Haltung Luthers und aus seinen Forderungen verschwunden wäre.

Luther weiß immer um diese Grundhaltung des Menschen in jenem eminenten Sinne, daß daneben alles andere belanglos wird. Wie zentral für ihn der göttliche Anspruch und wie indispensabel für den Menschen das Bestehen in der notwendigen Entscheidung ist, zeigt auch der für Luther zentrale Antichristgedanke, dessen Hauptarbeit es ja gerade ist, dem Menschen das Gefühl fertiger Sicherheit, gesicherten Heilsbesitzes zu geben.

Man kann es wirklich gar nicht nachdrücklich genug und mit genügender Bewunderung sagen, wie ernst Luthers Sätze der theologia crucis es meinen, wie sehr sie sich gegen das satte Sichersein wenden, wie erbarmungslos und ohne Ausweichen sie den Menschen in die Entscheidung, in das entscheidende Jasagen hineinstoßen. Diese Haltung hat durchaus ungenügenden Unterbau und ungenügende innere Logik, aber sie bleibt nichtsdestoweniger heroisch.

Der Mensch erfüllt seinen Zweck, Gottes Willen zu tun, wenn er seine eigenen Kräfte im Erkennen und Können vernichtet. Wenn er nicht achtet, was ihm wertvoll und groß scheint, sondern umgekehrt, was ihm niedrig scheint. Denn Gott ist in der Offenbarung durch den Sohn in der Niedrigkeit deus absconditus, und seine

63

Werke sind gerade dort, wo sie für die Göttlichkeit zeugen, Niedrigkeit und Verachtung. Das Umgekehrte des Scheinenden, die „contraria species" (Röm. Vorl., Ficker, 2, 204, 11), ist das Anzeichen des Göttlichen.

Die göttliche Strenge und Strafe sind nicht Nachteil für den Gerechten, sondern Heil. Gerade im Schädigen und Töten macht Gott ihn lebendig (ebd. 2, 33), also zum wirklichen Vollmenschen im Reiche Gottes. Dieses Zusammenbestehen von Leben und Tod, Gnade und Zorn ist das Luther Kennzeichnende. Nicht nur wird auch der eschatologische Tag beides vereinigen, sondern „auch jener geistliche Tag, der durch das Licht des Glaubens (!) im Herzen der Gläubigen herrscht", ist „ein Tag des Zornes und der Gnade" (ebd. 2, 34). Dieses Gegeneinander von Zorn und Gnade bzw. die Auffassung, daß der Gnade der Zorn beigegeben ist, daß das Gute durch das Böse, also durch Anfechtung erschwert wird, gehört so sehr zum Wesensmerkmal der vor Gott guten Wirklichkeit, daß die Anfechtung schlechthin das Erkenntniszeichen des Guten wird: „So lange wir Gutes tun und um deswillen nicht Widerspruch, Haß, Widerwärtigkeiten oder Nachteile erfahren, so lange laßt uns fürchten, daß unser Werk noch nicht Gottes Wohlgefallen gefunden hat ..., denn er (Gott) anerkennt nur das, was er erprobt hat ... Denn, was aus Gott ist, muß in der Welt gekreuzigt werden ..., da ja auch der eingeborene Sohn davon nicht entbunden, vielmehr zu einem Vorbild hierfür hingestellt ist" (ebd. 2, 34).

Wenn Gottes Gerechtigkeit das Wesen des Menschen erfüllt, dann kommt sie nicht so, daß man sie als „göttlich" erkennt. Sondern abermals erfolgt eine Flucht in das Irrationale und den Widerspruch. „Gott verbirgt sein Heilsgut in der gegenteiligen Erfahrung"[6], er wirkt durch den Gegensatz hindurch[7], und wenn er meine Sünde von mir nimmt, dann stößt er mich gerade in die Sündenangst bis zur Verzweiflung hinein. Der Gipfel der Verborgenheit aber ist der Widersinn[8]. Und so wird der Widersinn das unentbehrliche Element von Luthers Theologie. Da hört dann (und Luther ist sich dessen als eines Ruhmestitels bewußt) alles logische Disputieren auf; es führt nur am Sinn des Evangeliums, am Evangelium des Kreuzes der Torheit, vorbei (s. Röm. Vorl. den Rückblick auf Röm 3, 5 in der Glosse zu 3, 7).

Die Bewährung des Christen ist: Christus werden. Das kann der Mensch nicht aus sich, sondern nur aus Gottes Gabe, d. i. der Glaube, d. i. aber auch Christus in uns. Und so ist die Aufgabe und der Weg zur Lösung: similis fiat Christo, qui similis prior factus est ei (LWW 5, 272 15)[9]. Das geschieht durch Christus als „exemplum". Aber dieses Beispiel ist nicht Aufforderung an unsere Kräfte, ihm nachzuahmen, denn alles Eigene ist ja Sünde. Wenn der Mensch in der Sünde ist und in der Not, d. h. also, wenn Gott ihn in die Not geschickt hat, dann soll Christus, der das Leiden in sich vorgebildet hat, dem Sünder Trost sein durch die Offenbarung von Gottes Willen und Weg, der nämlich durch die tentatio hindurchführt. Der Mensch soll

64

sich nur in Christo suchen, nicht in sich, so wird er sich ewig in ihm finden (Sermon vom seligen Sterben; ed. Clemen 1, 166, 35 f.).

Es liegt in diesem rücksichtslosen Kreuzesernst bei aller Willkür großer religiöser Reichtum. Man vergleiche etwa nur in der Heidelberger Disputation die Thesen, welche die Leiden als Reliquien Christi behandeln. Man muß auf solche Äußerungen und Haltungen mit Nachdruck hinweisen und sich vor diesem christlichen Phänomen ehrwürdig halten, ehe man und wenn man an die Kritik herangeht.

Für alles Lutherstudium, das die Mühe lohnen soll, ist entscheidend die Überzeugung, daß Luther erstlich und letztlich in die Kategorie des Christlichen gehört. Wer sein und seiner Lehre Wesen in irgendeiner anderen Schicht sucht, ist am wahren Luther vorbei. Für Luther als wesentlich religiösen Typ gibt es in Wahrheit nur einen Maßstab, mit dem man überhaupt messen kann, den Menschen wie alles andere: Gott.

Entsprechend kennt Luther zwar, aber würdigt nicht den Menschen, sondern nur den Christen, und ihn als Glaubenden (die neue Kreatur) oder Nichtglaubenden. Das ist die einzige Einteilung der Menschheit, die wesentlich ist: Glaubende und Nichtglaubende (LWW 18, 759, 25). Auch die Nichtchristen gehören zu den Nichtglaubenden. Und die schroffe Distanzierung, die das Wort Heide bei Luther auch bei Erwähnung anerkennenswerter antiker Leistungen meist (nicht immer) hat, muß beachtet werden. Aber doch sind die Nichtchristen nicht in jener Verdammnis des Christen, der die Gnade der Rechtfertigung verscherzt hat.

Der Lutherische Mensch ist also der religiöse Mensch in christlicher Form. Dies aber in ganz klarer westlich-abendländisch-praktischer Heilseinstellung; nicht der anbetende, sondern der um Sündenfreiheit ringende Mensch. Freilich, wenn man diesen Begriff „ringend' näher zu bestimmen sucht, sieht man bald, daß es im Ernst ein Grundschema des Lutherischen Menschen nicht gibt, sondern daß in ihm unklar und ungeklärt verschiedene, logisch nicht vereinbare Typenhaltungen nebeneinanderstehen und aufeinanderprallen.

Denn auf der einen Seite hebt die Heilsgewißheit den Menschen aus seiner Ungewißheit in die Seligkeit der Heilssicherung hinauf: der Begriff selbst verlangt das, und schon allein die Schilderungen, die Luther im poenitentia-Brief an Staupitz und in seiner autobiographischen Vorrede von 1545 über das reformatorische Erlebnis gibt, belegen es. Anderseits muß auch der Lutherische Mensch der Heilsgewißheit, soll ihm der alles überschattende, unerschütterliche christliche Ernst des Heilsweges vor Gott bleiben, immer wieder ‚versucht' werden, ja sogar der Verzweiflung verfallen und sich immer wieder daraus erheben. Und auch dies ist tat-

65

sächlich ein zweites Grundschema, wie für Luther persönlich, so für den Menschen, wie er ihn sieht und fordert, überhaupt. Trotz aller Heilsgewißheit ist das Heilsziel des christlichen Lebens erst im Jenseits gesichert. Und abermals wird dieser Umkreis in der bedeutsamsten Form dadurch erweitert, daß der Mensch des unfreien Willens zum bevorzugten Träger der einzig wahren Freiheit des Christenmenschen wird (siehe unten).

Kein Element in Luthers Gedanken ist abtrennbar von seinem höchst persönlichen, singulären und fundamental irrationalen seelischen Erleben. Luther hat nie etwas nur ‚gelernt‘, sondern stets alles nach seiner Eigenart um- und in sie eingeschmolzen. Er war nie reiner Hörer — ich halte darauf, auch hier diese Formel, die ich für jede Lutheranalyse als entscheidend ansehe, zu nennen —, sondern immer und vorwiegend Aneigner. Und dies radikal und seit den ersten selbständigen geistigen Regungen, die wir von ihm kennen.

Dieses seelische Erleben aber wurde inhaltlich durchaus gekennzeichnet, man kann auch sagen gezeichnet, durch Sündenangst.

Nahrungsquelle für die Erneuerung, Anstachelung und Anwendung dieses Erlebnisses wurde die Bibel, und zwar vorzugsweise neben den Psalmen Paulus. Das Besondere der Paulinischen Theologie, der Rechtfertigung durch den im Kreuz geschenkten Glauben und der Gegnerschaft gegen die Werke des ‚Gesetzes‘, kommt bei Luther durchaus zum Ausdruck. Es wäre kleingläubig, die besondere Affinität Luthers mit dem Völkerapostel leugnen zu wollen. Es ist in jeder Beziehung hochbedeutsam, daß Luther nicht von den Synoptikern herkam, über sie keine Vorlesungen hielt, daß nach Ausweis seiner Zitate ihr Gedankengut gegenüber dem Paulinischen gewaltig zurücktritt. Denn Paulus behandelt in seinen Briefen (aus welt- und kirchengeschichtlich entscheidenden Ursachen) den Heilsweg meist unter einem sehr bestimmten, zugespitzten Blickwinkel. Die Gefahr, dieses Zugespitzte isoliert und damit überspitzt zu sehen, war für einen so eigenwilligen und singulären Menschen wie Luther einigermaßen unbewältigbar.

Wie nun Luthers persönliches Grunderlebnis die Sünde und die Sündenangst war, so muß es auch nach ihm dasjenige des Menschen überhaupt sein. In gar nicht mehr überbietbarem Umfang und größter Tiefe. Der Mensch, auch der gerechte, ist ja nicht nur unvollkommen im weiteren, sondern Sünder im aktuellen Sinn, so daß er die Verwerfung verdient. Auch unsere Gerechtigkeiten sind bei Gott Ungerechtigkeiten (Röm. Vorl. zu 3, 7). Unsere Ungerechtigkeit muß, damit wir von ihr befreit werden, nicht sozusagen mit verschlossenen Augen weggewischt werden, sie muß wirklich unser eigen, d. h. erkannt und anerkannt werden; dann bezeugt sie nämlich Gottes Gerechtigkeit (ebd. zu 3, 5; Ficker 2, 55). Die Sünde wird geradezu zur

66

Ursache der Gerechtigkeit: Gott „per peccatum iustitiam perficit" (ebd. zu 6, 14; Ficker 2, 161). Dort, wo die gesamte Kirche bisher gesetzt hatte: ‚reuevolles Bewußtsein unserer Sünde', da setzt Luther ‚Sünde' und ‚Schuld', wenn auch zunächst diese Vertauschung noch in einem traditioneller gefärbten Beisatz auf unsere demütige Reue gedeutet wird (LWW 3, 31).

Der so leicht wiederholte Satz ‚Sünder zugleich und gerecht' oder der Satz von der Unüberwindlichkeit der Konkupiszenz (= des Sündhaften, = der Eigensucht) sprechen der Sünde eine viel größere Wirklichkeit zu, als man gemeinhin annimmt. Man muß es in Luthers christologischen Darlegungen nachstudieren, und zwar in der wesentlich an den Leidens- und Verfolgungspsalmen (zusammen mit den Sündenpartien von Römer und Hebräer) gebildeten Art der ‚christologisch-tropologischen' Exegese, wie über alle gewöhnliche Vorstellung hinaus die Wirklichkeit der Sünde gesteigert wird durch alle Rechtfertigung hindurch; vor allem, in welch erschreckend rücksichtsloser, bis in die Nähe des Sakrilegs herankommender, erschütternder Art der Gottmensch in seiner Versuchung, am Ölberg, am Kreuz in ihre Nähe, bis zur Verzweiflung der Prädestinationsangst und der Hölle gesteigert, gerückt wird. Die in den Psalmen oder bei Paulus in Beziehung auf Christus vorkommenden Bezeichnungen Sünde, Fluch und Hölle bleiben ungeschwächt realistisch stehen. Kein Versuch wird gemacht, das Harte, Anstößige und Gefährliche irgendwie abzudämpfen. Christus wurde für uns wirklich Fluch, wie es der Apostel an die Galater niedergeschrieben hat (Gal 3, 13).

Luther hat das Ziel der vom Geist Gottes geführten menschlichen Unfreiheit in der regia libertas gesehen. Erlösung ist Freiheit. Die ‚Freiheit des Christenmenschen' ist mit Notwendigkeit ein besonders reiches Hauptthema Luthers. Die Freiheit des Christenmenschen ist aber das Gegenteil von Autonomie. Wohl aber kommt in diesem Gedanken zum Ausdruck die Anerkennung der unableitbaren, geheimnisvollen individuellen Persönlichkeit. Luther hat auch diese Frage nicht theoretisch und systematisch gestellt und durchgedacht. Aber man kann seinen gewaltigen Trotz, auch Gott gegenüber, und die Freiheit, die er dem Christen vindiziert, nicht ganz verstehen, ohne die je und je — wenn auch nur peripherisch — verschiedene Wirkweise des den Glauben im Einzelmenschen treibenden Geistes mit in die Analyse einzustellen.

So liegt schließlich Luthers ganze Lehre vom Menschen und seiner Entscheidungsaufgabe in einem Paradoxon: der Christ ist frei und unfrei zugleich. Sein Wesen ist gegeben in der freien Unfreiheit oder in der unfreien Freiheit.

Das Grundübel in Luthers Auffassung vom Menschen ist seine volle Negation der menschlichen Kräfte. Da das dem Befund in der Offenbarung beider Testamente (und dem Selbstbewußtsein des Menschen) nicht entspricht, mußte die

67

Durchführung der Lehre bei Luther selbst wie bei den folgenden Generationen durch Rückschlag ins Gegenteil zu Widersprüchen führen.

Luther faßt das Menschliche nicht nur als untergöttlich, sondern eigentlich als widergöttlich. Gott und Mensch sind Gegensätze. Die Spannung zwischen Gott und dem Sündhaften wird zur Spannung zwischen Gott und Mensch, weil dieser ja auch wieder nur als Sünder gefaßt wird. Das Urteil Gottes ist ohne weiteres stets in schärfstem Gegensatz zum Menschen, der Mensch also immer an sich Widersacher Gottes: Et ideo vocatur iudicium Dei, quia contrarium iudicio hominum (LWW 3, 463, 15 ff.), nicht ‚anders‘, sondern ‚entgegengesetzt‘. „Evangelium enim destruit ea, quae sunt" (LWW 1, 617, 7).

Der Unterschied zwischen göttlich und menschlich scheint Luther solange nicht gewahrt zu sein, als dieser Unterschied nicht zum Gegensatz des Widerspruchs wird. Luther kann nicht anders. Er muß bis zur letztmöglichen Härte übertreiben und die Gegensätze auseinanderreißen. Wenn der Glaube „est rerum non apparentium" (LWW 18, 633, 7), so muß dieses „non apparentium", dieses Verhülltsein, gesteigert werden, bis das Gegenteil des zu Glaubenden sich darzubieten scheint: „Non autem remotius absconditur, quam sub contrario obiectu, sensu, experientia (LWW 18, 633, 7).

Luther ist der Mann des einseitigen, übertreibenden Irrationalen. Und so sieht er auch den Menschen.

Anmerkungen:

[1] Ihre Anregungen wachsen aber bereits weit über den Kreis ihrer eigentlichen Vertreter hinaus; hinzuzunehmen ist außerdem Karl Holl.

[2] Die philosophische Grundlegung und Formulierung dieses Verzichtes auf Philosophie in der Theologie versucht zu bieten: Erwin Reisner, Kennen, Erkennen, Anerkennen. München 1932.

[3] Neben dieser Arbeit (= Arbeiten z. Kirchengesch. 21, Berlin u. Leipzig 1932), der ich, wie die folgenden Ausführungen zeigen, sehr verpflichtet bin, haben mir zu den folgenden Gedanken Anregung geboten: Hermann Wendorf, M. Luther. Der Aufbau seiner Persönlichkeit. Leipzig 1928; W. Köhler, L. und das Luthertum in ihrer weltgeschichtl. Auswirkung. Leipzig 1933 (SVRG 155); W. v. Loewenich, Luthers theologia crucis (= Forsch. z. Gesch. u. Lehre d. Protestantsm. II, 2). München 1929; Rud. Hermann, Zu Luthers Lehre vom unfreien Willen (= Greifswalder Stud. 4 S. 17—38). Berlin u. Leipzig 1931; Th. Steinbüchel, Von Wesen u. Grenze menschlicher Personalität. In: Akad. Bonifatiuskorrespondenz 47 (1932/33), 177—196.

[4] Der zur Verfügung stehende Raum erlaubt an dieser Stelle nur die Veröffentlichung eines kleineren Teiles meines Aufsatzes; gerade die Kritik mußte fortbleiben. Ich werde dies in extenso an anderer Stelle vorlegen.

[5] So wie er sie im Gegensatz von Gesetz und Evangelium begriff, nicht wie sie von Epigonen — wenn auch mit noch so berechtigter Konsequenz der Fortentwicklung — zum bequemeren Leben des sanften Fleisches verflacht wurde.

[6] R. Hermann, a. a. O. 19[3].

[7] E. Seeberg, Luthers Theologie. Motive und Ideen. I. Göttingen 1929.

[8] Justus Jonas bei R. Hermann, a. a. O. 21.

[9] Bei E. Vogelsang, Der angefochtene Christus bei Luther. Berlin und Leipzig 1932, 55.

68

Joseph Lortz

Erasmus — kirchengeschichtlich

A. Grundlegung

I.

Das allgemeine Problem des christlichen Humanismus

„Humanismus" ist ein Dauerproblem der Kirchengeschichte. Es rührt nicht nur an eine Anzahl von Grundfragen der Ausbreitung des Reiches Gottes, es ist mit einigen von ihnen beinahe identisch. Denn im Grunde ist die Frage nach einem christlichen Humanismus eingeschlossen in die umfassendere nach einer christlichen Kultur. Im Letzten fällt sie zusammen mit den beiden anderen Themen: Christentum und Welt (bzw. Natur), und: Christentum und Tradition. Die erstere Frage gewinnt ihren unerschöpflich beunruhigenden Antrieb aus der Tatsache, daß das Christentum Kreuz ist; sie lautet also auch: Welt und Kreuz? Kultur und Kreuz? Politik und Kreuz? Kunst und Kreuz? — Die zweite Frage gründet in der ungeheuren Spannung, daß das Christentum im Erlöser und Gottmenschen Jesus Christus ein Neues ist im absoluten Sinn und doch auch Erfüllung, daß es also auch geschichtliche Tradition bejaht. Das alte Christentum hat nach wichtigen Ansätzen bei Paulus und Johannes die Lösung versucht auf Grund der großen Formel vom *logos spermatikos*. Es ist eine der typisch katholischen Formeln des „Sowohl als auch"; eine zentrale Äußerung über die Tatsache der Gegensätzlichkeit, in der (wie alle Wirklichkeit) auch das Christentum gründet; eine Formel, welche Extreme zusammenbindet, ohne aber ihr Neben- und Gegeneinander zu zerschlagen; eine einigende Definition ohne den falschen Anspruch, die lebendige Vielfältigkeit des konkreten Einmaligen in *einem* Begriff aufgehen zu lassen.

Es gibt in der Kirchengeschichte eine Anzahl Strömungen, spiritualistische oder enkratitische, welche versuchten, rein aus der *Verneinung* der Kultur die Aufgabe des Christentums zu bestimmen und zu verwirklichen. In seltsam konsequenter Inkonsequenz stehen neben ihnen außerdem jene Bewegungen, die zwar die Natur im Bereich des Heilsprozesses radikal verneinen, aber das Reich Gottes mit Waffengewalt ausbreiten wollten wie der radikale Zweig der Hussiten und der Kalvinismus; aber bei ihnen ist offenbar, wie sie der eigenen puritanischen Verneinung der Kultur durch stärkste alttestamentliche Hereinnahme der Machtmittel widerstreiten und also Welt und Kultur doch wieder bejahen. Als konsequente Vertreter der Kulturverneinung in der Geschichte des Christentums bleiben also nur übrig, die (in ihrer Art hochwichtigen) „Stillen im Lande". (Daß sie ihrerseits in mannigfacher Weise die Kultur befruchteten, besagt nichts gegen ihren eigenen grundsätzlichen Verzicht auf die Kultur).

Umgekehrt bleibt also die große Lehre der Kirchengeschichte diese: Mit Ausnahme der genannten Kreise bejahten alle die Kirchengeschichte im Großen kennzeichnenden Kräfte, Systeme und Bewegungen den Versuch, das Reich Gottes, das nicht von dieser Welt ist, auch mit den Mitteln

271

dieser Welt aufzubauen. Das gilt in der *Praxis* bis in die reformatorischen Systeme hinein, die grundsätzlich die Kräfte des Menschen im Umkreis des Heilsgeschehens verneinen. Die nationalen Kräfte, die besonderen Kräfte der jeweiligen Muttersprache, der weltliche Beruf, das Wirtschaftsleben, all das z. B. wurde von den reformatorischen Kirchen viel stärker in Anschlag gebracht und ausgenützt als von der vorreformatorischen katholischen Kirche. (Die religionssoziologischen Forschungen von Max Weber bis zur breiten Front seiner geistigen Erben haben in überraschender Vielfalt dafür Nachweise erbracht.)

So gesehen, bleibt für die katholische wie für die evangelische Kirchengeschichte das Problem des geschichtlichen Raumes und die Frage nach dem jeweiligen völkischen, geistigen, kulturellen Ackerboden, auf den das Samenkorn des Wortes ausgestreut wird, eine der ausschlaggebenden Fragen schlechthin. Aus der Eigenart des in einer konkreten Situation, in dem unwiederholbaren einmaligen Kairos angesprochenen Menschen (vor allem einer Menschengemeinschaft) ergaben sich die Möglichkeiten (Vorteile und Nachteile) des Wachsens des Samenkornes oder seines Verdorrens und andererseits des Wucherns des Unkrautes.

Das Samenkorn in Fülle zum Fruchttragen zu bringen, bezeichnet das Ganze der Aufgabe der christlichen Verkündigung. Aber die *Art* der Lösung ist jeweils daran geknüpft, daß das Wort von den Hörern assimiliert werden könne. Jede geistige Anregung, die fruchtbar wird, setzt, wie *jede* Aussaat, eine gewisse Assimilation beim Empfänger, und also eine Akkommodation beim Verkünder voraus. Daß diese Akkommodation die *Fülle* des Wortes, der unantastbaren Offenbarung nicht mindere, ist die zweite Forderung. Und so reduziert sich der Maßstab für alle kirchengeschichtliche Wertung auf die beiden ineinanderweisenden Fragen: Gemäßigte Akkommodation — Fülle des Wortes.

Nur wo es zu einer wirklichen Akkommodation kam, wurde das Christentum lebenzeugend, formte es wirklich das Angesicht der Völker neu. Das war so im antiken griechisch-römischen Raum; das war so im griechisch-russischen Raum; das war so im germanischen Raum. Daß es im Fernen Osten nach den schöpferisch stürmischen Ansätzen von Franz Xaver und den weitsichtigen Anpassungen späterer Jesuiten in Indien und China zu einer solchen gemäßigten Akkommodation auf die Dauer *nicht* kam, erklärt, warum eine wirkliche Christianisierung bis heute nicht erreicht wurde. Nicht das also ist beispielsweise für die Bewertung entscheidend, ob es im antiken Raum zu einer Hellenisierung kam, sondern, ob es sich damals um eine akute oder um eine gemäßigte Hellenisierung handelte. Auch die abendländische Kirchengeschichte steht selbstverständlich unter dem Gesetz einer entscheidenden Anpassung: Germanisierung und Romanisierung des Christentums. (Das Durchdenken der mittelalterlichen Kirchengeschichte unter diesem Gesichtspunkt führt zu höchst merkwürdigen Ergebnissen. Etwa: die spätmittelalterlichen Mißstände, die durchaus als römische erscheinen, sind von der Wurzel her germanisch. Und als Luther im Namen seines christlichen und germanischen Gewissens auftrat gegen die „römische" Verderbnis, da erhob er sich gegen Dinge, deren Verderbnis ursprünglich aus germanischen Wurzeln kommt).

272

Die Ansatzpunkte zur Sprengung oder zur kräftemindernden Reibung, auf die es bei diesen jeweiligen zeitgebundenen Zeugungsvorgängen zwischen der christlichen Offenbarung und der menschlich-geschichtlichen Wirklichkeit ankommt, wurden schon genannt: das „Absolute" der Offenbarung, also das „Neue" des Christentums, gegenüber dem „Alten" der Tradition, gegenüber den Kräften des Menschen. Das, was wir unter dem Namen Humanismus zusammenfassen, illustriert das gleiche Phänomen in besonderer Beziehung auf die Kräfte und Fragen der Bildung, dies aber im Abendland, also auch in sichtbarer (wenn auch nicht immer gleichmäßig sichtbarer) Beziehung zur Urunterlage abendländischer Bildung, also zu römisch-griechischer Weisheit, Sprache und Kultur.

Die *klassische* Form dieses Humanismus (in sich vielfältig, bis zu Widersprüchlichem, abgestuft) ist dargestellt in den entsprechenden Bewegungen des 14.—16.(—17.) Jahrhunderts.

Die geistesgeschichtliche Situation *dieses* Humanismus ist wesentlich geprägt und kompliziert durch die Tatsache, daß er sich in der klassischen[1] Zeit des abendländischen *Umbruches* ausbildet. Von ihm verursacht wie ihn verursachend. Eine vordem kaum geahnte Dynamik in Erwartung, Hinwendung und Abwendung erhöht die Sprengkraft des Gegensatzes Offenbarung—Welt, Gott—Mensch ganz beträchtlich, ja wesentlich. Es ist eine etwas naive Betrachtungsart, danach zu fragen, wieviel christliche Kräfte, oder wieviel kirchliche Kräfte im damaligen Humanismus *noch* vorhanden gewesen seien. Keine Idee oder Bewegung kann man erschöpfend kennzeichnen, indem man rein statisch den hier und jetzt vorhandenen Befund beschreibt. Immer muß man die Tendenz, die Bewegungsrichtung mit in die Beschreibung einbeziehen: was wird aus der betreffenden Idee oder Bewegung geworden sein, wenn sie gemäß den Gesetzen der dialektischen Entwicklung alles wird aus sich herausgesetzt haben, was das in ihnen ruhende Neue in sich trägt? Wenn man die Frage so stellt, dann ist ein Doppeltes unverkennbar: 1. Der Humanismus ist ein Teil der riesigen Säkularisierungsbewegungen, die in Klerus und Laienvolk seit dem 13. Jahrhundert ansetzten, und mit dem 14. Jahrhundert akut wurden. 2. Der Humanismus selbst ist Ausdruck einer gegenüber dem Mittelalter veränderten Blickrichtung. Sie drückt sich aus im Namen selbst: humanum[2]. Im Mittelalter war das Göttliche Ausgangspunkt und Zentrum. Nun rückt das Menschliche in Front und wird wichtiger, ja *das* Wichtige. Der Mensch wird das Maß der Dinge. Nicht, versteht sich, wie der Satz allmählich seine verhängnisvolle Bedeutung gewinnt in der Autonomie des 18., 19., 20. Jahrhunderts. Aber doch als starker Ansatzpunkt und schon einigermaßen als Durchbruch. Es gibt ein kirchengeschichtliches Resultat dieser Bewegung, das eine eindeutige Sprache spricht: das Renaissancepapsttum und seine Kurie. Man kann wirklich nicht sagen, daß damals die neuentdeckte Welt des Menschen einfachhin geheiligt worden wäre. Aber umgekehrt läßt sich die damalige akute Verweltlichung des Heiligen leider nur zu eindeutig nachweisen.

Diese Säkularisierung im Umkreis des Allerheiligsten ist gewiß längst nicht nur Auswirkung des Humanistischen. Aber doch ist das Humanistisch-Renaissancehafte intim in das Gesamt der damaligen Kurie verflochten; die Verwandtschaft der Renaissance-Kurie mit der Art der weltlichen Großen im Reich der Sprache, des Stils, des Gedankens, der Kunst, der Politik und der Lebensgestaltung ist ebenso groß, wie der Widerspruch des scholastisch-asketischen Savonarola zu ihnen radikal ist.

Keine Einseitigkeit zugunsten der augenblicklichen These! Humanismus und Renaissance waren in sich nicht heidnisch. Es war ein verdienstliches Unternehmen von Walser[3], mit Eifer dem Christlichen in der Renaissance erneut nachzugehen. Und es gibt ja die Tatsächlichkeit des eigentlich *christlichen* Humanismus, besonders den humanisme dévot.

Mit den Stichworten „heidnisch" oder „säkularisiert" ist die Problematik, um die es geht, nur ganz äußerlich angedeutet. Im „Humanismus" steckt vor allen eine ganz andere Gefahr; eine weniger unmittelbar erkennbare, aber eben darum um so unheimlichere. In dem Zusammenhang, der vorhin zwischen humanitas, dignitas hominis, bonae litterae und einer echten Religion sichtbar wurde, also im sokratischen Irrtum, kündet sie sich deutlich an: die Gefahr des „Moralismus" (also einer Wesensumdeutung der geoffenbarten Religion Jesu Christi) und damit des Adogmatismus und damit des Relativismus und damit allgemein des Subjektivismus, also des Gesinnungsmäßigen gegenüber dem Seinsmäßigen. Es geht sowohl um das Wesen des Christentums wie um Grundhaltungen des Geistigen: Gesetz der Form, objektives Sein, Weisheit der Jahrhunderte — oder: die so dunkle, schwankende Sphäre des Moralischen, des persönlichen (wenn auch noch so ernst und schwer genommenen) Gewissens.

Moralismus! Im romanischen Raum gibt es dieses Problem erst seit der vollendeten Diesseitigkeit der Aufklärung. Im offenbarungsgläubigen 15. und 16. Jahrhundert konnte er eine tiefe Gefahr nur im germanischen Raum sein. Weil er überhaupt *die* Gefahr für den germanischen Menschen bedeutet. Die vorchristliche Religion der Germanen gründet auf dem Satz des „do ut des"; das germanische Rechtsleben und das entsprechende Brauchtum beruhen weithin auf demselben Grundsatz, daß alles bezahlbar ist und bezahlt werden muß, und selbst ein Geschenk nur echt wird durch eine Gegenleistung; die Gewohnheit, ethische Schuld dinglich-quantitativ zu bewerten, und entsprechend durch eine dingliche Leistung abzutun (etwa den entgegen dem gegebenen Treuwort vollzogenen Meuchelmord durch eine Geldzahlung), ist einer der hervorstechendsten Züge in den germanischen Sagas. Die frühgermanische Predigt, ja ein Großteil der deutsch-germanischen Missionierung (mit einer gefährlichen Überbetonung des Lohngedankens) kam diesem Zug zur moralischen Auffassung des Christentums entgegen. Das Wesen des Mittelalterlichen, nämlich das wesentliche Ineinander von außen-innen, dinglich-geistlich, hängt in seiner Möglichkeit wie in seinen kennzeichnenden Verwirklichungen eng mit derselben Grundneigung des Germanen zum Moralismus zusammen.

Und so ist es nicht ein nebensächliches Detail, daß wir es bei Erasmus, dem unser Interesse in der folgenden Studie gilt, mit einer Kraft des germanischen Raumes zu tun haben. Sein Europäertum, seine bewußte Abwendung von den lebenden Sprachen, seine herbe Kritik an den Deutschen, seine Abhängigkeit von der platonischen Akademie in Florenz (über John Colet) und seine vollendete Latinität lassen diese Tatsache allzuoft vergessen. (Es bedarf auch dringend einer Untersuchung, wie weit

274

bereits die gesinnungsmäßigen Elemente der mittleren und späteren Stoa, so wie sie sich im platonisierten Christentum der Akademie von Florenz darstellten, die seinsmäßigen Elemente des Christentums im italischen Raume angetastet hatten oder bestehen ließen.) —

Die Diskussion über den geschichtlichen Humanismus wird seit einer Reihe von Jahren erschwert durch die häufig gehörte und unzähligemal gedruckte Formel eines neuen christlichen Humanismus. Was man unter dieser Formel versteht, schwankt in allen Schattierungen und — Verschwommenheiten des „Christlichen", des „Abendländischen", des „Geistigen", des „Menschlichen". Wenn unter diesem neuen christlichen Humanismus die *katholische* „Bildung des christlichen Voll- und Edelmenschen" gemeint ist, dann natürlich eine solche, die sich in keiner Weise auf eine Überbetonung des menschlichen Faktors festlegt, und in keiner Weise in Gefahr geraten will, eine Verdrängung oder Bagatellisierung der Offenbarungs- und Erlösungskräfte oder des Sakramentalen in der Religion des Gekreuzigten (evtl. *gegen* die eigene Absicht) Vorschub zu leisten. Im 15./16. (und auch 17.) Jahrhundert aber war dies die Gefahr. Vielfach unbewußt, allein schon durch den fundamentalen Vorgang des damaligen Umbruchs. Dieser Umbruch stellte zweifelsohne auch bei den aus der Kirche und ihren Sakramenten und aus dem Glauben an den gekreuzigten Erlöser lebenden Humanisten das „humanum" in mancher Beziehung ungleich stärker in den Mittelpunkt, als es vordem der Fall war. Umbruchszeiten sind einer Störung des Gleichgewichtes und der umfassenden Synthese immer besonders stark ausgesetzt. Das gleiche Maß an „humanum", das die nachtridentinische Generation, etwa der humanisme dévot des 17. Jahrhunderts, ohne *akute* Gefährdung trugen, war für das 15./16. Jahrhundert eine gefährliche Belastung.

II. Kirchengeschichtlich — Geistesgeschichtlich

Je mehr man Kirchengeschichte *theologisch* zu schreiben versucht, desto stärker zwingt die geschichtliche Wirklichkeit dazu, alle geschichtsbildenden Elemente aus dem Sektor „Kultur" in die Analyse hereinzunehmen. Ohne diese Einbeziehung bleibt es bei einer gefährlich pseudogeschichtlichen Betrachtung, die in Wirklichkeit dogmatisch in dem unzulässig verengerten Sinn ist, daß sie die geschichtlichen Veränderungen, die doch das Gesamt „Kirche" wesentlich mitprägen, nicht genügend zu sehen vermag. Die Kirche steht nie im luftleeren Raum. Sie ist nicht von dieser Welt, steht aber sehr kräftig in dieser Welt, und daß sie dies vollziehe, ist für die Erfüllung ihres Auftrages unentbehrlich. Denn sie spricht durch Menschen einer bestimmten konkreten Situation andere Menschen eben solcher konkreter Situation an. Wo dieser konkrete Ausgangspunkt und solcher Ansatzpunkt fehlt, kann es nicht zu einer echten Ansprache kommen. Das sind dann Episoden oder Zeiten kirchlicher Unfruchtbarkeit, religiöser Unechtheit, negativer Korrektheit.
Von solchen Voraussetzungen aus gehört eine Gestalt wie Erasmus von Rotterdam *ganz* zur Kirchengeschichte. Nur weil er der wunderbar unerschöpfliche Geist und Philosoph und Menschenkenner und Stilist und

275

Kenner oder vielmehr Neuerwecker der alten Literatur war, nur weil er ein Genie war, nur dadurch bekamen sein Wort, seine Lehre und seine Person jene Wirkmächtigkeit, die sie auch *kirchen*geschichtlich zu einem wichtigen, ja überragenden und in manchem entscheidenden Faktor machten. Dadurch bekam auch sein Wort jene besondere Tönung, war es umgeben von jener besonderen Atmosphäre, deren vielfältige Tatsächlichkeit jeweils alle Geschichte so interessant abstuft. Deren Nachzeichnung wiederum macht das Studium der Geschichte so abwechslungsreich und läßt so gründlich die Eintönigkeit des undifferenzierten Betrachtungsschemas vermeiden.

Aber es gibt in solchem Gesamtkomplex Tatsachen, Fragen und Antworten — eben das *christliche* Zentrum —, die unmittelbar kirchengeschichtlich wichtiger sind als andere, die nur mittelbar von *christlich*-geschichtlicher Mächtigkeit sind. Das ist auch bei Erasmus der Fall. Und das eben gibt auch das Recht, aus dem Gesamt ,,Erasmus" das Thema ,,Erasmus kirchengeschichtlich" herauszuheben.

So viele Probleme auch jener *Gesamt*komplex Erasmus aufwirft, diesseits der unmittelbar christlich-theologischen Fragestellung sind sie in ihrer Tragweite recht beschränkt. Inhaltlich verschiedene Lösungen stehen gewiß viele zur Diskussion. Auch die Bewertung des Mannes als Gesamtpersönlichkeit ist dabei Schwankungen unterworfen. Im großen und ganzen bleibt das bewundernde Gesamturteil, bleibt die superlativistische Bewertung des Fürsten des Humanismus und seiner Leistungen in der Geistes- und Bildungsgeschichte außer Frage.

Das ist nicht mehr der Fall, sobald das Thema eigentlich kirchengeschichtlich angepackt wird. Es ist nicht unnütz, sich über diesen Einschnitt zunächst theoretisch klar zu werden. Die stupende Leistung des Erasmus, die Überlegenheit seiner geistigen Kräfte über alles, was ihm an Problemen begegnet, oder was an Menschen neben ihm steht, und die daraus geborene berechtigte Bewunderung haben allmählich eine Atmosphäre um das geistige Bild des Erasmus gebreitet, die es a limine auszuschließen scheint, daß man ihm dergestalt kritisch bewertend nahe, daß die Bewunderung mit starker, ja mit entscheidender Ablehnung zusammengehen könne. Sellmair[4], Schiel und Gail (und in anderer Art wohl auch Newald) sind von vornherein mehr oder weniger vom ,,Unrecht der Kritiker" überzeugt. Man vermißt leider bei ihnen allen eine *einheitlich* durchgeführte Überprüfung der stark differenzierten verschiedenen Funktionen des Schriftstellers, Stilisten, Pädagogen, Philosophen, Christen und Theologen Erasmus, und etwa eine handfeste Auseinandersetzung mit Huizingas Urteil über des Erasmus innerste Unbestimmtheit (siehe darüber weiter unten).

Umgekehrt ist es vielleicht nicht ganz überflüssig, sich klar zu machen — was schon im Voranstehenden eingeschlossen ist —, daß eine etwaige kirchengeschichtlich scharfe Kritik nicht notwendigerweise voraussetzt, daß der Kritiker ein beschränkter Magister und Banause sein müsse, der für die Freiheit des Geistes, der für Witz und Selbstironisierung und für die vielfältigste Vielfalt menschlicher Eigenart und ihren relativen Wert kein Verständnis haben könne. Es gibt auch bewundernswerte *Genies*

276

außerhalb der einen Wahrheit. Das Stichwort „Synthese" ist schnell ausgesprochen (und schnell verbraucht); aber sie in der Analyse bei dauernder Selbstkontrolle echt zu realisieren, ist eine immer neu aufgegebene schwere Kunst. Ihre Betätigung hat schier keine Grenzen. Auch dies ist echter Geschichtsbetrachtung würdiges Objekt: an einem großen Gegenstand *in* der Bewunderung die Kritik auszusprechen; und in der Kritik die warme Begeisterung in nichts zu mindern. Ängstliche Seelen und verhärtete Hüter von Formeln (die sie für Dogmen halten) bekommen es dabei leicht mit der Angst, wenn der Gegenstand etwa Luther heißt und der Kritiker katholischer Theologe ist. Handelt es sich aber um Erasmus, dann fehlt zwar die Angst, aber man vermag sich nur undeutlich Rechenschaft darüber zu geben, wie weit man ihn kirchlich und kirchengeschichtlich als eine Belastung bezeichnen dürfe. Oder aber die Fragestellung bleibt allzusehr im Groben stecken. Etwa so: Erasmus hat kein Dogma der Kirche ausdrücklich abgelehnt; Erasmus hat sich schließlich von Luther getrennt; also ist Erasmus Katholik, und seine Leistung kommt zur Ehre der Kirche auf das katholische Konto.

Ich nehme an, daß es für den Leser dieser Festschrift einer Zurückweisung der zuletzt skizzierten Art kirchengeschichtlicher Bewertung nicht bedarf. Die folgenden Untersuchungen werden das Nötige nachtragen. Aber auch die vorher angeführte Diskussionsbasis (auch das Genie unterliegt der Kritik) könnte nur eine einzige Haltung von beiden Seiten her abweisen: eine vollpositivistische Geschichtsbetrachtung, für die jede geschichtliche Erscheinung einfach durch ihr Dasein auch ihren „absoluten" Wert in sich trägt. Es ist hier nicht der Ort, diesen Relativismus ernstlich zu widerlegen. Da es sich um Christentum und um Kirchengeschichte handelt, wird er als von vornherein unzulänglich und unzuständig abgelehnt vorausgesetzt. Auch der Held ist grundsätzlich ebenso der Kritik ausgesetzt wie der nichtschöpferische Mensch; so sehr man auch die Besonderheit des Genies in Rechnung zu stellen hat.

Kann man eindeutig und allgemeingültig angeben, an welche Voraussetzungen die *kirchen*geschichtliche, also *christliche* Funktion eines geschichtlichen Faktors im Unterschied zu einer allgemein geistesgeschichtlichen Funktion gebunden ist? Formal, ja! Das, was im Namen des Christentums gesagt wird, beansprucht (wenn auch in abgestufter Proportion) *absolute* Geltung, stellt verpflichtende Forderungen und heischt verantwortlichen Entschluß. Außerhalb des Christentums und seiner Wahrheit aber hat der Relativismus der Werte weithin Berechtigung. Geschichtliche Sinnerfülltheit kann in reichem Maße vorhanden sein in sich ausschließenden Aussagen der Philosophie und Gestaltungen der Politik; kann auch vorhanden sein, ohne daß ein Anspruch an mich gestellt wird. Irgendwelche Kraft des Gedankens, selbst des revolutionären; irgendwelche Darstellung des Schönen, selbst des rein formalen; irgendwelche Leistung des gemeinschaftlichen Zusammenseins, selbst des nur genießerischen (diesseits des grob Materialistischen) — all das kann unter Umständen Bewunderung nicht nur erregen, sondern verdienen, gehobenes Spiel sein und Genuß spenden; all das kann in weitem Umfang Sinn erfüllen und Werte darstellen. Immer aber sind diese Werte vernünf-

277

tigerweise so ausgesprochen und gestaltet, daß es dem Belieben der Mitmenschen frei bleibt, sie gelten zu lassen oder nicht, sie mitzumachen oder
nicht. Diese Dinge liegen außerhalb der Sphäre des letztlich Verpflichtenden. Dagegen ist das Christentum der Raum dieses absolut Verbindlichen. „Bewunderung" oder „absolute Verbindlichkeit"?: das ist die
Frage.

Bei den allgemein anerkannten christlich-religiösen Genies und Führern
taucht diese Frage nicht auf. Ihr Werk wäre nicht, wenn mit Nachdruck
die Frage gestellt werden könnte, ob sie es in dem Sinn ernst meinen, daß
sie Gefolgschaft fordern.
Unter ihnen gibt es auch Gestalten wie Michelangelo oder Franz von
Sales oder Pascal, die in verschiedener Art beweisen, daß höchste Kunst-
form und genialer Geist von Weltgeltung reines Christentum (bis zur
heroischen Darstellung steigend) in Fülle zur Darstellung zu bringen vermag. Auch ihnen gegenüber vermag die Frage gar nicht aufzukommen,
ob sie es (im Grunde und allgemein) ernst, ganz ernst gemeint hätten. Das
Urteil der Zeitgenossen und der Nachfahren über sie stand immer unter
dem Eindruck, daß die Werke dieser Männer Verbindliches äußern wollen
und erwarten, daß ihnen verantwortlich begegnet werde.
Aber es gibt religiös interessierte Führer im weiten Reiche des menschlichen Geistes und seiner Leistungen, bei denen diese Fragestellung sich
differenziert und die Antwort viel schwieriger wird.
Gerade gegenüber Erasmus, der Priester und Theologe war und christliche Gebete und Erbauungsschriften verfaßte, war die Reaktion aller
Jahrhunderte eine sehr viel andere als etwa gegenüber Franz von Sales.
Niemand, auch nicht seine größten Bewunderer, empfindet seine Aufstellungen, auch seine religiösen Ergüsse, ganz allgemein als im Gewissen
bedrängend, als unausweichlichen Aufruf zu einer eigentlichen Entscheidung. Nirgends stößt man auf die Spur einer solchen Wirkung. Das allein
ist schon bezeichnend, wenn nicht gar entscheidend, wenn anders nicht
das Urteil der Zeitgenossen und der Nachfahren vollkommen und hoffnungslos fehlgegangen sein soll.
Niemand wird angesichts der höchste Bewunderung heischenden Leistung
und Wirkung (sie ist eine geradezu ungeheure, besonders wenn man bedenkt, daß die Art des Werkes eigentlich nur wenigen Gebildeten den
Zugang zu gestatten schien), niemand also wird auf den Gedanken
kommen, Erasmus habe nicht ein bestimmtes Weltbild und eine bestimmte Gedankenwelt in sich getragen. Aber waren sie einheitlich? Vor
allem: hat er sie einheitlich ausgesprochen? Es sind ja nicht nur unzulängliche Gegner, die ihm das Gegenteil bescheinigen, sondern Bewunderer
und Beschützer. In seinen so oft wundervollen Briefen spricht sich
keineswegs sein Herz aus. In seinen Werken werden wir Verhüllung,
gewollte Undeutlichkeit und auch Widerspruch finden. Aber alles, wirklich alles, mit Geist (oft ist es esprit) getränkt und — eingehüllt. Daß
bis heute kein einheitliches Bild erarbeitet wurde, liegt an Erasmus
selbst[5].
Ich glaube aber, daß man in dem engeren Kreis des Dogmas, auf den ich
mich beschränke, zu einer größeren Einhelligkeit kommen kann. —

278

Das *Gesamt*problem Erasmus kristallisiert sich um die Fragen Wissenschaft — Bildung — Christentum. Die drei Größen stehen nicht getrennt nebeneinander, aber sie haben doch im Werk des Erasmus auch weitgehende Selbständigkeit.

Das Zentrale ist der christliche Sektor. Und hier reduziert sich alles auf die von Erasmus immer stärker empfundene und energisch aufgefaßte Frage: Was ist das Wesen des Christentums?

Die Antwort wurde von Erasmus nie rein thematisch gegeben. Aber sie bildet die Hinterlage von vielen seiner theologisch-religiösen Äußerungen. Die Lösung sucht Erasmus im *Ausgleich* der beiden Elemente: das Neue und das Alte (Tradition) im Christentum. Synthese ist als Grundform des Christentums erkannt und bejaht. Als Hilfsmittel bietet sich ihm an die römisch-griechische Weisheit, insbesondere die mittlere und spätere (platonisierte) Stoa mit ihren Elementen des Allgemeinmenschlichen und ihrer moralischen Vertiefung.

Fragt sich, ob in dieser Synthese das Neue, das Geoffenbarte, das Göttliche, die Religion des Kreuzes in ihrer unverkürzten Fülle den unbedingten Primat behalten, oder ob die Tradition, das *Menschliche*, unberechtigt stark hereinwirkt? — Erasmus prägt oder vielmehr übernimmt für seine Synthese den Ausdruck philosophia Christi. Fragt sich: bleibt das Christentum unbestritten *der* Untergrund und *das* Prägende in jenem exklusiven Sinn, den das Christentum als Wert einer anderen, höheren Ebene beansprucht? Oder konkurriert die „Philosophie" mit der Offenbarung? — Und fragt sich zweitens: ob bei der Analyse des Christentums der *ganze* weite Umkreis der Offenbarung eingefangen wird? Oder hält Erasmus schließlich nur Teile des früheren Ganzen in der Hand[6]?

Deutung und Bewertung des Erasmus reichen weit über literarische, philosophische und sogar theologische Problematik hinaus. Sie gehen uns auch nicht nur *irgendwie* näher an. Sie hängen eng zusammen mit unserem Wohl und Wehe, mit der Lösung oder Nichtlösung der akuten Krisis, in der wir *heute* stehen. Wenn Anton *Gail* (S. 11) recht hat mit der Behauptung, daß man „mit Bedacht auf Erasmus hinweist, wo immer das Anliegen der Freiheit und der Bildung, des Völkerfriedens und der Einheit des Abendlandes verhandelt wird", dann wird es sehr wichtig sein, zu wissen, wie Erasmus diese Freiheit, diese Bildung, diese Einheit vertritt. Denn daß Freiheit, Bildung, Einheit des Abendlandes unerläßlich sind, wenn wir die Krisis meistern wollen, ist klar. Sogar das Christentum wird seine heilende Funktion nur ausüben können, wenn es diese Werte wirksam schützt.

Wirksam! Denn für Freiheit, Bildung und Einheit traten ebenso Voltaire und Hegel ein wie Görres und Veuillot.

Wenn unsere heutige Krisis wesentlich dadurch entstanden sein sollte, daß etwa jene Werte zu unbestimmt, zu subjektiv, zu moralistisch gefaßt und vertreten wurden, dann kann uns Erasmus helfen, wenn er diese Fehler vermeidet. Und eben diese Frage gedenke ich im folgenden an ihn zu richten.

Aber ich gestehe, daß schon der Aspekt, unter dem die neuesten Bearbeiter des Erasmus ihn uns als einen Heilbringer für heute anbieten, mich

279

nicht sehr hoffnungsfreudig stimmt. Die Berufung von *Gail* erscheint mir eher verdächtig: „An der Schwelle der Aufklärung tritt er in den Reunionsbestrebungen von Leibniz noch einmal leuchtend zutage" (S. 12)! Diese Reunionsbestrebungen sind nämlich nicht erschöpfend gekennzeichnet, wenn man an die Weite des Geistes und die vorbildlich edele Gesinnung des Leibniz denkt. Sie tragen auf des Leibniz Seite (ganz ähnlich wie die von Erasmus mitgeprägten Religionsgespräche der vierziger Jahre des 16. Jahrhunderts) das Stigma der dogmatischen Unbestimmtheit.

Seit Sebastian Merkle sind die Gutwilligen auch auf katholischer Seite davor verwahrt, in der Aufklärung nur den Aufklärricht zu sehen. Aber sie vergessen nicht, daß trotz aller positiven Funktion sogar des übertriebenen Vernunftgebrauchs (etwa zur Erzwingung der Toleranz; zur Beseitigung der Gewalt aus den Missionierungsmethoden) die Aufklärung eben doch im Tiefsten durch eine Ablehnung des Supranaturalismus geprägt war. Und also scheint es eher verdächtig, daß es just die Aufklärung war, die den Erasmus „aufs Neue zum Inbegriff der Bildung und der Freiheit machte" (ebd.).

Damit möglichst Mißverständnisse vermieden werden: Es handelt sich nicht darum, irgendeine vorgefaßte These an Erasmus zu beweisen. Es geht nur darum, zu fragen und festzustellen, und *dann* zu urteilen. Ist es notwendig, den Abstand festzustellen, der die Art der hier betriebenen Betrachtung trennt von den schülerhaften Bemühungen, die Rechnung recht glatt aufgehen zu lassen und den trüben Rest fortzubeweisen? Oder sollten wir die schon so oft vorgetragene These vergessen, daß die Wahrheit vom Menschen her gesehen vielfältig ist?

Wie also sollten wir nicht voller Bewunderung vor dem vielschichtigen Erasmus stehen, der ein so unvergleichliches Vermögen besaß, die Dinge von *vielen* Seiten zu sehen und köstlich zu spiegeln? Nur, daß dies wieder einmal nicht das Entscheidende ist!

So vielschichtig die Wahrheit ist, so belastend immer ein trüber Rest am Ende der Rechnung übrigbleibt, ein Kern in dieser Wahrheit ist einfach und eindeutig, und diesen Kern vermögen wir entweder genügend klar zu erkennen, zu umschreiben, oder wir werden rettungslos dem Relativismus ausgeliefert sein, dem Historismus und dem geistesgeschichtlichen Liberalismus, an deren Ende dann — logisch von jener Basis aus nicht widerlegbar — der Nihilismus und also Hitler und Stalin stehen.

B. Erasmus

I.

Das, was man (in sehr verschiedener Färbung, auf sehr verschiedenen Gebieten) Aufklärung und geistesgeschichtlichen Liberalismus (ja Liberalismus überhaupt) nennt, ist aber heute offensichtlich im Abnehmen. Heute, d. h. etwa seit dem Beginn des 20. Jahrhunderts. So ungehemmt Aufklärung und Liberalismus das Jahrzehnt vor dem ersten Weltkrieg prägten, so deutlich setzte damals auch eine Wende an zu positiverer, objektiverer, gläubigerer Haltung. Und dies bis in mancherlei rückläufige

280

Thesen der liberal-protestantischen Theologie hinein. Die Anzeichen lassen sich ebenso in Frankreich und Holland und England wie in Deutschland feststellen. Wenn es dabei eine fundamentale (und erschreckende) Tatsache ist, daß Bewegungen, die Träger dieser Wende zu sein behaupteten, durch eine teils betrügerische, teils tragische Pervertierung voll zerstörerisch in den Liberalismus, den Relativismus und seine Auflösungstendenzen zurücklenkten, so bleibt doch auch bestehen, daß die erwähnten Ansätze bis heute zugenommen haben.

Ich möchte nicht in den Verdacht kommen, der vor einigen Jahren von Hans Pfeil geäußerten, ungenügend differenzierten Ansicht zuzustimmen, die den Eindruck erweckte, als ob das moderne Geistesleben eigentlich insgesamt auf dem Marsch zu Thomas von Aquin und zur katholischen Kirche sei. Ich registriere heute ebenso gern Anzeichen, die eine geistige Annäherung an Metaphysik oder sogar an katholisches Denken belegen, wie ich das in den zwanziger Jahren („Katholische Renaissance oder dogmenfreie Religiosität?") und seit dem Jahre 1930 in meiner „Geschichte der Kirche" getan habe. Aber keine unsachliche Verallgemeinerung darf zu unfruchtbaren Kurzschlüssen führen, die in Enttäuschung enden müßten. Solches undifferenzierte und kurzschließende Folgern hat in Philosophie, Theologie, pastoraler Verkündigung und nicht zuletzt in der Darstellung der Geschichte nachgerade katholisches Denken genügend oft in Verruf gebracht. Nur Mangel an Augenmaß kann die hochwichtigen Ansätze im Bereich der Naturwissenschaften hin zu einer gläubigen Anerkennung Gottes und zur Anerkennung einer Geistseele als auch nur annähernd vollgültige Darstellung der heutigen Gesamthaltung im Bereich dieser Wissenschaften betrachten; oder die hochwichtigen Ansätze zur Metaphysik, die Rückkehr zu Denkformen des 13. Jahrhunderts, die literarisch und künstlerisch wertvolle Darbietung christlicher Auffassungen durch Schriftsteller und Gelehrte von hohen Graden in Frankreich, England und Deutschland als Kennzeichnung der wesentlichsten Strömungen des heutigen geistigen Lebens bezeichnen. Ja, heute — 1949 — beginnt schon wieder (im Unterschied zu den ersten Nachkriegsjahren) der Liberalismus sich unternehmungsfreudiger zu äußern und von einem nachchristlichen Zeitalter zu sprechen, und von der langweilig ewigen Wiederholung des früher einmal gültig Gewesenen, das sich seltsamer Weise christliche Denker leisteten[7]...

Andererseits bleibt es dabei: die Abwendung vom liberalistischen Denken darf als die Gesamtlage mitkennzeichnend angesprochen werden.

Entsprechend hat sich bei maßgeblichen Sprechern das Interesse stark verlagert vom Bildungs- und Gesinnungsmäßigen hin zur Religion und zum Glauben. Diese Veränderung kommt auch in einem Teil der Erasmus-Forschung zum Ausdruck. Man hat sich viel in den letzten 20 Jahren mit ihm beschäftigt; und durch Allen, Mestwerdt, Huizinga, Köhler, durch das Jubiläum 1935 und durch Andreas, Meissinger, Newald, Schiel, Gail u. a. ist viel zur Aufhellung seiner Geistesleistung geschehen. Es wäre aber, glaube ich, falsch, wollte man einfachhin von einer Erasmus-Renaissance in einem weltanschaulichen Sinne sprechen. Wo die für dieses Thema oben herausgearbeitete zentrale Frage nach des Erasmus christlicher Verbindlichkeit gestellt wird, ist die Tendenz eher eine ablehnende. Die Erasmus-Aufsätze von *v. Walter* und die weitaus überwiegenden Leistungen der gegenwärtigen Theologie belegen das. — Wo man aber aus Erasmus so etwas wie einen Führer für diese unsere heutige Zeit zu machen versucht, wird gerade jene zentrale Frage nicht gestellt. Da zieht man sich eher auf seine Ausgeglichenheit, sein Maßhalten, seine innere Freiheit, den Glanz seines Wortes und die Fülle seines Geistes zurück. Auf katholischer Seite habe ich in wachsender Betonung Erasmus als vorwiegend kirchengeschichtliches Negativum, bzw. kirchliches Gefahrenzentrum dargestellt (Geschichte der Kirche; Hosius; Reformation in Deutschland; Reformation als religiöses Anliegen heute). Ich kann meine Stellungnahme etwa so zusammenfassen: 1. Zentrum aller Bemühungen des Herrn bei den Synoptikern ist es, jeden Mechanismus in der Frömmigkeit zu zerschlagen. Dafür fordert Er die bessere innere Gerechtigkeit und Anbetung im Geist und in der Wahrheit. Von hier aus muß man Erasmus einen vorbildlichen Christen nennen. Denn er hat ein Leben lang geniale Kräfte und eine staunenswert unermüdliche Arbeitskraft darangesetzt, das Christentum in diesem Sinne zu vertiefen, zu verwesentlichen, von Veräußerlichung zu reinigen. (Die nötigen Vorbehalte mögen hier zunächst außer Betracht bleiben.) — 2. Das Christentum ist aber auch feststehende und erkennbare Lehre; ist auch sakramentales Leben; ist auch dogmatische Tradition; fordert außerdem unbedingte Stellungnahme in Ja oder Nein. Von diesen Gesichtspunkten aus ist Erasmus nicht nur ein schlechter Christ, sondern — weil er eine Weltmacht war — eine Lebensbedrohung der Kirche. Und dies durch seinen Adogmatismus (und was damit an Skeptizismus und Schriftprinzip zusammenhängt), durch seinen Moralismus, durch seinen Spiritualismus und vor allem durch sein Bestreben, sich nicht festzulegen.

Gegen diese stark kritische Einschätzung als eines bedauerlichen Einbruchs in die angebliche heutige Erasmus-Renaissance wendet sich K. A. Meissinger in seiner Monographie. Er bezeichnet es als sein Ziel, den Erasmus von dem von jeher so oft erhobenen Vorwurf der charakterlichen Schwäche zu befreien (dieses Bestreben auch bei Gail, Schiel und Newald), auch nachzuweisen, daß er durchaus nicht Vorläufer des Rationalismus sei, und daß er gut in den Rahmen des Katholischen passe.
Ich habe die Aufstellungen Meissingers zum Anlaß genommen, meine Thesen an Erasmianischen Texten erneut nachzuprüfen. Das Resultat möchte ich im Folgenden vorlegen.

Ehe ich zu den einzelnen Fragen übergehe, darf ich noch auf folgendes hinweisen: meine Beurteilung des Erasmus ist zwar (und natürlich) aus der Analyse des Erasmus selbst gewonnen, und muß ihr Recht in sich selbst erweisen. Aber sie steht nicht isoliert. Sie ist vielmehr ein wesentliches Stück einer neuen Beurteilung des 15. Jahrhunderts. Für einen großen Teil des theologischen 15. Jahrhunderts habe ich versucht, als Zentralmotiv nachzuweisen eine uns heute beinahe unvorstellbare theologische Unklarheit. Die Tatsache dieser theologischen Unklarheit wird durch jedes tiefere Eindringen in die Theologiegeschichte des deutschen

282

15. Jahrhunderts immer stärker bewiesen. Erasmus aber ist eine bedeutende Illustration zu diesem Thema.

II.

Meissinger, der eigentlich *alles* an Erasmus als groß und begeisternd darzustellen versucht, kann nicht verschweigen, daß es in Erasmus viel des Schwankens und des Unbestimmten gibt[8]. Sein Blick und sein Lächeln sind eben skeptisch, und *nicht* froh, frei und kräftig. Seinen Behauptungen, daß er ins Kloster gezwungen worden sei, steht die Tatsache entgegen, daß „er suchte den Schutz und Frieden des Klosters und hat ihn in der ersten Zeit ohne Zweifel auch gefunden" (S. 13). Meissinger gibt auch zu, daß in den Urteilen des Erasmus allmählich „jede Gerechtigkeit gegen die beteiligten Personen (im Kloster) schwindet und es sogar zu Verzeichnungen der Wirklichkeit kommt" (S. 21). Er bekennt sich sogar zu dem Generalvorbehalt: „Wenn wir seinen Berichten glauben dürfen. Denn von jetzt an sind wir genötigt ... kritische Vorsicht zu üben" (S. 8). Alle seine Rückblicke zeichnen die Fraterherren in düsteren Farben und die devotio moderna allgemein als bildungsfeindlich (S. 10). Sargent hat etwas boshaft übertreibend herausgehoben, warum Erasmus immer so ressentimentgeladen gegen die Mönche war: er mußte sich dafür rechtfertigen, daß er untreu geworden war. Das Fasten war etwas Schlimmes, weil es ihm persönlich Verdauungsschwierigkeiten verursachte. Fischspeise sollte abgeschafft werden, weil er persönlich einmal davon krank wurde. Er leistet sich eines seiner groben Urteile gegen die Theologen („Man sollte nie einen trüben See aufrühren, noch ein stinkendes Kraut in die Hand nehmen"), nachdem er sich kurz vorher um einen theologischen Grad bemüht hatte ... und diese Ehre auf etwas anrüchigem Wege erworben hatte (Sargent S. 55). Ähnliche Schwankungen finden sich gegenüber den Engländern: als er vom englischen Hof nichts erhielt, gab es Erasmus „auf, zu sagen, jedermann in England könne griechisch oder sei ein Vorbild klassischer Vornehmheit". Dafür meint er: „Diese Leute, lüsterne Ochsen und erbärmliche Mistesser, wähnen, daß sie allein sich von Ambrosia und Jupiters Geist ernähren" (Sargent S. 56). Auch Meissinger (S. 110 f.) gesteht, daß er ungerecht und objektiv falsch über die Engländer berichtete.

„Wo ist Freude und Ruhe? Wo ich hinblicke, nichts als Unglück und rohe Gewalt; und in solchem Trubel und Geschrei soll man Muße für den Dienst der Musen finden?" Aber am folgenden Tag, wenn Schmeichelei und gute Verdauung vereint besänftigt hatten, konnte er ausrufen: „Friede, Glückseligkeit steht bevor. Die Wissenschaft wird alles einrenken" (Sargent S. 78).

Meissinger behauptet, (nur) „oberflächliche Betrachter" hätten den „täuschenden Eindruck charakterloser Schwäche" von Erasmus erhalten (S. 349). Nun, der noch immer beste Kenner und hohe Lobredner von Erasmus, der inzwischen verstorbene Huizinga, betont es in seinem Erasmus oft genug, daß es nicht nur schwer, ja unmöglich sei, den Erasmus zu fassen, sondern, daß es zu seinem Wesen gehöre, sich nicht festzulegen. Und dies gilt auch für Fragen, die um das Wesen des Christentums kreisen. Da läßt sich der angezogene Vorwurf gegen Erasmus nicht

283

nur nicht beseitigen, sondern er steigert sich zum Verdacht einer Fehldeutung des Christentums. Und dies auch vom „Charakterlichen" des Erasmus her.

Die 1520 gedruckten Antibarbari, schneidend höhnend gegen die „Betteltyrannen", erinnern dringend an die „litterae obscurorum virorum". Erasmus war damals in Löwen. War das wirklich ein Beweis von Mut? War es damals irgendwie *gefährlich*, geistreich höhnend gegen die Mönche zu schreiben? Das war dort wie überall an der Tagesordnung. Jedoch da, wo es wirklich gefährlich wurde — in der Nähe Luthers —, da suchte sich Erasmus zu neutralisieren. Da rückt seine berühmte „mediocritas", durch die ihn die Zeitgenossen kennzeichneten, in Front[9]. Er äußerte sich zu theologischen Dingen, möchte aber nicht für einen Theologen gehalten und als solcher zur Verantwortung gezogen werden. Diesseits der Theologie bestand keine Gefahr — also kein Mut. (S. noch Meissinger S. 364.) Wenn Erasmus behauptet, er könne seine natürliche Angst soweit unterdrücken, daß ihn „nicht einmal offenbare Todesgefahr von dem Weg des Rechten abbringen soll", so ist diese lobenswerte Behauptung bzw. dieser Vorsatz für einen Christen nichts Besonderes. Erst das Martyrium aber hätte ihm wirklichen Beweiswert gegeben. Erasmus erkennt sich ausdrücklich als dem nicht gewachsen.

Daß Erasmus bei seiner schwachen körperlichen Konstitution es vermochte, so viele beschwerliche Reisen auf sich zu nehmen, ist wirklich ein Beweis von Kraft; aber natürlich auch jener (bewundernswerten) Kraft, die innerste Leidenschaft seines Lebens zu befriedigen, sich mitzuteilen und frei zu wirken und dafür sich in den jeweils dafür geeigneten Milieus aufzuhalten. Für Italien und London kommt umgekehrt hinzu das Bedürfnis, Anregungen zu erhalten, innerlich gefördert zu werden, zu lernen. Übrigens, neben oder vor jenen Antrieben des Reisens steht in den Wanderjahren „die Not, die qualvolle Suche nach den Mäzenen" (S. 42). Erasmus ist auch darin Humanist, daß ihm das Wort als solches, die Mitteilung als solche, die geistreiche Äußerung als solche zu wichtig und zu gewichtig erscheinen. Etwa 1505, also mit 36 Jahren, legt er sich die Frage vor, wie lange er noch zu leben habe. „Ich sinne darüber nach, wie ich mein Leben ganz und gar einer frommen Hingabe an Christus widmen kann." Dann folgt die kaum von echter Demut geprägte Mitteilung über sein „Mittelmaß", die er gleich wieder auffüllt durch die Feststellung, daß er jetzt hinreichend Griechisch könne ... Dann „will er fortan über den Tod nachdenken und an seiner Seelenbildung arbeiten". Hier ist eins so wenig wörtlich und ganz ernst zu nehmen (mit Ausnahme seiner Sprachkenntnisse natürlich) wie das andere. Die Schilderung des Altwerdens bei diesem 36jährigen ist offensichtlich stark übertrieben. Er macht die „ärmliche Komödie" derer, die das Altwerden verbergen wollen mit umgekehrten Vorzeichen kräftig mit. Er dreht die Komödie um, indem er sein Altwerden stärkstens übertreibt und sich in diesem unechten Bild falsch spiegelt.

Wohlbemerkt, ich gedenke es weder dem Erasmus zum Vorwurf zu machen, daß er so oft vor wirklicher oder vermeintlicher Pest ausreißt, noch spüre ich die Versuchung, zu beweisen, Erasmus habe es mit seiner

284

innersten Überzeugung so wenig ernst genommen, daß er beliebig nach rechts oder links ausgebogen sei; auch bin ich der Meinung, daß man das humanistisch Labile und Übersteigerte einiger der zitierten Äußerungen durchaus nicht tragisch zu nehmen braucht. Sie beweisen aber, daß es eine Unmöglichkeit ist, Erasmus von diesem allgemeinen humanistischen Mangel reinzuwaschen. Man darf wohl außerdem sagen, daß sie nicht gerade ein besonders günstiges Vorurteil für Erasmus erwecken. Die Wirkung solcher Unfestigkeit konnte aber um so schlimmer ausfallen, als sein Wort Weltgeltung besaß und er alle anderen überragte, und weil Erasmus, wie wir sehen werden, sein Schwanken mit hineinnimmt in die Stellungnahme zu zentralen Fragen des Christlichen. Dies letztere allein ist allerdings wirklich schwerwiegend.

Übrigens wird ein Übel nicht weniger gefährlich oder weniger wertmindernd dadurch, daß es weit verbreitet ist. Es wäre durchaus angebracht, das Fragwürdige der humanistischen Übersteigerungen in Lob und Tadel, in Freundschaft und Feindschaft, und das Fragwürdige der humanistischen rednerischen Wankelmütigkeit kräftiger in die Analyse hineinzunehmen, als es vielfach geschieht. Dieser, oft so maßlose Hang zum Superlativismus war nicht nur lächerlich, sondern offenbar Substanzschwund. Es ist zu fragen, ob das nicht auch für Erasmus gilt?

Wir werden noch besonders auf die „Moria" zurückzukommen haben. Die Formel, daß es sich in diesem Werk *nur* um eine Farce handelt, ist zu simpel. Erasmus meint es in ihr oft genug ernst (in der für ihn und in diesem Werk geltenden Proportion!), und dies nicht nur in nebensächlichen Dingen. Aber die *Tarnung* ist wichtig. Gautier Vignal (S. 126) macht mit Recht darauf aufmerksam, daß Erasmus in diesem Buche einfach einer Gewohnheit treu bleibt, nämlich der Praxis, seine Gedanken durch fremde Personen oder Gestalten ausdrücken zu lassen (Antibarbari, Colloquia, Moria, Ciceronianus). Dieses Verfahren gibt dem Autor die Möglichkeit, die Verantwortung für die vorgetragenen Thesen nach Belieben und Bedarf abzulehnen. (Es war ein alter Trick, den übrigens damals neben anderen auch Laurentius Valla anwendete. Als ihm Poggio eine sakrilegische These aus einem seiner Dialoge vorwarf, hatte er geantwortet — wie später Erasmus —, „daß man ihn nicht verantwortlich machen dürfe für die Meinungen der in seinen Schriften auftretenden Personen" [Vignal S. 126 Anm.]).

Wie weit also darf man die verschiedenen Arten von literarischen Gesprächen des Erasmus zur Kennzeichnung seines Charakters oder seines theologischen Standpunktes verwenden? Wie weit darf man ihn selbst verantwortlich machen für Ansichten, welche er die Gesprächspartner ausdrücken läßt? Es handelt sich doch oft um gegensätzliche, ja sich widersprechende Äußerungen. Welcher von den Gesprächspartnern vertritt die Ansicht des Erasmus? Am Ende keiner? Am Ende beide?

Zunächst dürfte es nicht abwegig sein, in der Bevorzugung der Gesprächsform durch Erasmus nicht nur eine *literarische* Vorliebe zu sehen, sondern die Andeutung einer inneren Haltung zu vermuten. Offenbar wollen diese literarischen Produkte des Erasmus nicht rein innerhalb der literarischen Gestaltung und Ergötzung bleiben, auch nicht vollkommen autonom ohne Beziehung zu der inneren Teilnahme oder Ablehnung des Autors

285

sich äußern, etwa wie ein moderner Dramatiker im Zeichen des l'art pour l'art die Lösung, mit der er sich keinesfalls identifizieren möchte, einfach aus einem gewählten Stoff sich entwickeln läßt. Das Werk des Erasmus ist als Ganzes und nach vielen Einzelaussagen theologisch und seelsorgerisch oder doch allgemein pädagogisch gemeint. Es will die philosophia Christi wieder aufbauen oder reiner herstellen.

Andererseits muß man bei den Dialogen des Erasmus feststellen, daß die Ansicht des Verfassers nicht etwa durchgängig mit jener Klarheit zum Ausdruck kommen *will*, wie sie sich etwa, bewußt erstrebt und geschickt gelenkt, aus Platons Dialogen erhebt. Bei Erasmus bleibt (nicht immer, aber sehr oft) Unklarheit darüber, wie weit der Verfasser auf der Seite des einen oder des anderen der Gesprächspartner stehe. Man ist darauf angewiesen, den Ton herauszufinden, qui fait la musique.

Daran ändert auch des Erasmus gelegentlicher Versuch, sich zu salvieren, nichts.

Im Gespräch über die Peregrinatio (786 E) läßt Erasmus verkünden: „Besser wäre es, so etwas käme nicht vor ..., aber aus dem, was nicht auf einen Schlag verbessert werden kann, pflege ich das Gute herauszunehmen." — Diesem treffenden Satz entspricht in keiner Weise die nicht nur sich belustigende, sondern sehr oft im Ton und in der Albernheit des Gesagten gehässige Art der allgemeinen Kritik, die gelegentlich durch eine mit zwinkerndem Auge vorgetragene Mahnung, „über die Heiligen spotten sei weder fromm noch ungefährlich" (782 D), nicht gemildert, sondern eher verdeutlicht wird.

Wenn Erasmus sich im Colloquium „Funus" ein Alibi verschaffen will durch den von Phädrus ausgesprochenen Vorbehalt: „Ich selbst habe vielleicht kein richtiges Urteil darüber, welcher von beiden christlicher gestorben ist; du, der du unvoreingenommen bist, magst das besser entscheiden" (817 B), so ist das nach der Beschreibung des ersten Totenbettes ein sehr starkes Stück und nicht mehr ganz ehrlich.

So gehen auch die verschiedenen Rechtfertigungen, die Erasmus brieflich oder im Druck vorzulegen für gut fand, am eigentlichen Vorwurf vorbei. Jedenfalls geht es *uns* keineswegs um den Vorwurf der Ketzerei, wie ihn angeblich der Karmeliter-Prior Nikolaus Egmondanus erhoben habe (in dem großen Brief an Natalis Beda vom 14. 7. 25; Allen 6, 93); auch ist es nicht Gegenstand unserer Behauptung, Erasmus habe den Ablaß an sich verdammt; selbst sein Eingeständnis, es stünde für ihn persönlich nicht fest, daß die Beichte von Christus eingesetzt sei, könnten wir außeracht lassen (ebd.). Und es geht natürlich in gar keiner Weise darum, Erasmus das Recht, nein sogar die Pflicht und das Verdienst abzusprechen, gegen die grotesken kirchlichen Mißstände kräftig vom Leder gezogen zu haben.

Es geht aber darum, festzustellen, ob dies das Ganze sei. Und wenn *Schiel* in der Vorrede zu der großartigen Leistung seiner Übersetzung der gesamten Colloquia die Proportionen soweit vergißt, daß er behauptet: „Erasmus hat nichts anderes betont, als worin ihm schon die alttestamentlichen Propheten vorangegangen sind" (S. XII), so ist hier wohl doch Einspruch vonnöten.

Es geht um die *Grund*färbung, um jenen obenerwähnten „son qui fait la musique". Und den kann man über jeden vernünftigen Zweifel hinaus reichlich genau festlegen.

286

[Es gibt viel substanzvollere Salvierungen als die eben zitierten. Eine steht z. B. im Enchiridion (76, 28 ff.), wo Erasmus „corporales caeremonias Christianorum" als „fere necessaria infantibus in Christo" bewertet, besonders, wenn die „ecclesiastica auctoritas" sie bestätigt hat. Freilich sollen sie nur dauern, bis diese Kinder „grandescant ... in virum perfectum". Die Stelle gehört zu den vielen Äußerungen von Erasmus, welche die Atmosphäre der besten devotio moderna an sich tragen, und die es den Lesern der „Imitatio Christi" möglich machten, den Geist der Religion des Kreuzes und des Sakramentes in Erasmus hineinzutragen oder aus ihm herauszulesen[10]. Wie meint auch Febvre, der doch sicher nicht im Verdacht steht, Erasmus zu scharf zu kritisieren: „man findet in Erasmus wieder und man fand schon zu seinen Lebzeiten in ihm wieder, was man in sich selber trug: der Rechtgläubige seine Rechtgläubigkeit, der Reformierte die Reformation, der Skeptiker seine Ironie[11].]
Selbstverständlich verwirft Erasmus nicht radikal das Klosterleben oder das Priestertum. Aber was läßt er praktisch davon übrig? Es ist geradezu erschütternd, mit welcher Frivolität nur das Huren und Saufen und der Müßiggang und die Dummheit der Mönche und Nonnen und Priester als eine bare Selbstverständlichkeit witzelnd und mit wissendem Augenzwinker unermüdlich vorgetragen werden. Wir kommen darauf noch zurück.
In dieser literarischen Technik spielt ein Partner dem anderen den Ball zu (in welch eleganter Meisterschaft!), und mit Lust wird die geistreiche witzelnde Verhöhnung über alles mögliche ausgegossen, ohne daß der Autor sich nach außen festlegt: einen Beweis für besondere Entschiedenheit der Stellungnahme und noch weniger für besondere Klarheit des Standpunktes, wird man immerhin darin nicht finden wollen.

III. Adogmatismus

1. Ich beabsichtige nicht, eine erschöpfende Darstellung der Religiosität des Erasmus zu geben. Eine solche müßte eine Menge Fragen untersuchen, die in einer kurzen Abhandlung nicht zur Sprache kommen können. In *den* Fragen aber, auf die ich eingehen kann, müßten viel stärker, als es im folgenden geschieht, die positiven Werte aus dem Werk des Humanistenfürsten herausgehoben werden. In dieser Beziehung darf ich mich wohl vor Mißdeutung genügend geschützt glauben durch die Angaben, die ich in meiner Reformation (Bd. 1 S. 129 f.) vorlegte. Darüber hinaus aber müßte auch die *Entwicklung* des Erasmus als hochwichtiger Faktor in die Analyse eingesetzt werden. Gibt es, als Ganzes, eine so vollchristlich klingende Stelle, wie sie im Alterswerk des Ciceronianus steht, in den früheren Werken? Freilich, um ganz klar zu sein: die durch solche und ähnliche Ausführungen belegte Weiterentwicklung ist weit davon entfernt, die folgenden Ausführungen zu entkräften. Aus dem einfachen Grunde — der immer wieder anzuführen sein wird —, weil die christliche Lehre es nicht nur zu tun hat mit der besseren inneren Gerechtigkeit, sondern auch mit Dogma und Sakrament; und weil nicht sichtbar wird, daß Erasmus sich später darum bemüht hätte, die Wirkung seiner Werke aus der früheren sorglosen Zeit zu unterbinden.

Geschichtsschreibung muß auch Geschichtsdeutung sein. Das heißt, sie muß wohl sagen, „wie es eigentlich gewesen". Aber sie muß zugleich messen, und also richten. Eine Geschichtsschreibung ohne übergeordnete Maßstäbe wäre entweder Antiquitätensammlung — das ist ein Luxus für wenige. Oder sie wäre positivistisch und relativistisch — das ist die liberalistische Art des Historismus, die uns in die Gefahr des Nihilismus geführt hat, gegen die wir uns wehren und für die wir ein Heilmittel suchen.
Aber „messen" heißt nicht, nach subjektiver Schuld fragen. Wir fragen nach objektiver Wahrheit oder Unwahrheit, objektiver Kraft oder Unkraft. Wir fragen nicht nach „Schuld", sondern wir suchen die „Ursache". Auch die objektiv mangelhafteste Haltung, also eine die Allgemeinheit objektiv stark schädigende Art des Denkens oder Glaubens können, vom Subjektiven her gesehen, voller „Verdienst" sein.
Daß z. B. Erasmus in seine Gegnerschaft zu den Mönchen hineinwuchs, kann von vielen Seiten her erklärt werden. Der damit verbundene Kampf gegen Geistlosigkeit und für eine Neubelebung der Theologie in der wundervollen Breite und dem blitzenden Reichtum, in dem er von Erasmus geführt wird, gehört sogar sicherlich auch zu den wesentlich aufbauenden Elementen jener Zeit.
Indes ist damit das letzte Wort darüber, ob die Grundhaltungen des Erasmus zuletzt in der Kirche aufbauend, oder ob sie nicht auch stark schädigend gewirkt haben, nicht gesprochen.
Ich werde so stark differenzieren, wie es in meinem Vermögen steht. Aber ich werde urteilen.
In der Geschichte ist es ja *nie* so, daß die Wirkung einer großen Tat oder einer die Zeit sichtbar prägenden gedanklichen oder literarischen Leistung eindeutig nur nach einer Seite sich auswirkte. Alle historischen Elemente von einiger Bedeutung sind multivalent.
Die Elemente, die wir als „Ursachen der Reformation" bezeichnen, machen davon keine Ausnahme. Schon der scholastische Grundsatz, daß die Wirkung sich vollzieht „secundum modum recipientis" genügt, um die Breite der Möglichkeiten anzudeuten. Luther hat seinerzeit viele Katholiken zu seinen Ansichten bekehrt. Den Westfalen Gropper aus Soest aber führt erst Luthers Ernst überhaupt an die Tiefe der christlichen Verkündigung heran, und die dadurch in kritischer Prüfung und in religiöser Bewältigung ausgelöste Arbeit machte ihn erst eigentlich zum katholischen Theologen und zu einem der ersten vollwertigen Gegner Luthers.
Ähnlich ist die Wirkung des Erasmus auf verschiedene Menschen höchst verschieden gewesen. Weder auf Ximenes noch auf Adrian von Utrecht, den späteren Papst, noch auf Hosius, den späteren Kardinal und Gegenreformator, hat er auflösend gewirkt; diese Männer — und gewisse Kreise, die sie vertreten oder die ähnliche Ansichten wie sie mit ähnlichen Mitteln vertraten, — wurzelten tief genug in der katholischen Fülle des Objektiven und besonders des Dogmatischen und des Sakramentalen, um von Erasmus nur die aufhellende, von den Quellen her gegebene neue Befruchtung zu empfangen.
Indes, auch dies ist für alle Geschichtsbeurteilung entscheidend, ob man fragt nach der Wirkung auf einzelne oder wenige, oder auf die meisten

288

und auf Dauer? Und *in* dieser Feststellung ist manchmal die Frage möglich, in welchem Falle wir es mit einer glücklichen Inkonsequenz oder aber mit der *sachgerechten* Auswirkung der betreffenden geschichtlichen Elemente zu tun haben. Ein frommer Passus des Erasmus, der den hl. Ignatius nicht befriedigte, vielmehr chokierte, konnte einen lasziven Humanisten möglicherweise zur christlichen Besinnung bringen[12].

Jedenfalls muß man diese Möglichkeiten der verschiedenen Ausstrahlung eines und desselben Elementes offenlassen und je nachdem mit in Rechnung stellen. Die Forderung der Differenzierung findet in der historischen Analyse schlechthin keine Grenzen.

Es gehört zum Wesen des großen Mannes, des Genies, daß viele Zeiten und Menschen verschiedener geistiger Art von ihnen fruchtbare geistige Anregungen empfangen können. Daran nehmen ja sogar die dogmatisch Geformten und Gebundenen teil. Auch Thomas von Aquin und Ignatius und Pascal haben je und je Geistern starke Impulse gegeben, die sich nicht zum katholischen Glauben bekennen. Aber doch liegt hier eine der wichtigsten Grenzlinien im geistigen Bau der Welt, und also scheiden sich auch hier die unübersehbaren vielfältigen geistigen Lager in zwei Gruppen, je mit der verschiedenen Firmierung: dogmatisch gebunden oder dogmatisch nicht gebunden. Daß Goethe nur adäquat dargestellt werden kann, wenn er seinem Wesen entsprechend nicht dogmatisch umgrenzt gefaßt wird, scheint klar. Umgekehrtes gilt von Ignatius und Luther. Wer sie nur als Phänomene des Willens oder der unverbindlichen gläubigen Haltung oder der praktischen Gestaltung oder gar des nur formalen Fragens nimmt, mag an dieser oder jener Stelle Wichtiges über sie und ihr Werk aussagen, er wird das Wesentliche nicht treffen. Er wird höchstens reiche Peripherie auseinanderfalten.

Wenn man also entscheiden will darüber, nach welchen Kategorien ein Leben dargestellt werden müsse oder gemessen werden dürfe, ist es von höchster Wichtigkeit zu wissen, bzw. darüber zu entscheiden, zu welcher Kategorie eine zu schildernde geistige Gestalt gehört.

Über Richelieu, der als Priester, Bischof, Kardinal offizieller Vertreter des katholischen Glaubens war, konnte Carl Burkhard ein wundervolles Buch schreiben. Da er aber die Frage nicht stellte, wie das unabänderliche Dogma, das Richelieu als verpflichtend für den einzelnen bekannte, von ihm in der Politik (die ganz eng in Angelegenheiten der Religion und der Kirche eingebettet war) zur Geltung gebracht oder geschädigt worden sei, mußte er an Grundlegendem dieser symbolhaften Gestalt einfach vorbeisehen.

Ähnliches gilt für Erasmus. Er war Priester und Theologe und außerdem hineingestellt in die Auseinandersetzung mit der neuen reformatorischen Lehre, die sich in den entscheidenden Erscheinungsformen streng dogmatisch gab. Er muß auch *dogmatisch* gewogen werden.

Die Bestimmung des Verhältnisses von Glauben und Wissen, von Natur und Gnade, von Mensch und Christ ist unter anderem durch folgende Gefahr bedroht: daß eine *formale* Verwandtschaft mit sachlichem Verwandtsein verwechselt werde; daß die natürlichen Ansätze so nahe an die Offenbarung herangerückt werden, daß diese als Verlängerung jener Ansätze auf derselben Ebene erscheinen kann.

289

Wenn in irgendeiner Weise das Christentum, die christliche Offenbarung, menschenwürdig (und nicht als Zauber) verkündet werden sollte, mußte sie alles menschlich Wertvolle bejahen; ja in der Erfüllung des menschlich Wertvollsten mußte sie einen ihrer Kernpunkte finden. Tatsächlich hat das Christentum dies realisiert: bessere innere Gerechtigkeit. Dies aber könnte durchaus, für sich allein genommen, in der menschlichen Sphäre bleiben. Im Christentum steht jedoch diese bessere innere Gerechtigkeit nicht für sich allein, sondern *im* Herrn, im Heiligen Geiste, und dieses Christentum ist darüber hinaus, wie schon gesagt, Dogma und Sakrament im strengen Sinne. Dies Ganze muß als Maßstab vorschweben, wenn ein Theologe und Priester gemessen werden soll.

Es besteht von vornherein wenig Aussicht dafür, daß die Behandlung des angegebenen Themas nach der angedeuteten Methode außerhalb der Kreise der katholisch oder evangelisch dogmatisch Gebundenen auf genügendes Verständnis stoßen werde.
Der Begriff der *einen Wahrheit* ist der modernen Menschheit weithin abhanden gekommen und damit das Verständnis für die entscheidende Funktion, die das Dogma für die Religion und insbesondere im Christentum ausübt: die Funktion der Form, in der sich das Leben überhaupt erst darstellen kann ("Form" genommen als das von innen her die Eigenart und Beständigkeit des Lebendigen Grundlegende und Vollendende).
Die Geisteslage der Moderne, *aufs Ganze* gesehen, also seit dem 15. Jahrhundert, ist trotz den oben angegebenen Erneuerungsansätzen die der subjektivistischen Aufspaltung, des subjektivistischen Standpunktes, der "Auffassung". Auch ist es nicht so, daß der Begriff der einen objektiven Wahrheit nicht nur tatsächlich geringem Verständnis begegnet (dies stellen wir fest weit über die Zeitungen und Reden der Vorgestrigen hinaus bis in Meisterwerke der Historiographie hinein); es ist so, daß auch heute wieder und immer wieder noch z. B. durch Karl *Jaspers* verkündet wird, der dogmatisch Gebundene sei auch notwendig befangen und entbehre also der für wissenschaftliche Auseinandersetzung notwendigen Kommunikationsfähigkeit (vgl.: Über die Wahrheit, München 1947, S. 843 ff.).
Es gehört nicht zum Thema, die hier angerührte Frage einer Lösung zuzuführen. Es kommt nur darauf an, diejenigen, die schon bei der Nennung des Themas geneigt sein werden, abzuwinken, darauf hinzuweisen, wie tief der Grund dieser Abneigung liegt. Wahrscheinlich werden weitaus die meisten (wenn nicht gerade alle) der dogmatisch Nichtgebundenen unter den Verehrern des Erasmus gerade in seiner geringen Vorliebe für das Dogma einen *Vorsprung* vor der Zeit und seinen Vorzug vor den heute dogmatisch Gebundenen zu preisen bereit sein.
So wichtig diese Dinge sind wegen der angestrebten Klärung in der Beurteilung der Vergangenheit und ihrer Fruchtbarmachung für die Gegenwart, *sachlich* und *tatsächlich* ist dies alles für die zu lösende *historisch*-wissenschaftliche Frage nicht von Belang. Sachlich steht unzweifelhaft fest, daß auch die katholische Kirche des 15. und 16. Jahrhunderts vor dem Tridentinum eine Kirche des Dogmas war, des als unwandelbar beanspruchten Dogmas. Und also trifft die Frage, ob dem Erasmus Adogma-

290

tismus zuzuschreiben sei, in das Herz der Frage, wie weit er echt katholisch gewesen sei oder nicht. Wir werden diese Frage nicht adäquat lösen können, so zwar, daß wir zugleich in voller grundsätzlicher Klarheit und Unnachgiebigkeit messen und doch der subjektiven Leistung und ihrer wundervollen Differenzierung in Erasmus gerecht werden, wenn wir nicht einen sehr betonten Unterschied machen zwischen Dogma und Theologie. Es gibt nicht nur den fertigen Widerspruch Dogma—Häresie, es gibt den werdenden Widerspruch und seine zahlreichen Abstufungen im Bereich der theologischen Meinungen. Wenn diese fortschreiten in Richtung auf die Häresie, oder sich von der Fülle der Verbindung mit dem Leben der Kirche mehr und mehr trennen, dann haben wir eine das Leben der Kirche bedrohende Auszehrung vor uns.

Um diese Dinge historisch zu prüfen, spreche ich von „vollkatholisch" oder „nicht vollkatholisch" (siehe unten S. 302 f.)

Diese Begriffe erlauben, die diesseits des Dogmas in der Geschichte der Theologie vorkommenden Zersetzungen festzustellen und den Grad ihrer Schädigung des Kirchlichen zu bestimmen. Das wollen wir auch an Erasmus versuchen.

Die Scholastik hatte eine exakte theologische Terminologie ausgebildet. Die Abwendung von der Scholastik, ja der animose Haß gegen sie, brachte eine viel bewegtere und eindringlichere Sprache, auch in der Theologie; aber sie brachte mit der größeren geistigen Beweglichkeit nicht eine größere gedankliche Klarheit. Das gilt auch für Erasmus. Seine Terminologie ist leider noch nicht monographisch durchuntersucht (oder wäre es schon ein Vergehen gegen den Erasmianischen Geist, ihn daraufhin zu interpellieren?). Jedenfalls, daß seine Ausdrucksweise recht schwankend, „schwebend und schillernd" ist, läßt sich leicht feststellen. Auch wird nicht leicht jemand in die Versuchung kommen, zu leugnen, daß seine Gedankenführung sich auszeichne durch „Glätte und Geschmeidigkeit" (Schumacher S. 4), oder auch durch „gefährliche Vielseitigkeit und Veränderlichkeit", die Mestwerdt bei ihm feststellte (S. 289).

Eine wichtige *Vor*frage wäre zunächst zu lösen — wenn sie nicht so sehr das ganze Problem in sich schlösse, daß sie angesichts des vielschichtigen und unüberbietbar wendigen Erasmus geradezu unlösbar wird: Für wen schreibt Erasmus? Für wen will er, daß seine Ansichten und Anleitungen gelten? Er lehrt ein so einfaches Laienchristentum, daß daran, so scheint es, jeder teilhaben kann und muß. Und er setzt sich ja mit so betonter Vehemenz ab von denen, die meinen, Schrift und Schriftstudium seien nichts für die Ungelehrten. Ja, das sagt er in einigen Variationen (z. B. in der Paraclesis [Holborn 142 f.]).

Aber er sagt leider auch sehr viel anderes. Erkennt er wirklich dem Volkstümlichen, dem Nicht-Spiritualisierten in der Frömmigkeit ein Daseinsrecht zu[13]?

Das Evangelium selbst lehrt uns, daß es sehr rudimentäre Arten gibt, vor Gott zu sein. Das blutflüssige Weib will dem Herrn eine Kraft aus seinem Gewand stehlen; Jesus anerkennt ihren *Glauben* (Mt. 9, 20 ff.; über diesen anerkannten „Aberglauben" s. Newman in der Vorrede zur

291

zweiten Ausgabe der „Einheit der Kirche"; Übersetzung in: „Zeugen des Wortes", Freiburg 1947, S. 57). Aber diese rudimentären Haltungen ruhen einerseits im unverkürzten Dogma und Sakrament. Anderseits ist manches aus der volkstümlichen Frömmigkeit voll in das Beten der Kirche eingegangen, wurde und wird von ihr voll als katholisch anerkannt. Hier stoßen wir zweimal an eine Grenze des Erasmus. Er gehört zu einer kleinen Schar auserlesener Geister, und für sie schreibt er[14]. Ob und wie weit er das Dogma akzeptiert oder reduziert, wird noch festzustellen sein. Daß aber jene rudimentären Haltungen als vollchristlich bewertet werden könnten, ist für ihn ausgeschlossen. Wir werden sehen, daß es nicht nur die *Auswüchse* sind, die er verwirft.

Zunächst ist zu fragen, ob Erasmus an der genauen Feststellung der katholischen Lehre eigentlich *interessiert* war. Er war das so wenig, daß er die genaue Festlegung der Dogmen vielmehr für schädlich hielt.
Das große Thema „Erasmus und das Dogma" kann nicht in einem Aufsatz erledigt werden. Es bedarf einer umfassenden Monographie, an die ich seit Jahren einen Doktoranden setzte ...[15]. Hier muß es bei einigen Andeutungen sein Bewenden haben.
Erasmus schreibt 1526 an Bischof Johann Heigerlin (Fabri v. Wien), man solle in die Schulen Männer setzen: „qui nihil attingerent contentiosorum dogmatum, sed ea dumtaxat traderent, quae sine controversia facerent ad pietatem et ad bonos mores ... qui liberi ab omni studio partium *docerent utilia* pueris" (v. Walter S. 148). Hier wird belegt, wie wenig Erasmus am Dogma interessiert ist und (um auch dieses Thema gleich hier mit ins Auge zu fassen) wie stark er zum Moralismus neigt. Entscheidungsfestigkeit im Sinne des „Ich bin nicht gekommen, den Frieden zu bringen, sondern das Schwert", ist das jedenfalls nicht. In ähnlichem Geist heißt es im Gebet um den Frieden in der Kirche: „Der Herr möge gebieten den tobenden Wassern der Dogmenstreitigkeiten"[16]. Das könnte an sich einen korrekten Sinn haben. Aber hier spricht nicht Sorge um die Reinheit der Lehre, sondern das, was nach allgemeinem Urteil Erasmus von der Reformation schied: die Aversion gegen den tumultus[17]. Wenn dieser Tumult nicht losgebrochen wäre, hätte sich Erasmus nach deutlichen Anzeichen und genügend klaren Äußerungen (siehe z. B. unten seine Äußerung, daß er dann die Moria nicht geschrieben hätte) kaum seit 1524 so zusammengenommen, wie wir es wissen, sondern weiter „verantwortungsfreudig" zerstörend kritisiert.
In seinem Vorschlag an Adrian VI. wie später in seinem Buch De sarcienda ecclesiae concordia widmet Erasmus der Frage der Lehrunterschiede nur wenig Aufmerksamkeit[18]. Die Frage nach der Besserung des Lebens steht voran. Diese Rangordnung war durchaus richtig von der praktisch-kirchlichen Seite her, wenn nämlich die Vorbedingung einer innerkirchlichen Reform geschaffen werden sollte; aber sie war falsch oder doch ungenügend, wenn sie von sich aus den Spalt in der Christenheit beseitigen sollte. Denn das ist offenkundig, daß die Unterschiede — wenn auch nicht nur — durchaus in der Lehre lagen. Und auf den richtigen oder falschen Strukturansatz kommt es immer entscheidend an. Hierauf nicht einzugehen, oder nicht genügend einzugehen, war ein

292

Versagen im Zentralen. Vergessen wir nicht: das weitaus Gefährlichste an der damaligen vielfältig abgestuften kirchlichen Veräußerlichung war ihr Zusammentreffen mit der schlimmsten Zersetzungsart, die es innerhalb des kirchlichen Raumes geben kann: mit der umfassenden theoretischen und praktischen theologischen Unklarheit. Es ist ganz und gar nicht so (wie es bei *Febvre* so oft durchkommt), daß es vom Urchristentum bis zur spätmittelalterlichen Theologie und Frömmigkeit nur geradlinige Entwicklung gegeben hätte. Es hat offenkundig nach dem 13. Jahrhundert Mißbildung und Abstieg gegeben. Anderseits aber kannte man noch den Aquinaten, und das Missale besaß man als vollgültige Darstellung der lex orandi. Das feststellen und den Abstieg an dem früheren Hochstand messen, heißt nicht Erasmus nach tridentinischen Kategorien beurteilen. Gemäß den Wachstumsgesetzen, die das corpus Christi mysticum beherrschen, kann bei seinem Aufbau kein wesentliches Element fehlen, ohne daß das Gesamt des kirchlichen Lebens wesentlich Schaden leidet. Wir müssen also fragen: Welche Rolle spielen in der Erasmianischen Deutung des Christentums die Dreifaltigkeit und die Sakramente und die Tradition?

Es handelt sich nicht darum — wie Erasmus uns sofort einwendet — zu behaupten, daß die Kenntnis und Lösung der subtilen Fragen über das innertrinitarische Leben für das Seelenheil vonnöten sei, oder zu bestreiten, daß manche Theologen des 15./16. Jahrhunderts hier in Gefahr standen, Glauben mit sehr peripherierter Theologie zu verwechseln. Es handelt sich um das Dogma selbst und um die Kraft des Sakraments und die Zahl der Sakramente. Gewiß, Erasmus war nicht so unklug, irgendeine Grundwahrheit des Glaubens rundheraus zu leugnen. Aber sein ganzes Bestreben geht dahin, den Bereich des Dogmas immer noch mehr einzuengen und statt von Dogmen von Theologie zu reden. Wenn man seine Antwort auf die Zensuren der Sorbonne liest, in specie betreffs der Titel, die Maria berechtigterweise zukommen sollen, kann man an der Schlußfolgerung schlecht vorbeikommen, daß er die Dogmatisierungen der alten Konzilien eher als diskutable theologische Thesen bewertet. Sonst könnte er kaum die Argumentation der Sorbonne (die von „mater dei" ausgeht) einfach mit der Bemerkung abtun: „Mutter Gottes" komme in der Bibel nicht vor, sondern nur „Mutter Jesu" (Op. 9, 942)[19].

In einer Zeit wie der heutigen, wo der Umkreis des vom Katholiken zu Glaubenden in einer umfassenden Weise geklärt ist, könnte ein Versuch zur wesentlichen Verinnerlichung vielleicht einseitig durchgeführt werden, ohne daß sich dadurch Gefahren für den *Glaubens*inhalt ergäben. Als Erasmus schrieb, lag diese Möglichkeit nicht vor. Die einseitige Beschränkung auf die Herausstellung der besseren inneren Gerechtigkeit, die Vernachlässigung des Sakramentalen, die Bagatellisierung vieler dogmatischer Einzelheiten und sehr stark der Tradition, die faktische Reduzierung des Christentums auf den von Christus gepredigten ethischen Monotheismus wurden inmitten der ringsum schon verbreiteten dogmatisch-theologischen Erweichung zu einer Bedrohung des Christentums.

Dogmatische Intoleranz besagt Festigkeit der Lehre, aber beileibe nicht Sturheit und verständnislose Enge. Das Verständnis für fremde Haltungen, die von der kirchlichen verschieden sind, wie es Erasmus bekundet, ist als Zeichen geistiger Beweglichkeit und geistiger Weite auch christlich von Wert, und es wäre eng schulmeisterlich, sich daran zu stoßen. Die Wertgrenze ist aber erreicht, wenn solches Verständnis die eigene Festigkeit mindert und die *harte* Mitte, das *harte* Sowohl-als-auch zu einem schwankenden, verschwommenen Sowohl-als-auch macht.

Wie die denkbar größte Geistesweite, das weitgehendste Verständnis für fremde Haltungen zusammengehen können mit tadelloser eigener dogmatischer Festigkeit, das zeigt klassisch Thomas Morus. Es gibt kaum schärfere Gegensätze als Erasmus und More in diesem Bezug. Dieser, soweit ich sehe, nirgends geleugnete Gegensatz ist aber eine sehr starke indirekte Bejahung der These, die bei Erasmus die dogmatische Klarheit vermißt. Thomas More steht fest in eigener Mitte und folgt verständnisvoll (theoretisch wie menschlich mitfühlend) anderen Standpunkten; Erasmus wandert einigermaßen mit den sich wandelnden. Er ist ein ,,Dahingetriebener" (Sargent S. 49). Thomas More formuliert gelegentlich seinen theologischen Standpunkt außerordentlich zurückhaltend: ,,Zehn Jahre lang habe ich die Kirchenlehre studiert und die Konzilien. . ."; aber er habe keine Möglichkeit gefunden, die göttliche Institution der Suprematie des Papstes zu verneinen, ohne sein Gewissen zu gefährden. — Man wird zugeben, daß dies in sich und entsprechend der von More aufgewandten Mühe eine die Existenz anrührende Frage war. Er beugt sich unter den Spruch seiner Erkenntnis und seines Gewissens. Er zieht die radikalsten Folgen daraus, die es geben kann: er wird seinen Kopf dafür hergeben.

Und doch: More versucht nicht, jemand zu sich herüberzuziehen. Nicht einmal seine Tochter!

Ob man wohl hieraus lernen wird, daß die Zuneigung des Heiligen Thomas More zu irgendwem, auch zu seinem geliebten Erasmus, noch keine Zustimmung zu dessen — selbst zentralen — Anschauungen und Haltungen zu bedeuten braucht? —

More war ja überhaupt ausgezeichnet vor vielen durch eine denkbar starke Ablehnung einer jeden nicht absolut notwendigen Einmischung in anderer Leute Angelegenheiten. Seine manchmal befremdende Zurückhaltung in der Frage der kirchlichen Suprematie des Königs und seiner zweiten Ehe, seine so lang dauernde Weigerung vor den Richtern, das entscheidende Wort zu sprechen, sind nur die weithin sichtbare und wichtigste Darstellung dieser geistigen Art, die bei ihm eine *Grundhaltung* ist, all sein Handeln und Denken prägend. More liebte Erasmus seines funkelnden Geistes wegen. Er ist ihm darin zutiefst verwandt. Er rivalisiert in Freundschaft mit ihm. Erasmus bleibt in der Kirche. Er vertritt keine verurteilten Lehrsätze. Also hat More keine Veranlassung, sich von ihm zu distanzieren.

More unterschied genau zwischen dem humanistischen Bildungsstreben an sich und den menschlichen Mängeln dieses Strebens (z. B. in einem Brief an den Hauslehrer seiner Kinder, Gunnell; Sargent S. 84). Er war also disponiert, z. B. bei Erasmus über der geistig-literarischen Kultur allerhand Untugenden zu ,,übersehen". More mochte Mängel an des Erasmus Frömmigkeit und Theologie recht wohl spüren und sich doch nicht davor zurückziehen.

294

Daß More das sakramentale Leben der Kirche und ihre Übungen des Gebets und der Abtötung voll bejahte und mitmachte, in beinahe vollem Gegensatz zu Erasmus, wurde bereits gesagt. Für Erasmus liegt hier der Beweis, daß seiner grundsätzlich korrekt formulierten Unterwerfung unter die Kirche nicht die notwendige lebendige Verbundenheit mit ihr entspricht. Auch hier nimmt Erasmus, wie die spätscholastische Theologie, teil an einer Schwäche der ganzen Zeit; er bleibt in einem gewissen Sinn ein Alleiner (wie in radikalerer Form Martin Luther). Wie er kaum teilnimmt am sakramentalen Leben der katholischen Kirche, so ist für seine Feststellung der wahren Lehre er als Gelehrter die eigentlich letzte Instanz. Die spätere Formel des sentire cum ecclesia hat Erasmus jedenfalls nicht vorweggenommen, weder in der theoretischen Formulierung noch in der praktischen Haltung.

Skepsis und kritische Zurückhaltung sind zweierlei. More war so kühl kritisch, daß man ihn skeptisch nennen könnte. Aber bei ihm ist man nie versucht, von Kälte, Lauheit, dogmatischer Undeutlichkeit oder feiger Distanzierung zu sprechen. Bei Erasmus wohl. Oder haben wenigstens nicht immer wieder ernste Leser diesen Eindruck von ihm gewonnen? Waren sie alle gar so blind? An Mores mutiger Festigkeit kann man sich verdeutlichen, was es um des Erasmus Adogmatismus ist. Katholische Haltung — im Bejahen der Glaubenslehren wie in der „Frömmigkeit" — ist nicht schon dann erfüllt, wenn die Grundhaltungen, Gedanken und Anmutungen theoretisch mit denen der Kirche übereinstimmen, bzw. ihnen nicht direkt widersprechen. Sie kann katholisch nur voll sein, wenn sie praktisch am Gebetsleben, d. h. auch am sakramentalen Leben der Kirche teilnimmt. Theologie ohne religiös-kirchliches Leben ist der Schwindsucht nahe. Die Wahrheitsfindung des Theologen ist als wichtige Lebensäußerung der Kirche an das Ganze und an die Tiefe des kirchlichen Lebens gebunden. Sie kann nicht isoliert vollzogen werden. Sonst muß sie unfruchtbar werden und in der einen oder anderen Weise (direkt oder indirekt) den Irrtum fördern. Thomas More hat jene Vorbedingung erfüllt. Er steht so stark in der Mitte des Lebens der Kirche, daß seine Zurückhaltung gar nicht aus ihr herausfallen konnte: er ging oft zu den Sakramenten, nahm möglichst täglich an der Messe teil. Auch peripherere Äußerungen des kirchlichen Lebens machte er intensiv mit: Wallfahrten hierhin und dorthin zu Heiligtümern der Muttergottes; tägliches Beten der sieben Bußpsalmen; gemeinsames Nachtgebet auf den Knien mit dem Hausgesinde (auch als Lordkanzler). Und nicht zuletzt gehört hierher seine Askese des Fastens, etwa besonders am Freitag, wo er sich den ganzen Tag einschloß, um das Leiden des Herrn zu betrachten. Weder in jenen zentralen noch in diesen periphereren Äußerungen christlichen Lebens findet sich diese kirchliche Patina bei Erasmus.

Oder wir vergleichen das religiös so verschiedene Verhalten beider Männer bei der Berufswahl. Wie weit weg von allem, was wir uns bei Erasmus denken können, war Mores Haltung damals, als er noch nicht wußte, ob er Priester, Mönch oder Laie sein sollte: „... inzwischen verlegte er sich mit ganzer Seele auf die Übungen der Frömmigkeit, während er über das Priestertum in Nachtwachen, Fasten, Gebeten und ähnlichen Abtötungen

295

tief nachsann." So hat Erasmus selbst die Dinge geschildert, aber nirgends taucht die Versuchung auf, bei ihm ähnliches zu suchen.

Weiter läßt sich die angedeutete Schwierigkeit mindern durch einen Blick auf die Wirkungen des Erasmus ins neugläubige Lager hinein. Die echte Verwandtschaft von Melanchthon zu Erasmus und deren hochbedeutsame, die Klarheit und Festigkeit auflösenden Wirkungen sind nicht zu leugnen. Die Verwandtschaft von Zwingli zu Erasmus, wie sie Walter Köhler in seinem zusammenfassenden Zwingli-Buch heraushebt, wiegt in ihrer kirchenschädigenden Fernwirkung noch viel schwerer.

Somit läßt sich die erörterte Schwierigkeit zwar nicht ganz beseitigen — die enge Freundschaft beider Männer bleibt ein Geheimnis —, aber sie läßt sich so schwächen, daß sie eine ernst zu nehmende Einspruchsinstanz gegen unsere Bewertung des Erasmus nicht mehr darstellt.

Man sieht, wie mancherlei Linien bei Erasmus laufen, die gut in das Bild der damaligen gefährlichen theologischen Unklarheit hineinpassen. Auch die oft beklagte Säkularisierung der römischen Kurie zeigte sich ja nicht zuletzt an der dogmatisch-theologischen Uninteressiertheit vieler ihrer Köpfe. Alexander VI., der in einer 1501 gedruckten Flugschrift als „neuer Mohammed" gescholten war und als Antichristus, „denn es kann keiner gedacht werden, der ein ärgerer Feind Gottes, Christi und der Religion wäre" (Pastor 3, 1, 572), ließ sich zwar das Pamphlet vorlesen; allein „er dachte nicht daran, die Freiheit des Redens und Schreibens in Rom einzuschränken". Alexander stand ja auch gegen seinen Sohn Cesare Borgia, als dieser Beleidiger brutal unterdrückte: „Ich habe ihm manchmal gesagt, daß Rom eine freie Stadt ist und hier jeder schreiben und reden dürfe, was er wolle" (vgl. dazu Vignal 126/27). Diese Uninteressiertheit wirkte auch im liturgischen Geschehen: so hörte Erasmus an einem Karfreitag eine Prunkrede in der päpstlichen Kapelle, worin weder von Christus, noch von Passion die Rede war, aber Gelehrsamkeit sich darstellte und der Ruhm der heidnischen Antike verkündet wurde. Die Uninteressiertheit Leos X. am reformatorischen „Mönchsgezänk" in Deutschland, die bis zur „Rettung" der Reformation ging, war kein Einzelfall, sondern entsprach einer weit verbreiteten Haltung[20].

Wenn dies (wie ein großer Teil der spätmittelalterlichen philosophisch-theologischen Entwicklung überhaupt) Erasmus subjektiv entlastet, so ist damit wenig gewonnen. Es geht uns ja, wie gesagt, nicht um subjektive Schuld oder Nichtschuld, sondern um die geschichtsmächtige objektive Lage, um Kraft oder Unkraft. Und wenn Erasmus an der allgemeinen theologischen Unklarheit der Zeit teilnimmt, so ist das nicht eine geringere Bedrohung des Primats des Logos in der Kirche als dogmatische Ungenauigkeit bei andern, sondern eine stärkere; denn sein geistiger Einfluß war größer als der seiner Zeitgenossen, Luther ausgenommen.

Daß Erasmus nicht durch besondere Vorliebe für dogmatische Festlegungen ausgezeichnet ist, dürfte sich aus dem Gesagten ergeben haben. Huizinga (S. 78 zu Moria c. 53 und 65) geht viel weiter: „Er weiß, ... jedes konsequente Durchdenken der Lehrsätze des Glaubens leitet auf das Absurde."

296

Es scheint mir nicht unmöglich, diesen Satz für Erasmus zu beweisen, wobei wir denn weit über das auch von Huizinga angeführte Bekenntnis des Erasmus in der Moria hinauskommen würden (c. 66): „es scheint wirklich, die christliche Religion habe eine Art Verwandtschaft mit einer gewissen Torheit. Denn diese Wahrheit steht ausdrücklich im Neuen Testament." Aber der Beweis ist für meine These nicht nötig. Es genügt zu sehen, daß Erasmus nicht etwa nur den pseudo-dogmatischen Streitigkeiten der Spätscholastik ablehnend gegenübersteht, sondern daß er gerne über *alle* dogmatischen Formulierungen überhaupt zurückschielen und, wie er die Nützlichkeit der altchristlichen Dogmenformulierungen leugnet, so gerne auch deren Verbindlichkeit beseitigen möchte.

Seine ganze Arbeit (Christentum und Antike, christlich durch die Antike) scheint stark auf einer Bejahung der Tradition zu beruhen. Aber, nachdem Erasmus in der Paraclesis betont hat, daß die Apostel von den Feinheiten der Scholastik nichts gekannt hätten, meint er: „Wäre man bei ihrer Einfachheit geblieben, so sähe es christlicher aus in der Christenheit" (Holborn S. 142 ff. passim). Daß die großen Kommentatoren der Vorzeit (Origenes, Basilius, Gregor von Nazianz, Hieronymus, Augustinus) viel Mühe verwandt haben auf die Überwindung der Ketzer, wird zu dem Unwichtigen und Belastenden in ihrem Werk gezählt (Holborn S. 160, 24).

Es hat durchaus sein gutes Recht, wenn Erasmus von der spätmittelalterlich scholastischen Art des Definierens abrückt. Und erst recht ist es geschickter literarischer Topos, wenn die „Torheit" es in ihrer ersten Rede ablehnt, eine Definition von sich selbst zu geben. „Was sollte auch eine Definition? Sie würde doch nur einen Umriß, ein blutleeres Schattenbild zeigen" (Kan p. 5; Hartmann S. 16). Aber diese Linie läuft weiter; zunächst bis zu einem oft und oft bewundernswert klugen, erfahrenen, weisheitsvollen Maßhalten im Urteilen, zur Einsicht in die große Beschränktheit menschlicher Erkenntniskraft. Wir stimmen Erasmus laut zu, wenn er sich den Dummen überlegen fühlt, die glauben, alles zu verstehen und alles beweisen zu können. Aber sein Maßhalten wird zu einer Skepsis, die sich an der Wahrheit selbst desinteressiert: Gewiß „nichts ist dümmer als *übertriebene* Weisheit, nichts unklüger als überspannte Klugheit ... Wer wahrhaft klug sein will, sage sich: Du bist ein Mensch. Begehre nicht mehr zu wissen, als dir beschieden" (Kan 50). Aber dann steht auch schon da: „mach's wie die andern: die drücken lachend ein Auge zu oder lassen sich gutmütig über den Löffel barbieren."

Es ist Einsicht in eine wirkliche Schwierigkeit der theologischen Problematik, wenn Erasmus in der Diatribe (66, 27 ff.) sagt: „Sunt enim ... pleraque, ut adhibita commoda interpretatione vel a libero arbitrio stare, vel contra liberum arbitrium pugnare queant." Aber die ganze Einleitung zur Diatribe, die durchaus ein wesentliches Stück der Stellungnahme ausmacht, ist auf einen skeptischen Ton gestimmt: keinerlei eigentliches Urteil soll in der Frage gefällt werden. Es soll um ein gemeinsames Überlegen, nicht einmal oder kaum um Disputieren gehen (conferenti verius quam disputanti; Diatribe 18, 11; vgl. 66, 25; 77, 2). Das bedeutet aber: es wird hier sogar die Entscheidung *für* die katholische Lehre (vom freien Willen) nicht gebracht als ein festes Bekenntnis zu

297

dieser Lehre, die unter kirchlicher Autorität und Garantie verkündet würde, oder sie wird wenigstens nicht als in ihr unweigerlich beschlossen behauptet. Dieser Gesichtspunkt fehlt. Die Entscheidung für die Freiheit des Willens *und* für die Gnade wird so gegeben: Mihi placet illorum sententia, qui non nihil tribuunt libero arbitrio, sed gratiae plurimum (90, 11 ff.). Das ist sachlich durchaus korrekt. Aber es empfängt seine eigentliche Tönung von der Unbestimmtheit des Standpunktes. Denn Erasmus lehnt aus dieser Haltung heraus nicht etwa nur des Duns Scotus Meinung ab, die der Freiheit des Willens zuviel zuschreibe (90, 9), sondern es wird für Luthers abgelehnte „Paradoxa" noch die Möglichkeit offen gelassen, daß sie der Wahrheit entsprächen: „Ea si vera sunt, ingenue fateor ingenii mei tarditatem ... *Nec hic ago personam iudicis,* ut dixi, *sed disputatoris"* (91, 22 f.). Dies ist nämlich ebensowenig nur Floskel wie seine skeptische Bereitschaft, zu evidentiora bekehrt zu werden; dafür sind die Parallelen zu zahlreich. Und wir sehen, wie er sich gleichzeitig absetzt von Luther *und* den Altgläubigen; so vorsichtig er sich auch auszudrücken weiß[21].

Erasmus hat eben wenig Verständnis für den Wert irgendeiner dogmatischen Formulierung. Sogar, wenn er sich für die Exklusivität des Christentums einsetzt, bleibt es bei seinem Adogmatismus: In dem in mehr als einer Hinsicht bemerkenswerten und in manchem bewundernswerten Überblick des Erasmus in der Ratio seu Methodus (1518) über die Summe des Christentums steht u. a. auch dies (Holborn 254, 3 ff.): non quoslibet esse recipiendos ad nostrae religionis consortium, sed eos dumtaxat, qui sincero simpliciique accedunt animo. Das besagt: die christliche Exklusivität gründet nicht auf dem Dogma und der dogmatischen Intoleranz, sondern auf der inneren besseren Gerechtigkeit, d. h. gerade *dem* christlichen Element, das es in gewisser Form auch in anderen Religionen, auch vor dem Christentum gibt. Die bessere innere Gerechtigkeit ist aber im Christentum nicht das Ganze, selbst wenn sie — was Erasmus weder immer tut, noch auch nur meistens durch sein Leben deckt — umfassend dargestellt wird wie in der Ratio. Sie muß ergänzt sein durch die gleiche Wahrheit des Dogmas und durch das gleiche sakramentale Dasein.

Erasmus verfügt gelegentlich über eine entzückende humorvolle Selbstironie. Es steckt ein Stück tiefer Weisheit in ihr, es ist ein Ausstrahlen des Wissens um das Nichtwissen. Meissinger hebt sie mit Recht lobend heraus. Aber in dieser Selbstironie steckt noch anderes; ein zutiefst Unbeteiligtbleiben. Der Vortrag hat etwas spielerisch Unverbindliches; der Prediger distanziert sich etwas zu sehr oder hält sich zu stark zurück von der vollen, entscheidenden Bindung an seine These; die These wird zu oft nicht zum festen Bekenntnis, d. h. es steckt wiederum in jener humorvollen Selbstironie ein Stück Skepsis. Dies aber nicht nur bei Nebenfragen, sondern dort, wo sie kein Recht mehr haben kann; wo es geht um die Verkündigung der christlichen Wahrheit, um die Unantastbarkeit dieser Wahrheit, um die reine Heiligkeit. Das werden wir ausgiebig erweisen an der Moria und den Colloquia.

Um die *gesamte* Problematik, die das Stichwort „Adogmatismus" bei Erasmus umschließt, wenigstens andeutend zu umschreiben, müßte

298

noch die Frage behandelt werden, die ich für die Apologeten des zweiten Jahrhunderts im Stichwort „monotheistische Auswahl" zusammenfaßte[22]. Es handelt sich um die Gefahr, die so leicht entsteht, wenn das Christentum vorzugsweise als Monotheismus definiert wird, wenn nämlich die Formel „Christentum ist Monotheismus" umgekehrt wird in die andere „Monotheismus ist Christentum". Sofort entsteht die Gefahr des Relativismus in dem Sinn, daß das Wesentliche aller Hochreligionen sich deckt, und also alle Hochreligionen gleichwertig werden. Nicht daran zu denken, daß Erasmus dieser Gefahr erlegen wäre. Aber zu behaupten, daß es bei Erasmus keine Ansätze zu dieser verhängnisvollen Entwicklung gab, wäre m. E. allzu kühn. Auch dieses Thema verdient eine gründliche eigene Untersuchung. Dann würde man sehen, ob und wie weit Erasmus vom eigentlich platonisierten Christentum vieler italienischer und einiger deutschen Humanisten abzusetzen sei.

Bei Erasmus ist nichts grob. Auch sein Adogmatismus ist es nicht. Erasmus ist nicht dogmenlos. Aber in letzten verpflichtenden Dingen kann das Feine, wenn es zum Unverbindlichen neigt, gefährlicher sein oder werden als grobe Negation. Denn der größere Feind der christlichen Wahrheit ist das Laue.

Die eigentliche Problematik, um die es hier geht, hängt zusammen mit der Definition, die man dem Begriff „Wahrheit" gibt. Wir sprachen oben schon von der Einsicht des Erasmus in des Menschen beschränkte Erkenntniskraft. Und *Büchner* hat vollkommen recht, wenn er von des Erasmus „Ehrfurcht vor der Größe der Wahrheit" und sogar ihrer Vieldeutigkeit spricht (S. 14).

Aber, wie so oft, hängt alles an der näheren Umgrenzung dieser Worte und dem Gebrauch, der von ihnen gemacht wird. Um zunächst einmal ganz grob zu zeigen, was hiermit gesagt sein soll, nenne ich neben Erasmus nur Thomas von Aquin. Man wird Büchners Satz ohne weiteres für Thomas verwenden können, und doch wissen alle sofort, daß der Sinn des Satzes bei beiden von ganz zu ganz verschieden ist. Es geht letztlich um das Ineinander und Miteinander von Fülle, Kompliziertheit, Vieldeutigkeit *und* Einfachheit in unantastbarer Festigkeit.

Wenn wir dereinst aus dem Stückwerk dieses Lebens und seinem Erkennen im Spiegel auftauchen in das Licht Gottes, wird sich eine unvorstellbare Einfachheit dem menschlichen Geist auftun. Die Einfachheit der wesenhaften Wahrheit. Aber eine Einfachheit schlechthin unausschöpfbarer Tiefe. Jedoch hienieden herrscht das Stückwerk, auch im Erkennen. Wie wir schon sagten, die Rechnung geht nur auf ohne bitteren Restbestand, wenn man das Problem schülerhaft versimpelt. Die Wahrheit (alle Wahrheit in der Philosophie wie in der Geschichte) ist, vom Menschen her gesehen, nicht einfach. Und alle die gutgemeinten Ratschläge oder Drohungen, die das Abgründige in einen dürren conceptus zusammendrängen wollen, betrügen sich und uns, nämlich um die Fruchtbarkeit der Wahrheit.

Wir werden immer auf ein Festes, auf einen Punkt verwiesen, ja; aber es ist der Punkt der Mitte, der schmale Grat, der den Blick in zwei Abgründe, nach rechts wie nach links, freiläßt. Darin erweist sich die

299

Fruchtbarkeit jeder gedanklichen Bewältigung, daß man jene Möglichkeiten des Abgrundes sieht und sie mit in Rechnung stellt — und doch nicht in sie abstürzt. Wahrheit ohne Fülle ist karg und langweilig. Was der Mensch ewig sucht und braucht, ist Fülle der Wahrheit. Wobei denn Wahrheit vor allem das Element des Bestimmten, des So-und-nicht-anders, des Exklusiven an sich trägt. Fülle steht dazu nicht im Widerspruch, wohl aber im Gegensatz. Aber dieser Gegensatz trägt in sich die Tendenz und Versuchung, zum Widerspruch auszuwachsen.

Wie bewältigt Erasmus diese Problematik? — Er spricht sehr viel vom echten Wissen. Wie weit reicht es? Für den jungen Erasmus antwortet Mestwerdt (S. 262): er kommt „über die Wahrscheinlichkeit, d. h. den Zweifel, niemals hinaus". „Und wenn das Übernatürliche Christi Besonderheit ist, so zieme uns, die wir innerhalb des Gesetzes der Natur leben, sagt Erasmus, mißtrauisch zu sein gegen das, was über die Natur hinaus geht" (ebd. S. 309). Hier ist wiederum die gesunde Kritik weit überboten. Und v. Walter (S. 159) behält recht: „Was bleibt noch als ein zweifelhaftes Mischgebilde?" Erasmus paßt gut in das Jahrhundert der theologischen Unklarheit. Nicht durch dogmatische Fehldeutung, sondern durch Mangel an Bestimmtheit.

Ein Zurückdrängen des Dogmatischen kann ebensogut mit Fideismus zusammengehen wie mit Rationalismus. Man hat Erasmus im allgemeinen mehr oder weniger stark auf die Seite des Rationalismus gestellt. Daß das falsch ist, sobald man darin eingeschlossen sieht die Verneinung der Erlösung durch den Gottmenschen Jesus Christus und seiner in allem unentbehrlichen Gnade und seiner Kirche, ist klar, und wir werden noch davon reden.

Aber sich damit zufrieden geben, hieße das Problem allzu vordergründig betrachten. An seiner Wurzel angepackt, führt es zur Frage nach der Hochschätzung der Offenbarung als erkennbarer Wahrheit; und sie führt zweitens zur Besinnung auf die Fortwirkung von scheinbar ungefährlichen Ansätzen zu revolutionären Folgerungen.

Zu 1. Es wurde schon erwähnt, wie stark heute in der Welt die Wertschätzung der Wahrheit als einer erkennbaren, umschreibbaren, für alle verbindlichen *einen* Größe, gesunken sei. Eine lange Kette von Entwicklungsvorgängen[23] hat dahin geführt, daß viele, daß beinahe die meisten der Frage nach der Wahrheit im angegebenen Sinne mehr oder weniger interesselos gegenüberstehen; daß die Überzeugung, *daß* es eine Wahrheit, *eine* Wahrheit gebe, geben müsse, nur *eine* geben könne, weithin aus dem Bewußtsein geschwunden ist.

Die ebenso einfache wie entscheidende Frage ist diese: kann eine solche Auffassung mit dem Christentum in Einklang gebracht werden? Wenn die Antwort eindeutig verneinend lautet, haben wir die wichtigste Grundlage zur Diskussion gefunden: im Christentum besitzt immer der Logos den Primat; das Christentum ist eine erkennbare und umschreibbare Wahrheit. D. h. das Dogma ist ihm unentbehrliches Lebenselement.

Diese Feststellung hat — um es noch mal zu sagen — nichts zu tun mit tridentinischen und nachtridentinischen Kategorien. Sie hat ihren vollen Untergrund im Neuen Testament und im Selbstbewußtsein auch der Ur-

300

kirche. Die klassische Zusammenfassung steht bei Paulus, der selbst einen Engel vom Himmel, der anders lehren wolle, als er es getan hat, in die Hölle schicken will. In dieser formalen Auffassung ist Luther mit der Kirche einig geblieben. Erasmus nach dieser Erkenntnis messen, heißt also zwar von der theologischen Unklarheit seiner Zeit (die offenkundig eine Zersetzungserscheinung war) abrücken, nicht aber den Erasmus mit unzulässigen Kategorien messen.

In seiner Skizzierung der Entwicklung des Humanismus, die Meissinger (S. 32 f.; reichlich unbestimmt) gibt, läßt er immerhin das inhaltsschwere Bekenntnis stehen: „wir befinden uns hier an einem der Ursprünge des neuzeitlichen Rationalismus". Er scheint auch Erasmus in diese Linie einrücken zu wollen mit seinen Ausführungen (S. 33 f.) über dessen Grundsatz: „Frömmigkeit beruht auf dem Glauben. Die Wissenschaft hingegen forscht mit Vernunftschlüssen und bedient sich der Kritik." Das ist, an der Hoch- und Spätscholastik gemessen, weder eine neue noch geniale Entscheidung, wie Meissinger meint. Aber, wenn man schon den Satz so kantisch versteht, wie Meissinger es ausdrücklich tut (S. 33 f.), dann liegt hier entweder das Schielen nach einer doppelten Wahrheit vor, oder es wären zum mindesten Philosophie und Theologie hoffnungslos auseinandergerissen. Das aber wäre zweifelsohne im Sinne der bis dahin vorliegenden christlichen Tradition unkatholisch, die verschiedenen Arten des Ockhamismus in verschiedenem Grade ausgenommen. Und es wäre Widerspruch zur humanistischen Grundtendenz, die doch gerade — soweit sie nicht akut heidnisch ist, bzw. der Paduaner Akademie angehört —, die jedenfalls bei Erasmus (s. Meissinger S. 364, 18 ff.) die bonae litterae der Antike für das Christentum einsetzen will. Aber die Stelle in der ursprünglichen Fassung der Antibarbari (bei Meissinger S. 364) besagt nicht dasselbe, sondern das Gegenteil; es wird dort die Verbindung der litterae mit der „religio" verlangt.

Wenn aber derselbe Satz so gemeint ist, wie ihn Meissinger (S. 363) auslegt, dazu bestimmt, das Neutralitätsverlangen des Erasmus im gefährlich werdenden Lutherstreit zu begründen, so belegt er wiederum das geistige Schwanken des Erasmus (übrigens auch seine charakterliche Unfestigkeit) und stellt uns wiederum vor die Frage: ob es gegenüber dem Christentum eine Möglichkeit des Lauen gebe, oder ob dies nicht vielmehr das Gegenteil und der Feind alles Christlichen sei?

Zu 2. Andererseits hat Meissinger versucht, den Nachweis zu erbringen, daß es falsch sei, in Erasmus einen Vorläufer der Aufklärung zu sehen (S. 350). Hier kommt nun sehr viel darauf an, was man Vorläufer nennt. Es gehört mit zum stärksten Ausdruck menschlicher Begrenztheit, daß ihm die Verfügungsmöglichkeit über einmal gesetzte Taten und ausgesprochene Gedanken weithin genommen ist. Die führen dann ein selbständiges Leben. Und es mag vorkommen, daß am Ende der — konsequent vor sich gehenden — Entwicklung das Gegenteil dessen steht, was der Urheber jener Gedanken wollte. In ganz großem Stil ist dafür die Entwicklung des Werkes Luthers Beleg. Es wurde schon gesagt: man kann nichts und niemanden erschöpfend beschreiben, wenn man nur den jetzt und hier vorliegenden Inhalt angibt. Die innere Tendenz muß wesentlich mit in die Bestandsaufnahme hineingenommen werden. Der-

301

selbe Befund kann ein wesentlich verschiedenes Gesicht gewinnen, je nach seiner Entwicklungstendenz. Derselbe religiöse Bestand kann eine sehr viel andere Bedeutung haben, wenn er sich findet bei einem bisher Ungläubigen, der zum Glauben hinstrebt, oder bei einem noch Gläubigen, der auf dem Wege ist, seinen Glauben zu verlieren. Sicherlich, Erasmus ist kein Rationalist. Das Christentum wird durchaus als Christus verstanden, die Offenbarung und die Gnade bleiben unentbehrliche Grundlage des einzigartig Neuen, welches das Christentum darstellt. In der Diatribe z. B. wird dutzende Male ganz korrekt ausgesprochen, daß alle Kraft und alle Gaben des Menschen von Gott kommen, daß der Mensch sich vor der Überheblichkeit hüten muß, sich selbst zu vertrauen, daß alles „quod homo potest intellectu naturali et voluntatis libertate, totum debet ei, a quo vires eas accepit" (75, 27 f.)[24]. Es gibt Stellen über das menschliche Verdienst, die so klingen, wie ein tiefer Beter und heiligmäßiger Mensch sie schreiben könnte, d. h. übereinstimmend mit der Auffassung jener „qui semel mortui mundo per baptismum simul sepulti sunt cum Christo, ut mortificati carne posthac vivant et agantur spiritu Jesu, in cuius corpus insiti sunt per fidem" (Diatribe 78, 9—12). Sogar in den Colloquia stoßen wir einmal auf eine mustergültige Darstellung des christlichen Sündenbewußtseins und der Rechtfertigung durch Christus allein (816 B). — Auch, daß Erasmus sich von der Kirche nicht nur nicht trennt, sondern sich ausdrücklich in allem ihrem Urteil zu unterwerfen behauptet[25], all das paßt nicht zu einem „Rationalisten".
Freilich ist man gezwungen, Fragezeichen anzubringen. Würde z. B. (was seine Stellung zur Beichte angeht) eine *echte* Unterordnung nicht etwas enger aus der Kirche gedacht und etwas mehr Gebrauch vom Sakrament gemacht haben? Hätte sie sich so oft praktisch zum Schriftprinzip bekannt[26]? Hätte Erasmus, worauf Köhler hinwies, jede nähere Bestimmung der leiblichen Präsenz des Herrn im Altarssakrament so undeutlich gelassen? Oder würde er das fromme Sterben ohne Beistand eines Geistlichen so eindringlich geschildert und so scharf gegen das kraß widerliche Treiben des werkgerechten Sterbenden im Umkreis der unmöglichen Mönche abgesetzt haben? (816 A).

Es bleibt eben die für die Analyse wichtige Frage, ob jene angezogenen theologischen Einwände früher Formulierungen des Erasmus (über die Rechtfertigung; über die Anerkennung der Lehrentscheidung der Kirche) durch eine existentiell religiös christliche Haltung gedeckt seien? (Und gerade dies bleibt angesichts anderer Äußerungen und angesichts seines gesamten Lebens fragwürdig. Wir werden gleich noch darauf zu sprechen kommen.) Und es bleibt die weitere in diesem Zusammenhang wichtige Frage, ob korrekte Formulierungen nicht in vielen Fällen durch andersgeartete Äußerungen in den Hintergrund gedrängt, ja zugedeckt wurden? Welchen Aspekt sehen wir z. B., wenn wir fragen: Wie bildet der Pädagoge und Theologe praktisch in seinen Moraltraktaten den Menschen? in seinen Briefen? in den Colloquia? durch sein Beispiel? — Wir kommen in Abschnitt IV und V darauf zurück.

Der Versuch, die Theologie des Erasmus an den großen Leistungen des Mittelalters zu messen, bzw. an dem genuinen Gehalt des kirchlichen

302

Lebens in der Liturgie, der Dogmatik und dem sakramentalen Beten, kann *an und für sich* nur dann unberechtigt genannt werden, wenn man a priori den Primat des Logos preisgibt. Daß aber Erasmus nicht mehr das Ganze des katholischen Besitzes, sondern nur noch Teile des zerstörten Ganzen in Händen hielt, gibt sogar Meissinger zu (S. 85). Nun just hier ist der springende Punkt. Wie bei Luther. Wenn auch in ganz anderer Lösung. Dann aber kann es kein Unrecht sein, diesen einge-standenermaßen auswählenden Theologen nach dem zu verhören, was ihm fehlt, sofern man *alle* Parteien verhört. Wenn Meissinger vollends hier Erasmus formell mit (dem auch auswählenden) Luther gleichsetzt, so ist das nicht nur eine ungewollte Zustimmung zur These, daß Erasmus nicht mehr vollkatholisch sei, sondern ihre Steigerung.

Erasmus blieb in der Kirche[27]. Nach dieser Seite war sein Gefühl für die Tradition und die Weisheit der Jahrhunderte stark genug, um ihn den Bruch ablehnen zu lassen. Freilich hat die Ablehnung eher ein negatives Fundament: mehr als die Einsicht in die Tradition war es die Furcht vor jedem Gewaltsamen, vor tumultuarischer Unordnung, das Erasmus zu-rückhielt. Erst, als diese Gefahr durch Luthers Reformation sichtbar wurde, da legte er seiner sonst so frivolen und auch hemmungslosen und allzu verantwortungsfreudigen Kritik Zurückhaltung auf. Aber wegen jener schwankenden, skeptisch adogmatischen und moralistischen Art wurde dann auch seine Absage an Luther in De libero arbitrio, wie wir sahen, nicht zu einem vollkatholischen Bekenntnis.
Man wird nach unseren bisherigen Feststellungen ganz allgemein sagen müssen, daß nicht die feste Lehre, sondern eher das Unbestimmte, das In-der-Schwebe-Lassen, das für Erasmus Bestimmende ist. Es ist Meissinger auch keineswegs gelungen, das Schwanken des Erasmus in seinem Verhältnis zu *Luther* und dessen Sache zu beseitigen. Es ist zu offenkundig. Für des Erasmus Buch über den freien Willen wurde die These oben belegt.[27a]
Des Erasmus Verhältnis zur sakramentalen Wirklichkeit bedarf noch einer eigenen erschöpfenden Behandlung, die natürlich nicht hier im Vorüber-gehen erledigt werden kann. Daß aber das Sakramentale nicht annähernd jenen Platz in seinem System einnimmt, den es immer in der katholischen Kirche und bei allen großen Vertretern des Katholischen einnahm, das steht leider auch ohne monographische Untersuchung nur allzu fest. Seine Bücher enthalten ungefähr ebensowenig von ihm (ganz abgesehen einmal von der Reduzierung der Zahl der Sakramente und ihrer Bewer-tung an sich!) wie sich wenig davon in seinem Leben (an Zelebrieren und „Anhören" der Messe, Empfang der Sakramente) darstellt. Daß das Spät-mittelalter insgesamt in dieser Sparte stark versagte, ist eine subjektive, nicht eine objektive Entlastung des Erasmus. Dies um so mehr, als ihm gerade aus der devotio moderna der Fraterherren eine stärkere Förderung des Sakramentalen als Mitgift angeboten war.
Es handelt sich ja auch nicht darum, von Erasmus etwa eine *häufige* Kom-munion zu verlangen. Mit dieser Version macht es sich Lucien Febvre (346 ff.) zu leicht. Es handelt sich darum, wieviel überhaupt vom Sakra-

303

mentalen und speziell der Eucharistie im Glaubensbekenntnis des Erasmus und in seinem religiösen Leben übrigblieb.

Schon für einen damaligen Christen zu wenig, für einen Priester sicherlich viel zu wenig. Vielleicht darf ich an dieser Stelle noch einmal daran erinnern, daß es auch damals das Missale mit seiner — wie tiefen! — Sakramentstheologie gab. Und vielleicht darf man darauf hinweisen, daß Erasmus Thomas von Aquin sogar den Besten der neoterici nannte. Wir brauchen den Erasmus in keiner Weise anachronistisch zu deuten (der ständige Vorwurf von Febvre), um zu sagen, er habe in Thomas Tieferes und Substanzvolleres finden können als die Deutung des eucharistischen Brotes als Zeichen der Freundschaft (Allen 1 ep. 187; Pineau 115 ff.). Das Wort kann gerade im Umkreis der Eucharistie seinen vollen sakramentalen Klang haben, seit wir es bei Joh. 15, 14 f. lesen. Aber es muß *sakramental* aufgefüllt werden. Eben dies vollzog der spanische Erasmianismus, der das Enchiridion zu dem meistgelesenen Buch machte, aber nicht ohne die Imitatio Christi mit dem vierten Buch mit hineinzunehmen. Und dies eben unterließ Erasmus. Sein sakramentales Bekenntnis ist, wie seine ganze Frömmigkeit, stark spiritualistisch.

Den Erasmus deswegen verdammen? Wieso denn? Solange irgendeine Stellung mit allem Ernst und mit Einsatz der Persönlichkeit verwirklicht wird, hat kein *Mensch* das Recht dazu. Wieder trennen wir Schuld von Ursache.

Ob aber Erasmus jenem Ernst immer treu blieb, davon werden wir in Absatz IV zu sprechen haben[28].

Noch einmal: Wenn man Erasmus nicht unrecht tun will, muß man immer wieder betonen: Erasmus trifft ein Zentrum der Lehre Christi, wenn er ein Leben lang sich abmüht, der Forderung Jesu in den Synoptikern gerecht zu werden: den Mechanismus aus dem Christentum zu vertreiben und alles auf der besseren innern Gerechtigkeit, durch das Beten im Geist und in der Wahrheit aufzubauen.

Aber auch noch einmal dies: abgesehen davon, daß die Anbetung im Geist auch in einem stoisch-moralischen Sinn gemeint sein kann, statt von einem Beten im Heiligen Geist, diese Forderung Jesu ist nicht das Ganze. Das Sakrament bleibt unentbehrlich. Sobald jene erste Forderung ohne diese Ergänzung vorgetragen wird, haben wir eine Hairesis. Und dann wird jene zentrale Wahrheit zu einer Fehldeutung des Christentums und zu einem Angriff gegen das Christentum. Dies ist die schmale Basis, die das Ganze des Christentums zu sein scheint (der ethische Monotheismus und die Verinnerlichung) und die doch, wenn sie isoliert wird (etwa: jeder Monotheismus ist Christentum), das Christentum ins Herz trifft. Vielleicht versteht Meissinger jetzt, was ich meine, wenn ich davon sprach, daß man dem Erasmus auf einer sehr schmalen Linie folgen müsse (Die Reformation 1, 135).

Um unser Thema ganz auszuschöpfen, müßte man vielleicht die Frage stellen: wie weit dehnt Erasmus in seinen geheimsten Ansichten seine Forderung der allegorischen Spiritualisierung auf das *Neue* Testament aus, und insbesondere auf die Person des Herrn und seinen uns erlösenden Tod? Gibt es für Erasmus wirklich noch die Religion und Theologie des Kreuzes? Wir lesen alarmierende Texte bei ihm, wo die Allegorese

304

gefährlich weit geht: wenn z. B. gesagt wird, Christus sei nur das, was er gelehrt hat: Christum ... nihil aliud quam caritatem, simplicitatem, patientiam, puritatem, breviter quicquid ille docuit ... (Febvre 349 nach Pineau 115f.). Daß man jene Frage überhaupt *stellen* kann, bedeutet, denk ich, nach allen beigebrachten Belegen sicher eine weitere Bestätigung der These vom Adogmatismus des Erasmus. Mag sein, daß keine einzige Aussage angeführt werden kann, die eindeutig *un*dogmatisch wäre. Aber wenn wieder Febvre ausdrücklich zustimmt (S. 350), daß keine einzige der von Erasmus in diesen heiklen Fragen gebrauchten Formeln sich finde, die nicht zwei ganz verschiedene Deutungen zulasse: dann haben wir darin jetzt, nach dem Gesagten, nicht nur eine labile „Terminologie" vor uns, sondern wir sehen eine — im Sinne des Dogmas — unbestimmt schwankende Unterlage.

IV. Moralismus

Des Erasmus adogmatische Unbestimmtheit vollendet sich — oder stellt sich positiv dar — in seinem „Moralismus".

Es war sachlich begründet, wenn wir im vorigen Kapitel dieses Thema bereits mehrmals streiften. Es bedarf nur weniger Ergänzungen. Der Begriff „Moralismus" ist vieldeutig. In welchem Sinn findet sich die Sache bei Erasmus?

Moralismus deckt sich nicht mit dogmatischem Pelagianismus. Letzterer ist immer Moralismus, aber nicht aller Moralismus ist Pelagianismus. Es fehlt uns noch eine monographische Untersuchung über den Moralismus sowohl des Humanismus im allgemeinen wie des Erasmus im besonderen. Für Erasmus möchte ich folgende Grundzüge andeuten: 1. Als Zentrum der Rechtfertigung sind Christus, der göttliche Erlöser, und die Gnade Gottes betont und festgehalten. — 2. Dieses Festhalten ist mehr eine theoretisch-theologische Formulierung als eine religiös verwirklichte Größe des Glaubens. — 3. In beidem steht entscheidend die Auffassung, daß das Christentum sich erschöpfend in einem *sittlich* reinen Leben darstellt; dem entspricht die Auffassung von Christus als Pädagogen und Beispiel (nicht so sehr und nur selten als eines seinsmäßig in seine Gläubigen überströmenden Lebens). Die einzelnen Punkte sind zu belegen.

Zu 1.: Zwar wird die Freiheit des Willens bekannt, aber keineswegs unkatholisch übersteigert[29]. Mit Ausnahme der Lehre vom freien Willen soll „nihil perire eorum, quae Lutherus pie quidem et christiane disseruit de summa caritate in deum, de abicienda fiducia meritorum, operum et virium nostrarum, de tota fiducia transferenda in deum ... (Diatribe 91, 15f.). Der Mensch kann sich im Heilsprozeß Verdienste erwerben: die Schrift weiß von Heiligen, die ambulasse rectos coram deo und non declinasse ad dexteram nec ad sinistram. Von ihnen gilt: quomodo toties auditur praemium, ubi prorsus nullum est meritum (Diatribe 78, 29)? Aber selbst von dem so unvollkommenen guten Werk, das er zustande bringt, kann der Mensch nihil sibi arrogare; erit aliquod meritum, sed cuius summa debeatur deo (90, 19; 75, 27f.). Die große Verderbnis der echten Frömmigkeit heißt Werkheiligkeit: quanta sit pestis verae pietatis, hominem suis viribus ac meritis fidere (77, 15); 82, 20f.: Ziel ist:

sic statui liberum arbitrium, ut tamen vitaretur illa fiducia meritorum nostrorum.

Die Gnade bleibt durchaus das tragende Zentrum des Heilsgeschehens: praevenit dei misericordia voluntatem nostram, comitatur eandem in conando, dat felicem eventum. Et tamen interim volumus, currimus, assequimur, sic tamen, ut hoc ipsum, quod nostrum est, ascribamus deo, cuius sumus toti (49, 10ff.; Röm. 9, 16). — Ut ad cor redeat peccator, sola Christi gratia praestat. Verum ille libere dat eam, quibus vult et quando vult (De praeparatione ad mortem). — Im Hyperaspistes: er schwanke zwischen der Gnadenlehre des Skotus und des Thomas, halte aber letztere für die wahrscheinlichere. — Aber auch schon im Enchiridion im ersten Kapitel steht: Pro te pugnabit (sc. Christus) ... Victoriam omnem illi feras acceptam oportet (28, 18ff.). Die Darstellung des Heilsprozesses in dem späten De amabili ecclesiae concordia (aus d. J. 1533) ruht ganz auf der Gnade. Die Heilswirkung geschieht gratis durch Christus, (si igne accedamus Op. 5, 481 C). Die nova creatura besteht darin: Homo novus in se viventem habet Christum (5, 481 D). „Gott tut dies alles nicht um der opera iustitiae willen, die der Mensch leisten kann, denn vor Gott ist der Mensch nichts außer durch Gnade.‟ (Selbstverständlich gehören aber die opera caritatis dazu: Concedamus fide iustificari, h. e. purificari corda credentium, modo fateamur ad consequendam salutem necessaria caritatis opera. Op. 5, 500). — Dazu etwa aus dem Katechismus (Symbolum): Fides est donum divinitus infusum menti hominis (Op. 5, 1135 D). [Mit jener Ablehnung der menschlichen Selbstherrlichkeit im Heilsprozeß hat Erasmus sich als katholischer erwiesen als die kurzsichtigen katholischen Ockhamisten wie etwa Biel oder Pierre d'Ailly[30], oder Gregor von Rimini[31].]

An derselben Stelle zeigt sich freilich mit dieser dogmatischen Korrektheit wieder etwas von dem monierten Adogmatismus (man achte auf die zurückhaltenden Formulierungen!): „Illud autem omnibus penitus infixum esse oportet, nec *tutum* esse, nec ad fovendam concordiam *utile*, temere desciscere ab iis, quae maiorum auctoritate tradita sunt ... De libero arbitrio spinosa est verius quam frugifera *disputatio*. Et si quid de hoc quaerendum est, in theologicis diatribis sobrie discutiatur. Interim inter nos illud convenire satis est, hominem ex suis viribus nihil posse, et si quid ulla in re potest, totum eius deberi gratiae, cuius munere sumus quidquid sumus ...‟ (Op. 5, 500 C).

Den Beweis zu 2. (s. oben S. 305) wird der folgende Abschnitt V über die Religiosität des Erasmus bringen. Hier nur als Hinweis: es gibt eine kurze Zusammenfassung der Erasmianischen Frömmigkeit, den letzten Beitrag in den Colloquia, den Epikuräus. Es wäre ungerecht, eine solche Wiedergabe eine adäquate Wiedergabe der immensen Verkündigungsarbeit des Erasmus zu nennen. Aber doch klingen die Hauptmotive deutlich an, wie sie, aus stoischer Antike und einem Teil der Devotio moderna befruchtet und gemischt, im Enchiridion militis christiani und in den Colloquien kennzeichnend immer wieder auftreten.

Eine kurze Analyse des Epikuräus ergibt: 1. Die frivolen Äußerungen fehlen beinahe ganz. — 2. Es gibt Stellen, die deutlichst das Leben in

306

Gott und aus Christus in echter Frömmigkeit kennzeichnen (siehe etwa 886 F, 887 H, 884 B. C). — 3. Weitaus stärker aber ist der Nachdruck, der auf der Betonung des inneren Gleichgewichts liegt. Es ist eine ausgesprochen moralistische Religiosität; es ist meist das, was beinahe auch dem gutgesinnten Heiden möglich ist. Ein trefflicher Traktat, wenn er Vorstufe zu einer Nachfolge Christi in Sakrament und Leben aus der Kirche wäre.

Daß der Gedanke an ein Dogma, an eine inhaltliche Festlegung des diese Frömmigkeit tragenden Glaubens gar nicht auftaucht, wäre *hier* nicht so wichtig. Aber es trifft genau mit dem ganzen Erasmus zusammen (s. außerdem 882 C!). Und man müßte hinzufügen, daß allerdings einzelne Stellen etwas dünn und pastoral gemacht klingen; so, wenn Erasmus das Mahl des einfachen Bauern preisen läßt als ein Mahl voller Lust, weil Gebet vorhergeht, fromme Tischlektüre es begleitet usw. Das paßt etwas schlecht zum Tonfall des Erasmus, der im allgemeinen nicht nur viel freier, sondern lockerer ist. — Sodann erhält eben hier Christus die immerhin aufschlußreiche Bezeichnung: der anbetungswürdige Fürst der christlichen Lebensweisheit (888 C); das fromme Leben wird aufgefaßt als ein Zehrpfennig fürs Alter mit Aussicht auf einen guten Tod (889 A). Auch die Ausführungen am Schluß über Gottes Barmherzigkeit, die größer ist als alle Sandkörner der Sünde, und die doch durch ein einziges Stoßgebet mobilisiert werden kann, „sofern es nur mit aller Kraft der Seele hinausgeschrien werde", sind moralistisch gehalten und ungenügend von Glaube und Beten und Buße getragen.

Die Belege zu 3. (s. oben S. 305) kennen wir schon: Ich verweise auf den eben vorgelegten letzten Absatz über den Epikuräus. Außerdem: wir stellten öfters fest, daß in der Theologie des Erasmus (wie in seinem Leben) das Sakramentale eine geringe Rolle spielt. Man dürfte natürlich nicht sagen, daß dieser Mangel die oben belegte Rechtfertigungslehre zum Moralismus mache. Wenn wir aber in dem gleich unten folgenden Abschnitt V noch stärker erkennen werden, daß jene Äußerung über die Rechtfertigung in der Tat nur wenig aussagt über die Kraft des Glaubens, dann rückt allerdings auch jene Rechtfertigungslehre schon bedenklich in die Nähe des Moralismus. — Wir trafen auch (Anmerkung 2, S. 322) auf den sokratischen Irrtum als Bestandteil der Wesensdeutung des Christentums, wie Erasmus es versteht: Bildung macht gut (litterarum bonarum studii perseverantia beatos facit: Op. 1, 818 A; vgl. Büchner S. 67). Wir fanden eine Reihe Aussprüche, die den Nachdruck nicht auf den Glauben, sondern auf das Gutsein legen (siehe oben S. 292). Beides, zusammengenommen mit der einseitigen Bewertung der besseren inneren Gerechtigkeit, zeigt, in welch bedeutendem Ausmaß das Christentum von Erasmus moralistisch gefaßt, man muß sagen erweicht wird[31a].

Es bleibt wiederum übrig die Frage „Erasmus und die Kirche". — Der Versuch, die oben (S. 295 f. u. 303) aufgezeigten Linien zu einem Bild zu ergänzen, macht immer wieder diese Feststellung: es besteht eine gewisse Trennung zwischen dem Christentum des Erasmus und seiner Verbundenheit mit der Kirche. Wenn Erasmus der Kirche die Treue halten will,

307

wenn er ihr sein Urteil unterwerfen will, so ist dies ein Akt des tatsächlichen Gehorsams. Er ist aber beinahe gar nicht Ausdruck dafür, daß Erasmus *aus der Kirche lebte.*

Und dies ist offenbar sehr wichtig. Auch deswegen, weil in der Praxis (und auch in einem schwer genau anzugebenden Grad grundsätzlich) diese Unterwerfung weit davon entfernt ist, vollständig zu sein. Als wichtigste Einschränkung wurde schon angedeutet, daß es für Erasmus letztlich der gelehrte Theologe ist, der feststellt, was Inhalt der Offenbarung ist.

Um das Bild genau zu zeichnen, müßte man eingehend die Entwicklung des Erasmus und die Schwankungen in seinen Äußerungen über dieses Thema untersuchen. Insbesondere müßte man Klarheit bringen in die Frage, ob die stärkere Betonung des Katholischen beim älteren Erasmus echter Ausdruck einer innern Läuterung war; und ob Erasmus in seiner Alterstheologie wirklich vom Kirchenbegriff ausgeht (so Stupperich 7; Op. 6 Ep. ad lectorem; Allen 4, 442; Op. 5, 478, 489), oder ob und wie weit auch hier Tarnung mit hereinwirkt. Hätte eine echte innere Wandlung des Theologen nicht auch den Menschen Erasmus ergreifen und ihn praktisch tiefer in das Leben mit der Kirche hineinführen müssen? Allmählich — nach 10—15 Jahren des reformatorischen Kampfes — konnte es dem hellsichtigen Erasmus klar geworden sein, um was gespielt wurde, und was außer den bonae litterae zur Rettung nötig war.

V. Frömmigkeit

Die vorgetragene Kritik wie die festgestellte Katholizität des Erasmus werden in beträchtlichem Maße ihr Recht zu erweisen haben oder ihre Grenze finden an der Antwort, die man auf die Frage gibt: in welchem Grad war die Frömmigkeit des Erasmus *echt?* Mit aller Macht steht diese höchst unbequeme Frage auf angesichts der bis jetzt aufgezeigten Kräfteschichtung im Werk des großen Mannes.

Wenn man auch nur kurz den Blick der riesigen theologisch-patrologischen Arbeit — mit der Leistung am Neuen Testament als großartigem Mittelstück — zuwendet, kann die Masse seiner frommen Äußerungen schon von da aus ein ungewöhnliches Gewicht gewinnen. Sollte eine nähere Analyse das bestätigen und über die korrekte Formulierung hinaus sie als Träger echter Glaubenskraft erweisen, würde das über den Adogmatismus und den Moralismus des Erasmus Gesagte an Gewicht verlieren. Die Analyse ergäbe ein anderes Resultat.

Umgekehrt: sollten sich die frommen Aussagen oder doch recht viele von ihnen als ungenügend ernst erweisen, würde das den angekündigten neuen Beweis ergeben für unsere These von des Erasmus Adogmatismus, bzw. letzten Endes dafür, daß er in der Umschreibung des Wesens des Christentums versagte, daß er also wirklich — bei der Mächtigkeit seines Wortes — eine Lebensgefahr für die Kirche bedeutete.

Auch hier kommt man mit einer kräftig konturierten Zeichnung nicht aus. Auch hier gilt es, vielerlei Nuancierungen einzutragen. Vor allem: die späteren religiös-pastoralen Werke des Erasmus und sein theologisches Werk als Ganzes konnten nicht geleistet werden von einem Mann, der nicht auch bemerkenswert religiöse Kräfte einzusetzen hatte. Die

308

immer wieder zu erwähnende lebenslange Arbeit an der Verinnerlichung des Christentums wird zwar auch geprägt von den Bedürfnissen eines feingeistigen, moralistisch-philosophischen Geistes; eine eigentlich im Tiefsten umformende Begegnung mit der Gestalt des Herrn kann man nicht feststellen. Aber doch ist das Bekenntnis zu diesem Herrn und zu seinen Idealen so stark, wird um die Offenbarung des Neuen Testaments und ihre Sicherung derart gerungen, daß man die Religiosität des Erasmus auch ernst nehmen muß. Den Schluß der Widmung des Enchiridion z. B. mit seiner echten Frömmigkeit oder das Kernstück des späten Ciceronianus kann nicht ein areligiöser Mensch geschrieben haben, und auch nicht ein Christ und Theologe, dem die erbauliche Äußerung *nur* Routine gewesen wäre.

Oder ein anderes Beispiel: Im Colloquium „Funus" (was *Schiel*, dem Inhalt entsprechend, trefflich mit „Zweierlei Totenbett" wiedergibt) steht im zweiten Teil eine mustergültige Darstellung einer zentral christlichen Haltung: daß kein Lebender definitiv gerechtfertigt ist; daß alle Zuversicht des Heiles nur auf Christus ruht[32] und seinem hochheiligen Blut; daß dem Christen, auch ohne daß er Ablaß *kauft*, die Gebete und Verdienste der ganzen Kirche zugute kommen, „wenn ich nur ein lebendiges Glied an ihr bin". Durch die vorangegangene Anprangerung der Unruhe und Veräußerlichung, des krassen Werkdienstes an dem von den Bettelmönchen umschwärmten ersten Totenbett, erhalten die Worte in dieser so ganz anders getönten Szene besondere Eindringlichkeit. (Vielleicht, daß man eine unnötige Spitze gegen den Ablaß gern vermissen möchte, oder gegen die Seelenmessen, obschon die Reaktion gegen die groteske Multiplizierung der Seelenämter aus der ersten Szene sachlich berechtigt ist: „Haltet ihr mich einer einzigen Seelenmesse für würdig, so ist das mehr als genug. Gibt es aber etwas, das als Unterlassung eines allgemeinen kirchlichen Brauchs bei den Schwachen Ärgernis erregen könnte, so stelle ich das euerm Gutdünken anheim.") Der Tonfall ist in manchen Sätzen so, daß man sie ohne Staunen aus dem Munde eines pietistischen Predigers hören würde . (Jedenfalls könnten an solchen Stellen evangelische Leser sich mit dem *religiösen* Erasmus versöhnen.)

Aber dies ist nur die *eine* Seite der literarischen Frömmigkeit des unerschöpflich fruchtbaren Erasmus. Und nach allem, was wir über sein „skeptisches Lächeln" wissen, ist Vorsicht im Urteil geboten.

Als Ziel des Enchiridion wird aufgestellt: „den nächsten Weg zu *Christus* zu zeigen. Ich bitte aber Jesus, der diesen Vorsatz in dir erweckt hat, nach seiner Güte das angefangene Werk ... zu vollenden."

Das Ziel wird aber auch folgendermaßen formuliert: „das Gotteshaus, das einige mit der Unwissenheit und Barbarei geschändet haben, durch solche fremden Schätze (nämlich der ‚edleren Literatur der Alten') nach Kräften zu schmücken, damit auch edle Geister eine Liebe zu den heiligen Schriften fassen möchten." Hier klingt der sokratische Irrtum, wie auch sonst oft genug[32], verdächtig deutlich durch; verdächtig für den Ernst, zu dem die Einzigartigkeit des Christentums immer verpflichtet. Hier ist das Evangelium nicht in seinem eigenen Wert gesehen und nicht aus eigener Mitte erfaßt. Erasmus behauptet, Platons Lehre von der „Verachtung des Leiblichen, und der Liebe zum Geistigen" sei die Lehre

309

Christi (Meissinger S. 87). Ist Platons Liebe zum Geist dasselbe wie Christi Liebe zum Vater des Lichtes? An die bekannten übersteigerten Verehrungsausdrücke für Cicero und Sokrates, deren Schriften inspiriert seien, die ihn drängten zum Gebet: Heiliger Sokrates, bitte für mich, braucht nur eben erinnert zu werden; sie sollten aber nicht zu schnell verharmlost werden. Das alles tendiert nach einer moralistischen Umdeutung und also Unterbewertung des Christlichen. Erasmus ist nicht antik-heidnischer Moralist; er ist Christ. Aber er bietet in Übersteigerung des Gedankens vom Logos spermatikos und in Vernachlässigung des seinsmäßig Christlichen einen christlichen Moralismus.

Was bietet Erasmus als Lehre über das Gebet an? Meissinger gesteht (S. 77), daß Erasmus gelegentlich „nicht viel mehr zu geben weiß, als den negativen Rat, man solle sich gemäß Christi Vorschrift vor pharisäischem Wortschwall hüten."
Wortschwall! ein gefährliches Wort bei einem Humanisten (s.oben S.248 f.) Auch bei Erasmus! Ganz sicher darf man bei ihm nicht von einem geistlos bombastischen Schwall reden. Aber für die reine Kraft christlicher Frömmigkeit wäre es letzten Endes gleichgültig, ob sie getötet oder geschwächt oder gefälscht würde durch Worte gröberer oder feinerer Art. Die Frage ändert sich bei Erasmus nur in diese: echte Frömmigkeit *oder* (zu einem beträchtlichen Teil) Literatur? (s. gleich unten).
Das Enchiridion bietet eine Fülle feiner und feinster Beobachtungen, geistreiche Gedanken, kluge Ratschläge, sachlich genaue psychologische Analysen als Anleitung zu einem christlichen Leben. Das alles und noch mehr im Umkreis der Verinnerlichung ist in Masse vorhanden, und ist nach manchen Maßstäben hervorragend zu nennen. Aber immer wieder kommt dem Leser die Frage: ist das wesenhaft christlich? Immer wieder wird Christus angeführt (nicht etwa nur das Christentum). Und doch ist zweifelnd zu fragen, ob Erasmus dem Herrn wirklich begegnet sei? Fühlt er nicht in sich auch der Lehre des Herrn gegenüber („adorandus ille christianae philosophiae princeps", Op. 888 C) eine Art Kongenialität, wenn man den Ausdruck wagen darf, wenigstens in einer Art praktischen Verhaltens? Daß Christus so viel öfters als Lehrer und Beispiel denn als Seinsfundament der Gläubigen (wie oben S. 309) hingestellt wird, ergänzt jene Fülle nicht ohne weiteres zum Vollchristlichen, sicher aber zum Moralistischen.
Wie oft, wenn man das Enchiridion liest, hat man den Eindruck: so sehr viel Worte! so viel Rhetorik! so wenig Kraft des Geistes (wie Paulus das Wort versteht)! Erasmus erwähnt „odio *capitali* summaque vi cum vitiis belligeremur" (Holborn S. 24; zum ganzen vgl. ebd. S. 22 f.); *Kriegs*dienst müssen wir leisten ein Leben lang und ein aeternum luctamen (24, 20. 22). Klingt das bei Erasmus nicht äußerlich-pastoral (wenn nicht gar ganz literarisch), nicht religiös fordernd? Schon weil es zu wenig genau zur praktischen Haltung des Erasmus paßt? Kann man seine sensible Zurückhaltung vor grobem Laster wirklich einen ewigen, das ganze Leben dauernden Streit nennen? Der Kanon 22 des Enchiridion (120, 20 ff.), gegen die Unbußfertigkeit: es scheint unmöglich, daß ein wirklich Bußgesinnter so — korrekt obenhin schreibt. Ist das wirklich der Geist der

310

metanoia, der Geist des Kreuzes, von dem doch die Rede ist? Man spürt bei Erasmus die Freude an der schöngeformten Aussage über Christliches. Die Formulierungen sind richtig. Aber Religion des Kreuzes? Die Anweisungen kommen mühelos und in Fülle. Aber brennt es in ihnen? Oder ist es korrekte Wiedergabe der Haltung des Erasmus (der doch Priester war!), wenn er (124, 10f.) anmerkt, der Priester müsse *totum divinis rebus consecratum esse*, er, der kaum von den Sakramenten Gebrauch macht? — Im Abschnitt gegen die voluptas sind am ausgedehntesten (und scheinen am echtesten) die Warnungen vor der voluptas der Greise. Aber wie sind diese Warnungen motiviert? Der Kern: ein geiler Greis ist lächerlich und unmöglich, eben weil er alt ist: *ipsa iam te voluptas repellit: Neque ego, inquiens, jam tibi decora (!) sum neque tu mihi idoneus (!)* (125, 5ff.). Das ist ganz erasmianisch; das könnte allenfalls klug pädagogisch sein; religiös ist es nicht.

Meissinger will das Enchiridion (das aber an anderer Stelle auch als allgemeines Reformprogramm erkannt wird, S. 92) in seiner Zielsetzung möglichst konkret aufgefaßt wissen, als wirklich und im Ernst geschrieben für jenen unbekannten Krieger, das „gutmütige Rauhbein" (S. 68). Aber soll dann dieser arme Tropf wirklich allen Ernstes die griechischen und lateinischen Klassiker studieren und (nicht nur, sondern sogar!) „quasi in transcursu", und außerdem die Kommentare von Origenes, Ambrosius, Hieronymus und Augustinus lesen? Wo ist hier die geistreiche Geste? Das ist irgendwie unecht und stärkt das Vertrauen in die frommen Worte keineswegs.

Religiös ist aber der in dem angehängten „Epilogus remediorum contra incentivum libidinis" anempfohlene „respectus ... mortis Christi"[33].

Nach allem, was auch Meissinger über des Erasmus Interessen und Ziele bis 1504 eindringlich vorträgt, nach dem, was er S. 68ff. über die Entstehung des Enchiridion sagt, ist diese Schrift sehr stark und bewußt vor allem ein Stück Literatur, in der Themastellung, in der Einrahmung, im „kunstgerechten" Proömium, in der Ausführung[34]. Und dies eben so stark, daß es den Inhalt, d. h. die religiöse Unterweisung und ihren innersten Ernst, überschattet. Die Verbindung von bewußter und hoher formvollendeter Literatur mit echtem Christentum ist eine sehr schwere Sache. Sie ist aber möglich. Sie wurde beispielhaft verwirklicht im französischen 17. Jahrhundert durch den humanisme dévot. Aber bei de Sales, Fénelon und den humanistischen Mystikern ist es *Heiligkeit*, die die Literatur gebiert und so die glanzvolle Form mit dem Ernst des Kreuzes füllt. Oder wenigstens ist es die große kirchliche Wirklichkeit, die dem barocken Schwung der Rede innere, christliche Substanz verleiht wie bei Bossuet[35]. Bei Erasmus würde es schwerfallen, auch nur Ansätze zur Heiligkeit oder kirchlich religiöse Kraft im großen nachzuweisen. Die so ernsten Wahrheiten kommen nicht mit religiösem Entscheidungsernst: „Da ist die höllisch glatte Schlange, die von Uranfang unseren Frieden vergiftet. Bald steckt sie grün im grünen Grase verborgen, bald lauert sie in ihrer Höhle hundertfach geringelt, nie aber hört sie auf, der Ferse des einmal verführten Weibes nachzustellen. Unter dem Bilde des Weibes sollst du des Menschen fleischlichen Teil verstehen[36]." —

311

Ist es wirklich so, daß hier die „überlieferte Frömmigkeit durch den Glanz der Sprache sogar eine neue Frische erhält?" Oder wird sie aus einer religiösen Verkündigung zu einer literarisch sehr hochstehenden Kunst? Erasmus spricht von dem größten aller Übel, von dem „schrecklichen Tod der Seele, von ihrem furchtbaren Verfall"; aber während man bei Luther unmittelbar spürt, dieser Mensch weiß, was es um die Sünde ist, erfährt man den Erasmus als einen gedankenreichen moralistischen Prediger, dem sein phantastisches Gedächtnis alle — einfach alle — Äußerungen der Schrift zur Verfügung hält, und der sie in erstaunlich treffender psychologischer Einfühlung anwendet. Selbst der entscheidende Punkt, der schon hier anklingt: „Du mußt wollen!", vermittelt nicht die Überzeugung, daß hier jemand mit der Sehnsucht des Evangeliums sich ausstreckt nach dem ewigen Siegeskranz, über den er redet. Meissinger hat ganz recht: es spricht hier „edler und geistvoller Ernst". Wenn es nicht mehr ist, dann hat Ignatius richtig empfunden, als ihn fror bei der Lektüre gewisser Partien des Enchiridions über das Gebet.

Auch die *Moria* liefert ihren sehr gewichtigen Beitrag zu diesem Thema. Sie ist ohne Zweifel eine besonders glänzende Leistung, ob man die Umstände ihrer Entstehung, die Kürze der für die Ausarbeitung benötigten Zeit, die Fülle des Inhalts, die entzückend reiche und köstlich bewegte Form oder die Wirkung durch die Jahrhunderte betrachtet. Von allen Werken des Erasmus ist die Moria allein heute noch lebendig (einen Teil der Briefe und einzelne Colloquien vielleicht ausgenommen). Die Frage aber, wie weit die Moria zur Kennzeichnung des Erasmus herangezogen werden dürfe, begegnet besonderen Schwierigkeiten. In der Moria ist es dem Verfasser nämlich noch viel glänzender als sonst gelungen, sich unverbindlich zu äußern oder, besser gesagt, sich für verfängliche Äußerungen ein literarisches Alibi zu verschaffen. Ist es doch die Torheit, die spricht! Und die bewußt die Dinge zu einem tollen Wirbel durcheinandermengt. Also ein literarischer Scherz.
Nur — und das ist entscheidend —, daß sie umgekehrt, wie schon gesagt (oben S. 285), auf weite Strecken *nicht* Scherz, sondern ernst gemeint ist. Daß sie sich auch in den hier in Betracht kommenden Partien als Scherz gibt und als solchen tarnt, beweist nichts. Erasmus selbst läßt gelegentlich deutlich genug durchblicken, daß er es ernst meint, und daß die scherzende „Lobrede" zu einer echt tadelnden Satire wird (Kan S. 154). Wenn die Moria verkündet, es gäbe nur ganz wenige Christen, nur ein paar Dutzend Menschlein seien echt fromm (S. 183), so ist das aufrichtig gemeint. Leider macht die Moria wenig Anstrengungen, diese kleine Zahl zu vermehren. Die von der Moria verdeckt vorgetragene wirkliche Meinung des Erasmus führt vielmehr nach einer anderen Seite: *sein Spott* ist echt und zerstörend und läßt auch das Religiöse nicht unangetastet. Erasmus selbst fühlt schon in der Vorrede von 1511 das Bedürfnis, sich gegen das Bedenken zu wehren, die Moria sei in verschiedener Richtung nicht auferbauend, sondern „für einen Theologen unschicklich", „zu boshaft", „gegen die christliche Milde", es klinge in ihr ein „Ton der alten Komödie", sie sei ein „neuer Lukian". (Die späteren Entschuldigungen, er hätte die Moria nicht geschrieben, wenn er den Sturm der Reformation

312

geahnt hätte, sind also auf alle Fälle aufschlußreich; sie bekennen genau das, was ich hier behaupte: das Zerstörerische in der Moria).

Die Moria quillt geradezu über von immer neuen, dem Leben in seinen verschiedensten Äußerungen und unterschiedlichsten Schichten abgelauschten Beobachtungen. Bewundernswert. Es ist verständlich, daß ein Loblied der Moria auf die Torheiten der Welt nicht die feinsten und tiefsten Bezirke des Lebens besonders vordringlich behandelt. Doch hätte man immerhin erwarten können, daß bei einem Theologen die Beobachtungen in ihrer erdrückenden Mehrzahl nicht gerade von der Art seien, daß sie das Christlich-Religiöse so gut wie ausschließen. Das jedoch, was Erasmus über das Gelagefeiern (Kan 30 f.), über Liebschaften und was damit zusammenhängt, über die Zeugung und das Geschlechtsorgan (S. 14), über Tryphe „nitida cute, probeque saginato corpore" (S. 12) sagt (und wie reichlich werden all diese Themen in den Colloquien aufgefüllt!), all das verrät eine innere Geistesart, die z. B. mit Gebetsgeist schlecht zusammen genannt werden könnte. Das heißt nicht, daß Erasmus nicht beten konnte; aber es will sagen, große Teile der Moria, also einer höchst belangvollen Äußerung des Erasmus sind Widerspruch zum Gebetsgeist. Daß ein echter „Geistlicher" dies schrieb, ist schwer verständlich zu machen. Manches daran ist literarisches Erbgut, belastet es den Erasmus etwas weniger. Aber daß schließlich der Name Christi selbst in die Satire hineingezogen wird, ist eine jener profanen Anrührungen des Heiligen, die im damaligen Grobianismus und im ausgesprochen frivolen Humanismus leider reich vertreten waren. —

Darüber hinaus ist die Moria voll frivoler Kritik, die wiederum von echter religiöser Sorge weit absteht. Wenn die Moria ein Scherz ist, so in den hier in Betracht kommenden Dingen ein streckenweise sehr frivoler Scherz. Über gewisse Dinge darf man nie frivol scherzen. Wenn Meissinger sagt, in der Moria lache „der wahrhaft große Humorist" über alles, statt an allem zu verzweifeln, so ist da die Grenze angedeutet, die Erasmus zu Unrecht überschritt: niemand darf über *alles* lachen, und niemand darf *immer* im Doppelsinn reden (S. 134 f.). Die Gabe, „die beiden Seiten jeden Dinges zugleich zu sehen", ist nicht unheimlich, sondern das höchste Ideal des Erkenntnisstrebens. Aber die beiden Seiten vertragen eben nicht die willkürlich geistreiche Einseitigkeit des Erasmus.

So etwa spricht Erasmus durch die Moria „. . . von dem, was sie Beichte nennen"; das Wirken der Mönche und Prediger reduziert sich in ihrem Munde auf ein „paar nichtige Zeremonien und lächerliche Possen und Spektakel, dem wir die reinste Tyrannenmacht verdanken". Allgemein ist ihre Frömmigkeit geheuchelt. Das Zusammenleben von Mann und Frau vollzieht sich entweder „in der Form der öden Ehe" oder, was viel schöner, „in Liebe gesellt" (Kan 10). „Wo wäre . . . der Mann, der noch Lust hätte, seinen Kopf in das Halfterband der Ehe zu stecken, wenn er, wie die Weisen tun, vorher die Schattenseiten dieses Standes bedacht hätte? . . . Und hat ein Weib einmal all das erlebt, wollte es nochmals dasselbe erleben, wenn nicht meine Lethe ihm gnädig dazu hülfe, es zu vergessen?" „Der alte Sünder Silen geniert sich nicht, sogar den Kordax vorzutanzen", „die Nymphen schwingen die nackten Füßchen . . ." „Es kämen wenig Ehen zustande, wenn sich der Bräutigam vorsichtig er-

313

kundigte, welche Spiele das waren, mit denen sein scheinbar so holdes und züchtiges Mägdlein schon lange vor der Hochzeit sich vergnügte, und wie wenige erst hielten zusammen, wenn nicht das meiste (!), was die Frau tut und treibt, dem Manne Geheimnis bliebe, weil er vertrauensselig, oder weil er dumm ist ... Man verhöhnt gar den Betrogenen, heißt ihn Kuckuck oder Hahnrei oder sonstwie, während er der Untreuen die Tränen wegküßt; aber wie viel ersprießlicher ist, sich so zu täuschen, als in eifersüchtiger Wachsamkeit sich selbst aufzureiben und zu lamentieren."

Huizinga (S. 73) gibt die allgemeine Auffassung wieder, die Moria sei ein Wiederaufleben Lukians, und Vignal (S. 126) ist der Ansicht, daß Erasmus beinahe einer Verzauberung gegenüber Lukian erlegen sei, den er sofort übersetzte, den Satiriker, der weder Philosoph noch Priester noch Volkskulte schonte, aber sehr saftig sich auszudrücken liebte. Diesen Geist finden wir wieder in der eigentümlichen Sucht des Erasmus immer wieder leicht anzügliche Randbemerkungen anzubringen, die das Gebiet des 6. Gebotes streifen. Die Moria ist erstaunlich reich daran.

Nochmals, ich übersehe nicht, was Schalk und Witz in manchen dieser Verzeichnungen ist. Aber dieser Witz geht nicht selten dazu über, zu beschmutzen, und damit irgendwie zu zerstören. Und deshalb ist es einseitig, eine Zeit als begnadet zu bezeichnen, die „all das in Heiterkeit behandeln" konnte (Huizinga S. 79). Viel zutreffender und — enthüllender ist die andere Bemerkung desselben Huizinga: „Es war ein beispielloses Kunststück, sogar in diesen letzten Kapiteln (der Moria) ... nicht in offene Profanation zu verfallen. Es war nur möglich durch eine wahre Seiltänzerei auf dem Seil der Sophistik" (ebd.). Die Ausführungen gegen Schluß der Moria über die Torheit des Christentums enthalten zwar auch einen tiefen Aspekt, aber sie rühren an mancher Stelle nahe an das Blasphemische: Man lese die Schilderung des von christlicher Liebe einmal ganz gepackten Menschen, der als „verrückt" bezeichnet wird (Kan 180), mit dem Abschluß: „Wer wird sich da noch wundern, daß die Apostel voll süßen Weines schienen ... (ist doch jeder Fromme ‚verrückt'!"; S. 180 bis 189 passim). Sehr zu unterscheiden davon sind die echten Töne (natürlich mit launigen Zwischenbemerkungen durchsetzt!), die Erasmus mit Leichtigkeit findet, wenn er von jenem „Außersichsein" des Frommen spricht, der einen Augenblick hienieden die ewige Seligkeit kostet (S. 188).

Auch die *Colloquia* bestätigen die bisherige Analyse der Frömmigkeit des großen Humanisten in einem Ausmaß, das wir im Interesse des Christen Erasmus weniger überfließend wünschten. Anderseits bin ich mehr als erstaunt über die Leichtigkeit, mit der katholische und evangelische Bearbeiter und Übersetzer des Erasmus an der hier sich häufenden Frivolität vorbeisehen und nur staunend und mitgenießend vor der unerschöpflichen Fülle des Geistreichen, des Ironisierens, der treffendsten Charakterisierung, der, man möchte es wirklich sagen, schlechthin unüberbietbaren literarischen Kunst dieses für die Hand von Lernenden bestimmten Buches stehen.

Erasmus hatte als Vertreter der philosophia Christi, als feingeistiger Kenner und Vermittler der römischen und griechischen Literatur vielerlei

314

Anlaß, gegen Ungeist, grobe Dinglichkeit und Veräußerlichung jeder Art in der Kirche seiner Zeit seine Stimme zu erheben. Er tat es gründlich. Kein innerlich Freier wird ihm gram sein wegen der geistreichen Schärfe, mit der er seine Arbeit leistete.

Aber doch hängt auch der Wert dieser Sparte der kirchengeschichtlichen Arbeit an der Frage nach ihrem religiösen Ernst oder Unernst. Echte kirchliche Kritik muß aufbauen, darf nicht niederreißen. Sie mag sich sogar in selbstbewußter Entrüstung (oder überlegenem Spott) äußern, sie muß doch irgendwie aus Trauer geboren sein, aus Trauer um die fahrlässig oder mutwillig geschändete Schönheit oder vergeudete Kraft, aus Trauer darüber, daß bei dem vorliegenden Reichtum der Offenbarung statt der Fülle nur magere Speise gereicht wird. Echte kirchliche Kritik kann nicht in den Verdacht kommen, sich an dem getadelten Verfall zu freuen. Und echte kirchliche Kritik muß konsequent sein. In all diesen Punkten bietet Erasmus eine Fülle von Versagern. Er spielt recht oft mit den getadelten Erscheinungen, wo er sie pikant findet, oder wo er sie allzu stark benutzt, um seine Tadelsucht etwa an den übertrieben gebrandmarkten Mönchen maliziös auszusprechen. Seine Kritik ist oft maßlos übertrieben. Gewisse Praktiken der damaligen Heiligenverehrung mit den grotesken Reliquien konnten gar nicht nachdrücklich genug als Mißstand angeprangert werden. Dies aber dann sachlich! Bei Erasmus ist die Kritik oft viel zu beißend. Insgesamt: allzuoft vermißt man auch beim Kritiker Erasmus den aufbauenden, den echt religiös fordernden Ernst. (Vgl. noch Meissinger S. 92, 102 f., 105.)

Ein streng differenzierendes Denken und die Übung einer immer wiederholten Selbstkontrolle sind für die Zuverlässigkeit der wissenschaftlichen Aussage unentbehrlich. Verfahren wir also wieder einmal nach der Regel, daß man sich selbst die These möglichst schwer machen soll. Erasmus hat sein Leben lang für Freiheit des Geistes gekämpft. Aus Evangelium und Paulus wissen wir, daß dies ein christliches Uranliegen ist. Man braucht auch nur die großen Leistungen der Kirchengeschichte zu betrachten, um zu sehen: sie kommen von Individuen oder Kreisen, in denen Geistesfreiheit daheim war. Ganz einfach, weil es geistiges Leben in irgendeiner Fülle ohne Freiheit des Geistes nicht geben kann (nebenbei, es ist heilsam, die heutige Profillosigkeit und Unfruchtbarkeit von mancherlei garantiertem Minimismus als Gegenbeispiel zu überdenken!). Freiheit des Geistes ist auch der Kirche unentbehrlich. Und also war der Kampf des Erasmus für die Freiheit ein guter Kampf.

Fragt sich: Verteidigte Erasmus wirksam? — Wir wissen heute besser als irgendeine Generation vor uns, daß Freiheit eine Sache ist auf Leben oder Tod. Und daß die Freiheit durch vielerlei Vorbehalte geschützt werden muß, wenn sie nicht eine Quelle des Verhängnisses werden soll statt der Befruchtung. Und also können wir uns mit jener ersten Feststellung nicht beruhigen. Wir sagten es schon (siehe oben S. 277): man kann ein Genie nicht messen und richten wie einen Durchschnittsmenschen, man muß sich bemühen, sein Maß zu erfassen. Wenn das Genie dann noch so eigenwillig ist wie Erasmus, willentlich schwankt und

315

lieber geistreich spricht, als sich genau festlegt, dann wird die Aufgabe besonders schwer.

Prägen wir uns also nochmals gut ein, daß „Erasmus est homo per se" (Dunkelmänner-Briefe), daß seine legendäre Gelehrsamkeit in einer ziemlich einmaligen Weise noch heute das Bewußtsein der Welt tief zu beeindrucken imstande ist, daß also wirklich „Erasmus nicht mit gewöhnlicher Elle zu messen ist, da er menschliche Maße übersteigt" (Schiel, Einleitung). Wir prägen uns außerdem nochmals ein, daß man eine ganze Menge Vorsichtsmaßnahmen einbauen muß, wenn man Erasmus nicht mißdeuten soll. Seine geistig-seelische Lage und die Art seiner Aussprache sind gerade in den Werken, die Breitenwirkung ausübten (das Neue Testament ausgenommen), nicht sehr oft von der Art, daß man alles, was er sagt, einfach für bare Münze nehmen dürfe. Eine Exegese, wie man sie an Thomas von Aquin üben muß, würde Erasmus unrecht tun. Das Spielerische und leicht Andeutende, das oft zugleich bewußt verhüllt, muß ihm zugute gehalten werden.

Das alles ist selbstverständlich auch bei dem vorzuhalten, was wir über das „Frivole" bei Erasmus schon sagten und gleich nochmals zu besprechen haben werden: Wie oft ist es reiner Übermut, der ihn zum Reden treibt und ihn sich köstlich und geistreich in unerschöpflichen Wendungen an Dingen und Personen reiben läßt! Manchmal weist er selbst deutlich genug auf diese Einschränkung hin, wie etwa am Ende des Votum temere susceptum (nach der Übersetzung von Schiel): „Dann werden wir lügen, daß sich die Balken biegen ..." Man hört geradezu das verzeihende wie verhöhnende, aber nicht bösartige Lachen.

Freilich, es bedarf auch wieder der Gegenkontrolle. Erasmus ist Theologe und Pädagoge. Und er schreibt auch in einer Zeit, wo die Auflösung schon einen gefährlichen Grad erreicht hat. Das sind drei Elemente, die das Recht zu jenem unbesorgten Spielerischen, wenn es um ernste Themen, den Glauben, die Moral, die Hierarchie und die liturgischen Gebräuche geht, einengen. — Man wird sagen, Erasmus konnte das Gefährliche dieser Situation so früh nicht erkennen. Und: sagt er nicht selbst, seine Moria sei ein Werk des Friedens, er würde sie nicht geschrieben haben, hätte er diesen Sturm vorhergesehen? — Sehr richtig. Aber ich sagte auch schon, daß ich nicht von des Erasmus Schuld spreche. Ich frage danach, ob das Was und Wie des Erasmus aufbaute oder zerstörte, mehr zerstörte, auch zerstörte? Und wie schon zweimal gesagt: eine fatale Wirkung räumt ja Erasmus mit jener Entlastung der Moria selbst ein (oben S. 312 f. 316). Wir wissen, in welchem Umfang die von Erasmus in den Colloquia der Lächerlichkeit preisgegebenen religiösen kirchlichen Mißstände (in den Gelübden, Wallfahrten, Reliquien, Ablaßbriefen, im veräußerlichten Beten, in Klöstern, im Weltklerus) durch genaue Zeugnisse belegt sind. Erasmus ist hier nur einer von den tausend Kritikern, und ich würde ja wohl der Letzte sein, den objektiven Tatbestand, den Erasmus behauptet, zu leugnen. Die Zersetzungserscheinungen reichen leider ganz tief[37]. Natürlich ist sofort zu fragen, ob und inwieweit es dem Kritiker um eine *genaue* Aussage ging, oder ob er in leichtsinniger Weise, oder literarischen Allüren zuliebe es vorzog, mit Geist etwas zu scharf zu geißeln, statt nüchtern den Tatbestand anzugeben?

316

Die Colloquia haben keine Veranlassung, langweilig zu sein. Ihr Charme, ihr sprühender Geist, ihre Wendigkeit, ihre Kunst, die Situation aufzubauen und aus ihr das Frage- und Antwortspiel entstehen zu lassen, in diesem Spiel das Thema zu entwickeln und zugleich der Lösung zuzuführen — oder es in vielfach abgestufter Form in der Schwebe zu lassen: das bildet ja den Wert und den Reiz dieser Sammlung.

Aber, mit Verlaub, in diesen Gesprächsübungen geht es auch und sehr oft um die ernstesten Dinge des Menschen und insbesondere des Christen. Und wie zum Problem „Moria" ist hier zu befinden: in diesen Dingen hat niemand das Recht, frivol zu sein.

Es handelt sich nicht darum, den Zimperlichen herauszukehren. Und es ist so leicht wie billig, die angedeutete und noch zu belegende Kritik an dem pietätlosen und zerstörenden Spott des Erasmus damit abzutun, daß man von Schulmeistern oder langweiligen, schwerfälligen Moralpredigern spricht. Mein Gott, haben diese Herren eine Ahnung! Im klerikalen Umkreis weiß man wahrhaftig auch heute noch einen derben und sogar saftigen Witz zu genießen. Nirgendwo kann man so frei sogar über heilige Dinge gelegentlich einen Witz riskieren als dort. Aber mit jener schönen Offenheit und keuschen Durchsichtigkeit, in die sich keine Ehrfurchtslosigkeit mischt und die bei gewagteren Ausdrücken nicht mit dem Verführerischen kokettieren. Wer aber würde behaupten wollen, daß die Masse Erasmianischer Ironie (über Mönche, Nonnen, Heilige, Reliquien, Ablaß, Messen, über die Jungfrau und Mutter Maria, über ihre Reliquien!) sich in diesen Grenzen hält?

Auch daß man bei einem Schriftsteller des 16. Jahrhunderts recht derbe und ungenierte Äußerungen über das Geschlechtsleben findet, ist nicht verwunderlich. Unsere Kritik wird aber herausgefordert, wenn sich das vollzieht, was ich an Luther getadelt habe, daß er nämlich manchmal Heiliges mit Profanem dieser Art mischt. Erasmus war immerhin Priester, er gibt sich als Theologen und sogar als Reformbeflissenen für Kirche, Theologie und Religion; und in welch anspruchsvoller Art! Daß sich nun spitze, mit Schmunzeln vorgetragene Bemerkungen der angegebenen Art immer wieder, immer wieder wie von selbst zwischendurch einstellen, wirkt schon unernst. Daß diese Dinge nicht selten eher anreizend denn eigentlich als Tadel (wenn überhaupt!) vorgetragen werden, vermehrt die Fragwürdigkeit der Kritik. Wirklich, c'est le son qui fait la musique. Daß gar ein „Schulbuch" mit Derartigem gefüllt ist, fordert den Tadel noch stärker heraus[38].

Um es nochmals ganz deutlich zu sagen: es geht zunächst nicht um die historische, theologische oder kirchlich-religiöse Kritik des Erasmus an sich. Wenn er verlangt, daß man die Berichte der Genesis nicht im Literalsinn nehme, etwa daß Gott am Abend in seinem Garten lustwandelte, daß der Engel mit flammendem Schwert die Rückkehr der aus dem Paradies Vertriebenen verhindern mußte, wer sollte da opponieren? Sogar, daß Erasmus die Parallele der heidnischen Mythen beschwört, hat sein Recht. Es fragt sich, ob der Ton dem Ernst der Sache entspreche. Im Kanon 5 des Enchiridion könnte man die Frage für den angezogenen Fall bejahen. Für andere Stellen und für die Colloquia und manches aus den Adagia, nein!

317

Und über den Tadel am Tonfall hinaus erhebt sich immer wieder die Frage: Wo ist die eigentliche Meinung des Erasmus? Sehr gut spricht Febvre (S. 335) von den Colloquia als „de prudence parfois un peu cauteleuse, de hardiesse calculée et masquée de feinte innocence". (Über die Salvierungsversuche s. oben S. 286 f.)
Die sachlich nur zu berechtigte Kritik des Erasmus an Klerus, Mönchen, Nonnen, Wallfahrten usw. wird also ungerecht, weil sie (und wie gesagt in einem Lernbuch!) ganz überwiegend, in krasser Übertreibung und Verallgemeinerung und frivol witzelnd (auch nicht ohne eine gehörige Portion pharisäerhaften Dünkels) vorgetragen wird.

Jeder Leser der Colloquia kann sich davon überzeugen, ob die angegebenen Züge das Gesamtbild beherrschen oder nicht; ob nicht manche Stellen der Colloquia der eigenen Mahnung des Erasmus zur Pflege der Keuschheit widersprechen oder nicht: Juvabunt et illa ... si corruptorum et mollium colloquia veluti pestem quandam vitaris ... (Holborn 125, 22). Und so wäre ein Einzelnachweis eigentlich überflüssig.
Indes bleibt die schon angezogene Tatsache, daß die neuere, *christlich* gemeinte Erasmus-Renaissance über diese Dinge leicht hinweggleitet. Und so ist es doch vielleicht nützlich, die Einzelheiten einzuzeichnen.

Von den Priestern sind selbstverständlich plerique temere und ohne Vorbereitung in diesen Stand getreten (Coll. 813; dazu Brief an Hutten, Büchner 44). Dies ist ein Beispiel, wo Erasmus in der Sache vielleich nicht so weit weg von der Wahrheit ist; sie hat auch in der gleichzeitigen Literatur geradezu massenhafte Parallelen: aber es gilt die *Art* zu kennzeichnen.

Nonne zu werden, ist dumm, weil man im Namen der Frömmigkeit sich in eine Art Leibeigenschaft und Knechtseligkeit begibt, obschon uns doch Christus die Freiheit brachte; wo man Christus an einem bestimmten Ort sucht, obschon man ihn doch auch zu Hause hat. Und wie viele dieser sogenannten Jungfrauen leben sehr wenig keusch oder gar wie die Lesbierin Sappho, „es sei denn, daß das unvergleichliche Vorrecht, das wir der jungfräulichen Mutter zuerkennen, auch noch andern zukäme, daß sie nämlich noch Jungfrauen heißen, nachdem sie geboren haben. ‚Alles das, worauf es beim Fortschritt in einem echten gottseligen Leben am meisten ankommt, gibst du auf, wenn du ins Kloster gehst‘, in diesen ‚neuen Gottesdienst, der alles aufhebt, was das Naturgesetz geheiligt hat, das Alte Testament lehrt, das Evangelium bestätigt und die Lehre der Apostel bekräftigt‘; wo man sich mit Christus vermählt, obschon man es schon ist, da wir ihm doch alle angetraut sind".[39]
Die Mönche werden nicht anders gemalt — und wie saftig! und wie gehäuft! — als durch Faulheit, Weichlichkeit (Op. 1, 736 f.), Sauferei (699 D; 802 D), Erbschleicherei (811 B; 699 D), Dummheit (ebd. und vorher). Mit frivoler Selbstverständlichkeit wird ihnen in gehäufter Kritik unterschoben ihre Geilheit und Unkeuschheit (719 F f.; 701 F), „wie ihr die gottgeweihten Jungfrauen vornehmt" (811 E). Ihr Klosterleben ist das Gegenteil eines gottseligen Lebens und voller Schlingen (812 F f.; 700 C). Wo nur Kritik dieser Art gegen die Mönche anzubringen ist, springt sie dem Erasmus aus der Feder (823 E; 837 A; 698 F, 699 D). Natürlich

318

müssen es auch die Mönche sein, die zum Krieg hetzen (grob aufgetragen 823 A, C).

Ewald bezeichnet die Art, in der Erasmus das damalige Klosterleben glossiert, als „erfreuliche Offenheit" (S. 217); ich finde mehr darin, oder auch weniger. Die beiden Gespräche Virgo misogamos und Virgo poenitens (697—702) sind, wie schon die angeführten Belege doch wohl beweisen, z. T. grob frivol. Sie enthalten zu einem beträchtlichen Teil nicht nur eine Kritik an gewissen Auswüchsen des damaligen Klosterlebens, sondern auch eine massive Mißdeutung, frivolen Spott, unberechtigt verallgemeinernde Vorwürfe und sogar eine Ablehnung des Klosterlebens überhaupt. Gewiß braucht man, darf man Erasmus nicht mit diesen Ansichten identifizieren. Aber sprach er nicht diese Ansichten in die Welt hinaus, ohne sie wirksam vor Mißdeutung zu schützen? Werden nicht notwendigerweise viele diese Ansichten als die des Verfassers empfunden, nicht manche sie sich zu eigen gemacht haben? Es scheint mir allzu billig, bei der Beurteilung des Erasmus und seines Werkes über eine so massiv anstößige Art einfach hinwegzugleiten.

Wallfahrten sind nichts als Dummheit, Fälschung, Betrug (639 A), Reliquien und Ablaßbriefe (die auch an Tote verkauft werden) (640 B), werden so reichlich der Lächerlichkeit preisgegeben, daß die Sache selbst zerstörend getroffen wird (640 A; 777 F—778 D; 784 E; 752 A; 783 D, E; 713 A, B [der Ton!]).

Die Muttergottesverehrung wird viel zu leichthin getadelt (746 C; der alberne, zumindest frivole, wenn nicht sakrilegische Brief der steinernen Madonna: „ich selbst habe dies unterschrieben", 775 B—776 B), und die Heiligenverehrung wird auch an und für sich lächerlich gemacht (715 B).

In der ersten Sterbeszene des Funus wird die mittelalterliche „Sterbekunst" geradezu zur Hanswurstiade vergröbert (814 E).

Es gibt Äußerungen, die direkt mit dem Unglauben spielen: „nach dem Tode gibt es nichts mehr außer dem Kadaver. — Das ist auch meine Meinung" (837 F).

Man ist geradezu angenehm überrascht, wenn einmal der Aberglaube ohne Beimischung von Frivolität kritisiert wird (751 F; 752 B; 640 B), oder redlichen Mönchen sich ernst gegen den Aberglauben auszusprechen erlaubt (815 C), oder ernst und echt von Gott und Seelenfrieden geredet wird (735 A; 810 B).

Eine besonders üble Tönung empfangen die Colloquia durch das Schlüpfrige (wie es schon aus manchen der im vorstehenden angeführten Stellen spricht). Über den Geschmack läßt sich bekanntlich schwer streiten. Immerhin, um es nochmals zu betonen, es handelt sich hier um ein Lernbuch, vorgelegt von einem Theologen, der für die Reinheit der Religion Christi eifert. Wie soll man es rechtfertigen, daß an solcher Stelle ein Zwiegespräch (Op. 1, 718 ff.) vorgeführt wird zwischen einem jungen Mann und einem Freudenmädchen, bei dem er früher häufiger zu Gast war, und das ihn nun mit dem groben „mea mentula!" begrüßt? Man hat einige Mühe, den Vorsatz des Sophronius, seine Freundin zu bekehren, ernst zu nehmen.

Wenn selbst die Mutter Gottes in die Nähe nicht eben zarter Witzeleien

319

gerückt wird („Einst nahm sich Venus der Schiffer an; nun an Stelle dieser nicht jungfräulichen Mutter die jungfräuliche Mutter"), und dies im Zusammenhang mit dem an jener Stelle massiv gezeichneten Un- und Aberglauben (713 A), wirkt das nicht etwas alarmierend?

Das große Anliegen der Predigt Jesu, die pharisäische Frömmigkeit auszurotten, die Kamele schluckt und Mücken sieht, konnte gerade damals, angesichts der manchmal grotesken Disproportion zwischen dem Eifer für nebensächliche Vorschriften der Klosterregel und der Laxheit gegenüber den Zentralgeboten des Evangeliums gar nicht eindringlich genug vertreten werden. Aus dem großen Dialog Ichtyophagia kann man dieses Anliegen denn auch theoretisch nachdrücklich entwickeln. Aber wie läßt es Erasmus dort konkret betreiben? Durch eine solche Fülle von unglaublicher (unübertrefflich geschilderter!) Sophistik, Dummheit und Geilheit der Klosterleute, daß diese Kritik nur von einem Idioten als reinigend hätte empfunden werden können. Dann werden noch die saftigen, zum Teil angeblich „selbsterlebten" Histörchen eingeflochten. Als da ist die Affäre der Nonne, die in ihrer Zelle es mit einem jungen Mann zu tun hatte, aber — so verteidigt sie sich vor dem Konvent — nicht um Hilfe gerufen habe, weil man doch in der Schlafzelle das Schweigen nicht brechen dürfe ... Eine Geschichte, deren Anstößigkeit noch durch die Art gesteigert wird, wie sie Erasmus lokalisierte: sie sei erzählt worden von einem Dominikaner in einer Karfreitagspredigt über den Tod des Herrn, um seine Zuhörer etwas anzuregen (802 B). — Dann marschiert der Prior auf (der Fleischer sagt, es sei sein Schwager gewesen), dessen Lust und Leben das Pokulieren war und alle 14 Tage ein Besuch im öffentlichen Bad, „um die Nieren zu reinigen". An Wein und Liebe ging er denn auch ein. Aber es war ihm auf dem Krankenbett furchtbar, daß ihm sein Abt unter Gehorsam befahl, statt Fisch Fleisch zu essen (802 D). — Und noch die reisenden Nönnchen! Sie haben vergessen ihr Brevier mitzubringen. Sie weigern sich — bei ihren Verwandten —, sich zu Tisch zu setzen, ehe sie nicht ihre vorgeschriebenen Gebete verrichtet haben. Sie weigern sich aber auch, diese Gebete aus einem andern Stundenbuch als dem ihren zu rezitieren. Der Knecht reitet zurück, holt das Buch, die Nonnen beten. Um 10 Uhr kommt man endlich zum Abendessen. Aber sieh da, der Wein macht die Gesellschaft lustig bis zur tollen Ausgelassenheit und Zotenreißerei und Tanz. „Das weitere traue ich mich gar nicht zu sagen. Ich fürchte freilich, daß es in jener Nacht wenig jungfräulich herging, sofern mich die Vorspiele nicht getrogen haben, die aufreizenden Sprünge, das Augenzwinkern, Küsse ..." (802 E).

Daß man das Französische besonders leicht von hübschen kleinen Mädchen lernen könne, könnte — wenn die Bemerkung allein vorkäme — als Scherz passieren. Nur, daß bei Erasmus diese Dinge leider, wo sich nur eben Gelegenheit dazu bietet, ins Geschlechtliche „verdeutlicht" werden (843 B; 697 C). Ganz erstaunlich, wie oft vom Huren und Buhlen, von Wollust und Konkubinen (886 C; 811 C; 843 D) und Syphilis (710 D) bei Rittern, Mönchen und Weltklerus als selbstverständlich geredet wird, wie leicht ihm das in die Feder kommt (836 E; 777 E), wie oft von Bordell und feilen Weibern die Rede ist (736 E), vom Geschlechtsverkehr derb und über die Frauen verletzend gesprochen wird (751 E; 735 E; 719 B).

320

Man wundert sich schließlich nicht mehr darüber, daß die Enthaltsamkeit an sich gar nicht mehr als Tugend gewertet wird (696 B).

Man kann darauf hinweisen, daß in diesem selben Dialog Proci et puellae das Lob der züchtigen Ehe gesungen wird (696 A). Man soll das nicht unterschlagen und nicht unterbewerten. Indes, wenn ich den ganzen Kontext und die eingehende Behandlung des Sujets überlege, dann neige ich nicht eben dazu, aus diesem Lob ein besonderes Prae für Erasmus herauszuholen.

Ein Vergleich des Erasmus mit Thomas More würde das Bild auch an diesem Punkt vollends deutlich machen. Weil sie soviele gemeinsame Interessen haben, werden die Unterschiede um so bezeichnender. Bei ihrer „katholischen" Frömmigkeit fängt es an. Erasmus redete darüber, geistreich, korrekt und viel, und stark spiritualisiert. More übte sie aus in kräftigem Anschluß an die Kirche, und redete darüber wie über etwas Selbstverständliches.

Erasmus fühlte sich unfähig Märtyrer zu sein. More fühlte sich unwürdig, einer zu werden; aber er bewältigte die Aufgabe[40].

Ich bin mir bewußt, daß in den vorstehenden Analysen und Bewertungen manches nur subjektiver Eindruck ist und noch nicht durch einen vollen „Beweis" gedeckt wurde. Aber erstens: Entscheidendes wurde unzweideutig belegt. Zum zweiten: der „Eindruck" wurde von so vielen Ansatzpunkten her kontrolliert, daß er nahe an den Wert eines Beweises heranrückt. Und endlich: man müßte jenen Eindruck wirksam ausräumen (nicht aber die angewandten zentralen christlichen Gedanken einfach außer acht lassen). Wenn das nicht gelingt, besteht die Analyse zu Recht.

Quellen und Literatur

Eine moderne Erasmus-Ausgabe fehlt; sie ist in Vorbereitung durch das Münchener Institut für Reformationsforschung unter Leitung von K. A. Meissinger. — Die letzte Gesamtausgabe in 10 Foliobänden ist die von J. Clericus, Leyden 1703—1796, die recht selten geworden ist (= Op.; Seitenzahlen mit folgenden großen Buchstaben beziehen sich auf diese Ausgabe.)

Die Briefe liegen vor in der monumentalen Ausgabe von P. S. und H. M. Allen, Opus epistolarum Des. Erasmi Oxford 1906 ff. (= Allen).

Einzelausgaben

De libero arbitrio ΔΙΑΤΡΙΒΗ sive collatio. Hrsg. von Johannes von Walter. Leipzig 1910. (= Quellenschriften zur Geschichte des Protestantismus, hrsg. von Kunze u. Stange. 8. Heft) (= Diatribe).

Desiderius Erasmus Roterodamus. Ausgewählte Werke. Hrsg. von Hajo Holborn, München 1933 (= Veröffentlichung der Kommission zur Erforschung der Geschichte der Reformation und Gegenreformation) (= Holborn). — Inhalt: Enchiridion militis Christiani. In Novum Testamentum Praefationes (Paraclesis. Methodus. Apologia). Ratio seu Methodus compendio perveniendi ad veram theologiam.

Erasmus, Stultitiae Laus, recognovit et adnotavit J. B. Kan. den Haag 1942 (= Kan).

Erasmus an Ulrich v. Hutten über Thomas More. Zweisprachige Ausgabe von K. Büchner, Die Freundschaft zwischen Hutten und Erasmus. München 1948 (= Büchner).

Übersetzungen

Erasmus. Auswahl aus seinen Schriften von Anton Gail. Düsseldorf 1948.

Das Lob der Torheit. Übersetzt von Alfred Hartmann. Basel 1929.

Vom freien Willen. Verdeutscht von Otto Schumacher. Göttingen 1940.

Briefe, verdeutscht und herausgegeben von Walter Köhler. Leipzig 1938.

Literatur

Andreas, Willy, Deutschland vor der Reformation. Stuttgart ⁴1943.

Bremond, H., Thomas Morus. Regensburg 1935.

Chambers, R. W., Thomas More. Deutsch von W. Rüttenauer. München-Kempten 1946.

Febvre, Lucien, Le problème de l'incroyance au XVIe siècle. La religion de Rabelais. Paris 1947. (= L'évolution de l'humanité 53).

Förstemann u. Günther, Briefe an Des. Erasmus. Beihefte zum Zentralblatt für Bibliothekswesen 27. Leipzig 1904.

Huizinga, J., Erasmus. Deutsch von Werner Kaegi. Basel 1928.

Lortz, Jos., Die Reformation in Deutschland. 2 Bd. Freiburg ³1949.

Lortz, Jos., Die Reformation als religiöses Anliegen heute. Trier 1948.

Mestwerdt, Ph., Die Anfänge des Erasmus. Leipzig 1917. (Stud. z. Kultur u. Geschichte d. Reformation) (= Mestwerdt.)

Newald, Richard, Erasmus Roterodamus. Freiburg 1947.

Pineau, J. B., Erasme, sa pensée religieuse. Paris 1924.

Meissinger, K. A., Erasmus von Rotterdam. 1. Aufl. Wien 1942. — 2. Aufl. Berlin 1948 (= Veröffentlichungen des Instituts für Reformationsforschung E. V., München Nr. 1).

Rüdiger, Horst, Wesen und Wandlung des Humanismus. Hamburg 1937.

Sargent, Daniel, Thomas More. Luzern 1935.

Sellmair, Josef, Humanitas Christiana. München 1948.

Stupperich, Robert, Der Humanismus und die Wiedervereinigung der Konfessionen. Leipzig 1936 (= Schriften d. Ver. f. Reformationsgeschichte Nr. 160).

Toffanin, G., Geschichte d. Humanismus. Pantheon 1941. (Es handelt sich um d. italienischen Humanismus.

Vignal, L. Gautier, Erasme. Paris 1936.

Walser, Ernst, Gesammelte Studien zur Geistesgeschichte der Renaissance. Basel 1932.

Walter, Johannes von, Christentum und Frömmigkeit. Gesammelte Vorträge und Aufsätze. Gütersloh 1941.

Anmerkungen

[1] Von ihr unterscheide ich die hochwichtigen Ansätze des 13. Jahrhunderts, in dem, auf dem Weg über die Laienfrömmigkeit (s. meine „Reformation als religiöses Anliegen" S. 66) und den einströmenden pantheisierten Aristoteles, dieser Umbruch bereits ansetzt.

[2] „Humanitas" bedeutet zwar im Munde der Humanisten und auch des Erasmus nicht die menschliche Natur überhaupt, sondern Bildung. Aber Erasmus erklärt das Wort in der Querela pacis von 1527 (Bd. 4 S. 627C) selbstverständlich doch vom Menschlichen her, als die „mutua benevolentia", also als ein Betragen, das der Natur des Menschen würdig ist. In der „Humanitas" ist also das große humanistische Thema „De dignitate hominis" grundgelegt. Freilich, hier ist auch die weittragende humanistische Überzeugung begründet (die sehr oft ein verhängnisvoller sokratischer Irrtum war), daß diese humanitas, verwirklicht durch die bonae litterae (4, 628 D), „die Grundlage — und zwar die notwendige Grundlage für die beste Religion" bilden. Büchner, Freundschaft 11. Vgl. Pfeifer, Humanitas Erasmiana (Teubner 1931). Über De dignitate hominis siehe einige Nachweise in meinem Beitrag zur Steinbüchel-Festschrift (Der Mensch vor Gott), Düsseldorf 1948, S. 378 ff. Bei dem skeptischen, manchmal pessimistischen Erasmus bleibt aber natürlich nichts übrig von der leichten Überheblichkeit gewisser humanistischer Deklamatoren. Der Mensch ist ein recht unglückliches Gebilde, nur Philosophie und Bildung heben ihn über das Tier, ohne sie steht er weit unter ihnen. Belege schon im Index der Clericus-Ausgabe 10, Index generalis unter „homo".

[3] Siehe Literaturverzeichnis.

[4] Siehe Literaturverzeichnis . Im Inhaltsverzeichnis von Sellmair S. 300 wird der erste Teil über Erasmus zusammengefaßt unter dem Stichwort „Das Unrecht der Kritiker".

[5] Vgl. zum Vorstehenden die schöne Einleitung von Walter Köhler zu seiner wertvollen Auswahl der Briefe, von der das Manuskript zu einer zweiten Auflage längst parat liegt. — So ziemlich alle Monographien über Erasmus, auch Einzelaufsätze (vgl. v. Walter 134), behandeln das Problem, das in der uneinheitlichen Beurteilung des großen Humanisten liegt. Wir werden von verschiedenen Ansatzpunkten daraufstoßen.

[6] Wenn Erasmus das Neue Testament unmittelbar und in zusammenhängenden theologischen Arbeiten behandelt (und also vor Theologen und der Hierarchie spricht), ist er sowohl durch den Stoff und die Methode wie durch seine Zuhörerschaft so gebunden, daß sein Eigentliches weniger zum Ausdruck kommt. Das, was Erasmus prägt, schrieb er, als der von ihm so oft berufene „tumultus" der Reformation ihn noch nicht in sich selbst zurückgescheucht hatte, und als noch nicht durch eben diese Reformation das Gefährliche seiner Auffassungen offenbar geworden war. Erasmus ist dort, wo er für die Elite der „freien Geister" hemmungslos schrieb: in den Adagien, dem Enchiridion, der Moria, den Colloquia. — Insofern trifft Meissinger richtig, wenn er dem späteren Erasmus in seiner Darstellung nur wenige Seiten widmet.

322

⁷ Eine mustergültige Methode, durch die Einzelheiten hindurchzustoßen zu einem gemeinsamen positiven Charakteristikum scheinen mir die Arbeiten von Müller-Armagk zu entwickeln, von der „Genealogie der Wirtschaftsstile", über „Das Jahrhundert ohne Gott" bis zur eben erscheinenden umfassenden Analyse der heutigen geistigen Situation: zum erstenmal in der modernen Geschichte glaubt der Unglaube nicht mehr an sich und seine Rezepte. Daß auch er den Bankerott voll erlebt, enthüllt in ihm eine tiefe Ansprechbarkeit für Religion und Glaube.

⁸ Mein Thema führt dazu, daß ich mich beinahe nur kritisch zu Meissingers Buch stelle. Sicherlich halte ich die Tatsache, daß die Frage nach dem Dogma so wenig bei ihm gestellt wird, und halte die Schilderung der Frömmigkeit des Erasmus für zentrale Fehlgriffe. Aber ich möchte nicht, daß man darüber die großen Vorzüge des Buches übersehe. Ich hoffe an anderer Stelle darauf zurückzukommen.

⁹ 1530 etwa schrieb Johannes von Vlatten aus dem Clevischen Kreise, Erasmus möchte mit seiner einzig artigen mediocritas Rat schaffen. (Forstemann-Günther, Briefe an Des. Erasmus, 144 bei Stupperich, 29.)

¹⁰ Man vgl. dazu den „großen" Passus aus dem Canon quintus des Enchiridion, wo alles darauf ausgerichtet ist, daß durch das Sichtbare das Unsichtbare erreicht werde, wo die Notwendigkeit der reinen, betenden, opfernden Gesinnung gefordert wird, damit die Taufe und die Eucharistie Heil statt Verderben seien. Holborn 72 ff.: Baptizatus es, ne protinus te Christianum putes... Conceptus es Christo intus et iam cum eo in novitate vitae meditaris ambulare, agnosco Christianum (74, 12 ff.). Über Eucharistie und Messe siehe ebd. S. 73: die Verinnerlichung wird mustergültig gefordert. Aber vom Wert des Sakramentes an sich (selbst in Verbindung mit der menschlichen Disposition) kaum ein Wort; eher könnte man schließen, daß er ganz und gar hängt am subjektiven Streben des Menschen nach Frömmigkeit, Uneigennützigkeit, Christusliebe.

¹¹ Man übersehe nicht den zitierten verdächtigen Vorbehalt: donec grandescant. Eine detaillierte Exegese stößt immer wieder auf die nachträgliche Verdeckung irgendeiner vielleicht zu kühnen Behauptung oder auf die Verflüchtigung handfest katholischer Äußerungen. Pineau hat dafür Beispiele beigebracht (S. 264 in der Anm. 58).

¹² Damit will ich nicht behaupten oder andeuten, daß auch nur *ein* Humanist in Versuchung gekommen sei die seltsame Behauptung des Erasmus ernst zu nehmen, er habe sogar die Freudenhäuser keusch gemacht. Op. 1, 904 F.

¹³ Es geht also nicht um den seltsamen Anspruch, daß der Bauer hinter dem Pflug Hebräisch lernen soll (ein Anspruch, der immerhin in breiter Form an den Adressaten des Enchiridion wiederholt wird oder vorgezeichnet ist), sondern um das im Text angedeutete viel tiefer greifende Problem. — „Gescheitere Leser" für Erasmus? „Geistvolle Geste" des Erasmus (Meissinger 224)? So elegant leicht, so „erasmianisch" kann man die Unsicherheit des Schillernden, oder vielmehr diese Maskierung, und auch das Stück unechter Übertreibung nicht beseitigen.

¹⁴ Man weiß, wie sehr überhaupt der Humanismus die Erhabenheit der geistigen Elite über das profanum vulgus betonte und auszunutzen suchte. Sogar direkt Obszönes wollte sich unter dieser Maske als Erbe der Alten und als verborgene Weisheit voll legitimieren. Vgl. die Widmung des „Hermaphroditus" des Panormiten an Cosimo de' Medici (bei Toffanin 321 f.).

¹⁵ Instruktiv über diese Frage Pineau (S. 262 f.). Er hebt besonders die Vorrede zur Hilarius-Ausgabe 1523 heraus. Gewiß: wie recht hat Erasmus, wenn er hartnäckig auf die Gefahren dessen hinweist, was wir als Dogmatismus bezeichnen würden! Aber wie wenig bleibt vom Dogma und wie wenig von der Tradition! Das „sola scriptura" steht beinahe ausdrücklich da. Und dann erst die Frage, wie weit die ausdrücklich für das NT verlangte Allegorie (Holborn 72, 13 ff.) vielleicht doch alles spiritualistisch aufzulösen hätte!

¹⁶ Op. 4, 655 B: Digere hoc chaos, Domine Jesu, expandat se Spiritus tuus super has aquas male fluctuantium dogmatum.

¹⁷ Kleine Zusammenstellung von Belegen bei Büchner 24 f.

¹⁸ „Dogmatische Unterschiede (über die Tradition hinaus! Was aber heißt das?) sollen nicht so sehr betont werden" (Stupperich 2 S. 28)... Was unentschieden bleibt, mag der Konzilsentscheidung vorbehalten sein. Die Kirche ist das sichere Nest, das die Verheißung hat..." Tradition darf nicht preisgegeben werden, „Die Kirche muß eine Einheit bleiben" (S. 29)... „Bei Meinungsverschiedenheiten versuche man nicht, seine Meinung hartnäckig durchzusetzen" (ebd.). Den adogmatischen Geist der Erasmianischen Theologie kann man anschaulich auch studieren an den Religionsgesprächen der 40er Jahre des 16. Jahrhunderts, die zu einem guten Teil vom Geist des Erasmus geformt sind. Die Abstufungen, die ihre Bestrebungen und ihre Formulierungen im Verhältnis zum Dogma umschließen, sind noch ungenügend untersucht. Diese Abstufung verläuft parallel mit der größeren oder geringeren Selbstherrlichkeit der Kirche gegenüber. Der verschiedene Grad der Annäherung an die Kirche kann etwa studiert werden an den Vorschlägen der evangelischen Vermittler, dann denen von Kaiser Karl, dann bei Contarini und dem bedeutend entschiedeneren Gropper. Über Gropper demnächst Walter Lipgens, Johann Gropper, in Grevings RST. — Für die Art des Erasmus, sich möglichst wenig festzulegen, ist noch anzuziehen das verlorene 2. Buch des Antibarbari; es enthielt „eine scheinbare Widerlegung des ersten... so geschickt, wie Erasmus sagt, daß der Leser die Sache der Humanisten schon habe verloren geben müssen" (Meissinger S. 25).

323

[19] In der Korrespondenz des Erasmus trifft man oft genug auf diesen Stoßseufzer: „Ach, wenn doch nur dieser ganz unnütze Streit um Dogmen uns die Ruhe nicht gestört hätte!" Allen 6 S. 249: Quando rectius ... ut posita dissidiorum rabie primum inter nos christiana concordia iugeremur...

[20] Siehe meine „Reformation als religiöses Anliegen heute" S. 100; meine „Reformation in Deutschland" 1, 215.

[21] Diatribe 89, 26: weil Luther und die altkirchlichen Gegner jeder von seiner Seite übertreiben, müsse man wohl, um die gerade Linie zu erreichen, nach der umgekehrten Richtung abbiegen: id fortasse consultum fuerit in corrigendis moribus, in dogmatibus an ferendum sit, nescio.

[22] Tertullian als Apologet, 2.Bd. (Münster 1928) S.1ff.

[23] Ein erster akuter Einbruch liegt bei der averroistischen und dann bei der ockhamistischen Aufspaltung der Harmonie von Vernunft und Offenbarung. Der Satz von der doppelten Wahrheit hatte auch Gültigkeit in der aristotelischen Akademie von Padua. Es folgen die Anzweiflung der Vernunft in der Lehre der Reformatoren; die allmähliche Versubjektivierung des Denkens seit Descartes mit ihren unübersehbaren Auswirkungen; die Erschütterungen durch die historischen, psychologischen, geographischen und naturwissenschaftlichen Entdeckungen. Und stärkstens wirkte herein die Willkür der macchiavellistischen „Realpolitik" in der gesamten Gestaltung des öffentlichen Lebens, eine Willkür, die erst in neuester Zeit bis zum Ende auseinandergefaltet zu sein scheint.

[24] Weitere Stellen, welche das Bekenntnis zur Gnade reichlich belegen, siehe weiter unten S. 306 u. Anm.29

[25] Vgl. meine „Reformation in Deutschland" 1, 131 (Erasmus und das Schriftprinzip 1, 134). Dazu Ewald 222, bzw. oben S. 286: obschon er die Beicht nicht als von Christus eingesetzt halte, habe er in diesem Punkt sein persönliches Empfinden stets dem Urteil der Kirche untergeordnet. — Die Formulierung läßt Raum für die unangenehme Frage — die Erasmus nicht beantwortet —, ob diese Unterordnung eine dogmatisch echte gewesen sei, d. h. ob er auf das Urteil der Kirche hin die Beicht als von Christus eingesetzt geglaubt habe.

[26] Colloquia, Op.1, 713 A. B.: Kritik des Salve Regina und gewisser Titel der Gottesmutter, weil sie nicht in der Bibel stehen. Dazu Colloq. Op. 1, 700 F.; 1, 713 A. B.

[27] Einige Erinnerungen: Der Papst steht über den Menschen wie diese über dem Vieh und caeleste quoddam agit numen (21. 5. 1515. Allen 2, 79). Widmungsbrief an Leo X vor dem NT.: Vom alleinigen Wirken des Papstes hängt das ganze Geschick der Menschen ab. An W. Pirkheimer schreibt er: bei mir auctoritas ecclesiae tantum valet, ut cum Arianis (!) et Pelagianis (!) sentire possim, si probasset ecclesia quod illi docuerunt. (19. 10. 1527. Übrigens wieder ein bezeichnender Beleg seiner geringen Wertschätzung der Festigkeit des Dogmas.) — In der Diatribe die starke Betonung: er werde sich der Kirche unterwerfen, ob er ihre Dekrete verstehe oder nicht (v. Walter S. 144). V. Walter sieht darin Identität mit der spätscholastischen Bejahung des Satzes von der doppelten Wahrheit. Aber das ist falsch: Erasmus sagt nicht, daß er gegen kirchliche Dekrete bessere oder wahrscheinlichere Gründe habe! Das aber wäre allein spätscholastisch. — Die Beteuerungen auf den Ausgaben des NT, sich dem Urteil der römischen Kirche zu unterwerfen. — Endlich: die Diatribe de libero arbitrio als Ganzes, aber in dem im Text zu umgrenzenden Sinn.

[27a] Oben S. 297 f. Dazu aber unten S. 305 f.

[28] Unten S. 305 f. Es ist selbstverständlich methodisch unzulässig, More nur auf Grund seiner humanistisch-literarischen Äußerungen zu kennzeichnen (wie es z. B. Febvre, allerdings ganz im Vorübergehen, S. 331 tut). Gerade, daß More humanistisch-literarisch seinen Utopiern eine ganz allgemein gehaltene einfachste Religion zuschreibt, aber selbst ganz radikal am Dogma und den Vorschriften der Kirche festhält, markiert den großen Unterschied zwischen ihm und Erasmus, der wirklich auf eine möglichst nicht festgelegte Religion hinausmöchte. — Für diejenigen, die finden, daß ich den Adogmatismus des Erasmus zu stark betone, setze ich die neueste Kennzeichnung (aus dem angegebenen Buch von Lucien Febvre) hierher: „Il ne se proposait pas, entre des religions ardemment dressées l'une contre l'autre, d'installer dans une position bien choisie... une école de sages nourris tout ensemble de suc antique et de moelle évangélique ... Il voulait que les hommes d'élite (vereinigten) deux esprits faits, selon lui, pour se compléter, se pénétrer et finalement se confondre dans l'unité vivante d'une Philosophie du Christ aux possibilités de développement et de transformation indéfinies ... (Bis zum definitiven Bruch mit Luther) il cru possible... une réforme spirituelle de cette église qui permît aux chrétiens de toutes les écoles (!) de se sentir frères, sans antagonismes ni anathèmes et qui... fît l'union des bonnes volontés et des consciences droites sur un très petit nombre de formules: sans plus, celles du Symbole des Apôtres, interprêtées avec candeur pour ainsi dire, à la seule lueur des textes Evangéliques. Encore devrait-on s'entendre sur le rôle et l'exacte valeur de telles formules ... L'essentiel, c'était de faire fructifier en soi les dons de l'Esprit, amour, joie, bonté, patience, foie, modestie ... et d'entretenir dans son coeur la source vivifiante d'une vie morale spontanée (p. 330/31). — Man wird nicht übersehen 1. den beträchtlichen Unterschied zwischen dem ersten Abschnitt, der einfachhin von einer Bejahung des Dogmas der Kirche redet, und dem zweiten; 2. daß diese adog-

324

matische Religion im wesentlichen sich auflöst in einen ungenau umschriebenen Moralismus. Febvre gebraucht denn auch später diesen Ausdruck, um die Religion des Erasmus zu kennzeichnen; 3. wie sehr die Ausführungen einen Sinn haben könnten, der dem Dogma gerecht wird — bis endlich deutlich gesagt wird, daß nichts übrigbleiben soll außer einem noch zu erklärenden Apostolikum. Febvre ist damit noch nicht am Ende. Er bezeichnet als weiteres Ziel des Erasmus „de voir se dissoudre petit à petit, sous un effort de large et humaine compréhension, ces formules, cependant si peu nombreuses et si vraiment élémentaires, pour lesquelles il demandait l'adhésion unanime et l'accord des fidèles" (p. 331). — Inhaltlich umschreibt er die Religion des Erasmus so: „le Christ au centre de la vie religieuse — le Christ et l'évangile interprété en bonne foi (!). Entre ce (!) Dieu et l'homme, point d'inutiles médiations: la Vierge, les Saints replacés a leur rang, ne jouent plus qu'un rôle secondaire et lointain ...; la macule du péché original est savamment atténuée; la confiance proclamée dans la vertu propre, dans l'honnêteté foncière de la nature humaine; le devoir moral enfin mis au premier plan. Des sacrements réduits en nombre, en dignité et en valeur ..." (p. 337/8).

[19] Diatribe ed. v. Walter: 54, 4 f.; *19, 7 ff.*; Paulus 2 Tim. 2, 21 (si quis se emundaverit). Genes. 4, 6 f. Deut. 30, 15 ff. Isaias 1, 19. Jerem. 15, 19. Rom 2, 2 (ed. v. Walter 42). Nirgends findet sich in der Schrift weder ‚mera necessitas' noch ‚voluntas nihil aliud quam patiens' 42, 7 f. — 1 Kor. 24, 25. 1 Tim. 6, 12. 2 Pet. 1, 5. Ps. 50, 12. 2 Tim. 2, 21. Ezech. 18, 31. 1. Joh. 3, 3. Isaias 52, 2. Rom. 13, 12. Phil. 2, 12 (Diatribe 59; v. Walter 21, 24); 42, 1 (vgl. 43, 1); 49, 3. 10. 16. 23; 64, 16. Gnade: 59, 1; 90, 11 f. und passim. — Hätte Luther in seiner stürmischen Ungeduld nicht nur den *ersten* Teil der Diatribe gelesen, bzw. ihn zu widerlegen versucht, sein persönliches Verhältnis zu Erasmus hätte sich möglicherweise anders gestaltet.

[20] In 3. sent. dist. 27a. 3 dub. 2 (Brixiae 1574 S. 280): „Propositio 1: Viatoris voluntas humana ex suis naturalibus potest diligere Deum super omnia ... (Denifle 1, 542¹)." Fast wörtlich aus dem strengen Ockhamisten Peter d'Ailly in 1. Sentent. qu. 2. a. 2, la conclusio.

[21] Denifle ebd. S. 543 und Anm. 1 ebd. Gregor stellt „die Möglichkeit auf, es könne jemand ohne den Habitus der Liebe (bei ihm identisch mit der Gnade) Gott verdienstlich lieben". Zur wesentlichen Einschränkung, die bei demselben Gregor anzubringen ist, ebd. 544.

[21a] Es bedürfte einer Untersuchung, in welcher Proportion der so fein differenzierende (wenn auch darin oft in der Schwebe bleibende) Erasmus die Lehre des italienischen Humanismus über die dignitas hominis vertritt und wie er das Thema variiert; s. oben die Anmerkung 2 zu S. 273. — Für die Umschreibung des Moralistischen ist wichtig der Vergleich mit dem „ersten modernen Menschen" Augustin. „Was also bin ich, Du mein Gott? Was ist mein Sein? Ein Leben, mannigfach und vielgestaltig, ein kraftvoll unermeßlich weites Leben!"(Confessiones 10, 17; Übersetzung von Herman Hefele.) — Die Parallele Cicero—Augustin wurde von manchen Humanisten, auch von Petrarca, überbetont: eine unmögliche moralistische Verdünnung des Christentums, bzw. Augustins, das Sein und Denken aus dem Glauben, die ganz andere Ebene des Geoffenbarten und des Sakramentalen praktisch übersieht.

[22] Aufschlußreich, wie bei Sterbekerze und -kreuz die rechte christliche Hoffnung auf Christus den Gedanken an Kerze und Kreuz verdrängt. Op. 1, 817 B.

[22a] Wie hat Erasmus im guten Stil die Garantie dafür gesehen, daß etwa Hutten auf dem Weg der Bildung zur Wahrheit gelange! Vgl. *Büchner* 22. 12. Es ist die Kehrseite seiner Meinung, daß die kirchlichen Mißstände im Zerfall der Bildung wurzelten (ebd.), was man ja wohl nicht noch zu widerlegen braucht. — S. auch oben Anm. 2.

[23] Vgl. außerdem den eindringlichen Hinweis auf den Wert der Heiligen Schrift (aus der Vorrede zum NT. an Leo X. (Allen 22, 185) „in denen das einst aus dem Herzen des Vaters zu uns gekommene Himmelsbrot noch lebt, atmet, handelt und redet mit uns, so wirksam und plastisch wie nirgends sonst ...". Hierzu gehört auch noch, wenn als bestes Mittel gegen die Unkeuschheit empfohlen wird; ad sacrarum litterarum vestigatioin toto pectore te consecraris (Holborn 125, 25). Aussagen wie Enchir. 32, 20,ff., die für des Erasmus persönliche religiöse Tiefe sprechen könnten, sind vielleicht doch geradezu verdächtig „humanistisch" übertrieben.

[24] Man stelle die Frage, ob Literatur oder Bekenntnis einmal an einen Passus wie den eben zitierten über den geilen Alten!

[25] Die gesamte Problematik verschiebt sich natürlich bei den einzelnen Persönlichkeiten je nach der größern oder geringern Verwirklichung des Humanistischen in ihrem Werk. Ganz allgemein wäre die im Text angedeutete Lösung stark zu differenzieren für das 17. französische Jahrhundert gegenüber dem 16. italienischen und dem 16. und 17. spanischen. Und gänzlich zugespitzt, ja beinahe umgedreht, erscheint die Fragestellung bei einer Gestalt wie Pascal, der von entscheidenden Seiten seines Wesens und Werkes her geradezu das Gegenteil des Humanistischen ist. Aber in einem entscheidenden Punkt zeigt gerade er jene Synthese, die Erasmus hätte gelingen sollen, und die ihm so gar nicht gelang: wie nämlich der unerbittliche Verkünder der menschlichen Sündhaftigkeit unumstritten ein leuchtendes Beispiel hoher Literatur darstellt. Hier sind Kreuz und hohe Kultur in der Form einer hochentwickelten Sprachkunst eine sehr eigenartige, aber darum nicht weniger wirkliche und weittragende Verbindung eingegangen.

325

[16] Holborn 23, 12—16, Übersetzung Meissinger S. 74. Am lateinischen Wortlaut bewahrheitet sich das im Text gegebene Urteil naturgemäß noch viel eindringlicher.

[17] Es bleibt aber auch die Frage der Methodik, die kritischen Aussagen der damaligen Menschen in zuverlässiger Weise zu interpretieren. Mit diesem Problem, insbesondere der Notwendigkeit, durch einheitlich angewandte Maßstäbe die Widersprüche der bisherigen Deutungen zu überwinden, habe ich mich in der Trierer Theol. Zeitschrift (Jahrgang 1949; 1—26; 212—227; 257—279; 347-357; jetzt auch als Separatdruck) beschäftigt.

[18] Man müßte dies viel stärker betonen, daß die Pietätlosigkeiten und Zweideutigkeiten, überhaupt die scharf ironische Hemmungslosigkeit der Colloquia, gerade den Jugenderzieher Erasmus schwer belasten. (Auch Paulsen, Geschichte des gelehrten Unterrichts 1 (1919) 70 hat das beklagt.) Erasmus war so stolz gerade auf den überraschenden Erfolg dieses Buches bei der studierenden Jugend, die so gierig danach greife! Vgl. seinen Widmungsbrief an den jungen Froben von 1524.

[19] Aus Virgo misogamos Op. 1, 699 B. Die salvierende Bemerkung des Eubulus am Schluß, er wolle niemand, der einmal in diesem Stand sei, raten, ihn wieder zu verlassen, ist nicht nur eine Abschwächung zu manchem bissigem Hieb, der im Dialog vorkam, sondern Widerspruch zu ihnen.

[20] Eine erste kürzere Fassung der vorstehenden Untersuchungen über Erasmus schrieb ich im Jahre 1944 für die Festschrift, die Fritz Tillmann zum 70. Geburtstag handschriftlich überreicht wurde. Ich glaubte es damals angebracht, an dieser Stelle folgende Worte beizufügen, die ich Anfang Februar 1943 ungefähr wörtlich in einer meiner Vorlesungen an der Universität Münster vorgetragen hatte; sie mögen als Zeitdokument stehenbleiben: „Nach diesen Andeutungen und der leuchtenden Tatsache des freien Martyriums des Thomas More bedarf die ganz unglaubliche Verzeichnung keiner Widerlegung mehr, die sich der Vorsitzende der Berliner Akademie der Wissenschaften, Prof. Dr. Vahlen, bei einer Festsitzung der Akademie am 29. Januar 1943 vor einem erlesenen Parterre von Gelehrten leistete, als er verglich, „den Gelehrten (Erasmus), der tapfere Streitschriften gegen die römische Geistesknechtung verfaßte, mit dem verschüchterten, duckmäuserischen Kanzler Heinrichs VIII.‘ (Frankf. Zeitung 29. 1. 1943). Wenn man schon gar nichts von gewissen Dingen versteht, besteht doch kein Zwang, daß man das zur eigenen Blamage der Öffentlichkeit in aller Form zur Kenntnis bringe.“

326

Germanikum und Gegenreformation

Von Prof. Josef Lortz

I

Der « gelehrte Pater Hieronymus *Cataneo* aus Genua, der von den Obern mit der Abfassung der Geschichte des Kollegiums zur ersten Säkularfeier 1652 beauftragt wurde, sah den Stoff unter seinen Händen derartig anwachsen, dass er die Hoffnung aufgab, ihn in der vorgesteckten Frist bewältigen zu können. Er begnügte sich ..., einen *Panegyricus de institutione Collegii Germanici et Hungarici* drucken zu lassen » (1, 400) [1], der alsbald auf den Index (bis 1900) kam!

Auch das Teilthema ' *Germanikum und Gegenreformation* ' ist zunächst unübersehbar gross.

Dass eine *u m f a s s e n d e* Behandlung im Rahmen des Korrespondenzblattes und in kurzer Zeit nicht in Frage kommt, bedarf keiner Erklärung: die Arbeit von vielen hunderten Germanikern in allen Diözesen des alten Reiches und Ungarns für die Jahre etwa 1552-1600, evtl. bis 1648 zu schildern, würde die Arbeit mehr als eines Lebens erfordern. Nur die Summe einer Unsumme lokalhistorischer Einzelarbeiten könnte das Fundament abgeben, auf dem das Thema im grossen erschöpfend behandelt werden könnte.

Aber auch eine *S k i z z e* der Arbeit des Germanikums, seiner Leiter und Zöglinge, in dieser Epoche erfordert viel mehr Zeit als mir zur Verfügung steht. Denn es fehlen die Vorarbeiten.

---

[1] Alle Zahlen, die nicht ausdrücklich oder durch den Zusammenhang auf eine andere Unterlage hinweisen, beziehen sich auf den ersten Band von Kardinal Steinhubers Geschichte des Germanikums. — Die öfters angezogenen Schriften: *P. Weiler*, Die kirchliche Reform im Erzbistum Köln (1583-1615), Münster 1931 (= RST 56/57). *August Franzen*, Der Wiederaufbau des kirchlichen Lebens im Erzbistum Köln (1612-1650), Münster 1941 (RST 69/71).

In der Tat: die « *Geschichte des Kollegium Germanikum-Hungarikum in Rom* » von *P. Steinhuber,* das Denkmal so grossen Fleisses und die u n e n t b e h r l i c h e Grundlage für alle weiteren Arbeiten über das Germanikum, ist zum beträchtlichen Teil nur ein äusserer Umriss. Die Kennzeichnung der kirchlichen Lage, die Mitteilung über die Leistung der einzelnen Germaniker und die Bewertung dieser Leistungen dringen nicht oft genug zum Kern vor. Sie lassen auch manchmal ein kritisches Zupacken vermissen, und vor allem: sie bieten nicht ein abgestuftes Bild. Was an vielen Stellen fehlt, das sind die kennzeichnenden konkreten Konturen, die wenigstens einigermassen die persönliche Eigenart und die eigenartige Leistung des einzelnen Germanikers kenntlich machen würden. Die Angaben über Herkunft, Vorleben, besonders aber über die Ausbildung im Kolleg und die Kennzeichnung gemäss dem Kollegskatalog oder aus anderen Quellen sind zu einem grossen Prozentsatz relieflos. Der Hang zu einer gewissen pastoralen Durchschnittlichkeit der Beurteilung — erst recht zur Durchschnittlichkeit des ungenauen Superlativs — lässt die Zeichnung oft im Stereotypen stecken bleiben.

Wie schwer es ist, aus dem von Steinhuber vorgelegten Material einigermassen genau die Rolle abzulesen, die das Germanikum in der Gegenreformation gespielt hat, zeigt der Verfasser selbst, wo er, nach der schier unübersehbaren Fülle von Namen und Ämtern seines ersten Bandes in einer Schlussbetrachtung jene Rolle in ein paar Sätzen zu kennzeichnen versucht. Die Mitarbeit der Germaniker war offenbar immens, das Verdienst sehr gross, manchmal ausschlaggebend. Aber der Beweis Steinhubers verwendet hier doch wohl zu stark äusserliche Symptome, etwa, dass so viele Prälaten aus dem Germanikum hervorgingen (Angaben zusammengestellt 1, 505).

Dass in jenen vergangenen Zeiten die Schlüsselstellungen der Bischöfe und Domherren besonders wichtig waren (wichtiger als heute, wo der innere und äussere Rahmen und der Ablauf des kirchlichen Lebens so viel fester und gesicherter ist), werden wir noch eigens besprechen. Hier wollte ich nur auf die Grenze der Ergiebigkeit des Steinhuberschen Materials hinweisen. Sehr viel näher am Kern der Frage steht übrigens Steinhuber selbst mit seiner Feststellung, dass so viele Priesterseminare von Germanikern geleitet wurden.

Denn um die i n n e r e Neugeburt ging es vor allem.

Um das Material Steinhubers voll zum Sprechen zu bringen, müssten die Unterlagen neu verarbeitet werden. Und dies ist nun freilich eine Aufgabe, die eine Anstalt von der Geschichtsmächtigkeit des Germanikums sich und der Wissenschaft eigentlich schuldig ist. Der Gedanke dieser Aufgabe müsste so ins Bewusstsein der Rektoren eingehen, dass durch sie nach und nach ein entsprechendes Gesamtbewusstsein in den Germanikern gebildet würde. Es würde sich dann wohl unschwer erreichen lassen, dass in gewissen Abständen eine kleine Vorlesungsreihe über die Geschichte des Germanikums im Kolleg selbst gehalten würde. Dies wiederum wäre sicher für manchen Anreiz und Anleitung zu lokalgeschichtlichen Forschungen zur Geschichte des Germanikum.

Diese Geschichte würde leicht von einer unfruchtbaren Isolierung ferngehalten werden können, da das Wirken einer Anzahl seiner Zöglinge oft genug mit der grossen Kirchengeschichte und Weltgeschichte verknüpft war.

Eine solche nüchtern detaillierte Geschichte des Kollegs würde auch nicht etwa eine (bekanntlich nicht immer vermiedene) Hybris der Germaniker begünstigen; sie wäre meines Ermessens umgekehrt ein Mittel, eine solche zu bekämpfen. Nüchterne Geschichte erzieht zur Demut, selbst wenn sie in fest betontem, berechtigtem Stolz, von viel, von entscheidendem Erfolg zu berichten hat. Denn sie sieht am ehesten die Grenzen dieses Erfolgs und die Versager in und an ihm.

Das Gerüst Steinhubers (kontrollierend) auszubauen und auszufüllen, ist übrigens ausserhalb Roms unmöglich: es fehlen einfach die Quellen. Was müsste man zur Hand haben ausser den amtlichen Verlautbarungen und den zahlreichen Unterlagen zur Gegenreformation, die auch in grossen Bibliotheken ausserhalb Roms zur Verfügung stehen?: Die Diarien der Rektoren und diejenigen, die seit 1577 Kunde geben von der Congregatio Mariana im Kolleg, oder auch Quellen, die Hintergrund und Tragweite der Errichtung eines Lehrstuhls für Kontroverstheologie im Collegium Romanum und der neuen Studienordnung 1592 beleuchten; man bedürfte der im Archiv des Kollegs oder der Gesellschaft Jesu ruhenden Briefe und Berichte der Alumnen aus der Heimat.

Und dann fehlen zu dieser Primärarbeit leider fast alle Verarbeitungen in kritisch zuverlässigen Untersuchungen, soweit es sich speziell um die Arbeiten der einzelnen Germaniker in der Heimat handelt. Zu diesen wären wieder heranzuziehen die vielen noch ungehobenen handschriftlichen Nachrichten privaten und amtlichen Charakters, welche die Tätigkeit und das Leben der verschiedenen Alumnen in den Heimatdiözesen betreffen. Man sollte z. B. eine genaue Schilderung des Tageslaufs von diesem oder jenem Pfarrer oder Bischof haben, oder eine detaillierte Beschreibung seiner Art zu katechisieren oder zu beten oder seines Sterbens, wie wir sie von Johann Galenius, dem Kölner Generalvikar, haben: vollständige Zurückgezogenheit in Gebet und Schriftlesung, sein pristerlicher Bruder reicht ihm die Sterbesakramente ...

Und nicht zuletzt eine Darstellung der literarischen, also hauptsächlich (philosophisch) — theologischen Versuche der Germaniker jener Zeit. —

Alle Quellen dieser Zeit erweisen immer wieder die entscheidende Rolle der geprägten, und, in unserm Spezialfall, priesterlichen P e r s ö n l i c h - k e i t. Das gilt trotz der nie genug zu schätzenden Leistung und Unterlage des Kollegiums als Anstalt und trotz des weitreichenden 'Funktionscharakters' der Leistung der Germaniker, worauf wir noch zurückkommen werden.

Man kann sich leicht anhand der Notizen Steinhubers eine Menge von Einzelpersönlichkeiten heraussuchen, deren Arbeit darzustellen allein die Mühe einiger Jahre erfordern würde. Was müsste derjenige leisten, der die praktisch-seelsorgerliche und dann die geschichtlich-wissenschaftliche Arbeit des eben genannten *Ägidius Gelenius*, des Bruders des für die Reformierung unter Kurfürst Ferdinand entscheidend wichtigen *Johann Gelenius*, schreiben wollte (vgl. *Franzen* 369 f.)! Er war zwar nur zu einem Teil durch das Germanikum gebildet, aber es wäre reizvoll nachzuforschen, von woher ihm das Interesse an der Historie gekommen ist, ob aus Familienveranlagung und durch den Anstoss seines Bruders (sein Bruder Verfasser der ersten Bände der *Farragines* und Vorbild für die Fortsetzung; s. *Franzen* 106) oder ob ihm Rom und das Kolleg Anregung mitgaben.

Welche Geduld wäre erforderlich und welche eindringende Verarbeitung wäre zu leisten, um alle Religionsordnungen, Kirchenordnungen und Predigtvorlagen zu analysieren, an denen Germaniker entweder mitgestalteten, oder denen sie sich anpassen mussten; welche Mitarbeit an Visitationen und Synoden, an der Reorganisation des Gottesdienstes und der Schulen, des Katechismus wäre zu schildern, — um an ihnen die zwar enorme, aber manchmal entwaffnend langsam voranschreitende Neugeburt darzustellen! Hören wir doch (für Köln) noch 1627 Gelenius seufzen:

« Ganz spärlich nur zeigen sich Ansätze zum Bessern ». Dieselben Beschwerden finden sich auch noch in den folgenden Jahrzehnten (*Franzen* 108).

Die Arbeit des Germanikums und einzelner seiner Zöglinge in dem uns interessierenden Zeitabschnitt wird naturgemäss auch in den grossen Gesamtdarstellungen von *Pastor* und *Janssen* erwähnt, auch *Ranke* berührt das Thema gelegentlich, und natürlich alles, was für oder gegen und über die Societas Jesu geschrieben wurde. Einzelnes wird eingehender behandelt unter Bereitstellung der entsprechenden Quellen in den Einleitungen zu den modernen Ausgaben der Nuntiaturberichte und in den territorial- und diözesangeschichtlichen Arbeiten. All das wäre natürlich heranzuziehen.

Speziell für die Zeit der Gegenreformation steigt die Schwierigkeit weiter dadurch, dass die Protokolle der Visitationen (eine der wichtigsten Quellen) noch recht ungenau und lückenhaft geführt wurden, und ausserdem ein grosser Teil der Aufzeichnungen seither verlorenging. Und doch wären gerade solch genaue Aufzeichnungen besonders nötig für jene unregelmässigen Zeiten, wo erst die Unordnung beseitigt und erst allmählich Neues geschaffen werden musste, wo die Verhältnisse, auch die Rechtsverhältnisse, von Pfarrei zu Pfarrei, von Diözese zu Diözese verschieden, ja die Glaubenszugehörigkeit ungeklärt waren. Für jene Zeit ist die Amtstätigkeit eines Domkapitulars oder Pfarrers oder eines Weihbischofs oder Bischofs durchaus nicht etwas einigermassen Gleichbleibendes, das wir einfach einsetzen könnten. Die Grösse ist nicht bekannt.

Eine weitere Schwierigkeit kommt in unserer Epoche hinzu. Es ist eine alte Klage, dass man über die Misstände der Kirche in der Zeit vor der Reformation nicht zu genügend apodiktischen Aussagen zu kommen vermöge. Die Schwierigkeit besteht auch — in geringerem Ausmass — für den Neubau des endenden 16. Jahrhunderts in Deutschland. Nicht zu verwundern: die Unordnung war, wie wir noch hören werden, ungeheuerlich. Die Möglichkeit, eine erschöpfenden Übersicht zu gewinnen, war beschränkt. Erst bei der Visitation zeigt z. B. in Köln, bis wohin die religiös-kirchliche Neuerung vorgedrungen war. Oder der Koadjutor *Ferdinand von Bayern* müht sich in Köln seit Jahren ab, um durch Teilvisitationen, durch Abhalten von Missionen, durch Einführen neuer Formen der Frömmigkeit das kirchliche Leben neu zu beleben. In seine eigene fromme Haltung etwas eingesponnen, merkt er nicht, wie das Leben des Volkes hinter seinen Erwartungen zurücksteht. Und dann ist er (Brief an seine Mutter) enttäuscht (*Weiler* 72).

Die dergestalt angedeuteten Schwierigkeiten der Arbeit können den einigermassen Kundigen nicht verwundern. Schliesslich besagt ja das Thema nicht mehr und nicht weniger, als die Lebensleistung von vielen Hunderten von Germanikern in einer der turbulentesten Zeiten der Kirchengeschichte innerhalb eines Zeitraumes von mehr als einem halben Jahrhundert im Gesamtbereich des alten Römischen Reiches Deutscher Nation und Ungarns zu beschreiben. Die Kennzeichnung dieser Fülle von Personen, dieser Mannigfaltigkeit von Aufgaben und Arbeitsbedingungen in den verschiedenen Diözesen, der verschiedenartigen Fragen der Verwaltung, Reorganisation, elementarer Erziehung von Klerus und Volk, geleitet von Kardinälen, Erzbischöfen, Bischöfen, Kanonikern, Universitäts- und Seminarprofessoren und Seelsorgern: all das bildet — wenn es genügend behandelt werden sollte — die grosse Aufgabe vieler, die dafür eine gründliche Vorbildung mitbringen müssten.

Ehe eine wissenschaftlich haltbare Bewertung dieser Art in Angriff genommen werden kann, wäre ausserdem eine Vorarbeit zu leisten, die ich einem der jungen Mitbrüder als ergiebig empfehle: eine Bibliographie

70

über das Germanikum und die Germaniker. Sie hätten zu beginnen mit einer bibliographisch verlässlichen Zusammenstellung der von Germanikern in einem bestimmten Zeitraum veröffentlichten (theologischen) Werke. Wenn sich die Zusammenstellung auswachsen würde zu einem Catalogue raisonné, wäre ein wichtiger Beitrag zu weiterer vielfältiger Arbeit geleistet: aus jenen Werken Beiträge zum Inhalt und zur Methode der Kontroverstheologie dieses Zeitraumes zu liefern. Dabei wäre 'Theologie' im umfassenden Sinne zu nehmen, und Pastoral wie Katechetik wie Kirchengeschichte einzuschliessen.

Man könnte einwenden, dies ergäbe eine Zusammenstellung von Material nach recht äusserlichen Gesichtspunkten: nur deshalb nämlich sollten diese Dinge gemeinsam behandelt werden, weil sie zufällig je von einem Germaniker stammten. — Nun, eben hier steckt schon eine, wie mir scheint, zentrale, erst zu beantwortende Frage, die uns noch öfters begegnen wird: handelt es sich um Dinge, die durch eine innere Gemeinsamkeit zusammengehören, liegt eine e i n h e i t l i c h   g e p r ä g t e Leistung, also auch eine Leistung des Germanikums vor oder nicht?

Die Einheit war zerstört; die Unordnung herrschte. Die Einheit wurde hergestellt: Concilium Tridentinum; Papsttum: Nuntien; Zentralisation der kirchlichen Verwaltung: reiht sich die literarische Arbeit des Germanikums nachweislich in dieser Erarbeitung der Einheit ein? [2].

Da all diese Vorarbeiten fehlen, bleibt nur möglich, in der nachzuzeichnenden Problematik der Gegenreformation die Art der Arbeit der Germaniker in einigen wenigen Punkten aufzuzeigen und eben dadurch vielleicht etwas von der Eigenart und dem Wert dieser Arbeit anzudeuten.

Wenn wir nicht nur fragen: « Wie war es? Was hat das Germanikum tatsächlich geleistet? », sondern wenn wir uns auch nach einem Masstab der B e w e r t u n g umsehen, wird die Aufgabe zunächst einfacher. Nämlich: sowohl aus dem Wesen der Kirche — ihrer Heiligkeit — wie aus der besonderen damaligen Lage — akuter Mangel an Heiligkeit — wie aus der dann doch geleisteten Neugeburt der Kirche — durch Heiligkeit — lässt sich mit absoluter Genauigkeit sagen, was kommen musste, wenn die Kirche gerettet werden sollte. Es lässt sich also auch sagen, was das Germanikum beisteuern musste, wenn es für sein Teil dieser Rettung diente.

Aus der damaligen Lage ergibt sich noch ein weiteres mit voller Klarheit: die Erkenntnis des eigentlichen neuralgischen Punktes der ganzen Lage und Frage: wie das Übel herangewachsen war hauptsächlich durch das Versagen des Klerus (siehe das Bekenntnis von *Hadrian VI* von 1522/23 und dasjenige des hl. Ignatius von 1555), so wurde es behoben in dem Masse, wie dieser Klerus neu geschaffen wurde. Der Satz im ersten Heft des Korrespondenzblattes von 1952 (*400 Jahre Kolleg*) S. 5 trifft genau: « Das Schlimmste war nicht, dass große Teile des Volkes der wahren Kirche verloren gingen, auch nicht, dass sogar in katholischen Gegenden der

---

[2] Natürlich, wenn aufgrund des neu zuerhebenden Materials die Geschichte des Germanikums in der Art der voraufgegangenen Fragestellungen einmal angepackt werden sollte, müsste es auch ein Anliegen sein, sorgsam die einzelnen sich herausgebenden Abschnitte gegeneinander abzuheben, etwa die Periode des Niedergangs zwischen etwa 1620 und 50 von der Zeit der Gründung und des ersten Aufstieges. Dies vergisst auch Steinhuber nicht. Aber es käme darauf an, die Kennzeichnung solcher Schwächung zu geben nicht nur vorwiegend durch die sehr wichtigen äusseren Elemente, sondern durch die Aufdeckung der inneren Problematik sowohl der Zeit wie des inneren Lebens; im Kolleg, also auf die Darstellung jener Elemente, die es damals nicht zuliessen, dass die Anstalt « in ihrer inneren Ordnung vollkommen geregelt war » (I. 380).

71

Glaubenseifer und die Sittenreinheit schweren Schaden gelitten hatten. Weit schlimmer wirkte sich der Mangel an heiligen und theologisch gebildeten Priestern aus; denn daran scheiterte die Rückführung Deutschlands zur Einheit des Glaubens».

Die Kirche war damals krank, akut krank. Die Angaben der Quellen und aller in Betracht kommenden Literatur, auch bei Steinhuber, lassen darüber keinen Zweifel. Man kann nicht ein paar Seiten — manchmal nicht ein paar kurze Absätze — in einem Quellenwerk oder in einer Darstellung jener Zeit lesen, ohne auf den Komplex 'kirchliche Misstände' zu stossen. Diesen Komplex für die vorreformatorische Zeit ausführlich zu behandeln, wird von ängstlichen Gemütern immer noch als mehr oder weniger ominös empfunden. Aber für die Zeit der innerkatholischen Reform ist das nicht mehr der Fall. Hier empfinden auch die ängstlichen Herren kaum noch eine Hemmung, das Bild ganz und gar grau in grau zu zeichnen: denn es gilt ja darzustellen, wie sehr damals Grosses in der Kirche, in der Überwindung dieser Misstände geleistet wurde.

Damit überflüssige Schwierigkeiten vermieden werden, darf ich einfach eine schon oft ausgesprochene Überlegung wiederholen: Die innerkirchliche Reform des 16./17. Jahrhunderts ist eine der gültigsten h i s t o r i s c h e n Hinweise auf die unzerstörbare göttliche Kraft der Kirche, die wir besitzen. — A b e r : dieser Beweis wird nur dann wirklich tragen, wenn man den Mut hat, vorher die Zersetzung, die Krankheit in der Kirche echt zu sehen und zu sagen. Man sieht sie aber nur echt, wenn man auch ihre Dauer in die Analyse einstellt, d. h. ihr Heranreifen seit (zum mindesten) vielen Jahrzehnten vor der Reformation.

Dass die kirchlich-religiöse Revolution Unordnung bringen musste, dass die heftigsten Invektiven (ich nannte die Art an anderer Stelle 'verantwortungsverwegen') gegen die guten Werke, insbesondere gegen den Zölibat und das Mönchsleben, sittliche Schranken niederreissen mussten, könnte man mit Recht sogar a priori behaupten. Wir haben aber auch die historischen Belege. Und wir können uns ausserdem auf Bekenntnisse und Klagen von Reformatoren selbst, an ihrer Spitze Luther und Melanchthon, berufen. — Aber auch die furchtbare absinkende Zahl der priesterlichen Zölibatäre — der wir dauernd begegnen werden — deutet genug an. Ihr ging parallel die Zahl der sich leerenden Klöster.

Aber dies ist nicht alles. Es ist nicht recht, so zu tun, als ob bis zur Reformation, d. h. bis zu der Zeit, in der sich Luthers und der anderen Reformatoren Tätigkeit als die Zeit mitprägend ansprechen lassen, die Hauptsache in der Kirche — also sozusagen von einigen Schönheitsfehlern abgesehen — in Ordnung gewesen wäre; als ob der kirchliche Verfall eigentlich nur im Gefolge der Glaubensspaltung aufgetreten sei (vgl. 1, 343). Das damalige Bekenntnis zur Kirche kann man in vielen Fällen nur dann als genügend bezeichen, wenn man Korrektheit (oder gar negative Korrektheit) mit der Wahrheit verwechselt. Die theologische Unklarheit vieler Kirchenmänner, Kanonisten und der Verwaltungsarbeit wie die praktische Lebensführung an der römischen Kurie und in den meisten Bischofshäusern, in den adligen Domkapiteln, in reichen adligen Abteien, und wiederum in einem grossen Teil des niederen Klerus p r ä g t e die kirchliche Lage vor der Reformation. Der hohe Renaissanceklerus einschliesslich das Renaissancepapsttum ist eine Tatsache, der Pfründenschacher vor der Reformation eine Tatsache, die verheerende Wirkung des Adelsprivilegs vor der Reformation eine Tatsache, und Konkubinat und Simonie, Trennung vom hohen und niederen Klerus k e n n z e i c h n e n den Klerus vor der Reformation. Die formelle Häresie fehlte. Gott sei Dank! Aber man muss sich

72

manchmal fragen, ob die schleichende Häresie und die nicht bekämpfte Blutleere nicht das grössere Übel — weil schwerer zu bekämpfen — waren?

Bei dem grossen Schwächekomplex, dem die Gegenreformation zu begegnen hatte, haben wir es sowohl mit entgegenstehenden feindlichen Kräften von aussen zu tun — mit der protestantischen Neuerung — als auch mit einer bedrohlichen Krankheit innerhalb der Kirche selbst. Von beiden Seiten also von innen und noch mehr von aussen befand sich die Kirche in Lebensgefahr.

Der Protestantismus hatte in mächtigem Ansturm (durch religiöse wie politisch-wirtschaftliche Kraftentfaltung) weite Teile der Kirche nördlich der Alpen und der Pyrenäen an sich gerissen. Bis zum Ende des Jahrhunderts wogte der Kampf so unentschieden, dass es immer noch scheinen konnte, als ob ganz Europa der Neuerung anheimfallen sollte.

Die vielfältige Krankheit und Schwäche i n n e r h a l b der Kirche war angesichts der Lebensbedrohung durch die Reformation nicht nur nicht überwunden worden, sondern jetzt zeigte sich erst recht, wie vieles morsch war, und wie viel, die bis dahin selbstverständlich zur Kirche standen, bei der ersten ernsten Belastung sich als für den Abfall reif erwiesen, oder wenigstens von religiöser und sittlicher Schwindsucht bedroht waren.

Als Summe ergibt sich, dass die Erkenntnis der Arbeit der Germaniker in unserm Zeitalter ganz wesentlich abhängig ist von der Erkenntnis der Krankheit der damaligen Kirche in den Gegenden, wo Germaniker halfen, die Kirche zu erneuern. Wie in einem Spiegelbild zwischen vorher und nachher kann man die Leistung andeutend rekonstruieren. Jede Leistung ist abhängig von den Bedingungen, unter denen sie durchgeführt wird. Je besser das Milieu vorbereitet ist, umso leichter wird die Aufgabe, umso weniger Mühe bedarf es und umso weniger neuer, überragender Kräfte. Je schlechter das Milieu vorbereitet ist, je mehr Unordnung und Schwäche und Widerstände aller Art zu überwinden sind, umso grösser ist die Kraft, die ein gutes Resultat hervorbringt.

An diese elementaren Gesetze ist auch Sein, Wirken, Krankwerden und Starkwerden der Kirche gebunden.

Jene innerkirchliche Auflösung in ihrem uns heute kaum mehr verständlichen Umfang und der Schnelligkeit, mit der sie sich dem Nullpunkt zu nähern schien, wird unverständlich, wenn man bei der These beharrt, ein einigermassen gesunder kirchlicher Gesamtzustand sei durch die protestantische Rebellion erst zum Chaos geworden. Ein gesunder Organismus vermag die Krankheitskeime auszuscheiden.

Aus den oben angegebenen Gründen, und um die versprochene Skizze nicht hoffnungslos ad calendas graecas zu verschieben, versuche ich es mit einer Art K u r z m e t h o d e : die angegebenen Fragenkomplexe mir vor Augen haltend, lese ich (neben anderen Darstellungen und unter Heranziehung verschiedener Quellen), *Steinhubers* ersten Band, stelle Fragen und suche aus der Masse der Einzelangaben gewisse gemeinsame Komplexe zu umreissen.

Also wohlgemerkt: beinahe alle Angaben über die Tatsachen, sei es des Lebens im Kolleg, sei es des Wirkens der Germaniker, sind unmittelbar und oft wörtlich aus Steinhuber entnommen. Ich versuche nur, sie durch Gruppierung, durch Einordnung in die allgemeine Problematik der Gegenreformation und durch Fragen, die ich stelle, etwas zum Sprechen zu bringen. Nur in dieser Begrenzung beansprucht das Folgende, eine selbständige wissenschaftliche Leistung zu sein. Es ist vor allem eine kleine Gabe an diejenigen Germaniker, die sich mit der Geschichte des Kollegs im angegebenen Zeitraum bekannt machen wollen, ohne Steinhubers Band lesen zu können.

II

Die Darstellungen der kirchlichen Reform im 16./17. Jahrhundert sind sehr oft einer Gefahr erlegen: das Konzil von Trient, die einheitliche Ausrichtung des kirchlichen Neubaus durch die päpstliche Kurie, die Gründung der neuen Orden, besonders der Jesuiten, die grossartige Fülle (qualitativ und quantitativ) der Heiligen und ihrer 'Schüler', die religiöse Gewalt des Barock, all das bildet einen so mächtigen Blickfang, dass der Unter- und Hintergrund dieser Erscheinungen, der Alltag, in und über dem sie stehen, leicht übersehen wird. Dieser Hinter- und Untergrund besteht in einem Doppelten: es sind zunächst die erwähnten religiös- kirchlichen Misstände, und zwar in ihrer Fortentwicklung zu akuter innerkirchlicher Auflösung. Und deshalb kennzeichnet jenen Unter- und Hintergrund als Zweites die unübersehbare Vielfalt von Anläufen und Ansätzen, die auf Jahrzehnte hinaus in vielen Diözesen zusammengehen.

Nicht die Zuchtlosigkeit Alexanders VI waren das Schlimmste am innerkirchlichen Verfall der Renaissancekurie. Das Bedrohlichste war, dass akute Verweltlichung als legitime Form des geistlichen Lebens, ja, des Lebens des Hohenpriesters erscheinen konnte. D i e s e Bedrohung der Religion des Kreuzes hatte sich über die Reformation hinaus in Deutschland des 16. Jahrhunderts tief in den Klerus eingefressen. Das Leben der hohen und niederen Geistlichkeit war in allen Schattierungen des Wortes, die radikalste Form nicht ausgenommen, 'ungeistlich' geworden. Und dieser Zustand wurde immer mehr zur Selbstverständlichkeit. Das Ideal des Priesterlichen — gar als verpflichtend — wurde nicht mehr gesehen. Ein eigentlicher Ansatzpunkt für eine echt geistliche Ansprache fehlte. — Ein B e w u s s t s e i n war ungeistlich. Durch alle Reformgutachten klingt immer wieder das eine Motiv: der korrupte Klerus, das schal gewordene Salz.

Wenn die glorreiche Schar der Beter, Büsser, Heiligen, in engstem Kontakt mit der unangetasteten wesenhaften Wahrheit und Heilskraft der Kirche stehend, zweifellos einen anderen Untergrund bildeten, aus dem die neuen Kräfte kamen, — diese neuen Kräfte mussten erst ihr Werk vollbringen. Vorläufig fehlte überall der Rahmen im Grossen wie im Kleinen. Es fehlten die Ansatzpunkte für den Neubau in einem niederdrückenden Ausmass.

Es musste also in unendlicher K l e i n a r b e i t ein neues Bewusstsein und neue Ordnungen geschaffen, die Luft musste gereinigt werden; es musste erst wieder den Katholiken — und einem Teil der Neugläubigen — der Gedanke glaubhaft gemacht werden, dass es einen echt frommen, auch einen echt gelehrten Katholizismus, und in ihm echte Priester und Mönche überhaupt geben könne! In Rom konnten sehr viele lange nicht verstehen, dass die Dinge bis zu diesem Grad der Zersetzung gediehen waren. Und tatsächlich war es nicht einfach Übertreibung, wenn ein Mann wie *Spalatin* (und später viele, die wirklich zur Konversion kamen) sich erstaunt zeigten, im katholischen Raum noch so viel Frömmigkeit und Gelehrsamkeit zu finden!

Dieses Negative wurzelte noch tiefer und zäher. Um sich dieser Tatsache bewusst zu werden, muss man die Lage der deutschen Diözesen i m D e t a i l betrachten und im einzelnen die unermessliche Arbeit verfolgen, die, eine Sisyphusarbeit, in spem contra spem, geleistet werden musste, bis endlich gegen Ende des Jahrhunderts das Bild der katholischen Kirche Deutschlands anfängt sich aufzuhellen.

Anfängt! Und so oft wieder bedroht ist, vom Gewitter ganz ins Dunkel gezogen und überschwemmt zu werden.

74

Denken wir an Köln, das durch seine Dominikaner seit den Dunkel-
männerbriefen und den ersten literarischen und akademischen Kämpfen
gegen *Luther* zunächst mit im Vordergrund der Abwehr gestanden hatte.
Der Abfall *Hermann von Wieds* wurde überwunden. In gewaltigem Kampf,
der sich bedrohlich lange hinzog, wurde dann abermals die gleiche Gefahr in *Gebhard Truchsess von Waldburg* (1573-83) niedergerungen. Aber
als nun endlich die Reinigung im Innern beginnen sollte, drohte durch
die Missgier und den unsittlichen Lebenswandel der Kurfürsten *Ernst von
Bayer* (1583-1612), das Erzstift zum drittenmal in diesem Jahrhundert « aus
den Fugen zu gehen » (Stieve bei *Weiler* 5).

Und nach der Überwindung solch unvorstellbarer Lebensgefahr welch
klägliches Niveau! Man kann es in vielen katholischen Diözesen und bei
vielen Kirchenmännern noch am Ende des Jahrhunderts feststellen, wie
wenig hoch die Anforderungen waren ... Die kirchliche Gesinnung war
geschwunden. Man kannte die Kirche und ihre Lehre nicht, noch weniger
ihre Grösse und Schönheit. Und das kaum Gekannte liebte man verständlicherweise nicht. Insgesamt war ein sentire cum ecclesia kaum und ein sentire
cum papa gar nicht vorhanden.

Die päpstliche Autorität hatte sich zwar auf dem Trienter Konzil kräftig erneuert, aber sie hatte sich noch längst nicht durchgesetzt. Wenn sogar
die katholischen Fürsten in Deutschland sich als von Rom vernachlässigt
empfanden, wie wenig musste dann jene Autorität bei den Domherren gelten, die offen oder geheim protestantisierten, zum mindesten sich nicht an
die kanonischen Vorschriften betreffend Simonie, Gottesdienst und Lebensführung zu halten gedachten!

Andererseits war nicht alles hoffnungslos; manchmal stellt man erstaunt fest, wie stark die päpstliche Autorität ist, wenn sie entschlossen eingesetzt wird: die opponierenden Herren geben nach. (Vgl. *Weiler* 11).

Auch war es, gottlob, nicht so, dass mit dem sittlichen (und sozialen,
bei den Abteien auch wirtschaftlichen) Verfall immer die betreffenden Kleriker der Häresie verfallen gewesen wären. Die meisten katholischen Geistlichen waren rechtgläubig geblieben und konnten zu verhältnismässig er-
träglichem, manchmal kräftigem katholischem Leben zurückgeführt werden,
wenn sie ihre Frauen loswaren. Das Benediktinerstift bei *Judenburg*, « infolge des religiösen Schismas des 16. Jahrhunderts in gänzlichen Verfall
geraten, hatte sich in der Religion allezeit gut gehalten; es wurde durch
den Germaniker *Rebhahn* in kurzer Zeit zu hoher Blüte zurückgeführt [3].

Um das äussere Bild und die Verteilung der mitentscheidenden kirchenpolitischen Kräfte ins Gedächtnis zu rufen, ein paar Andeutungen: Etwa
um 1609 waren 12 Diözesen in erbliche Fürstentümer verwandelt, 7 Diözesen in der Hand von offenen Protestanten, andere von Namenskatholiken
geleitet [4].

Nur wenige Fürstenhäuser waren katholisch geblieben; in ihnen aber
gab es kaum Persönlichkeiten, die geeignet gewesen wären, Bischof in
Hochstiften zu werden. Es verbleiben eigentlich nur die bayerischen Prinzen.

---

[3] 1, 364 D i r e k t erwähnt wird allerdings nur die finanzielle Seite der
Angelegenheit.
[4] Übersicht über die Lage für 1588 von Minucci bei *Pastor* 10, 363.

Zunächst noch ein Wort zum Ausdruck G e g e n r e f o r m a t i o n .

Das katholisch-kirchliche Leben seit dem Entstehen der Reformation wird in zunehmendem Masse tatsächlich ein Leben g e g e n die Neuerung. Das zeigt sich im literarischen Kampf gegen *Luther*, das tritt hervor in den katholischen Reformgutachten, das offenbart sich in der Begründung der Notwendigkeit eines Konzils, das nimmt politische Formen an in den Ansätzen zu einem Zusammenschluss katholischer Territorialkräfte mit der Front gegen die Protestanten (seit 1529) und die Confessions-Verwandten (seit 1530), das kennzeichnet einen Grossteil der Politik *Karls V.* Das kommt dann auch zur Darstellung im Konzil von Trient, in der päpstlichen und kaiserlichen und auch französischen Politik nach 1555, und wiederum entscheidend in den vielfältigen Planungen der Kurie zur kirchlich-seelsorgerlichen Wiedergewinnung der verlorenen Glieder.

Der Begriff 'Gegenreformation' ist nicht umfassend genommen, wenn man das Politische und Kirchenpolitische von ihm ausschliesst. Man braucht nur das Lebenswerk irgendeines der grossen gegenreformatorischen Fürstbischöfe zu betrachten, um zu verstehen, wie wenig es damals möglich war, die kirchliche Reform mit geistig-geistlichen Mitteln allein durchzuführen. In verschiedener Darstellung bieten ebenso Kardinal *Hosius*, wie *Julius Echter von Mespelbrunn*, wie Koadjutor und Kurfürst *Ferdinand von Köln* den Beweis.

Es lässt sich aber ebenso wenig leugnen, dass vom Politischen her sehr vieles in die Planung und Durchführung der Gegenreformation einströmte, was nicht viel vom Geist des Evangeliums in sich trug. Man braucht nicht einmal gleich an die Verirrungen der Bartholomäusnacht zu denken; es genügt, nicht zu vergessen, dass der in beiden konfessionellen Lagern angewandte Grundsatz 'Cuius regio eius religio' ein heidnischer (Pribilla) war, und daran zu denken, wie zwar ohne das protestantisch werdende Territorialkirchentum Luther hätte kommen, nicht aber die Reformation hätte siegen können.

Die Tatsache, dass so viele Diözesen zu erblichen Fürstentümern umgebildet werden konnten, dass bis über 1600 hinaus es nicht entschieden war, ob Köln, trotz zweimal abgewendeter Gefahr nicht doch noch das gleiche Schicksal teilen würde, oder die Gefahr, die Münster drohte (Kurfürst *Ernst von Köln* scheint daran gedacht zu haben, den protestantischen Herzog von Limburg zum Koadjutor wählen zu lassen (*Weiler* 553), belegt die gleiche These.

Und also steht für eine echt kirchliche Betrachtung (der es ohnehin nach Luk. 9, 24 und Joh. 12, 24 nie auf den Erfolg allein ankommen kann) hier auch diese Frage zur Beantwortung: inwieweit war jenes Politische bzw. jenes Kirchenpolitische Mittel für das Geistlich-Kirchliche oder Ausdruck dafür?

Aber eben damals waren längst ganz andere, nämlich religiös-schöpferische Kräfte *e n t s c h e i d e n d* in das Leben der Kirche eingetreten. Es waren die gesteigerten spätmittelalterlichen kirchlichen Reformansätze einerseits und die neuen Kräfte der Heiligkeit und heiligen Seelsorge in den neuen Orden andererseits, die *Jesuiten*, die Mystik *Theresias* un der durch sie erneuerte Carmeliterorden, die *Kapuziner*, *Philippus Neri* und sein Oratorium. Aber auch dieses positiv innerkatholische Leben war — naturgemäss — erstens gegen die Neuerung und zweitens auf Rückeroberung gerichtet.

76

Und doch: zu innerst sass etwas Positives: das Streben nach S e l b s t - h e i l i g u n g . Von da entstand (oder wurde gespeist) dies andere Positivum: der Wille zur g e i s t l i c h e n Rückeroberung, ein Ausfluss des vom Stifter der Kirche seinen Aposteln geschenkten und abverlangten Seelenhungers. Er äusserte sich sowohl im Versuch, verlorene Gemeinden und Diözesen und Einzelpersonen dem katholischen Glauben wiederzugewinnen, als gleichzeitig und sogar vordringlich in der Heilung und Kräftigung der krank gewordenen katholischen Gläubigen, vor allem ihrer Priester.

In der Tat, — wie immer wieder zu betonen ist —, der Verfall in der Kirche äusserte sich am sichtbarsten in der Verweltlichung oder gar in der krassen Sittenlosigkeit des K l e r u s . Die Ursache davon lag noch tiefer: im Verlust des evangelischen Geistes der besseren inneren Gerechtigkeit, aber auch des Priesterlichen überhaupt. Der Verfall hatte von da in der Form von Unwissenheit, von häretischen Glaubensauffassungen, von Aberglauben und Unsittlichkeit in weitestem Masse auf das K i r - c h e n v o l k übergegriffen. Aber die Wurzeln des Übels lagen im Klerus.

Und also war und blieb die grosse Aufgabe, einen neuen Klerus zu schaffen, noch auf ein halbes Jahrhundert hinaus, so wie Nuntius *Martinengo am 22. 4. 1551* aus Wien gemeldet hatte: Priestermangel ungeheuersten Ausmasses und erschütternder Mangel an priesterlichen Qualitäten bei den wenigen Geistlichen: quanto a sacerdoti non potrebbon' star peggio di quello che stanno. Man sagt ihm, 200 Seelsorgsbenefizien seien ohne Priester, und wenn welche da sind, o sono infetti d'heresia o sono uxorati o senza ordini sacri [5]. — C a n i s i u s meldet 1554, dass Wien in 20 Jahren nur 20 Priester weihte. Als der Nuntius *Gropper* aus Rom den Auftrag erhalten hatte, ein Verzeichnis der verwendbaren Priester einzusenden, bezeichnete er sich dazu ausserstande und riet, im Kollegium selbst nach tauglichen Personen zu suchen (1, 172).

Als 1573 *Elgard* mit Gropper in Deutschland erscheint, wo nicht wenige Diözesen umsonst nach einem Weihbischof suchen (1, 170 f.), bekommt er sofort mehrere Angebote. Elgard selbst wusste 1574 nur vier Namen empfehlend zu nennen; Weihbischof *Weber*-Mainz, Weihbischof *Feucht*-Bamberg und zwei junge Germaniker aus der Diözese Trier, die vor sechs Jahren im Kolleg gewesen waren, beide aus dem Luxemburgischen: *Johann Peter Damian* aus Grevenmachern und *Nikolaus von Nittel* [6].

Die Lage der Kirche im Reich und Ungarn war seit der Mittes des Jahrhunderts in zunehmendem Masse zum Verzweifeln: es schien, als müsste man die kirchliche Reform für verloren geben. Die deutsche Kirche war wirklich exsanguis. Sie war in akutem Sinne so, wie der hl. *Karl Borromäus* den Predigern empfahl, sich ihre Zuhörerschaft vorzustellen: als einen Krankensaal mit den des Arztes s e h r bedürftigen Seelen (s. Trierer Theol. Ztschr. 1952 S. 216: graviter periculoseque aegrotantium).

Ganz allgemein darf man sagen, dass wir bis heute die Trostlosigkeit und Gefahr der Lage nicht genügend ins Bewusstsein aufgenommen haben. Trotz der zahllosen allerbetrüblichsten Quellenaussagen und trotz der allerdeutlichsten Urteile von *Janssen, Pastor* und *Steinhuber*.

T h e o r e t i s c h wissen wir alle, dass es schlimm, ganz schlimm stand. Aber wie schon angedeutet, die grosse rettende Leistung des Triden-

---

[5] Korrespondenzblatt 1952. 1 S. 5². Freilich zeigt diese Relation auch den oben angedeuteten Grundfehler vieler damaliger Berichte: die Unexaktheit, die vom Hörensagen über ' alcuna ' diocesi meldet.

[6] W. E. SCHWARZ, Nuntiaturkorrespondenz von Kaspar Gropper, Paderborn 1898. 173. Gropper selbst nennt im Jahre 1574 (S. 159) ausser diesen zwei noch vier andere « et alii complures » Germaniker. (1, 77).

77

tinums, des Papsttums, der Restauration und vor allem des Doppeljahrhunderts der Heiligen mit ihren immer wieder begeisternden, schier unglaublich umschaffenden Leistungen, stehen so sehr in unserm katholischen Bewusstsein vornean, dass die Last der Zersetzung nicht voll empfunden wird.

Dies aber ist ein Verlust nicht nur für das historische Denken (das wäre von geringerem Gewicht). Es ist ein Verlust für das katholische Bewusstsein, das jene Lebensrettung der Kirche und die darin wirksame göttliche Kraft nur dann voll erfasst, wenn es vorher die Erniedrigung voll realisiert und gleichsam als eigene Schwäche miterkannt hat. Um dies zu erreichen, genügt es und ist nötig, sich die Dinge im Detail, Diözese für Diözese vor Augen zu führen. Für diesen Zweck brauchen wir nur Steinhubers verstreute Angaben nebeneinander zu stellen [7].

Schon, wenn man den Anfang der einzelnen Abschnitte Steinhubers über die verschiedenen Diözesen liest, bekommt man den Eindruck eines Tiefstandes, der uns heute beinahe unmöglich erscheint. Die Ausdrücke 'trostlos', 'denkbar traurig' und ähnliche kehren immer wieder. Es finden sich wenige Lichtblicke, aber häufig eine noch trübere Färbung.

IV

Über den Verfall des kirchlichen Lebens in der grossen Erzdiözese K ö l n und die dortigen Versuche des kirchlichen Wiederaufbaus sind wir neuerdings durch die Arbeiten von *Weiler* und *Franzen* ziemlich gut unterrichtet (Siehe S. 67).

Das Verdikt 'trostlos' lässt sich hier am Befund mit ungewöhnlicher Eindringlichkeit auseinanderfalten. Nicht weniger als dreimal (oben S. 75) in der zweiten Hälfte des 16. Jahrhunderts kam das Erzstift in die unmittelbare Gefahr, der Kirche verloren zu gehen und damit dem Protestantismus auch im Westen des Reiches zum Siege zu verhelfen. Während im Süden die kirchliche Reform längst auf dem Marsche war, kann man in Köln von einigermassen durchstossenden Versuchen kirchlichen Neubaus erst von etwa 1600 an reden.

Im übrigen treffen wir hier einen Befund, der in sehr vielem für die gesamte deutsche Kirche als typisch angesprochen werden kann.

Quellen wie Darstellungen erwähnen schwere und schwerste Misstände wie selbstverständlich. Der Kurfürst *Friedrich IV. von Wied* « führte das Erzstift noch mehr dem Verfall zu » (*F. Weiler* 1). Da er sich weigerte, den Eid auf das Tridentinum abzulegen, konnte er immerhin 1567 zum Abdanken gezwungen werden (ebd.). Eine Schwierigkeit besonderer Art im Bereich der Erzdiözese bildeten die Territorien des Herzogs von *Jülich-Berg*, der durch Jahrzehnte hindurch mit der Autorität und den Machtmitteln des Landesherrn jegliche Visitation verhinderte.

Und die V i s i t a t i o n e n   w a r e n — wie die Untersuchung eines Kranken durch den Arzt — d i e   g r o s s e   V o r b e d i n g u n g   d e r B e s s e r u n g. Man wusste ja gar nicht genau, wie es eigentlich um die Kirche stand. Wie am Ende des 15. Jahrhunderts und zu Beginn des 16. Jahrhunderts theologische Unklarheit die Lage kennzeichnete, so wusste die bischöfliche Leitung (falls sie sich darum kümmerte), im letzten Drittel des Jahrhunderts oft nicht, wie weit die Neuerung, offen oder geheim, vor-

---

[7] Man darf dies in dem im folgenden versuchten Ausmass, obschon die zusammenfassenden Urteile Steinhubers nicht immer genau dem von ihm später vorgelegten Einzelangaben entsprechen.

gedrungen war, wie weit die Priester und das Kirchenvolk ihren kirchlichen Pflichten nachkamen oder nicht.

Kurfürst *Salentin von Ysenburg* (1567-77) gab sich zwar grosse Mühe; seine Visitationen (gemäss Tridentinum sess. 24 de ref. c. 3) bedeuten den Anfang der kirchlichen Reform in Köln. Aber nun zeigte sich, dass der Protestantismus eine erdrückende Übermacht gewonnen hatte, dass schlimmste Schäden auf katholischer Seite eingewurzelt waren. Die Adelsgeschlechter waren mit Protestantismus durchsetzt; aus ihnen aber wurden die Bischöfe gewählt (und unter welchen Unregelmässigkeiten des Wahlverfahrens und welchen lähmenden Wahlkpitulationen!).

Die Domkapitulare hielten wenig Residenz (der Prozentsatz der Nichtresidierenden ist oft genug erdrückend), Lebten ungeistlich, wie Ritter, waren offene oder geheime Protestanten und vereinigten selbstverständlich mehrere Pfründen in einer Hand.

Die Universität und das niedere katholische Schulwesen lagen danieder, während im Reich die evangelischen Universitäten, wenn auch nicht eben mit besonders hohem Niveau, sich entfalteten.

Die Zentralisierung der Stellenbesetzung in Rom, die nachher zu einem Mittel der Besserung werden sollte, führte fortwährend zu groben Missgriffen.

Gebildete Theologen und echte Seelsorger waren das Allerseltenste in diesem Klerus. Es herrschte eine unvorstellbare U n w i s s e n h e i t. Neben den Klagen über die Unsittlichkeit der Geistlichen kehrt keine Klage in den Berichten nach Rom so oft wieder wie diese. Das Niveau war wirklich bis nahe zum Nullpunkt gesunken.

Übrigens entsprach der Sittenlosigkeit (wie erklärlich) die Glaubenslosigkeit, und so wurde der Klerus der Hauptgegner der Reformversuche.

Kurz, wir sehen vor uns jenen korrupten Klerus, den wir schon aus der vorreformatorischen Zeit kennen, nun aber in eigentlich unglaublich gesteigerter Zersetzung. Er ist belastet mit Konkubinat und Simonie. Die Sakramente werden selten gespendet und dann ohne Ehrfurcht: ob rite, steht oft dahin. Die Geistlichen gewähren auch protestantischen Predigern Zutritt in katholischen Kirchen.

Entsprechend hören wir wieder und wieder aus katholischen Kreisen den Ruf nach dem Recht der Geistlichen auf Verehelichung.

Das Volk ist sich also grossenteils selbst überlassen; es hat übrigens für d i e s e n Priesterstand meist nur Verachtung übrig; echtes kirchliches Leben ist ihm zu einer fremden Sache geworden: wie sollte es für zupackende innerkirchliche Reform Verständnis und Bereitschaft aufbringen?

Für K ö l n mus nach Franzens nicht sehr ausführlich fundierten Angaben ein wesentlicher Unterschied gemacht werden zwischen Stadt und Land. Auf dem Land blieben die Verwirrungen noch bis weit in das 17. Jahrhundert hinein grauenhaft und nahmen durch den 30-jährigen Krieg wieder stark zu, auch die erschreckende Unkenntnis der Gläubigen (*Franzen*, 201), besonders in den abgelegenen Teilen der Eifel und im Herzogtum Westfalen im Sauerland.

Dann kam das absinkende Lebensende dieses Kurfürsten *Salentin*, der doch die kirchliche Reform begonnen hatte. Und nach ihm kam die Katastrophe unter *Gebhard Truchsess von Waldburg* (1577-83), dem man es beinahe nicht zu glauben vermag, dass er zunächst, mit den Jesuiten zusammenhaltend wirklich reformierte, der noch im Mai 1581 eine ausführliche Instruktion für das Herzogtum Westfalen erliess! [8]

8 Das Vorstehende nach *Weiler*, 1 ff.

Die Wende setzte in Köln an unter dem Kurfürst *Ernst von Bayern,* aber nicht durch ihn, der leichtfertig lebte und die Diözese wie schon gesagt, ein drittesmal in die Gefahr brachte, zur Neuerung überzugehen, sondern durch seinen Neffen *Ferdinand von Bayern,* der erst als Koadjutor, dann als Kurfürst die kirchliche Reform förderte. Kurfürst Ferdinand und seine Arbeit sind für die Erkenntnis der Eigenart der damaligen kirchlichen Lage und der aus ihr sich ergebenden kirchlichen Problematik, für die Möglichkeiten des damaligen katholischen und priesterlichen Daseins, also auch für die Bedingungen der durch Germaniker zu leistenden Arbeit höchst aufschlussreich.

Ein Beispiel: Koadjutor Ernst hielt eine Visitation für den Ahrgau in Bonn ab. 40 Pfarrer waren erschienen: ganz arme Leute, deren Kleidung, Benehmen und Redeweise fast keine Spur von Bildung zeigten. Es ergab sich ein vollständiger Mangel an geschickten Seelsorgern. Manche waren nicht investiert; manche wussten nicht, dass die nötig sei; Mönche lebten in Pfarreien ohne Erlaubnis ihrer Obern. In einigen Kirchen predigten Protestanten. Stiftungen waren zugrundegegangen. Es gab Wiedertäufer und Calvinisten in den Pfarreien. Insgesamt ergab sich, dass das Übel des Konkubinats und der Simonie so eingerissen war, dass eine gründliche Besserung kaum noch möglich erschien (*Weiler* öfters).

Die Lage in M ü n s t e r [9] wird vergleichsweise als weniger schlimm bezeichnet (1, 250). Der überragende *Elgard* behielt immer eine gewisse Vorliebe für «diese treffliche Stadt und Diözese». Aber als sich 1571 bei einer Visitation 225 Geistliche dem Examen stellten, waren von ihnen 115 Konkubinarier, 8 verheiratet, 17 der Christenlehre unkundig, 32 spendeten sub utraque. Im Domkapitel sassen sehr viel unzuverlässige Leute. 1585 wünschte die Majorität den protestantischen Erzbischof von Bremen zum Oberhirten.

In P a d e r b o r n war die Neuerung in der Bürgerschaft und im Adel siegreich. Der Bischof (*Heinrich von Sachsen — Lauenburg,* auch Bischof von Bremen und Osnabrück, war lutherisch gesinnt. Nur wenige Domherren waren katholisch (1, 254).

In H i l d e s h e i m, wo das alte Kirchenwesen schon seit 1542 unterdrückt ist, bleibt es auch während des vorübergehenden Aufschwungs (nach 1547) gefährlich, von der Kanzel katholisch zu predigen; übrigens bleibt die Kirche leer. Und später, 1573, ist der tüchtige Germaniker *Heinrich Winichius* auf 15 Jahre lang die «einzige Stütze der Katholiken» (1, 264).

Mit Ausnahme von Bayern war die religiöse Neuerung nirgends so wenig durchgedrungen wie in der Erzdiözese T r i e r. *Minucci* hob 1588 die Sorgfalt der Oberhirten rühmend hervor (1, 226). Aber rings im Land war viel zu bessern. Die Grafen von *Manderscheid,* die in ihrem Gebiet das Luthertum eingeführt hatten, standen offen gegen ihren Lehnsherrn, den Kurfürsten von Trier; sie betrachteten die kaiserliche Abtei Prüm als Familienbesitz, und sie stellten den Abt. Der Germaniker *Binsfeld* wusste zu berichten, dass ein Rest von 10 Mönchen übrig war, 4 im Kloster, 6 in Pfarreien: alle führten ein ärgerliches Leben. Nur mit Waffengewalt konnte eine Reform durchgeführt werden (1, 277).

In S p e y e r war das Domkapitel in der zweiten Hälfte des 16. Jahrhunderts gut; leider liessen die Domherren sich hier eben so selten zu Priestern weihen wie in den anderen rheinischen Diözesen (1, 238). Wenn ein hochadeliger Herr, wie der Germaniker *Adolf von Metternich* eine Ausnahme

---

[9] Die folgenden Angaben aus Steinhuber müssen natürlich jeweils durch die Jahresdaten der erwähnten Männer chronologisch fixiert werden.

80

machte, Messe hielt, predigte und Beichte hörte, so erregte das höchstens Aufsehen. Immerhin schrieb dieses Domkapitel mehrmals an den Rektor *Laurentano* in diesem Sinne: « Aller Fortschritt im Seelenheil unserer Untertanen wird von eurem Collegium erhofft » (1, 237).

In der Markgrafschaft Baden-Baden wurde zwar das katholische Bekenntnis wieder eingeführt (unter Konversion des ganzen Hofes, mit einer Ausnahme). Aber dies war nicht der Ausdruck innerer Umkehr, der baldigen Wiedereinführung des Luthertums entsprach der Seufzer, der einiges über den Wert jener Rekatholisierung verrät: « Niemand hilft uns hier ... die Ärgernisse sind erschrecklich. der Unglaube unbeschreiblich, dazu alles voll des hässlichsten Aberglaubens » (1, 241).

In O s n a b r ü c k   ist die einzige Stütze *Schenking*. Bischof ist der schwankende *von Waldeck* und dann der neugläubige *Philipp Sigmund von Braunschweig* (1, 259). Von den 24 Domherren sind nur 7 (darunter 4 Germaniker) aufrichtig katholisch. Die anderen stecken zum Teil im Konkubinat oder sind verheiratet (1, 260). Es ist nicht von Gewicht, wenn von solchem Gremium tadelnde Gerüchte gegen die Germaniker nach Rom lanciert wurden (1, 260).

S t r a s s b u r g   war eine der hilfsbedürftigsten Diözesen.

In M a i n z und auf dem Eichsfeld ist die Lage 1568 bzw. 1575, was die Bildung des Klerus angeht, trostlos, und auf dessen Sittlichkeit und soziale Lage hin angesehen, eigentlich hoffnungslos. Der Adel ist evangelisch, die meisten Beamten und Räte am Hof des Kurfürsten sind protestantisch oder des Protestantismus verdächtig (1, 208).

F u l d a befindet sich in hilfloser Position, alle Ordnung ist aufgelöst. Kaum gibt es in der Abtei noch etliche 5 zuchtlose Mönche, die sich (trotz des unvergleichlichnen Abts) natürlich gegen alle Reformierung sperren. Die Propstei von Rabansville ist von einem unkatholischen übelbeleumdeten Kleriker besetzt (1, 223).

In L ü b e c k herrscht das Luthertum seit 1575 uneingeschränkt, so dass nicht einmal die wenigen katholischen Domherren freie Religionsausübung haben. Die Domherren wenden sich mehr und mehr der Neuerung zu. Bischof *von Holle* lässt das Messbuch feierlich bestatten (1, 265)! Die mit Hilfe des Kaisers eingeleitete Kraftprobe durch zwei aufeinanderfolgende Germaniker *Merode* und *von Horst,* die schon im Kolleg zum Dompropst designiert wurden, vermögen das Stift der Kirche nicht zu erhalten. Von den 30 Domherrenpfründen verbleiben den Katholiken noch 4 (1, 266). Sogar die hl. Sakramente in den Häusern zu spenden, war mit Lebensgefahr verbunden. Eine Eingabe an Sixtus V. schildert die Lage als höchst elend, obschon sie sich noch an kleine Hoffnungen klammert. Aussicht aur Rettung gebe es nur durch Vermehrung der guten Kanoniker, also — so heisst es — durch Germaniker: sollte denselben auch das eine oder ander Gute abgehen, so werden sie doch jederzeit am katholischen Glauben festhalten ...

Die Stadt W o r m s ist beinahe ganz protestantisch. Die Domherren sind zwar zum grössten Teil katholisch, aber nicht zuverlässig (1588). Der Klerus ist spärlich, unwissend und verkommen (1, 224).

In M i n d e n ist der Zusammenbruch vollständig. Viele Domherrn sind nur noch dem Anscheine nach katholisch (1, 267).

In H a l b e r s t a d t ist die Auflösung beinahe vollkommen. Auch in das Kapitel (wo 1588 unter den Kanonikern kein einziger Priester war) drangen die Lutheraner siegreich vor.

In M a g d e b u r g war die Lage « noch schlimmer » trotz des Vertrags mit der Stadt, der den Katholiken freien Besitz und freie Religionsäusserung garantierte. 1574 wird noch e i n gut katholischer Domherrn gemeldet. Einige geben sich zwar auch 1588 noch als katholisch, weil sie nicht verheiratet sind, die übrigen sind verheiratet und alle zusammen voll verweltlicht.

B r e m e n ist bis auf einige Klöster und deren Pfarrer verloren; M e i s s e n geht durch seinen Bischof verloren.

Die Lage in B a m b e r g ist überaus trostlos (1, 269). Der Bischof ist zwar katholisch, aber sein ärgerliches Leben gibt überall Anstoss. Man fragt sich, ob unter den Domherren auch nur einer noch gut katholisch sei. Die Dekane der drei Stifte sind Konkubinarier und die Stiftsherren und die Landgeistlichen desgleichen. Von den weltlichen Räten der Bischöfe ist nur einer katholisch. Der Lehrer der Domschule ist neugläubig. Auch später gibt es noch schlimmere Zustände: 1602 führt Bischof *Gebsattel* mitsamt seinem Hof ein sehr leichtfertiges Leben, und der Generalvikar muss später seiner Würden entsetzt werden (1, 271).

Als in W ü r z b u r g der epochemachende *Julius Echter von Mespelbrunn* die Regierung übernahm (1574), befand sich auch diese Diözese in einem trostlosen Zustand (1, 275). Von einer Visitation (1, 277) meldete *Eucharius Sang* einem jammervollen Zustand der Kirchen, entweihte Altäre, keine oder zerrissene Altartücher, die Geistlichen waren Konkubinarier oder verheiratet, manche höchst unwissend.

E i c h s t ä t t war durch seine eifrigen Oberhirten im 16. Jahrhundert vor vielem bewahrt geblieben (1, 280). Aber auch hier musste der « Klerus allmählich erneuert werden » in Bildung und Wandel (1, 282).

Dagegen befanden sich in A u g s b u r g Geistlichkeit und Volk in schlimmer Verwilderung (1, 285); freilich erholte sich die Diözese am schnellsten dank seiner Akademie und dem Jesuiten-Kolleg in Augsburg und besonders dank der Persönlichkeit seines Bischofs *Otto Truchsess von Waldburg* (1, 285).

In K o n s t a n z hatte sich das Volk treu gehalten. Aber der Welt- und Ordensklerus bot auch hier viel Anstoss. In den Klöstern sah es teilweise verheerend aus. Unter den Kapitularen im Kloster Murbach gab es nur einen einzigen unbescholtenen Mann. Eben darum war er den andern gründlich verhasst. Der reformbedachte Abt, *von Kaltenried,* dessen Wahl ein Kapuziner betreibt, wird ein Opfer des Widerstandes der entarteten Mönche und leider auch der hohen Politik (von Rom kam Gegenbefehl: wieder einen österreichischen Erzherzog zu wählen!) (1, 291 f.; vgl. 290 die eingehende Kennzeichnung des priesterlichen Dr. Jakob Mirgel).

Das Bistum C h u r befand sich in bejammernswerter Unordnung. Der Germaniker *Beli* meldet, er treffe Schlimmeres, als er je geträumt (1, 294).

Wie sonst wird die Lage auch in F r e i s i n g durch die Haltung der Domherren bestimmt: von 25 Domherren residieren nur 12. Davon hielten 8, auch der Generalvikar und der Weihbischof, Konkubinen; gelegentlich versprechen sie Besserung, ohne ihr Wort zu halten (1, 296 [1]). Auch am Hof (des kirchentreuesten Wilhelm V.) sah es nicht gut aus: es gab Hofkapläne, die nur imstande waren, e i n e Messe zu lesen. Der Chorgesang war verwahrlost, Paramente und Geräte in Unstand. Die Hofsänger unehrerbietig, ihre Kunst ganz unliturgisch (1, 297), der Besuch des Gottesdienstes entsprechend schlecht (1, 299).

In Freising war es nicht die neue Lehre, die bedrängte, eher eine gewisse « allgemeine Auflösung und Zuchtlosigkeit ». Sogar *Janssen,* der die katholische Restauration von Bayern mit 1573 für vollendet angibt (4, 447), spricht davon, dass bei vielen Priestern noch in späterer Zeit der innere Abfall von der Kirche und allem Christentum zutage getreten sei (1, 301).

In R e g e n s b u r g hatte 1573 das Luthertum vollkommen Oberhand,

82

so dass es selbst für das katholisch gebliebene Straubing eine drohende Gefahr war (1, 303; 305). 1588 gab es ausser der Geistlichkeit und deren Dienerschaft keine Katholiken (1, 304). Der verbliebene katholische Klerus lebte so unsittlich, dass *Morone* (RT 1576) sich entsetzte. Wie an anderen Stellen hatten auch hier die Domherren durch Wahlkapitulationen dem Bischof die Hände derart gebunden, dass er eine Reform gar nicht durchführen konnte, eine Lage, die den Weg der katholischen Reform auch sonst noch behinderte (vgl. Kurfürst Ferdinand von Köln und sein Kapitel!). Und natürlich scheute man auch hier (wie an vielen Stellen) vor radikalen Verleumdungen der neueingesetzten reformierenden Geistlichen nicht zurück (1, 311). Der Klerus wird allgemein als unwissend und nachlässig bezeichnet. Die Kirchen sind verwahrlost und schmutzig.

Auch in S a l z b u r g war kirchlich die Lage hoffnungslos. Kaum ein Zehntel war noch katholisch (1, 320). Die Domherren waren adelig und führten ein ärgerliches Leben und von 24 hielten nur 14 Residenz. Die Wahlkapitulationen zerrissen die Ordnung immer mehr und machten eine Reform immer schwieriger. Der niedere Klerus war unwissend, unsittlich, denn es fehlte an geistlichen Schulen. — In der Verwaltung war es so, dass sogar der Kammerpräsident des Erzherzogs Ferdinand der lutherischen Lehre zuneigte.

Die Wendung der Dinge unter dem ersten der 6 Germaniker — Erzbischöfe (von 1587-1747) — einem *von Reitenau* — musste trotz des bedeutsamen Wirkens des hochbegabten Mannes umso weniger vollkommen sein, als er dem Hauptproblem, das sich hier, wie überall, stellte: Heranbildung priesterlichen Nachwuchses, zu wenig Sorge angedeihen liess, und weil er ausserdem in späteren Jahren schweres Ärgernis gab (1, 322).

Das kleine Bistum W i e n litt unter grösstem Priestermangel. In allen Pfarreien gab es Lutheraner. Entsprechend stark war die Gegnerschaft gegen treukirchliche Priester, wenn sie solche fanden.

Der gleiche religiöse kirchliche Tiefstand in T i r o l (1, 325).

P a s s a u , die Diözese bis fast an die Tore Wiens, war beinahe ganz der Häresie verfallen (sie wirkte ansteckend nach Bayern hinein: durch den Grafen war hier in Ordenburg ein ausgesprungener Franziskaner und abtrünniger Chorherr als Prediger eingesetzt). Die Neuerung hatte sich (mit sozialer Unzufriedenheit verbunden) bei den Bauern durchgesetzt, die haufenweise bewaffnet zu den neugläubigen Predigten kamen, wo gegen die Winkelmesse, die Heiligen und das Fegefeuer und gegen alles Altgläubige geeifert wurde. Kein Wunder: denn der gesamte Welt- und Ordensklerus führte ein unchristliches Leben, und war ob seiner Unwissenheit. Sittenlosigkeit einschliesslich des alles verseuchenden Konkubinats allgemein verachtet. « Fast die Hälfte der Bauern in dieser Gegend (Rottal) kümmert sich weder um Gott mehr noch um Menschen ». Der Zustand des Weltklerus wird als grauenerregend bezeichnet (1, 316). Einige Priester konnten nicht einmal fertig lesen. Luther als Gottesmann, den Papst aber als Antichrist zu bezeichnen, war ihnen geläufig. Meist kannten sie die Formeln der Sakramente, besonders der Konsekration und Absolution, nicht.

In 10 von 14 Klöstern gab es nur noch den Abt oder Propst oder höchstens noch einen Mönch, und zusammen waren sie verweltlicht. Die Schulen waren teils eingegangen, teils hatten sie lutherische Lehrer. Die schon erwähnte allgemeine Verachtung für die Geistlichkeit steigerte sich mancherorts zu offenem Hass (1, 316). Dem wohlmeinenden Bischof fehlten sowohl die Tatkraft wie die Mitarbeiter, die er an leitenden Stellen hätte einsetzen können. — Der Gottesdienst am Dom und die Altäre darin waren unglaublich vernachlässigt. 1579 war es kaum möglich, an Ostern die hl. Messe zu feiern, «weil die Priester hier nicht zu zelebrieren pflegen ».

An den meisten Orten auf dem Lande war nur noch der allen verhasste Pfarrer katholisch. — Und natürlich fehlte es überall an priesterlichem Nachwuchs.

Tragisch in besonderer Weise, dass ein weithin in Wort und Schrift priesterlich wirkender Mann wie *Georg Gotthard* (1, 317), der unter Lebensgefahr zu reformieren suchte, schliesslich als Totschläger hingerichtet wird.

In B r e s l a u bestand im Domkapitel nicht die Forderung der adeligen Geburt und des Ahnennachweises. Steinhuber meldet (1, 470), die Kapitulare seien alle Priester gewesen und der grössere Teil theologisch gebildet und wirklich fromm.

Trotzdem war auch hier die Auflösung bedrohlich. Sie war seit langem vorbereitet durch die hussitische Lehre und die hussitischen Wirren. Die verwandte protestantische Lehre fand günstige Bedingungen für ihr Vordringen, so dass gleich mit Beginn der Reformation (1518) das neue Kirchenwesen das Land überwucherte.

Die Erzbischöfe waren teils mitschuldig, teils schwach, teils ohne Mitarbeiter. Verständlich: bis 1570 gab es keine theologische Schule. Und in der bischöflichen Schule lehrten Lutheraner. « Unter 50 Kirchen fand sich kaum eine mit einem katholischen Priester », meldet der eifrige *Cochläus*. Noch 1585 wird berichtet, dass unter den Geistlichen sich nur wenige fänden, die nicht entartet oder unfähig wären. Es wirkt erschütternd, wenn so viele Jahre nach dem Tridentinum in Rom angefragt wird, was man mit den verheirateten Priestern tun solle, da es keine anderen gebe. Denn die Gefahr von den Laien her war hier, wenn möglich, noch grösser. Um 1600 war Schlesien fast ganz protestantisch. Von den mehreren hundert adeligen Familien waren kaum 3 oder 4 noch katholisch, und so klammerte sich die ganz Diözese hartnäckig an die Häresie. Der Adel drängte sogar den Kaiser, einen Mann für das Kapitel zu präsentieren, « der von einer Beischläferin Kinder und erst kürzlich einen Sohn von einer entsprungenen Nonne hatte, den eine andere Nonne öffentlich aus der Taufe gehoben hatte » (1, 327).

Die Klöster waren später alle verarmt und fast verlassen. Auf dem Lande gab es nur wenige katholische Kirchen. Mit dem Dom und 7 Stiften war dies alles, was der Kirche geblieben war. In seinem Bericht von 1588 hat *Minucci* gemeldet, dass auch katholische Priester sich der lutherischen Postille bedienten. 1609 gab es in den vier protestantischen Fürstentümern Liegnitz, Brieg, Wohlau und Öls keinen einzigen katholischen Bürger oder Bauern mehr; selbst, wo der Erzbischof Landesherr war, gab es viele protestantische Pfarrer (1, 469).

Eine schwere Belastung war es für den Neubau, dass 1600-54 sozusagen eine bischofslose Zeit war: zwei Prinzen waren Bischöfe, der eine war mit 18, der andere mit 14 Jahren zum Bischof gewählt worden. Zum Glück leiteten damals Germaniker den Sprengel.

Die hier (für Breslau) angedeutete gefährliche innerkatholische Problematik äussert sich noch viel stärker in O l m ü t z. Die kuriale Praxis (deren Schattenseiten für die Hemmungen der kirchlichen Reform eine viel grössere Rolle spielen, als hier angedeutet und belegt werden kann) hatte es ermöglicht, dass ein früherer Germaniker, ein *von Dombrowski*, sich eine Bulle auf das Domdekanat von Olmütz erschlichen hatte und damit eben jenes Domdekanat sich aneignete, das Gregor XIII. dem Germaniker *Telč* verliehen hatte. In der verordneten neuen Wahl siegte wohl Telč, und er wurde auch der erste Germaniker-Bischof von Olmütz; als er aber schon nach zwei Jahren starb, sprach man von Gift. Jenem Dombrowski aber war inzwischen während der Minderjährigkeit des zum Bischof von Regensburg erwählten herzoglichen Prinzen die Verwaltung der Diözese Regensburg anvertraut worden. Wegen angeblicher Vergiftung wurde ihm durch Bischof Pawlowski der Prozess gemacht.

Bei einer Teilvisitation der Diözese L a i b a c h erwies sich der Klerus als verheiratet oder im Konkubinat lebend (1, 336).

In der besonders hilfsbedürftigen Diözese G u r k gab es kaum gute Geistliche (1, 340); im Domkapitel (nur regulierte Chorherren) gab es keinen gründlichen Theologen.

Als es gelang, aus der kleinen Diözese S e c k a u (mit 7 Pfarreien) den lutherischen Prediger zu entfernen, zeigte sich starker Widerstand gegen die Reformierung (durch *Rebhan*) sowohl im Weltklerus wie in dem zwar rechtgläubigen aber tief gesunkenen Benediktinerinnenstift Göss bei Judenburg (1, 342).

In B r i x e n belegte eine Visitation im Jahre 1578, dass in etwa über 60 Pfarreien fast 100 Konkubinarier lebten; von den 5 residierenden Domherren hatte keiner eine höhere Weihe empfangen. Noch 1602 meldet Bischof *Andreas von Spaur*: «Alles Unglück hier kommt von der Geistlichkeit». Unter 100 Visitierten findet er kaum 15-20 taugliche. Es sind entweder ausgesprungene Mönche, die ohne geistliche Kleidung herumgehen, Fälscher von Zeugnissen und Siegeln, die bestraft oder weggejagt werden mussten, oder es sind Konkubinarier oder ohne Dispens vor dem kanonischen Alter geweihte Kleriker. Andere beten das Brevier nicht oder zelebrieren im Zustande der Sünde oder wissen nicht einmal die Messe zu lesen, indem sie die Konsekrationsworte verstümmeln, unrichtig aussprechen oder auslassen; im Beichthören, ja im Aussprechen der Absolutionsformel sind sie gänzlich unerfahren und sogar in der christlichen Lehre äusserst unwissend». Der Bischof beschwor den Kardinal Paravicini, ihm doch aus dem Germanikum gute Priester zu verschaffen (1, 343).

In der Diözese des grossen Konzils von T r i e n t möchte man a priori ein helleres Bild erwarten. Leider entspricht die Wirklichkeit nicht diesem Wunsch. Auch Trient «litt in hohem Grade an den Gebrechen der Zeit ». Noch 1567 liest die Hälfte der Domherren nie Messe, einige stehen unter der Anklage des Mordes. Der Domprobst erscheint nur einmal im Jahr im Dom. Die Seelsorgsgeistlichen sind durchgehend Konkubinarier. Vom Volk aber meldet *Janssen* (8, 400 f.), dass es in ganz Tirol unwissend, zuchtlos und verwildert sei.

Eine Steigerung dieser schon unglaublichen Zustände erleben wir in U n g a r n . Hier waren die religiösen Zustände in der zweiten Hälfte des 16. Jahrhunderts noch viel heilloser als in Deutschland. Der Weltklerus, der unwissend und zuchtlos war, nahm immer mehr als Zahl ab. Kein Wunder: es gab kein einziges kirchliches Seminar. Und in den Klöstern fehlte die Zucht.

Am Ende des Jahrhunderts schien der Katholizismus in Ungarn ausgelebt zu haben. Drei Viertel des Landes gehörten den Türken oder dem den Türken unterworfenen Fürst von Siebenbürgen. Der letztere war Protestant; die Türken begünstigten den antikaiserlichen Protestantismus. Selbst im königlichen Ungarn war nur noch ein Drittel katholisch. Die katholischen Pfarrer starben aus. Die Katholiken waren auf Laienhelfer angewiesen, die wenigen katholischen Priester (Weltgeistliche und Jesuiten) sahen sich einem verbissenen, von Hass regierten Widerstand gegenüber (ihm erlag der sel. *Crisinus*; 1, 502 f.).

Angesichts einer solchen, doch nur eben angedeuteten, Bestandsaufnahme vergeht einem begreiflicherweise die Lust, in billiger vordergründlicher Apologetik mit den wenigen guten Bischöfen der Zeit zu paradieren. In A u g s b u r g : *Otto von Truchsess Waldburg;* in P a s s a u : *Urban von Trennbach*; in E i c h s t ä t t : *Martin von Schaumberg*; in M a i n z : *Damiel von Brendel*; in T r i e r : *Jakob von Eltz*; in W ü r z b u r g : *Julius Echter*; in F u l d a : Fürstabt *Balthasar von Dernbach* (1, 414).

Für die ersten Jahrzehnte des 17. Jahrhunderts (um über diese Zeit wenigstens einiges zu sagen), insbesondere die Zeit des 30jährigen Krieges (mit seinen drei Geisseln: Krieg, Pest und Hexenwahn; *Franzen* 289) liegen die Dinge anders.

Zwar wiederholt sich das Bild der letzten Jahrzehnte des 16. Jahrhunderts: die kirchliche Reformarbeit, besonders die Visitationen, werden durch herumstreifende Sodateska behindert, gar unmöglich gemacht, Ordnung und Zucht werden durch sie aufgelöst (wie etwa im Kölner Gebiet seit den Waldburgischen Wirren); weite Kreise verfallen einer völligen Verwilderung (wie bestiae, die kaum noch Christen waren; bei *Franzen* 134; vgl. 122 und passim).

Aber diese Zeit war doch auch schon von dem wieder geschaffenen katholischen Kirchenbewusstsein geprägt und konnte schon von einer Masse priesterlicher Reformleistungen zehren. Und so kannte denn damals das kirchliche Leben (zwar in vielfältigem Durcheinander) auch einen starken Aufschwung, bei dem unter Leitung eines schon neugeformten Klerus ' das gesamte Volk, hoch und niedrig, Träger der neuen Frömmigkeit war '. Dass diese Frömmigkeit in manchem problematisch war und sogar schlimmste Auswüchse oder in anderen Fällen seltsame Veräusserlichung zeigte, differenziert das Bild, hebt aber das Gesagte nicht auf. (Vgl. *Franzen* 281 und unten S. 75 und 95).

Auch auf das Germanikum wirkte der 30jährige Krieg in dieser Weise ein: die Zahl der Zöglinge verringerte sich dauernd; aber hinsichtlich des Lebens im Kolleg wird von ' begeisterten Übungen der Frömmigkeit, Tugend und Wissenschaft ' in betonter Aufwärtsentwicklung berichtet (1, 396).

V

Nun ist es nicht so, dass mit Skizzierung dieser wahrhaftig schreckenden Symptome das Wesentliche schon erschöpfend ausgesprochen ist. Hinter den Symptomen finden sich Grundhaltungen, die das eigentlich Gefährliche der Lage bilden, weil in ihnen Ursachen der kirchlichen, näherhin der priesterlichen Kraftlosigkeit lagen. Ich deute einiges an:

Lange vor der Reformation, aber, durch die Reformation hindurch sich erhaltend und durch ihren Druchbruch vielfach gefördert (trotz der Ansätze zur kirchlichen Reform und trotz des Tridentinums), gab es jene verhängisvolle Isolierung und Atomisierung der Theologie und jenes A b r ü c k e n v o m S a k r a m e n t a l e n, das sich insgesamt als ein Fehlen des kirchlichen Bewusstseins im Sinne des sentire cum ecclesia darstellt. Daher kam es, dass sogar der k o r r e k t e n Haltung oft die Kraft und Fülle des Lebens, nämlich des Lebens aus der Kirche, fehlte.

Wir wissen ferner um die Gefahr des Adelsmoments im kirchlichen Spätmittelalter. Aus dem Adelsprivileg entwickelte sich unter anderem die gleiche schlimme Quelle der Kraftlosigkeit: die meisten adligen Kanoniker wurden nicht geweiht! Dasselbe traf (naturgemäss, aber mit noch schlimmerer Wirkung) auf die Bischöfe zu. Nicht wenige blieben ungeweiht. In

86

manchen Kathedralkirchen hatte man über 100 Jahre keine bischöflichen Insignien gebraucht.

So konnte es geschehen, dass der kirchliche Wiederaufbau immer mehr auf adlige Domherren stiess, bei denen der Mangel der sakramentalen Kräftigung ihrer Verweltlichung weiter Vorschub leistete. Und dann finden wir das für unsere Vorstellung so fremde Bild eines für die Kirche, für die Reformierung tatkräftigen und persönlichen frommen Reformbischofs wie den Kölner Koadjutor und späteren Kurfürst Ferdinand, der nie die Weihe empfing.

In der Tatsache dieser Übel war die zu lösende Aufgabe im Kern vorgezeichnet: Schaffung von Seelsorgspriestern, sei es für die Erneuerung des hohen Klerus, sei es für die Erneuerung des Volkes — Stärkung des Sakramentalen Lebens. — Beides durch einen neuen und wesentlich engen Anschluss an die Kirche.

Der innerste Antrieb zur kirchlichen Reform war letztlich die Erkenntnis der absoluten Verpflichtung des Evangeliums und der (oft heroische) Wille, damit wieder ernst zu machen, die Erkenntnis, dass der Mensch n i c h t s habe, was er als Lösegeld geben könne, und die damit identische, dass das Himmelreich der e i n e Schatz sei, für den alles geopfert werden müsse.

Von diesen Erkenntnissen lebten in Heiligkeit die Männer, die der kirchlichen Neugeburt den Weg bahnten. Das Ziel wurde fest ins Auge gefasst. Und so viele damals entstandene Regeln von Klöstern, Bruderschaften, Seminarien und darunter auch die des Germanikums, zeigen, dass man die Aufgabe kompromisslos durchführen wollte. Auch die gewisse Rücksichtslosigkeit der Jesuiten beim Ringen um die Reform, oder auch beispielsweise das Vorgehen des Kurfürsten von Köln, *Ferdinand von Bayern,* bei der Reform der Klöster zeigen, dass man einigermassen verstanden hatte, dass es in dieser lebensbedrohenden Lage in der Kirche ein «inoperabel» nicht geben könne.

Und doch dieses Vorstossen in Rücksichtslosigkeit ist nicht die volle Signatur des Handelns. Vielmehr die Bedrohlichkeit der Lage offenbart sich noch einmal in einer Eindringlichkeit dadurch, dass man sich vor der Hand mit vielem abfand, abfinden musste, was den kanonischen Vorschriften widersprach. Man bequemte sich zu einem System 'minimistischer Akkomodation', um «zu retten, was zu retten war» (1, 259), war zufrieden, wenn die gröbsten Misstände beseitigt waren; man führte geradezu eine 'Taktik des geringeren Übels' ein; ja, kanonisch verbotene Dinge wurden zu einem rettenden Mittel. So sehr war die Ordnung zur Unordnung geworden, dass es schier unmöglich schien, den rettenden reinen Ansatzpunkt voll zu treffen. Über die Praxis des geringeren Widerstandes im Kampf um das Konzil und um ihre verheerenden Folgen wäre viel zu sagen. Dort war die Praxis von Übel gewesen, nicht zuletzt durch das in ihr sich darstellende Zögern war das Übel derart eingefressen, dass der Versuch einer radikalen Beserung tatsächlich zu einer Lebensbedrohung der Kirche zu werden drohte.

Diese Praxis wurde in der kirchlichen Reformarbeit weitergeführt. Freilich, der Geist war nun, Gott Dank, ein sehr viel anderer.

Das Mittel war trotzdem alles andere als ungefährlich. Zwar war es an sich noch harmlos, wenn das Zulassungsalter in das Germanikum für die adligen Herren (wenn sie die in den rheinischen Bistümern verlangte Ahnenprobe erbringen konnten) von 20 auf 16 Jahre herabgesetzt wurde. Aber das trieb weiter, bis die Kurie die Adligen überhaupt bevorzugte (1, 258). Bei der Verleihung von Pfründen und Ämtern wurden Hochadlige vom kanonischen Alter in zahllosen Fällen dispensiert. *Bonomini* meldete, in Köln würden die Kanonikate meist Kindern in die Windeln gelegt (*Weiler* 14). Die äusserste Konsequenz dieser Haltung lag dann vor, wenn mitten in der Reformierung, etwa für Regensburg, nacheinander ein bayrischer Prinz mit 18 und ein anderer mit 13 Jahren zum Bischof gewählt wurden.

Auch der heilige *Canisius*, dem es ja wahrhaftig um Heiligkeit ging, und der mit solchem Nachdruck als erste Bedingung für ein Gedeihen des Germanikums eine sorgfältige Auswahl der Alumnen verlangte, befürwortete für Adlige Ausnahmen: hier sollte man bei der Aufnahme nachsichtig sein, auch wenn sie noch wenig gelernt hätten ... Sie würden dann in den Domkapiteln, die in Deutschland von grösster Bedeutung seien, viel nützen können.

Von diesen adligen Germanikern unserer Epoche wurden viele nicht zum Priester geweiht. Das bedeutet zweifellos, dass in solchem Fall das Germanikum sein hohes Ziel, den Domkapiteln nicht nur sittlich tadellose, sondern auch gelehrte und seeleneifrige Kapitulare zu liefern, nur zum Teil erreichte. Aber ' immerhin bleiben sie fast ausnahmslos gläubig und Rom ergeben ' (1, 428).

Die schon zitierte Eingabe an *Sixtus V.* (Hoffnung sei nur durch Vermehrung der guten Kanoniker ... also durch Alumnen der Germanikums) fügt bei: « Mag denselben auch das eine oder andere Gute abgehen, so werden sie doch jederzeit am katholischen Glauben festhalten ... » (1, 266).

Dem doch so tadelnswerten Kurfürst *Ernst von Köln* schreibt der Nuntius besänftigend (*Weiler* 15 u. ö.). Sixtus V. tut, als ob er von der Tatsache des diesem Kurfürsten neugeborenen Sohnes nichts wisse. Oder der Nuntius Frangipani bekommt die Direktive, die Reform mit aller Behutsamkeit zu betreiben; es wird die Auffassung vertreten, man solle von der Reform abstehen, bis man auf Entgegenkommen zählen dürfe (*Weiler* 17). Oder 1585 wird auf der Kölner Diözesansynode das Tridentinum nicht publiziert aus Rücksicht auf den zu erwartenden Widerstand des Rates (ebd. 20). Manchmal geht man nicht einmal gegen gröbste Missstände vor, aus Angst, dadurch den Abfall noch zu fördern (ebd. 21, 17).

Auch *Klemens VIII.* übt diese Nachsicht: als er 1601 das Kölner Kapitel ersuchte, den Domdechanten zu zwingen, sich die schon drei Jahre aufgeschobene Weihe erteilen zu lassen, benutzte er nicht einmal die Gelegenheit, dem Kapitel von der schreiend notwendigen Reformierung zu reden (ebd. 65).

Oder der Nuntius bittet um Nachsicht, « denn die Leute seien arm und schwer heimgesucht durch den Krieg und an Gehorsam gegen die Kirche nicht gewöhnt ». Alles sei so in Unordnung, dass ohne ungewöhnliche Fakultäten nich durchzukommen sei (ebd. 60).

Nach dem trostlosen Ergebnis der Visitation des Stiftes Kerpen will man doch nicht gegen die Pflichtvergessenen vorgehen, um sie nicht zum Übertritt zu treiben (*Weiler* 21).

1615 war Kurfürst *Ferdinand* auf der Höhe seiner Reformtätigkeit. Und doch ist man sich bewusst, dass höchstens die gröbsten Missstände beim Stifts- und Ordensklerus beseitigt seien, dass das Fundament gelegt sei, auf dem ohne entscheidende Schwierigkeiten das Tridentinum durchgeführt werden könnte (*Weiler* 151 f.).

Mit dem Adelsprivileg und der dadurch gegebenen engen Verbindung der Kanoniker mit den grossen Adelsfamilien hatte sich in Nachahmung der kurialen Praxis und in Zusammenhang mit der höchst bedenklichen simonistischen Praxis dort der cumulus beneficiorum zu einem wahren Krebsschaden entwickelt: Besitz statt Seelsorge, Genuss, statt der Seele zu dienen, statt das Ewige zu verkünden. Das blieb nicht nur so, sondern das Übel frass weiter, auch nachdem das Tridentinum, sess. 24 cap. 12 de ref., die nötigen kompetenten Bestimmungen getroffen hatte. Und nun wurde eben dieser cumulus [10], geradezu ein notwendiges Mittel der kirchlichen Reform (*Weiler* 13), weil man nur so der Gefahr begegnen konnte, dem Eindringen protestantischer Nachbarn vorzubeugen, und bei der wachsenden Armut nur so die für den Aufbau nötigen Mittel zusammenzubringen imstande war. Dies erstrebte man auch für die geringeren Pfründen. Nuntius Bonomini erbat sich ausdrücklich allgemeine Dispensationsgewalt für zwei Stiftpfründen oder wenigstens die Erlaubnis, sie stillschweigend zu dulden.

Zum Wesen des Christen gehört es Missionar zu sein. Das Priesterliche spricht sich am stärksten im Seelsorgerlichen aus. Zwar ist die Art, dies zu sein, vielfältig; aber die Sache selbst darf nicht fehlen, wenn das Ganze gesund sein soll. Aber eben dies kennzeichnete die Lage der Kirche in zunehmendem Masse seit dem ausgehenden Mittelalter — sehr verschiedenen hier und dort; sehr stark durchbrochen vom Heiligmässigen, — dass mehr und mehr ein Klerikerstand sich entwickelte, von der päpstlichen Kurie bis zum proletarischen Altaristen, der n i c h t m e h r Seelsorger war. In Deutschland präsentierte sich dieser Missstand wiederum vor allem in Gestalt der Fürstbischöfe und der adligen Domherren bzw. Domkapitel, aber dann, wie wir sahen, in erschreckendem Masse auch im niederen Klerus.

Es gab noch eine andere schon angedeutete Schwierigkeit, die K i r - c h e n m ü d i g k e i t . Der Kampf um den Einsatz der entscheidenden Mittel gegen den zunehmenden Verfall seit dem 15. Jahrhundert, etwa um die Anberaumung eines allgemeinen Konzils, hatte seit dem Ende der Reformkonzilien so unendlich viel Enttäuschungen gebracht, so oft hatte man vergebens elementare kirchliche Forderungen aufgestellt, so oft waren sie mit fadenscheinigen Begründungen in lebensbedrohender Lage beiseitegeschoben worden, dass ein grosses Gefühl der Ermattung und Enttäuschung sich ausgebreitet hatte, dem selbst so mustergültig eifrige Männer wie *Eck* und *Cochläus* sich nicht hatten entziehen können. Und als dann die Riesenleistung des Tridentinums (wenn schon als Kompromiss) gelungen war, ergab dies in Deutschland, wie wir sahen, nicht etwa einen sofort sichtbaren Erfolg. Vielmehr: die protestantische Reformation schritt, durch den Calvinismus vermehrt, siegreich fort; es schien etwas von der Unabänderlichkeit einer Naturgewalt in der Entwicklung zu sein. Dies umso mehr, als die i n n e r e Schwäche im Heiligtum, besonders des Priestertums, in den Ländern, wo die Reformation sich ausbreitete, nicht abnahm, sondern zunahm.

Auf s o l c h e m H i n t e r g r u n d , d. h. in einer Lage, die auch optimistischen und wagemutigen Geistern mit Recht als hoffnungslos hätte erscheinen dürfen, muss man die Leistung der katholischen Reform sehen. Auf diesem Hintergrund muss man auch das Germanikum sehen und die Leistung, die damals von Germanikern zum gemeinsamen Werk der Kirche beigetragen wurde.

---

[10] *Johann Kratz von Scharffenstein* hatte beim Eintritt ins Kolleg schon 4 Domkanonikate in Mainz, Worms, Trier und Speyer. — Erzherzog *Leopold Wilhelm* (Sohn Ferdinands II.) war Bischof von Passau, Strassburg, Olmütz, Breslau und Halberstadt. — Churfürst *Ferdinand* war Bischof von Köln, Osnabrück, Münster und Freising (1, 505).

Von jenem Hintergrund aus begreift man sowohl den immer wieder nach Rom geschickten Ruf nach Helfern, als auch die Dankbarkeit für die aus dem Kolleg mitbekommene Formung und die fortdauernde Gebetsunterstützung; und dann wägt man die Echtheit von Worten, die sonst übertrieben erscheinen könnten wie die eines *Horst,* 1583: «Was die Katholiken hier tröstet, sind die... Germaniker» (1, 255) oder in der Eingabe an *Sixtus V.:* Hoffnung bestehe nur, wenn es gelänge, aus dem Germanikum die Zahl der guten Kanoniker zu vermehren (1, 266). Und man versteht die ganze Schwere der Worte der verlassenen einsamen Priester, die inmitten allgemeinen Abfalls Gegenstand des Hasses sind und bekennen: «Wahrhaftig hochherzige Seelen sind nötig, um hier Priester zu sein. Jetzt verstehe ich den Beruf der Zöglinge des Collegiums, der hingebende Männer verlangt, die nicht ihren Vorteil suchen, das Gerede der Menschen verachten und sich Christi nicht schämen, die der Welt abgestorben und mit Christo vereinigt für Christus Rede zu stehen bereit sind».

VI

Die Leistung der Germaniker hängt zutiefst an dem, was das Germanikum selbst als Anstalt in Idee und Wirklichkeit war. Die Idee (und zu einem Teil die Wirklichkeit) des Kollegs aber stammt von einem H e i l i g e n . Das scheint schon an sich für eine theologische Betrachtung wichtig. Hier ragt das Inkommensurable und Ungesicherte des Evangeliums in die Geschichte hinein. Nun aber war der heilige Stifter ein geradezu vergleichsloses Genie in der Erkenntnis dessen, was jener Zeit und was der Kirche in jener Zeit nottat, und ein Genie in der unvergleichlichen Genauigkeit, die vorhandenen Mittel mit einem optimalen Prozentsatz an Fruchtbarkeit einzusetzen. Dies macht jenes Wichtige vollends offenbar und steigert es zu einem Entscheidenden.

Ein grosser Teil der Leistung der Germaniker fliesst aus dieser Grundlage, die sie trug.

Zwar wurde schon gesagt, dass die Leistungen der Germaniker nicht ohne weiteres als Leistungen des Germanikums betrachtet werden können. Und soweit eine einheitliche Prägung der Zöglinge des Kollegs vorlag, wird sie wohl auch für damals mit jener Einschränkung gelten, die man öfters für die Jesuiten formulierte: ein Jesuit sei viel weniger nach dem Bild des heiligen Ignatius geformt als ein Minderbruder nach dem des heiligen Franziskus [11].

Aber gerade in d i e s e r Fesstellung stellt sich die schon angedeutete hochwichtige Frage nach der F u n k t i o n jener Formung durch das Kolleg.

Die innerkirchliche Reform des 16. Jahrhunderts ist rational nur sehr mangelhaft zu begreifen. Es handelt sich um eine Selbstentgiftung und Selbstverjüngung, die den Regeln des historischen und psychologischen Werdens manchmal zu spotten scheinen. Das Resultat reicht über die fassbaren Kräfte der Ursachen weit hinaus. Ein besonderes Geheimnis in diesem Kräftespiel stellt an vielen Stellen die Art dar, in welcher der heilige Ignatius seine Er-

---

[11] Für die Germaniker pflegte sie der verstorbene Professor Strucker (Münster) dahin zu formulieren: entweder bügele das Germanikum bis zur Einförmigkeit glatt, oder es bleiben höchst selbständig-eigenartige Charaktere als Resultat übrig.

90

folge erreichte. Zwar steht unmittelbar neben ihm die Garnitur grosser Männer der ersten Stunde, und es folgen dann auch einzelne überragende nach. Aber mit, unter und nach ihnen, wieviel Durchschnitt! Wieviel nicht Geprägtes! Und wie oft verwendet sie Ignatius in einer Weise (zur Förderung ihrer Selbstheiligung oft ihren Arbeitsplatz und die Art der Arbeit wechselnd), dass er geradezu eine organische Entwicklung und also ein bleibendes Resultat aufs Spiel zu setzen scheint!

Und doch, welch ein Erfolg! Warum?: In einer unvergleichlichen Weise war Ignatius schöpferischer Organisator, ein Willensphänomen, gepaart mit psychologischem Scharf- und Tiefblick sondergleichen, der es fertig brachte, die Menschen, die sich ihm anvertrauten, zu Funktionserscheinungen seines Wollens zu machen und sie so über sich hinauszuheben.

Der psychologische Mechanismus, der hier spielt, ist nicht leicht zu beschreiben. Aber seine Tatsache lässt sich über jeden Zweifel erhoben erweisen. Und so sehr gehört diese angedeutete, Menschen anziehende und sie umformende Kraft zum Wesen des heiligen Ignatius, dass sie nicht einmal ganz an die lebendige Gegenwart seiner Person gebunden war. Etwas von ihm ging in die grundlegenden Verordnungen über, die er konzipierte und schriftlich niederlegte. So übertrug er ein Stück seines Selbst auf seinen Orden und etwas davon auch auf andere zentrale Schöpfungen seines Geistes. Zu ihnen gehört das Germanikum.

Eine Kennzeichnung der kirchlichen Krankheit schon vor der Reformation war die 'Auflösung' der Einheit in der Kirche, die auf den verschiedensten Gebieten, von der Politik (Kirchenpolitik) hin bis zur Unsicherheit dessen, was als katholisch zu gelten hatte, vorlag und zügellosen Wildwuchs auf dem Gebiete des kirchlichen Brauchtums führte.

Durch die Aufkündigung der päpstlichen Autorität und damit einer einheitlichen Autorität in der Kirche und dem hemmungslosen Egoismus vieler protestantischer Fürsten und Staatskirchen war dieses Durcheinander um ein Vielfaches vermehrt worden.

Die Reaktion gegen dieses Chaos konnte nur dann gelingen, wenn es möglich war, die kleinen und grossen Besserungsansätze zu einer Einheit zusammenzufassen.

Dass dies gelang, ist von den grossen Leistungen der katholischen Restauration die grösste, oder anders gesagt, erst diese Integration zur E i n h e i t gab den Einzelansätzen die Kraft, eine wirkliche Wiedergeburt in Verteidigung und Aufbau zu erreichen.

Das Tridentinum war hiervon die erste Darstellung, das Papsttum die zentrale Quelle [12], die Orden waren sowohl Förderung als Funktion dieses werdenden Einheitsbewusstseins. Und so kam sehr viel darauf an, dass auch die Einzelleistungen Elemente der Einheit in sich trugen.

Eben deshalb war es unter anderem so wichtig, dass eine Macht entstand, die mit unerhörter Wucht vieles zur Funktion ihrer höchst einmaligen und stärksten zentralisierten Form werden liess: die Jesuiten. Daher z. B. die für die Kirche lebenrettende Funktion ihres durchaus nicht immer sympatischen Schul- oder Ordens- 'monopols'.

Wieweit hatte das Germanikum hieran teil. — Das Germanikum wurde n i c h t von Anfang an eine reine Darstellung der von Ignatius konzipierten Idee und ihres dann von Gregor XIII. und Rektor Lauretano versuchten Ausbaus. Allzuviel Hemmungen in Rom (bis zu Gregor XIII.) und in Deutschland-Ungarn standen dem entgegen. Sogar für die ganze Zeit etwa

---

12 Vgl. die verschiedenen Ansätze der Congregatio Germanica Pius' V., dann deren Arbeit seit Wiedereinsetzung unter Gregor XIII., besonders im Zusammenhang mit der Leistung der Nuntiaturen.

bis 1650 kann das Germanikum nicht einfachhin als ein ganz zu seiner Idee durchgedrungenes Gebilde betrachtet werden.

Die Einheitlichkeit der Alumnen nach Alter, Vorbildung [13], Dauer des Aufenthaltes, Ziel des Studiums war nicht gegeben. Das grosse Gefahrenmoment war wiederum der Adel, da er das Germanikum als Erziehungsanstalt für Nichtgeistliche wollte, so dass Rektor *Castorio* aufseufzt: «Hätte ich nicht Sorge getragen, das Collegium wäre schon lange eine H e r b e r g e , nicht mehr ein Collegium! ».

Die weisen Vorschriften der Constitutiones Gregors XIII., die verschiedene Reformvorschriften, die Anordnungen der bedeutendsten Rektoren wurden immer wieder einigermassen durchbrochen, da einflussreiche Persönlichkeiten (auf deren Zuneigung man doch bei der angespannten Finanzlage und dem seltsamen Charakter der Verwaltungsart der römischen Kurie angewiesen war) z. B. immer wieder bezahlten, Konviktoren oder solchen, die nicht oder nicht ernst zum Priesterstande trachteten, die Aufnahme vermittelten (1, 398 [2]).

Wenn als Beispiel aus späterer Zeit unter der Herrschaft der Olympia Maidalchini einer ihrer Neffen als « Nepote » Innozenz' X. im Kolleg weilt, aber mit 17 Jahren Kardinal wird und in den ihm von Olympia hergerichteten Palast umzieht, so ist es ein Trost, dass er rein und fromm blieb (1, 397 f.), öffnet uns aber einen Blick in die eigenartige innere Problematik des Kollegslebens jener Zeit.

Im Bereich des Geistigen stehen Quantität und Qualität nie in d i r e k t e r Relation. Das Genie — dessen höchste From der Heilige ist — vermag den Mangel an Mitarbeitern weithin zu ersetzen; sein Anstoss ist mehr wert als die geistige Befruchtung von Hunderten, vielleicht Tausenden.

Und doch bedarf es auf die Dauer eines gewissen « vernünftigen » Verhältnisses der zur Verfügung stehenden Zahl von Arbeitern und der Ausdehnung des zu bebauenden Ackers. Wenn also von 1552-1573 jährlich etwa nur 6-7 ins Kolleg eintraten, so konnte mit solcher Zahl die fällige Arbeit nur ungenügend geleistet werden, solange dies nicht überragende Persönlichkeiten waren.

Entsprechend wurden später die Jahre zwischen 1620 und 1650 für das Kolleg eine Zeit des Niederganges. Die Zahl der Alumnen betrug statt über 120 nur 80; und auch diese Zahl war nur zu halten durch die Aufnahme zahlender Konviktoren. Die Einkünfte des Kollegs reichten nur für 60 Zöglinge. Es hing Wesentliches an der Dotierung: « Mit dem Tage, wo die Anstalt fest dotiert, ihre Existenz gesichert, wo ihre innere Ordnung vollkommen geregelt ist, trat sie in die Reihe der Dinge zurück, welche die Sorge der Päpste nicht mehr in sonderlichem Masse in Anspruch nahmen » (1, 380). Leider waren die vier Päpste 1605-1655 zwar einigermassen korrekt dem Kollegium gegenüber, aber der grosse Unterschied zu Gregor XIII. wurde empfunden und ausgedrückt [14].

Nicht das entscheidet über den absoluten Wert einer Leistung, was in ihr bewusst als notwendig in Abwehr und Aufbau erkannt und geleistet

---

[13] Es wird auch über ungenügende Prüfung bei der Aufnahme geklagt (1, 381). Zöglinge aus protestantischen Familien wurden, allerdings unter Paul V., durchgehend aufgenommen.

[14] Man muss überlegen, dass die Lage schon 1605 bedrohlich war. Die wichtige Bittschrift des Rektors *Castorio* erreichte nichts. Noch 14 Jahre des Rektorates dieses bedeutenden Mannes standen unter dieser Bedrohung.

92

wird, sondern was in ihr de facto den Notwendigkeiten der Lage und der zukünftigen Entwicklung relativ am besten entspricht.

Das Germanikum ist unter tausend anderen Einzelheiten e i n Element im Bestreben, der Lage gerecht zu werden, welche innere katholische Schwäche, Abspaltung der Reform und häretischer Ansturm geschaffen hatten. Die Klagen der katholischen Reformer des 15. und 16. Jahrhunderts, die Beschuldigungen der religiösen Neuerer, die halb oder ganz offiziellen Reformforderungen der katholischen Theologen und der päpstlichen Kommissionen, und schliesslich die Verhandlungen des Konzils von Trient und die Versuche, sie zur Ausführung zu bringen, — all dies zeigt uns, wie ungeheuer kompliziert die Lage war. Es war in diesem Wirrwarr und dieser Unklarheit (auch der innerkatholischen) ausserordentlich leicht, am falschen Ende zu beginnen. Und es würde ein Zeichen innerer Berechtigung und Zielsicherheit sein, wenn man den richtigen Einsatzpunkt träfe.

Es ist ein Grundzug des Evangeliums, das Gericht im eigenen Hause beginnen zu lassen. Auch der grundlegende Gedanke der metanoia, der Rechtfertigung belegt es. Dazu gehört: die Wahrheit t u n . In der besonderen damaligen Lage musste dies geleistet werden im Kampf gegen die gezeichnete Schwäche von innen und von aussen, die sich, wie gesagt, am verhängnisvollsten im korrupten Klerus darstellte.

Dass das Kolleg in d i e s e r Art des Kampfes einen Platz in der vordersten Reihe einnimmt, das, glaube ich, ist sein besonderer Ruhm.

Um es gleich anzuführen: dass jener Kampf oder richtiger gesagt, jener kämpfende und sich selbst und seine Mängel überwindende Aufbau nicht anorganisch anhob aus der akuten Bedrängnis des reformatorischen Abfalls und Ansturms, sondern dass er organisch anschloss an die Grundlegung innerkatholischer Reform im endenden 15. und beginnenden 16. Jahrhundert, nämlich an die damaligen Ansätze der Selbstheilung, ist bedeutsam. Denn dies entspricht wieder einmal in eindrucksvoller Form einer katholischen Erkenntnis par excellence: die Gnade wirkt nicht als Zauber, sondern gemäss den natürlichen Gegebenheiten. — Und steigert gleichzeitig diese über sich hinaus.

Dabei muss freilich sehr nachdrücklich gesagt werden, dass es einen eigentlichen Anknüpfungspunkt für die Erziehung priesterlichen Nachwuchses einfach n i c h t gab. Das Werk des hl. Ignatius war eine Originalleistung im präzisen Sinn des Wortes.

Den Geist und die Eigenart dieser originellen ignatianischen Leistung auseinanderzufalten, wird für eine vollständige Behandlung des gestellten Themas wohl w i c h t i g e r sein als alles andere.

Die von Ignatius und Lauretano dem Kolleg mitgegebenen geistlichgeistigen Grundlagen haben durch Jahrhunderte standgehalten. Das allein beweist eine bedeutende Kraft.

Wenn wir nach dem i n n e r e n Geheimnis oder der Eigenart dieser Kraft fragen, so können wir vielleicht Folgendes gelten lassen: es kommt darauf an, ob eine Stiftung die Fähigkeit hat, sich selbst gleichbleibend, doch in verschiedener Weise, die sich wandelnden zeitgebundenen Formen zu durchdringen. Denn in keiner anderen Art vermag sie fruchtbar zu werden.

In der A r t der Darbietung dieser zentralen Wahrheit aber ist dies ausschlaggebend, dass eben das Einzelne nicht nur als solches (so sehr es angesprochen, analysiert und durchexerziert wird), sondern als Funktion des Übergeordneten, des Reiches, der Kirche eingesetzt wird.

Im Wesen der Ignatianischen Frömmigkeit (und darüber hinaus in der von ihr ausgehenden Formung) also ist grundgelegt: dass die angestrebte Leistung weit, ja wesentlich über die persönlich-individuelle Leistung hinaus Wirkung der Kirche, Funktion des kirchlichen Anstosses wird, dass also auch grosse Wirkung mit durchschnittlicher oder mittelmässiger Kraft erreicht werden kann, wenn diese nur in Treue kontinuierlich eingesetzt wird.

Die Frömmigkeit des hl. Ignatius war apostolisch bestimmt. Der Antrieb war Seelenhunger in der Nachfolge Christi, der Wille, in der Kraft des Meisters Menschenfischer zu werden.

Die Hauptaufgabe seines Ordens und aller Einrichtungen, die er schuf war also: Seelsorge.

Diese christliche Selbstverständlichkeit war damals in der Christenheit alles andere als selbstverständlich. Die Seelsorge galt wenig seit dem Spätmittelalter. Nicht nur der adlige Domklerus, auch der Stiftsklerus hielt es für unter seiner Würde, Volk und Kinder zu unterrichten. Auch im Pfarrklerus gab es den 'Pfarrherrn', der nicht Seelsorger war, sondern der (wie im Spätmittelalter) das Amt durch den schlecht bezahlten Vikar führte. Es war ein weiter Weg bis zu der allgemein angenommenen Auffassung: « Es gibt gar keine Beschäftigung, die kostbarer und heiliger wäre als jene, die dem Erwerb der Seelen gewidmet ist » (*Franzen* 136).

Ausser durch Ignatius wurde die Grundlegung des Kollegs und seine gegenreformatorische Leistung vor allem noch durch zwei ungewöhnliche Männer bestimmt: durch den hl. *Canisius*, dessen Denkschrift über das Collegium Germanicum eine entscheidende Rolle für die Bulle der Konstitutionen spielte (1, 156), und den Rektor *Lauretano*, den Verfasser der ersten 'Ausführungsbestimmungen' zu den Konstitutionen.

Was über Canisius hier zu sagen wäre, bekommt sein rechtes Gewicht erst auf dem Hintergrund der besonderen geistig-geistlichen Art dieses grossen Mannes und Heiligen in einem überragenden, weit umgreifenden Lebenswerk, das ganz überwiegend im Rahmen der deutschen Gegenreformation verläuft.

Canisius war Spezialist für die deutschen kirchlichen Verhältnisse und Möglichkeiten. Dass gerade er ein so grosser Freund des Germanikums war, ist schon für sich eine ungewöhnliche Legitimerklärung der jungen Gründung. (Einen Parallelfall stellt später Nuntius *Minucci*, der beste Kenner der deutschen Verhältnisse, mit seinem Urteil über das Germanikum (1, 200) dar.

Wie Ignatius' ist auch des Canisius' Werk von dem Doppelgesetz beherrscht: Fülle des Ideals und gemässige Akkomodation. Diese letztere übt Canisius z. B. durch die schon angeführten Ratschläge, die adligen Alumnen nachsichtig zu behandeln, um sie wenigstens als brauchbar in die hochwichtigen Domkapitel bringen zu können (z. B. 1, 156). Das Ideal sieht und fordert er in der Erziehung zu apostolischen Männern.

Um dieses Ideal so wie es der Heilige für die Germaniker wünschte, in streng fassbarer Konkretheit zu schildern, müsste man die Quellen auf diese Frage hin erneut durcharbeiten. Die Formulierung Steinhubers bleibt hinter dem Wünschenswerten zurück, so wichtig die angegebenen Gesichtspunkte an sich sind: es solle den Alumnen gezeigt werden die Wichtigkeit und Verdienstlichkeit ihres Berufes, die Würde des Priestertums und Predigtamtes.

Ganz aus der Praxis erwachsen ist die Anregung, man solle den Seeleneifer der Alumnen anfachen durch den Hinweis auf den grossen Priestermangel in Deutschland.

Eine unter den andern besonders wichtige Forderung stellt der Heilige auf, wenn er drängt, die Alumnen « vor allem auf den Felsen der Kirche zu gründen ». Entsprechend wünscht er die Arbeit in Deutschland einheitlich von oben geleitet. Die Alumnen sollen « bereit sein, dorthin zu gehen, wohin der Papst sie schicke ». 'Aber man überlasse es nicht den Zöglingen, selbst zu bestimmen, wohin sie sich wenden; sonst würden sie nur die eigene Bequemlichkeit und Ehre suchen » (1, 156).

P. Michele Lauretano ist dadurch in seiner Bedeutung für das Kolleg gezeichnet, dass von ihm « die Regeln und die ganze Lebensordnung des Kollegs » stammen, also die grundlegende Formulierung der Disziplin, der Frömmigkeitsübungen, der Statuten, Gebräuche und gottesdienstlichen Einrichtungen, so dass die Konstitutionsbulle Gregors XIII. als s e i n Werk zu betrachten ist (1, 22).

Von den späteren Rektoren ragt unbedingt der bis ins höchste Alter hinein amtierende Rektor C a s t o r i o hervor, der ca. 600 Zöglinge in das Kolleg aufgenommen hat.

Natürlich, dass sich im Wirken der Germaniker manches von der Prägung solcher besonderer Bildner äusserte. Man müsste also auch ihr Leben in ihren Beziehungen zum Kolleg vollständiger erarbeiten, als es bisher geschehen ist.

Eine genaue Durchmusterung der Arbeit einzelner hochadliger Germaniker (und anderer, die als Räte funktionierten, die etwa zum Religionstag nach Regensburg delegiert wurden etc. etc.) wird wahrscheinlich eine nennenswerte Mitarbeit an der kirchen p o l i t i s c h e n Gestaltung jener Zeiten nachweisen. Als Schüler des 'soldatischen' hl. Ignatius und als Schüler der eher polemisch-aggressiven Bekehrungsmethode der Jesuiten (im Unterschied zu der, wie behauptet wird, friedfertigen der Kapuziner; s. Trierer Zeitschrift, Juli/August 1952) ist das nicht leicht anders denkbar [15].

Und doch scheint mir dies aufschlussreich und erfreulich: soweit die Analyse der Arbeit der Germaniker nach den Angaben von Kardinal Steinhuber ein Urteil erlaubt, überwiegt das Religiöse, Geistliche, das Seelsorgerliche. Die Leistung entspricht hierin der Grundlegung durch Ignatius, so wie sie sich in seiner Konzeption des Kollegs in den von ihm geschaffenen Statuten und ebenso in den praktischen Anweisungen von Rektor Lauretano ausspricht. Und von hier aus vermögen wir das Kolorit der Leistung der Germaniker etwas kräftiger zu erkennen.

Freilich wenn wir nach der kirchlichen Reform und darin nach der Leistung der Germaniker fragen, dürfen wir nicht vergessen, dass gemäss den Gesetzen, die der Herr seiner Stiftung eingepflanzt hat, die « Leistung » des Bauens am Reiche Gottes immer nur zu einem Teil sichtbar und f e s t - s t e l l b a r sein kann. « Das Reich Gottes ist i n e u c h ». Und ein Teil der apostolischen Arbeit muss von innen durch das Gebot der verzichtenden Armut geprägt sein.

Die Gegenreformation zeigt ihre Kraft nicht zum geringsten Teil in dem mächtig ausstrahlenden ganz bestimmten künstlerischen Ausdruck, den sie sich schuf, sei es in der Literatur, sei es in der Architektur und der ihr intim entsprechenden Ausschmückung der Räume, sei es in der Musik. Es

---

[15] Da *P. Castorio* ein Werk über die christliche 'Politik' schrieb (der Titel wird bei Steinhuber im 2. Bd. als 'La politica cristiana' und 1, 376 als 'Institutione civile e cristiana, Roma 1621' zitiert), wäre hier vielleicht ein Ansatz für das wichtige Thema, ob und wie unter ihm Germaniker für die Teilnahme an der politischen Gegenreformation im prägnanten Sinne geschult wurden, und also auch Material für die Feststellung ihrer evtl. Teilnahme daran.

gibt nicht nur eine Kunst im Zeitalter der Gegenreformation, es gibt direkt eine **g e g e n r e f o r m a t o r i s c h e K u n s t**. Sie gehört zu den stärksten Darstellungen und zu den wirksamsten Kräften des neuen vorandrängenden katholischen Selbstbewusstseins und der geistlichen Eroberung.

Naturgemäss ragt die Leistung des Germanikums weniger in diese Sphäre der Kunst hinein.

Und doch bleibt es wiederum hochbedeutsam, dass die Leiter des Kollegs instinktsicher trotz aller Gefahren und trotz aller Schwierigkeiten an dem Punkt, der für eine Anstalt des Priesternachwuchses durchaus mitentscheidend war, nicht vorbeigingen: an der **M u s i k**, bzw. der Kirchenmusik und an der Ausgestaltung des festlichen Gottesdienstes.

Die Bedenken der Protektoren und (wie wäre es anders möglich?) mancher Männer des Kollegs gegen die Überbelastung durch Musik und Gesang braucht man nicht leicht zu nehmen. Aber Männer wie *P. Lauretano* (1, 132 u. ö) und *P. Castorio* sahen sie wohl nicht weniger als jene. Dass trotzdem gerade sie für die Musik eintraten, sollte gewogen werden. Man sollte es, meines Erachtens, hoch anschlagen (und auch im Detail untersuchen), dass ein so vorbildlicher Priesterbildner wie Rektor Castorio sich so viele Mühe gab, so viele Kämpfe durchstand, so viel üble Nachrede mit in Kauf nahm, auch — trotz der schweren Zeiten — so viel Ausgaben trug, um ja die Musik des Collegium Germanicum in St. Apollinare auf einem hohen Niveau zu halten.

Dass das Germanikum vielfach Berufssänger und -musiker beschäftigte, hatte sicherlich Nachteile. Wenn es aber wahr ist (1, 35), dass die Beschäftigung von Kastraten (putti) dem Kolleg manch üble Nachrede eintrug, so muss *P. Castorio* erhebliche Gründe gehabt haben, die Musik in der Gesamtfunktion des Kollegs besonders hoch anzuschlagen, wenn er zum Beispiel in dem von Steinhuber erwähnten Fall ungewöhnliche Anstrengungen macht, um einen besonders tüchtigen « putto » für das Kolleg zurückzugewinnen.

In direkten Beziehungen zur hohen Kunst steht das Kolleg durch den *Giacomo Carissimi*, gestorben 1674, der dem Kolleg viele Jahre hindurch diente und ihm seine sämtlichen Kompositionen vermachte [16].

Die Meldungen aus Deutschland zeigen, welch **g r o s s e** Not dort in Bezug auf Gotteshäuser und den liturgischen Dienst vorlag. Es war wichtig, dass den Germanikern Rom Erfahrungen, Erlebnisse, Übungen mitgegeben wurden, die ihnen lieb waren, und die sie — als wirksames Mittel der Verkündigung des Evangeliums für Gebildete und **N i c h t g e b i l d e t e** — in der Heimat einsetzen konnten. Natürlich soll damit kein Urteil über das Kunstverständnis im Einzelnen abgegeben werden. Je weniger die nachpalestrinische kirchliche Vokal- und Instrumentalmusik unserem liturgischen Geschmack genügt, um so weniger braucht man dem Wertmassstab zuzustimmen, den Rektor Castorio in seinem Gutachten von 1627 anlegt. Immerhin: « Die Musik des Germanikums ist die beste Musik Roms. Diesen Ruf hat sie in Rom und auswärts, und nicht allein wird sie in Büchern unter den Merkwürdigkeiten Roms aufgezählt, sondern es kommt auch kein Fremder nach Rom, der sie nicht sogleich hören wollte. Diese Musik abschaffen, hiesse den Alumnen das Schönste und Glänzendste nehmen, was sie im Kollegium haben und was letztere nicht nur in Rom, sondern auch in ganz Italien und Deutschland berühmt gemacht hat. Der gute Name, den das Kolleg hier hat, kommt von der Würde und ausgesuchten Schönheit des Gottesdienstes in seiner Kirche; denn die Leute sehen ja von ihm nichts

---

[16] Wie man mir sagt, soll von diesem Material im Kolleg nichts erhalten sein. Stimmt es? Steinhuber 1, 121.

96

anderes, und wenige wissen von dem, was die Zöglinge in ihrem Vaterlande leisten ». Starke Worte, die nicht leichthin beiseite geschoben werden dürfen!

Um den Geist des damaligen Kollegs nahe zu erfassen, müssten wir auch etwas über die Färbung der p r i v a t e n Frömmigkeit der Germaniker in jener Zeit wissen. Wenn wir die kirchlichen Malereien und Statuen des Barock betrachten, wenn wir die vielfach mystischen Texte der Zeit lesen, wenn wir in allen Darstellungen soviel von gefühlsmässiger Erhobenheit und ungewöhnlichen Zuständen hören, wenn wir in den Heiligengestalten der Zeit etwas von der brennenden Glut verspüren, die die Kirche umschuf, aber auch soviel von Tränen und einer gewissen Exaltation, fragen wir, ob derartiges auch die Ausbildung der Germaniker mitgeprägt hat und demnach ihre Arbeit in vinea.

Die Barockmalerei zeigt uns ebenso alle seelischen Schattierungen des seiner selbst bewusst gewordenen Subjekts wie dieses wiederum in seiner Bindung an die Kirche und die Gemeinschaft der Heiligen. Inhaltlich kann man als die grossen neuen Themen nennen die Kirche und ihre Heiligen. Ein Stück triumphierender Kirche scheint in den Deckengemälden auf die Erde gestiegen (ein descensus, der allerdings in der weltlichen Malerei in den Darstellungen des Olymps und seiner Geschichten mancherlei Parallelen hat).

In der Erbauungsliteratur und in den Frömmigkeitsübungen zeigt sich eine ähnliche Entwicklung, hin zu dem, was wir Barockfrömmigkeit nennen. Wir wissen von der Rolle, welche das vierzigstündige Gebet, die Prozessionen (bis zur Geisslerprozession), die lebenden Bilder der heiligen Geschichte, das neue Mühen um den Ablass in der kirchlichen Reform in Deutschland spielten.

Wie weit und in welcher Gestalt wurde diese Art der Frömmigkeit im Germanikum gepflegt, und inwieweit hat sie die damalige kirchliche Reform in Deutschland geprägt?

Nun war es, glaube ich, eine auszeichnende Eigenart des Heiligen Ignatius (wie in sehr viel anderer Form auch eine seines Freundes Philipp Neri), dass seine verzehrende mystische Glut in ihrer Wirksamkeit nach aussen so « abgeschirmt », so nüchtern gebändigt war. Und die schwere Arbeit der Germaniker, die im Steinbruch der Gegenreformation sich mühten, war vielleicht zusammen mit dem nordischen Temperament dieser Männer (trotz des für Bayern und Tirol geradezu konnaturalen Barock!) weniger geeignet für jene aussergewöhnlichen Andachtsformen der Barockfrömmigkeit [17].

In den grundlegenden Konstitutionen des Kollegs schimmert von dem betont Barockmässigen, soweit ich sehe, nicht viel durch. Der häufige Empfang der Sakramente wird verlangt, ganz besonders wird Eifer für eine würdige Feier des Gottesdienstes (und Chorgebetes), für die Pflege des o f f i z i e l l e n kirchlichen Betens dem Rektor eingeschärft. (1, 162 ff. u. ö.). Für den Bereich der privaten Frömmigkeit sind die Angaben von Kardinal Steinhuber in diesem Punkt von zu grosser Genügsamkeit. Am meisten sind wir noch durch die Skizze über die marianische Kongregation im ersten Heft des Korrespondenzblattes, Jahrgang 1952, orientiert, und dort stossen wir allerdings auch auf Formen, die uns fremder geworden sind, die aber damals fruchtbar waren.

---

[17] Wie nüchtern innerlich klingt das Gebet des Kurfürsten im Dreissigjährigen Krieg (*Franzen* 16)! Man muss aber auch bedenken, dass viel die Rede ist von Prozessionen und Andachten, aber weniger von Kommunion oder sogar Messe.

Hier liegt ein interessantes Thema zur Geschichte der Frömmigkeit. Aus dem Bestand der Kollegsbibliothek (vielleicht auch alten Katalogen!) im Zusammenhang mit der Geschichte der Pastoraltheologie und der Erbauungsliteratur und im Zusammenhang mit den literarischen Produkten damaliger Jesuiten (Besonders eventuell von Spiritualen) im Germanikum und schriftstellernden Germanikern wäre die Arbeit vermutlich nicht schwer zu bewältigen.

Wir hörten, dass die Klagen über die Unwissenheit des deutschen Klerus beinahe so häufig waren wie die über mangelnde Sittlichkeit. Ganz selbstverständlich erscheint also auch von Anfang an als ein Ziel des Germanikums, theologisch gebildete Priester nach Deutschland zu senden.

Das entsprach dem Ideal der Kirche seit Jahrhunderten. Es hatte aber durch die protestantische Neuerung eine weitere Bedeutung erlangt. Nämlich: Die Frömmigkeit der Reformation (die bekanntlich auch der heilige *Klemens Maria Hofbauer* so hoch schätzte) war auch wesentlich Frucht eines t h e o l o g i s c h e n Vorgangs. (Das reicht bis in die letzte Tiefe der reformatorischen A r t und grundlegender Einzelbekenntnisse, ist aber hier nicht auszuführen). Darauf zu antworten war für die Kirche eine Lebensaufgabe. Diese Aufgabe wurde — bekanntlich unvollkommen genug, in Angriff genommen durch die Kontroverstheologie, dann weitergeführt in den grossen Leistungen des Konzils von Trient, durch *Bellarmin* etc.

Wenn man nun die Klagen über den religiös-theologischen Tiefstand in Deutschland liest, und die Berichte über die aus Deutschland ankommenden Alumnen, so wird man von vornherein nicht auf eine im streng wissenschaftlichen Sinn besonders hohe theologische Leistung selbst beim Durchschnitt jener Germaniker schliessen, die voll ausgebildet und geweiht in die Heimat zurückkehrten.

Gewiss lesen wir viel von Studium und Disputieren, von Examina und Paradereden vor Papst und Kardinälen; gewiss darf man vor Aufarbeitung des gesamten Materials (das mir nicht zur Verfügung steht) kein absolut abschliessendes Urteil wagen. Möglicherweise wird die Geschichte der Kontroverstheologie im Zeitlater der Gegenreformation noch die eine oder andere Überraschung bieten.

Was bis jetzt vorliegt, sind meist recht allgemeine Formulierungen, oder sie führen uns sogar eine Methode akademischen Studiums vor, das sich augenfällig auf Auswendiglernen eines diktierten Memorierstoffes beschränkt, und den man sich bei Regenwetter zum Abschreiben durch die Bidellen aus dem Collegio Romano ins Kolleg heranholen liess.

Andererseits kann man beweisen, dass man bestrebt war, Niveau zu halten [18]. Der kritische (und so erfahrungsreiche) Rektor *Castorio* sieht zum Beispiel folgende Gefahr: Wer sich nicht getraue, im Kolleg den Doktorgrad zu gewinnen, erwerbe ihn auf der Heimreise in Siena, Perugia, Macerata, oder Bologna « mit leichter Mühe », was diese Leute ohne wahre Kenntnisse nur eingebildet und aufgeblasen mache (1, 382).

---

[18] Ausser den Konstitutionen etwa die wiederholten Anstrengungen *Lauretanos*, die wissenschaftliche Ausbildung stärker voranzutreiben. 1, 194. 200). Die neue Studienordnung (manche sollten in zwei bis drei Jahren fertig ausgebildet werden: die Positivisten) 1, 200. - Examen war zweimal im Jahr in allen Fächern abzulegen (aber nicht von allen). - Das kanonische Recht wurde von w e l t l i c h e n Juristen im Kolleg gelehrt (1, 202). Rektor *Castorio* empfand die nachteilige Wirkung; es wurde das Streben nach seelsorglicher Betätigung dadurch zurückgedrängt; man solle, meint er, es aufgeben, das sei den g e i s t l i c h e n Bedürfnissen Deutschlands förderlicher. (1, 202).

Unter den L e h r e r n gibt es den grossen Höhepunkt: *Bellarmin* als Professor für Kontroverstheologie. Es bleibt aber aufschlussreich, dass er k e i n e n N a c h f o l g e r erhielt. Sehr ehrenhaft, dass man das Fach weiter im Kolleg betrieb. Leider bin ich nicht in der Lage, an irgendeinem handfesten Beleg Intensität und Qualität dieses Studiums zu prüfen und ein Urteil abzugeben.

Für die Erreichung der gesteckten Ziele war naturgemäss die Auswahl der Zöglinge mit ausschlaggebend.

Immer wieder lesen wir vom Wunsch hochgestellter Kirchenmänner, Schützlingen die Aufnahme ins Germanikum zu verschaffen. Und sofort stehen wir wieder vor dem einen, immer wiederkehrenden Problem des Adels und seiner Privilegien, bzw. der adligen Alumnen. Als Gregor XIII. den Plan fasste, das Germanikum in eine Bildungsstätte für den Adel umzugestalten (bis 1577 waren nur wenige Adelige im Kolleg gewesen), gab Pater Rektor Lauretano seiner Auffassung über die Qualität der Adligen Ausdruck: «Unter den bis zur Stunde eingetretenen 24 Adligen sind nur ganz wenige, von denen sich ausgezeichnetes erwarten liesse (1, 166); die Adeligen sind gewöhnlich unwissend und studieren nur mit Widerwillen [19], es fehlt ihnen an der nötigen Ausdauer, sodass kaum je ein durchgebildeter Theologe oder Philosoph aus dem Kollegium hervorgehn würde» (1, 167).

Die weitere Entwicklung gab Pater Lauretano [20] recht. Der Einfluss auf die Domkapitel stieg, der geistliche Gehalt nahm ab (1, 168).

1574 war der «schier unvergleichliche, über alles erhabene» Abt *Balthasar von Dernburg,* in der Lage, auf e i n e n (!) ausgezeichneten Adligen aufmerksam zu machen, der in Douai bei den Jesuiten im Studium sei. Er hoffte, ihn durch den Papst ins Kollegium aufnehmen zu lassen. Für die gewöhnliche Seelsorge lasse er Priester in seiner eigenen, von Jesuiten geleiteten Schule ausbilden ... Mit endendem 16. Jahrhundert und im 17. Jahrhundert stellte der Adel einen immer grösseren Teil der Alumnen. Steinhuber sagt, dass im gleichen Verhältnis die Ordensberufe abgenommen hätten. Hier erhebt sich die ernste Frage, ob mit dieser Begünstigung der Adligen etwa das eigentliche Ziel des Germanikums, Priester und Seelsorger zu bilden, weniger erreicht worden sei. Nach dem Erfolg des kirchlichen Wiederaufbaus zu urteilen, könnte man die Frage zumindest nicht leicht bejahen. Zudem darf man doch wohl, kirchlich denkend, darauf hinweisen, dass eben viele adlige Herren nach Rom kamen mit dem ausgesprochenen und von der Kirche gebilligten Zweck, auf diesem Wege die hohen Stellen in den Kapiteln, allenfalls in den adeligen Abteien zu erlangen. Freilich, das Wichtigste: Wenn man auch aufgrund der Berichte bei Steinhuber für die Zeit von 1575 bis 1600 keine zuverlässigen Angaben machen kann über den Prozentsatz der Adligen, die im Kolleg die Priesterweihe empfingen, so sieht es doch sehr danach aus, als ob der Anteil leider gering gewesen sei. Umgekehrt können wir aufgrund der Mitteilungen Steinhubers feststellen, dass in der ersten Hälfte des 17. Jahrhunderts der Prozenzsatz der Adligen, die in Rom die Priesterweihe, empfingen, sehr gross war (1, 404).

Von den 39 Alumnen, die damals aus T r i e r nach Rom kamen, waren über die Hälfte Adelige, nicht wenige haben trotz ihrer Jugend schon Kanonikate. Beinahe alle verliessen Rom als Priester. Aus K ö l n war ein Drittel der hundert Zöglinge adlig, aber nur einer aus reichsständigem Adel,

---

[19] Akademische Grade zu erwerben, galt bei ihnen als unter ihrem Stande (206 1).

[20] Der durchaus objektiv 1582 die aufgenommenen Adligen lobt (1, 169). Bis 1630 war etwa die Hälfte der Aufgenommenen aus dem Adel; von 1630 bis 1700 zwei Drittel; im 18. Jahrhundert gab es kaum Bürgerliche.

woraus sich erklärt, dass im hochadligen Kölner Domkapitel sich kaum ein Germaniker findet, dafür aber umso mehr in den vielen Kollegsstiften (1, 408). Aus F u l d a war der bedeutendste *Peter Philipp von Dernbach*, bei seinem Eintritt schon Domherr von Bamberg und Würzburg (1, 414). Auch aus B a m b e r g war ein Drittel der Kommenden Adlige (1, 4256), in W ü r z b u r g mehr als ein Drittel. Für diese Diözese meldet Steinhuber, dass die Alumnen bürgerlichen Standes fast alle tüchtige Priester geworden wären, die Adligen hingegen nicht; die meisten wären zu jung ins Kolleg gekommen und die meisten seien fortgezogen, ohne Priester zu sein, sei es wegen des fehlenden kanonischen Alters, sei es aus Abneigung gegen die einzugehenden Verpflichtungen. Nur ein Adeliger habe sich tadellos gehalten; sonst habe sich überall der Schatten des adeligen Privilegs gezeigt (1, 427).

Dagegen seien in anderen Diözesen sowohl hervorstechende Einzelbeispiele, wie der hochadelige *Marquard*, der 50 Jahre Bischof von Eichstätt war (1, 428), oder wie in K o n s t a n z eine treffliche Reihe Adeliger (ein Viertel der 103 Alumnen), von denen drei Bischöfe, acht Weihbischöfe, ein Ordenspriester, acht Äbte wurden (1, 433). Man sieht, auch die Frage nach der Qualität der Adligen, lässt sich nicht in einen und gar nur negativ zu bewertenden Satz fassen.

Was nun die Gestalt des Kollegs i n s g e s a m t anlangt, so wird man, auch vor der Durchmusterung der Arbeit seiner Zöglinge in vinea, nicht wohl anders als zu einem sehr positiven Urteil kommen können. Die Gründung des Germanikums und die Grundlegung seines inneren Lebens durch Ignatius, wie wir es oben mit ein paar Sätzen andeuteten, trugen in beträchtlichem Masse den Charakter des Gültigen und der Stiftung im eigentlichen Sinne an sich. Da Ignatius beides — die zentrale Idee der priesterlichen Nachfolge wie die kirchlichen Bedürfnisse der Zeit, besonders in Deutschland, in bedeutsamer Genauigkeit erfasste, konnte seine geschichtsmächtige originale Leistung von der Einfachheit des Selbstverständlichen werden, zum 'Ei des Kolumbus', wie Steinhuber, genau treffend, formuliert [21].

Wir haben noch ein weiteres wichtiges Mittel, dieses Urteil zu prüfen. Es sind die Urteile, die damals über das Kolleg gefällt wurden. Immer wieder hören wir von Bitten um Priester aus dem Germanikum. Oder das Germanikum wird gepriesen als « Stätte der Frömmigkeit » (1, 299), sogar wie ein irdisches Paradies (1, 237 und 242), « aller Fortschritt wird aus dem Kolleg erwartet » (1, 237), das Germanikum ist die einzige Hoffnung (1, 238 f.); besonderes Lob kommt aus dem kaiserlichen Hause (1, 389. 392. 393).

Kein geringerer als *Canisius* schreibt am 12. Juli 1572 an *Nadal* « die feste Begründung und Erweiterung des Germanikums sei das wirksamste

---

[21] Trotzdem war es natürlich, dass auch dieser Geburt die Wehen nicht fehlten. Trotz allem, was geschehen war seit 1517, trotz aller an der Kurie vorgelegten Reformgutachten, trotz aller Schilderungen der Not der deutschen Kirche, trotz des Tiefstandes des Klerus und des Priestermangels: Deutschland war weit, und nicht wenige — die für finanzielle Unterstützung in Frage kamen — erfassten nur sehr mangelhaft das Ungeheuerliche der Lage und die drohende Gefahr. Wir kennen die Not, die der heilige Ignatius zu bestehen hatte, um das Kolleg rein finanziell über Wasser zu halten. Diesen römischen Schwierigkeiten entsprach zu Beginn die Blindheit und Herzenshärte in Deutschland. Es zeigte sich oft, wie schwer es war, Alumnen für das Germanikum zu finden (1, 54). Aus Ungarn kamen sie dann nur aus den Schulen der Jesuiten in Olmütz, Prag. Wien, wenn nicht das so schwer zu beschaffende Reisegeld fehlte.

100

Mittel zur Erhaltung und Wiederbelebung der katholischen Religion in Deutschland » (KB 1, 1952, 20).

Der heilige *Karl Borromäus* bewunderte das Germanikum wegen seiner Frömmigkeit und seines Gottesdienstes.

Bei der Verschmelzung mit dem Hungaricum am 13. 4. 1580 (« Ita sunt humana ») stellt *Gregor XIII.* fest, dass die Alumnen des Germanikums bereits vielfache Früchte zu Gottes Ehre etc. gebracht hätten (1, 153).

Das Germanikum galt vielmals als Muster für ähnliche Anstalten; es wurde aus Italien und Deutschland von Bischöfen besucht, auch *Friedrich Nasus* war entzückt über den Gottesdienst (1, 175).

Piazza (Opere pie di Roma 1679) sagt: Das Germanikum gleiche « einem sehr musterhaften Ordensinstitut » (1, 136), das dem ganzen Klerus nicht bloss Deutschlands und des Nordens, sondern auch Italiens zum Vorbild dienen könne. Es leuchtet in ihnen (den Alumnen), die Form der echten und alten Disziplin der Urkirche, wie die Canones sie fordern, hervor ».

Nach allen Mitteilungen, die Steinhuber aus den Diarien der Rektoren, dem Katalog und den Annuae Litterae macht, scheint tatsächlich die Haltung der Zöglinge und also der Geist des Germanikums mit einer gewissen Selbstverständlichkeit derjenige gewesen und geblieben zu sein, den die Konstitutionsbulle bestimmt: Aus Liebe sich dem Ziel und den dafür angeordneten Mitteln fügen.

Die Voraussetzung dazu war ein echtes Vertrauensverhältnis der Zöglinge zu den Oberen des Hauses, wie es für verschiedene Rektoren auch überreichlich belegt ist (*Lauretano* und *Castorio*). Eine jahrelange Spannung wie die zu dem gelehrten und redegewandten *Albrizio* (Steinhuber 1, 376), der die dem deutschen Katholizismus so abträgliche französische Politik offen bewunderte (Günstling Urbans VIII.) war eine Ausnahme (Freilich sollte eine solche Episode einmal gründlich durchuntersucht werden. Sie würde die Kraft der Institution, die auch solche gefährliche Belastung ertrug, wieder in manchen Dingen erhellen).

Nach allem Gesagten waren wichtig die Mittel, mit denen man in Deutschland eine neue Art der Seelsorge aufbaute. Dass die Jesuiten hier vornean standen, braucht nicht erst bewiesen zu werden. Zum Beispiel waren sie es, die die Katechese eigentlich erst aufbauten. Und sie fanden immer neue Mittel und Wege, sie an Jugendliche und Erwachsene aller Stände heranzubringen; sie richteten sogar Soldatenseelsorge, Bettler- und Armenkatechese, Dienstmädchenkatechese, Katechese für Studenten und für Protestanten ein. Sie führten neue Bruderschaften (die von der christlichen Lehre Pius' V. 1571, 1607 durch Paul V. den Jesuiten anvertraut), Pestbruderschaften und solche für Abgestorbene ein (für den Kölner Raum Belege bei *Franzen* S. 206-220).

Es gab Gebetstage, Prozessionen, Geisslerprozessionen, Wallfahrten. Kurfürst *Ferdinand* nahm persönlich daran teil, barfuss, ein grosses Kreuz tragend. Das Kapitel ging, Geisseln über sich schwingend, mit (*Franzen*, 220); man feierte das vierzigstündige Gebet für Siege und Niederlagen. Vor dem Ansturm des *tollen Christian* von Braunschweig, 1623, lässt Kurfürst *Ferdinand* beten, er erhebt feierlich die Gebeine des heiligen Engelbert und stellt sie zur öffentlichen Verehrung aus. Da am Jahrestag des heilgen Engelbert *Tilly* seinen Sieg bei Stadtlohn erringt, der zugleich Schutz gegen Holland bedeutet, stattet man den Dank an Engelbert mit Prozessionen und Andachten ab: Pie enim credimus anno mox sequente intercessione illius ... ipso anniversario die gloriosissimam victoriam ... concessum fuisse (*Franzen*, 220 f.). Als die Pest erlischt, feiert man das vierzigstündige Gebet.

Als im 30- jährigen Krieg 1634 für Köln die Not immer höher stieg, sollte durch Busse, Fasten, Bittgänge und Ablass der Krieg gewendet werden. In der Prozession wurden die vielen Heiligenschreine, die damals des Krieges halber von auswärts in die Stadt gebracht worden waren, insgesamt 23, getragen. Acht Bischöfe, fünf hohe Reichsfürsten nahmen daran teil [22]. 1639 wurde das Jubeljahr wiederholt!

All das entwickelte sich bald (oder hatte sich bereits entwickelt) zu typisch barocker, reicher Schaustellung, etwa auch von biblischen Szenen. Oft waren die Übungen mit Sakramentenempfang und Busswerken verbunden. In vielfältigsten Ansätzen, mit beträchtlicher Wirkung auf Auge und Ohr, innerhalb der alten und neuen Kirchen und im Freien, wurde so das Volk beeindruckt, immer wieder zur Frömmigkeit aufgerufen, ja aufgerüttelt. Erstaunlich, dass in dieser schweren Zeit so viele neue Kirchen, Klöster und Stiftungen entstanden, aus denen dem Volk geistliche Hilfe kam [23].

Man kann das zunächst nur ausgiebig bewundern. Das Echte lässt sich mit Händen greifen.

Eine grosse Frage bleibt freilich, ob hier zum Beispiel der Faktor Angst nicht zu sehr in Funktion gesetzt wurde; und weiter, ob nicht zu sehr E i n z e l mittel verwendet waren, die bei unverkennbarem Wert sich doch schnell verbrauchten und an Kraft verloren. Zunächst neigt wiederum die Antwort durchaus zum Positiven. Denn die barocke Frömmigkeit vermochte es, ihre Wurzeln sehr tief in das seelische Erdreich, auch breitetster Schichten, aber auch der Gebildeten, zu treiben, und ihre Kraft in den furchtbarsten Zeiten zu beweisen, in denen sie Stand hielt.

Andererseits wissen wir ja alle um die Problematik der Barockfrömmigkeit. Wenn die litterae annuae erzählen, ein gestorbener Germaniker sei auf die Fürbitte seines Schutzengels zum Leben zurückgekehrt, um eine vergessene Sünde zu beichten (1, 231/2), so ist eine solche Episode in verschiedener Weise lehrreich, hat aber sicher zahlreiche Parallelen. Nur müssten sie gesammelt und zu einem Gesamtbild vereinigt werden. Es müsste dabei auch untersucht werden, inwieweit die Germaniker ihren Erziehern, den Jesuiten, in der Auswirkung der reinen Seelsorgsmethoden folgten. Dass sie auch hier gelehrige Schüler waren, ist schon an sich wahrscheinlich und lässt sich positiv erweisen (wie wir denn auch in zahlreichen Fällen ein enges Zusammenhalten mit den Jesuiten in der Heimat feststellen).

Für die Formung im Kolleg selbst kann nur eine genaue Untersuchung des damals im Germanikum üblichen Brauchtums, des Wortlauts der Weiheordnungen in der MC, auch der Formeln in den Prüfungsordnungen, der Dedikationen der Disputationsthesen, der gesamten Gebetsliteratur, der religiösen Übungen zu sicheren Resultaten führen.

Für die innere Art wird hochbedeutsam sein, wie weit man bestrebt war (wie schon angedeutet), zu einer Neubesinnung auf den inneren Kern des Evangeliums vorzustossen, oder wie weit das apologetische und polemische Interesse durchschlug.

---

[22] *Aegidius Gelenius* veröffentlichte damals « Das bittflehende Köln » (1634) Das Vorige nach Franzen.

[23] Die Verhältnisse liegen natürlich für die letzten Jahrzehnte des 16. Jahrhunderts etwas anders. Aber A n s ä t z e zu allen angegebenen Formen der Frömmigkeit und Seelsorge finden wir dort so zahlreich, dass das geschilderte Bild für unsere Zwecke mit Recht verwendet werden darf.

Sicherlich nicht unbedeutend ist die Frage nach der Art und Pflege des Ablasses. Die Auffassung, welche die Jesuiten von der besonderen Gönnern gewährten Teilnahme an den geistlichen Verdiensten ihrer Gesellschaft hatten wird aus den Sätzen bei Steinhuber nicht klar. Ich weiss nicht, ob man berechtigt wäre, sie zum Beispiel in die Nähe der Gebetsgemeischaften zu stellen, von denen die Briefe des heiligen Bonifatius erfüllt sind.

Was die Seelsorgspraxis in der Heimat angeht, so dehnt sich auch hier wieder ein weites Feld der Untersuchung, das man nur andeuten kann. Da uns zusammenhängende Darstellungen über die Seelsorgsmethoden wenigstens einer Reihe prominenter Germaniker fehlen, müssen wir ein Bild aus der allgemeinen seelsorgerlichen Arbeit und Art der Frömmigkeit zu gewinnen suchen.

Es wurde schon des öfteren auf die Wichtigkeit der Priesterweihe der Kirchenmänner für die damalige Zeit hingewiesen. Doch liegt die Frage nicht so einfach, wie sie uns heute wohl erscheint.

Die Weihe ist keine Garantie für tadelloses Priestertum. Der Kölner Weihbischof aus der Reformzeit, *Fabricius*, der um Geld auch Nichtberufenen, auch Häretikern, die Weihen erteilte (*Weiler* 51, 118) ist ein Beweis, der, soviel ich sehe, unter den Germanikern keine Parallelen hat. Umgekehrt liegt der schon erwähnte Fall des Kurfürsten *Ferdinand* von Köln, der, von den Jesuiten erzogen, dauernd auch von ihnen beraten, die innerkatholische Reform in dem Kölner Erzstift zum Durchbruch brachte, und dies sowohl durch sein persönlich mustergültiges Leben als dadurch, dass er die Reform durchaus über das Verwaltungsmässige hinaus auf das Geistliche ausrichtete (beim Klerus, im Gottesdienst, in neuen Formen des Kultus, in Predigt und Katechese). Und doch, er empfing nie eine höhere Weihe.

Die Häufigkeit solcher bzw. ähnlicher Fälle legt uns eine vorsichtige Erwägung der Frage der sakramentalen Struktur des kirchlichen Lebens ebenso nahe wie das beinahe asakramentale Leben weitester Volksmassen im Mittelalter. Auch ist die Tatsache des F ü r s t l i c h e n bei Bischöfen und Domherrn voll in Rechnung zu stellen: Es erweiterte den von der Kirche gebilligten Begriff des Standesmässigen ohne weiteres entschieden nach der Seite des Weltlichen. Andererseits zeigen uns die Bestrebungen der grossen Heiligen der Zeit, ihrer Orden und Erziehungsanstalten für den Klerus, und zeigt dann unter ihrem Einfluss das Bestreben der römischen Kurie und ihrer Nuntien, immer mehr den Willen, die Bischöfe und auch wenigstens die Dignitäten der Stifte zu den Weihen zu verpflichten (sogar, sie dazu zu zwingen).

Nach welcher Seite das Streben des Germanikums ging, braucht nicht erst lange untersucht zu werden. Die Vorschriften der verfassungsgebenden Schriften, die Praxis des Alltags und viele Belege aus der Geschichte der Germaniker in vinea genügen. Dem Germanikum kommt in dieser Beziehung offenbar ein grosser Einfluss zu für die Wiederweckung jenes priesterlichen Lebens, dessen Zentrum kaum abschätzbar in seiner Tragweite im täglichen heiligen Opfer ruht, und das von da aus kräftig ist zu einer vernünftigen Anreicherung des Sakramentenempfangs unter dem Volk. Für sein Teil hat es eine neue Priestergeneration gebildet, und zwar — schliesslich — auch im hohen Klerus.

Praktisch zeigt sich die damalige Leistung, auch der Germaniker, an den K o n v e r s i o n e n der zur Neuerung Übergetretenen. Der Unterschied zwischen heute und damals ist immens. Tatsächlich gelang es ja

– und wir werden dafür auch Germaniker zu nennen haben –, ganze Diözesen, Städte, auch, ja gerade, ganze Kapitel wieder zur Kirche zurückzubringen und darunter etliche zu langer Blüte zu führen, die vollkommen abgefallen waren, in denen es Katholizismus kaum noch gab.

Wie war das möglich, da doch anerkanntermaßen auch das gleichzeitige katholische Leben und das dem Übertritt zur Neuerung vorangegangene so dünn war?

Im Evangelium steht das Wort vom glimmenden Docht. Damals fand es eine weitreichende Anwendung. Trotz jener innerkatholischen Schwäche: Die Gewöhnung war noch nicht abgerissen. Die Erinnerung war noch da. Die Formen des katholischen Denkens und Betens und Seins waren noch dem Unterbewusstsein vertraut. Der Rahmen des Katholisch-Kirchlichen Stand noch. Vor dem Phänomen der Rekatholisierung in dem damaligen Rahmen von Schwäche und Abfall kann man lernen die Gewöhnung zu achten. Ihr Wert ist grösser als unser so leicht spiritualistisch gefärbtes Denken annehmen möchte. Deshalb war auch die vielerorts zu beobachtende geringe Höhe des religiösen Lebens (bei betonter Aktivität) stark genug; auch deshalb genügen oft geringere seelsorgerliche Kräfte, um die Wiedergewinnung so vieler durchzuführen und zu halten. Natürlich bleibt der heroisch-heiligmässige Anstoss und die entsprechende Unterlage einer führenden Schicht immer die Voraussetzung, ohne ihn geht die Rechnung nicht auf.

Auch dies darf freilich nicht vergessen werden, dass von der Seite der kirchlichen Zentralleitung und der Theologie des Katholizismus damals ein enormer Fortschritt zu verzeichnen war gegenüber der ersten Hälfte des 16. Jahrhunderts, die Neuerung dagegen trotz ihrer blühenden Schulen eine vielfältige Aufspaltung und eine doktrinäre Austrocknung erlebte.

Immerhin sollte man vielleicht die Klage der Jesuiten der oberdeutschen Jesuitenprovinz 1593 (1, 370) nicht so ganz abweisen, wie Steinhuber es versucht [24].

Die höchste Probe auf die christliche und priesterliche Frömmigkeit der Erziehung der Germaniker erbrachten die Märtyrer, die hervorgingen in jener Zeit aus dem Kolleg (Siehe Korrespondenzblatt 1952, 1 und Steinhuber 1).

Dass ein hoher Prozentsatz der Germaniker in den verschiedenen Diözesen Deutschlands als gute Priester eifrig gewirkt und ein gut Teil zur Erneuerung des trostlos darniederliegenden kirchlichen Lebens beigetragen haben, lässt sich nach dem von Steinhuber vorgelegten Material (siehe gleich unten) gewiss mit Recht behaupten. Und zwar kann man beweisen, dass es sich um einen Aufbau im Sinne des geistlichen Lebens, des Glaubens, des Betens, der Liturgie handelt.

Wenn wir aber nach einer schärferen Profilierung der vielen dem Namen nach bekannten Germaniker fragen, sehen wir uns etwas enttäuscht. Die überlieferten oder die bisher erarbeiteten Kennzeichnungen bleiben stark in Allgemeinheiten und in summarischem Lob stecken.

Trotzdem, es lässt sich auch aus Kardinal Steinhubers weniger dif-

---

[24] Zwar war grundsätzlich die Studienzeit im Kolleg auf 7 Jahre festgesetzt, aber 1.) nicht für die Positivisten (nur zwei bis drei Jahre - ebd. 201); 2.) wurde dies in der Praxis sehr ungleichmässig durchgeführt (auch die ersten beiden Märtyrer des Kollegs waren dort nur zwei bis drei Jahre - *Goffinus* und *Johnson*); 3.) das dort angezogene Gegenzeugnis des protestantischen Polemikers ist offenbar etwas überakzentuiert (1, 371).

ferenzierten Kennzeichnungen folgendes mit Sicherheit belegen: Dieses Germanikum muss im Kräftespiel der damaligen Zeit ein höchst beachtliches, in manchem hervorragendes und nicht einmal selten sogar entscheidendes Element gewesen sein, und diese Germaniker müssen, bei allem Niveauunterschied der Leistung der einzelnen, der verschiedenen Orte, Diözesen, Zeiten, ein enormes Stück Aufbau geleistet haben.

Es ist in der Tat erstaunlich, welcher Eindruck sich ergibt, wenn man jene Urteile aus Steinhuber einmal sammelt und nebeneinander stellt. Da heisst es in langer Reihe und aus der Mehrzahl der Diözesen (oder auch nur als Kennzeichnung der Germanikeralumnen in Rom): «Ausgezeichneter Prediger», «ebenso fromm wie gelehrt wie unerschrocken», «eifrig» (1,245), «unvergleichlich» (1, 222), «fromme und eifrige Priester», «mit gesegnetem Erfolg» (1, 224), «von wahrhaft glühendem Seeleneifer» (1, 224), «von wundervoller Frömmigkeit und Tugend» (1, 229), «vom lobkargen Pater Rektor Lauretano gelobt» (1, 230), «schwer zu sagen, wieviel Nutzen durch Predigt, Beichtstuhl, Katechese», «Castorio rühmt ihn als sehr fromm» (1, 234), «stark gelobt vom Papst und den litterae annuae», (1, 235), «ebenso tüchtig als Theologe wie als Kanonist» (1, 235); es gibt ein Generallob der Germaniker durch Kurfürst *von Schöneberg* (1, 236), *Castorio* dankt Gott für den Geist der Frömmigkeit im Germanikum (1, 369), sie sind Vorbild auch für die anderen Germaniker, nicht nur für die übrigen Geistlichen (1, 242), ausgezeichnete Pfarrer (1, 243), leben wie Brüder untereinander (1, 243), Erbauung verbreitend, sodass man sie gewöhnlich Jesuiten nennt (!)».

Der Rektor des Kollegiums von Speyer schildert das Germanikum als Paradies und schreibt: «Hätte Deutschland viele solche Pfarrer und Kanoniker (wie die Germaniker), so würde es in Bälde gesunden» (1, 242). Kein Wunder, dass so viele Bischöfe, wie die von Münster (1, 242), Trier, Würzburg, der Herzog von Bayern u. a. sich so nachdrücklich um Zulassung von Alumnen und um die Gewinnung von Zurückkehrenden bemühten.

Nuntius *Sega* (der sich für betonten Zusammenschluss der Germaniker in der Heimat einsetzt) sagt, das Germanikum sei nicht Menschen- sondern Gotteswerk (1, 192). Immer wieder wird die hohe Bedeutung der neuen, priesterlichen Art des Lebens und Wirkens ausgesprochen. Wird sind berechtigt, den damaligen Germanikern hohes Lob zuzuerkennen.

Durch die Formung im Kolleg und durch die gleich zu skizzierende Arbeit in vinea sind die Anfeindungen und Zweifel, wie sie seit dem Tode *Gregors XIII!* hervortraten (auch die Kardinalskongregation für deutsche kirchliche Angelegenheiten liess durch den Rektor Erkundigungen einziehen, ob die Germaniker es in der Heimat zu seelsorgerlichen Erfolgen gebracht hätten), im wesentlichen als schwach begründet erwiesen (1, 292 f.). Gerade aus dieser Zeit (unter Sixtus V.) kamen glänzende Zeugnisse aus Deutschland über den Wert des Germanikums. Sie stimmen prächtig zu den «zahllosen Äusserungen» in Briefen von Altgermanikern, in denen sich Heimweh und sehnsüchtige Erinnerung aussprecnen (1, 179. 189. 222).

Eine Hauptaufgabe stellte in der deutschen Kirche die Erneuerung der D o m k a p i t e l dar. Die Bände von Kardinal Steinhuber enthalten eine Masse von Belegen sowohl für das Problem wie für den Beitrag von Germanikern zu seiner Lösung. Manchmal zeigt hier die Arbeit der Germaniker Heroismus. Nach dem, was wir über die innere Lage der Domkapitel angedeutet hörten, kann das nicht verwundern.

Wie überall, war das Schwerste der Anfang. Es ist eindrucksvoll zu sehen, wie an so vielen verstreuten Punkten die Arbeit anfängt und allmählich, allem Widerstand zum Trotz, die Wende ansetzt und dann der Durchstoss mehr oder weniger gelingt.

VII

Die Beteiligung der Germaniker an der allgemeinen kirchlichen Umwandlung ist beträchtlich. In den einzelnen Diözesen ist sie recht unterschiedlich. Und das Konto der einzelnen variiert, wie selbstverständlich, wiederum in verschiedenster Beziehung. Die folgende Auswahl aus Steinhuber versucht lediglich an einigen Beispielen, die weder symptomatisch noch numerisch erschöpftend sein wollen, eine Andeutung der Vielfalt und der Wichtigkeit der von Germanikern indem zur Bearbeitung stehenden Zeitraum geleisteten kirchlichen Aufbauarbeit zu geben.

Wir erwähnten oben die trostlose Lage der Diözese Mainz. Hier kann man einen entscheidenden Ansatz zum Umschwung genau datieren. Er ist gebunden an die Arbeit des aus der Trierer Diözese kommenden Nikolaus *Elgard* aus Elcheroht bei Arlon [25], der durch den Kurfürsten von Trier als Priester ins Kolleg geschickt worden war. Er besitzt grössere Bedeutung, weil er bereits während seines römischen Aufenthaltes zur Beratung über die Ordnung des Germanikums hinzugezogen wurde, und weil er an der Leitung des Einsatzes später von Deutschland aus nicht unbedeutenden Anteil hatte. Allein schon sein Itinerarium zeigt die Weite seiner apostolisch visitierenden Tätigkeit in Mainz, Fulda, Bamberg, Trier und Münster (wo man ihn zum Weihbischof wünschte; 1, 210). Die Arbeit Elgards steht auch in direkter Verbindung mit Gregor XIII [26], an den Elgard referiert (1, 214). Sie erfogt in engerer Zusammenarbeit mit anderen Germanikern (Dr. Miletius und Dr. Weilhammer) und in betonter Anhänglichkeit an das Kolleg. Sie stellt u. a. dar in verschiedenen Visitationen, auf denen er auf die Durchführung der Tridentiner Dekrete drängt, besonders insofern sie die Visitation der Diözesen und die Errichtung von Seminarien betrafen. 1576 war er auf dem Reichstag von Regensburg. Dann setzt seine wichtige Reform auf dem Eichsfeld ein, wo bereits mehrere Germaniker an der Arbeit waren, in Verwaltung, reinen Seelsorge und Firmung. Von dort schrieb er am 5.6.1584: «Wir halten dafür, dass wir unserm Gewissen Genüge tun; denn wir sind allezeit in Mühsal und ohne Unterbrechung in Leiden» (1, 219). Dahin gehören sowohl die gegen ihn erlassenen Schmähschriften (1, 217) als der Gegenschriften von Miletus, als der Geist, in dem er vom Papst besondere Vollmachten erbat («er erhoffe eine Erhörung seiner Bitte umso eher, als er keinen Vorteil, sondern nur Mühe und Arbeit suche, in der Erwartung, dass der gebenedeite Christus seine Tage abkürzen werde»; 1, 217). Kennzeichnend für die Lage ist auch die Fragwürdigkeit mancher, die sich dem Scheine nach der Reformierung beugten, etwa jener, die sich zur Priesterweihe drängen, aus Angst, ihrer Pfründe verlustig zu gehen; oder die Tatsache, dass so wenige zur Professio fidei und zum Kuraexamen kamen, und unter ihnen wieder kaum einige, die genügten: «Ich schäme mich ... die Schande unserer Deutschen aufdecken zu müssen ... Es nimmt mich Wunder, dass ... auch nur eine Seele katholisch geblieben ist. So viele Verdorbene und Unbrauchbare gebe es, die doch wegen der geringsten Pfründe alle Weihen sich erkauft haben» (1, 214).

---

[25] vgl. Schwarz, Nuntiatur-Korrespondenz von K. Gropper S. 354, 402. Drehmann Lorenz, Der Weibischof N. Elgard (Philos. Dissertation Jena 1947 stand mir nicht zur Verfügung).

[26] Gregor XIII. liess an *Madruzzo* schreiben, die Wittenberger Konkordien-Formel solle widerlegt werden, «etwa durch Canisius oder die Germaniker Eder oder Elgard, oder wenn sich sonst ein aus dem Kollegium Germanikum hervorgegangener tüchtiger Mann fände». (1, 218).

106

Umgekehrt erlebte er aufrichtigen Eifer evangelischer Prediger, die wenigstens « katholisch sterben wollten! Denn viele von ihnen hielt nur die Furcht vor zeitlicher Not von der Rückkehr zur heiligen Kirche zurück » [27]. Im Lichte seiner Christusliebe scheint mir unter seinen sehr streng zeichnenden Worten, die für den Grad der inneren Auflösung unter dem Klerus sehr aufschlussreich sind, für sein eigenes Streben und für die Gesamtproblematik der Lage 'dies am charakteristischsten: « Darauf sinne ich, heiligster Vater, dass unsere heilige Religion, welche hier nur noch ein glimmender Docht ist, nicht gänzlich erlösche » (1, 214).

In Köln treffen wir unter Erzbischof Salentin, der noch wenig Interesse für die Reformen zeigte, den hervorragenden Doktor *Robert Turner*, später Professor der Theologie in Ingolstadt, « einen der ausgezeichneten Männer, die in dieser Zeit aus dem Collegium kamen » (1, 581). Er war nach vorangegangener reicher Bildung als Priester, und schon mit gefeiertem Namen, 29 Jahre alt, als Humanist in das Kolleg gekommen. Er pflegte die römische Zeit die glücklichste seines Lebens zu nennen. In Ingolstadt wurde er Professor der Rhetorik und Moraltheologie, Rektor Magnificus, dann auch Pfarrer. — In Eichstätt leitete er (als Nachfolger zweier Germaniker) als Regens das Seminar und war Theologie-professor. Er hat den dortigen Klerus allmählich erneuert; er war Gelehrter, noch mehr Seelsorger (s. Kirche, 1, 284). Als den berühmtesten Alumnus aus Köln bezeichnet Steinhuber den *Anton Wolfradt*, später Abt von Kremsmünster und Fürstbischof von Wien (1, 246). — *Johann von Werne* (Köln, später Soest und Münster) wird geschildert als ein « Spiegel und Muster für Geistliche und Kanoniker, ein Mann von lauterstem, wahrhaft geistlichem Wandel ».

Eine der entscheidenden kirchlichen Figuren im Kampf um den Bestand des Katholizismus in Deutschland ist der schon öfters zitierte Koadjutor und dann Kurfürst *Ferdinand* von K ö l n. Die Wichtigkeit seiner Arbeit hängt vor allem an der Bedeutung, des umstrittenen Erzstifts Köln für die Kirche in Westdeutschland. Ferdinand ist es zu danken, dass nach der dritten Bedrohung des Erzstiftes die kirchliche Reform doch durchgeführt wurde. Ein Teil des Erfolgs kommt dem päpstlichen Nuntius zu, ein anderer seinem Vater, dem Herzog Wilhelm V. von Bayern, der ja weit über Bayern hinaus für die gesamte deutsche Kirche mitplante, und der auch seinem Sohn Ferdinand bestimmte Direktiven gab. Vor allem aber (siehe *Weiler* und *Franzen*) kommt das Verdienst Ferdinand selbst zu, der durch Visitationen und die vielfältige Arbeit seiner Generalvikare eine allmähliche Erneuerung des Klerus erreichte. Obschon er nicht Priester war, darf man sein Wirken priesterlich nennen. Die Art seines kirchlichen Denkens und seine Frömmigkeit war von den Jesuiten geprägt. Wegen des hochadeligen Charakters des Domkapitels finden wir wie gesagt, wenig Germaniker in diesem Gremium. Immerhin lebt in der unmittelbaren Umgebung Ferdinands der gleichfalls schon erwähnte Luxemburger *Johannes Cholinus* (1583-90 im Kolleg) als Berater.

In dem für die kirchliche Neugeburt hochwichtigen Kirchenrat, der 1601 eingesetzt wurde, befanden sich unter acht Räten auch zwei Germaniker (1, 247).

In W o r m s knüpft sich der Umschwung zu einem guten Teil an den Namen des eifrigen, mutigen Dompredigers *Voltz* (1, 225), dessen Mannhaf-

---

[27] Leider bekommen wir auch hier so gar keinen Einblick in das eigentliche kontroverstheologische Ringen. Aus Duderstadt heisst es z. B. über den bekehrten protestantischen Amtmann, der bis dahin ein Vorkämpfer der lutherischen Sache gewesen war, dass die Regensburger katholischen Prediger « seine Zweifel mit Leichtigkeit lösten ». (1, 216).

tigkeit ihm den Schutz des protestantischen Bürgermeisters einträgt: « Lasst ihn in Ruhe; er ist ein herzhafter und einsichtiger Mann ... er predigt, wie er denkt » (1, 225).

Für T r i e r müssen die beiden Kurfürsten *Jakob von Eltz* und *Johann von Schönenberg* wenigstens genannt werden (1, 226). Unter ersterem begann seine Arbeit der hochbedeutsame gelehrte spätere Weihbischof *Binsfeld*, an dessen fürchterlicher Hexengläubigkeit (De confessione maleficorum et sagarum) man allerdings erschüttert die Zeitgebundenheit menschlicher Erkenntnisse studieren kann. Als Klosterreformator, wo er den Mönchen theologischen Vorlesungen hielt und ihnen ihre eigenen Regeln erklären musste, als Prediger für das Volk, als ausgesprochen frommer Priester, als theologischer Schriftsteller, als Liebhaber der Einsamkeit, ist er eine bedeutende Figur. Bei der Pest 1590 holte er sich durch Krankenpflege den Tod. Seine ausgeprägte Anhänglichkeit an das Kolleg und sein Lob für diese « Stätte der Frömmigkeit und Zucht », dem « Trost vieler Seelen zur Wiederaufrichtung zahlreicher Kirchen » 1, 228) erweisen seine Arbeit in besonderem Masse als Frucht der im Germanikum genossenen Ausbildung. Es wäre wichtig festzustellen, ob auch seine erwähnten fürchterlichen Anschauungen über die Hexen und deren Verfolgung auf römische Einwirkungen zurückgehen. Jedenfalls war seine Wirkung nach dieser Seite hin weitgreifend und entsprechend verheerend. Psychologisch interessant ist die Verbindung seines juristischen Denkens und seiner Leicht-und Blindgläubigkeit, deren Argumentation geradezu einen circulus vitiosus an den anderen reiht. Als besondere Frucht römischer Erziehung (Pflege des Gottesdienstes) im Zusammenhang mit den Vorschriften des Tridentinums darf die Reform des « in arge Unordnung geratenen Trierer Breviers und Missales » durch den Kurfürsten Jakob von Eltz zusammen mit *Johann Ering* (1, 229) verzeichnet werden. Der frühe Tod des Kanonikers von Merode wird als « grosses Unglück für die katholische Sache » bezeichnet (1, 230). Von 1570 bis 1600 hatte Trier fünf Germaniker als Weihbischöfe (1, 234). Für Weihbischof *Zobel* finden sich sowohl in dem Breve, in dem ihn Klemens VIII. bei seinem Abgang aus dem Kolleg eigens dem Erzbischof von Mainz empfahl, als in den litterae annuae der Jesuiten eine betonte, aber schwer zu fassende Belobigung. (1, 235). Ein anderer Weihbischof (Otto Gereon) soll ebenso tüchtig als Theologe wie als Kanonist gewesen sein (1, 235).

In S p e y e r, wo die Domherren nur höchst selten die Priesterweihe empfingen, war *Adolf von Metternich* der einzige Priester im Domkapitel. Seine Wirkung, wenn er zelebrierte, oder auf der Kanzel und im Beichtstuhl, war dementsprechend. Als Hofmeister der fürstbischöflich-bayrischen jungen geistlichen Herrschaft und als Mitglied und Direktor des geistlichen Rates stand er an einflussreicher Stelle. Er nutzte sie in betont frommer Weise: Auf eine wichtige Reise zum Kaiser bereitete er sich durch Exerzitien vor. Er stiftete die Bruderschaft zum heiligen Johannes. Er versuchte auch, engeren Kontakt zur niederen Geistlichkeit herzustellen (eine der wichtigsten und auf lange Zeit hinaus am wenigsten gelöste Aufgabe). Auch ihn zeichnete eine Tugend aus, die wir bei recht vielen Germanikern bezeugt finden: Die Mildtätigkeit (1, 238 f. - 246. 252. 261. 271. 290. 304. 306. 322. für fromme Zwecke, auch für Studentenbursen und Lehrstühle). Von seinem Bruder, der nach seiner Kollegszeit bei den Jesuiten eintrat, wird « heiligmässiger Wandel, glühende Gabe des Gebetes, hinreissende Beredsamkeit, glühender Seeleneifer » berichtet. An ihm haben wir ein Beispiel der umwandelnden Gewalt der Heiligkeit über andere (vgl. dazu die 'Verwandlung' des Kurfürsten *Lothar von Metternich* durch die Exerzitien (1, 239).

108

Als Beispiel konkret belegbarer Konvertitenarbeit können die Bemühungen zweier Jesuiten aus Speyer gelten, die den ganzen Hof von Baden-Baden mit einer Ausnahme in die Kirche aufnahmen (die ketzerischen Bücher wurden verbrannt; 1, 240). Freilich käme alles darauf an, dass man die Freiwilligkeit und Aufrichtigkeit und Dauer über den Rückfall des folgenden Markgrafen hinaus unter Beweis stellen könnte, denn die Lage war alles andere als rosig: «Niemand hilft uns hier ... Die heilige Kommunion muss man heimlich den danach Verlangenden bringen ». (1, 241).

In M ü n s t e r übertreffe *Herrmann Plönies* alle anderen Germaniker an Tugend, schrieb *Nierbach,* sodass man von seiner Tüchtigkeit und seinem Eifer eine bedeutende Verbesserung des Klerus erhoffe. (1, 253). Ein Münsteraner Germaniker zog etwas nach 1600, trotz des Widerstrebens des Rates, die Kapuziner dorthin und stiftete ihnen ein Kirchlein (zwei andere taten dasselbe in Paderborn; 1, 254).

In P a d e r b o r n , wo der lutherisch gesinnte Bischof Heinrich von Sachsen-Lauenburg den Stuhl innehatte, Adel und Bürgerschaft beinahe ganz und das Domkapitel zum gewissen Teil lutherisch waren, kamen 1583 sieben Germaniker in das Domkapitel (1, 254). Die Lage war so, dass die Germaniker ab 1583 als der einzige Trost der Katholiken bezeichnet wurden. Aber allmählich drangen sie durch. Jesuiten und Kapuziner waren Mitarbeiter.

In L ü t t i c h lebten die Germaniker « vor allen anderen erbaulich und waren die Blüte des Kapitels » (1, 262).

Die Germaniker aus R o e r m o n d standen wegen ihrer Frömmigkeit und Klugheit auch bei den protestantischen Fürsten in hohem Ansehen (1, 263). In H i l d e s h e i m zeigt sich wieder die Bedeutung der Einzelpersönlichkeit. Dort brachte den Umschwung *Heinrich Vinichius* (seit 1575), « der schwarze Spanier », der in Predigt und Schriften unter vielen Beschimpfungen mit Geduld 'wie ein Jesuit' wirkte. Weihbischof zu werden, lehnte er ab (1, 265).

Wie aus anderen Diözesen wird aus M i n d e n (wo 'die Benefizien gleich Ochsen verkauft und wieder verkauft wurden') ein Mittel in diesem Kampf um den kirchlichen Wiederaufbau gemeldet, dem man in dieser Zeit noch grosse Bedeutung zumass (und Dank des noch grossen gemeinsamen dogmatischen Fundus einerseits und Dank der auch protestantischerseits weit verbreiteten Denkart der Barockscholastik andererseits mit Recht zumessen durfte): Tägliche Disputationen mit den Häretikern (1, 267). Auch aus H a l b e r s t a d t wird ein Germaniker, der später Franziskaner wurde, als Kontroversist gemeldet. (1, 267; *Janssen* 5¹³, 412 f.).

In B a m b e r g , wo sich *Elgard* so ohne Beistand Gottes fühlte, finden wir zwei Bischöfe, die das Germanikum stark loben (1, 270). Ehe das dortige Seminar von den Jesuiten übernommen wurde, waren alle Regenten Germaniker. Und von 1590 bis 1666 waren sämtliche fünf Generalvikare Germaniker (1, 279). Ihre Aufbauarbeit wurde z. B. durch den mitsamt seinem Hofe sehr leichtsinnigen Bischof *von Gebsattel* bis zur Lebensgefahr behindert (1, 271 f.). Der Generalvikar und Weihbischof *Förner,* ein « apostolischer Mann », hatte 1617-1622 beinahe ganz die Leitung der Diözese inne. Helfer war sein Mitalumnus *Murmann:* sub infula vitam duxit religiosam.

« Kein Bischof schätzte das Kollegium so wie *Julius Echter* von Mespelbrunn, Fürstbischof von W ü r z b u r g (1, 275). Zwar musste er allerhand Missverständnisse in Rom überwinden, bis man seine Kirchentreue erkannt hatte. Julius war ein sehr selbstbewusster Fürst, der die echte kirchliche Einheit ausserdem höchst genau von der Einerleiheit und Unselbstständigkeit der Glieder der Kirche zu unterscheiden wusste. Aber er hatte auch erkannt, dass die Wiederherstellung der Gesamtordnung, also auch die Festigung des Reiches, nur auf dem Boden der Tradition, also des Katholizismus erfolgen könne. Sowohl Würzburger Germaniker als auch solche aus anderen Diözesen setzte er bei seiner umfassenden Aufbauarbeit, die durch das Katholisch-Kirchliche ihre Form erhielt, ein. (siehe *Pölnitz*, « Julius Echter von Mespelbrunn » in: Schriftenreihe zur bayr. Landesgeschichte 17 [1934]).

Hofprediger wurde ein Germaniker aus Augsburg; Dr. iur. *Kresper* wurde Prokanzler der Universität. Ein anderer Germaniker war dreimal Rektor Magnificus, ein anderer Weihbischof, ein weiterer führte das Stift Murstadt, das sich am hartnäckigsten gegen die Rekatholisierung sträubte, zurück (1, 277).

Durch Germaniker liess der Fürstbischof in Missionen und Visitationen die Kirchen in seinem Sprengel reinigen und neubeleben. Dass dabei auch der Gottesdienst wieder würdig, ja, glänzend gestaltet wurde, entsprach dem Willen des Bauherrn Julius Echter, der einen ganzen Kranz von Kirchen in seinem Sprengel entstehen liess. Und schliesslich gelang ihm auch die Reorganisation des Domkapitels. Eine neue Generation wurde so auf das glänzendste herangebildet.

Julius wusste, was er aussprach, wenn er bekannte: « Wir lieben in Wirklichkeit das Kollegium Germanicum, und wie sollten wir diese geistliche Pflanzschule nicht lieben, in der die jungen Kleriker so in Frömmigkeit und Wissenschaft erzogen werden, dass sie, ins Vaterland heimgekehrt, imstande sind, die Religion, wo sie wankt, zu befestigen, wo sie gefallen ist, wieder aufzurichten? Zum grossen Staunen vieler und zu reichem Segen hat das Kollegium in einem Jahre 21 und noch mehr Priester zu den Weihen gebracht, welche aus der heiligen Schrift wie aus einem himmlischen Zeughaus mit guten Waffen zur Überwindung der Feinde des Glaubens ausgerüstet sind ».

Auch Bischof Martin von Schaumberg von **E i c h s t ä t t** setzte alles daran, um Zöglingen seiner Diözese die Aufnahme in « das alle anderen Seminare des Erdkreises überragende Kollegium Germanicum » zu sichern (1, 280).

Der wohltätige Lütticher *Stevart*, 20 mal Rektor der Universität Ingolstadt, war Kontroversschriftsteller; ein anderer Germaniker wurde Hofprediger, einer Domprediger, einer Generalvikar in Passau, einer Rektor der Latein-Schule in Passau, einer Lehrer der Theologie im Stift Haug (285). Von den « berühmtesten », *Turner*, war schon die Rede.

Das Seminar in Eichstätt wurde in seinen Anfängen ausschliesslich von Germanikern geleitet (1, 284). Ein Germaniker leitete auch das Georgianum in Ingolstadt. Der Rektor der Universität, *Fischer*, setzte gegen das Domkapitel Regensburg — das, wie manche andere Instanzen, die römischen akademischen Grade nicht anerkennen wollte — ein Dekret Ferdinands II durch, das sie denen der bekannten Universitäten gleichsetzte.

Beim Neubau der Diözese **A u g s b u r g** spürt man die Hand des Bischofs *Otto von Truchsess* und die Vorbereitungsarbeit der Jesuiten in Dillingen. Nachdem zuerst « zuviele, zu unreife und zu ungelehrte « Alumnen gesandt worden waren (1, 286), kamen auch die tüchtigen Germaniker zum Einsatz: Bischof *Heinrich von Knörringen* (1597-1646), « ein zweiter Otto von Truchsess, der jährlich mit seinem Beichtvater 8-10 tägige Exerzitien machte. *Frum*, nomine et re probus, einer der tüchtigsten Zöglinge, viel begehrt, starb schon auf der Heimreise (1, 287); ein anderer wurde Fürstbischof von Breslau, ein weiterer der mit glänzender Disputation abgeschlossen hatte, wurde Weihbischof.

K o n s t a n z lieferte 5 Bischöfe, 1 Abt, 2 Dompröpste, 10 Kanoniker, 2 Universitätsprofessoren, 8 Jesuiten, die anderen wirkten als Pfarrer. Die

110

offenbar etwas ängstliche Frömmigkeit des Weihbischofs *Dr. Mirgel*, der 30 Jahre wirkte, entspricht nicht ganz der Weite des Evangeliums. Aber in dieser gewissen Enge, welch harter Ernst der Askese und des privaten wie liturgischen Betens! Auch er gehört zu denen, die das bedeutende Werk der Neuweckung der römischen Liturgie in Deutschland förderten (1, 290). Auch *Melchius Degenhart*, der Jesuit wurde, lebte heiligmässig (1, 292). Ein *von Kalkenried* wurde Benediktiner und schon als Novize zur Reform eines Klosters entsandt; als Abt war er Reichsfürst. Mehrere werden als Prediger gerühmt, darunter *Stadler*, der in kurzem eine wunderbare Erneuerung der Gemeinde erreichte (1, 292). Vom ersten Germaniker aus Feldkirch heisst *es, er sei* « wie ein Engel des Himmels » in seiner Heimat empfangen worden.

In der kirchlichen Erneuerung des stark verweltlichten F r e i s i n g spielte in besonderem Masse die Erneuerung des Gottesdienstes und der Kirchenmusik eine Rolle. Die treibende Rolle spielte dabei « der treueste Freund des Germanikums », *Herzog Wilhelm V*, der einen Germaniker zum Zeremonienmeister seiner Hofkapelle machte (1, 296). Würdiger und ehrerbietiger Chorgesang nach römischem Ritus ersetzte nicht nur in der Hofkapelle, sondern in allen Kirchen der Stadt, die Verirrungen der ärgstens unliturgischen Hofsänger. Eine sehr intensive praktische Bemühung brachte das Werk — trotz des Widerstandes der störrischen Hofmusiker (Orlando di Lasso!) — zustande, so dass wieder echte feierliche Vesper und Hochamt gesungen wurden (1, 298).

Die Zeremonien der Karwoche wurden erneuert (Heiliges Grab) und die Ablehnung der Bürgerschaft überwunden. Das Fronleichnamsfest und andere hohe Feste wurden festlich begangen. Sie machten « aus München für 2 Jahrhunderte eine fromme Stadt » (1, 299). Als der Herzog einen jungen Kleriker ins Kolleg schickte, vermerkte er, er wünsche denselben zurück nicht so sehr als grossen Theologen, denn als Kenner kirchlicher Zeremonien und Riten. Wilhelm sorgte dafür, dass immer neue Alumnen aus seinem Gebiet nach Rom gesandt wurden. Er dachte dabei auch ausdrücklich an die Entwicklung ausserhalb seiner Lande.

Bei solcher Lage der Dinge ist es nicht verwunderlich, dass Germaniker einflussreiche Stellen in Ingolstadt, Landshut, Straubing, Melken und Freising innehatten. Die zu leistende Reformierung zur Überwindung der Zuchtlosigkeit, des « inneren Abfalls von der Kirche und allem Christlichen, « war gross (1, 301); tüchtige Germaniker haben ihren Teil daran. Einer wird als « vollendeter Theologe, von seltener Frömmigkeit, Bescheidenheit, Sittenstrenge », ein anderer als Erneuerer der vita communis der Stiftsherren gepriesen (1, 303).

An der Umgestaltung im furchtbar verwahrlosten R e g e n s b u r g waren nur wenige Germaniker beteiligt. Aber ihr Eifer war gross. Der Inhaber von zwei Propsteien in Spalt und Johann war (trotzdem) unermüdlich als Seelsorger und auf der Kanzel tätig. In seinen gedruckten Predigten über die Sonntagsevangelien stattet er dem Kolleg seinen Dank ab. — Von *Bartholomäus Vischer*, der Domdekan war und Generalvikar wurde, besitzen wir eine eindringliche Eingabe an Sixtus V, als das Kolleg bedroht schien (1, 304). Der in Regensburg wirkende Kölner *Dr. Ortl* wurde bekannt durch eine siegreiche Disputation mit dem Tübinger Professor Schmitlein. Ein Germaniker wurde Seminarregens - Domherr - Domdekan - Propst. Die Neuordnung des Gottesdienstes und die Reinigung und Ausgestaltung der Kirchen war die Frucht der Erziehung von Rektor Lauretano (1, 306).

Als der bedeutendste Regensburger Germaniker dieser Epoche wird *Dr. J. Miller* bezeichnet. Seine Predigten im Dom von Konstanz fanden auch Echo bei den Protestanten. Als Visitator von der Stadt und Diözese Konstanz (mit 1200 Pfarreien), nach der vorausgegangenen bischofslosen Zeit und bei dem nicht residierenden damaligen Bischof musste er heftigsten Widerstand und Hass von Pfarrern und Stiftsherren, von Wiedertäufern und radikalistischen Elementen (in Regensburg) bis zur feierlichen Rückführung in die Kirche überwinden. Sein Beispiel wirkte. Als er die tridentinischen Reformdekrete einführen wollte, gab es wütenden Widerstand bei dem verkommenen Welt- und Ordensklerus, der auch den Schutz adeliger Herren einzuschalten wusste. Unflätige Behandlung, meuchlerischer Angriff, Verleumdungen einer Dirne: alles wurde versucht. Miller hielt stand. Er setzte die Reformdekrete durch im Familienleben (Ehe), in den Kirchen und ihrem Gottesdienst. Dabei wirkte er als Domprediger. 1585 erhob sich ein neuer Sturm gegen ihn; es kam sogar zu einer kirchlichen Verurteilung. Die Verleumdungen bedeuteten eine schlimme Belastung aller Reformarbeit, auch der anderen aus Rom heimkehrenden Germaniker. Als einen Grund der jahrelangen Verleumdungen gibt Miller an, dass er die « Äbtissinnen, welche das Klostergut zugunsten ihrer eigenen sakrilegisch erzeugten Kinder verschleudern », tadelte (1, 311). Aber neben seinen eigenen Verteidigungen traten auch andere empört für ihn ein. Die Wendung kam, als 1579 das Domkapitel, um gegen den protestantischen Rat bestehen zu können, den 5jährigen Sohn von Herzog Wilhelm zum Bischof wählte. Dr. Miller wurde schliesslich Bistumsverwalter und von Rom restlos rehabilitiert. Er gründete sofort ein Jesuiten-Kolleg. Dann veranstaltete er eine Visitation des Bistums mit dem Germaniker *Hylinus*. Er führte das Konzil von Trient in der Diözese zum Sieg (1, 312 f.). Der Jesuitenorden liess ihn « zur Teilnahme an den guten Werken und Verdiensten, die der Orden vor Gott hat » zu. (1, 314). « Er hat das Bistum Regensburg mitten unter einem verderbten Geschlecht mehrere Jahre lang löblich verwaltet, dem Anprall der Neuerer sich wie eine Mauer entgegen gestellt, die verderbten Sitten der Geistlichen mit Weisheit und Kraft verbessert und in Regensburg durch den erlauchten Herzog Wilhelm von Bayern ein Kollegium der Gesellschaft Jesu, allem Widerstand der Ketzer zum Trotz, errichtet. In diesem Eifer, mit welchem er jene Kirche nicht ohne ihren höchsten Nutzen zu reformieren versucht, ist er bis zu seinem letzten Atemzuge aufs standhafteste verharrt, und obgleich er von den Neuerern durch Drohungen und Nachstellungen gar oft angefochten, von den schlechten Katholiken durch Schmeicheleien und Bestechungsversuche heftig bekämpft worden ist, so hat er doch in seiner Hochherzigkeit und unerschütterlichen Festigkeit niemals wankend gemacht werden können, bis ihn endlich die göttliche Güte mitten in seinem Laufe zur ewigen Belohnung abberufen hat ». Auch in Regensburg spielte die Reorganisation des Gottesdienstes eine wichtige Rolle beim Neuaufbau.

In dem fürchterlich durcheinander geratenen P a s s a u finden wir einige gute Germaniker, meist aus anderen Diözesen (1, 317). In *Georg Gotthardt* treffen wir auf einen ungewöhnlich tragischen Fall. Als gelehrter Domherr war er der einzige Priester, beinahe der einzige, der im Dom erschien, der auch des Nachts 3 Uhr zu den Metten an Festtagen zur Stelle war. Als Pfarrer musste er unter Lebensgefahr vor dem Pöbel fliehen. Derselbe Mann erhob ehrenrührige Beschuldigungen gegen seinen Bischof. Er wurde inhaftiert, machte einen Fluchtversuch, tötete dabei seinen Wächter, wurde wegen Mordes verurteilt und hingerichtet (1, 318). « Das war das tragische Ende eines Mannes, der an Gelehrsamkeit, kirchlicher Gesinnung und Tatkraft in jener trüben Zeit unter dem deutschen Klerus wenige seinesgleichen hatte ».

Auch in Passau war es ein Zentralanliegen, wieder die Feier der Messe zu lehren. *P. Jos. Guerrieri* S. J. musste es z. B. in elementarer Form versuchen, damit am Ostermontag im Dom überhaupt ein Hochamt gehalten werden konnte: einem Domherrn, der seit seiner Primiz noch nie zele-

112

briert hatte (1 ½ Jahr), brachte er die Zeremonien bei (1, 318). Die Wende brachte der aus dem Kolleg zurückkehrende Dompropst *von Pötting*. Er gestaltete den Gottesdienst so um, dass ihm Lauretano 1581 überschwengliches (etwas verdächtiges) Lob gespendet hat. Er wurde Administrator der Diözese († 1603) (1, 319).

Von den S a l z b u r g e r Germanikern wurde einer, der als Domherr von Salzburg und Passau 18jährig nach Rom kam, wichtig, weil er entscheidenen Einfluss auf die Wahl des folgenden Bischofs von Passau (Erzherzog Leopold) hatte: 1603 wurde er selbst Bischof von Gurk und Statthalter von Innerösterreich. Ein konvertierter Lutheraner wurde Bischof von Chiemsee und Dompropst und Generalvikar von Salzburg. Ein anderer, der als Domdechant 1616 starb, hatte zwei Bistümer ' beharrlich ausgeschlagen ' (1, 321). Das Wichtigste aber ist, dass von 1587-1747 die sechs Erzbischöfe von Salzburg Germaniker waren [28].

Allerdings bietet gleich der erste, *Dietrich von Reitenau* (1587-1617), ein seltsam zwiespältiges Bild. Während er zunächst mit allen Vorzügen eines positiv gegenreformatorischen Prälaten geschmückt erscheint (reiches Wissen, mildtätig, Prediger (eine Neuheit!), baut Klöster, versucht eifrig zu reformieren, besonders auch den Gottesdienst und die Kirchenmusik, führt römisches Missale, Brevier und Antiphonarium ein [1, 323]), sorgt er leider zu wenig für den priesterlichen Nachwuchs (freilich hemmte hier auch das Domkapitel). Ausserdem erregte er in späteren Jahren persönlich schweres Ärgernis. Politische Schwierigkeiten brachten ihn um seinen Sitz und in harte Haft bis zu seinem Tod 1617 (1, 323).

Die schon längst von drei Provinzialsynoden verlangte Errichtung von Seminarien wurde erst durch den Germaniker *Dr. Lampe* Wirklichkeit, der zum Regens bestellt wurde mit dem Auftrag, das Seminar nach dem Muster des Germanikums auszubauen (2, 435). Die Ausbildung stellte allerdings nach der wissenschaftlichen Seite keine hohen Ansprüche.

Aus W i e n erwähnt Steinhuber neun Germaniker, einen Domdechant und Weihbischof, einen Domherrn in Breslau, einen Domdechant, der zugleich Pfarrer war, einen Domherren und Universitätsprofessor. Zwei, die anscheinend stark seelsorgerlich veranlagt waren, versagten und endeten als verheiratete Lutheraner (1, 324).

Am Umschwung gegen Ende des Jahrhunderts in B r e s l a u , wo es traurig aussah, hatte das Germanikum starkes Verdienst. Den Ansatz zur Wende gab Bischof *Andreas Jerin*, der während seiner zwei letzten Kollegsjahre Kaplan und Beichtvater und Prediger der Schweizergarde gewesen war, Dompropst, dann einstimmig 1585 zum Bischof gewählt wurde (1, 326). Der Gottesdienst wurde würdig gestaltet, Konvikt und Seminare wurden unter zwei Germanikern ausgebaut, 1592 eine Diözesansynode abgehalten. Nach und nach gelang es, überragende Germaniker ins Kapitel zu bringen. *Eder*, der schon mit 12 Jahren ins Kolleg gekommen war, wurde Bistumsverweser (1, 328). Der konvertierte Lutheraner *Hartmann* war aus Braunsberg nach Rom gekommen: « einer der tüchtigsten Männer, die aus dem Kollegium hervorgingen » (329). Ein anderer wird als « Perle des Domkapitels » und als sehr fromm und gelehrt bezeichnet (330).

Das « Wiederaufleben des Katholizismus in Mähren », « zurzeit die Mutter der Ketzer und die Senkgrube der Häresien », wird dem Domherrn, Propst, Scholasticus und endlich Bischof *Pawlowski* zugeschrieben (334). Die Wiederbelebung gelang ihm mit Hilfe des päpstlichen Alumnats in O l m ü t z und eines Seminars, und auch durch Absendung von Alumnen auf seine Kosten nach Rom. Er förderte den Jesuitenorden, deren Kollegien

---

[28] Der zweite weilte freilich nur 1 Jahr als 9-jährigen Knabe im Kolleg.

in Prag. Olmütz und Brünn er begünstigte, und formte so einen neuen Klerus. 1591 hielt er eine Diözesansynode, auf welcher die Dekrete des Konzils von Trient zur Durchführung kamen. — Fast alle anderen Germaniker wurden Domkapitulare in Olmütz (1, 334).

In L a i b a c h war um 1590 ein Germaniker Generalvikar und Visitator eines Teils der Diözese und Präzeptor des späteren Ferdinand II und Bischofs von Trient.

Ein grosser Name ist *Stobäus* aus Braunsberg. Er wurde Bischof, Statthalter von Innerösterreich, Berater des Bruders des Kaisers, der mit 20 Jahren Bischof von Breslau geworden war. Steinhuber sagt, dass er durch seine Schrift « De auspicanda religionis reformatione » ein Inspirator der Methode der Gegenreformation in Steier, Kärnten und Krain (Carniola) geworden sei. Der auch von Gegnern anerkannte Mann hat eine glänzende Selbstkennzeichnung hinterlassen (1, 339).

In G u r k wurde der von seinem Bischof hochgelobte Germaniker *Johannes Platzgummer* schon nach drei Jahren Generalvikar, ging mit seinem Bischof nach Brixen (der dort Fürstbischof wurde), wurde Dompropst, Domdekan und schliesslich selbst Fürstbischof von Brixen, das noch neun Germaniker als Bischöfe bekommen sollte (1, 340). Einer der Germaniker wurde Propst, Archidiakon und Weihbischof, ein anderer (*Johann vom Lamberg*), Bischof von Gurk.

Aus B r i x e n ging besonders bewegte Klage und Bitte nach Rom um Helfer (1, 343/44). Bischof und Domherren opferten s e h r v i e l , um Kandidaten im Kolleg studieren lassen zu können. Unter den zehn Germanikern finden sich Domprediger, Kanonikus, Weihbischof, Dompropst, zwei Visitatoren und ein Pfarrer. Mit 17 Jahren kam *Johann Ernst von Wolkenstein* ins Kolleg, blieb dort vier Jahre; dann wurde er bald Domherr in Salzburg, lehnte zweimal eine Bischofswahl ab, wurde Gesandter in Regensburg, Domdechant und Visitator der Diözese (1, 344).

Aus T r i e n t werden drei Germaniker gemeldet, die « mit löblichem Eifer in der Seelsorge arbeiteten » und vier Domherren.

Über das Schicksal der 46 Germaniker aus U n g a r n , von denen ein beträchtlicher Teil von protestantischen Eltern abstammte, sei nur wenig bekannt, sagt Steinhuber (1, 349). — Fünf (von den 46) wurden Bischöfe.

Den 21 Aumnen aus G r a z wird bescheinigt, dass « die meisten eifrige und fromme Priester » waren. Sechs wurden schnell Domherren. *Baranyay* erhält höchstes Lob durch den Rektor und den Kaiser, wird Kommendertar-Erzabt von Martinsberg. — Der konvertierte *Baksay* erhält mit 14 Jahren vom Kaiser die Abtei von Lében, geht dann ins Germanikum und wird in Raab Domherr (350).

In S i e b e n b ü r g e n ist die Mehrzahl der sieben Germaniker Konvertiten (351). Aus R a a b wird ein Germaniker als « von seltenen Gaben und seeleneifrig », ein anderer als Bischof (mit drei verschiedenen Diözesen) gemeldet. Genauer profiliert erscheint der Konvertit *Lósy*: klug, fromm, doch etwas eigenwillig: Domherr, Dompropst, Bischof von Csanad, dann von Grosswardein, dann von Erlau, dann von Gran. In Erlau hielt er eine Diözesansynode ab.

Ein grosser Prozentsatz der Germaniker der Epoche bis 1600 wurden O r d e n s l e u t e , die meisten Jesuiten, fast 50. Sie zeigten ihre Tüchtigkeit in heroischer Nächstenliebe, als Novizenmeister, als Rektor des Kollegs in Braunsberg, als Schriftsteller, als Professoren der Philosophie und Theologie und Rektor in Mainz (*Wineus*, 1, 365), als Beichtvater von Ferdinand von Köln, als französischer Hofprediger und Beichtvater Maximilians von Bayern (der Luxemburger *Beislidinus* (1, 365), als grosse Beter, Rektoren und Exerzitienmeister [1, 364 f.]).

114

Mit dem 17. Jahrhundert (grob genommen) begann eine neue Zeit. Für die Arbeit des Kollegs war sie gekennzeichnet durch die systematische Bevorzugung der adligen Bewerber; daheim in vinea bestimmten die Aufgaben des hohen Klerus stärker das Bild, während das ganze kirchliche Leben bald im Schatten des zwar sehr unterschiedlichen, insgesamt aber fürchterlichen Geschehens des 30jährigen Krieges stand.

In der Geschichte der Gegenreformation spielt der kurze Pontifikat *Gregors XV.* (2 Jahre und 5 Monate) eine bedeutende Rolle. Und sie liegt überwiegend auf dem Gebiet des Innerkirchlichen, des Religiösen. Der Vergleich *Pastors* zwischen ihm und *Hadrian VI.* reicht tief. Es handelt sich beidemal um den Ausdruck priesterlichen Geistes.

Nun war ja Gregor XV. nicht Germaniker im eigentlichen Sinn. Aber er weilte doch zwei Jahre als Konviktor in Germanikum, freilich nur, um seine humanistischen Studien zu machen. Doch muss festgehalten werden, dass die wissenschaftliche Ausbildung, die Gregor XV. in Philosophie und Theologie dort von 67-69 (kurz genug!) am Collegium Romanum genoss, diejenige war, welche auch die Germaniker wissenschaftlich formte.

Auf dem Erzbischofsstuhl von M a i n z finden wir von 1604-1647 drei Germaniker als Erzbischöfe, « würdige Prälaten ». Der erste (*Schweikart*) war ein Mann des Gebetes; seine Frömmigkeit war betont marianisch (allerdings gibt es da etwas leichtgläubige Details; 1, 401). Er schaffte der eigenen Arbeit tüchtige Hilfe durch Heranziehung der Jesuiten (Kolleg), der Franziskaner und der Augustiner nach Mainz. — Unter dem dritten der genannten Erzbischöfe stossen wir auf den früheren protestantischen Prediger, dann Konvertiten, Pfarrer, Domscholastikus, Universitätsprofessor und Weihbischof *Volusius,* « einen merkwürdigen Mann », « eine der glänzendsten Eroberungen der katholischen Kirche in der ersten Hälfte des 17. Jahrhunderts ». Durch unermüdliche Visitation, durch besondere Pflege des Gottesdienstes und durch seinen Catechismus biblicus leistete er eine Arbeit, die einer eingehenderen Darstellung wert wäre (1, 401 f.; *Räss* 5, 516 ff.). — Von den weiteren 20 Männern, die in dieser Periode ins Germanicum eintraten, hielten nur die Hälfte durch (1, 403).

Da man den Kurfürst Phil. Christoph von Sötern von Trier nicht gut als Germaniker ansprechen kann (vgl. 1, 404 mit 1, 232), bleibt als Erzbischof auf dem Trierer Stuhl der von *Ranke* als « ausgezeichneter Fürst » genannte *Lothar von Metternich* (1599-1623) zu erwähnen. Wir sagten schon, dass der Jesuit gewordene Germaniker P. Wilhelm von Metternich ihn durch die Exerzitien in einen andern Menschen umwandelte (1, 403). Von den drei Germanikerbischöfen wird *Heinrich Hartard von Rollingen* als Muster eines guten Bischofs gerühmt. Sympathisch, dass er sich weigerte, sich die Hand küssen zu lassen (1, 406). Von den 30 Zöglingen, die in dieser Zeit aus Trier nach Rom zogen, waren die meisten sehr jung, aber schon Kanoniker und über die Hälfte adelig; fast alle empfingen die Priesterweihe.

Die Nachrichten über die vielen Zöglinge aus K ö l n (100) sind dürftig. Wir wissen, dass der sich vollziehende kirchliche Aufbau nach dem Tode von Fürstbischof Ferdinand hauptsächlich durch die bedeutenden Generalvikare geleitet wurde, von denen keiner Germaniker war (s. *Franzen*).

Hugo von Orsbeck (ein Neffe des Trierer Kurfürsten von Leyen, der zugleich mit seinen Brüdern ins Kolleg eintrat (beide Kanoniker in Trier und Speyer), wurde Bischof von Speyer, danach Koadjutor von Trier cum iure successionis, dann endlich Erzbischof von Trier. Er strebte bis ins hohe Alter hinein, nach seinen im Kolleg niedergeschriebenen Vorsätzen zu leben. Seine Frömmigkeit war bemerkenswert: er führte das Ewige

Gebet in seiner Diözese ein. Grosse Anhänglichkeit und Dankbarkeit gegen das Kolleg erfüllte ihn (1, 409).

Durch *Franz Wilhelm von Wartenberg* (vgl. KB 1955, 1), einen frühgereiften Mann, der sein Herz dem Marienheiligtum Altötting vermachte, Bischof von Osnabrück (1, 420), kam *Ägidius Gelen* ins Kolleg, der im Schatten seines grossen Bruders *Johann*, des bedeutendsten Kölner Generalvikars steht, als wissenschaftlicher Sammler einen Namen hat, Weihbischof von Osnabrück wurde und wenige Monate danach starb (1, 419).

Eine priesterliche Gestalt Kölner Abstammung, in der sich das «hoffnungslose» Kämpfen auf verlorenem Posten nach dem Westfälischen Frieden spiegelt, ist *Johann Friedrich Deutsch* (1, 410).

Der Name des berühmten *Johann Adam Schall von Bell*, der mit 17 Jahren ins Kolleg kam und nach der Philosophie in den Jesuitenorden eintrat, braucht nur genannt zu werden (1591-1666).

Von den 32 Münsteranern wurden die meisten Kanoniker in Münster, Osnabrück, Hildesheim und Minden (1, 417).

Der Lütticher *Andreas Cruesen* (im Kolleg 1612-18) wurde Generalvikar der kaiserlichen Armee in Wien, Bischof von Roermond, Erzbischof von Mecheln (422), *Van der Bosch* wurde Bischof von Brügge, dann von Gent (423).

Von den B a m b e r g e r n waren ein Drittel adelig, sie kamen aber zu jung ins Kolleg und gingen vielfach fort ohne Priesterweihe (1, 427), von den W ü r z b u r g e r n war es mehr als ein Drittel. Seit der Zeit, da Julius Echter dringend vom Germanikum Weihbischöfe für Würzburg erbeten hatte, bekleideten Germaniker durch ein halbes Jahrhundert diesen Posten. Die Alumnen bürgerlichen Standes waren fast alle tüchtige Priester (427).

Der hochadlige E i c h s t ä t t e r *Marquard* war dort 50 Jahre lang trefflicher Bischof. Er wurde Prinzipalkommissär auf dem permanenten Reichstag zu Regensburg. *Menzel* war Professor für Kontroverstheologie (1, 428).

Die 40 A u g s b u r g e r Germaniker dieser Epoche empfingen beinahe alle die Priesterweihe im Kolleg; zwei wurden Äbte, einer Generalvikar, 10 Domherren, 6 Jesuiten (1, 431).

Von den 103 Germanikern aus K o n s t a n z war ein Viertel von Adel, der Rest aus Patrizierfamilien. Drei wurden Bischöfe, acht Weihbischöfe, einer Ordensgeneral, acht Äbte (433). Freilich besagen die Titel allein noch nicht viel. Die beiden *Fürstenberg* z. B. betrieben ein politisches Spiel zugunsten Frankreichs für französisches Geld, und Wilhelm starb als Abt der sehr reichen Abtei St. Germain-des-Prés bei Paris (1704!) (1, 435).

Dagegen lebte *von Ach.* der Präsident der kurfürstlichen Kammer in Köln, der enge Fühlung mit dem Kolleg hielt, in seiner hohen Stellung ganz priesterlich (1, 437). — *Martin Molitor* reformierte das Kapitel Seckau, dessen Mitglieder ziemlich unwissend und zuchtlos waren (1, 437). *Jakob Abbas* führte einen umfassenden religiös-kirchlichen Aufschwung ab 1626 herbei. Der gelehrte *Eusebius Truchsess* wird als besonders fromm gelobt; er wurde Jesuit (1, 437).

Von den 50 Germanikern aus T r i e n t (fast alle adelig: 10 Bischöfe, 2 Generalvikare, 12 Dignitäre und Kanoniker, 5 Jesuiten) heisst es, sie hätten noch mehr geleistet als die 40 aus Brixen (über die Hälfte adelig; drei Bischöfe, drei Weihbischöfe, 5 Dompröpste) (452-60).

Von den 25 W i e n e r n waren 20 Adelige; davon wurden 7 Bischöfe bzw. Weihbischöfe. *Ernst Adalbert Graf von Harrach,* der mit 24 Jahren Erzbischof in Prag war, wurde auch Kardinal (1624), später Primas von Böhmen; er wurde auch Fürstbischof von Trient. Sein Sprengel umfasste

116

fast ganz Böhmen, das er in 45 Jahren der Mühe zur katholischen Kirche zurückführte. Er gründete das Priesterseminar in Prag; er zog Pauliner, Piaristen, Theatiner, Karmelitinnen, Urselinen nach Böhmen. Seine Mildtätigkeit war ohne Grenzen (1, 461). — Ungewöhnliche Frömmigkeit zeichnete den Wiener Bischof *Philipp Friedrich von Breiner* aus (1, 461).

Aus dem fast ganz protestantischen Schlesien (B r e s l a u) kamen in dieser Periode 20 Zöglinge. Seit Anfang des 17. Jahrhunderts bestand die Hälfte des (nichtadeligen) Domkapitels aus Germanikern (bis Ende des 18. Jahrhunderts; 1, 470). Am Ende dieser Periode geriet der Sprengel in einen ungeheuren Wandel (und dessen Problematik!), als 1648 der Kaiser den Protestanten Schlesiens die freie Religionsausübung entzog und dadurch in 656 Pfarreien der protestantische Kultus aufhörte. Besondere Anhänglichkeit an das Kolleg zeichnete *Gebauer* aus (471 f. 473).

Während der trostlosen Zeit, die damals Ungarn durch die Türkennot und das Vorrücken des Protestantismus kirchlich durchmachte, wo die Ausübung der Seelsorge in den von den Türken besetzten Gebieten ausserordentlich erschwert, oder auch unmöglich war, gab es eine Reihe ausgezeichneter Primaten, drei davon waren Germaniker. Von den 120 Zöglingen, die ins Kolleg kamen, wurden 27 (!) Bischöfe und wenigstens 40 Domherren.

Einen Ehrenplatz verdient *Crisinus* aus Križ in Kroatien, der im Kolleg ein glänzender Theologiestudent war, Seminarleiter wurde und von der Soldateska gemartert, verstümmelt und getötet wurde. 1905 wurde er selig gesprochen.

Kardinal Steinhuber notiert auch kurz die V e r s a g e r unter den Germanikern. Wie könnten sie fehlen. Wie hätten sie unter dem damals ins Kolleg kommenden 'Material' fehlen können?

Aus Strassburg meldet er *Jakob Schütz* der von Gregor XIII. dem Bischof Manderscheid besonders empfohlen, abfiel, zwanzig Jahre nach der Rückkehr aus Rom. Er wurde Fiskal und Schreiber in Strassburg und schrieb eine lange Reihe Streitschriften, besonders gegen die Jesuiten.

Walter Rettig: drei Jahre im Kolleg, kehrte heim, fiel ab und nahm ein Weib. Nach dem Tode der Frau tat er Busse, wurde Kapuziner und dann Karthäuser. Dann heiratete er ein zweites Mal (1, 245).

Aus Paderborn entwickelte sich ein früherer Zögling kirchlich nicht günstig, aber sittlich blieb er unbescholten und war immer den Jesuiten gewogen.

Für Breslau meldet Steinhuber: «Leider kann das Lob, welches den in Rom gebildeten Domherren gespendet werden muss, kein allgemeines sein». Es gab eine laxe Partei im Kapitel. Der Anführer, der von freien Sitten und zu ehrgeizig war, wurde auf Druck des Kaisers in zweiter Wahl Jerins Nachfolger: *Dr. Albert,* Scholastikus und also Prälat des Kapitels.

Ein *G. Carbo,* Pfarrer in Linz in Osttirol, nimmt eine Frau und stirbt als evangelischer Professor in Tübingen (1, 351).

Nehmen wir auch bei den Versagern noch einen angemessenen Prozentsatz von anonym gebliebenen Germanikern hinzu: der Anteil Abfallender unter denen, die man bis zum Abschluss ihrer Studien im Kolleg behalten hatte, oder die dort wenigstens eine etwas durchgreifende Formung erfahren hatten, darf mit Sicherheit als erstaunlich gering bezeichnet werden.

VIII

Um die Leistungen des Germanikums in diesen beiden Zeitabschnitten voll zu erfassen, bedürfte es (ausser der Erfüllung der schon geäusserten Forderungen) einer genauen Statistik, die uns Aufschluss gäbe über die Zahl, Lebensdauer, Wirksamkeit (unterteilt nach den Hauptsparten der Seelsorge, der Verwaltung, der Erziehung und nicht zuletzt der politischen Betätigung) der Bischöfe, Kapitelsdignitäre, Professoren, Pfarrseelsorger.

Das wäre natürlich nur eine zusätzliche Auskunft, deren Wert stärkstens von der Art abhängen würde, mit der z. B. diese Bischöfe ihren Posten ausfüllten und nicht zuletzt davon, ob sie Einrichtungen oder Verordnungen schufen, die über längere Zeit hin lebendig bleibend, das kirchliche Leben geprägt haben.

Immerhin, wenn etwa der Prozentsatz der Bischöfe oder der Seminarleiter besonders gross ist, oder wenn eine ungewöhnliche ununterbrochene Reihe von Germanikern an leitenden Posten erscheint, kann man mit Wahrscheinlichkeit auf ein beträchtliches Mass der vom Germanikum geprägten Eigenart schliessen.

Dass am Ende des 16. Jahrhunderts Germaniker in allen Diözesen einflussreiche Stellen innehatten, steht fest und kann nicht anders denn als hochwichtiges Element des damaligen kirchlichen Lebens bezeichnet werden.

Eine der Eigenart des Germanikums besonders angemessene Untersuchung wäre es, sein Verhältnis zur K o n t r o v e r s t h e o l o g i e zu behandeln, bzw. den Anteil, den die Männer seiner Atmosphäre an der Ausarbeitung der Kontroverstheologie bezitzen.

Um dies Thema erschöpfend zu behandeln, müsste die philosophisch-theologische Basis analysiert werden, welche die Germaniker aus dem Collegium Romanum oder auch, etwa aus den Jesuitenschulen, mitbrachten [29].

Die nicht selten erwähnten mehr oder weniger glänzenden Disputationen von Germanikern besagen für die Fähigkeit der einzelnen nicht viel, solange wir über den eigentlichen Inhalt dieser Disputationen nicht unterrichtet sind [30]. Wir wissen um die solchen Übungen innewohnende immanente Gefahr, rhetorisch-logische Turnerei für echte Philosophie oder Theologie zu nehmen. Anders liegen die Dinge, wenn die spätere (auch die schriftstellerische) Arbeit solcher Alumnen sich als fruchtbringend, noch mehr, wenn sie sich als umschaffend erwies wie etwa bei *Hartmann* aus Bonn, dem Visitator und Reformierer des Emslandes, wo er den Gottesdienst wieder zu Ehren brachte, das ärgerliche Leben des Klerus beseitigte, Sorge für die Erziehung des priesterlichen Nachwuchses trug, neue Klöster gründete (1, 249).

In diesem Zusammenhang wäre auch den Beziehungen Kardinal *Bellarmins* zum Kolleg genauer nachzugehen. Denn einmal war die Errich-

---

[29] Von den humanistischen Leistungen der Schüler erhalten wir einen Begriff, wenn wir hören, dass Julius Echter in Würzburg auf Latein, Griechisch, Hebräisch und in 4 lebenden Sprachen begrüsst wurde.

[30] Durch die Gründungsbulle «Dum sollicita» erhielten die Obern des Kollegs das Recht, die akademischen Grade zu erteilen. — Ignatius gründete das Collegium Romanum als «seminarium cum actionibus omnium nationum» (S. H. 13). Aber es wird nicht ganz deutlich, wie weit das Kolleg a k t i v an der Gestaltung der Vorlesungen im Collegium Romanum beteiligt war. Die Ausdrucksweise scheint in dieser Hinsicht unbestimmt.

118

tung des Lehrstuhls für Kontroverstheologie (1578) mit besonderer Berücksichtigung der Bedürfnisse des Germanikums erfolgt, andererseits stand Bellarmin sowohl als Kardinal-Protektor wie als intimer Freund des P. Castorio dem Kolleg nahe.

Steinhuber führt eine Reihe von Germanikern auf, die in Rede und Schrift der Kontroverstheologie gedient haben; s. etwa den wichtigen Johann *Hylinus* aus Schwaben, dessen männliche Beredsamkeit Katholiken wie Protestanten, Fürsten wie Gesandte in den Bann zog. Er soll sich erfreulicherweise in seinen Predigten nie ein verletzendes Wort gestattet haben. 1601 hielt er eines der damals nicht eben seltenen R e l i g i o n s - g e s p r ä c h e.

In Schweden bewirkten die Predigten des Germanikers *Insoylas* so viele Konversionen, dass die Lutheraner öffentliche Gebete zur Erhaltung des Luthertums anordneten. Es kam zu einem vertraulichen Religionsgespräch vor lutherischen Erzbischöfen, Bischöfen und dreihundert Predigern. Insoyla meint aber, es seien die Opponenten « ungelehrte und eselhafte Leute » gewesen, denn seit der Einführung des Luthertums lägen die Wissenschaften danieder (1, 356).

Da ist auch der konvertierte protestantische Prediger *Joh. Zehender* (gestorben 1613), der die Gründe seiner Konversion in einem 'Dialogus' niederlegte (1, 368).

Eine Reihe weiterer schriftstellernder Theologen sind uns in der für die Arbeit in vinea nach Steinhuber gegebenen Übersicht weiter oben begegnet.

Auch das Germanikum selbst, wie sonst des öfteren die Jesuiten, wurde in die konfessionelle Polemik hineingezogen. Gegen die Schmähschrift, die *Lorenz Erikson Montanus,* der schon nach 15 Monaten das Kolleg verlassen hatte, und nach Schweden zurückgekehrt war, gegen Rom und das Germanikum verfasst hatte, antwortete der Germaniker *Ardolph* vernichtend und bot eine glänzende Apologie des Kollegs (1, 355).

Das sind nun freilich insgesamt nur magere Andeutungen. Wir sind auf dem Gebiet der gegenreformatorischen Kontroverstheologie noch nicht eben weit vorangekommen.

Ich habe mir Schriften des *Rabe* angesehen, die er seinem Vater, dem protestantischen Prediger, schickt. Es fällt auf, wie er, der in offenbarer Ehrfurcht vor seinem Vater verbleibt, diesem gegenüber von der Neuerung und den Neuerern nie anders als in den härtesten, ja diffamierenden Ausdrücken spricht. Damit hängt zusammen, dass er an keiner einzigen Stelle (soweit ich sehe) erkennt und ausspricht, dass die Neuerung noch irgendwelchen katholischen Besitz in sich trage. Auch dieser ehemalige Protestant sieht nur und denkbar scharf den Widerspruch des Neuen zum Katholischen.

Es wurde oben hervorgehoben, dass sich trotz allem die päpstliche Autorität auch in Deutschland als noch kräftig erwies. Trotzdem seit dem konziliaristischen Kampf zu Beginn des 15. Jahrhunderts über die steigende nationalistische Entwicklung in Italien und im Kirchenstaat, weiter durch die steigende Unzufriedenheit mit der Renaissancekurie, seit dem so lange vergeblichen und darum tief enttäuschenden Kampf um das allgemeine Konzil, seit dem unerhört scharfen, ja gewalttätigen Kampf der Reformatoren gegen Rom, weiter durch eine Theologie, die einen Traktat de ecclesia nicht kannte, und sich eine gefährliche Ungebundenheit des Konstruierens und Kritisierens angewöhnt hatte: durch all das hatte man - nicht mehr an scharfe kirchliche Zucht gewöhnt — den Sinn für Autorität verloren, war der Zusammenhang zwischen der deutschen Kirche und Rom immer lockerer geworden (*Weiler* 51). Allgemein nahm man — Klerus und Laien, der hohe Klerus am wenigsten — kaum Rücksicht auf Rom (ausser man benutzte die Kurie alse Pfründen- und Privilegienspenderin). Die Unordnung war so sehr eine Gewohnheit geworden, dass in Kirchenordnung, Kultus, Missale, Brevier die denkbar grösste Uneinheitlichkeit herrschte.

Nun aber war damals — wir sprachen schon davon — der Kirche nichts so nötig wie die Einheit und also auch die Wiedererstarkung des Zusammenhangs mit Rom. Das Concilium Tridentinum zeichnete darin einen hohen Triumph, dass es, sich erhebend aus dem peripherierenden Kampf gegen den Papst, zum bisher päpstlichsten Konzil geworden war. Jetzt war es die Aufgabe, dies in der Wirklichkeit durchzusetzen. Man braucht es nicht erst zu beweisen: niemand kann hier den Jesuiten die Palme streitig machen. Hier und dort kann man über die Methode und das Ausmass ihrer Verteidigung der kirchlichen Autorität streiten. Über die Tatsache selbst, und dass sie darin ein Lebensrettendes sicher erkannt hatten und zu einem wichtigen Teil verwirklichen, darüber kann man nicht streiten.

Als Zöglinge einer Gründung des heiligen Ignatius und von Jesuiten geleitet, waren die Germaniker mehr oder weniger vom gleichen Geist geprägt. Schon die Texte der Konstitution, der Statuten und die angeführten wenigen Texte belegen es. Wir erwähnten bereits die Vorschrift des hl. Ignatius aus den ersten Konstitutionen: alle sollten sich durch ein Gelöbnis zum Gehorsam gegen den Papst und die Kirche verpflichten [31].

Von hier aus stossen wir auf die besonderen Vorzüge, welche das päpstliche Germanikum durch seinen Wohnsitz in Rom besitzt; sie sind oft (nicht immer mit der nötigen nüchteren Begeisterung) dargestellt worden. Man kann nicht beweisen, dass die Heranbildung einer neuen Priestergeneration in Deutschland selbst unmöglich gewesen wäre. Zum Teil wurde sie ja dort geleistet. Und bei kräftigerem Zupacken hätte das Resultat sicherlich grösser sein können. Wenn *G. Morone* (an Karl V) meint, in Rom könnten sich die Alumnen selbst überzeugen, wie der Heilige Stuhl um Deutschland besorgt sei, (siehe KB 1952, 1 S. 6), so ist damit die Frage nicht gelöst. Man darf an die Forderung des heiligen Ignatius aus dem Jahre 1555 von der Notwendigkeit der Reform des Papstes und seines Hauses und seiner Kardinäle erinnern.

Gut! Aber wir denken noch einmal zurück an die furchtbare Lage und ihre sprengenden Kräfte, die wir oben skizzierten. Wenn wir sie voll in Rechnung setzen, erkennen wir: durch jene aus der Not der Zeit erwachsene Gründung des Germanikums — und die mit ihr parallel laufenden ähnlichen wurde ein für die damalige Kirche und auch für ihre k o m m e n d e Entwicklung hochwichtiges Element geschaffen. Das Papsttum ging in der Neuzeit, besonders im 18. (und 19.) Jahrhundert, in denen alle Kräfte der Zersplitterung gegen es anstürmten, einer Kraftprobe ohnegleichen entgegen. D a s H e i l l a g i n d e r E i n h e i t, wie sie im Vatikanum erreicht wurde. Jedes Element, das durch enge Verbindung mit Rom die Einheit stärkte, ihren Sieg vorbereitete — direkt oder indirekt — gewinnt damit hohe kirchengeschichtliche Bedeutung. Für das Germanikum gilt auch hier das oben ausgesprochene Urteil. Es spricht nicht allen

---

[31] Wie weit die Formung im Kolleg in diesem Punkt ging, und wie weit die Arbeit der Germaniker davon geprägt wurde, müsste im Einzelnen wie in vielem andern erst erarbeitet werden.

Germanikern einen überragenden Wert zu, wohl aber dem Germanikum. Und aufs Ganze gesehen bleibt es auch dabei: da es gelang, die Grundlegung des heiligen Stifters im Wesentlichen intakt und aktiv zu erhalten, entsprach die Frucht zu einem bedeutenden Teil dem Samenkorn. An der kirchlichen Neuformung im Reich und Ungarn hat das Germanikum einen hochwichtigen Anteil. Seine Leistung ist von geschichtlichem Rang.

★   ★   ★

Luthers Römerbriefvorlesung

Grundanliegen   I. Teil

Von Professor Joseph L o r t z , Mainz

Was ich hier vorlege, ist in einem gewissen Sinne eine Gemeinschaftsarbeit. In vielen Sitzungen meines Luther-Seminars in unserem Mainzer Institut haben wir — Historiker und Theologen verschiedenen christlichen Bekenntnisses — uns um das Thema bemüht. In schier zahllosen Gesprächen hat insbesondere mein engster Mitarbeiter P. M a n n s — der sogar das erwähnte Seminar zeitweilig leitete — mit mir die Grundprobleme immer wieder durchgesprochen. An mancher der folgenden Formulierungen darf er Eigentumsrecht geltend machen. Ihm wie allen Teilnehmern an der uns alle immer wieder packenden Arbeit sage ich herzlichen Dank. — Die hier folgende Fassung wurde geschrieben für die Settimana Paolina 1961 der katholischen Universität Mailand. Vorgetragen wurde in der Sitzung vom 21. April 1961 in Mailand nur ein Auszug. Aus dieser Zweckbestimmung erklären sich einige innerhalb der Lutherforschung eher selbstverständliche Feststellungen.

Die Betrachtung verzichtet meist auf eine direkte Auseinandersetzung mit der Forschung. Das Werk Luthers ist noch längst nicht genügend in seiner Fülle und seiner Kompliziertheit ,entgegengenommen'; hierfür wollte ich eine Vorarbeit leisten.

Die Zitate und Seitenangaben im Folgenden beziehen sich, soweit nicht anders angegeben, auf Band 56 der Weimarer Ausgabe; die Übersetzung ist meist nach Eduard E l l w e i n (München ³1957) gegeben. „Römerbriefvorlesung" ist RV abgekürzt.

A. Schwierigkeiten und formale Eigenarten der Vorlesung

1. a) Die große Wittenberger Vorlesung der Jahre 1515/16 kann in einem Aufsatz nicht annähernd ganz durchgearbeitet werden. Wir werden uns also mit Ausschnitten des angegebenen Themas ,Grundanliegen in Luthers Römerbriefvorlesung' begnügen müssen.

b) Der Gegenstand selbst ist von hohem theologischem, religiösem und — was heute wohl besonders hervorgehoben werden darf — von bedeutendem ökumenischen Interesse. Er stellt aber auch eine ausgesprochen schwierige Aufgabe. Jedermann weiß, daß der Stoßseufzer aus 2 Petr 3, 16 („Manches darin [in seinen Briefen] ist freilich schwierig") nicht zuletzt auf den Brief an die Römer paßt. Jahrhunderte hindurch haben die Theologen das gründlich zu spüren bekommen. Luther zwar spricht in seiner Begeisterung für Paulus, und speziell für den Römerbrief, nur indirekt von diesen Schwierigkeiten, dagegen oft und nachdrücklich von der herrlichen Klarheit der Darlegung[1]. Aber das ändert nichts am Tatbestand: hat Luther auch die Predigt des Römerbriefes in erstaunlicher Tiefe herausgearbeitet, so hat er sie bei aller Komprimierung sicher nicht nur einfacher, sondern noch komplizierter gemacht.

---

[1] Etwa 347,2; auch mehrfach: WA 8 (1521) gegen Latomus.

129

c) Diese Schwierigkeit wird noch dadurch gesteigert, daß Luther in unermüdlichem Umkreisen immer wieder zu den wenigen, ihn interessierenden Themen zurückkehrt, seine Aussagen auf wenige Grundanliegen zusammenpreßt. In solchen „Wiederholungen", die allerdings nur selten bloß Wiedergesagtes enthalten, überschneidet sich meist Bekanntes mit Neuem. Wer immer hier den Gehalt erheben will, kann scheinbare und echte Wiederholungen nicht vermeiden. Er wird es aber sehr schwer haben, die Nuancen genau einzufangen bzw. die Aussagen als in allem übereinstimmend zu erweisen.

2. Vielleicht können einige Vorbemerkungen den Zugang zu Luthers Gedanken erleichtern.

a) Es geht uns nicht um irgendwelche vorgefaßte Thesen. Wir wollen ganz einfach lesen, was in der RV steht, und darüber berichten. Am Anfang und im Verlauf der Darlegungen soll nicht die Behauptung stehen, sondern das Fragen.

b) Ein Tatbestand ist ins Gedächtnis zu rufen, über den ein Zweifel heute nicht mehr erlaubt ist, wenn man sich nicht wissenschaftlich unglaubwürdig machen will: Zwar, die Kirche hat Luther als Häretiker verurteilt, und es wäre ein historischer Fehler, dies vergessen zu wollen[2]. Aber wie man auch über die Orthodoxie oder Heterodoxie Luthers im einzelnen denken mag, wie man den Umfang seiner nicht selten grotesken Verzeichnungen katholischer Lehre angibt, oder wie man gewisse Seiten seines Charakters beurteilt, auch seine oft maßlose Art der Polemik mit Recht kritisieren darf, dies muß als Ausgangspunkt festgehalten werden, daß Luther nicht in geplanter Revolution, sondern absichtslos aus der Kirche herauswuchs[3]. Erst recht ist daran ein Zweifel nicht erlaubt, daß Luther zuerst und vor allem ein wurzelhaft religiöser Mensch war, und zwar ein Christ, der aus einem tiefen Glauben an Jesus Christus lebte, den aus der Jungfrau geborenen Sohn Gottes.

Man sollte auch wissen, daß Luther ein Leben hindurch ein eifriger Beter und ein unermüdlicher Prediger des Wortes Gottes war.

---

[2] Andererseits ist von folgenreicher Bedeutung, daß z. B. das Tridentinum es vermieden hat, seine antireformatorischen Verurteilungen n a m e n t l i c h gegen Luther auszusprechen.

[3] Die These wird durch das Leben Luthers im Kloster, durch seine Seelenkämpfe im Kloster und durch die Hochachtung, die er bei seinen Mitbrüdern genoß, reichlich belegt; siehe meine „Reformation in Deutschland" (1948³) 219 und öfter; sie wird eben jetzt durch den Nachweis von E. I s e r l o h gestützt, daß Luther seine Ablaßthesen nicht öffentlich angeschlagen hat, sondern sie in kirchlich korrekter Form zunächst nur den beiden zuständigen Bischöfen, und nachher einigen Gelehrten (um ihre Meinung zu erfahren) zugänglich machte: E. I s e r l o h , Luthers Thesenanschlag Tatsache oder Legende? TThZ 5 (1961) 303—312; erweitert unter demselben Titel in der Vortragsreihe des Instituts für Europäische Geschichte Nr. 31, Wiesbaden 1962.

130

Und dann sollte man sorgfältig beachten, daß Luther diese Grund-frömmigkeit nicht in seiner Mönchszelle zurückläßt, wenn er als Professor im Studiensaal seine Vorlesung hält. Seine wissenschaftliche Vorlesung über den Römerbrief ist zugleich eine Verkündigung, eine Predigt, eine Confessio.

c) Was aber die Orthodoxie oder Heterodoxie Luthers angeht, so ist es notwendig, wohl zu unterscheiden zwischen den religiösen Grund-anliegen des jungen Luther und seiner einige Jahre später erfolgten Absage an das sakramental-hierarchische Priestertum, wie es sich bis zu seiner Zeit herausgebildet hatte[4]. Hierzu ist die Feststellung wichtig, ja grundlegend: bis heute ist noch nirgendwo bewiesen worden, daß der spätere Kirchenbegriff Luthers aus jenen theologischen Grundanschau-ungen logisch hätte folgen müssen. Jene theologischen Ausgangspositionen Luthers sind aber (nach seinen ausdrücklichen und nachprüfbaren Ver-sicherungen) sein zentraler Besitz sein Leben lang geblieben, der *articulus stantis et cadentis ecclesiae*. Es handelt sich um den Glauben, daß unser Heil nicht vom Menschen kommt, sondern von Gott, aus reiner Gnade, aus Glauben allein. — Gewiß steht die Auslegung des ‚allein‘ zur Dis-kussion. Aber es verlangt nicht unbedingt eine unkatholische Deutung. Die Festlegung auf jenes ‚allein‘ ist vielmehr in ihrem Kern genommen auch die Auffassung des Tridentinums, die wir wiederum vorher unter der Feder des heiligen Bernhard und des heiligen Thomas finden[5].

---

[4] In neuerer Zeit stößt diese Behauptung, Luther habe die sakramentale Hierarchie geleugnet, auf Widerspruch; vgl. Wilhelm S t ä h l i n in einer Be-sprechung meiner „Einheit des Christentums in katholischer Sicht", Trier 1959. ThLZ 86 (1961) 370. Auch A s m u s s e n hat mehrfach auf Elemente hingewiesen, die ein Festhalten Luthers an der sakramentalen Hierarchie und einen Amts-begriff im traditionell katholischen Sinn nahelegen können: Festschrift Lortz 1 (Baden-Baden 1958); ders.: Bemerkungen zur Kirchengeschichte (1961) S. 78 ff. Kaum etwas anderes könnte dem Gespräch der Konfessionen förderlicher sein, als wenn dieser Nachweis gelänge. Man sollte ihm also mit großer Offenheit beharrlich nachgehen. Freilich würde dann das Reformatorische sich ausschließ-lich auf den Widerspruch gegen spezifisch s p ä t mittelalterliche Erscheinungs-formen des Katholizismus reduzieren. Luther würde im Sinne der hochmittel-alterlichen Theologie oder wenigstens im Sinne des römischen Meßbuches katholisch. Weder seine umfassende Absage gegen das ganze damalige Kirchen-wesen (mit Papst, Messe, Mönchtum) würde verständlich bleiben, noch die da-malige umfassende katholische Ablehnung Luthers. Daß das Katholische im Reformator Luther viel stärker blieb, als man es gemeinhin bis heute hüben und drüben annimmt, werden wir noch anzumerken Gelegenheit haben.

[5] Ich gehe nicht auf die um diese These geführte Diskussion ein. Ich merke nur ein Doppeltes an: 1. Je nachdem und in welchem Grade man in jene Grundauffassung etwa Luthers Lehre von der persönlichen Heilsgewißheit hineinnimmt oder nicht, je nachdem man einen Wesensunterschied annimmt zwischen der ‚humilitas‘-Theologie des frühen Luther und der angeblich nach-folgenden echt reformatorischen, vermindert sich der Grad der behaupteten

131

Wenn wir — um jetzt von manchem anderen zu schweigen — dies alles recht bedenken, vermögen wir als Katholiken Luther in Unbefangenheit zu hören.

3. a) Dieses Hören (oder Lesen) begegnet auch dann noch großen Schwierigkeiten. Luther war ein Sprachkünstler. Er redet außerordentlich eindringlich, er redet machtvoll. Aber, wenn er theologisch redet, ist seine Sprache in ihrem präzisen Sinn keinesfalls überall leicht zu fassen. Es gibt wenig Theologen, bei denen Denken und sprachlicher Ausdruck des Gedachten so sehr eins sind wie bei Luther. Sein Denken, auch in den theologisch abstrakten Dingen, ist konkret; es schafft sich einen Wortkörper, mit dem es eine enge Einheit eingeht. Der Geist wird im Wort Fleisch. Man kann diesen Geist durch Abstraktion aus den Satzgefügen lösen und ihn zusammenfassend einigermaßen darstellen; aber dabei geht leicht etwas und sogar vieles verloren. Eine abstrahierte Inhaltsangabe eines Luthertextes ist meist nur ein blasses Abbild des im Text wirklich Ausgesagten. Wir sind also darauf angewiesen, die Ausdrucksweise selbst zu hören, die Luther geformt hat.

b) Die sich hier andeutende Problematik hängt zusammen mit Luthers vitaler, affektgeladener Art und mit seiner Ausbildung.

Luther kommt aus einer höchst intellektualistisch formulierenden und logisch, beinah logistisch schlußfolgernden Schule: der ockhamistischen. (Wir Katholiken täten gut daran, in der logisch bahnbrechenden Leistung Ockhams theologisch-religiös endlich das katholisch, das christlich Ungenügende zu erkennen[6]!) Luthers Ausführungen beweisen, daß er in der Lage war, diffizile Denkoperationen durchzuführen. Aber er hat dennoch jene Methode wie ein Kleid abgestoßen; er wohnt nicht mehr darin. Besonders ihre Terminologie ist nicht mehr die seine. Er schafft sich eine neue, lebensvollere, allerdings auch viel weniger genaue.

c) Es ist erstaunlich, wie selbständig schon der junge Luther der RV glaubt, die katholische Lehre in vielem in ganz anderer Weise vertreten zu können, als es die von ihm oft erwähnten oder ablehnend apostrophierten, nur selten voll akzeptierten *theologi scholastici* tun. Er steht ihnen gegenüber, und er ist sich dieser Position bewußt. Aber darüber hinaus, welche Unabhängigkeit selbst gegenüber Hieronymus und Augustin! Das hängt auch zusammen mit der humanistischen Abkehr von der Scholastik und mit der Kritik an ihr, besonders mit der philologisch am

---

Verwandtschaft. 2. Was das Tridentinum angeht, so ist es methodisch sauber, den Vergleich vom K e r n seiner Aussagen her durchzuführen, nicht aber von der ausführlichen beschreibenden Peripherie, in der einzelne Formulierungen stehen, die sich der reformatorischen Auffassung weniger leicht einfügen.

[6] Vgl. meine Einleitung zu: E. Iserloh, Gnade und Eucharistie in der philosophischen Theologie des Wilh. v. Ockham, Wiesbaden 1956, XXI—XXIV.

132

griechischen und hebräischen Urtext orientierten Exegese. Man müßte, was noch nicht erschöpfend getan wurde, feststellen, wie weit z. B. sich ein ähnliches ‚Gegenüber' bei dem von Luther viel benutzten Faber Stapulensis findet. Es geht hier um einen Prozeß, der zwar formal verwandt ist mit dem Gegeneinander der früheren und gleichzeitigen theologischen Schulen, sich aber als radikalerer Wandel andeutet.

d) Ganz allgemein darf man sagen, daß Luthers theologisches Denken und Formulieren sich von der abstrakt-begrifflichen Art der Scholastik entfernt und der Art des religiös-prophetischen Wortes der Bibel nähert.

Luther hat die Eigenart der Heiligen Schrift in einer erstaunlichen Art für sich neu entdeckt und erobert.

Auch die RV lehrt das. An ihren Ausführungen vermag man noch heute unmittelbar zu spüren, welch eine Versenkung in den heiligen Text dahinter stand, damals, als viele Erkenntnisse Luthers erstmals — selbst in den vielen Wiederholungen neu — erarbeitet und geprägt wurden.

Schon der Luther der ersten Psalmenvorlesung 1513—1515 denkt nicht mehr scholastisch; selbst wo er scholastische Termini verwendet, denkt er von der Schrift her.

Es ist eine der grundlegenden Aufgaben, besonders des von der Scholastik herkommenden katholischen Lesers, sich dieser Tatsache am Text selbst bewußt zu werden. Das setzt ihn dann vor die weitere Aufgabe, herauszubekommen, worin das eigentliche Denkmodell Luthers, wenn man so sagen darf, besteht; also vor die Aufgabe, zu erkennen, wohin Luther steuert, was sein eigentliches religiös-theologisches Anliegen ist.

e) Man darf es als ein Unglück bezeichnen, daß Luther nicht reiner Biblizist wurde. Anschauungen, die weitgehend neu und tief aus der Bibel geschöpft waren, versuchte der formal scholastisch Geschulte in einer Art geschlossener Theorie darzustellen. Er unternahm diesen Versuch mit scholastischen Termini, die er aber häufig umprägte oder neu faßte. Dieser Versuch war in den frühen Vorlesungen und Disputationen alles andere als oberflächlich. In einer gewissen Unersättlichkeit bohrt sich Luther in das Problem hinein und versucht es in vielen, schier unermüdlichen Formulierungen und Gleichnispaaren von vielen Seiten auszudrücken.

Die Bibel kennt keine begrifflich genau abgrenzende Kunstsprache wie die Scholastik. Zwar ist auch ihr Inhalt keineswegs überall leicht zugänglich, aber sie spricht die Wahrheit eher aus in einer einfachen, allgemeinverständlichen Art, auch in Bildern. Und sie will vor allem Verkündigung sein.

Ähnlich Luther. Mit dem entscheidenden, Luther belastenden Unterschied: Luther beansprucht als Theologe zu reden und eine begrifflich

133

genaue und insofern in ihren Einzelformulierungen verbindliche Exegese der Heiligen Schrift vorzulegen.

Der Sachverhalt wird weiter dadurch kompliziert, daß Luther in diesen Darlegungen auch mystisches Begriffsmaterial (etwa aus dem Gebiet der Sünde und der Verdammung, vgl. S. 145) verwendet. Was bei einem Mystiker, der Zeugnis ablegt von Zuständen, die er erfahren hat, hätte unbedenklich sein können, vermehrt bei Luther, der beansprucht, theologisch verbindlich zu reden, die Fehlerquellen, mußte auf alle Fälle damals und später Mißverständnisse geradezu herausfordern.

4. a) Bei Luther finden sich nicht wenige Stellen, die in starker Spannung zu Aussagen stehen, die er selbst an anderem Ort macht, wo er aber denselben Ausdruck, etwa *peccatum* oder *iustus* oder *concupiscentia* gebraucht.

Das hängt u. a. zusammen mit einer starken Vorliebe für eine paradoxale Redeweise. Wir werden darauf noch eingehend zurückkommen. Hier sei nur sofort eindringlich davor gewarnt, diesem ersten unmittelbaren Eindruck vom Widersprüchlichen in Luther allzu schnell nachzugeben. Wir Katholiken haben uns in diesem Punkt die Arbeit seit den ersten literarischen Gegnern Luthers (die Polemik gegen den *Doctor hyperbolicus*) zu leicht gemacht, und haben uns damit um die von der Sache her notwendige Klärung gebracht. Luther hat etwas mitzuteilen. Und Luther ist kein Dummkopf. Je neuartiger, je eigenwilliger er formuliert, und dies offenbar mit höchstem religiösem Ernst, desto größere Mühe müssen wir aufbringen, ihn richtig zu verstehen. Erst wenn wir diese Arbeit redlich geleistet haben, werden wir das Recht und die Kraft haben, ihn wissenschaftlich zu kritisieren. Dauerhafte Kritik erwächst immer erst aus einem tiefen Verständnis. Selbst auf dem Tridentinum, wo die Gesamtatmosphäre radikal antilutherisch war, konnte man doch die Mahnung hören, nicht alles, was Luther sagte, sei falsch; und etwas müsse nicht schon deshalb falsch sein, weil Luther — weil auch Luther — es ausgesprochen habe[7]!

b) Trotz vielfältiger Bindungen an mittelalterliche Schulüberlieferungen ist Luther von einer stupenden Einmaligkeit. — Verstiegenheit? gut! Aber mehr, viel mehr! Man muß es durch eindringliches Studium erleben, was dieser junge Theologe und Professor in den Dictata und der RV in einer genial schöpferischen Art, einer radikalen Rückführung des Evangeliums auf Paulus, auf den Paulus des Römerbriefes, auf die Theologie der Sünde und der Rechtfertigung (vgl. S. 141 f.), vollzieht: eine durchaus neuartige Prägung, die uns zunächst weithin etwas ratlos stehen läßt, die uns verblüfft. Das alles stimmt. Man muß aber zugleich auch die Tiefen sehen. Dem Uneingeweihten m u ß Luther an vielen Stellen zu-

---

[7] Vgl. H. J e d i n , Geschichte des Konzils von Trient 2 (1957) 144.

134

nächst als ein übertreibender, reichlich bedenkenlos theologisierender Geist erscheinen. Wer ihn scholastisch verstehen will, kommt nicht durch; wer ihn scholastisch widerlegen will, hat es leicht, ... aber: er bekommt Luther nicht in den Griff.

Es ist leicht, eine Handvoll widersprüchlicher Äußerungen aus der RV zusammenzustellen — aus denen man anscheinend den Schluß ziehen dürfte, Luther habe die Gesetze der Logik mit Füßen getreten —, aber man hätte dann über den wahren Luther nichts ausgesagt. Denn Luther, der ein Theologe sein wollte, war ja kein Systematiker. Man muß also die festen Positionen seiner Theologie aufsuchen, zu verstehen suchen, was er eigentlich meint, und erst dann die Beurteilung unternehmen. Folgendes beansprucht dabei mit Vorrang Berücksichtigung.

c) Die Scholastik und das Kirchenrecht hatten sich seit vielen Jahrhunderten bemüht, den spannungsreichen Befund der verschiedenen theologisch belangvollen Aussagen (sei es der Dekretalen und Papstbriefe einerseits, sei es der einzelnen Teile der Heiligen Schrift des Alten und Neuen Testaments andererseits) durch Heraushebung der gemeinsamen Wahrheit (bzw. durch Prägung einer entsprechenden abstrakten Formel) zu harmonisieren.

Zweifellos hat das systematische theologische Denken dadurch Einblicke in die innere Einheit der Offenbarungsaussagen und der von ihnen bezeichneten Welt des Übernatürlichen erarbeitet, die dem naiv Lesenden hätten verschlossen bleiben müssen. Man kann in einem zentralen Sinn in jener Erarbeitung die Zielsetzung aller theologischen Bemühung sehen.

Aber natürlich liegt hier auch eine Gefahr. In gewissen scholastischen Denkrichtungen wurde sie offenkundig. Man kam dazu, die Spannungen im Befund der geoffenbarten und inspirierten Schrift weniger hart und unmittelbar ins Bewußtsein zu nehmen. Theoretisch geben natürlich alle zu, daß Spannungen vorliegen, aber die formulierten theologischen Konklusionen verschleiern vielleicht doch zu oft die Unkraft des Verstandes — und lassen die Rätsel zu selten unaufgelöst in ihrer vollen Spannung stehen.

Nun ist Luther, wie jene Theologen alle, von der absoluten inneren Einheit der Heiligen Schrift überzeugt. Selbstverständlich ist es ihm ein zentrales Anliegen, die verschiedenen Aussagen der Schrift, oder näherhin die verschiedenen Aussagen Pauli, in ihrer Einheit zu begreifen und diese zu beweisen. Aber es lockt ihn keineswegs, etwa die Spannungen, in denen die heiligen Wahrheiten zur menschlichen Torheit stehen, oder die innere Spannung, die ihnen selbst, ihrem Wortlaut, eignet, abzuglätten. Im Gegenteil: er hat eine ausgesprochene Vorliebe für Spannungen. Und kein geeigneteres Feld gab es dafür als die unaussprechliche Heiligkeit des ewigen Gottes und die sündhafte Verderbnis der Menschen.

135

5. Es ist leicht verständlich, wie (zusammen mit der angedeuteten Art des Denkens und Sprechens) eine solche Haltung oder Neigung zu einer Art der Formulierung führen konnte, die man als paradoxal bezeichnen muß.

a) Zunächst ist einfach die Tatsächlichkeit des paradoxalen Denkens und Sprechens als solche bei Luther entgegenzunehmen. Wer der Meinung ist, paradoxale Formulierung könne grundsätzlich die Wahrheit nicht verbindlich aussagen, muß den Dialog an dieser Stelle abbrechen. Nur wird er schwerlich hoffen dürfen, die Wahrheit überhaupt auf irgendeinem Sektor des Geistigen einigermaßen bewältigen zu können, noch wird er manchen Aussagen der Schrift gerecht werden können (s. S. 137). Kierkegaard kann man nicht behandeln, bewältigen oder gar widerlegen wie einen mit scholastischen Begriffen und nach den scharfen Regeln der *logica minor* operierenden Denker. Ähnliches gilt für Luther.

Ganz allgemein wird man bei Luthers Begriffen oft eine gewisse logische Unschärfe feststellen. Das ist zunächst nur eine Tatsache und noch keinerlei Bewertung, außer der Feststellung, daß sie eine Erschwerung der begrifflich genauen Bestimmung des Inhalts der Aussagen andeutet. Daß es sich um theologische Aussagen handelt, steigert dieses Negativum, aber es wird zugleich eben wegen der eigentlichen Unaussagbarkeit des geoffenbarten Geheimnisses auch gemindert. — Gesteigert aber wird die hier bei Luther vorliegende Belastung durch den bei ihm festzustellenden Hang zum Superlativismus.

Trotz der bereits angedeuteten Kraft subtiler Unterscheidungskunst, die Luther in der Schule Ockhams ausgebildet und anzuwenden gelernt hatte, ist er kein Mann des vorsichtigen Abgrenzens, er spricht seine Ansichten mit Betonung und Überbetonung aus. Die etwas rücksichtslos gewalttätige Art seiner ‚Waldschlägerarbeit'[8] hat er selbst beschrieben. Uns kommt es näherhin auf die Terminologie an: Exklusivformeln wie *omnes, solum, numquam, semper,* kommen bei ihm gehäuft und nicht selten recht ungeschützt vor.

Neben ihnen steht allerdings ein für Luther ebenso kennzeichnendes *simul.* Aber dieses *simul* strebt bei ihm nicht zu einer Art logischen Ausgleichs jener einseitigen Formeln. Es ist eher ein Mittel, jene Exklusiven noch zu steigern und die Spannung ungeschwächt heraustreten zu lassen. Luthers theologische Vorstellungswelt lebt, wie wir noch sehen werden, aus dem Denken *e contrario.* Das *simul* aber ist ein Kernelement dieses *e contrario,* wo das Widerstreitende eng zusammengepreßt, nicht aber ausgleichend gegeneinander abgewogen wird.

---

[8] WA 30² 68, 15 (Vorrede zu Melanchthons verdeutschter Ausgabe des Kolosserbriefes 1529).

136

b) Selbstverständlich darf die paradoxale Ausdrucksweise Luthers nicht unbesehen übernommen, sie muß kritisch geprüft werden. Es ist eine der besonderen Schwächen der modernen evangelischen Lutherforschung, daß sie sich dieser Arbeit so wenig unterzogen hat. (Eine vergleichende Studie Luther/Calvin wäre hier aufschlußreich.) Aber eine solche kritische Prüfung stellt eine wichtige Forderung an uns selbst. Wir müssen bei der Bewertung ein Doppeltes beachten: (1) daß paradoxale Tatbestände an der Basis der christlichen Offenbarung liegen: Gott wurde Fleisch; Gott wurde gekreuzigt (s. u. C 6 b); (2) gerade Paulus hat diesen, unserem Verstand letztlich unzugänglichen Befund, nicht nur nicht verschwiegen, sondern mit Betonung herausgestellt; er spricht nicht nur von der Torheit des Kreuzes, sondern davon, daß Christus für uns zur Sünde geworden ist (2 Kor 5,21; Gal 3, 13); die Weisheit dieser Welt beschreibt er als Torheit vor Gott (Rom 1, 22; 1 Kor 3, 19), die Schwäche als Stärke (2 Kor 12, 10; vgl. RV 195, 6 f.). Gerade im Römerbrief hebt Paulus die so betonte Sündhaftigkeit des Menschen in ihrer Paradoxalität heraus: „Ich tue nicht, was ich will (das Gute), sondern, was ich hasse" (Rom 7, 16. 19); oder er schreibt einen zunächst so rätselhaften Satz wie diesen: *de peccato damnavit peccatum* (Rom 8, 3). Das alles muß man nicht nur theoretisch wissen und „annehmen", man muß es mit Fleiß in seiner Unbegreiflichkeit bedenken und die Last seiner schier sprengenden inneren Spannung auf sich nehmen.

Gerade diese Art schockierenden Gegensatzdenkens nun scheint Luther ein besonders fruchtbarer Zugang zum Evangelium zu sein; er hat Paulus ausdrücklich als Beispiel genannt: *Apostolus familiare habet, ut aedificationem opponat scandalisationi* (19, 1) und zieht hierhergehörige Stellen aus Paulus häufig an.

c) Mit der Grundtatsache ‚Gott wurde Fleisch‘ ist die Lehre von der Kenosis, von der Erniedrigung Gottes, der Selbstentäußerung und Hingabe und dem Sterben grundgelegt, wie sie Paulus Phil 2, 7 und sonst ausspricht.

Diese Auffassung hat sich Luther nicht nur zu eigen gemacht, sondern er hat sie mit einer gewissen Einseitigkeit zu einer Zentralidee seiner Theologie ausgebaut[9]. Er geht ja nicht gleichmäßig von den Evangelien und von Paulus aus, sondern mit dem Römerbrief macht er vielmehr Kreuz und Tod zum Zentrum der Betrachtung. Von daher werden gewisse übersteigernde Aussagen, die auf das Ganze des Lebens des palästinensischen Jesus nicht passen, eher verständlich. Man kann z. B. nicht wohl

---

[9] Wenn ich mich nicht täusche, ist hier der Schnittpunkt, in dem, von Christus auf den Christen angewandt, die sogenannte humilitas-Theologie und das, was man übersteigernd die nicht mehr katholische, erst wirklich reformatorische Theologie Luthers nennt (Bizer, Peters) sich als im Wesen identisch treffen.

137

mit Luther einfachhin behaupten (171, 16), daß Jesus in seinem Reden und Tun die „*bonitas* aufs höchste verborgen hätte"; das widerspricht nicht nur vielem, was die Evangelien berichten, sondern auch der ausdrücklichen Bewertung des Geschehens durch die Berichterstatter ("pertransiit benefaciendo" Apg 10, 38). Aber weil es selbstverständlich ist, daß Luther dies ebenso wußte, wie wir es wissen, bleibt es ebenso selbstverständlich, daß auch eine anscheinend so krasse Übersteigerung einen legitimen Sinn haben muß. Wir erkennen sie, wenn wir jene Äußerung in das Gesamt der Lehre von Schmach, Kreuz und Tod (also in Luthers Kreuzestheologie, vgl. 149 ff.) einbetten. Jedenfalls muß man diese Möglichkeit prüfen, ehe man die Aussage selbst einfach ablehnt[10].

d) Dem Begriff eines lebendigen Lehramtes in der Kirche kommt (wie der ganzen zeitgenössischen Theologie) in Luthers Entwicklungsjahren wenig Gewicht zu[11]. Zusammen mit dieser Lücke führt die aufwühlende intime Begegnung mit der Heiligen Schrift im Umkreis der theologischen Unklarheit seiner Zeit (vgl. S. 140) Luther dazu, den Glaubensinhalt aus der Schrift allein, ohne ausgeprägte Verbindung mit dem Glauben der Gesamtkirche, zu erheben. Das aus der Tradition erhobene staunenswert vielfältige Material, wie bestimmte noch anzuführende Ausführungen Luthers, zeigen, daß er als katholischer Mönch, Priester und Theologe damals selbstverständlich in der Kirche stand und von ihr das Heil empfangen wollte. Aber seine Theologie ist nicht Funktion dieser Überzeugung; sie ist Funktion der von ihm persönlich (und zwar in der schon erwähnten inneren Unabhängigkeit von der Tradition, die man beinahe vollständig nennen kann) aus der Schrift erhobenen Wahrheit. Daß er als Einzelner versuchte, die Schrift in ihrer Eigenart allein aus sich selbst zu verstehen und zu erklären — die in solcher Isolation weder entstanden noch überliefert worden ist —, das wurde für ihn zum Schicksal.

Die Bibel ist nun nicht, und gerade für Luther nicht, eine Sammlung von einzelnen berichtenden heiligen Worten, sondern das lebendige ‚W o r t G o t t e s‘[12], durch das Gott heilsmächtig an uns handelt, das „mit Gewalt geht, um nicht nur die Freunde (zu erreichen), sondern auch die Widerstrebenden zu bekehren" (422, 7 ff. zu Röm 10, 14), das Wort durch das „*Christus occidit gentes*, indem er sie aus Ungläubigen zu Gläubigen umschafft" (295, 1 f.); — es ist das Wort Gottes, das unsere Herzensaugen

---

[10] Ich übersehe nicht, daß wir es hier auch mit einem Beispiel jener bei Luther nicht seltenen Reihen zu tun haben, in denen er die Beispiele ungenügend geschützt häuft.

[11] Zwar spricht Luther — übertreibend! — vom Gehorsam gegenüber den Prälaten (518, 3 f.; vgl. 454, 18 ff. und 476, 14 ff.), aber von Lehrautorität ist kaum die Rede.

[12] Man beachte in den im Folgenden angesprochenen Beispielen, wie vielschichtig dieses für Luthers Terminologie so wichtige Wort bei ihm ist!

138

reinigt, damit wir in das *verbum increatum* hineingerissen werden; — jene von Gott gestiftete geistliche Wirklichkeit (406, 24), die nach dem Wort des Apostels und der Auslegung Luthers so geheimnisvoll verborgen und ‚verkürzt' ist, daß und damit fleischliche Weisheit sie nicht fassen könne (406, 18). Es ist das zugleich vollendende und verbergende Wort Gottes (*verbum consumans et abbrevians* 406, 29 ff. zu 9, 28), das die sichtbare Gegenwart (rem visibilem) zurückweist, aber auch das unsichtbare Zukünftige noch nicht darbietet, sondern das *inter medium illarum* uns von Gott gegeben ist (407, 5). Es ist das Wort, von dem Luther (428, 19 f.) ähnlich sprechen kann, wie Thomas von Aquin vom Allerheiligsten Sakrament: *sumunt boni, sumunt mali . . . mors est malis, vita bonis* (Fronleichnamssequenz). Es ist das Bibelwort, dem die ganze Liebe Luthers ein Leben lang gehörte, und dessen Gaben in der Verkündigung auszusprechen er sich so stark verpflichtet wußte (vgl. 454, 27 ff. zu 12, 7).

Dieses Wort ist wesentlich das gleiche im Alten und im Neuen Testament (408, 17), wenn es auch damals *terribile* war und *nunc amabile*[13] ist.

An diesem Wort und durch es ist uns die Aufgabe gestellt (die die Aufgabe des Menschen überhaupt ist), den *homo spiritualis* gegen den *homo carnalis* durchzusetzen (408, 2 f.) bzw. die Verkündigung Gottes *spiritualiter* und nicht *carnaliter* aufzufassen.

Es ist nämlich das Wort, das Fleisch wurde, damit wir *verbum efficiamur* (62, 18, Gl. zu 6, 17).

6. Wir haben es in dieser Analyse nur mit dem **j u n g e n** Luther zu tun. Zwar gelten gewisse religiöse Uranliegen, die Luther auch in der RV vorträgt, für sein ganzes Leben.

Andererseits gibt die RV nicht in allem ein adäquates Bild der reformatorischen Ansichten Luthers. Die bekannte Ansicht von K. H o l l, daß schon mit der ersten Vorlesung über die Psalmen (1513/15) die volle reformatorische Lehre da sei[14], trifft auch für die RV nicht zu.

Die besonderen Zuspitzungen des *De servo arbitrio*, die ja von Luther selber nicht durchgehalten wurden, lassen wir einmal außer Betracht.

a) Aber dann kann nicht stark genug ins Gedächtnis gerufen werden, daß Luther zur Zeit unserer RV noch ganz selbstverständlich im sakramentalen Leben der Kirche stand. Er ist noch ein treuer katholischer Mönch. Er bejaht ausdrücklich die evangelischen Räte und lehrt die Besiegbarkeit der Konkupiszenz, wenn nur die Seele durch den Glauben keusch gemacht werde (333, 16 ff.)[15].

---

[13] 164, 9, 13, allerdings deshalb *postea* auch wiederum *eo terribilius* für die, die es zurückweisen.

[14] Gesammelte Aufsätze 1 (⁶1932) 155 ff., bes. 184.

[15] Hiermit möchte ich nicht behaupten, daß es leicht sei, die Ansichten Luthers über *concupiscentia* und *peccatum* in der RV auf einen Nenner zu bringen.

139

Damit ist die Frage des ‚katholischen Luther' gestreift, des Katholischen in Luther, auch im späteren reformatorischen Luther. Diese wichtige Frage kann hier nicht durchuntersucht werden. Aber wir sollten schon durch die erwähnte Mahnung auf dem Konzil von Trient (vgl. S. 134) davor bewahrt werden, ‚katholisch' und ‚Luther' n u r als ausschließenden Gegensatz zu sehen. Einen katholischen Luther, einen nur das Evangelium verkündenden, gemein-christlichen, also katholischen Prediger Luther, gibt es m. E. durch das ganze Leben des Reformators hindurch. Leider fehlt bis heute die minutiöse Durcharbeitung des Materials, um abschließend zu sagen, wie weit dies reicht, in welchem Maße katholische Elemente etwa (a) unverbunden neben unvereinbar Reformatorischem, oder (b) eingebunden in dieses Reformatorische im Werke Luthers vorkommen. Wir müssen uns wieder an die simple, aber schlechterdings mitentscheidende Tatsache erinnern, daß Luther — vor dem Tridentinum lebte und lehrte. (Er starb einige Monate nach der Eröffnung des Konzils.)

b) Das Konzil von Trient aber hat bekanntlich seine großartigen Leistungen, besonders die dogmatischen Definitionen, nicht etwa fertig vorgefunden, sozusagen sie aus der Schublade geholt oder sie als altbekannte Weisheit aus alten Theologen abgeschrieben. Die Väter des Tridentinums haben schwere Kämpfe durchgefochten, bis sie jeweils endlich ihre Erklärungen festlegen konnten.

Es bestand am Ende des Mittelalters und zu Beginn des 16. Jahrhunderts in der Kirche eine uns schier unbegreifbare, auch auf dem Konzil zugegebene wahre *confusio opinionum*[16]; es gab eine erhebliche theologische Unklarheit. In einer Umwelt, die durch diese *confusio opinionum* geprägt war, ist Luther aufgewachsen.

Die große Frage bleibt, wieviel er bei seinem Versuch, zu einer klaren oder doch klareren Mitte durchzustoßen, vom verbindlichen *depositum fidei* erfaßt hat oder inwieweit er bei ungenügenden Darstellungen des Glaubensgutes stehenblieb (vgl. S. 139). Von der anderen Seite stellt sich die Frage, ob im katholischen Raum die Wahrheit des ganzen depositum genügend lebendig war, stark genug subjektiv angeeignet und dann ausgesprochen wurde, um Luther und seinen Anhängern deutlich machen zu können, wieweit die Grundanliegen der Reformation sie mit dem Besitz der katholischen Kirche verbinden. Hier sind von katholischer Seite her verheerende Unterlassungen zu beklagen. Zur Klärung dieser Fragen ist es aber auch nützlich, den Brief vom 28. August 1546 zu lesen, den Kardinal Pole (einer der drei Präsidenten des Konzils während seiner ersten Epoche) zur Begründung seiner Amtsniederlegung an den Präsi-

---

[16] H. J e d i n , Geschichte des Konzils von Trient II (1957) 148 ff.

140

denten Kardinal del Monte richtete[17]. Hier erscheinen als Unterlage der christlichen Existenz Grundauffassungen über die Rechtfertigung, oder so etwas wie eine katholische Lehre vom *simul iustus et peccator*, die den reformatorischen eng verwandt sind, die aber nicht etwa aus Luther, sondern einfach aus dem Römerbrief (und aus Johannes und 1 Joh), also rein biblisch erhoben sind. Ich will darauf hinweisen, daß die Frage nach dem Katholischen im Reformatorischen noch längst nicht ausgeschöpft ist, und daß wir uns als Katholiken unbefangen daranmachen können, Luthers Gedankenwelt zu erheben.

Mit diesen Feststellungen und allgemeinen Überlegungen haben wir uns den Weg für ein fruchtbares Einzelverständnis der RV genügend frei gemacht.

B. Die Sünde

Man kann das gewaltige Missionierungswerk des Völkerapostels Paulus, soweit es sich in seinen Briefen ausspricht, in zwei große Themenkreise (zwar nicht erschöpfend, aber doch im wesentlichen) zusammenfassen: Es war ein Kampf gegen die Gesetzes-Gerechtigkeit, d. h. gegen die Rechtfertigungsauffassung der falschen judaisierenden Brüder, und es war (in Umkehrung davon und in Entgegnung darauf) die Predigt von der Torheit des Kreuzes Jesu Christi, die an unserer Schwäche sich als lebensrettende Kraft erweist.

In seinem Brief an die Römer nehmen diese Themata einen zentralen Platz ein.

Dem entspricht die ‚Inhaltsangabe‘ des Römerbriefes, wie sie Luther zu Beginn seiner Vorlesung bietet[18] und wie sie offenbar das Ziel seiner eigenen Vorlesungen umschreiben will. Er wiederholte diese Angaben, sie weiterführend, sieben Jahre später in seiner Vorrede zur deutschen Übersetzung des Römerbriefes. Der Text lautet, zusammengezogen, so: *Summarium huius epistole est destruere ... justitiam carnis et plantare ... et magnificare peccatum ...* Denn: *Deus non per domesticam, sed per extraneam justitiam et sapientiam vult salvare ..*

Mittelpunkt sind also: *justitia* und *justificatio*. Jeder spürt, wie hier auch das Gesamtthema von Luthers religiös-theologischer Lebensarbeit als Leitmotiv aufklingt: nicht der Mensch, sondern Gott!

In seinem großen Rückblick von 1545 hat Luther seinen reformatorischen Durchbruch ausdrücklich an denselben Begriff ‚Gerechtigkeit‘ geknüpft, näherhin an *justitia Dei* aus dem Brief des Apostels Paulus an

---

[17] S. meinen Beitrag in „Universitas", Festschrift für Bischof S t o h r (Mainz 1960) II, 89—102: Zur Zielsetzung des Konzils von Trient.
[18] Sowohl in den Glossen (3, 6 ff.) wie in den Scholien (157, 1 ff.).

141

die Römer (1, 17), *justitia Dei* als unsere Rechtfertigung durch Gott[19]. Wir sehen, wie entscheidend Luthers reformatorischer Umbruch mit dem Thema zusammentrifft, das nach seiner Auffassung auch die Quintessenz des Römerbriefes ausmacht und das er dementsprechend in seiner RV behandelt.

Ehe wir aber einigen dieser Grundgedanken, so wie sie Luther in seiner Kommentierung ausbreitet, nachgehen, fragen wir, wie der Römerbrief innerhalb des Lebenswerkes Luthers steht. Es versteht sich, daß das gewaltige Thema, also der Einfluß des Römerbriefes auf Luther, nicht durch die ganze Breite seines literarischen Werkes behandelt werden kann.

Es scheint mir immerhin nicht nebensächlich zu sein, daß die Römerbriefvorlesung von 1515/16 später im Bewußtsein Luthers ziemlich abgesunken ist, er nahm sie ebensowenig in seine gesammelten Werke auf wie die anderen Veröffentlichungen, die vor den Ablaßthesen von 1517 liegen. Und auch die Jahrhunderte hindurch blieb der T e x t, von dem sich dann Luthers Handexemplar in Berlin fand, unbekannt[19a].

Aber das besagt natürlich nichts gegen die bedeutende Funktion, die der Römerbrief und Luthers Arbeit an ihm für seine Entwicklung hatte. Der Text selbst zeigt uns eindringlich einen tiefeingreifenden Entwicklungsgang. Wir stoßen zwar an manchen Stellen der nach der RV liegenden exegetischen Vorlesungen auf eine Welt, die von der des Römerbriefes weit entfernt zu sein scheint; aber es war schlechterdings unmöglich, daß die große Arbeitsleistung der RV nicht tiefe Spuren in Luther hinterlassen hätte. Sobald man sich intensiv in den Text vertieft, merkt man, daß hier Bedeutendes vorliegt, Ungewöhnliches. Es ist ohne weiteres

---

[19] Man weiß, wie viel ungelöste Fragen die präzise Deutung dieses Rückblicks stellt. Auf alle Fälle stellt er eine dramatisierende Zusammenziehung eines Entwicklungsvorganges dar, der in sich mehrschichtig war und sich außerdem über einen längeren Zeitabschnitt erstreckte. Aber, wie immer man versuche, das zu bestimmen, worin Luthers theologischer Zentralbesitz bzw. sein reformatorischer „Durchbruch" bestanden habe, der erwähnte große Rückblick spricht klar nur von der Überwindung der gefürchteten strafenden Gerechtigkeit durch die befreiende heilende Gerechtigkeit aus Glauben. Wenn man alles ausgeschieden hat, was unklar bleibt, dann bleibt immer noch jenes zentrale Stichwort der *justitia Dei*, die der Weg unserer Rechtfertigung ist. Dies ist einer der wenigen Punkte, über die in der Luther-Deutung Einigkeit herrschte und herrscht: daß nach Luthers eigenen, und wie häufigen, und wie emphatischen Worten die Rechtfertigung das zentrale Anliegen des Reformators war, und zwar so, daß sie nicht durch unsere Kraft, sondern durch Gottes Gerechtigkeit geschehe.

[19a] Neben der fundamentalen Fehldeutung der Persönlichkeit Luthers und der Motive seiner Wendung, die D e n i f l e sich leistete, sollte nicht vergessen werden, daß Denifles Entdeckung der Abschrift des Textes (1903), deren Mitteilung und seine Fragen nach den Quellen des jungen Luther epochemachend für die theologische Lutherforschung geworden sind.

142

einleuchtend, daß die geistige Arbeit, die der junge Professor in erstaunlicher Überlegenheit und bohrendem Eindringen hier leistete, ihn für sein weiteres Wachsen tief prägte.

Es war auch selbstverständlich, daß Hauptthemata der RV in späteren Werken Luthers immer wiederkehren. Einfach schon deshalb, weil Luthers theologische Arbeit sein Leben lang immer wieder zu den wenigen Grundanliegen zurückkehrt, die auch Hauptstücke des Römerbriefes sind.

Die RV ist eine Grundlegung und schon eine Ernte. Wir stehen vor einem ungewöhnlichen geistig-theologischen Zeugungsphänomen. Man kann mit Recht sagen: Die RV ist eine Art Programm des theologischen Lebenswerkes Luthers; ihre Bedeutung für Luthers Wirken kann schwerlich überschätzt werden. Soweit wir Quellen von und über Luther besitzen, rücken wir hier am nächsten an den lebendigen Durchbruch des Reformatorischen heran.

Allerdings ist es nötig, diesen Durchbruch wohl zu trennen von dem Kirchenbegriff, der später tragend wird (vgl. S. 131). Psychologisch ist die Entwicklung zum Bruch mit dem alten Kirchenwesen leicht zu erklären; sie fällt auch zu einem guten Teil den katholischen Gegnern zur Last, die die Grundanliegen Luthers so wenig positiv aufnahmen. Auch dürften Mißverständnisse, für die Praxis und Theorie damals viele Ansatzpunkte boten, eine große Rolle gespielt haben.

1. a) ‚Ausrotten alle Weisheit und Gerechtigkeit des Fleisches‘: die ganze RV ist voll und übervoll von der Forderung der geistlichen Armut. *Humilitas* oder *annihilatio* oder *oboedientia*[20] oder andere Stichworte mit der gleichen Grundbedeutung kehren immer wieder. Sie umschreiben ein Leitmotiv, das über die RV hinaus die Theologie und die Frömmigkeit Luthers bis an sein Lebensende beherrschen wird (als seine Hand als letzten Satz dieses niederschrieb: „Wir sind Bettler; *hoc est verum).*[21]“

b) Diese Forderung der demütigen Vernichtung des Eigenen, des *proprium*, der *prudentia propria seu domestica*, des *suus sensus*, des *jactare, praesumere, confidere in se, sibi inflectere*, des *destruere, evellere*, des *nudus, exutus* und *humilis*-Seins: diese Forderung steht in der RV ohne jede Eingrenzung. Ganz und gar nichts darf der Mensch als eigen betrachten (außer der Sünde), erst dann hat er Gott alles zuerkannt oder, wie Luther sagt, gegeben. Der Kern des Sündlichen im Menschen, das es zu erkennen und zu bekämpfen gilt, ist nichts anderes als dieses in ihm eingewurzelte *propter se*, die egoistische Ichbezogenheit des Menschen, der im Menschen wohnende Widerspruch zum undiskutierbaren *propter Deum solum;* es ist die *fruitio creaturae*, die dem Schöpfer Ab-

---

[20] Luther reduziert sogar das Ganze der Bekehrungshaltung auf die *oboedientia* (dazu: 518, 2 f.).

[21] Luthers Briefwechsel (Enders) 17 (1920) 60.

143

bruch tut (305, 23). Auf diese Sicht des Menschen werden wir, dem Material der RV entsprechend, noch öfter zurückkommen, und wir werden verstehen lernen, daß sie noch radikalere Bedeutung hat, als es der angeführte Wortlaut schon unmittelbar ausspricht.

Wenn ich sage, jene Forderung habe bei Luther keine Grenze, so ist das wörtlich zu verstehen. Gleich in der Einleitung der zitierten zusammenfassenden Kennzeichnung des Inhalts des Briefes (in den Scholien) wird die geforderte *destructio* oder *annihilatio* gesteigert bis zu der (von Christus ergangenen) Forderung einer Totalentblößung (158, 22 ff.), der Art, daß der Mensch nicht einmal mehr Furcht empfinden dürfte vor der Verdammung *(confusio)*. Vor dieser letzten Stufe liegt nicht nur die Forderung, daß wir weder den Ruhm lieben sollen, der uns wegen äußerer Tugenden zuteil wird, sondern auch jene andere, daß wir uns nicht einmal jener Gerechtigkeit rühmen sollen, die in Christus die unsere ist. Denn die in Christus unsere gewordene Gerechtigkeit bleibt dennoch eine *iustitia extranea*, fremde, nicht *propria*.

c) Es braucht nicht übersehen zu werden, daß die zitierten Formulierungen ein kleines Schwanken zeigen (159, 10), daß der Verzicht auf den Ruhm wegen unserer Tugenden eine weniger hohe Anforderung stellt als die Meisterung der *confusio;* es zeigt sich auch noch ein gewisser Einschlag moralischer Wertungen (siehe die entscheidenden Beispiele der tugendhaften Heiden); trotzdem: das *destruere* und *nudus esse*, die Entblößung, werden so radikal gefordert, daß man (zusammen mit dem Ziel, die uns wegen der Sünden treffende *confusio* nicht mehr zu fürchten) schon hier die Linie angelegt sehen kann, die in der RV hinführt zu der wiederholt (für jeden Christen!) aufgestellten Forderung, aus Liebe zu Gott positiv und *hilariter* nicht nur anzunehmen, sondern Gott anzubieten (vgl. S. 145) die *resignatio ad infernum*. Luther steigert diese bereits so hochgespannte Forderung noch weiter bis zur letzten hienieden dem Menschen erreichbaren Identifizierung mit Christus, wo der Höhe- oder Tiefpunkt der *theologia crucis* erreicht wird. Denn, so spricht es Luther hart und eindeutig aus: wie ein Mensch bot sich Christus ... dem Vater zur wirklichen Verdammung an (s. u. C 5 b).

d) Das bedeutet also, daß der Mensch nicht nur *nihil* sein und nichts haben, wollen, erstreben etc. soll (419, 9 f.), sondern er muß in das *nihilum* hineingehen, und dies im Sinne von Tod und Verdammung als der höchsten Steigerung der Selbstentäußerung, und zwar, wie schon gesagt, *libens ac volens* und *sponte* (419, 12 f.)! Erst in dieser Hingabe und Preisgabe hat der Mensch wirklich nichts mehr. Aber gerade dann gilt: dieser ohnmächtige Mensch *Deo satisfecit et justus est* (ebd. Z. 14).

Luther faßt das eindrucksvoll zusammen: *Hoc fit per fidem. Qua homo sensum suum captivat in verbum crucis, et abnegat se et a se omnia,*

144

mortuus sibi et omnibus. Et sic soli Deo vivit (ebd. Z. 15 ff.). Hier ist das *fides ex auditu* ohne wenn und aber in der denkbar schwersten Bewährungsform gefordert (vgl. dazu S. 148 f.); es ist schwer einzusehen, wo Luther später hierüber hinausgegangen wäre[22].

An einer solchen Stelle fassen wir lebendig das für Luther kennzeichnende paradoxale Ineinanderdenken von Gegensätzlichkeiten.

Man kann erstaunt sein über solche Ansichten, besonders über die erschreckende Ausdehnung des Gedankens auf den Herrn selbst. Vergessen wir immerhin nicht, daß ähnliche Anschauungen den Mystikern geläufig waren (vgl. S. 134), angefangen von Pauli Bereitschaft, um der Brüder willen das Anathema zu erleiden (Röm 9, 3)[23].

2. Großzumachen die Sünde: Gemäß dieser Ankündigung zu Beginn der Vorlesung steht in ihrem Mittelpunkt das Thema ‚Sünde'. Luther geht dem Wesen der Sünde, ihren Erscheinungsformen und (versteht sich) ihrer Überwindung an Hand des Römerbriefes so intensiv nach, daß man wohl sagen darf, er sei für sein Teil in ungewöhnlichem Maße der Aufforderung nachgekommen, die im Seufzer des Anselm von Canterbury liegt: *nondum satis considerasti, quanti ponderis sit peccatum*[24].

a) An dieser Stelle, wo wir uns zum erstenmal mit der Problematik des ‚Sündenbegriffs' beim jungen Luther zu beschäftigen haben, ist nun eine allgemeine Feststellung nötig.

Luther gebraucht die scholastischen Termini *peccatum mortale* und *peccatum veniale*. Er bemüht sich aber nicht sonderlich darum, den Unterschied genau zu bestimmen. Luther gebraucht auch den Terminus *peccatum actuale*, aber er stellt ihn neben das, was er *peccatum manens* nennt; diesen Begriff kennt die Scholastik überhaupt nicht, entsprechend nämlich ihrem Verständnis der *concupiscentia* nach der Taufe. Letztlich ist für Luther jede Sünde *natura sua* Todsünde, ähnlich der Auffassung Gersons, der diese These sogar ausdrücklich vorgetragen hatte[25]. Aber das, was Luther mit dem Begriff (*peccatum mortale*) meint, ist nach seiner ausdrücklichen und durchgängigen Lehre von der *iustificatio* nicht im Sinne der Scholastik zu nehmen; es wird auch ungleich angewendet (oder ‚mitgedacht'), je nachdem es sich um eine Tatsünde oder die Konkupiscenz handelt.

---

[22] Ausgenommen die einzige Diskordanz der Schlußfolgerungen in De servo arbitrio (vgl. u. D 4 b), die aber auf einer anderen Linie als der hier behandelten liegt.

[23] Dieser Gedankenkomplex gehört zu denen, für die eine eventuelle Genealogie nachzuweisen oder als nicht vorhanden festzustellen, besonders dringlich wäre (vgl. 389, 18 ff.; dazu 390 Anm. zu 5).

[24] Anselm, Cur deus homo? 1, 21 (PL 158, 393 C).

[25] Opera Omnia, Antwerpen 1706, t. 3, cfr. t. 1, 149 f.; nach Dict. théol. cath. 12, 1, 226.

Aufs Ganze gesehen, scheint Luthers Terminologie in diesem Punkte nicht einheitlich zu sein. In der späteren Auseinandersetzung mit Latomus (i. J. 1521), wo er das *peccatum veniale* teils wieder viel stärker ins Spiel bringen will, kommt die Unklarheit der Ausdrucksweise noch stärker zum Ausdruck, als dies für die Zeit der RV gilt. Dadurch, daß Luther außerdem den Begriff der *imputatio* oder der *non-imputatio* manchmal nicht genau abgegrenzt von dem, was er als *natura* der Sünde bezeichnet, wird der Befund noch undurchsichtiger, man darf auch sagen uneinheitlicher.

b) Zur Klärung versuchen wir vor allem, das hinter der Terminologie Liegende, das eigentlich Gemeinte, im Auge zu behalten. Hier scheint wohl Folgendes eindeutig zu sein: (1) Für Luthers Grundauffassung von der Sünde ist bezeichnend ihr enger Zusammenhang mit der *caro: „peccatum et prudentiam carnis idem ... intelligitur"* (359, 1; vgl. 364, 1 ff.[26]. (2) Der *vetus homo* (den es zu überwinden gilt) ist nicht *natura sua* sündhaft; (3) es gibt eine wirkliche, ontische Rechtfertigung des Sünders durch die Gnade (vgl. S. 153); (4) die in diesem Zustand des Menschen verbleibende echte Sünde hebt beim gläubigen Menschen den Zustand der Rechtfertigung nicht auf.

Die Lektüre des Textes der RV macht dies erregende Ineinander eigentlich fortlaufend klar. Die Vorlesung ist eine Dauerpredigt von der Wirklichkeit der Sünde im Menschen. Aber mit dieser Wirklichkeit steht die andere, die Luther in der Auslegung von Röm 6, 6 (*„semel mortuus* [sc. der Sünde] *semel vivit"*), in denkbar nachdrücklicher Weise vorträgt: daß durch das Absterben der Sünde in Taufe oder Reue eine ewig dauernde *iustitia Christi* ein für allemal dem Gläubigen gebracht werde, daß auch alles Fallen und Wiederaufstehen daran nichts ändere (328, 7)[27].

3. Die entscheidende Frage wird also dahin lauten: Was bedeutet ‚Sünde' in der RV?

Für Luthers theologische Behandlung des Sündenkomplexes war seine persönliche Bewußtseinslage mitentscheidend. Das gilt für den Ausgangspunkt seiner theologischen Entwicklung wie für die Lehre seines öffentlichen Wirkens als Professor und Reformator. Er hatte sich in seinen schweren Klosterkämpfen so sehr als Sünder empfunden, daß er „in Verzweiflung geriet" und vom Bewußtsein, Sünder zu sein, nicht loskam, was er aber doch mit allen Kräften und heißem Herzen als zum Heile nötig zu erreichen suchte.

---

[26] Dem entspricht, daß Luther die Sünde besonders als die sündliche Neigung im Menschen, als *concupiscentia* faßt.

[27] Das *semel*, sagt Luther, bedeute nicht *numerum Penitentiae,* sondern *aeternitatem gratiae et abnegat alietatem iustitiae* (328, 8 f.).

146

a) Nun liegen aber — entgegen den törichten Konstruktionen von P. W e i j e n b o r g [28] — keinerlei Anhaltspunkte dafür vor, daß es sich damals um schwere Tatsünden gehandelt hätte, etwa durch schwere Unkeuschheit, Geiz, Lüge, Meineid, Völlerei oder gar um das von Weijenborg konstruierte falsche Wunder [29]. Auch später hat Luther, der anspruchslos war, gerne schenkte usw., mit diesen schweren Tatsünden in seinem Gewissen wenig zu tun gehabt; es schien ihm nicht schwer, sie zu meiden [30].

Einen wesentlich ähnlichen Tatbestand setzt Luther als für den gläubigen Menschen normal an; die eigentlichen Verbrechersünden behandelt er in der theologischen Darlegung (wenn auch nicht in der Predigt) eher als Ausnahme.

Entsprechend ist im Auge zu behalten, an wen eigentlich Luther seine Ausführungen richtet: an gläubige Menschen, die im allgemeinen wie er selber nicht besondere Mühe haben, sich vor schweren Einzel-Tatsünden [31] zu bewahren.

---

[28] P. W e i j e n b o r g in: Antonianum 31 (1956) 247—300; ders. ebd. 32 (1957) 147—202. Dagegen E. I s e r l o h in: Festgabe Lortz 1 (1957) 15—42; Neuestens Weijenborg in: RHE 55 (1960) 819—875.

[29] Weil D e n i f l e die von Luther Sünde genannte innere Sündlichkeit mit den Tatsünden verwechselt, deshalb zu einem entscheidenden Teile seine groben Mißverständnisse. — Das im Text Gesagte bezeichnet die allgemeine Linie. Darüber hinaus gibt es Äußerungen, besonders über die geschlechtliche Enthaltsamkeit bzw. ihre Unmöglichkeit, in denen Luther über das Gesagte hinausgeht, und damit in Widerspruch gerät. Gegenüber diesen Äußerungen behält die Kritik Denifles ihr Recht. Aber eben diese Äußerungen sind nachweisbar nicht die Grundüberzeugung Luthers, sondern übertreibende Ausnahmen. Man hat aber auch kein Recht, sie einfach zur Seite zu schieben. Sie stellen wie andere Widersprüchlichkeiten mit allem Nachdruck die Frage nach der völligen Einheit von Luthers Lehre, nach dem ganz einheitlichen Luther. Meiner Meinung nach gibt es ihn nicht.

[30] Das Thema „Zorn und Haß", besonders gegen Papsttum, Messe, Mönch, müßte man dabei ausnehmen. Wenn Luther gerade sie weniger als Sünde empfand denn als Prophetenzorn, so sollte man die Zustimmung zu Luthers Auffassung nicht zu leicht von der selbstverständlichen kritischen Prüfung befreien.

[31] Sie kommen natürlich zur Sprache (der Teufel sucht die *electi in horrenda peccata* zu stoßen [402, 17]; die schwierige Frage des Überganges von der Todsünde zur läßlichen wäre auch hier zu stellen), aber die Bemühungen gehen um das, was Luther *peccatum manens* nennt. Auch von den sogenannten *peccata directa* (*infidelitas, desperatio, odium*, 296, 14), die öfter auftauchen, tritt als ein Hauptstück nur die *desperatio* hervor, aber insofern, als sie die Hauptprobe auf den Widerstand gegen die Versuchung darstellt, besonders in der Frage der *praedestinatio* und der *resignatio ad infernum*, d. h. sie wird gerade für die bereits in der christlichen Bemühung Fortgeschrittenen behandelt.

147

b) Aber dieser Tatbestand hebt nun für Luther die Tatsache des ‚Sünderseins' im vollen und schweren Sinn des Wortes nicht etwa auf, er macht ihm die Rechtfertigung nicht leichter, verringert nicht die versucherische Bedrohung. Im Gegenteil, gerade jetzt droht die unheimlich raffinierte Kraft der Selbstsucht am gefährlichsten zu werden. Theologisch formuliert Luther die Dinge etwa so: Im Menschen ist auch nach der Taufe die *concupiscentia* stark, eine innere Sündhaftigkeit, eine bleibende Sünde, die in den Gliedern des Menschen, dem *corpus peccati,* herrscht, ein *fomes,* durch welchen der Mensch dauernd auf die Sünde ausgerichtet ist, eine Neigung, die sich in subtilen Formen in alles, was er denkt, will und tut, einschleicht. Gerade hier ist der Punkt, wo so viele Theologen — so sagt er — das Gefährlichste übersehen: denn schlimmer als der einzelne sündige Akt ist die Tatsache der Erbsünde, des *corpus peccati,* des *corpus mortis,* der *lex peccati,* ist die Konkupiszenz, mit denen es alle, auch die Gerechten, ja, so formuliert Luther paradoxal, gerade sie, zu tun haben. Denn die Erbsünde wurde nicht, wie die Scholastiker meinen (273, 5), in der gleichen Weise weggenommen, wie es durch Taufe oder Reue und Beichte mit den Tatsünden geschieht.

c) Gerade bei diesen Überlegungen machen sich die Erfahrungen aus Luthers Klosterkämpfen bemerkbar: Wegen einer falsch angesetzten (und übersteigerten) asketischen Selbstbeobachtung und einer unzutreffenden Bewertung sowohl seines sündhaften Zustandes als der Art, wie der Mensch durch die Lossprechung von den Sünden frei wird, war er damals seine Not nicht losgeworden. Seitdem hat er sich gewandelt. So eindringlich er aus Erfahrung von der seelischen Not des Sünders und seiner (allzu leicht und viel zu oft von Luther behaupteten) Verzweiflung zu sprechen vermag, er weiß jetzt, daß weder die Sünde noch ihr Nachlaß es wesentlich mit dem Gefühl zu tun haben: sie gehören in das Gebiet des Glaubens. Gott hat uns im Wort der Schrift verkündet, daß *„omnis homo mendax"* (Ps 116, 11), *„Non est iustus quisquam"* (Röm 3, 12; Ps 13,3), d. h. daß wir allesamt Sünder sind. Es handelt sich darum, diese Feststellung, die eine Verurteilung ist, im Glauben anzuerkennen, dadurch Gott Recht zu geben, ihn zu ‚rechtfertigen'. Und eben diese durch uns erfolgende Rechtfertigung Gottes, sagt Luther, wird unsere Rechtfertigung. Denn alles hängt daran, daß wir Gott Glauben schenken (*confidere, credulitas:* 233, 20 ff.; 224, 21).

Wenn wir also nach dem Wege fragen, auf dem der sündige Mensch den rettenden Glauben nach Luthers Auffassung vor allem verwirklichen soll, dann darf man in adäquater Wiedergabe eines Hauptanliegens der RV sagen: e s g e h t u m d e n G l a u b e n , d a ß d u e i n S ü n d e r b i s t (229, 24). Oder, um eine echt lutherische Prägung zu gebrauchen,

148

es geht darum, wie man es anstellen muß, *peccator fieri*[32], um eben dadurch von Gott in Gnaden aufgenommen zu werden. Daß man um sein Sündersein wisse, wird von Luther direkt als Synonym für Christsein gebraucht[33].

4. Wenn die Fragen von Sünde und Rechtfertigung im Umkreis von Gläubigen behandelt werden (195, 7; oben S. 147), d. h. von solchen, die durch Taufe und Glaube der Sünde gestorben sind, so ergibt sich (mit Augustin) die Frage, wie wir dies ,der Sünde gestorben' zusammen behaupten können mit der anderen Erkenntnis, daß die Sünde noch in unseren Gliedern wohne und vielerlei Lüste wirke (352, 25).

Wir stehen unversehns, und auf eine beinahe harmlose Weise, vor einer Grundproblematik Luthers: gerecht und Sünder zugleich.

Die Art, wie diese Formel auftaucht, liegt tatsächlich weit weg von einem Revolutionär-Unkatholischen. Es lohnt sich, dies im Bewußtsein zu halten.

C. Theologia crucis

1. a) Man hat sich immer mehr daran gewöhnt, Luthers zentrales theologisches Anliegen als „Kreuzestheologie" zusammenzufassen[34]. Dies scheint den Kern zu treffen.

Luthers Theologie ist jedenfalls das Gegenteil jeder *theologia gloriae*. Man kann sich zwar mit Recht fragen, ob durch Luthers Reduzierung der Offenbarung und des Heilsweges auf die Rechtfertigung des Sünders der Inhalt der Offenbarung nicht unzulässig geschmälert wurde und die *gloria* des Vaters und des Sohnes und auch der Kirche und der von Gott geschaffenen und wiederhergestellten Menschen nicht zu kurz kommen. Ich bin in der Tat dieser Ansicht und sehe in der hier liegenden oder angelegten Einseitigkeit die eigentliche Häresie Luthers.

b) Aber das ändert nichts daran, daß das Kreuz entscheidend in der Mitte des christlichen Heilsgeschehens und der christlichen Heilsbotschaft steht, und daß uns durch das Sterben Gottes am Kreuz das Leben gebracht wurde. Jede Theologie, die dem christlichen Gehalt gerecht werden will, muß dieses Kreuz in u m f a s s e n d e n Sinn in den Mittelpunkt stellen. Weil Luthers ganzes Denken um dieses Geheimnis kreist, weil von ihm aus die einzelnen theologischen Erkenntnisse geformt werden, weil diese wiederum, in diesem einen Punkt sich treffend, alle miteinander zusammenhängen, darf man die *theologia crucis* als eine Art innerer

---

[32] 230, 6 wird diese Formel als *locutio spiritualis* bezeichnet.

[33] Luther meint, der an die Römer gerichtete Brief sei nicht eigentlich ihretwegen geschrieben worden; denn da sie ja Christen waren, hätten sie bereits gewußt, daß sie Sünder seien (159, 25 ff.; 160, 3: „*Immo si fuerunt Christiani hoc iam ex fide cognoverunt.*")

[34] Vgl. W. v. L ö w e n i c h , Luthers Theologia crucis, München (1929) ⁴1954.

Gesamtform seines Denkens bestimmen. Das trifft jedenfalls und in hervorragendem Maße auf die RV zu. Man muß dabei im Auge behalten, daß die zugrunde liegende Auffassung über die Abtötung durch das Kreuztragen hinausgeht, freilich auch, daß dieser unmittelbar asketische Gedanke darin und dadurch zurücktritt.

Hinsichtlich der Historizität des Kreuzesgeschehens und des dogmatischen Charakters der im Kreuz geoffenbarten Wahrheit steht Luther ganz in der katholischen Tradition. Der Aufweis dieses Sachverhaltes stößt sich zunächst allerdings an der Tatsache, daß Luther in seinen Glossen und Scholien der RV das Kreuz vergleichsweise selten unter diesem Formalgesichtspunkt behandelt. Der Mangel findet jedoch seine volle Erklärung darin, daß Luther der Vorlage des zu kommentierenden Textes folgt und die christologischen Erörterungen in den Mittelpunkt stellt. Den Hauptthemen des Römerbriefes entsprechend zielt die RV zentral auf die Übertragung von Christus auf die Christen ab. Von dieser formalen Einschränkung abgesehen oder noch besser: in ihr äußert sich jedoch Luther unmißverständlich im Sinne der traditionellen Lehre. Er setzt Christi Heilswerk und Heilswahrheit uneingeschränkt voraus (vgl. S. 153).

Eigentlicher Inhalt des Evangeliums, das Paulus den Römern zu künden hat, ist *verbum de filio Dei incarnato et passo et glorificato* (169, 14); es gibt für den sündigen Menschen keine Rechtfertigung *sine Christo* (37, 21) ‚*per Christum solum* werden die Sünden aller nachgelassen' (262, 1 f.).

So stark dabei die Bedeutung der *fides Christi* betont (und diese an das *verbum* gebunden) wird, so wenig denkt Luther daran, das objektive Heilswerk abzuschwächen. *Mors* und *resurrectio* Christi sind nicht nur *exemplum* und *sacramentum* (= *signum*) des Heilsgeschehens, sondern sie sind eigentliche *causa* der Sündennachlassung und Rechtfertigung.

2. Dem entspricht, daß die auf den Menschen zu übertragende Gerechtigkeit Gottes im Vorgang unserer Rechtfertigung eine wirkliche objektive Realität ist.

Das ist zu belegen.

a) Luther bezeichnet die Rechtfertigung durch Gott oft mit den Worten *imputare, reputare, imputatio, non-imputatio.*

Diese Ausdrücke und die Lehre von der bleibenden Sünde, zusammen mit gewissen mißverständlichen überspitzten Formulierungen Luthers, haben von jeher auf katholischer Seite zum Urteil geführt, Luther kenne keine wirkliche innere Umwandlung des Menschen in einer ontischen Rechtfertigung, und entsprechend keine wirkliche *remissio peccatorum* in dem Sinne, daß die Sünde wirklich getilgt werde. Vielmehr lehre

150

Luther (als Auswirkung seiner nominalistischen Schulung) eine nur foren-
sische, äußerlich zurechnende Gerechterklärung; die zurückbleibende
Sünde werde nur zugedeckt.

b) Die Entwicklung der modernen Philosophie hin zum Existentialismus verschiedener Prägung und deren Eindringen durch Bultmann in die
evangelische Theologie gibt den hier liegenden Fragen eine neue bedrängende Wichtigkeit.

Bultmann und seine Schüler machen aus jener „Verflüchtigung" für
sich einen Ehrentitel. Sie erklären ihre „existentiale" Deutung Luthers
als die einzig legitime; der theologische Existentialismus sei die Testaments-
vollstreckung dessen, was Luther (besonders der junge Luther), ja, was
die Reformation überhaupt, eigentlich gewollt hätten. Das im historischen
Heilsgeschehen wie in der Heiligen Schrift Verkündete ist nach ihrer
Auffassung nur als Kerygma, als Heilsbotschaft an mich hier und heute
wichtig, das Objektive verliert mehr oder weniger seinen Wert.

In jüngster Zeit hat sogar (unter dem Einfluß von E b e l i n g) ein
katholischer Systematiker diese Deutung für die erste Vorlesung Luthers,
die Dictata super psalmos vom Jahre 1513, sich weithin zu eigen gemacht[35].

Wir stehen vor einer Frage, die nicht nur für Luthers theologische Deutung zentrale Wichtigkeit besitzt, sondern die entscheidend hineinwirken
könnte in den Bereich des Gesprächs zwischen den christlichen Konfessionen. Und zwar im Sinne einer radikalen Bedrohung. Denn ganz wesentlich hängt die Möglichkeit eines echten Gesprächs der Katholiken mit
den getrennten Brüdern daran, ob sich in der reformatorischen Lehre
auch und genügend katholisches Erbe finde oder nicht. Ist dies nicht der
Fall, dann ist das Gespräch mit den getrennten Brüdern wenigstens in
dem Sinn unnütz, als die Hoffnung auf eine *unio* mit ihnen zu einer
Utopie wird. Die Antwort auf die gestellte Frage müßte aber tatsächlich
negativ lauten, wenn Luther existentialistisch verstanden werden müßte,
denn die katholische Lehre hält an der Objektivität der Heilstatsachen
mit Paulus fest: „Ist Christus nicht wirklich auferstanden, so ist eitel unser
Glaube" (1 Kor 15, 14).

c) Nun kommt es Luther weder auf eine systematische Aufarbeitung
und Bekräftigung der damals nicht angezweifelten Objektivität des Heilsgeschehens, noch überhaupt auf abstrakte Spekulation an; er fühlt sich
berufen, prophetisch Zeugnis zu geben. Wer ihn interpretieren will, muß
dies beachten. Denn von diesem Ziel her setzt Luther bestimmte Akzente.
Aber selbst wo diese fehlen, braucht noch keine Leugnung der katholischen These oder gar ein Widerspruch Luthers mit sich selbst vorzuliegen. Bei ihm gehören sogar die eigentlich theologisch-lehrenden Äuße-

---

[35] A. B r a n d e n b u r g, Gericht und Evangelium (= Schriftenreihe des
Johann-Adam-Möhler-Instituts Bd. 4), Paderborn 1960.

151

rungen weithin in den Raum der Seelsorge, wie denn predigtartige Stücke etwa auch die RV auf weite Strecke kennzeichnen (s. oben S. 129 f.).

Das ist, christlich-religiös gesehen, zunächst nur ein Vorteil.

3. a) Luther ist persönlich so geartet, sein religiöser Entwicklungsgang ist so verlaufen, daß sowohl die Art, wie er die christliche Offenbarung entgegennimmt, wie die Art, wie er sie ausspricht, in einer besonders scharfen Weise persönlich, ja subjektivistisch gefärbt sind. Luther ist stärkstens in sich selbst gefangen. So heiß er nach der Lösung im objektiven Wort Gottes sucht, so stark ist er es selbst, der die Lösung erkämpft, keineswegs ruhig strebend, sondern mit einer Kraft, die der Gewaltsamkeit nicht entbehrt.

Schon dadurch sind Luthers Äußerungen in einem hohen Grade situationsbedingt (und auch Schwankungen ausgesetzt).

Eine andere Grundtatsache des gesamten geistigen Lebens des Reformators ist hier zu beachten: seine Abhängigkeit von der Dialog-Situation. Sein jeweiliger Dialog-Partner bestimmt zum großen Teil die Betonung und sogar die Ausrichtung seiner Gedanken. In den frühen Vorlesungen läßt sich dies natürlich noch nicht so mit Händen greifen wie später, wenn er, ein Leben lang, mit der Unruhe einer tiefen seelischen Verwundung, gegen alles heftig und übertreibend aufbegehrt, was ihm an Papsttum und Mönchtum als Werkerei gilt, aber auch umgekehrt gegenüber der Unordnung der Schwärmer das Amt und die Kirchenzucht betont. Doch schon in der RV ist die Reaktion auf die Scholastik ein nachweisbarer Antrieb der Gedanken und ihrer Formulierung (dazu aber auch S. 140).

Zwar hat Luther die ockhamistisch-nominalistische Theologie in entscheidenden Punkten überwunden, aber die A r t ihres Denkens hat den Reformator tief mitgeprägt, so daß er z. B. sagen kann, die Menschen hätten es hier mit den Zeugnissen von den Dingen und den für sie gesetzten Zeichen und nicht mit diesen selbst zu tun[36]. Aus diesen verschiedenen Wurzeln bildete sich in Luther ein Denken in Relationen, das der Verdunklung des Objektiven in gewissem Umfang Vorschub leistet.

Auch, daß Luther in einer so ungewöhnlichen Weise paradoxales Sprechen bevorzugt, wird gerade in den hier zur Diskussion stehenden Fragen zu einer gewissen Gefahr. Man kann mühelos eine ganze Reihe hierhergehöriger zugespitzter Formulierungen Luthers vorbringen, die verdächtig klingen.

Als erster sachlicher Hinweis in dieser Richtung kann Luthers Lehre von der *justificatio* Gottes durch den Menschen gelten: dadurch daß der Mensch Gottes *sermonibus* Glauben schenkt, sagt Luther, macht der Mensch Gott zum Wahrhaftigen und sich selbst zum Lügner: *credens Deo*

---

[36] Vgl. P. M e i n h o l d , Luthers Sprachphilosophie (Berlin 1958) 13.

152

facit veracem et se mendacem, quia discredit suo sensui tamquam falso
(296, 7): d. h. der Mensch erkennt, daß sein Selbstmühen und seine Selbstgerechtigkeit ein Nichts und er ein Sünder ist.

Man kann auch hinweisen auf die für Luther grundlegende Lehre von der *absconditas sub contrario*: sie wird von ihm ausdrücklich auf unser Verstehen oder Nichtverstehen bezogen *(non autem absconditur aliter quam sub contraria specie nostri conceptus seu cogitationis* [zu 8, 26, S. 376, 32 ff.]).

Der Glaube wird auch dadurch sehr stark mit der Person des einzelnen verbunden, daß Luther immer wieder betont: „m e i n Glaube"; ebenso einseitig hebt er hervor: Jesus ist m e i n Erlöser, m e i n Heiland. Doch wird die Tatsache der allgemeinen Erlösung hierdurch keineswegs verneint. Wohl wird dabei unterbewertet oder vielleicht sogar ganz vergessen, daß Jesus Gesetzgeber ist, und zwar seiner Kirche[37]. Daher dringt das göttliche Recht bei Luther ungenügend bis in die Sichtbarkeit der Kirche vor.

b) Wir müssen uns jedoch fragen, ob solche Aussagen Luthers über die mehr oder weniger starke personalistische Färbung hinaus „existential" aushöhlend gemeint sind oder nicht; sodann haben wir die Frage zu klären, ob für Luther die Rechtfertigung ein objektiv-ontischer Vorgang ist (vgl. 146). Läßt sich die erste Frage (existential?) verneinen, die zweite (ontische Rechtfertigung) bejahen, müßte das Resultat wie von selbst dahin lauten: Luthers Formel von *simul peccator et justus* verträgt im Verständnis Luthers selbst eine katholische Interpretation.

c) Zunächst lehren Luthers Texte offenkundig das objektive Heilsgeschehen in Fleischwerdung, Kreuz, Auferstehung und Himmelfahrt[38]. Gerade die Ü b e r t r a g u n g des Heilsgeschehens, näherhin des „Kreuzes" auf den Menschen, verlangt im Sinne Luthers das objektiv vorgegebene Kreuzesgeschehen. Die durch das Kreuz uns erworbene Erlösungsgnade wird uns ontisch zugeteilt (s. u. 6 b). Die Gnade Jesu Christi, sagt Luther, dringt durch Eingießung wie Strahlen in uns ein und wandelt uns um[39].

(II. Teil folgt)

---

[37] Siehe: M.-J. G u i l l o u, Remarques sur la conception Luthérienne de l'Église. Vers l'unité chrétienne 1961, 41.

[38] Wenn Luther z. B. in den Dictata ausführlich nach Art der Mystiker Christi Auferstehung als unsere und als in uns sich vollziehend auslegt, so steht — für ihn selbstverständlich — mitten in diesen Ausführungen die ausdrücklich sachlich-historische Feststellung: *sicut Christus prius descendit et postea ascendit.* WA 3, 124, 7 ff.; dies kurze Bekenntnis Luthers entzieht den Folgerungen Brandenburgs dort (S. 139 f.) einfach den Boden.

[39] Zu *infusio gratiae* 327, 11 ff.; vgl. ebd. 27: *Deus ... coram quo nihil, nisi quod spirituale et eternum est, reputatur.* Und trotzdem: *vivit Deo.*

153

Luthers Römerbriefvorlesung

Grundanliegen II. Teil*

Von Professor Joseph L o r t z , Mainz

Andererseits wird auch der Mensch durch die Anfechtung nicht einfach umgeschmolzen: *Tribulatio non facit impatientem, sed ostendit eum
fuisse et esse impatientem* (301, 12 f.). Wenn Luther auch so von der Versuchung sprechen kann, dann zeigt das klar: was vorher im Menschen ist,
wird durch das Hinzutretende nur offenbar gemacht, alles Geschehen mit
dem Menschen setzt einen ontisch gesehenen Wesenskern voraus.

Luther spricht zwar von *similitudo Christi in nobis* und von *apparere*
(324, 5), aber das ist ontisch gemeint als ein Sein, nicht nur als ein äußerlich Scheinen, denn Christus „gab uns seine Form" (vgl. 317, 20 ff.; 376,
19 ff.) und dies so sehr, daß der Gerechtfertigte sogar *eadem iustitia iustus*
ist wie Christus (204, 18).

Umgekehrt wirft Luther gerade den Scholastikern vor, daß sie die
Wirklichkeit der Sünde und ihren Nachlaß unzulässig zu einem *minutissi-
mum quendam motum animi ad bonum* reduziert hätten (275, 19 f.).

Die von Luther bevorzugten Ausdrücke *imputari, imputatio* oder deren
Negativa bedeuten nichts anderes als das zusammen mit ihnen gebrauchte,
ebenfalls das Handeln Gottes im Rechtfertigungsprozeß bezeichnende
constituere (vgl. 228, 19 ff.).

Man sollte auch nicht übersehen, daß für Luther das Wort Gottes, wie
sein Wille selbstverständlich, immer schöpferisch sind (was er will, was
er erklärt, i s t).

Es gibt Abschnitte in der RV, in denen das Ontische der Rechtfertigung
besonders eindrucksvoll zum Ausdruck kommt. Dahin darf man wohl
die Anfangsausführungen zu dem umstrittenen 7. Kapitel des Römerbriefes rechnen. Der Zentralgedanke lautet: der Mensch stirbt der Sünde,
die Rechtfertigung[40] hebt den Menschen auf bzw. nimmt ihn weg und
wandelt ihn um; wenn das geschehen ist, wenn nicht mehr der Mensch

---

* Durch ein technisches Versehen wurde bei der Teilung dieses Aufsatzes
der Sinnzusammenhang unterbrochen. Wir bitten, diesen auf S. 153 von Heft 3
nachzulesen (Anm. der Schriftleitung).

[40] 334, 25 nennt als Wirkursache: *gratia et spiritualis iustitia;* von ihnen
heißt es: *ipsum hominem tollit et mutat et a peccatis avertit, licet peccatum
relinquat ut, dum iustificat spiritum, relinquit concupiscentiam in carne.* Zusammen mit der engen Bindung der Konkupiszenz an den Leib des Menschen
kann die vorgetragene Auffassung leicht eine stark eschatologische Färbung
bekommen. Vgl. 335, 2 ff.: *Ergo donec homo ipse vivit et non tollitur ac mu-
tatur* (vgl. das Wort aus 1 Kor 15,51) *per renovationem gratiae, nullis operibus
potest facere, ut sub peccato et lege non sit.*

216

lebt, dann ist die wie ein Rest zurückgebliebene Sünde gleichfalls aufs schönste hinweggenommen und tot[41]. Solange freilich der Mensch nicht „tot" ist, ist es eitles Beginnen, die Sünde zu töten. Das heißt, die Sünde wird im geistlichen Sinne zerstört dadurch, daß der Wille zu sündigen getötet wird.

Luther wendet sich also gegen eine Ausgangsposition, die die Sünde zu wenig intim mit dem Menschen verwachsen sein läßt; sie haftet ihm keineswegs nur äußerlich (werkhaft) an, sie ist gleichsam er selbst geworden, ihm innerlich verhaftet. Ist der Mensch ein anderer geworden, fleht er demütig um die Gnade der Umwandlung, dann werden auch seine Werke andere sein (vgl. das Bild vom guten Baum, der gute Früchte bringt, das Luther so oft gegen die Aristotelische Theorie der guten Werke vorbringt, die den Menschen gut machen). Zuerst muß also der Mensch sterben; denn sonst bleibt ja wie im Nichtverstorbenen die Sünde, und zwar zum Herrschen[42].

d) Allerdings muß gesehen werden, daß „ontisch" keineswegs dasselbe ist wie „dinglich" oder physisch. Luther lehnt diese Deutung in Anwendung auf die Rechtfertigung ausdrücklich ab: es handelt sich um eine *itio spiritualis, non physica sive naturalis* (230, 2). Alles Heildienliche spielt im Raum des *spiritus* und des *spiritualis* im Unterschied und Gegensatz zu *caro, littera, experientia, res*.

Sodann ist, wie wir schon sahen, die Sünde für Luther etwas anderes und mehr als ein oder viele einzelne sündhafte Akte. Die Sünde ist vor allem eine unheilige Kraft im Menschen, ihm durch die Erbsünde überkommen, weil der sündige schuldhafte Adam nur Sünder zeugen konnte (315, 10 ff.). Wenn also der Mensch gerechtfertigt werden soll, genügt es nicht, einen oder mehrere sündhafte Akte zu unterlassen; es muß, wie wir eben hörten, der Mensch verwandelt werden. Der Wille zu sündigen, die *concupiscentia*, muß „schwach" werden, und positiv immer mehr durch die wachsende Gesundheit überwunden werden.

Die eigentliche Belastung der vorgetragenen Auffassung liegt — vgl. S. 149 — darin, daß die Rechtfertigung nach Luthers Auffassung die Sünde nicht einfach beseitigt. Denn die *remissio* der Sünde, sagt Luther, ist etwas

---

[41] Luther sagt, im Gegensatz zum menschlichen Verständnis, das das *expurgari* auf das Wegnehmen der Sünde vom Menschen beziehe, sei dies eine wahrhaft zutreffende und göttliche Auffassung (334, 15 f. zu Röm 7, 1). Luther beruft sich für seine Auslegung auf Ps 80, 7: daß nicht die Last vom Rücken genommen, sondern der Rücken von den Lasten weggerückt werde. — Er verweist auch darauf, daß Gott Israel aus Ägypten fortführte. Was Luther in der „menschlichen" Auffassung mißfällt, ist das *conservare ipsum hominem* a. a. O. — Im selben Kontext heißt es allerdings auch, daß durch die Wandlung des Menschen die Sünde fortgenommen und getötet werde (335, 8).

[42] Vgl. 334, 9 ff.

217

anderes als die *ablatio*. Doch die Sünde schließt die Wirklichkeit der *iustificatio* nicht aus, sie ist *sanatio* und bedeutet fortschreitende Erstarkung (vgl. S. 149). Und daß es in Luthers Äußerungen um eine echt umwandelnde Rechtfertigung geht, werden wir aus seiner Forderung der *charitas* vollends verstehen.

So umschließt die in der Entäußerung erfolgende Verbergung den Gegensatz von Heiligkeit und Sünde (vgl. 317, 25—27: *factus est in similitudinem hominum)*, aber auch den Gegensatz von Liebe und Haß.

4. a) Nun möchte ich auf keinen Fall die Aussagen Luthers harmonisierend abglätten. Erinnern wir uns hier an Luthers paradoxale Terminologie, die gerade die Rechtfertigung an eine Teilnahme am Zentrum der Paradoxalität bindet, nämlich im Kreuz Christi und seinem Tod; am Erlösungswerk Christi nehmen wir dauernd teil und Christus ist mit uns *realiter* eins.

Durch die von Paulus gelehrte Entäußerung des Herrn (vgl. S. 137) ist bereits die Fleischwerdung auf das Kreuz bezogen. Entsprechend wird bei Luther das Evangelium *de filio suo* nicht eine Botschaft vom göttlichen Logos, sondern vom Fleischgewordenen, der *per humilitatem et exinanitionem* (167, 16) sich der *forma Dei* entäußerte *usque in carnis inanitatem* (ebd. 20)[43].

b) Die Entäußerung Gottes ins Fleisch führt zu einem Tatbestand, den Luther schon seit seiner ersten Vorlesung über die Psalmen in einer tiefsinnigen, nicht selten auch mühsamen und übersteigernden Weise unermüdlich als *absconditas* (Verborgenheit, Verbergen) angesprochen hat. Dabei ergab sich aber ein zweites Charakteristikum der theologischen Aussage, das ebenso wichtig für Luthers Theologie wurde: die *absconditas* Gottes (in das Geschöpfliche hinein) geschieht nämlich so, daß das G e g e n t e i l des Verhüllten zu Tage tritt, bzw. dazusein scheint. Wir stehen vor Luthers Lehre des *absconditum sub contraria specie* (vgl. S. 153 u. 220): die Gottheit des Logos verbirgt sich derart im Fleische[44], *ut potentiam, sapientiam, bonitatem*[45] *maxime absconderet, et potius infirmitatem, stultitiam et asperitatem exhibuit* (171, 16—18).

Aber hier ist zu warnen vor jeder vereinseitigenden Auffassung, die unter dem Stichwort *absconditas sub contraria specie* eine Wandlung des göttlichen Seins in sein Gegenteil annähme.

---

[43] Der Ton wird dabei auf die paradoxale Spannung zwischen „Gottes" und „Davids" Sohn gelegt: *...qui ante omnia fuit et omnia fecit, ipse nunc cepit et factus est.* (ebd. Z. 12—13).

[44] *...exinanita est divinitas et in carnem abscondita* (168, 2).

[45] Zu dieser in der Häufung der Beispiele ungeschützt beigefügten verborgenen *bonitas* vgl. oben S. 137 f.

218

Sicher meint Luther mehr als die Unzugänglichkeit Gottes, wie sie von Mystik und negativer Theologie gesehen wurde. Er meint in der Tat eine doppelte Verbergung, ein Verhüllen ins Gegenteil. Dennoch bedeutet die Verbergung nicht die Wandlung des Wesens; das Wesen selbst ändert sich nicht. Auch will die *contrarietas* nicht einfach den Gegensatz zwischen Gott und Mensch aussprechen.

5. In seiner ersten Psalmen-Vorlesung hatte Luther die beiden klassischen Paulusstellen, in denen die Verbindung des Gekreuzigten mit der Tilgung unserer Sünden ausgesprochen wird, häufig herangezogen[46].

a) In der RV zitiert er diese Stellen nur einmal. Aber in der nachdrücklichen Herausstellung des trotz und mit der *iustitia* bleibenden *peccatum* tritt in der RV doch tatsächlich die Beziehung zwischen Sünde und Kreuz bzw. dem Gekreuzigten (der in einem bestimmten Sinn ‚Sünde' genannt wird) stark hervor. Etwa führt Luther zu 8, 3 (360, 8 ff.) aus: *Quia peccatum, quo damnatum est peccatum in carne, est ipsa poena peccati, quam Christus in carne sua suscepit, quae sine peccato fuit, tamen propter poenas peccati similitudinem carnis peccati gessit:* die Sünde im Fleisch wurde durch die Sünde (am Kreuz) verdammt; denn diese Sünde, d. h. Sündenstrafe, hat Christus auf sich genommen in seinem Fleisch, das sündlos war und doch wegen der Strafe für die Sünde die Gestalt des sündlichen Fleisches trug. — Oder zu Rom 2, 15 sagt Luther: *Christus ... autem satisfecit ...; suam iustitiam meam fecit et meum peccatum suum fecit*[47] (204, 17 ff.).

Ein für Luther Typisches solcher Stellen wurde bereits angedeutet: er sucht sie nicht harmonisierend zu entspannen (etwa durch die Betonung des doch ausgesprochenen Unterschiedes von *peccatum* und *poena peccati*), sondern er läßt die Spannung möglichst hart heraustreten. In unserem Falle wird die Sünde sozusagen möglichst nahe an den persönlich sündenlosen Christus (diese wesentliche Einschränkung wird nie überschritten) herangerückt.

b) Was damit angedeutet sein soll, versteht man vielleicht am besten, wenn man diese Zuspitzungen von ihrem letzten Gipfel her betrachtet,

---

[46] 2 Kor 5, 21: *Eum, qui non noverat peccatum, pro nobis peccatum fecit, ut nos efficeremur iustitia Dei in ipso;* — Gal 3, 13: *Christus nos redemit de maledicto legis, factus pro nobis maledictum.*

[47] Luther hat diesen Austausch von Sünde und Gerechtigkeit sonst als „fröhlichen Wechsel" beschrieben (vgl. 204, 14—23). Für die Genealogie dieses Gedankens vom *commercium* vgl. LThK III², 20 f. Bei Luther auch in der Form: *tota res posita est in alternatione* (173, 30), wobei es sich handelt um das Wechselverhältnis von göttlicher und menschlicher Weisheit bzw. Torheit.

219

wo Luther, wie wir sahen, die Paradoxalität des sterbenden Gottes, des für uns zur Sünde gewordenen sündenlosen Christus, steigert bis zum Angebot der realen ewigen Verdammung des Sohnes an den Vater[48].

Es scheint mir schwer, diese Vorstellung theologisch zu rechtfertigen. Aber es scheint mir unmöglich, die hier gelehrte Vernichtung der Sünde und entsprechend unsere Rechtfertigung durch Jesus Christus anders denn als objektiven Vorgang zu fassen. Der Sünder wird ganz in das reale Kreuzesgeschehen hineingenommen.

6. a) Diese paradoxal als gleichzeitig bestehend ausgesagten Widersprüchlichkeiten sind ein Ausdruck für Luthers *simul*, das er in dem vorliegenden Einzelfall aus der *communio idiomatum in Christo* gewonnen hat. Entsprechend drückt das *simul* auch für den Mensch-Sünder sowohl das Zusammensein (die *communio*) aus als auch die Trennung, wie es ja auch beim Herrn der Fall war, in dem keiner der beiden Naturen das Eigentliche der anderen zukommt[49]. Auch diese theologische Bewertung der Person des Herrn und seines Sterbens als ,unsere Sünde‘ entspricht wieder ganz Luthers Kategorie von der *absconditas sub contraria specie*.

Nach dieser Kategorie bietet Gott seine Offenbarung und die Erlösung dem Menschen so an, daß Gott sich dabei in sein Gegenteil verhüllt, daß er also ,verborgen‘ handelt (sei es zur Erprobung, sei es zur strafenden Verstockung; s. auch S. 218). Umgekehrt erscheint dem durch die Sünde verblendeten Menschen (der ja als Sünder Gott widerspricht) Gott und das Wirken seiner Weisheit, Güte und Macht als deren Gegenteil. Er versteht sie nicht (zu 8, 26; 376, 32 ff.) und verwirft sie, weil er ein Sünder ist.

b) Dieses Handeln *sub contraria specie*, d. h. diese Verhüllung unter das Gegenteil, hat Gott vor allem dargestellt in seinem ureigenen Werk (*opus proprium Dei* 377, 4), das Vorbild *(exemplar)* aller seiner Werke ist (vgl. S. 223), nämlich in Christus. Was hier gemeint ist, reicht in höchster Steigerung über die Tatsache des Nur-Verborgenseins des Göttlichen im Fleisch hinaus; ,denn gerade, als Gott ihn verherrlichen und in sein Königtum einsetzen wollte, ... ließ er ihn ganz im Gegenteil zuerst sterben, zu Schanden werden und in die Hölle fahren[50]‘. D. h. also, wir stehen weder vor einer einfachen Verhüllung, noch vor einfachem Widerspruch, sondern vor einer Verbindung, allerdings einer paradoxalen

---

[48] Vgl. S. 144 zu Röm 9, 3 (392, 7. 11): *Christus plus quam omnes sancti ... realiter et vere se in aeternam damnationem obtulit Deo... Et humana natura eius... non aliter se habuit quam homo eternaliter damnandus ad infernum.*

[49] Vielmehr *contrarissime dissentiat* (zu 7, 18; 343, 20—23). — *Eadem persona Christi simul mortua et viva, simul passa et beata, simul operata et quieta.* ebd.

[50] *Quem tunc, quando voluit glorificare et in regnum statuere... maxime contrarie fecit mori, confundi et ad infernos descendere...* (zu Röm, 8, 26; 377, 5 ff.).

220

Verbindung konträrer Elemente: Verhüllung der Stärke unter die Schwäche, der Weisheit unter die Torheit, des Lebens unter den Tod, der Gerechtigkeit unter das Schicksal des ‚Sünders'. Und eben dies sei, sagt Luther, überhaupt die Eigenart der offenbarenden Predigt Gottes an die Menschen. Gott verbirgt seinen Sohn in die Gestalt des leidenden Gottesknechts, seine Güte, Barmherzigkeit und Liebe in die Furchtbarkeit des Gerichtes.

So tut Gott an Christus (der uns doch als sein *opus proprium* vorgestellt wurde) ein ihm an sich ‚fremdes Werk', auf daß durch dieses ‚fremde Werk' hindurch sein eigentliches Werk geschehe, ein Gedanke, den Luther in Anschluß an Is 28, 21 vor allem in den Dictata immer wieder formuliert: *Alienum est opus eius ab eo, ut operetur opus suum*[51]. In der RV zitiert Luther die Stelle, um dann von sich aus die allgemeine Sentenz zu fällen: „Gottes Werk muß verborgen und unverstanden bleiben, gerade dann, wenn es geschieht[52].

Wenn man nach der Quelle dieser Vorstellungsart fragt, so ist — unbeschadet gewisser Anregungen etwa aus Pseudo-Dionysius — mit Bestimmtheit die Schrift zu nennen und in ihr vor allem Paulus. Mit anderen Worten, die typische Paradoxalität von Luthers Denken hat ihr Vorbild im Kreuz Jesu Christi und in der Rede vom Kreuz.

Wo allerdings das Paradoxon der *Absconditas sub contrario* zur Mitte eines Denkens würde, da ergäbe sich leicht die keineswegs ungefährliche Tendenz der Schematisierung und Formalisierung. Der Kreuzesglaube droht zur puren existentiellen Entscheidung des Glaubenden für den Gekreuzigten zu werden. (Dazu auch S. 151.) Eine solche Interpretation Luthers ist aber als klare Mißdeutung abzulehnen, obgleich damit keineswegs gewisse Formalisierungstendenzen bei ihm geleugnet werden sollen. Tatsächlich bleibt Luthers Lehre von der *absconditas* oder dem *deus absconditus*, der sich im Gekreuzigten offenbart, wie wir sahen, in den entscheidenden Punkten an die objektive Wahrheit dieser Offenbarung gebunden.

c) Mit diesem Gegensatz-Denken stehen wir im Zentrum des lutherischen Kreuzverständnisses, das zunächst ganz (entsprechend dem angekündigten Ziel des Römerbriefes) auf die Erkenntnis der Sünde

---

[51] Der Sache nach auch im Römerbrief-Kommentar enthalten, fällt gegenüber den Dictata ein starkes Zurücktreten des Begriffspaars *opus proprium* — *opus alienum* auf, was für die Abhängigkeit Luthers von der jeweiligen Vorlage und der unter ihrer Inspiration gebildeten „Zentral-Begriffe" bedeutsam ist. Anklänge in der RV zu Rm 8, 26, 376/77.

[52] Zu 8, 26 (Übersetzung Ellwein): *Necesse est enim opus Dei abscondi et non intelligi tunc, quando fit* (376, 31 f.).

gerichtet ist. Gott offenbart seine Liebe und Gnade, aber unter der Hülle des Gerichtes gegen die Sünder, nämlich unter der Hülle des Kreuzes: durch das Kreuzesgeschehen offenbart Gott die eigentliche Sündhaftigkeit der Menschen unter der Herrschaft des Gesetzes. Aber durch das Kreuz statuiert er zugleich die Heiligkeit des Gesetzes, das sowohl verlangt, daß Gott geliebt werde ‚aus all Deinen Kräften‘ und das radikal die Forderung *ne concupisces* aufstellt. So ahndet Gott im Kreuzesgericht, am eigenen Sohn, die Sünde. Aber es ist Gottes Liebe, die dieses Gericht vollzieht und uns dadurch seine Gerechtigkeit schenkt.

Eine tiefgreifende Umwandlung wird also am Kreuz offenbar: das *judicium crucis* wird zur *iustitia*. Die uns auf den Tod verklagende *lex* wird zum Evangelium von der *impletio legis* durch Christus: *Kenosis, annihilatio, destructio, descensio et resignatio ad infernum, ignominia, desperatio, derelictio, infirmitas, stultitia* werden im Zeichen der *mors mortis* (323, 1) zur Hülle ihres Gegenteils; selbst das *peccatum* wird zum seliggepriesenen, ständig zu erhöhenden *mysterium*: denn es wurde in dem ‚zur Sünde gemachten‘ Herrn zum *peccatum peccati* (323, 10), d. h. zur Verdammung der Sünde.

Hier ist nun wieder zu beachten, daß Luther zwar das Kreuz und seine verhüllende *contrarietas* bis zum Äußersten steigert, daß aber die offenbar werdende Herrlichkeit und Herrschaft Christi nicht fehlt. Die Texte zeigen durchgängig die Verbindung von *mors* und *resurrectio*. Das ganze Evangelium ist: *sermo de Christo filio Dei primum humiliato et postea glorificato per spiritum sanctum* (zu Röm 1, 3, 4; 169, 2—3).

D. Die Rechtfertigung

1. a) Wenn Luther vom historischen Kreuzesgeschehen spricht, zielt das Gesagte immer und wesentlich auf den Menschen, auf das „pro me"; also muß diese Beziehung auch immer mitgesehen werden, wenn das Kreuz Christi in sich selbst betrachtet wird.

Diese Übertragung des historischen Kreuzesgeschehens von Christus auf den Christen ist legitim möglich wegen der für Luther bestehenden realen Einheit zwischen Christus und dem durch sein Wort an ihn Glaubenden. Christus schenkt uns also nicht nur durch das Wort den Glauben, Luther kann auch sagen, Christus sei unser Glaube[53]; seine Gerechtigkeit wird die meine. Christi Kreuzestod und unser Tod stellen für Luther eine

---

[53] Zur Sache vergl. die verschiedenen Stellen oben S. 150, S. 219 (204, 17 ff.) und WA 1, 364, 23 (vgl. 2, 535, 26): durch den Glauben ist Christus in uns, ja eins mit uns. - Ich meine auch den im Text gewählten W o r t l a u t in der RV gelesen zu haben, kann ihn aber trotz allem Suchen z. Z. nicht belegen.

222

Einheit dar. Christus wird zwar immer wieder als unser *exemplum*[54] hingestellt, aber darüber hinaus besitzen Christi Tod und Auferstehung, wie schon gesagt, wirkursächliche Bedeutung für unser Heil[55], wenn wir daran glauben; und dies nicht nur als historische Erlösungstat, die uns sozusagen die Übernahme des fertigen, bereitgestellten neuen Lebens ermöglichte. Vielmehr: wir müssen auch jetzt noch den rettenden Tod des Herrn mit ihm sterben, wenn wir das Leben gewinnen sollen. Obwohl sein Tod bereits an uns in der Taufe wirksam geworden ist, muß er sich in unserem eigenen Sterben entfalten und so weiter wirksam werden[56]. Christus hat unsere Erlösung vollendet, aber nur für den, der, soviel an ihm liegt, das ganze Christusleiden bis zur Annahme der Verdammung mitgemacht hat[57], wird er der Salvator sein; wer das nicht tut, wird nicht erlöst (und definitiv werden kann diese Aneignung der Erlösung erst in unserem Tod).

b) Hierin wird, wie an vielen andern, ja eigentlich an allen zur Sache gehörenden Äußerungen Luthers, folgende formale Eigenart der lutherischen Soteriologie, wie sie sich am Menschen vollzieht, deutlich: das Punktuelle, man könnte auch sagen alles Punktuell-Dingliche, wird abgelehnt oder tritt wenigstens stark zurück (s. S. 217): das gilt ebenso für das, was eigentlich Sünde ist[58], wie in dem, was Rechtfertigung ist. Die Rechtfertigung wird nicht mit einem Mal, fix und fertig, gegeben; sie ist ein organisches Wachsen das ganze Leben hindurch, immer wieder ansetzend, weil immer auf den Tod bedroht durch die sündhafte *concupiscentia*, die so eng mit diesem Leibe verbunden ist, daß ihre volle Beseitigung dasselbe wäre wie die Zerstörung[59] des leiblichen Daseins: Rechtfertigung ist Geistliches L e b e n , ist ein rechtfertigender Prozeß der Gesundung (vgl. S. 217), der sich vollzieht durch jenes dauernde Mitleiden und also durch das Sterben hindurch.

---

[54] *Sic enim egit in opere suo proprio, quod est primum et exemplar omnium operum suorum* (377, 4 ff.) *Sicut Christus suo exemplo nos docet . . .* (366, 11 f., vgl. 389, 6; 392, 13; 519, 10; 520, 11 etc.).

[55] Gl. zu 5, 10 (51, 20—23): *Resurrectio et vita Christi est non tantum sacramentum. Sed et causa, i. e. efficax sacramentum nostre spiritualis resurrectionis et vite, quia facit resurgere et vivere credentes in eam.*

[56] *Baptizati enim sunt in mortem i. e. ad mortem, hoc est, inceperunt agere, ut mortem istam assequantur* (324, 17 ff.).

[57] *Qui noluerit pati quantum in ipso est, spoliat eum suis propriis titulis et nominibus. Sic enim nullus erit ei homini Jesus i. e. Salvator, quia non vult esse damnatus . . .* (Subjekt ist der im ersten Satz 303, 10 genannte *Dominus*).

[58] Weniger wichtig scheint Luther, wie immer beachtet werden muß, die einzelne Tatsünde, als die sündhafte Neigung in „meinen Gliedern" (Röm 6, 13) vgl. S. 245.

[59] *annihilatio* (siehe auch ‚nudus') ist, wie bereits die bisher zitierten Stellen anzeigen, ein Lieblingswort Luthers (vgl. 305, 23 ff.). Herausgearbeitet wird der Begriff im Zusammenhang mit der *tribulatio*, die dem Menschen die falsche

223

2. Und **w e r** soll sterben? Wer ist eigentlich und näherhin der zu Erlösende?

Es ist der ‚vetus homo‘, von dem Paulus spricht und mit dem es Luther
in der RV immer wieder zu tun hat[60].

a) Hier müssen wir besonders vorsichtig werden. Eine der Hauptge-
gensätzlichkeiten, auf denen Luther seine Ausführungen aufbaut, ist die
zwischen *caro* und *spiritus*. Aber der *homo vetus* ist keineswegs nur der
Mensch der ‚fleischlichen‘ Werke. Luthers scharfer, aber keineswegs grober
Sündenbegriff reicht erheblich tiefer in eine Schicht auch der Geistigkeit.
Nach Luther ist nicht die menschliche Natur als solche schlecht[61], sondern
nur das aus der Adamssünde ihr anhaftende *vitium*. Die Verderbtheit des
Menschen ist keine absolute.

Im Gegenteil: der Mensch ist *Dei capax, solo Deo saturari potest* (vgl.
373,5). Und gerade das ist seine Schlechtigkeit, daß er trotzdem versucht,
sich mit Geschöpflichem zu sättigen; darin liegt schlechthin ein *abusus sui*
(325, 8).

Das gleiche gilt für die vom Menschen mißbrauchten und zugleich
verkannten Dinge: sie sind und bleiben „in sich“ gut (373, 17; 372, 32), obgleich sie *erronea estimatione* und *fruitione perversa* seitens des Menschen für ihn *extrinsece vana, mala, noxia etc.* (373, 3) werden.

Die Schlechtigkeit hat demnach für den Luther der RV durchaus rela-
tionalen Charakter, d. h. sie beruht in der seinswidrigen Beziehung, in der
vanitas des ‚alten Menschen‘ zu sich selbst und zu der Welt, in der er sich
befindet.

Das Gesagte muß man vor allem da im Auge behalten, wo Luther in
konkreter Aussage die *natura* als radikal verderbt kennzeichnet (vgl. etwa
356, 27). Gemeint ist damit nämlich nicht die Natur „in sich“, sondern jenes
„auf sich schauen“, „für sich ausnützen“, das den *vetus homo* recht eigentlich ausmacht.

Hoffnung, *praesumptio* (305, 25; 306, 6), nimmt, so daß er *probatus* wird = *probatio*, siehe Röm 5, 4. Der Prozeß verläuft so, daß die *tribulatio „tollit omnia et
nudum ac unicum derelinquit“*, was wiederum den Menschen hintreibt zum
desperare in omnibus creaturis.

[60] Belegstellen siehe folgende Anm.

[61] Vgl. die Beschreibung zu Röm 6, 6: ‚*Vetus homo*‘ *est, qualis ex Adam natus
est, non secundum naturam, sed secundum vitium nature. Natura enim bona
est, sed vitium malum. — Non autem ‚vetus homo‘ tantum dicitur, quia opera
carnis operatur, sed etiam magis, dum iuste agit et sapientiam tractat ac in
omnibus spiritualibus bonis se exercet, immo dum etiam ipsum Deum diligit et
colit. Ratio est, quia in iis omnibus fruitur donis Dei et utitur Deo. Nec potest ab
hac perversitate abusus sui (que in Scripturis vocatur curvitas, iniquitas et
perversitas) nisi per gratiam Dei erigi . . .* (325, 1—9). — Allerdings kommt das
Wort *curvitas* in der Schrift nicht vor.

224

b) Denn das *vitium* des alten Menschen ist jene eben genannte *curvitas* (325,9) unserer Natur, die durch das *vitium* Adams so tief auf sich zurückgekrümmt ist, daß sie nicht nur die Gaben Gottes auf sich herunter erniedrigt und sie genießt, sondern, daß sie sogar Gott benutzt *(utatur)*, um zu diesem Ziel zu kommen (304, 24—28). Es ist die *prudentia carnis*, die *concupiscentia*, das ,eigene‘ Wollen des Menschen, das in allem nur sich und das Seine sucht, bis der Mensch sich selbst als Götzen dient[62].

Was auf Gott hin gebraucht werden sollte, genießt der Mensch im Selbstgenuß *(seipso fruitur*[63]*)*, Gott wird zum Mittel erniedrigt. Gut und Bös werden damit auf den Menschen hin relativiert[64].

c) Dieses *vitium* wird von Luther vornehmlich als Perversion der L i e b e verstanden. Er qualifiziert es als *fornicatio spiritualis, amor concupiscentiae*, als *concupiscentia* und *fruitio sui ipsius* etc.

Die Beziehung zur Liebe ist aber auch dort klar gegeben, wo nur die egoistische Selbstbezogenheit zum Ausdruck kommt wie in jenen Begriffen *curvitas, proprietas, voluntas propria, sensus proprius* etc. Meint doch diese Selbstbezogenheit letztlich nichts anderes als die falsche, und damit verfälschte Liebe, nämlich jene blinde Eigenliebe des Menschen, aus der heraus er *seipso fruitur et aliis omnibus utitur*. Eine Bestandsaufnahme der reichhaltigen Terminologie läßt uns eine Fülle von Schattierungen dieses *amor vitiosus* und dessen zentrale Bedeutung erkennen. Nichts kennzeichnet den *vetus homo* und sein *vitium* so sehr wie eben diese Verkrümmung der Liebe auf sich selbst, aus der heraus er Unzucht treibt mit den irdischen Gütern, um sich schließlich in der Idolatrie seiner selbst zum Götzen zu machen[65].

3. a) Luthers Beschreibung des *vetus homo* reicht aber noch tiefer. Die *incurvitas naturae* zeigt sich nämlich nicht nur in den *opera carnis*, sondern auch in der ungenügenden Art, wie der *vetus homo* gut, ja *iuste* handelt, wie er sich *in spiritualibus bonis* benimmt, ja in der Art seiner Gottesliebe (325, 4—7).

Hier stoßen wir, wenn man paradox so formulieren darf, auf einen (oder sogar den) Lieblingsgegner Luthers. Es sind die Menschen, die er ,Pharisäer und Juden‘ schimpft, und deren Repräsentanten er vor allem in den Reihen der Geistlichen sieht. Sie vor allem stellen diese höhere

---

[62] *Que . . . se in omnibus querit et sua. Hec facit hominem esse sibi ipsi obiectum finale et ultimum et idolum, propter quem ipse omnia agit, patitur, conatur, cogitat, dicit . . .* (361, 12—17).

[63] Das Gegenteil vgl. 379, 19.

[64] *. . . ea sola mala, que sibi mala . . .* (361, 17—18).

[65] Das häufige Zurückgreifen auf dieselben Stichworte ist nicht überflüssige Wiederholung; sie entspricht der unermüdlichen, immer wiederholten Bemühung Luthers um die gleichen zentralen Anliegen. Wer die Texte aufmerksam studiert, dem werden die wechselnden, vertiefenden Aspekte nicht entgehen.

225

aber darum um so verderblichere Form des *vetus homo* dar: Menschen, die (dem äußeren Tun nach) sich in Gerechtigkeit, Weisheit und allen geistlichen Gütern üben und die in dieser Art sogar Gott ‚lieben' und ‚verehren'; aber sie sind dem Irrtum und der stolzen Anmaßung verfallen, das Gesetz sei schon mit eben diesen Werken erfüllt.

Man hüte sich, in diesem, von Luther so oft (und manchmal sicherlich zu leicht) ausgesprochenen Tadel nur so etwas wie eine moralistische Entrüstung gegen die *bien pensants* zu sehen! Im Sinne Luthers geht es dabei um Wesentliches. Um nichts Geringeres als um das entscheidende Gebot Gottes. Das Gesetz, um dessen Verständnis sich der Apostel bemüht, fordert ja die ‚reine Liebe', d. h. das Tun *omnibus viribus*. Aber eben dies erfüllen jene nicht; sie dienen vielmehr Gott nur bedingungsweise, wie ein *mercenarius* oder *servus*, sie üben eine ihnen selbst gehörende *iustitia domestica*, sie pochen auf ihre Tugenden, sei es vor den Menschen, sei es vor sich selbst, oder sie glauben, mit einer oberflächlichen ‚guten Meinung' schon die genügende innere Haltung vor Gott erreicht zu haben[66]. Es sind die falschen Brüder, für die Luther mit Vorliebe den Ausdruck *iustitiarii* gebraucht.

Das *magis* an Sündhaftigkeit gerade bei diesen Menschen der ‚guten Werke' besteht darin, daß sich hier der *vetus homo* nicht nur in die einfache, handfeste Sünde verliert, sondern daß er sich an den geistlichen Gütern, sogar an Gott selbst vergreift und die höchste Tugend zur Bosheit macht.

Dieses *vitium* übertrifft das andere auch noch an Gefährlichkeit. Denn je geistiger und geistlicher es wird, um so mehr wird es zur *pestis sublimis*, vor der selbst die Heiligen nicht sicher sind, eine *pestis*, die als *profundissima* in die Natur eingeht, so daß sie ohne Gnade nicht nur unheilbar, sondern auch unerkennbar wird (vgl. 361, 20—21[67]).

b) Und noch einmal reicht die Radikalität des *vetus homo* in diesem Umkreis geistlichen Tuns tiefer. Luthers Denken erreicht in der Beschreibung des Paradoxons des Kreuzes dort einen neuen Höhepunkt, wo er die innere Sündhaftigkeit des Menschen auch in der *novitas vitae* entdeckt. Denn erst hier beginnt eigentlich die große Aufgabe des *peccato mori*, in welchem der Christ nicht auf natürliche Weise, sondern ‚spiritualiter' Sünder werden, d. h. ‚sterben' muß (vgl. 233, 5 ff.). Gerade mit dem Wachsen des ‚neuen Lebens' ergeben sich die Gefahren der oben umschriebenen *proprietas spiritualis* ganz, und gerade das Wachsen der Liebe und der Gemeinschaft mit Gott deckt die ganze Nichtigkeit des Menschen auf. In

---

[66] Rm 12, 17: 473, 29; Rm 13, 10: 483, 21, 413, 12 ff.

[67] Immer wieder begegnet diese Gegenüberstellung der zwei Formen von *vetus homo*, wobei sie Luther meistens durch die Bezeichnung *sinistrarii* oder *dextrarii* auseinanderhält (vgl. 240, 22 ff.; 158, 21 etc.).

226

der *novitas vitae* vollzieht sich nämlich nach Luther sachlich jene Wandlung, die uns dem ,zur Sünde gemachten Christus' angleicht. Die ,Sünde' des *homo spiritualis* steht in enger Beziehung zu jener anderen, die Christus zu seiner eigenen gemacht und für uns getragen hat. Denn wer die Spannung erträgt und *per fidem seipsum captivat et destruit,* der erfährt an sich das ganze Christusmysterium: *Sic ,verbum caro factum est' et ,assumpsit formam servi,' ut caro verbum fiat et homo formam assumat verbi* (329, 30 ff.). Denn besonders jetzt, bei dem *spiritualiter mori,* muß jene Probe bestanden werden, von der vor Gott aller Wert oder Unwert abhängt: es geht um die freie Hingabe.

Unermüdlich hat Luther in den verschiedensten Ausführungen (kritisch wie positiv) gezeigt, wie sehr er von der für das Neue Testament entscheidenden synoptischen Lehre von der ,besseren inneren Gerechtigkeit' ergriffen ist. Vor Gott kann nur gelten, was aus dem Herzen kommt. Das variiert er in hundert Ausführungen und Bezeichnungen, auf die wir bereits in verschiedenen Zusammenhängen stießen: *corde, voluntarie, sponte, hilariter.*

Er hat damit zugleich die christliche Freiheit wie die zentrale Bedeutung des christlichen Grundgesetzes ,Gewinn durch Verzicht' begriffen und gefordert: Wer sein Leben bewahren will, wird es verlieren (Mt 10, 39); das Samenkorn muß sterben (Joh 12, 24); der Mensch muß sich hassen (Luk 14, 26). So kommt Luther allerdings zu radikalen Konklusionen, für die er aber die angeführten Worte der Schrift und andere zur Hand hat: der geistliche Kreuzestod des Menschen wird zur entscheidenden Krisis: *Qui timet . . . mortem et diligit plus vitam, nondum habet Christum per veram fidem* (331, 3—4). Luther begnügt sich nicht mit der Furchtlosigkeit, er steigert sich bis zur Forderung freier und froher Liebeshingabe an das Kreuz: *,Spiritu Dei agi'* est: *libere, prompte, hilariter carnem i. e. veterem hominem mortificare . . .* (366, 14—15[68]).

A l l e s Widerstreben ist eben für den Luther der RV Äußerung der *natura incurvata,* der *vetus homo* regt sich, er ist noch nicht bereit genug, rein die Hingabe an Gott im Sterben mitzuvollziehen[69].

c) Das Kreuzesschicksal (Verfolgung, Verleumdung, Schmach) gewinnt so die Macht eines untrüglichen Zeichens unserer Annahme durch Gott: die *probatio* wird zur *approbatio.* Denn nichts, was aus Gott ist, kann in

---

[68] Vgl. die Grade der Hingabe an die *tentatio* 303, 25 ff., die Grade der Todesbereitschaft 324, 24—32.

[69] *Hec autem est propriissime mors, quia in omnibus aliis mortibus manet aliquid mixtum vitae, preterquam in ista, ubi est purissima vita solum, quia eterna* (322, 18—20).

der Welt außerhalb des Gekreuzigtwerdens bleiben; und solange etwas nicht ans Kreuz geschlagen wird, gibt es keinen Beweis dafür, daß es aus Gott sei[70].

Selbst das dunkle Geheimnis der Prädestination erfährt auf diese Weise seine Aufhellung. Die Furcht vor der Verdammung wandelt sich durch die freie Entscheidung *pro Dei voluntate* zum Zeichen der Erwählung (vgl. 387/88). Die ganze RV durchzieht dieses Motiv eines gewissen Todes-Enthusiasmus, den Luther mit zahlreichen Mystikern teilt.

Tatsächlich ist das Kreuz furchtbar für den Starken wie für den Schwachen. Es bietet schlechthin keinen Ansatz mehr für die Selbstbehauptung des *vetus homo:* nicht für den Heroismus des Starken, nicht für die tausend Fluchtversuche des Schwachen; das Kreuz ist nur auszuhalten. Nicht einmal der passive Einsatz, die Macht des Leidens, hat Platz am Kreuz. Denn die *infirmitas,* zu der Christus uns ruft, ist für den *vetus homo impotentia, patientia ignominiosa* (schmähliche Niederlage 194, 11), die uns in die Gesellschaft der Sünder fallen und uns deren Schicksal erleiden läßt. Im Kreuz ist wirkliche Ohnmacht[71]: *voluntas iacet mortua* (210, 6)[72].

d) Im Umkreis der furchtbaren Geheimnisse des Kreuzestodes und der Prädestination dürften allerdings manche Behauptungen und Forderungen dem jungen Professor Luther etwas zu leicht aus der Feder geflossen sein. Allzu häufig wird das Dunkle und Unbegreifliche durch die Hereinnahme in die Kategorie der *contraria specie* in hintergründiger Tiefe angeblich erläutert. Denn, wie in seinem ganzen Werk, beansprucht Luther auch

---

[70] *Quicquid enim ex Deo est, in mundo necesse est crucifigi, et donec perducatur ad crucem . . ., non cognoscitur ex Deo esse. Quippe cum unigenitus filius non fuerit ab hoc supportatus, immo in exemplum huiusmodi positus . . .* (194, 9—13).

[71] Ein eigenes Kapitel müßte diese vielfältig von Luther geforderte passivische Grundhaltung aus der RV erheben. (Der Mensch muß sich, das heißt Verstand, Willen Tugend, Werk, allem und jedem Tun und Denken mißtrauen, er muß Gottes Gericht, Gottes Wahrheit und Willen *sub contraria specie,* Gottes Prädestination, etc. aushalten: er muß ganz Hörer werden; vgl. 447, 7 f.) Um so eindrucksvoller würde sich auf diesem Hintergrund Luthers in Anlehnung an Bernhard vorgetragene Lehre vom unablässigen Ringen um Rechtfertigung (siehe unten S. 233) abheben. Und es würde sich der Rahmen ergeben, innerhalb dessen das seinen rechten Platz hätte, was Luther an Anregungen zur Askese bietet oder zu bieten versäumt.

[72] Auch hier (vgl. Anm. 9) ist das, was man als ‚humilitas-Theologie‘ der restlosen *fides ex auditu* (als dem erst ganz ‚Reformatorischen‘) entgegensetzen will, so sehr überboten und erfüllt, daß die intendierte Unterscheidung dahinfällt.

hier, als verbindlicher theologischer Lehrer zu sprecher (vgl. S. 134). Spätere selbstkritische Äußerungen und die nachweislich übertreibenden diesbezüglichen Urteile in der Vorrede von 1545 ändern daran nicht[73].

4. Der *vetus homo* und sein *vitium* bestehen also auch noch im ‚Gerechten'. Luther betont ihre Wirklichkeit immer wieder so stark, daß nichts seine Lehre ungenügender wiedergäbe, als wenn man diese Dauerbedrohtheit irgendwie vertuschen würde. In uns lebt ein *peccatum manens;* die volle Heilung von der Sünde gibt es nicht in diesem Leben. Auf dieser Welt wohnt die *iustitia* noch nicht (276, 2)[74]. Die Kirche ist nur das Krankenhaus der zu Heilenden. Erst der Himmel wird der Palast der Gesunden und Gerechten sein[75].

a) Diese Ohnmacht des Menschen und diese Mächtigkeit der Sünde in ihm stellen die entscheidende Frage: ist die Kraft dieses *peccatum manens* in irgendeinem echten Sinne des ‚Gerechtfertigtwerdens', des ‚Gesünderwerdens' überwindbar oder nicht?

Man kann — um es noch einmal zu sagen — Luthers Pessimismus über die Sündhaftigkeit oder Sündlichkeit des Menschen nicht stark genug betonen. Aber gerade darum ist es notwendig, ebenso klar dies andere herauszustellen: die *concupiscentia* ist nach den Worten der RV nicht unüberwindlich. Luther beschreibt die Überwindung als schwer und sehr schwer, (331, 9 ff; 330 öfter), aber andererseits als leicht[76]. Der treue Gott läßt uns nicht über unsere Kräfte versuchen, sobald der Glaube die Seele rein macht; denn dann wächst immer mehr im geistlichen Menschen der Haß gegen das *ad quod impugnatur* (331, 21).

Wir sahen, daß es sich bei der Erlösung des *vetus homo* um eine radikale, innere, wenn auch bis in den Tod sich hinziehende Umwandlung handelt (vgl. S. 226). Luther bezieht sie ausdrücklich auch auf die grundlegende Sünde *(peccatum radicale)* in uns, die er so entschieden von ein-

---

[73] Auch K. K i n d l, Die Reformation im Urteil der Reformatoren, in: Karrer-Festschrift (1959), 602 ff. kann weder die Übertreibungen Luthers noch den Widerspruch zu feststehenden Tatsachen beseitigen. Man kann auch nicht Luthers Widerspruch zum Papsttum verharmlosen (‚nur der Handel des Mainzers habe alles verdorben'), denn gleichzeitig hält er ja fest *papam necessario esse ex diabolo* und arbeitet an der Schrift: „Wider das Papsttum in Rom. Vom Teufel gestiftet." (1545)

[74] Vgl. dazu die Anm. 69.

[75] *Ista vita est vita curationis a peccato, non sine peccato* im Sinne von *finita curatione* und *adepta sanitate* (275, 26 f.). Vgl. auch: *Samaritanus noster Christus hominem semivivum egrotum suum curandum suscepit in stabulum et incepit sanare . . .* (272, 11 ff.) (vgl. S. 51).

[76] 33, 16. Dazu ebd. 20: *Si intus mundus fuerit, facile et velut sua sponte corpus et omnia foris munda erunt.* Luther zitiert dazu zustimmend Is 11, 4: *Qui credit et iustus est in spiritu, eo ipso iam luxuriam facile vincit et captivat.* — Dazu 331, 15: *Peccatum dum . . . non dominatur, servire cogitus sanctis . . . Omnia cooperatur in bonum, facit ut possitis sustinere.*

229

zelen Tatsünden unterscheidet (271, 3): durch die Gnade wird uns inwendig gegeben *ipsa inclinatio ad bonum et declinatio a malo* (271, 12). Auch von daher ist also die gestellte Frage positiv zu beantworten.

b) Worauf es ankommt, ist dies: der *homo spiritualis* muß der *concupiscentia* Widerstand leisten, damit die in uns bleibende Sünde *non dominatur nobis*, damit vielmehr der Geist in uns sie, die früher über uns herrschte, zerstöre (314, 3). Der Mensch soll sie „aushalten" (*sustinet* 346, 13 f)[77] und als Kämpfer stehen zwischen den *contrariae leges*, dem des Fleisches und dem des Geistes[78]. Denn das Gesetz des Geistes ist gut (eine Aussage, die dadurch ihre ganze Tragweite gewinnt, daß der Mensch eine Einheit ist, nicht nur *homo carnalis*, sondern auch *spiritus*[79]). Das tritt besonders deutlich gerade in der Kommentierung des schwierigen 7. Kapitels des Römerbriefes hervor.

In diesem ganzen Kapitel arbeitet Paulus mit einem Sündenbegriff, der neben der eigenen Schuld-Sünde dem Wort einen stark objektivierten Sinn gibt als einer Macht, die in mir ist, die Sünde genannt wird, die zur Sünde reizt und zur Sünde führt, die aber keineswegs zur Sünde führen muß; das heißt: die nicht einfachhin mich sündigen macht. Was also Paulus tut, *malum*, obschon er es nicht will — und was er nicht tut, obschon er es will, *bonum* —, damit ist es so, daß nicht er der Täter ist, sondern *quod habitet in me, peccatum*. Genau dies sagt Luther (342, 31): *Ideo etiam non peccat, quia, cum dissensu suo caro concupiscit.* Man kann nicht einmal im eigentlichen Sinne sagen, daß er *concupiscit, quia dissentit concupiscentiae carnis.*

Von dieser Einheit der menschlichen Person aus kann also Luther mit Recht sagen, daß der Mensch dasselbe ‚tut' und nicht ‚tut'. — Hier taucht auch jenes Bild vom Reiter und Pferd auf, das später in „De servo arbitrio" in tieferem Sinn zu jener verhängnisvollen Übersteigerung (von Gott oder vom Teufel geritten) gebracht werden sollte: *Sicut sessor, dum equi non omni voto eius incedunt, ipse et non ipse facit, quod incedit taliter* (343, 3 ff).

---

[77] Luther hat für diese Abwehr-Haltung eine große Anzahl von Bezeichnungen: *reluctari; non servire; non victus* oder *deditus esse; non sapere quae carnis sunt, licet operentur ea* (311, 6); *non consentire concupiscentiis* (320, 23); *desideriis . . peccati . . . non oboedire* (320, 26), *non-consensio, repugnantia spiritus* (ebd.); *odi, destruere, mortificare, petere exitum (petere) advenire regnum eius* (321, 17); *opera poenitentiae* (321, 19); *sedule expugnare studere* (350, 7); *cum dissensu* (342, 31); *viriliter agressi cum suis vitiis* (359, 11) etc.

[78] *Idem homo simul est spiritus et caro* (350, 27).

[79] Natürlich kann eine ganz scharfe Analyse nicht einfach über das Ungleiche der beide Male gebrauchten Terminologie hinwegsehen: ‚zerstört werden' ist zum mindesten etwa anderes als ‚aushalten'; siehe die folgende Anm.

230

Der Mensch tut also die Sünde, obgleich er sie nur *facit carne;* denn er ist nach *caro* und *spiritus* einer[80]. Aber das gleiche gilt auch für das *resistere.*

5. a) Die Kraft zum *resistere* kommt natürlich nur von Gott. Sozusagen das Mittel dazu, von dem Luther ganz besonders oft spricht, ist (außer dem immer vorausgesetzten Sündenbekenntnis vor Gott) das Seufzen des *spiritualis homo* zu Gott *pro liberatione*[81], damit die Sünde nicht herrsche, sondern wir sie aushalten *(sustineamus)* bis Gott sie hinwegnimmt[82]. Diese Haltung oder Aufgabe wird, wie die Texte zeigen, oft als eine scharfe innere Spannung empfunden. Luther kann sie aber auch in auffallend ruhiger Gelassenheit beschreiben (was den Ernst nicht im geringsten mindert): der königliche und friedvolle Weg *(regia via et via pacis)* im Geist ist dieser: die Sünde zwar erkennen und hassen und also in der Furcht Gottes wandeln, er könne uns von ihr beherrscht werden lassen — und dennoch seine Barmherzigkeit bitten, er möge uns davon befreien[83]. In der (von Luther immer wieder betonten) rettenden Hoffnung auf die Barmherzigkeit sollen wir seufzen wie ein Rekonvaleszent, für den es gut ist, wenn er (nur) langsam gesund wird; derweil soll der Sünder *aliquas inbecillitates (!)* aushalten. Es genügt, daß uns die Sünde mißfällt, auch wenn sie nicht ganz verschwindet. Denn Christus trägt all das Unsrige, wenn (!) es mißfallen sollte; *et iam non nostra, sed ipsius sunt et iustitia eius nostra* (267, 1—7)[84].

b) Was Luthers Darlegungen in diesen Fragen (Rettung des *homo vetus,* Besiegung der Konkupiszenz) immer wieder tief kennzeichnet, ist ein dauerndes Mühen, das Ineinander festzuhalten von Verfallenheit,

---

[80] Vgl. dazu: *carnem, partem sui, sibi tribuit* (343, 9); *spiritus et caro coniunctissime sunt unum, licet diverse sentiant* (344, 31 ff.).

[81] 271, 28; der geistliche Mensch *gemit ac dolet ac liberari cupit* 346, 18; *petere exitum* und *advenire regnum* 321, 18. *Deum quaerere in spe et timore* 278, 15; 283, 8; 282, 28. *Gemitu, lacrimis, lugendo et laborando expugnarent atque expurgarent* (350, 3); *gemit et dolet* 346, 18; 276, 6. 15; 235, 37.

[82] 272, 1 f. (auch hier das Bild des genesenden Kranken) und oft. — Vgl. die Stufen der *remissio: incepit* 274, 2 und oft; *non perfecte iustus* 272, 17 etc.

[83] 283, 9 *ut nos ab eo liberet et non imputet* (Nebenbei: diese Zusammenstellung (auch die gleichfolgende) ist für die Deutung des *imputari* hilfreich). — Der Sinn des *ita in timore Dei incedere, ne imputet et dominari permittet* in Z. 8 f. ist nicht eindeutig. Im Unterschied zu der im Text gegebenen Übersetzung könnte man auch (mit Ellwein 1, 283) übersetzen: und so in Gottesfurcht wandeln, daß er nicht . . .

[84] Zu diesen Gedanken passen Luthers Warnungen vor einem ungezügelten Streben nach schneller Vervollkommnung und einer zu hohen Reinheit: 266, 25 ff.: *Stulto labore . . . ut conentur esse mundi et sancti sine omne peccato.* Weiterhin: *Quamdiu sentiunt se peccare . . . ita iudicio terret et conscientiam fatigat ut prope desperent . . . ita ut nimiam festinent exuere omnem concupiscentiam. Quod ubi non potuerunt, tristes, deiectos, pusillanimos, desperatos, inquietissimos in conscientia facit.*

231

bleibender sündhafter Konkupiscenz und echter Rechtfertigung[85]. In immer neuen Formulierungen predigt Luther sein *simul iustus et peccator*, wobei er sich geradezu als unersättlich, aber auch als unerschöpflich erweist in paradoxalen Formulierungen des Zustandes, in dem wir zugleich Sünder sind und Nichtsünder, Gerechte und Nichtgerechte, Gerechte, aber nicht ganz gerecht, wo die Sünde zugleich bleibt und nicht bleibt, hinweggenommen und nicht hinweggenommen wird[86], wo dann freilich auch so gefährliche Ausführungen vorkommen, wie *peccatores in re, iusti autem in spe* (269, 30). Luther vergißt auch nicht, auf die ‚wunderbare und süßeste Barmherzigkeit Gottes‘ und auf den ‚wunderbaren und harten Zorn‘ Gottes (ebd. 12) zurückzugreifen, die dieses Ineinander verwirklichen (270, 9).

c) So ist der Mensch durch die *concupiscentia* Sünder; aber durch sein *mea culpa* vor Gott, sein *reluctari* gegen den *fomes peccati* und sein Seufzen nach Gottes Barmherzigkeit ist er *homo spiritualis, justus*, das heißt *simul iustus et peccator* (vgl. S. 149).

Es handelt sich dabei aber nicht um einen starren Zustand, sondern, wie schon gesagt, um einen Besserungsprozeß, worin das ‚Bessere‘, das Gerechtsein, echte Wirklichkeit ist. Luther findet einmal dafür diese schöne Formulierung: wer zur Beichte geht, meine nicht, er lege dort seine Bürde ab, um nun geruhsam leben zu können. Er soll wissen, daß er, indem er die Last ablegt, zum Kriegsdienst Gottes antritt (350, 12 ff).

Es ist ein bedeutender Beweis für die innere Geschlossenheit von Luthers hier zu Diskussion stehende Grundgedanken, daß sie ihn dazu führen, gerade im Paulus des 7. Kapitels mit dem Schrei um Befreiung von diesem Todesleib der Sünde den geistlichen Menschen zu erkennen: denn, so schließt er, gerade Derartiges hört man von einem *homo carnalis* nicht (vgl. 346, 15 mit dem dort Folgenden).

---

[85] Das führt freilich auch zu Folgerungen, die man doch wohl als verklausuliert ansprechen muß, z. B. 512, 20 ff. *Queritur ergo, an impius tunc peccet, qui non credit, quia non agit ex fide, ergo nec contra conscientiam, immo credit false, ergo ex fide huiusmodi falso agens non peccat?* Die sachliche Schwierigkeit liegt nicht zuletzt darin, daß Luther die Ansicht vertritt, eigentlich, aus ihrer Natur heraus, sei die Konkupiscenz Todsünde, da sie ja gegen das Mark des Gesetzes *ne concupisces* sei (513, 17 ff.).

[86] 269, 27 ff.: *In veritate iniusti sunt, Deo autem propter hanc confessionem peccati eos reputanti iusti . . . Omnis sanctus est peccator;* 270, 9: *mirabilis et dulcissima misericordia Dei, qui nos simul peccatores et non-peccatores habet. — Simul manet peccatum et non manet.* Z. 12: *Rursum mirabilis et severa ira: qui simul impios habet iniustos et iustos. Simul tollitur eorum peccatum et non tollitur. —* 271, 30: *ergo in nobis sumus peccatores et tamen reputante Deo iusti per fidem.* Auch die Wendung vom neuen Sein zu einem anderen neuen Sein (*de bono in melius* 441, 21) steht unter diesem Gesetz der Spannungseinheit: *partim peccatores, partim iusti,* immer *poenitentes;* oder *iusti, sed non toti.*

6. Gewisse passivische und pessimistische Grundzüge der lutherischen Anthropologie werden ergänzt durch die Forderung (die bei Luther zentrale Bedeutung erlangt), im Ringen um die Gerechtigkeit nicht nachzulassen (vgl. S. 228 und 231). Der Sünder soll durch alle Anstrengungen das Verlangen hindurchtragen, gerechtfertigt zu werden. Luther beruft sich hierfür mehrfach auf den hl. Bernhard, der aus einem organischen Ganzheitsdenken heraus vor jedem Ablassen im Kampfe warnte: *Ubi incipimus nolle fieri meliores, desinimus esse boni*[87].

Der eben oben herangezogene Gedanke der *militia Dei* (350, 14) steht in ähnlicher Weise wie ein Imperativ über dem Leben des Christen.

a) Luther strebt durchaus nach der Heilsgewißheit; sie wird etwa ab 1518 zu seinen Grundgedanken gehören. Aber die *securitas* lehnt er ab (276, 12 f; 282, 16 f). Jene falsche Sicherheit ist besonders gefährlich, wenn sie den Menschen in dem Wahn wiegt, er habe wirklich ein gutes Werk getan: das „Herunterleiern" der Psalmen ist dafür ein Beispiel: *harum specie decepti securi efficimur, quasi vere oraverimus* (465, 29 f). Diese Selbstsicherheit ist auch deshalb von Übel, weil neben dem Glauben für den Christen die Hoffnung zentral ist; sie aber schließt die *securitas* aus (vgl. zu Röm 12, 12: *spe gaudentes* 465, 1 ff.). Luther lehrt durchaus und in vielen Formulierungen wie Paulus das „Haben als hätte man nicht".

b) Luther macht eben radikal ernst mit dem *in-via*-Sein des Menschen, das heißt er spricht diesen Grundsatz nicht nur theoretisch aus, wiederholt ihn auch nicht nur oft, sondern er ist immer wach in ihm, er wird mit großem Nachdruck von verschiedenen Seiten her vertreten. Solange der Mensch in diesem Leben weilt, ist er bedroht. Es genügt also nicht die Taufe oder die *poenitentia;* der Glaubende ist noch nicht *salvus;* es genügt nicht, durch den Glauben an Christus die *gratia iustificationis* zu empfangen, sondern Christus muß immer bis in die Ewigkeit hinein als Schutz und Hilfe hinzu (simul) kommen (298, 30 f).

In diesem Gefühl der Ungesichertheit und des Kampfes des Christen, solange er lebt, wird z. B. Luthers erste Ablaßthese (WA 1, 233) wurzeln. Von daher sein Mißtrauen gegen den Ablaß, als ob das Heil durch einen einzelnen Akt ein für allemal und definitiv gesichert werden könne.

Non-imputatio, iustificatus (278, 11), *timor* und *in spe* wechseln mit- und durcheinander 282, 12. — 347, 4 (zu 7, 25): *Ergo ipse mente servio legi Dei, carne legi peccati* (nicht *mens*, nicht *caro*, sondern *ego*, die ganze Person, der *totus homo*; Z. 2: „*Vide ut unus et idem homo simul servit legi Dei et legi peccati, simul iustus est et peccat.*" — Z. 9 ff. „*simul sancti, dum sunt iusti, sunt peccatores; iusti, quia credunt in Christum, cuius iustitia eos tegit et eis imputatur, peccatores autem, quia non implent legem, non sunt sine concupiscentia . . ., revera aegroti, sed incohative et in spe sani seu potius sanificati i. e. sani fientes, quibus nocentissima est sanitatis praesumptio . . .'"*

[87] 239, 22; vgl. 441, 21. Für Bernhard s. PL 182, 587 f.

Derartiges dünkt ihm vielmehr eine Art der alten verwerflichen Gesetzesgerechtigkeit, der Eigengerechtigkeit, die zwar in diesem Falle durch den Glauben an Christus erworben wäre, dann aber eine Absage darstellte an die Grundforderung, daß man sich vor Gott als *iniustus* anerkenne. Die Glaubenden, die das nicht erfüllen, machen sich aus den Werken des Glaubens Werke des Gesetzes und des Buchstabens.

c) Luthers Ganzheitsdenken lehnt die abstrahierende und statische Denkweise der Scholastik in der Beschreibung der Erbsünde ab und setzt an deren Stelle eine lebensvollere, organischere und dynamischere Auffassung des den ganzen Menschen durchherrschenden Defekts. In dieser Art ist auch Luthers Rechtfertigungslehre zu verstehen und seine Auffassung von der Sünde, die ja vor allem *peccatum manens* ist, das heißt wesentlich *radix*, Wurzel und Frucht im Menschen.

d) Luther predigt andererseits auch eine *iustitia universalis*, mit der Gott die Welt regiert, „daß durch sie in allen, für alle und von allen geschehe, was geschehen soll" (448, 1 ff). Aber auch diese *iustitia universalis* vollzieht sich nicht im korrekten, aber seelenlosen Befolgen von Kirchengeboten, etwa der Ordnungen des Chorgebetes; es geht um eine andauernde Hingabe *assiduam operam orationi dandam* (466, 5 f.); sie wird auch vom priesterlichen Gebet gefordert, einem *labor super omnis labor* (Ebd. Z. 8; vgl. 465, 29 f., oben S. 233).

7. Alles Ringen und Kämpfen des *homo spiritualis* gegen die Sünde ist — auch wenn man es bei Luther nur zögernd anerkennt — Askese. Die Behauptung allerdings, in der Kreuzestheologie sei die Askese grundgelegt, erhellt nicht viel; es kommt darauf an, w i e sie hier begründet ist. Andererseits ist es noch kein entscheidender Einwand, wenn gesagt wird, Werke an sich hätten für Luther keinen Wert. So wahr das ist, so richtig ist auch, daß sie für ihn aus dem Glauben folgen müssen und daß er das Ringen der Askese in der RV wahrhaftig nachdrücklich fordert.

Wenn auch der spätere Luther dem asketischen Streben des Menschen zuwenig Raum zugewiesen hat, so soll doch beachtet werden, was er in der RV zu diesem Aspekt des Rechtfertigungsvorganges zu sagen hat.

a) Ausgehend von einer starken asketischen Selbstbeobachtung in seinen jungen Jahren (vgl. S. 148) hat Luther über dem Evangelium keineswegs den drohenden Zorn Gottes vergessen. Wenn ihm auch eine genügend ausgeglichene Darstellung dieser Frage nicht gelungen ist, so bleibt doch Holl im Recht: das Evangelium ist Luther (im ersten Gebot) in der Form des Gebotes entgegengetreten[88].

---

[88] H o l l. Ges. Aufs. 3 (Der Westen) 244 ff. Für die RV vgl. zu 4, 13 (43, 17 ff.): *Sicut et modo per fidem iustificatis precipitur, ut operentur bonum et iugiter se circumcidant a pravis concupiscentiis et carnem mortificant . . . Velut signis probant sese habere fidem et iustificatos esse.*

234

Natürlich ist der Glaube die Grundlage dieses Gebotes und damit der Askese: *Per fidem prius anima castificanda (!) est;* erst dann ist echte Keuschheit möglich (333, 16), aber die Übung im Guten ist für Luther wichtiger Ausdruck christlichen Lebens und Strebens (vgl. 257, 30 f.)

Allerdings bedürfen die von Luther in diesem Zusammenhang gebrauchten Formulierungen an manchen Stellen noch behutsamer Umgrenzung. Luther spricht nur eine christliche Grundwahrheit aus, wenn er fordert, jeder müsse sein Kreuz auf sich nehmen, sonst sei er des Herrn nicht wert. (Neben Mt 10, 38 zieht Luther auch 1 Kor 1, 17, Gal 5, 11 und Phil 3, 18 heran.) Zu diesem Kreuz gehören nun sicherlich auch Anfechtungen und Versuchungen. Aber Luther geht weiter: der Christ dürfe die Anfechtungen und Versuchungen nicht fliehen (vgl. 301, 19 f.), ja, er sagt in diesem Zusammenhang recht ungeschützt, die Anfechtung macht den guten Menschen besser, den schlechten schlechter (301, 1 ff.)[89].

Möglicherweise hält Luther hier die Termini nicht scharf genug auseinander; er führt einfach aus: *Nisi Deus per tribulationem nos examinaret, impossibile esset, quod ullus hominum salvus fieret* (304, 23 f.). Das klingt reichlich bedenklich; nimmt man *tribulatio* freilich allgemein im Sinn von Prüfung, dann führt diese Aussage tief in die Kreuzestheologie hinein.

Und hierher zielt Askese ja überhaupt: in Leiden, Fasten und guten Werken sollen wir in unserem Herrn Jesus Christus erneuert werden; wir sollen ihn *per imitationem et reformationem* anziehen (128, 11) und auch *per contemptum mundum subicere* (476, 14 f.). Der Christ muß hart sein gegen die Klugheit des Fleisches und gegen das, was ihm gut dünkt: *Noli parcere corpori, ut salvus sit spiritus. Esto crudelis in hominem veterem, ut sis misericors in novum* (517, 25 ff.). Auch in schlimmster Anfechtung soll der Gläubige Widerstand leisten; so wird er kämpfend erprobt *sicut aurum in fornace* (330, 26). Zur werdenden Rechtfertigung gehört Mitarbeit des Menschen (vgl. 324, 29 ff.), zur Buße die Auswirkung auf das Leben (vgl. 321, 9 ff.).

b) Sicher geht es Luther hier nicht um „Werke", aber ebenso sicher darum, daß der Glaube im Tun fruchtbar werde. Und dies ist ein eminent katholisches Anliegen. Die Haltung der Christen zur Welt ist nach Luther in vielen Stücken durch Verzicht gekennzeichnet: *omnibus rebus mortui sunt, saltem affectu, licet effectu rebus utantur necessitate, non voluntate Christiani, qui illud audiunt sui Magistri: Nisi quis renuntiaverit omnibus quae possidet, non potest esse meus discipulus.* Auch in einem solchen Verzicht nach Lk 14, 33 liegt Askese. Luther zitiert weiter: *Qui utuntur*

---

[89] Dazu 331, 18—22: Die Versuchung zur *luxuria* mache *castior*, die zur *superbia humilior* etc. Dem geistlichen Menschen wird die Sünde immer mehr verhaßt. *Ideo utilissima est tentatio.*

hoc mundo, quasi non utuntur (1 Kor 7, 31 vgl. S. 233) und fährt echt lutherisch-paradoxal fort: *et bene operantur, quasi non operentur. Deo enim haec omnia operantur . . . nihil in illis, quae sua sunt, quaerentes* (520, 13 ff.).

c) Da die RV ständig gegen Pharisäertum kämpft, können wir erwarten, daß sie auch dessen Art der Frömmigkeit, das multiplizierte und gebotene Beten und Fasten, nicht ungeschoren läßt. Vom Beten der Priester hörten wir schon. Bestimmte Festtage, Speiseverbote, Vorschriften über den Kirchenbau, über Schmuck und Liturgie (Gesang), über Priesterkleidung und Haartracht; das alles sind für Luther gemäß der *nova lex* nur *umbra, signa et puerilia* (494, 3). Vielmehr ist alles frei und erlaubt, soweit die *modestia* und die *charitas* nicht verletzt werden.

Wie fügt sich dies in praxi zu den asketischen Forderungen Luthers? — Liest man diesen Text genau, scheint ein gefährlicher Spiritualismus nahezuliegen. Gewiß kann jeder Ort heilig und zum Gebet geeignet sein, trotzdem ist es gefährlich, einfach jeden Ort als gleichermaßen heilig zu bezeichnen. So wenig das Heil an einer bestimmten Art des Gesanges hängt, so unersetzliche Werte birgt in der Ordnung des Lebens die Liturgie in einer geweihten Kirche, und so ausgezeichnet ist im Laufe der von Gott geleiteten Geschichte die Zeit seiner Geburt, Kreuzigung und Auferstehung.

d) Luther selbst hält übrigens seinen hier etwas leicht gebauten Radikalismus nicht durch: jene Freiheit darf man nicht mit den Pickarden mißbrauchen, wie viele tun (494, 9 ff.). Denn Röm 3, 8 droht gerechte Strafe an für die, die denken: „Laßt uns Böses tun, damit Gutes daraus entspringe!" Wir kommen nicht *otiosi* in den Himmel! (Ebd. Z. 19 f.).

e) Die Moraltheologie war offenbar nicht Luthers Stärke. Die eben angedeuteten Schwankungen werden erheblich überboten durch ein Zurückweichen, das man am wenigsten bei ihm erwartet hätte. In der Glosse zu Röm 6, 19 *Humanum dico propter infirmitatem carnis vestrae* 62, 4 ff.) hatte Luther geäußert, man solle wenigstens nicht geruhsam sündigen. Wenn es schon nicht anders gehe — etwa wie in der Ehe oder in der Wirtschaft — solle sich das Sündigen in vernünftigen Grenzen halten[90]; denn dies sei nicht über das gewöhnliche menschliche Vermögen hinaus; das andere aber sei . . . *heroicum!* In den Scholien zu dieser Stelle legt er sogar den Apostel ausdrücklich auf diese Unterscheidung fest (332, 15): vorher habe der Apostel geredet de *perfecta mortificatione concupiscentiae*, hier aber lockere er die Ansprüche und *vult dicere (!!): si omnino propter infirmitatem carnis concupiscentiae cedendum . . .*

---

[90] *Ne in pace et quiete peccatis . . . in limitibus iuxta rationem* (62, 23 ff.)

236

Eigenartigerweise verlegt Luther die ganze Betrachtungsweise auf den Geschlechtstrieb und zieht 1 Kor 7, 2. 5. 6. 7 an, während Paulus vom Thema, das dort zur Debatte steht, in Röm 6 kein Wort redet[91].

Seltsam, wie hier Luther, auf den sonst die Formel ‚alles oder nichts‘ zu passen scheint, mit einer Unterscheidung zwischen *continenter* und *caste* die Worte Pauli Röm 6, 19 *humanum dico* nachgebend analysiert. Hier klingt im Unterschied zu einer Grundthese der RV eine Art Unüberwindlichkeit der Konkupiszenz an. Denn Luthers Hauptthese lautet zusammengefaßt, daß das ganze Leben des Christen ein echter, immer neu ansetzender Kampf um das Heil ist[92], dem, wie wir an zahlreichen Äußerungen sahen, das Widerstehen möglich und das Gesünderwerden nicht unmöglich ist.

Luthers Grundkonzeption vom Menschen war die des Nicht-Vollendeten, ja dessen, der kaum angefangen hat, das heißt des nach der Gerechtigkeit seufzenden Sünders, der erst mit dem Tod die Fülle der Gerechtigkeit Gottes wird empfangen können. Bis dahin wird, wenn er seufzend um Gottes Barmherzigkeit bittet und er dies immer wieder tut, in ihm zugleich Sünde und Gerechtigkeit sein: Luthers umstrittener Satz *simul iustus et peccator* ist nicht eine einzelne Formulierung neben anderen; er umschreibt in seiner Auffassung die grundlegende Situation des Gläubigen in diesem Leben überhaupt.

Auch wenn man Luthers Rechtfertigungsvorstellung in der RV katholisch zu interpretieren berechtigt ist, kann man sie dennoch nach ihrer Färbung von dieser abheben. Der Unterschied liegt in der viel stärkeren Betonung, die Luther vom Beginn der RV an der in uns wirksamen f r e m d e n Gerechtigkeit im Unterschied zu unserer eigenen (*domestica*) gibt. Die *opinio communis* der katholischen Theologie betont demgegenüber stärker, daß diese dem Ursprung nach fremde Gerechtigkeit, sc. Christi, die unsere werde. Aber da auch für Luther jene fremde Gerechtigkeit uns wirklich umwandelt, wir an der *iustitia Christi* wirklich teilhaben, braucht diese verschiedene Betonung keinen t r e n n e n d e n Unterschied zwischen beiden Auffassungen zu begründen. Luthers stärkere Betonung ist ausreichend erklärt aus dem in seiner Situation berechtigten besorgten Streben, jedes Pochen auf etwas, das aus menschlich Eigenem käme, *a priori* zu unterbinden. Man darf betonen, daß gegenüber diesem Grundanliegen dem Reformator die katholische ausgleichende Synthese des ‚sowohl als auch‘, wo dennoch alle Rechtfertigung von Gott kommt,

---

[91] 333, 1 f.:*hic rigorem illum* (das heißt den Rat, zu sein wie er, Paulus selbst) *velut relaxans . . .: Si non potestis continenter, tamen caste agite, ut peccatum non regnet per pollutionem et . . .*

[92] *Non enim ad otium vocati sumus, sed ad laborem contra passiones*, mit dem Bild der *militia Dei* (oder *Christi*) 350, 8 ff.

237

E. Die Charitas

1. Das allgemeine Bewußtsein setzt Luthers Lehre von der ‚fides sola‘ in Widerspruch zur katholischen Auffassung von der ‚fides charitate formata‘.

a) Tatsächlich hat Luther diese Formel geradezu mit Ingrimm verfolgt[93]. Aber hier geht es um das Warum. Das Wichtigste ist dies: Luther polemisiert vornehmlich deshalb so heftig gegen die Formel *fides charitate formata*, weil er in ihr eine falsche Vorstellung sowohl der *fides* wie der *charitas* grundgelegt sieht. Er sagt mit Recht, daß eine *fides informis* kein Glaube im Sinne der christlichen Offenbarung sei (172, 20 ff. zu Röm 1, 17). Andererseits meint er (zu Röm 7, 6; 337, 26), jene Formel zwinge uns eine viel zu äußerliche Auffassung der *charitas* auf, so nämlich, als ob die Seele dieselbe vor und nach der *charitas* sei, als ob nur der liebende Akt sozusagen einen Zusatz erführe. Für Luther aber erweist sich gerade hier die Notwendigkeit der inneren Gesamtwandlung der Seele: die *charitas* kann gar nicht in die Seele eingehen, und die Seele kann nicht aus der *charitas* heraus handeln, wenn sie nicht vorher ganz gestorben und eine andere geworden ist. —

Schon diese Kritik Luthers macht deutlich, daß die *charitas* für ihn nicht etwa ein Nebensächliches im christlichen Heilsgeschehen ist, daß vielmehr auch sein Glaubensbegriff, sein Glaube des *fide sola,* eng mit der *charitas* verbunden ist.

Diesen Tatbestand werden wir gleich zu belegen versuchen. Vielleicht wird uns das zu erhebende Material sogar das Recht geben, den Gedanken der *charitas* als eine Art geheimer Mitte anzusprechen, auf welche die anderen Ausführungen Luthers in der RV hinstreben.

b) Obschon in der RV die Paulinische Trias (1 Kor 13, 13) nicht zitiert wird, ist natürlich die Frage nicht kontrovers, ob die Liebe Gottes in Luthers Verkündigung eine Rolle spielte. Sie ist für sein Denken zentral, weil eine einigermaßen umfassende christliche Aussage ohne sie undenkbar ist; die Auseinandersetzungen über die Ohnmacht des Menschen gegenüber der Forderung ‚Liebe Gott über alles!‘, auch sein unausgesetzter theologischer Kampf gegen alles, was gegen den Willen Gottes ist, belegen das zur Genüge. Sogar bei einer flüchtigen Lektüre der RV begegnen dem

---

[93] *Maledictum vocabulum illud ‚formatum‘* (337, 18 f. = 2, 16). Um Luthers Polemik zu verstehen, ist es auch nützlich, zur Kenntnis zu nehmen, daß Augustin und die Mystiker die Lehre von der Liebe sehr viel anders darstellten als die Scholastiker.

238

Leser hierher gehörige Äußerungen in Fülle als Beleg für einen Gedanken, den Luther später so formuliert: „Die Liebe allein (!) ist eine Tugend und schafft alle anderen Tugenden"[94]. Das ganze Verlangen nach Gott ist Liebe Gottes (zu Röm 2, 11; 239, 10) in einem vollkommen freien Liebeswillen (385, 4), so daß (mit Augustin) ein glühend heißer Wille des Menschen der Liebe Christi antwortet (Glosse zu Röm 8, 35; 85, 10 ff.), wodurch *per dilectionem Christi* in uns eine solche Liebe geschaffen wird, die triumphiert . . . (ebd. Gl. zu 8, 37: 86, 11 ff.) bis zur Erfüllung jener Forderung „Liebe den Nächsten wie dich selbst" (zu Röm 15, 10: 482, 30 ff.).

Um die Liebe Gottes muß auch der eifrige Christ immer bitten, denn er könnte sehr wohl etwa aus Furcht oder (auch in ganz freier Form) um seiner selbst willen gut handeln, statt nur Gottes Willen zu suchen (Gl. zu 7, 6: 66, 4 ff.).

c) Kein Zweifel, daß die Charitas ein zentraler Wert für Luther ist, schon für den jungen Luther der RV. Trotzdem muß hier vor einer möglichen Fehldeutung gewarnt werden. Von dem zu Anfang dieses Abschnitts Angedeuteten ist zu trennen die Frage, ob die Forderung der Gottesliebe in der persönlichen religiös-theologischen Entwicklung Luthers und besonders in den Ausführungen der RV im formal-spezifischen Sinn das zentrale Motiv, ob es der Ausgangspunkt und insofern bewußt angestrebtes Ziel gewesen sei.

Die Frage ist für die Bestimmung von Luthers Persönlichkeit und theologischer Welt von immenser Bedeutung. Hier bedarf sie jedoch nicht einer ausführlichen Erörterung. Ich begnüge mich mit der Feststellung, daß sowohl die autobiographischen Berichte (soweit ihr unbezweifelter Kern reicht) über Luthers religiöse Entwicklung im Kloster als auch die Masse der in der RV ausdrücklich behandelten Themata ein anderes Formalobjekt angeben: Luther hatte es mit seiner und der Christen Sündhaftigkeit zu tun. In vielen Variationen hören wir hundertmal das Generalthema *peccatum, peccatum, peccatum,* exakt wie es das Prooemium der Scholien ankündigt: *peccatum magnificare.*

2. a) Aber damit ist die gestellte Frage nicht gelöst. Soweit ich sehe, hat Luther nicht eine spezifische Terminologie über die Liebe ausgearbeitet, und entsprechend nicht konsequent zwischen *amor Dei* und *charitas* unterschieden[95]. Vielleicht ist festzustellen, daß bei Verwendung des Wortes *amor* etwas stärker gefühlsbetonte Momente anklingen[96]. Aufs

---

[94] WA 9, 90, 34 (1522). Die Liebe vermag alles vor Gott zu veredeln, nicht nur das (sonst gesetzliche) Halten der Kirchengebote (496, 29), sogar Mönch muß man *charitate* werden, nämlich: *gravia sua peccata videns et Deo suo rursum aliquid magnum ex amore facere(!) volens* (497, 23 f.).

[95] Vgl. in *charitate seu amore Dei puro* 391, 20.

[96] *pure Deum amare* 305, 14 f. Vgl. 461, 29 ff. Doch auch: *Charitas de corde puro* 494, 26.

239

Ganze gesehen aber ist gerade der Komplex ‚Gott lieben' von Gefühlswerten wesentlich getrennt. Gott lieben heißt vor allem und immer wieder, den Willen Gottes wollen, und zwar unabhängig von dem Guten oder dem Schweren, das er will, sondern nur, weil er es will und um seinetwillen. So wird die Liebe Gottes auch direkt als *amor voluntatis Dei* bezeichnet (358, 1 ff.). Dabei braucht nicht übersehen zu werden, daß manchmal als Sitz des rechten Wollens unser Herz, sogar dessen intimste Sphäre bezeichnet wird; das Entscheidende bleibt die harte Erfüllung des Gesetzes (359, 4, bes. Z. 5!), diese freilich in voller Freiheit, wobei der Geist christlicher Freiheit mit der Liebe Gottes tief in eins zusammengebunden ist: *ex spiritu libertatis amore solo Dei* leben die aus dem Glauben Gerechtfertigten[97].

b) Dieses aber ist aus unseren eigenen Kräften, wie Luther so nachdrücklich betont, *simpliciter impossibile* (355, 7). Denn die Gnade ist nicht nur nützlich, sondern notwendig; durch Adams Sünde, das heißt *vitium naturae*, sind wir nicht mehr *integri in naturalibus* (355, 12), sondern *in tenebris und vinculis quoad intellectum et affectum* (Z. 23 f.). *Igitur nisi fides illucescat et charitas liberet, non potest homo quicquam boni aut velle aut habere vel operari, sed malum tantum, tunc etiam, quando bonum operatur.*

Aber auch m i t der Gnade ist uns das *pure Deum quaerere* ohne irgendwelche *reliquiae carnis* oder *peccati* nicht möglich: der Mensch müßte aufhören zu bestehen (258, 11), so eng ist, wie wir sahen[98], die Sünde mit seinem körperlichen Dasein verbunden. Denn der von Gottes Gebot verlangte *amor purus* bedeutet ja eine absolute Forderung: *ut quicquid concupiscitur praeter Deum, etiamsi propter Deum concupiscatur, peccatum sit* (348, 25).

3. a) Das Ziel des Christen faßt Luther auch in die Formel: „das Gesetz erfüllen". Nach der Schrift und in Übereinstimmung mit der gesamten Tradition besteht die eigentliche Forderung des Gesetzes aber in der *charitas Dei et proximi*. Es ist eine Forderung, die von Luther gelegentlich in der inhaltlich identischen Form der ‚goldenen Regel' in Mt 7, 12 vorgetragen wird[99]: Dieses Gesetz der Liebe wurde den Juden durch Moses *oraliter* gegeben (vgl. 197, 7 ff.), wohnt aber auch als *lex spiritualis* (ebd. 19) oder *naturalis* (25) in den Herzen der Heiden. Das Zentrum des Gesetzes ist also die Liebe, sie ist die eigentliche *voluntas legis*. Zur Erfüllung wird gefordert die schon besprochene Innerlichkeit,

---

[97] Wobei dann eben der Endpunkt der uns hier beschäftigenden These klar heraustritt: diese Liebe vollbringt die *opera fidei* (248, 13 f.).

[98] s. oben S. 146.

[99] 197, 22: *Omnia, quaecumque vultis ut faciant vobis homines, et vos facite illis. Haec est enim lex et prophetae.*

240

die aufrichtige, freie Hingabe an Gott[100]. Von daher die sich häufenden Forderungen von *hilaritas* (vgl. S. 144), *gaudium, puritas, facilitas, conplacentia, libertas*, von *libere, volenter, voluntarie*[101], vorangetrieben bis zur Forderung der Spontaneität einer *liberissima und plenissima voluntas* (338, 8. 10; 358, 4), und sogar bis zur Forderung völliger Gratuität unseres Handelns, die immer wieder von Luther betont, ja sogar (in der Angst, es könnte sich von irgendwo her jene ,pestis subtilis' der Eigenliebe einschleichen) überbetont wird.

Im Unterschied zu dieser Verinnerlichung ist nun der äußere Vollzug der *opera* an sich zwar nichts oder vielmehr schädlich, und sie sollen entsprechend eingeschätzt werden. Aber sie werden dennoch als unentbehrlich gefordert, eben als Werk des aus dem Herzen kommenden Liebes-Willens (vgl. S. 234 und folgende).

b) In einem Corollarium zu Röm 4, 7 (274, 2 ff.) erwähnt Luther seinen früheren inneren religiösen Kampf; er führt ihn darauf zurück, daß er damals nicht den Unterschied verstanden habe zwischen *remissio vera* und *ablatio peccati*. Ohne Übergang spricht er plötzlich den Gedanken aus von der „lächerlichen Lehre, der Mensch könne *ex viribus suis Deum diligere super omnia*, und er könne aus seinen Kräften die gebotenen Werke des Gesetzes tun (wenn auch nur *secundum substantiam facti, sed non ad intentionem praecipientis, quia non in gratia*). Und Luther bricht los: „O stulti, o Sawtheologen!" (274, 14). Es ist wohl erlaubt, es bezeichnend zu nennen, daß es eine Verdrehung der Gottesliebe ist, die Luther so in Erregung versetzte.

Auch im weiteren Fortgang der RV steht die Forderung, ,Gott über alles zu lieben', im Zusammenhang mit der Polemik gegen die menschliche Anmaßung, *ex totis viribus Deum diligi posse naturaliter, sine gratia*[102] (274, 12). Selbst als Ansatz ist Gottesliebe in uns nur durch die Gnade; wegen des verbleibenden Restes der *concupiscentia* ist der Mensch

---

[100] Diese freie und von der Furcht befreite Hingabe wird auch in dem schönen Corollar zu 7, 6 (337, 10 ff.) umfassend beschrieben, wo die *charitas* geradezu als Objekt des gesamten geistlichen *(spiritualis, moralis)* Verständnisses der Schrift angegeben wird. Nur darf hier eine gewisse Schwankung durch den verwendeten umfassenderen Begriff *charitas* nicht übersehen werden: *de charitate seu de affectu, de dilectione iustitie et odio iniquitatis, hoc est quando aliquid faciendum vel omittendum docetur* (337, 11 ff.).

[101] *Hilariter* (in der Erfüllung des Gesetzes) 205, 21 f. 235, 7.23; 241, 23; 257, 27; 258, 2; 279, 21; 291, 11; 336, 14; 341, 32; 308, 7. *facilitas* (341, 31; 343, 1). *gratuiter* 241, 23; 308, 7. Liebe zum Gesetz (vgl. 207, 1). — Deutlicher noch: *querentes non nisi Deo placere* (235, 23); *amore Dei pure (facere)* 236, 20; *amore solo Dei* (248, 14); *pure Deum (quaerere)* 258, 12); *pure Deum amare et colere* (305, 14); *non nisi solum et purum Deum diligit* (306, 28; *solam Dei voluntatem in omnibus diligens* (357, 20).

[102] Vgl. 275, 9 f. (zu Rm 4, 7): das Gesetz sagt: *ne concupisces, sed Deum diliges;* vgl. dazu Deut. 5, 18; 6, 5.

241

stets ein *sanandus* (vgl. S. 229); denn er liebt eben Gott noch nicht *toto corde* . . . Und so wird es bleiben *donec totum auferatur et perfecta Dei dilectio donetur credentibus* . . . d. h. bis ans Ende des Lebens, den *perseveranter usque in finem pulsantibus* (275, 14 f.).

Wir sehen, es geht auch hier gegen den Hauptfeind des Apostels im Römerbrief und Luthers in der RV: gegen die jüdische Werkgerechtigkeit. Dies ist ja die Sünde jenes immer wieder gerügten *iustitiarius*, daß er sich selbst (und zwar *super omnia* 237, 12 ff.) liebt und alles *propter seipsum tut*, statt die geforderte Totalhingabe an Gott allein und *propter Deum solum* zu verwirklichen, was allein die voll liebende ‚impletio cordis' (vgl. 205, 36) wäre.

c) Diese Linie wird von Luther durchgezogen bis zu einer ungewöhnlich engen Einheit zwischen Gesetz, *charitas*, Christus und spiritus sanctus, einer Einheit, deren Zentrum die *charitas* ist: *Unde puto, quod ‚legem scribi in cordibus' sit: ipsam ‚charitatem diffundi in cordibus per spiritum sanctum', quae proprie est lex Christi et plenitudo legis Mosi, immo est lex sine lege, sine modo, sine fine, nesciens limitem, - sed superextenta super omnia, quae lex praecipit aut praecipere potest* . . . . . (203, 8—12).

Einen solchen ungewöhnlichen Satz sollten alle gründlich durchdenken, vor allem aber die, denen es Vergnügen macht, nur an gewissen Übersteigerungen Luthers hängenzubleiben.

Diese in verschiedenen Formen ausgesprochene Forderung Luthers, das Gesetz zu erfüllen, gipfelt praktisch in der Umwandlung der *concupiscentia*, die zur Sünde drängt, in die *concupiscentia charitatis*, damit der Mensch das Gesetz *prona voluntate* erfülle, nämlich mit einer gleichgroßen Freude wie er sie tatsächlich an der Sünde und den eigenen bösen Gelüsten hat (254, 4 ff.).

Das Gesetz wird dabei zu einem heilsamen Mittel: als *lex irritans* und als *occasio peccati* (253, 25 ff.; 319, 5 ff. etc.) macht es den Menschen deshalb zum Sünder, damit er die totale Auswegslosigkeit seiner Lage sehe[103] und den einzigen rettenden Ausweg gehe, den Weg der Liebe durch das Evangelium: . . . *Quia docet, ubi et unde gratia seu charitas habeatur, scil. Ihesum Christum, quem lex promisit, Evangelium exhibet. Lex precipit charitatem et Ihesum Christum habendum, sed Evangelium offert et exhibet utrumque* (338, 15—20).

---

[103] *Quam autem utilis est cognitio! Quia qui hoc cognoscit, gemit ad Deum et humilitatus petit erigi et sanari hanc voluntatem. Qui autem non cognoscit, non petit; qui autem non petit, non accipit, ideo nec iustificatur, quia ignorat suum peccatum* (254, 11—14 etc.). *docet, ubi et unde gratia seu charitas habeatur, scil. Ihesum Christum, quem lex promisit, Evangelium exhibet. Lex precipit charitatem et Ihesum Christum habendum, sed Evangelium offert et exhibet utrumque* (338, 15—20).

242

4. Damit ist umfassend erwiesen, daß der Begriff des Glaubens, wie ihn der junge Luther faßt, die Liebe nicht ausschließt und sie auch keineswegs vernachlässigt. (Es ist mir nicht fraglich, daß dies auch für den späteren Luther gilt, doch liegen für diese These bisher nur vereinzelte Feststellungen, nicht aber eine das Thema exakt und erschöpfend behandelnde Untersuchung vor.) Zusammen mit der Feststellung, daß Luther nicht die Werke selber tadelt, sondern nur ihren Eigenwert vor und außerhalb des Glaubens ausschließt, dürfte auch erwiesen sein, daß sein Glaubensbegriff von dieser Seite her ein katholisches Verständnis zuläßt.

Wir haben keine Veranlassung über dieser Feststellung zu übersehen, daß Luthers Polemik gegen die frommen Werke allzu oft und grob über das Ziel hinausging. Aber, ehe er zur Verwerfung der Mönchsgelübde fortschritt (die er in der RV noch ausdrücklich und wie selbstverständlich bejahte[104]) und ehe er die hl. Messe in Mißdeutung des *opus operatum* zu einem Menschenwerk machte, steht seine Polemik in dieser Sache nicht grundsätzlich gegen die katholische Auffassung.

5. a) Man kann Luthers theologisches Drängen nach der reinen Gottesliebe auch von seinem Sünden-Begriff her stützen, und zwar von jener Seite der menschlichen *incurvitas,* der wir seit dem Beginn unserer Analyse immer wieder begegnen[105]: Sünde, sagt er, ist es nicht nur, wenn du den Tod fürchtest, sondern auch „wenn du vor der Sünde schauderst, vor dem zukünftigen Gericht[106]". Denn das Jüngste Gericht, bei dem Gottes Zorn offenbar wird, ist ja der Wille Gottes; du mußt es mit Freuden erwarten und du mußt wünschen, es geschehe bald. Denn nicht durch Angst, sondern d u r c h d i e L i e b e e n t r i n n t m a n d e m Z o r n G o t t e s.

b) Tiefer noch führen jene uns bekannten Aussagen Luthers über die Vergebung der Sünden als einer inneren Umwandlung des Menschen. In diesem Vorgang[107] erfährt die Sündhaftigkeit selber eine entscheidende Wandlung zu einer positiven Funktion. In der uns gegen unsere Ohnmacht geschenkten Umwandlung nimmt Christus meine Sünde (204, 18—20) und gibt mir dafür die Kraft seiner *impletio legis*[108], das Gesetz wird durch seinen Tod zur *lex Christi,* d. h. zum Gesetz seiner Liebe, zu einer *purissima affectio in Deum* (306, 26).

---

[104] Vgl. oben Anm. 94.

[105] Vgl. zum Folgenden auch die verschiedenen bereits in diesem Abschnitt angezogenen Stellen, welche die Ichbezogenheit der menschlichen guten Werke betreffen.

[106] 364, 27 ff. zu Rom 8, 7. Luther konzediert, daß man sich zwar davor fürchten solle; aber um die Klugheit des Fleisches zu erkennen, von der befreit zu werden, die Schwachen sich mühen mit dem Ziel, *in spem securitatis transferri per gratiam Dei* (vgl. S. 233).

[107] oben s. Anm. 41.

[108] *Legem nemo implet nisi Christus* 260, 18.

Nun hebt ja, wie wir hörten, nach Luther weder die Ausgießung der Liebe noch die Gegenwart des Hl. Geistes selbst (vgl. 308, 27) das *peccatum manens* restlos auf. Aber daraus darf nicht gefolgert werden, daß die Liebe für die Dauer dieses Zustandes noch nicht realiter gegeben sei und noch nicht die Wirklichkeit unseres Lebens gestalte. Denn der von Luther beschriebene Prozeß ist ja keinesfalls als pure *destructio* oder ausschließlich als Vorbereitung zu verstehen (s. o. Rechtfertigung als objektiver Vorgang S. 150).

c) Die als *peccatum manens* und andererseits als *peccatum peccati* (323, 10 ff.) gepriesene ‚Sünde' birgt und befördert *sub contrario specie* die reale Gerechtmachung und Heiligung. Der Christ bleibt nicht in der *agnitio et confessio peccati* stecken, sondern er vermag in der Kraft der Gnade die Herrschaft über die Sünde sowie die Reinheit der Willens- und Liebeshingabe an Gott und sein Gesetz zu erreichen. Lediglich die Spontaneität bleibt dem Menschen für die Dauer dieses Lebens unerreichbar.

So ergibt gerade die Analyse des *peccatum manens* auch einen Befund, der sich als *vita charitatis et iustitia Dei* (399, 28) qualifizieren läßt. Und dies nun ist gerade die überraschende Auslegung, die Luther dem umstrittenen Röm 7 gibt: Paulus will und tut das Gute; sein *velle*, mit dem er die *voluntas legis* ergreift, i s t bereits *promptitudo spiritus quae ex charitate est* (344, 24); die *interior mens* und die *conscientia* sind bereits *pura et volens in lege Domini* (346, 1); das *velle* des Apostels streckt sich aus nach jener *facilitas* spontaner Liebe, kämpft um sie und leidet und seufzt unter ihrem Fehlen. (Freilich dieses p e r *ficere*, die Vollkommenheit dieses Tuns, bleibt ihm versagt, weil das Fleisch und die Konkupiscenz noch dagegen streiten; 342, 14 ff.).

6. Diese Einschränkung bleibt also: auch in der Verwandlung und in der Rechtfertigung so hohen Grades bleibt nach Luther doch noch eine wirkliche Sünde im Menschen. Zwar ist dieser Mensch, wie wir sahen, nicht mehr der *vetus homo*, aber auch seine *bona opera* sind noch sündhaft *natura sua*, eben weil sie geschehen *renitente fomite*, d. h. also nicht mit so großer Reinheit *(intentione)*, wie das Gesetz es verlangt, also weil sie nicht getan werden *totis viribus . . . sed tantum ex viribus spiritus, repugnantibus viribus carnis* (289, 17 f.).

a) Freilich, wieder gilt es, auch den anderen Bezug festzuhalten: so ernst die Sünde des Verwandelten von Luther genommen wird, sie ist eben - das muß immer wieder betont werden - nicht mehr die Sünde des *vetus homo*. Sie ist ein *vitium*; seinetwegen hat nach Augustin die *charitas* noch nicht jene Fülle, die nicht mehr vermehrt werden könnte; das bedeutet, ihre Fülle ist geringer als sie sein müßte[109]. Wegen dieses *vitium*

---

[109] RV zu 4, 7; 289, 1—6 Augustin, Ep. 29 ad Hieronymum 4, 15 (PL 33, 739) (nach Ficker in WA 56, 289 Anm.).

244

sagt Augustin, gibt es keinen einzigen Gerechten auf Erden[110]. Und doch ist es wiederum auch dieser selbe Zustand (der noch nicht vollkommenen Liebe), der durch Christus *de plenitudine puritatis sua* (ebd. 289, 31), oder weil Gott die Sünde nicht imputiert (Z. 20), zu einem *peccatum veniale* wird[111]. -

Man wird nicht übersehen dürfen, daß Luther nicht angibt, was eigentlich dieses *vitium,* da es doch Sünde ist (wenn auch nicht des alten Menschen), von der Sünde des alten Menschen trennt bzw. daß er keinen oder kaum einen Unterschied macht zwischen Unvollkommenheit und Sünde[112].

Wir stehen hier an einem entscheidenden Punkt, der wieder das Problem der Terminologie für eine Analyse Luthers in seiner überragenden Bedeutung hervortreten läßt. Die Terminologie und die Theorie der Scholastik werden hier erhebliche Bedenken anmelden. Auch mit jenen Stellen der Hl. Schrift, die das volle Leben Christi in uns bekennen (z. B. ,nicht mehr ich lebe . . .' Gal 2, 20), werden die ausgeführten Gedankengänge der RV nicht ohne weiteres zur Deckung gebracht werden können. Andererseits denken wir an den Sprachgebrauch des Römerbriefes, besonders im 7. Kapitel, und umgekehrt an den zitierten Satz Luthers, der sagt, daß der Gerechtfertigte *eadem iustitia* sei, wie Christus selbst (oben S. 222; vgl. S. 218). So gesehen scheint Luthers Theorie auch in diesem Punkt nicht einfachhin aus der katholischen herauszufallen.

b) Unerläßlich ist, daß man auch hier das *simul* beachte. Durch dieses *simul* sind wir *rei et non rei,* krank und doch gesund, so wie es die Parabel vom barmherzigen Samariter illustriert, die Luther mit offenbarer Vorliebe öfters anzieht (z. B. 351, vgl. S. 229 u. 242). Die Aufgabe des

---

[110] A. a. O Vgl. 3 Reg 8, 46 u. Ps 142, 2.

[111] Hier müßte man daran erinnern, daß eine ähnliche Theorie der läßlichen Sünde von Johannes Gerson und John Fisher vorgetragen wird. Es handelt sich um eine Auffassung, die die Sünde weniger dinglich beschreibt.

[112] Luther sagt, daß die *bona opera* des schon gesundenden Menschen, der also schon nicht mehr *homo vetus* ist, ihrer Natur nach *mortalia* seien. — Hierzu ist wohl festzuhalten: 1) Das *natura sua* wird in seinem Bedeutungsgehalt weder hier noch sonst genau umschrieben. — 2) Die *bona opera* des Menschen, der schon nicht mehr *homo vetus* ist, sind nach Luthers Text offenbar nicht mehr von gleicher Art wie die des *homo vetus,* das heißt des eigentlich und ganz dem Tod verfallenen Menschen. Von daher darf man wohl *natura sua* so deuten: es sind die Akte, wie sie an und für sich sind oder vielmehr wären, wenn sie vom *homo vetus* getan würden. — 3) Über das hinaus, was diese *bona opera* moralisch höher stellt als die des *homo vetus,* gibt es noch (also außerdem, und zwar entscheidend) die *non-imputatio Dei* als *mortalia.* Diese *non-imputatio* scheint das Seiende der Sünde nicht zu treffen, außer man erklärt Luthers Ausdrucksweise einfach als unklar, insofern nämlich, als er hier die Qualität der *opera bona* des *homo iam non vetus* nicht einfach zusammenfallen läßt mit der *non-imputatio.*

Christen, der durch die Gnade schon nicht mehr einfach ein Mensch ist[113], d. h. nicht mehr *homo vetus* ist, sondern bereits angefangen hat, gesund d. h. gerechtfertigt zu werden, ist diese: er soll die trotz allem bleibende Sünde, gegen die er ankämpft, der er nicht zustimmt, vor Gott anerkennen und bekennen; denn das ist der einzige Weg zur Rettung. Dieses demütige Bekenntnis allein stellt uns unter das rettende Gericht des Kreuzes. Denn dieser Mensch, obschon er ein Sünder ist, gehört schon zum *populus Dei jugiter portans iudicium crucis super seipsum* (266, 11 zu 3, 28)[114].

Hier wird auch klar, auf welche Sünde Luthers Bemerkung eigentlich zielt, wenn er sagt, sie sei nicht zu erfahren, sondern nur aus dem Glauben zu glauben *(sola fide credendum* 231, 19). Luther verlangt in seiner (von Paulus inspirierten) paradoxalen Art, der Mensch müsse, um gerechtfertigt zu werden, *peccator fieri*[115]. Die Formel umschließt im Grunde alles, um was es nach Luthers Auffassung im Römerbrief geht: *omnem iustitiam nostram perire*. Aber in seinem Vollsinn ist das ein Geheimnis. Verwirklicht werden kann es nur, wenn einer sich im *verbum crucis* gefangen gibt (vgl. S. 144 f.). Dann wird er eins mit dem Sündenlosen, der für uns, besonders am Kreuz, zur Sünde wurde. Das Kreuz aber zeigt und ist die Einheit: Sieg über die Sünde durch die uns erlösende Liebe (306, 26).

c) Hier werden wir von Luther zum Verständnis dafür geführt, daß das Hauptziel der Offenbarung, die Rechtfertigung bzw. die Bekehrung, eine Tat von Gottes L i e b e ist; wie er zu Röm 12, 20 (474, 10) sagt: „Gott bekehrt, indem er seine Güte schauen läßt." Dies allein ist die Weise, wahrhaftig zu bekehren, nämlich durch die Liebe.

In diesem Licht kann man dann Luthers Preis der unvergleichlichen Liebe Gottes verstehen, die er uns schenkt, die wir ihm darbringen können[116] als *amor purissimus,* der nichts mehr für sich verlangt, auch keine Sicherung des Erkennens, vielmehr in die innersten Dunkelheiten hineingerissen wird *(longissime abest)* jener große Feind seit Beginn der Vorlesung: die eigene *iustitia*, die der Mensch n u n weder sucht, noch liebt, bei der er nicht verharrt, die ihn nicht sicher macht, auf die er nicht hofft: „Die Liebe Gottes schafft ein unüberwindliches Anhängen an Gott ... indem sie die Herzen willig macht." Unwillige und gewaltsame Herzen sind also nicht geeignet (50, 8 ff. Glosse zu Röm 5, 5). Gottes Liebe allein macht uns fähig *gloriari in tribulatione*. Aus uns wäre dies unmöglich; die Kraft der *charitas per spiritum* ist die

---

[113] Vgl. 195, 7 f. und öfters.
[114] Vgl. oben Anm. 110.
[115] Z. B.: *nos opportere peccatores fieri, mendaces, stultos,* das heißt *omnem iustitiam nostram perire* (229, 9 f.).
[116] Vgl. das Ineinander von *amor Dei,* in der er uns und wir ihn lieben: 381, 15.

246

purissima affectio in Deum. Sie allein hat die Gewalt, von Sünde und Ungerechtigkeit zu befreien und die Herzen Gott zu öffnen (306, 26 ff.).

Diese Liebe richtet sich ausschließlich auf Gott, noch nicht einmal auf seine Gaben an die Menschen. Durch die Liebe Gottes allein, die alle Erdenschwere und alles Sicherungsverlangen, alle kreatürliche Furcht und alle Grenzen in mystischer Urerfahrung, einschmilzt und durchbricht und dem Menschen jenseits aller rationalen Möglichkeiten das dunkle Fluten des innergöttlichen Lebens aufzuschließen beginnt, lieben wir Gott, *ubi nihil visibile, nihil experimentale nec intus nec foris est in quod confidatur aut quot ametur aut timeatur sed super omnia in invisibilem Deum et inexperimentalem, incomprehensibilem* (307, 4 ff.). In diesem Zusammenhang ist die *fides* nicht einmal erwähnt!

d) Diese *charitas Dei* ist eine Gabe Gottes (307, 12); sie ist das Gegenteil der eigenen *iustitia.* Alles Übrige ist *peccatum,* was *concupiscitur praeter Deum . . . iustitias, orationes, studia . . . alia opera* (348, 26 ff.).

Die Liebe Gottes ist freilich nur dem Berufenen bestimmt *(secundum propositum),* aber ihnen gereicht alles zum Besten (Röm 8, 28). Nur kann sich Luther wieder einmal nicht enthalten, ein übersteigerndes Paradoxon beizufügen: *etiam mala* (381, 16)! Dies wird freilich durch eine überströmende Beschreibung der grundlosen Liebe Gottes überwölbt, durch die nur mehr Gott und alles andere nur seinetwegen geliebt wird, im Unterschied zur falschen Liebe der *iustitiarii* der vielen Werke und Gebete.

Diese echte Liebe Gottes allein verwirklicht ein *concupiscere,* das das Gegenteil der *concupiscentia* meint (vgl. 348, 24 ff.); Luthers Theologie strebt im Geheimen zu dieser Liebe Gottes hin.

* * *

Die Grundauffassung Luthers in der RV über Sünde und Rechtfertigung läßt sich folgendermaßen zusammenfassen: die Sünde ist sosehr Teil auch des Glaubenden, daß sie in diesem Leben nie ganz in dem Sinne vernichtet wird, daß in voller *hilaritas* der Hingabe an Gottes Willen nichts mehr im Menschen gegen das *non concupisces* stünde, und das *diligere deum ‚omnibus viribus'* erreicht würde. Dieses *peccatum manens* verhindert andererseits keineswegs die wirkliche Einheit des Glaubenden mit Christus. Durch seinen Glauben, der Christi Glauben ist, in dessen Kreuzestod eingebunden und darin die Verurteilung seiner Sünde in Gottes Spruch annehmend, wird er im innersten umgewandelt und vor Gott gerechtfertigt in der Liebe Gottes.

Es dürfte schwer fallen, dieser original lutherschen, oft gewundenen Prägung das Zeugnis zu verweigern, sie bleibe innerhalb der katholischen Lehre.

247

Joseph Lortz

Martin Luther

Grundzüge seiner geistigen Struktur

A. Einführung

I. Es ist ein schweres Unternehmen, im Rahmen eines Aufsatzes ein gültiges Gesamtbild Luthers auch nur in Grundzügen bieten zu wollen.

Einseitig zu zeichnen, ist kaum irgendwo leichter als bei Martin Luther, Der Tatbestand ist formuliert in dem bekannten Satz von Heinrich Boehmer[1]: „es gibt so viele Luthers, als es Lutherbücher gibt", ein Urteil, das Wilhelm Link vor 20 Jahren für die neuere Forschung bestätigt hat[2].

Es fragt sich: 1. Sollen wir diesen Zustand als unabänderlich hinnehmen? oder etwa dem Urteil Brandenburgs[3] zustimmen, daß man aus Luther alles beweisen könne?

Das wäre eine Bankrotterklärung der historischen Wissenschaft in Bezug auf das Weltthema Martin Luther[4].

2. Oder sollen wir der Meinung zustimmen, daß Luther nur im Detailausschnitt exakt faßbar sei? Gewiß ist die Detailuntersuchung unentbehrliche Voraussetzung gerade bei Luther (wir werden noch erkennen, warum); aber zufriedenstellend wird ihr Resultat jeweils nur sein, wenn wir uns einem wissenschaftlich gesicherten Gesamtbild nähern! Luthers frühe Vorlesungen, etwa über die Psalmen und den Römerbrief, sind für ihn wesentlich, aber sie sind nicht eine adäquate Darstellung des ganzen Luther – sie sind vielmehr in manchem nachweisbar durchaus exzeptionell geprägt.

---

[1] H. Boehmer, Luther im Lichte der neueren Forschung, Leipzig ⁴1917, 5.

[2] W. Link, Das Ringen Luthers um die Freiheit der Theologie von der Philosophie, München ²1955, S. 22ff.

[3] Um die Deutung der Theologie Luthers. Zu: Paul Althaus, Die Theologie Martin Luthers, in: Theologische Revue 60 (1964) 82ff.

[4] Damit ist etwas anderes gemeint, als das Kaleidoskop der Lutherdeutungen, von dem Ebeling (Luther, Tübingen 1964, S. 12) spricht und das er rechtfertigt. Nicht die Verschiedenheit des Lutherbildes, das die verschiedenen Generationen aus der unausschöpfbaren Fülle des Reformators erheben, ist zu tadeln; das Problem entsteht durch das Widersprüchliche der Deutung – und dies besonders in der neueren Forschung, die der gedanklichen Struktur mit so viel Akribie nachgeht – und lenkt zurück auf die Frage der Einheitlichkeit oder Uneinheitlichkeit Luthers, über die wir zu einer allgemein vertretbaren These kommen müssen, wenn man nicht an der historisch-theologischen Wissenschaft im Falle Luther verzweifeln soll.

3. Oder sollen wir uns mit Rudolf Hermann[5] auf die „qualifizierten" Äußerungen zurückziehen? Oder sind wir nicht vielmehr darauf angewiesen, unter und hinter den theologischen Formulierungen die eigentlichen Anliegen Luthers zu fassen, hinter den theologischen Formulierungen, die, wie sich noch ergeben wird, keineswegs nur einheitlich lauten?

Nun fehlen uns, so befremdlich es klingt, für alle großen theologischen Begriffe Luthers die Detailuntersuchungen, die den Bestand durch das ganze Riesenwerk hindurch genau verfolgen würden: für die Themata Rechtfertigung, Glauben, Glauben und Werke, Glaube und Liebe, für den Kirchenbegriff ...

Das ist für den Forscher eine mißliche Lage. Aber schwerlich berechtigt sie zu einer falschen Bescheidung der Art, daß wir uns etwa mit den Frühschriften begnügen dürften.

Wir sind vielmehr darauf verwiesen, aus der Not eine Tugend zu machen und zu versuchen, möglichst wenig einseitig zu sehen, den jungen und auch den reifen Luther in den Griff zu bekommen. – Gewiß, entscheidende Arten des reformatorisch-lutherischen Denkens, zentrale Begriffe und zentrale Thesen finden sich wie im frühen Luther so auch im reifen und späten Reformator; aber trotzdem: welch ein Unterschied zwischen den frühen Vorlesungen und z. B. dem Großen Galaterkommentar! Der reife Luther ist jedenfalls nicht mehr der genialische Stürmer der Römerbriefvorlesung! Aus dem reifen Luther hätte man schwerlich einen existentialistischen Theologen herausdestillieren können.

II. Die Schwierigkeit der Lösung liegt, von verschiedenen Seiten her, am Tag.

1. Luther ist ein geistiger Riese, oder, um mit Althaus zu formulieren, ein Ozean[6]; die Gefahr in ihm zu ertrinken, die Gefahr, daß man ihn nur ungenügend bewältigt, liegt bei der ungeheuren Masse des Materials und nicht weniger bei der gleich zu besprechenden Eigenart nicht weit ab.

Es klingt beinahe banal, trotzdem soll es wiederholt sein: Luther gehört in die oberste Galerie der Männer von ungewöhnlich schöpferischer Geisteskraft, ist Genie im hohen Sinn, Urgewalt im Bereich des Religiösen, sogar im Bereich der theologischen Deutung.

Dies war er nun so, daß er in vielfältigem Sinn das Schicksal der Welt, auch das unsere mitbestimmte. Denn Luther i s t die Reformation.

Das beinhaltet auch dies – daß wir nur engagiert von ihm reden können, – nicht historistisch, sondern historisch; so, daß die Vergangenheit zu uns herüber wirkt, uns heute fordert.

---

[5] Rudolf Hermann, Luthers These: Gerecht und Sünder zugleich, Gütersloh, 1960, S. 1ff. s. a. Catholica 18 (1964) S. 48ff.
[6] P. Althaus, Die Theologie Martin Luthers, Gütersloh 1962, 8.

2. Zwar, Luther kehrt oft zu denselben wenigen Grundthesen zurück; er hat Kirche, Verkündigung und Theologie in einem beeindruckenden Prozeß der Vereinfachung aus einem Vielerlei von Gedanken und Strukturen zum Evangelium und seinen wenigen großen Themen, vor allem der Rechtfertigung, zurückgerufen.

Diese Reduzierung erleichtert in gewissem Sinn die Analyse; aber zugleich (und mindestens in gleichen Grad) erschwert sie die Aufgabe (1) wegen der Verschiedenheit der Aussagen über das gleiche Thema, einer tief und vielfältig verankerten Verschiedenheit, über die mitsamt den sie bedingenden Kategorien (kämpferische innere Entwicklung; eine erregende multivalente Polemik; eine außerordentlich tief reichende Situationsbedingtheit; paradoxales Denken und Reden) noch zu sprechen sein wird. – (2) Summarisch kann man sagen: die größte Schwierigkeit, das Thema Luther adäquat zu behandeln, ist Luther selbst. Er ist nämlich auch als Denker vor allem ein Phänomen des Lebens.

Wie soll man aber das Leben schildern? Man müßte es selbst sich aussprechen lassen, d. h. also Luthers eigene Worte vortragen.

Wenn die riesige Luther-Literatur so viele (und darunter auch sich mannigfach widersprechende) Analysen vorlegt und sicher in vielem bewunderswert tief an Luther heranführt, wenn sie aber Luther beinah nur als einen Theologen behandelt und abgezogene Gedanken Luthers vorlegt, ist dies der echte Luther?

Man muß schon mit Luther intim ein Leben lang gemeinsam, in immer erneutem Eindringen, verbracht haben, wie etwa Paul Althaus, um ein so meisterlich gefülltes und bis in die Verästelungen hinein Luther nachgehendes (und m. E. im Entscheidenden Luther richtig treffendes) Buch schreiben zu können, wie seine „Theologie Martin Luthers", – ein Buch, das in seiner Sprache und seinen Zitaten so nahe wie möglich am Wortlaut Luthers bleibt; – ein Buch, von dem wir, nebenbei gesagt, uns keineswegs „sachte zu lösen" beabsichtigen.

Und doch, auch ein so reifes Buch stellt uns vor die aufgeworfene Frage und Schwierigkeit. Es ist die Schwierigkeit, die mir seit je zu schaffen machte, und die ich deshalb auch schon vor langen Jahren anmeldete. Nämlich: auch eine noch so gewissenhafte, gültige und wertvolle Inhaltsangabe eines Werkes von Luther bietet höchstens ein blasses Abbild des von Luther Gedachten. Immer wieder, wenn man Luther schildern möchte, spürt man die ungeheure Distanz zwischen ihm selbst und dem, was man über ihn sagt: man fühlt sich immer wieder gedrängt, ihn einfach zu zitieren, dieses wundervolle Sich-Verströmen, das unermüdlich Umgrabende, die ungeheure Wucht und die beinah unmeßbare Höhe, Breite, Tiefe der Verkündigung, die staunenswerte Lebendigkeit und Fülle des vom Geist des Schriftwortes ergriffenen Reformators, und dies trotz zahlloser Wiederholungen.

Dies wiederum andererseits intim gebunden an (und oft gestört durch) triebhaft Abwegiges, auch ganz und gar Unkritisches, Gewaltsames, Verzeichnendes, – aber auch wieder zusammenstehend mit entzückend eindringlich gesagtem Naiven.

Es bleibt jedenfalls eine bedrängende Frage, wieviel an abstrakt faßbaren und formulierbaren Einsichten man aus Luther adäquat einzufangen vermöge.

Natürlich bleibt uns gar nichts anderes übrig, als es auf diesem Wege zu versuchen, aber es ist bereits ein Beitrag zum Thema „Luther" selbst, die begrenzten Möglichkeiten der Analyse zu erkennen, und es ist eine Hilfe zur legitimen Lösung, sich dieser Grenzen bewußt zu bleiben.

Fügen wir gleich hinzu, daß in dieser so angedeuteten Art Luther vor allem von der Heiligen Schrift, ihrem Geist und ihrer Art zu denken und zu sprechen, nämlich vom Prophetisch-Religiösen, geprägt ist. Nur – und dies ist wieder ein ergänzender, bedeutender Vorbehalt gegenüber dem Gesagten – nur, sage ich, daß Luther, aus einer langen theologischen Tradition kommend, – trotz aller Absage an sie – durchaus als verbindlich aussagender Theologe zu sprechen beansprucht.

III. Ist heute noch eine seelische Einstimmung nötig, wenn ein Katholik über Luther redet?

1. Ich spreche in keiner andern Weise über Luther, als es jeder evangelische wissenschaftliche, also kritische Beobachter auch tut. Ich spreche also nicht als Polemiker [7], wenn auch selbstverständlich die kritische Stellungnahme nicht fehlen kann.

Die besonderen Schwierigkeiten, die Katholiken früher zu überwinden hatten, um Luther, dem bedeutendsten Gegner, ja Feind, der hierarchisch gegliederten spät-mittelalterlichen Kirche des sakramentalen Priestertums mit Papst, Mönchtum und Messe gerecht zu werden, beschweren uns nicht mehr.

Ich will nicht sagen, daß alle katholischen Historiker und Theologen ganz für diese Stellung in Anspruch genommen werden können; es gibt natürlich auch auf katholischer (wie auf evangelischer) Seite die ewig Gestrigen, aber sie zählen in der Forschung nicht mehr.

Außerdem ist die (sagen wir: fortschrittliche) katholische Forschung mit ihren Methoden und Ansichten dabei, auch in der offiziellen Kirchenleitung tüchtig an Boden zu gewinnen.

Darf ich sogar dieses sagen: Heute scheint es mir längst nicht mehr ausgemacht, wer die besseren Voraussetzungen für ein möglichst adäquates Luther-Verständnis mitbringt, der evangelische oder der katholische Forscher.

[7] Vgl. v. LOEWENICH, Luther als Ausleger der Synoptiker (München 1954) 10.

Daß wir Katholiken die Bewertungskategorien des Cochlaeus (die über 400 Jahre bei uns vorherrschend waren), des großen Denifle und des (übrigens im Detail beneidenswert versierten) Grisar hinter uns gelassen haben, – und daß dies sogar auch für Italien, Spanien und Latein-Amerika gilt, darf als bekannt vorausgesetzt werden. Die Katholiken haben allmählich 1. den christlichen, ja katholischen Reichtum in Luther erkannt; und sie sind davon beeindruckt. – 2. wir haben erkannt, wie groß die katholische Schuld ist, daß Luther aus der Kirche herausgedrängt wurde, also die Kirchen-Spaltung entstand, die uns auch theologisch so belastet; – 3. wir sind stark von dem Verlangen bewegt, Luthers Reichtum in die katholische Kirche heimzuholen.

Ob umgekehrt die Freiheit der evangelischen Forscher gegenüber dem Heros der Reformation ebenso groß ist, ist eine keineswegs müßige Frage, die ich aber jetzt von mir aus nicht beantworten will.

2. Freilich, auch dies ist zu bedenken und zu bekennen: es ist noch nicht lange her, daß wir Katholiken in vollen Zügen aus Luthers Werk zu trinken gelernt haben und es also intim kennen.

Bei den evangelischen Christen und Theologen ist die Lage gänzlich verschieden; sie leben seit Generationen und Generationen von Luther . . . Das ergibt von Haus aus, daß sie – wenn ich so sagen darf – in der lutherischen Haut wie von selbst wohnen, in die wir erst hineinschlüpfen müssen, um die Dinge von innen zu betrachten, nachdem wir sie zu lange von außen ansahen.

Aber hier liegt auch ein gewisser Vorteil für den Katholiken: er behält eher kritische Distanz und findet anderseits zu gewissen tief sitzenden original katholischen Werten der Reformation vielleicht leichter Zugang.

3. Für mein Teil lautete schon vor 25 Jahren in „Die Reformation in Deutschland", eine Grundthese in Bezug auf den *„articulus stantis et cadentis ecclesiae"* von der Rechtfertigung *fide sola*, daß Luther mit ihm eine alte katholische Lehre wieder entdeckt (sie allerdings für sich und vereinseitigend neu entdeckt), habe [8].

Diese These hat sich mir inzwischen nicht aufgehoben. Im Gegenteil: Luther ist viel katholischer, als ich damals wußte.

Wenn ich meine Ausführungen von hier aus ansetzen würde, geraten wir sofort an das Thema des ‚katholischen Luther': nicht in dem Sinne, wie Meissinger es in seinem ersten Band ausführte [9], sondern in dem Sinne, wie es auf evangelischer Seite etwa Walter von Loewenich abgelehnt hat [10].

---

[8] Freiburg ⁴1962, Bd. I. 183.

[9] K. A. Meissinger, Der katholische Luther, München 1954. Dazu von demselben: Glaube und Tun, München 1947 (vgl. die Einleitung S. 1).

[10] W. v. Loewenich, Der katholische Luther, in: Dank an Paul Althaus. Eine Festgabe zum 70. Geburtstag. Hrsg. W. Künneth u. W. Joest, Gütersloh 1948, 141–150.

Der Aufsatz müßte das sachlich Nötige an seinem Ort auch zu dieser Sache sagen, – wenn die Schriftleitung mir genügend viel Seiten zur Verfügung hätte stellen können.

Ich möchte nur gleich hier anmerken, daß ich die These vom katholischen Luther keineswegs so verstehe, daß Luther mit verrinnender Lebenszeit und mit steigender Animosität gegen den Papst immer weniger katholisch geworden wäre.

Wie überhaupt m. E. die Vorstellung einer sozusagen gradlinigen und eingleisigen Entwicklung des jungen zum alten Luther (wenn sie das Phänomen erschöpfend fassen will) abzulehnen ist. Es kann vielmehr bewiesen werden, daß Luthers Entwicklung einer Folge von unregelmäßigen Wellen gleicht, in denen es in verschiedener Art und Stärke zu einem Hoch kommt, dem wieder ein Tief folgt, – und daß sich im Hauptstrom ein Nebenstrom zeigt – oder Nebenströme sich zeigen, und zwar so, daß Luthers ganzes Leben hindurch Katholisches sich in, neben oder auch gegen das Reformatorische stellt. (Gerade hierin liegt das Schwierige der erregenden Frage, was der eigentliche Inhalt von ‚Reformatorisch' sei).

Auch nach den entscheidenden Jahren des Durchbruchs und der geistig-seelischen Umschichtung hin zu dem, was wir ‚reformatorisch' nennen, eine Umschichtung, in die vielfältig spürbar, Luthers damalige katholische Lektüre positiv hineinwirkte, auch nachher, vollzieht sich in Luther ein vielgestaltiges Wachstum. Erstaunlich die Lebendigkeit! Erstaunlich das Einfühlungsvermögen in neue Lagen und Fragestellungen! Erstaunlich die Unermüdlichkeit der geistigen Umschau!

Dabei gibt es auch Akzentverschiebungen, die die Wahrheit mancher Tischreden belegen, daß der ältere Luther längst nicht so mit sich zufrieden war, wie sein robuster Ton oft vorgibt – aber auch wiederum längst nicht nur vorgibt, – nicht so ‚reformatorisch' fertig, daß ihm nicht manche Stellen der Schrift, die die katholische Position zu stärken schienen (Werke; Liebe), als Problem immer wieder und gründlich beunruhigt hätten.

4. Heute ist es nicht mehr so sehr die gewaltige Persönlichkeit Luthers, seine vielfach explosive Entwicklung und die Fülle seiner, die Zeit aufwühlenden Tätigkeit, die interessiert, als vielmehr die Theologie und Frömmigkeit des großen Mannes.

Indes hält sich die heutige Forschung in einer solchen Weise an diese Art, Luther zu schildern, daß man sie als ungenügend nachweisen kann. Ich möchte ihr gegenüber kräftige Vorbehalte anmelden:

Luther wirkte auch in seinem Lehren im Hörsaal, in seinen Predigten, in seinen Büchern und in seinen Tischreden als Persönlichkeit, sozusagen als Handelnder. Die literarischen Werke, die die großen Etappen seiner Entwicklung markieren – Dictata, Römerbriefvorlesung, die Heidelberger Disputation, die Leipziger Disputation, seine großen Reformschriften, seine Schriften zum liturgischen Neubau, die Vorlesungen und Disputa-

tionen der 30er und 40er Jahre, – sie alle haben nicht nur wegen ihres
theologischen Inhalts Weltgeschichte gemacht, sondern auch durch die
Wucht der Aussage, wegen der persönlichen Kraft, die sich äußerte.
Luther war nicht nur Theologe; er war sogar höchst selten nur Theologe
(sogar im Hörsaal), und dann nur auf kurze Zeit. Er war vor allem
ein Glaubender und ein Prophet und ein Kämpfender. Von dieser Art
eines lebendigen Wesens haben Luthers Werke bis heute viel bewahrt;
man erfaßt sie nicht adaequat, wenn man nur ihren theologisch-abstrakten
Inhalt einzufangen und wiedergeben versucht. Würde dem rückwärts ge-
wandten Propheten die Deutung ganz gelingen, träte das unendlich vielfältige, von Luther oft instinktsicher einkalkulierte Zusammenklingen (und
die gegenseitige Befruchtung) mit vielen welt- und kirchengeschichtlichen
Entwicklungen deutlich heraus.

Aus dem Gesagten ergibt sich eine Konsequenz erster Ordnung: man
darf Luther nicht theologisch überfordern. Man tut ihm damit unrecht.
Und desgleichen uns – den heutigen und den zukünftigen Christen.

Deshalb scheint es mir nötig, Luthers geistiger Eigenart nachzugehen,
und dies ist es, was ich hauptsächlich im Folgenden darlegen möchte.

B. Luthers geistige Eigenart

I. 1. Luther war ein Theologe von großartigem Rang. Meine frühere
These (Luther sei kein Theologe[11]) war mißverständlich.

Aber es kommt auf die Art an, wie einer Theologe ist. Man kann
Luther nicht analysieren wie Ockham oder Duns Scotus, oder den ihm –
trotz allem – viel näher stehenden Thomas von Aquin. Es ist ein Kernproblem angerührt, wenn Rudolf Hermann behauptet, Luther sei ein
intellektuell bestimmter Typ gewesen[12].

Nein, Luther war ein Willensmensch, dies aber wiederum in starker und
stärkster Aktivierung des Affekts, explosiv und eruptiv arbeitend: sein
Temperament prägt intim auch seine geistige Arbeit.

Nur, wenn dieser Aspekt in die Analyse eingeführt wird, und mit der
notwendigen Breite des Tatsächlichen in ihr zur Geltung kommt, gewinnen wir eine Basis für eine adäquate Deutung, nicht nur eines großen,
sondern des größten Teils des theologischen Werkes, angefangen von der
frühen Entwicklung, einschließlich des uns leider nicht exakt faßbaren
reformatorischen Durchbruchs im sogenannten Turmerlebnis; denn auch
dieser Druchbruch war ja (wie so manche mit ihm verwandte geistig-
seelische Geschehnisse im Leben Luthers) nicht nur entgegennehmendes

---

[11] Reformation in Deutschland, Bd. I, 387ff.
[12] R. HERMANN, Das Verhältnis von Rechtfertigung und Gebet, in: Gesammelte Studien
zur Theologie Luthers und der Reformation, Göttingen 1960, 12.

Erkennen, sondern schöpferisches Erleben und das Seelische tief engagie-
rendes Erkämpfen. Und seine Darstellung durch Luther selbst in seinen
verschiedenen Rückblicken ist wiederum nicht nur Beschreibung eines gewesenen Vorgangs, sondern zutiefst auch Zeugnis und Verkündigung.

Wir kennen alle die dornengefüllte Problematik von Luthers Rückblicken. Aber, wenn wir Luther nicht zu einem unwahrhaftigen Rhetor
machen wollen, kann nicht geleugnet werden, daß das, was wir seinen
reformatorischen Durchbruch nennen dürfen, mit tiefer seelischer Erschütterung – innerer Bedrückung, geistig-seelischem Kampf, Befreiung –
verbunden war. Dieser Kern spricht sich mehr als deutlich in der Praefatio
von 1545 aus; wir stellen ihn aber auch fest in der Darlegung von 1518
im Brief an Staupitz vor den Ablaß-Resolutionen, oder in der Tischrede
No. 5518, wo Luther den Sieg in die Worte faßt: „da riß ich hindurch".

Wie auch immer diese Ereignisse im Einzelnen ihrem Inhalt nach bestimmt werden mögen, auch nach ihnen wuchs Luther wesentlich in einer
mächtigen Vielfalt von innerem Ringen und von vielfältig engagierender
Verteidigung und von Angriff nach außen: gegen Rom, später gegen
die Schwärmer, Bauern, Täufer, Juden und immer wieder in persönlicher
(auch triebhafter) Auseinandersetzung mit den legalistischen Papisten.

2. Die theologische Überforderung Luthers zu vermeiden, sollte also ein
Hauptanliegen der Lutherforschung werden; sie hat m. E. an diesem
Punkt bisher viel gesündigt.

Kein Mißverständnis! Luther war eine mächtige geistige Potenz. Sein
Werk beweist es, die Belege sind zahllos: angefangen von vielen Partien
der frühen Vorlesungen – die dem reinen Intellekt bis heute genügend
Nüsse zum Knacken geben – und etwa der Heidelberger Disputation bis
zu seltsam scholastisch-konzeptualistischen Aufrissen im großen Galater-
Kommentar von 1531 (bzw. 1535)! Das steht außer Frage.

Aber dennoch: selbst bis in Thesen und Disputationen hinein spüren
wir den gewaltigen und auch gewaltsamen, aus dem Affekt arbeitenden Er-
kämpfer. Die Ablaßthesen bieten dafür ein allgemein bekanntes eindringliches Beispiel.

3. Dieses Thema wäre auszuführen, wenn der Rahmen eines Artikels
es gestattete. Denn es reicht noch tiefer, als bisher angedeutet wurde.

Ich brauche nur das eine Stichwort „Erfahrung" zu nennen, um von
einer Seite her anzudeuten, was gemeint ist, und die Vielfältigkeit des
Themas anklingen zu lassen. Für Luther ist ja nicht nur der ganze Christen-
stand eine Sache der Erfahrung, sondern in specie auch die Theologie eine
disciplina experimentalis, non doctrinalis [13].

In welche Tiefe dies reicht, kann man bei W. von Loewenich in der
‚*Theologia crucis*' nachlesen, wo je ein Kapitel der Unerfahrbarkeit des

---

[13] WA 9, 98, 21.

Glaubens und ein anderes seiner Erfahrbarkeit gewidmet ist. Sie führen einen Tatbestand vor Augen, den man schon bedrängend nennen darf.

In dieser Hinsicht ist es bereis aufschlußreich, wenn ich daran erinnere, daß Luther in einer Tischrede [14] sich selbst so weit überbietet, daß er sagt, seine furchtbaren Anfechtungen und Dispute mit dem Teufel über Inkarnation und Dreifaltigkeit hätten ihn so weit gebracht, daß er jene Glaubensartikel jetzt nicht mehr so sehr eigentlich glaube, sondern *,experientia scio!'*

Man kann auch an den Tatbestand denken, daß das angefochtene oder gar verzweifelte Gewissen in Luthers geistig-seelischem Haushalt eine zentrale Rolle spielt, und zwar so, daß ,Anfechtung' (die er übrigens zu einem Kennzeichen jedes wahren Theologen macht [15]) geradezu zu einem Bestandteil seines Berufsbewußtseins wurde [16], – dieses verzweifelte Gewissen, das ihm viel zu leicht (und keineswegs nur in Harmonie mit dem Neuen Testament) in die Feder fließt und das zu einer so seltsamen Herrschaft im Sprachgebrauch seiner Kirche gekommen ist.

Hier wäre ein ganzer Rattenschwanz von Fragen zu behandeln, die sich etwa um Stichworte wie „psychologische Betrachtungsart", „verantwortungsbewußt", „verantwortungsverwegen", „Grobianismus", „Skrupulosität", „seelische Labilität" u. a. gruppieren könnten.

Denn wohl gemerkt, wenn Grisar und Reiter und neuerdings in Amerika Erik H. Erikson (1958) Luther methodisch Unrecht tun, so bleiben die grundlegenden Tatbestände doch real und müssen kritisch berücksichtigt werden [17].

Das Verantwortungsbewußtsein steht bei Luther mit kühner, trotziger Verantwortungsverwegenheit zusammen. Grobianismus ist ein kennzeichnender Tatbestand, bis hin zu abstoßend triebhaftem Haß (gegen das Papsttum!). Daneben zeigt sich ein umfassender seelsorgerlicher Trieb, der ihn (wie Paulus) die Not aller mitleiden läßt. Und immer wieder seine Skrupulosität, seine Anfechtungen!

All das, zusammengenommen mit der Glaubenserkenntnis, die, wie gesagt, auch eine Glaubenserfahrung ist [18], prägt in mannigfacher Hinsicht das riesige Lebenswerk. Es wäre m. E. falsch, die angegebenen Elemente intellektuell zu entschlacken; es ist kritisch unzulässig, sie nicht in den Grundbestand von Luthers geistiger Eigenart einzubauen.

---

[14] TR 4 Nr. 4915.

[15] TR 3, Nr. 3589; s. a. TR 1, Nr. 352.

[16] v. LOEWENICH, Theologia crucis, München 1929, 183.

[17] E. GROSSMANN, Beiträge zur psychologischen Analyse der Reformatoren Luther und Calvin, Basel 1958.

[18] Auf die genaue Darbietung des schwierigen Tatbestandes darf ich hier verzichten. Die klare Unterscheidung: Sünde wird erfahren, die Rechtfertigung nicht, umgreift längst nicht den Gesamtbestand von Luthers hierher gehörenden Äußerungen.

II. 1. Das Gesagte gewinnt für den Luther-Exegeten eine besondere Bedeutung, weil die angegebenen Elemente Niederschlag fanden in einer höchst kennzeichnenden Redeweise.

Jeder Große darf verlangen, daß wir uns um seine Eigenart, auch des Sprechens, ernsthaft bemühen. Im Falle Luthers besitzt die Forderung besondere Dringlichkeit, weil er aus dem Strome einer längst festgewordenen Kunstsprache – der scholastischen – kommend, mit einer mächtigen Originalität ein- und durchbricht, vielfach neue Ansichten teils unter Benutzung überkommener Termini, immer aber in einer so kühn neuartigen Formulierungsweise vorträgt, daß ihre saubere Deutung dem an die alten Ausdrücke Gewöhnten notwendigerweise große Schwierigkeiten verursacht – damals wie heute.

Die Schwierigkeiten, die der Denk- und Sprechweise Luthers anhaften, sind so groß, daß eingehende Bemühungen fällig sind, um den Tatbestand zu erheben und auf etwaige Gesetzmäßigkeiten hin zu untersuchen.

Hier liegt meines Erachtens für die Lutherforschung eine der wichtigsten Aufgaben; sie konzentriert sich im Entscheidenden auf die Frage nach der Eindeutigkeit Luthers oder seiner Nichteindeutigkeit; in dieser Komprimierung umreißt der Satz geradezu das formal wichtigste Problem der Luther-Forschung. In welche Tiefe diese Erkenntnis bei Luther reicht, der in Gegensatzpaaren denkt, werden wir noch anzugeben haben.

Luthers Redeweise ist nicht nur von höchstem sprachlichen Reiz, anschaulich, lebendig, treffend; sie ist ein wesentlicher Teil der Verkündigung selbst. Und ohne viele, eindringende Untersuchungen über das Formale seines Denkens, seiner Rede, über ihre Strukturen – weit über das bisher Geleistete hinaus – werden wir das angedeutete Ziel einer wissenschaftlichen *opinio communis* über Luther kaum erreichen.

Ein paar Andeutungen:

(1.) Luther ist ein Sprachgenie. Dem Gedanken verbindet sich spontan in engster Erfühlung das ihn inkarnierende Wort zu einem Wortkörper; vielleicht müßte man sogar sagen, daß der Gedanke als Wort entsteht [19]. Jedenfalls: Gedanke und Wort sind bei Luther weithin eins. Darin gründet zu einem guten Teil ihre besondere Eindringlichkeit, ihre eigentliche Macht; aber auch die angegebenen Schwierigkeiten, den Inhalt in ihrer lebendigen, vielseitig ausstrahlenden Wirklichkeit wiederzugeben.

Aber daneben gibt es (2.): eine amplifizierende Art, Wiederholungen mit sorglos hingesetzten, ungenauen Synonymen, eine *verbositas*, auf deren umständliche Kompliziertheit wir noch zurückkommen. Es ist eine *verbositas*, die Luther z. B. 1535 beim großen Galater-Kommentar selber überraschte, als man ihm die Nachschriften für den Druck vorlegte, und die

---

[19] Vgl. dazu Luthers Lob des *verbum audibile* oder des ‚*vocale verbum*‘ TR 1, Nr. 76; 2, Nr. 2031 und öfters.

er übrigens zu seinen Lasten angenommen hat in dem Eingeständnis, mit dem er sich von Melanchton absetzt: ‚ich bin ein wescher, *magis rhetoricus*‘[20].

Luther ist klar und eindringlich, aber in noch viel größerem Ausmaß ist er kompliziert.

(2.) Eine besondere Gruppe aus Luthers Arbeit bilden die im strengen Sinn theologischen Vorlesungen und Disputationen. Obschon auch in ihnen breite Partien nicht fehlen, für die die angegebene Schwierigkeit gilt, stehen daneben Ausführungen, die mit ausgesprochener technischer Meisterschaft ‚*more scholastico*‘ geschrieben sind. so, als ob wir uns im Disputiermilieu des ausgehenden Mittelalters befänden. Luther war sich dieses Könnens bewußt und hat sich dessen vor seinen papistischen Gegnern gerühmt[21].

Die scholastische Terminologie war zum Teil Ausdruck von theologischen Anschauungen, die Luther aufs heftigste bekämpfte. Er stieß sie in schärfster Negierung ab. Freilich gelang das nicht ganz; auch der Bekämpfer der Scholastik blieb noch Scholastiker.

(3.) Was bei jeder kritischen Lektüre Luthers Beschwerden macht, das ist eine häufig vorkommende, gewisse logische Unschärfe; sie zeigt sich in nicht selten peinlichen Übersteigerungen. Man erkennt, daß die frühe polemische These vom „*Dr. hyperbolicus*“[22] sich leider in einem unwahrscheinlichen Maße als richtig erweist. Es findet sich ein erstaunlicher Superlativismus.

Die Tatsache dieses (sehr oft hemmungslosen) Superlativismus (besonders in der Polemik gegen Papisten, Schwärmer oder auch gegen Agricola[23] im Antinomerstreit) stellt theologisch (und auch menschlich) ein ernstes Problem dar.

Es ist ein Notstand erster Ordnung, daß die Forschung es nicht der Mühe wert erachtet, hier genauer zu untersuchen.

Ganz gewiß, sehr oft soll und darf man diese Superlativismen nicht theologisch pressen. Man muß dem religiösen, seelsorgerlichen und vitalen, aus bedrohlicher Situation oder aus keckem Angriff heraus schreibenden Luther vieles zugute halten.

Das Grundanliegen, das Evangelium, die Rechtfertigung aus Glauben aus der antichristlichen Verdinglichung zu retten, ist so drängend und prägt so sehr das Ganze, daß von daher auch Übertreibungen verständlich werden.

---

[20] Vgl. TR 3, Nr. 3173a: *Brevitatem et perspicuitatem* kann ich nicht so zusammenbringen *quemadmodum Philippus et Amstorffius.*

[21] Siehe hierzu vor allem den Großen Galater-Kommentar, WA 40 I u. II.

[22] Lortz. Reformation in Deutschland, Bd. I, 151; vgl. Grisar, Luther II. 663.

[23] Vgl. die wegwerfende Bewertung des Agricola (WA 50, 463ff.): Heuchelei, Verwüstung aller sittlichen Zucht und Ordnung.

Indes in wichtigen Partien Luthers verbietet sich ein diesbezügliches Bagatellisieren: etwa in der „Winkelmesse", wo es um die Priesterweihe geht und um Luthers These, daß bei den Römischen nur eitel Brot und Wein sei. Deren Behandlung belastet Luther mit geradezu unerträglichen, oberflächlich begründeten Übertreibungen. –

[Bedeutsam ist dieser das ganze Werk mitprägende Zug auch in der Form einer ungewöhnlichen Ungleichmäßigkeit der seelisch-geistigen Höhenlage, da derselbe Mann Luther in derselben Stunde Tiefstes niederschreibt und verwirrende Übertreibungen [24] mit scheinbar demselben Ernst daneben setzt.]

2. Der Fragenkomplex gewinnt historisch seine volle Bedeutung durch die überragende Autorität Luthers zu seinen Lebzeiten, und dadurch, daß 400 Jahre hindurch nicht selten gerade diese besonders laut vorgetragenen Übersteigerungen es waren, die wirksam wurden.

Ganz einsichtig kann man diese Dinge eigentlich nur machen, wenn man ins Detail geht.

Das Material ist für jeden Unvoreingenommenen unvorstellbar groß. Dem sollte auch mancher Lutherkenner nachdenken, der sich vielleicht angewöhnt hat, diese Dinge wenig zu beachten. Von Ungenauigkeiten und Schwankungen in der Terminologie, in der affekt-betonten Redeweise überhaupt, ist Luthers Werk voll: Luther steigert z. B. die Zusage der Sündenvergebung so, daß er sagt, keine wie immer gearteten Sünden brauchten das Gewissen zu beunruhigen (WA 6, 528; 24), der Unglaube ausgenommen (529, 11ff.), – oder daß nach Erteilung der Sündenvergebung nichts schade, „wie viel, groß, oft gesundigt werden mag" (Kurze Form der 10 Gebote, des Glaubens, des Vaterunser 1520: WA 7, 219, 17ff.). Wilfried Joest sagt richtig: Wenn nicht andere Worte die Möglichkeit aussprächen, daß wir aus Kindern des himmlischen Vaters zu Feinden würden (WA 7, 220, 22f.) „müßte man zutiefst erschrecken vor der Verführungsmacht solcher Worte, die, für sich genommen, aufs Haar genau jener Haltung zu gleichen scheinen, die Paulus mit μὴ γένοιτο abweist („Lasset uns sündigen, damit die Gnade sich um so stärker erweise", Rom 6, 15). Darf man, fragt Joest, wirklich in dieser Weise . . . sich (des *simul peccator*) als einer Versicherung der Unschädlichkeit der Sünde getrösten? Auch wenn man weiß, daß Luther dies nicht meint . . ., kann man sie (sagt er [25]) m. E. nur als theologische Entgleisungen beurteilen".

3. Das theologisch Wichtigste an Luthers Redeweise ist ihre Paradoxalität. Sie wurde wesentlich aus der Bibel, präziser aus Paulus (Römerbrief, Galater und Korinther), gewonnen.

Hier stellt sich das Problem von Luthers Terminologie in engeren Sinn.

[24] Vgl. die vorige Anmerkung.
[25] In: Kerygma und Dogma 1 (1955) 312f.

15 Reformata Reformanda I

a) Man kann mit Ihmels und Bizer [26] sagen, Luther sei der Terminologie gegenüber viel zu sorglos, um auf eine saubere Distinktion genügend Wert zu legen. Das stimmt leider. Aber das Problem ist damit nicht bewältigt; es reicht viel tiefer.

b) In der Heidelberger Disputation nennt Luther seine Thesen Paradoxa [27]. Paradoxalität des Formulierens ist im Geiste Luthers das Suchen nach dem Nein im Ja, dem Ja im Nein, die Entschleierung des Widerspruchs als Spiegel der Wahrheit. – Und diesem Suchen geht Luther in geradezu unersättlicher Häufung der Gegensatzpaare nach. –

Grundlegend wurde für Luther sein *absconditas*-Schema, d. h. seine Lehre vom *Deus absconditus,* also des sich in seinem offenbarenden Handeln verhüllenden Gottes; Offenbarung durch oder in der Verhüllung: wir stehen vor Luthers berühmter Kategorie des „*e contraria specie*", des Gegensatzdenkens, das, in sich vielfach verschränkt, z. B. die exegetischen Tiefen des Römerbriefes in der Römerbriefvorlesung noch wesentlich komplizierter vorträgt, als es Paulus im Original getan hatte.

c) Dies Paradoxale in der Beschreibung der Offenbarung ist von Luther nicht erdacht; es ist abgelesen, teils, wie schon gesagt, aus Paulus, teils und mehr am Kreuz, besonders aus der am Gekreuzigten sichtbar werdenden Kenosis, der Entäußerung der Gottheit in die Erniedrigung bis zur real erlittenen Gottverlassenheit.

„*Absconditas*" ist die Denkform, in welcher Luther das in der Offenbarung, speziell im Kreuz, vorliegende Geheimnis annimmt und ausspricht.

Ausgangspunkt sind Gal 3, 13 (*Christus pro nobis maledictum factus*) und 2 Kor 5, 21 (Christus für uns *peccatum factus*); nur, daß Luther diese Aussagen nicht als fromme Redensart, sondern ganz ernst nimmt.

So wird Christus z. B. zum *peccatum peccati,* d. h. zu der „Sünde", an der unsere Sünde stirbt; oder die in uns bleibende und herrschende Sünde und Sündlichkeit („*manens*", „*regnans*") wird zum „*peccatum dominatum*".

Die weitere Entfaltung bringt in der schon erwähnten, geradezu unersättlichen Häufung die paradoxale Identifikation vieler Gegensatzpaare, wie Liebe – Haß, Freier – Knecht, Himmel – Hölle, Leben – Tod, Fleisch – Geist, Buchstabe – Geist, Gesetz – Evangelium, handelnd – leidend, und immer wieder Sünder – gerecht; sie sind getragen oder um-

---

[26] LUDWIG IHMELS, Die christliche Wahrheitsgewißheit, Leipzig 1902, 19; ERNST BIZER, Fides ex auditu (Neukirchner Verlag ²1961) 129.

[27] WA I. 353, 4. Schon vorher hat er gegenüber L a n g Thesen, die er ihm übersandt hatte oder nun übersendet, dreimal als *paradoxa* (einmal ironisch aggressiv auch als *cacadoxa*) bezeichnet: WA Br 1, 103, 6ff., Brief an Lang vom 4. 9. 1517; a. a. O. 1, 121 (Übersendung der 95 Thesen), Brief an Lang vom 11. 11. 1517, wo er diese *paradoxa* ausdrücklich als *orthodoxa* bewertet.

griffen von der grundlegend eschatologischen Vorstellung, die ja zutiefst paradoxale Züge trägt: daß uns Offenbarung und Erlösung sicher sind, aber für den Einzelnen nicht absolut gesichert; daß sie schon da sind, aber noch nicht ganz; daß wir Sünder nicht *„sani sunt, sed sanandi"*, aber dennoch auch schon *„sani"*; *„justificati, sed nondum perfecte; pendet in spe"* [28]; *„non in re, sed in spe"* –, wobei denn nun alles darauf ankommt, ob jeweils die widersprechende Spannung das Positive – wie es den Anschein hat – verneint oder es nicht vielmehr geradezu (durch Steigerung) bejaht!

In Luthers *„simul justus et peccator"* wird die paradoxale Art wohl am deutlichsten und die darin enthaltene Frage am bedrängendsten, besonders wenn wir bei Luther auch die Form finden: *totus justus, totus peccator* (WA 39 I, 563, 13; 546, 4).

d) Die Erhellung dieses paradoxalen *„simul"* ist von kaum zu überschätzender Bedeutung. Seine Funktion wird eindeutig klar im Vergleich zum scholastischen Denken.

Seit Abälards *„Sic et non"* und Gratians *„De concordantia discordantium canonum"* suchte die Scholastik das scheinbar (oder wirklich) sich Widersprechende zu harmonisieren.

Nicht so Luther! Im Gegenteil. Er preßt die anscheinend oder wirklich widersprüchlichen Begriffe aufeinander, möglichst stark und scharf, um aus ihrem Widerspruch den Beweis für ihre Wahrheit, für beider Wahrheit zu gewinnen [29], das *credo quia absurdum* ist nicht gemeint, aber es liegt nicht weit ab.

e) Schnell entdecken wir eine erhebliche Gefahr; man verliebt sich leicht in solche tiefgründige Art des zwielichtigen, geistreichen Redens. Tatsächlich ist Luther ihr ebensowenig entgangen, wie mancher unserer heutigen Existentialisten, die uns in tiefsinniger Tautologie eine noch span-

---

[28] Neben dem reichen Material der RV (zu 4, 7: WA 56, 269, 25ff.) und vieler anderer Äußerungen noch WA 40 II 23.

[29] Vgl. jetzt hierzu auch GERHARD EBELING, Luther. Einführung in sein Denken (Tübingen 1964). „Wie sich diese beiden scheinbar widersprechenden Gesichtspunkte miteinander vereinigen lassen, ist das Kernproblem, das Luthers Denken uns aufgibt." (160). „Es wird gerade darauf ankommen, den inneren Zusammenhang so widersprüchlich scheinender Aussagereihen Luthers zu erfassen." (161) „das eigentlich Denkwürdige an (Luthers) Denken ... wie die eine Grundantithetik ... sowohl einen kontradiktorischen wie nicht kontradiktorischen Sinn hat" (163). „Es sind aufs schärfste unterschiedene Zeiten; und trotzdem liegen sie aufs engste beieinander, nämlich Sünde Gnade, Gesetz, Evangelium" (165). Wie man auch diese geistreichen Unterscheidungen bewerten möge, in den Evangelien finde ich sie nicht, auch nicht im ganz aufgenommenen Paulus. Es liegt eine nicht un-forcierte theologische Fortentwicklung aus Gedanken der *Kenosis* vor. Es liegt auch der Versuch vor, eine *quasi*-Einheitlichkeit zu konstruieren, deren vereinheitlichende Funktion im Bejahen und Verneinen des gleichen Elements liegt.

15*

nungsreichere Formulierung zur Erklärung einer schon unverständlichen ersten anbieten.

Auch eine andere Gefahr liegt nahe, die in der Geschichte des Luthertums eine schwere Hypothek darstellt: daß man geneigt wird, wirkliche Gegensätze nicht mehr so tragisch zu nehmen, solange nur der eine, alles tragende Grund, Christus, festgehalten wird.

Für Luther ist sicher, daß er in seinem paradoxalen *„simul"* nie eine Antinomie sieht[30]. Und mit Recht. Denn was Luther ausdrücklich will, ist nichts anderes, als die Tatsache der christlichen Realparadoxie der Inkarnation und des Kreuzes zu verkündigen, wo Gott so sehr in der Erniedrigung steht, daß er in jenen, wie Luther sagt „größten Worten" *„Eli Eli ..."* (Mt 27, 46) seine Gottverlassenheit bekennt.

f) Luthers Paradoxien wollen also die Offenbarung Gottes in der Verhüllung des Gegenteils göttlicher Kraft (sc. von Schwäche, Schmach, Gottesferne) zum Ausdruck bringen. Nirgends in der Geschichte der christlichen Theologie hat das jemand so eindringlich geleistet wie der Reformator Martin Luther.

Im *„justus simul et peccator"* ist dieses Geheimnis der verborgenen Erlösung durch den Untergang am rettenden Kreuz auf den Menschen angewendet. Der Mensch ist Sünder. Er muß diese Tatsache anerkennen. Dadurch, daß der Mensch seine Sündigkeit anerkennt, gibt er Gott Recht. Dessen Richterspruch (*„judicium"*) wird zu der uns rechtfertigenden Gerechtigkeit (*justitia Dei quae nos justificat*). Es erscheint die Niederlage und Schwäche, – wirklich aber wird der Sieg über die Sünde, Tod, Hölle und Teufel.

Aber noch steht das *„simul"* unerklärt da. Luther sagt so: da in diesem Leben die von Gott geforderte Erfüllung seines Gesetzes mit all unseren Kräften und ganz freudig (mit der Lust, sagt Luther, mit der wir die Sünde genießen), niemals ganz erreicht wird, bleiben wir Sünder. Deshalb ist auch, nach Luther, des Paulus' Schmerz in Römer 7 nicht, daß er das Gute, das er will, nicht tut, sondern, daß er es nicht so frei, froh und aus voller Seele tut, wie es das Gebot der Liebe (*ex omnibus viribus*) verlangt[31].

---

[30] Die These ist gedeckt durch kaum übersehbares Material paradoxaler Anwendung in Luthers Werken. Dazu Luthers Stellungnahme WA 39 II 4, „... *ut quae* (die christliche Wahrheit) *sit non quidem contra, sed extra, intra, supra, infra, citra, ultra omnem veritatem dialecticam"*. (Aus den Thesen für die Disputation über Joh. 1, 14 von 1539).

[31] Römerbriefvorlesung (WA 56, 341, 31); s. a. LORTZ in: TRIERER THEOL. ZTSCHRFT. 71 (1962) 129–153, 216–247. – Besonders der spätere Luther kennt jedoch auch die Freudigkeit des Tuns, wo selbst „... das Gesetz köstlich und gut und mir gegeben zum Leben und gefällt mir ...", „... *hoc modo sit nobis lex, obedientia aliquomodo jucunda"*. (WA 39 I 375, 4. 8).

g) Von hier aus ergibt sich die Erkenntnis: Luthers Denken ist in umfassendem Sinn ein dialektisches Denken; wahrhaftig kein dialektisches Spiel[32], sondern ein todernstes Ringen zweier in der Offenbarung selbst vorliegender Gegebenheiten, die sich für unser Verständnis aufs heftigste gegenseitig bedrängen.

Da das eine Glied der Spannungseinheiten ein *Negativum* (die Sünde) ausdrückt, da außerdem gerade hierauf von Luther die stärkere Betonung gelegt wird, ist es für die Deutung und Wertung entscheidend, ob die Grenze der jeweiligen Verneinung erkannt wird, d. h. daß man sieht, das dialektische Gegeneinander hebe das objektiv Seiende keineswegs auf, sondern setze es voraus; konkret ausgedrückt: das Bekenntnis zur bleibenden Sünde verneint keinesfalls die wirkliche, irgendwie ontische Rechtfertigung. Eine reine imputative Rechtfertigungslehre, im nur äußerlich forensischen oder nominalistischen Sinn, wird Luthers Denken nicht gerecht.

In seinem dialektischen Denken hat Luther die konzeptualistische Theologie überwunden. Er läßt das Geheimnis stehen; vielmehr, er keltert es aus. Er hat hier die Art der monastischen Theologie Bernhards wieder entdeckt. Allerdings kann und darf man nicht übersehen, daß die Ideenführung sehr früh und dann immer vollständiger wesentlich sich vollzieht im Zusammenhang mit seinem Angriff auf die Theologie und Praxis der Kirche und der von dort kommenden Reaktion, und also in der entsprechenden Selbstverteidigung, und eben dadurch auch wieder mit den daraus entstehenden Verhärtungen und Übersteigerungen.

Freilich, auf Art und Grad jener nicht nur forensischen, sondern ontischen Wirklichkeit wird am Ende für die theologische Beurteilung alles ankommen, sowohl in der Verhältnisbestimmung zu den biblischen Aussagen als zur spezifisch sakramentalen katholischen Auffassung.

Die Grundfrage bleibt, ob nach Luther die Rechtfertigung aus dem Glauben allein (die dieselbe im Alten und Neuen Testament ist)[33] nur eine Relation, nur eine Zustandserklärung ist, oder ob der Glaube in Christus die Sünde in mir wirklich neben dem bleibend Sündhaften tilgt, mir ein neues Leben, nämlich das Leben Christi vermittelt, sogar so weit, daß nicht mehr ich lebe, sondern Christus in mir lebt.

Es ist festzuhalten, daß Luther aus sehr berechtigter Gegnerschaft zum übertriebenen dinglichen Sakramentalismus der Zeit oder des Mittelalters, nicht selten in gewissem Maß spiritualistisch oder nominalistisch-forensisch formuliert. Die erwähnte Gegnerschaft erklärt, warum Luther dazu kommt.

Es gibt Äußerungen Luthers, die dem von Gott im Heilsprozeß Gewirkten ein eigentlich Ontisches im Geschöpf, im Gläubigen, in der Kirche

---

[32] W. v. LOEWENICH, Theologia crucis, 111.

[33] „Und ist ein Glaube wie der ander, denn sie hangen beide an dem Samen Abrahae, das ist Christo, einer vor, der andere nach seiner Zukunft WA 10, I. 2, 27.

offenbar absprechen; etwa: „Die Kirche lebt nicht von dem, was sie ist, sondern von dem, was Gott in Jesus Christus für sie ist"[34].

Man muß weiter sagen, daß das allgemeine Gefälle von einer ontischen Konkretisierung weg weist zur Auffassung als einer Relation, eines personhaften Verhältnisses und dies nur im Glauben.

Es gibt aber andere Äußerungen (z. B. über das Umgewandelt-Werden in Christo), die ontisch verstehbar sind (im selben Maß übrigens, wie die Alleinwirksamkeit Gottes ergänzt wird durch eine Mitwirkung des Menschen in Gottes Kraft).

Es ist also doch sehr die Frage, ob man mit Congar sagen könne, „der protestantisch religiöse Realismus (habe) nichts von einem ontologischen Typus an sich"[35] und also, ob „die Ordnung der personenhaften Beziehung" das Ontologische aus der Rechtfertigung ausschlösse.

Sicher bedeutet Rechtfertigung die fremde Gerechtigkeit Christi, die Gott mir im Glauben zueignet, aber er macht sie auch nach Luthers Auffassung zu meiner Gerechtigkeit. Sie ist von Ursprung und Wesen her eine *externa*, wird aber, so weit Gott Mensch werden kann, im Menschen des Menschen Besitz, was das reine Geschenktsein ja keinesfalls aufhebt.

Kirche ist der gegenwärtige Christus, aber in mir[36]. Gott verheißt nicht nur, er teilt sich mit!

h) Luther hat seine Art des paradoxalen Redens später – aufs ganze gesehen – viel weniger kompliziert angewandt und expliziert als in den Dictata und der Römerbriefvorlesung; aber sie war und blieb ein wesentliches Stück lutherischer Theologie (z. B. im *„simul justus et peccator"* oder in der Lehre vom *„deus absconditus").* Und also wird hier unmittelbar faßbar, wieviel insgesamt Luthers Redeweise mit dem Inhalt seiner Theologie zu tun hat, und wie kritisch genau sie kontrolliert werden sollte. Man muß es deutlich sagen: vieles aus dem tiefsten oder reichsten theologischen Besitz Luthers gehört gerade in dieses Kapitel der „Übersteigerungen". Seine Kreuzestheologie ist davon erfüllt: wenn Gott den Menschen retten will, tötet er ihn; ehe er ihm durch die Lossprechung den Frieden gibt, stürzt er ihn in Verzweiflung und Angst. In der *„Disputatio de justificatione"*[37], wo Luther zu der verwickelten Sprache und Denkart

---

[34] G. FAURE, Le sauveur des incredules . . ., in: Jesus Christ; CAHIER BIBLIQUE DE ‚FOI ET VIE', Januar/Februar 1947 bei Y. CONGAR, Vraie et fausse Réforme, (Paris 1950) 446.

[35] CONGAR, a. a. O. 448.

[36] Vgl. die von CONGAR zitierten: E. WOLF, Evangelische Selbstprüfung, Stuttgart 1947, betr. Luther 150, betr. Calvin 143. – F. M. BRAUN, Neues Licht auf die Kirche, Einsiedeln–Köln 1946. Weitere Belege bei CONGAR, a. a. O. 424 Anm. 45; s. auch K. BARTHS Erklärung des Christus in uns = hinter uns, über uns, jenseits uns (bei CONGAR S. 424).

[37] WA 39 I 102ff; 104, 11ff. – Noch radikalere Paradoxien formuliert Luther etwa in der Auslegung des 117. Psalms WA 31, 249, 20ff.; 250, 24f.: .. . . Also mus Gottes trew und warheit auch ymer dar zuvor eine große lugen werden, ehe sie zur warheit wird . . .

der frühen exegetischen Vorlesungen zurückkehrt, heißt es: „die Reue ist echte ‚*mortificatio*‘, Tötung und furchtbarer Schrecken, weil Gott den Menschen durch die Offenbarmachung der Sünde durch den Heiligen Geist tötet, und jeder, der Reue empfindet, hat Angst vor Gott, fürchtet ihn und flieht vor ihm, erträgt nicht sein Gericht und seinen Zorn ... Was also, so frage ich, verdient der Mensch, der in dieser Weise vor Gott davon flieht, Gott haßt, Gott nicht anzuhören vermag, ihn zurückstößt?“

Hier haben wir eine jener Überforderungen (in diesem Falle der „*contritio*“) echt Lutherscher Prägung. Sie ist weit davon entfernt, bloße Rhetorik zu sein; es äußert sich tiefer christlicher Ernst in der Entscheidung um unserer Seele Seligkeit. Dennoch kann man nicht übersehen: es bleibt ein fataler Beigeschmack nicht nüchterner Übersteigerung. Wir müssen ja doch feststellen, daß der allgemeine Befund echten Christenlebens, wie wir ihn aus den Synoptikern, aus Johannes, auch aus Paulus außerhalb des Römerbriefes (und auch in diesem) kennen und auch aus vielen Beispielen der Kirchengeschichte von der Frühzeit an erheben können, damit nicht zusammenstimmt.

Luther sucht rein sprachlich seiner These die größtmögliche Durchschlagskraft und Wucht zu geben, also versucht er jede Einschränkungsmöglichkeit auszuschließen. Inhaltlich entwickelt er seine Grundhaltungen in ungeheurem Ernst (der in der Gewissensangst geradezu todesmutige Festigkeit zeigt) an einem äußersten Grenzfall: der Glaube wird als volle Entäußerung des eigenen Ich gefaßt; der Glaube entfacht sich am Erlebnis des Schreckens der Gottesferne und des Gottesschreckens und der Bereitschaft zur eigenen Verdammung. Die Bedingungen sind also auch so, daß es notwendigerweise nur wenige echte Christen geben kann: Luthers Ausspruch: „Der Christ ist ein seltener Vogel“ [38], ist nicht nur Feststellung menschlichen Versagens, sondern auch Ausdruck dafür, daß die christliche Verkündigung nach Luthers Deutung eigentlich nur für eine Elite paßt. Der Mensch überhaupt ist überfordert. Hier ist harte Kreuzestheologie, und die Rede des Evangeliums überhaupt wird zum „*sermo durus*“ (Joh. 6, 60).

Und summa, Got kan nicht Got sein, Er mus zuvor ein Teufel werden, und wir konnen nicht gen himel komen, wir mussen vorhin ynn die helle faren, konnen nicht Gottes kinder werden, wir werden denn zuvor des Teufels kinder ... die Gottlosen faren nicht ynn die helle, sie seyen de denn zuvor ynn den himel gefaren und werden nicht des Teufel kinder, sie mussen zurvor Gottes kinder sein. ... Und Summa, der Teuffel wird und ist kein Teufel, er sey denn zuvor Gott gewest ...“ Hier ist ein kühlnüchternes Bedenken dieser ‚*verbositas*‘ doch wohl sehr am Platz. – Dazu noch dieses Beispiel aus der Genesis-Vorlesung (wo allerdings die Frage nach der Authentizität des Textes zu stellen ist): „*Sciamus igitur Deum abscondere se sub specie pessimi Diaboli ...*“ (WA 44, 429. 24).

[38] WA 20, 576 20ff. vgl. dazu verwandte Aussagen wie WA 11, 252, 2ff.; WA 51, 270, 15ff., a. a. O. 560, 39f.

Die Forschung darf diese Übersteigerungen nicht einfach hinnehmen, weil sie einem kompromißlosen Ernstnehmen des Kreuzes das Wort reden. Es ist dem Menschen nicht erlaubt, sozusagen die Maßstäbe für das Heil noch höher, größer zu nehmen, als Gott es in der Offenbarung der Schrift uns lehrt. In der Schrift steht wohl die Forderung der Vollkommenheit für alle („Seid vollkommen, wie euer Vater im Himmel vollkommen ist" Mt 5, 48); aber die Schrift zeigt auch, daß nach dem Willen Gottes in seinem Reich Platz ist für Seelen weniger hoher Spiritualität. (Immer wieder: das blutflüssige Weib, Mt 9, 20ff., und vieles aus dem Menschenbild der Synoptiker, die Gestalt des *„Justus",* des Vollbringers der Werke, gemäß denen das Gericht ergehen wird [39].) Auch darf und muß man fragen, ob Luther mit dieser Methode der Übersteigerung (zusammen mit seinem Kampf gegen das Sichtbare, gegen die Werke) nicht gerade das Höherführen der Christen im Glaubensleben für sein Teil auch verhindert hat?

i) Daneben läuft allerdings eine kräftige zweite Gedankenlinie, die mehr Gottes allgemeinem Heilswillen entspricht und dem einfach-einfältigen und fröhlichen Glauben sein Recht gibt. Diese Linie, die der frühe Luther in Erklärungen zum Vater unser und den Zehn Geboten, auch im Magnificat und in mancher Predigt so anziehend ausbreitet, nimmt beim späteren Luther noch zu. Wiederum keineswegs so, daß die Paradoxa und die Überforderungen − und damit vielerlei Schwankungen und Unstimmigkeiten − dann ganz weggefallen wären!

k) Höchster und (diesmal in einem tief reichenden Sinn) begründeter Ausdruck für Luthers das Wesentliche der Verkündigung suchende Theologie, sind seine *sola*-Formeln *(sola fide, sola gratia, sola scriptura).* Die große Frage, auf die wir noch zurückkommen müssen, und die in unseren Tagen an Tragweite gewinnt, lautet: sind diese absolut lautenden Formeln auch streng absolut gemeint? Oder dulden sie, fordern sie aus dem Bestand der Offenbarung heraus komplementäre zusätzliche Aussagen? Und findet sich derartig Komplementäres bei Luther? Gibt es z. B. in Luther ein Komplementäres sogar zum *„fide sola"?* Daß die Frage sich nicht nur von der Bibel her stellt oder nur kontroverstheologischen Ursprungs ist, sagt allein schon der große Galaterkommentar; er gibt eine hoch illustrative bejahende Antwort, besonders (nicht nur) bei der Behandlung des Glaubens und der Hoffnung (s. unten).

III. 1. Aus dem angegebenen Bedrohtsein auch des Gläubigen durch die bleibende Sünde und wegen der immer wieder fälligen Wiederholung des Sündenbekenntnisses, aber auch aus der biblischen Auffassung des

---

[39] Vgl. Albrecht Peters. Glaube und Werk, Bln. − Hamburg 1962. − Ole Modalsli, Das Gericht nach den Werken, Göttingen 1963. W. von Loewenich. Luther als Ausleger der Synoptiker. München 1954.

Christenlebens als eines geistlichen Kampfes [40] ergibt sich eine weitere Eigenschaft der geistigen Art und der ganzen geistlichen Arbeit Luthers: ihre Dynamik in dem Sinne, daß Luther durchaus (wenn auch wiederum nicht ganz [Realpräsenz in der Eucharistie!]) gegen eine statische Auffassung des Heiles ist, gegen das definitive Haben, gegen das Sich-sicherfühlen, das Schon-ganz-dasein.

(In diesen Zusammenhang gehört auch Luthers wütender Kampf gegen das *„maledictum vocabulum formatum"*, wodurch er sich allerdings die Bestimmung des Verhältnisses von *fides* und *charitas* überflüssigerweise so sehr erschwerte.)

Wir erkannten bereits [41], daß Luthers Denken vom Grundansatz her eschatologisch geprägt ist. Die Erlösung ist bereits vollzogen, aber noch nicht voll ausgeteilt. Wir stehen ein Leben lang wesentlich in einem Prozeß werdender Rechtfertigung; immer von neuem, unermüdlich, ein Leben lang müssen wir Gott suchen.

Die kennzeichnenden Stichworte lauten: *motus, apprehendere, quaerere, vincere, pugnare, fieri, de bono in melius.* (Es wäre gut, genau zu wissen, ob diese Terminologie im Gesamtbereich des Lutherschen Werkes gleichmäßig verwendet wird, oder ob erhebliche Unterschiede je nach Zeit und Thema vorliegen.)

2. Einen Beleg für diese Bewegtheit bietet uns Luthers langes Leben selbst.

Sicherlich hielt die heroische Höhenlage des Kampfes, bzw. des persönlichen Wachsens im Kloster und in der Frühzeit der Universitätsjahre nicht einfach das ganze Leben an. Der schöpferische Durchbruch von 1513–1522 bzw. 1525, der im Anfang so qualvoll war –, oder die Bewegtheit des Aufbaues der zwanziger Jahre – sie konnten und brauchten nicht einfach fortzudauern: die innere Stellung war gewonnen, es konnte genügen, sie zu bewahren.

Sogar ein gewisses bürgerliches Sattsein fehlt nicht ganz beim reifen und späten Luther.

Aber Luther wurde dennoch – in allem, was den Glauben angeht – nie im eigentlichen Sinn des Wortes ein Arrivierter. Das gilt auch, ja gerade, für den Prediger der persönlichen Heilsgewißheit, die ja für ihn theologisch wesentlich gebunden blieb an die heilsame Furcht der Heilsungewißheit. (Daß diese heilsame Furcht anderseits weithin vom Bewußtsein des definitiv geretteten [sündigen] Gotteskindes überdeckt wird, entspricht dem biblischen Befund und besagt nichts gegen die eben geäußerte These.)

Einzelbelege für das Gesagte liefern die so sympathischen Eingeständnisse Luthers über sein Nichtvorankommen im Glauben, sein Gefühl des

---

[40] Hier ist für Luther mit Bernhard die Forderung des nicht nachlassenden Strebens zum Besseren entscheidend.

[41] Oben S. 226f.

Versagens, des Immer-neu-lernens (auch mit seinen Kindern), sei es am Vaterunser oder an den Zehn Geboten (insgesamt mehrere Dutzend Texte).

Einige Belege: (1) Luthers ganze Predigt bekennt unablässig, daß Gott allein alles ist und tut, der Mensch nichts ... Dennoch bekennt Luther von sich noch im Großen Galater-Kommentar (1531/35), daß er den Unterschied zwischen der *justitia ex nobis* und der *Justitia Christiana* nicht kenne: *ego nondum scio* (40, 141).

(2) Gegen nichts eifert Luther so heftig, ja grob und aggressiv, wie gegen das Vertrauen der römischen Papisten auf die Werke: „Aber ich selbst *in illo converso* über die Ohren. Ich kann sein nicht los werden" (WA 31, II, 249, 10; 1529 über Jesaias).

(3) Man darf sagen, daß Luthers ganze Verkündigung vom Gedanken der frei geschenkten Gnade lebt. Aber in einer Predigt über Luk 7, 11 von 1529 gesteht er: „das geht schwerlich ein: *gratis dari beneficium. Ego veni bis ins ABC. Sed* B und C kann ich noch nicht" [42].

(4) In mehreren Rückblicken hat Luther geschildert, wie ihn das endlich erkämpfte Verständnis von Röm 1, 17 mit dem Habacuc-Zitat befreit und auf die Bahn gesetzt habe. Besonders in der Tischrede 5518 [43] hat er die Unterscheidung zwischen *justitia legis* und *evangelii* auf Grund jenes Zitats als definitiv bezeichnet: „da riß ich hindurch". Aber er bekennt in einer anderen Tischrede [44], „ich hab 25 jar gepredigt und verstehe den *locum* noch nicht".

(5) „Den Verstand abtun und nur dem Glauben vertrauen, ist schwer. *In hoc quotidie adhuc periclitor*" [45].

(6) In der Genesis-Vorlesung: „*Mihi etiam nunc difficile est, exuere et abicere doctrinam papae* [46]; oder er ist zornig gegen sich und schämt sich, „weil er so schwachgläubig ist" [47].

IV. 1. In meiner „Reformation in Deutschland" hatte ich Luthers Subjektivismus kräftig unterstrichen. Es ist die These, die auf die meiste Kritik stieß.

Diese Kritik übersah durchweg die Grenzen, die ich m. E. mehr als deutlich gezogen hatte, nämlich, daß Luther sich durchaus an das objektive

---

[42] Er gibt dieser Erfahrung auch allgemeinere Gültigkeit: „Es hält gar schwer, daß ein Mensch, der sein Leben in seiner Werkheiligkeit gesteckt, sich emporschwinge und sich mit ganzem Herzen durch den Glauben zu dem einzigen Mittler erhebe (WA 36, 372, 16).

[43] WA, TR 5, Nr. 5518.

[44] WA TR 3, Nr. 3874.

[45] WA 10, II, 203, 13 Weihnachtspostille 1522.

[46] WA 44, 767, 18f.

[47] WA 44, 806, 12; ebd. 807, 9.

Wort gebunden wußte, und dies in dem umfassenden Ernst, den wir an ihm kennen, ein Ernst, der zwar durch die angeführten Elemente der affektiven und theologischen Übersteigerung belastet ist, aber keineswegs gemindert oder gar beseitigt wird, und schon gar nicht einen ernsten subjektiven Vorwurf der Unredlichkeit begründet.

Gegenüber all dem, was die evangelische Forschung selbst (und selbstverständlich) zu Luthers höchst eigenwilliger Persönlichkeit betont hat, angesichts Luthers stupender Unabhängigkeit gegenüber jeder Instanz, ausgenommen die eine Bibel, die aber e r in s e i n e m Evangelium auslegt; angesichts Luthers Intransigenz gegenüber denen, die seine Glaubensartikel nicht teilen: Papisten, Schwärmer, Zwingli und Täufer, die er alle – wenn auch nicht ganz konsequent – zur Hölle verdammt; angesichts Luthers starken eigenen Schwankungen, die ja auch evangelischer Kritik nicht verborgen blieben, die aber den überaus starken Anteil der persönlichen Meinung des Reformators an den vorgetragenen Thesen eindringlich klarlegen, bin ich etwas erstaunt über diese Kritik.

2. Der Ausdruck „Subjektivismus" mag unsympathisch sein; man kann ihn ersetzen oder mildern („subjektiver Ansatz" [s. unten S. 236] oder „Individualismus" oder „Personalismus"). An der Sache glaube ich nach wie vor festhalten zu müssen; ich sehe nicht, wie man daran vorbei könnte.

Hier mögen von dem die ganze Art von Luthers Persönlichkeit und seiner theologischen Arbeit umgreifenden Thema wenigstens einige Gesichtspunkte herausgehoben werden:

a) Das Wichtigste zuerst! Die Bibel ist nicht einem Einzelnen anvertraut, sondern der Kirche, die in einem ewig denkwürdigen Lebensprozeß aus den vielen umlaufenden Beschreibungen der Offenbarungen des Herrn ohne autoritäre Leitung den Kanon der verpflichtenden, so verschiedenen apostolischen Schriften sammelte und sich zur Richtschnur setzte.

Luther hingegen beseitigt die Kirche im bis dahin geltenden Verstand mit dem Lehramt des Papstes; er glaubt, genau besehen, trotz des Symbolums, das er bekennt, nicht mehr der Kirche, sondern dem Worte Gottes, aber so, wie e r es auslegt.

Von hier aus gibt es, wenn man die Linie konsequent festhält, nur den Weg zur freien Forschung; das *„sola scriptura"* bedeutet eine volle Absage an eine dogmatische Fixierung; jede Position ist grundsätzlich nun als überprüfbar akzeptiert. Ich muß W. v. Loewenich zustimmen: Luther wurde gegen seinen Willen, aber mit unvermeidlicher logischer Folge der Vater des liberalen Protestantismus [48].

b) Daß er selbst keineswegs das autonome Gewissen wollte, ist für seine Art und seinen Besitz und auch für vieles, das er seiner Kirche vermachte, von höchster Wichtigkeit; er selbst würde eine solche Lehre zweifellos aufs

---

[48] v. Loewenich, Der moderne Katholizismus, Witten ²1956, 121.

heftigste verurteilt haben. Aber grundsätzlich ändert das am Gesagten nichts, nämlich das Luthers persönliches, an der Bibel erarbeitetes Urteil sich zum Maßstab für Verkündigung und Lehre machte.

3. a) Was vorliegt ist zweifellos – um mit v. Loewenich zu sprechen – ein subjektiver Ansatz.

Es wurde bereits hingewiesen auf die umfassende Bedeutung, die für Luther Begriff und Sache „Erfahrung" haben. Das ganze Christenleben ist *experimentalis vita.* Das Material aus Luther, um dies zu illustrieren, ist immens. Dabei wird die A r t der inneren Entwicklung Luthers bedeutsam: der einsame Luther mit Maria zu den Füßen Jesu, d. h. der Bibel sitzend: Niemand, niemand, sagt er, lehrte michs, „bis ich wurde abgesondert von der Menge und Christus allein hörte. Als ich das tat und jenen allein hörte und setzte mich mit Maria zu seinen Füßen, da habe ichs gelernt, was Christus und Glaube ist" [49].

Entsprechend wächst mit der persönlichen Glaubenserfahrung die Innerlichkeit. Und es entsteht die grundlegende – innerhalb der Kirche durchaus legitime – Auffassung, daß Gott und seine Offenbarung in Tat und Lehre nur e i n e n Wert haben: im *pro me! – Ut credunt, ita habent.*

Wie bedeutsam und nützlich diese Haltung, wie sie sogar in einer gewissen Überbetonung damals notwendig war, brauchen wir nicht lange zu erörtern; man kann sie geradezu als lebensrettend bezeichnen gegenüber dem verdinglichten Objektivismus und Sakramentalismus der Spätscholastik und der Dinglichkeit im Kirchenwesen zu Luthers Zeit.

b) Nun berief sich Luther – um die kirchliche Berechtigung seines verdammenden Prophetenamtes herauszustellen – mit starker Betonung auf Recht (apostolisches Recht!) und Pflicht, die ihm seine Würde als theologischer Doktor verleihe. Natürlich beschränkten seine katholischen Gegner solche Autorität auf den Umkreis der Lehre der Kirche.

Aber hier taucht der Luther subjektiv rechtfertigende Tatbestand der spätmittelalterlichen theologischen Unklarheit auf, jene *confusio opinionum,* die Luther später der alten Kirche vorwerfen wird, und die als Übel auf dem Tridentinum selbst genannt wird.

Innerhalb dieser Unklarheit (die im Zusammenhang der geistlichen Entkräftung der damaligen Kirche zu sehen ist) und dem konziliaristischen Vielerlei war es der P a n o r m i t a n u s (Kardinal Nikolaus von Tudeschi OSB, † 1455), der Luther das Mittel zur eigenen Rechtfertigung an die Hand gab: auch ein Einzelner kann gegen alle übrigen in der Kirche recht behalten, wenn er nur die bessere Begründung für sich hat.

c) Darauf ging Luther voll ein (allerdings wesentlich über Panormitanus hinausgehend, der an der Hierarchie und dem Lehramt festhielt). Er zitiert die Schrift, und wie! Hier stehen wir vor dem Weltgeschichte

[49] WA 34 II 148 (1531 Predigt .

machenden Phänomen: wie Luther auf die Schrift stieß und wie er auf sie reagierte, bis er durchstieß in leidvollem Ringen: eine Urzeugung wie sie uns in dieser ungeheuren Kraft und Fülle in der Geschichte selten begegnet. Und daraus erwachsend die ungewöhnliche, die geradezu ungeheure Kraft s e i n e s Gewissens, auf das er sich unermüdlich beruft und das in der uns noch heute erregenden Berufung in Worms 1521 Weltgeschichte machte.

Luther ist durch und durch ich-bezogen: m e i n Evangelium, m e i n e Bibel, in der er, trotzdem er nur Evangelist Gottes sein wollte, Jakobus und Apokalypse nicht haben will. „Sintemal ich meiner Lehre gewiß bin, will ich durch sie auch der Engel Richter sein, daß, wer meine Lehre nicht annimmt, nicht möge selig werden, denn sie ist Gottes, nicht mein" [50].

Luthers Subjektivismus wird auch (und wie massiv!) greifbar in seinem erschreckenden „Propheten"-zorn, der sich gegen die aufständigen Bauern wendet; sein von Skrupeln nicht geplagter, verzerrend zeichnender triebhafter Haß gegen das Papsttum braucht nur erwähnt zu werden.

3. Hier taucht ein Problem auf, dem auf evangelischer Seite im allgemeinen keine besondere Sympathie entgegengebracht wird: wie steht es um Luthers Heiligkeit? War Luther ein Heiliger? Von manchen evangelischen Freunden hörte ich die Antwort: Gott Dank, nein!

Ich halte das für eine bedenkliche Einstellung, für eine indirekte Verkürzung der christlichen Wertskala. Es scheint mir eine evangelisch-reformatorische Selbstkorrektur, wenn in neuerer Zeit durch die positive Bewertung evangelischen Klosterlebens mit den Gelübden, der Kategorie persönlicher Heiligung wieder eine zentrale Funktion zugewiesen wird, wie etwa bei den Brüdern von Taizé.

Jedenfalls, die heroische Demut und Geduld, die damals allein den Bruch hätten vermeiden können, brachte Luther nicht auf.

Aber geben wir es ruhig zu, dies führt in charismatische Bereiche; der prüfende Verstand vermag nicht zu formulieren, wie Luther diesen Heroismus hätte aufbringen dürfen, ohne unehrlich zu werden. Auch hier stehen wir im Mysterium.

Die Ich-Bezogenheit ist also eine mächtige, übermächtige Komponente im Reformator Luther und in seiner Verkündigung. Sie ist – als Träger des Wortes – die große Kraft der Ausbreitung; aber im Lichte der evangelischen Verkündigung der Sanftmut und im Lichte von Luthers eigener Lehre von der Niedrigkeit des Menschen und der Forderung der Selbstentäußerung ist sie doch wohl auch eine beträchtliche, eine unheimliche Belastung, gerade für einen Reformator.

---

[50] WA 10 II 107, (1522 Wider den falschen genanntten geistlichen Stand des Papstes und der Bischöfe).

Wäre also etwa auf „Stolz" zu erkennen? Wir sprachen von Verantwortungsverwegenheit. Hieran ist nichts abzustreichen! Aber wir kennen auch Luthers Grundlehre: der Mensch ist nichts. Und als sein letztes Wort bleibt stehen das ergreifende: „Wir sind Bettler, *hoc est verum*" [51].

V. 1. Verhältnismäßig selten hat Luther theologisch oder seelsorglich rein aus der Sache heraus gedacht und gesprochen. Am gelockertsten äußert er sich in Predigten und in einzelnen Büchern (wie dem Kleinen Katechismus), wo er ohne polemisches Gegenüber den aus der Bibel erhobenen Reichtum sich verströmen läßt.

Meist aber denkt und spricht Luther aus einer bestimmten Situation heraus, um ein bestimmtes Ziel zu erreichen, genauer: um einen Gegner und dessen Irrtum zu überwältigen.

Dies ist nicht eine nebensächliche oder weniger wichtige Bemerkung, sie trifft Wesentliches; deshalb nämlich, weil Luther in ungewöhnlicher Weise von der Situation beeinflußbar war. In einem entscheidenden Maß haben seine Dialogpartner oder -gegner auf die Färbung seiner Propositionen eingewirkt, und manchmal ist es mehr als nur die Färbung, die dem Einfluß erliegt; die Beeinflussung reicht in die Sache selbst hinein.

Mir scheint es eine Kapitalfrage für eine anzubahnende gemeingültige Luther-Interpretation zu sein, daß wir Luthers Wesensart als situationsgebunden erkennen. Die These trägt sehr weit und kann in der ökumenischen Auseinandersetzung von überraschender Wirkung werden. Wenn etwa jetzt H. Bornkamm [52] formuliert, „Luther wächst am Gegner" oder „erst der Gegner reißt die äußersten Gedanken und gewagtesten Formulierungen aus ihm heraus", steht die Frage auf, ob bei dem nicht systematisch denkenden (s. unten) Luther, diese äußersten Schlußfolgerungen notwendig zu seinen Grundanliegen gehören, oder ob diese recht wohl ohne die outrierten Folgerungen hätten bestehen können. Das, was unabdingbar lutherisch-reformatorisch ist, erfährt von hier aus inmitten der vielfältigen Schwankungen in Luthers Denken unter Umständen eine verschiedene Antwort.

2. Die Belege für die Sache selbst sind Legion. Der sichtbarste Ausdruck ist Luthers viel stärkere Betonung des Objektiv-Statischen der Lehre und der Kirche, seit er gegen die „Schwärmer" und „Täufer" mit der unbedingten Realpräsenz und der Kindertaufe antreten mußte. – Man kann auch „*De servo arbitrio*" nennen, wo Luther der Gefangene seiner Gegnerschaft gegen Erasmus (dem er übrigens schwer unrecht tut) ist, und fortgeführt wird zur Lehre vom *Deus ipse, Deus non revelatus, non praedicatus*. die ihm sonst fremd ist.

---

[51] WA. TR 5. Nr. 5468.
[52] H. Bornkamm, Luther als Schriftsteller, in: Formenwandel. Festschrift für Paul Böckmann. Hamburg 1964, 104.

Besonders eindringliche Belege bietet der große Galater-Kommentar, wo Luther im Zusammenhang mit der Lehre von den sogenannten göttlichen oder theologischen Tugenden das Verhältnis untersucht von *fides* (sc. *nuda* oder *absoluta*) zu den *opera*, wo er von der „*fides incarnata*" handelt.

Luther kennt natürlich die Stellen der Schrift, die das Tun des Menschen und die Werke fordern, er sagt sogar, daß sie unzählige seien. Er vermag sie aber nicht unbefangen in seine theologische Beschreibung einzuordnen. Seit seinen Klosterkämpfen leidet er an einem wahren Trauma der Werkerei. Die Bibelworte vom Tun machen ihn unsicher, weil er die Werke meist sozusagen automatisch zusammendenkt mit Werkgerechtigkeit.

Er weiß und predigt selbstverständlich auch und mit Ausdauer, daß der Glaube nur echt ist, wenn aus ihm gute Werke kommen, wie die guten Früchte aus dem guten Baum. Aber gelegentlich bedrücken ihn die Werkworte der Bibel so sehr, daß er geradezu einen Rekurs von ihnen[53] und gegen sie anmeldet zu Christus als dem *dominus* und *rex scripturae*: auch wenn Du 600 Stellen für die Gerechtigkeit der Werke anführen würdest, wenn die Sophisten „*argutiores me, et ita obruant et illaqueent me argumentis pro operibus contra fidem, ut prorsus me explicare non possim*" (WA 40, I, 458, 14ff.), – „*Tu, si non potes conciliare scripturam et ipsi urgent scripturam, ego urgeo patrem familias rex scripturae*"[54] (WA 40 I 458, 10f.).

3. Bei dem Versuch, das Verhältnis von Glauben und Werken zu bestimmen, kommt Luther zu Formulierungen wie diesen, die eindringlich Kunde geben von dem einigermaßen verzweifelten Suchen um das Einordnen der Werke in den christlichen Glauben: „*Quare et nos dicimus fidem sine operibus nihil esse et inanem. Hoc Papistae et phanatici sic intelligunt: Fidem absque operibus non justificare vel fidem quantumvis veram, si opera non habeat, nihil valere. Hoc falsum est. Sed fides sine operibus, id est phanatica cogitatio et mera vanitas et somnium cordis, falsa est non justificat.*" – Und später: *Vere non credit, si opera charitatis fidem non sequuntur* (WA 40, II, 37, 15ff.).

4. Oder nehmen wir das Verhältnis von *fides* und *spes*, wo die verblüffende These lautet: *fides sine spe nihil est*, wo also durch die *spes* die Alleinherrschaft der „*fides sola*" entthront wird, weil sie teilhat am lebenswichtigen Wachsen der Rechtfertigung, davon der Glaube nur die „*initia*" erreicht.

Oder: in der Bestimmung der „*charitas*" im Unterschied zur „*fides*", wird aus der *charitas* (die allein nach dem Paulustext bleibt, wenn alles

---

[53] *Scripturae testimonia de operibus* WA 40 I 458, 13ff.; 453, 11.
[54] Vgl. *cor manet fixum in objecto, quod vocatur Christus* (WA 40. I. 459, 2ff.).

andere vergeht, die auch das Band der Vollkommenheit ist) eine vergängliche einfache Tugend, ein bloßes Werkzeug (WA 40, II, 38), was im
eklatanten Widerspruch zu anderen Formulierungen (als *summa virtus;
charitas quae omnia facit*) steht.

Erst wenn man hinter den Wortlaut greift und hinter den programma-
tisch-polemischen Äußerungen Luthers eigentliches Anliegen sucht (ein
Anliegen, das er eben nicht immer adäquat und besonders nicht immer
gleichlautend auszudrücken vermag), kommt man dahin, jene outrierten
Texte als Resultat der den Gedanken verändernden Situation zu verstehen,
sie also entsprechend theologisch zu entlasten. Die theologische Formulierung gibt oft nur schwankend, ungenau, nicht unmißverständlich das
wieder, was Luther eigentlich wollte.

Völlig klar kommt das Negativum heraus: keinerlei Werkgerechtigkeit!
Der Versuch hingegen, die *fides incarnata (in operibus)* theologisch auszusagen, mißlingt. – Nun aber ist jenes Negativum katholisch. Wollte
Luther mit dem, was (durch den Frontwechsel bedingt und Luther hemmend) in der positiven Aussage unklar bleibt, etwas Nicht-Katholisches
sagen? Man müßte es nachweisen. Die Texte sprechen nicht dafür. Im
Gegenteil: man kann nachweisen, wie das Schreckgespenst der *„fides
formata"* Luther zu nicht abgeklärten Formulierungen drängt ... während
sein eigentliches Anliegen dennoch direkt in die katholische Mitte führt:
„Charitas quae omnia facit".

Umgekehrt verläuft die Wirklinie, wo Luther, wie angegeben, über
die Hoffnung handelt. Hier, wo er keinen Gegner vor sich hat, kann man
wie mit Händen greifen, wie er in einer großen Sicherheit und Ruhe eine
klare Lehre vorträgt, bis dahin, daß die spes wesentlich am lebenswichtigen Wachsen der *justitia,* die der Glaube (nur die *„initia"* empfangend)
begann, Teil hat!

Zwar gerät Luther bei Behandlung der *„charitas"* wieder unter den
Druck der Polemik gegen das *vocabulum maledictum „formatum"* (nämlich gegen die *„fides charitate formata"* als der sublimsten Tarnung der
Glaubensgerechtigkeit); der Ton wird erregter. Bemerkenswert bleibt dennoch, daß sein Anliegen selbstverständlich auch dahin geht, daß die
„charitas" nicht durch die *„fides"* verdrängt werden soll, sondern daß der
Glaube in Verbindung mit der Hoffnung die Liebe vertritt, diese aber –
die Liebe – in Glaube und Hoffnung zur Vollendung der Gerechtigkeit
wächst.

Woraus sich dann die wichtige Folgerung ergibt, daß es Willkür ist, die
Einseitigkeiten bzw. die scharf zugespitzten Formulierungen allein für das
eigentliche Reformatorische zu nehmen.

C. Zur Theologie Luthers

I. In dem so angedeuteten Rahmen der geistigen Eigenart Luthers müßten wir nun seine Theologie besprechen.

Der zur Verfügung stehende Raum zwingt mich, in äußerster Kürze nur einige Zentralgedanken anzudeuten.

Auch als Theologe war Luther vor allem ein *„homo religiosus"*, von einer Religiosität, die sich kraft seines Amtes besonders seelsorgerlichen Ausdruck verschaffte: der große Glaubende, der sich in einem beharrlichen reichen Gebetsleben manifestierte, gehört auch zu den großen Seelsorgern.

Gelegentlich hat man das Prädikat *„homo religiosus"* als zu allgemein und undifferenziert kritisiert. Wohl zu Unrecht. Der Terminus bezeichnet doch, daß Luther in seinem Denken und Sein ganz gebunden (*religio*) ist an den einzigen Wert Gott. Weil Luther all seine Kämpfe und all sein Beten vor Gott erleidet und durchträgt, weil er hierher die vielfältigen Aspekte seiner Arbeit zieht, von dorther Lösung und Kraft gewinnt, ist der Terminus in Wahrheit die umfassendste Bestimmung für den Reformator. Natürlich gilt das nur deshalb, weil nicht von irgendeinem Allerweltsgott die Rede ist, sondern vom Vater des gekreuzigten Herrn Jesus und von diesem selbst.

1. Der alles entscheidende Untergrund ist die Hl. Schrift und Luthers Zusammentreffen mit ihr, jener schon erwähnte Vorgang einer ungewöhnlichen Befruchtung, der an manchen Stellen zu einem Ringen wurde, so wie Jakob mit dem Engel rang.

Das Thema ist immens. Luther hat – nachdem die Heilige Schrift ihn in seinen frühen Jahren des reformatorischen Werdens ein erstes Mal wunderbar schnell überflutet hatte und in ihn eingegangen war – sein Leben lang nicht aufgehört, aus dieser Quelle zu trinken. Jahrelang hat er die ganze Bibel zweimal in 12 Monaten ganz gelesen [55]. In Predigten und Vorlesungen, im Gespräch bei Tisch, im Unterrichten seiner Kinder, oder vor dem Einschlafen, so gut wie immer, den Tag, die Wochen, die Monate hindurch war die Schrift ihm nahe, meditierte er ihre Verkündigung und teilte sie in vielfältiger Saat aus.

2. Das Thema „Luther und die Bibel" bekommt nun einen kontroverstheologischen Charakter dadurch, daß Luther vor allem auf Paulus hörte, näherhin auf Römer, Galater und Korinther, viel weniger auf die Synoptiker, von Jakobus und der Geheimen Offenbarung zu schweigen.

Hier stehen wir natürlich an einem entscheidenden Punkt. Luther hat, wie er dankbar bekennt, die Schrift von der alten Kirche empfangen. Aber der Wortlaut der Schrift zwingt ihn, nach seiner ernsten Auffassung, sie anders auszulegen, als diese Kirche es bis dahin getan hatte.

[55] WA TR 2, Nr. 1877.

Es erhebt sich die Frage, ob Luthers Glaubensverkündigung dem Inhalt der Bibel gerecht wurde? Ist Luther Vollhörer der Bibel gewesen?

Diese Frage, und erst recht die im folgenden vorgetragene Verneinung
kann nur bestehen, wenn man keinen Augenblick vergißt, was eben angedeutet wurde, nämlich daß das Hören auf die Bibel die Mitte von
Luthers Leben war und daß er mit bewunderswertem Eifer und epoche-
machendem Erfolg ein Leben lang aus ihr schöpfte. In keiner Hinsicht
ist also bei jener Frage an Oberflächlichkeit oder unsachlichen Egoismus
zu denken.

Was heißt Vollhörer? Es kann sich nicht um Addition handeln, als
wenn alle Teile der Schrift ihrer Bedeutung nach auf derselben Ebene
lägen und für die Verkündigung denselben Wert besäßen; es geht um das
Wesen, um das Hauptstück, wie Luther gelegentlich sagte. Aber wer kennzeichnet dieses Wesen?

Luther hat in richtiger Erkenntnis der Eigenart der Offenbarung (die
z. B. ganz an dem Gebot der Gottes- und Nächstenliebe hängt) jenes Herausheben des Wesentlichen unter verschiedenen Grundformen, die inhaltlich eng zusammenhängen, mit großem Erfolg versucht. Von hier aus muß
man ihm sogar eine außerordentliche Kraft geistlicher (wenn ich so sagen
darf) Systematisierung zuerkennen. Aber zugleich auch tadeln.

Denn, wenn auch die Haltung eines Vollhörers der Bibel nicht dadurch
realisiert werden kann, daß man die verschiedenen Teile der Schrift
addiert, so ist doch jeder umfassenden Aussage über die Schrift, wie
Luther sie anstrebte und als im absoluten Sinne verbindlich vorlegte, aufgegeben, so zu sprechen, daß jeder wichtige Gehalt der Bibel in ihr Platz
finden kann, bzw. nicht so, daß irgendeine ihrer wichtigen Aussagen nicht
zu ihrem Recht komme. Es gibt nur eine Möglichkeit das Ganze der Bibel,
oder auch Pauli auszusprechen: der echte Paulus ist der ganze Paulus;
die echte Bibel ist die ganze Bibel. Dieses „Ganze" positiv in einer Formel
abstrakt auszusprechen, ist nicht möglich; das ist die Aufgabe und Kunst
einer jeden umfassenden Verkündigung. Aber wo in dieser Verkündigung
Wichtiges fehlt, muß man von objektivem Fehlen, von subjektiver oder
individuell bedingter Auswahl sprechen.

Luther kannte, „wußte" die ganze Heilige Schrift in bewundernswürdi-
ger Fülle. Aber er verkündete sie keineswegs gleichmäßig.

Weder die Synoptiker, noch das johanneische Christentum kommen bei
Luther zu ihrem vollen Recht, obwohl er das Johannes-Evangelium als
das „feinste" preist[56].

Luther war Paulinist. Niemand in der Geschichte der christlichen
Offenbarung hat die Stimme Pauli so intensiv gehört wie er. Aber das

---

[56] WA 33, 167, 17.

besagt nicht, daß der ganze Paulus gleichmäßig in Luther eingegangen wäre.

Luther hat aus Paulus die Botschaft von der Rechtfertigung empfangen. Davon lebt er, das verkündet er. In Funktion der Rechtfertigung liest er die ganze Schrift:

(1) Daß in den Synoptikern auch das Tun der Werke, also das Wollen des Menschen und sein Tun eine positive Rolle spielen, bis hin zu Mt 25, 34, wo das End-Gericht gemäß den Werken angekündigt wird, ist Luther bekannt, aber er hat es nicht annähernd voll realisiert.

(2) Und Johannes? Es gibt evangelische Forscher, die der Meinung sind, Luther habe Johannes authentisch interpretiert. Für mein Teil halte ich dafür, daß die Majorität der anderen recht hat mit der These, daß die johanneische Verkündigung nur ungenügend in Luthers Theologie eingegangen sei, – was denn bedeutet, daß ein mächtiger Block christlicher Verkündigung bei Luther nicht zu seinem Recht kam.

Greife ich an dieser Stelle der Untersuchung die (nicht ganz gleichmäßige) Ablehnung der Jakobusepistel und die wesentliche Ausschaltung der Apokalypse [57] mit auf, dann sehe ich nicht, wie man an der These vorbeikommen könnte: der große Hörer des Wortes Martin Luther war nicht Vollhörer des Wortes.

In der Diskussion wurde der Einwand erhoben (der mir eher eine Ausflucht zu sein scheint), Luther habe gar nicht Vollhörer der Schrift sein müssen. Dem ist entgegen zu halten, daß Luther zwar die angegebene Staffelung des Wertes der Schrift durch Ausscheidung einzelner Bücher vornahm und daß er in den einzelnen Verkündigungen der Schrift (etwa in den Gleichnissen) mit Recht nach dem Schwerpunkt, der Hauptintention fragt [58], daß er aber trotzdem nie die Schrift als eine Einheit, als eine einheitlich verpflichtende Verkündigung ansah. Ich möchte nachdrücklich darauf hinweisen, daß die von mir hier vertretene Kritik feststeht, auch, wenn man Jakobusbrief und Apokalypse aus dem eigentlichen Evangelium ausscheidet.

II. Der Hauptartikel in Luthers Verkündigung ist die Rechtfertigung aus Glauben allein. Die Formel ist gut katholisch. Wie die andere Formel *„scriptura sola"*, so findet sich auch *„fide sola"* bei Bernhard wie bei Thomas [59]. Es kommt auf den Inhalt an.

---

[57] „Ich sage, was ich fühle. Mir mangelt an diesem Buch nicht einerlei, daß ichs weder apostolisch noch prophetisch halte. – Halte davon jedermann, was ihm sein Geist gibt, mein Geist kann sich in das Buch nicht schicken." (WA D. Bibel 7, 404, 4–25).

[58] WA 17 II 137, 4.

[59] Bernhard von Clairvaux: *Sic enim arbitratur Apostolus, gratis justificari hominem per fidem* (In Festo Ann. BMV, Sermo I, 3; PL 183. 384 A). Thomas v. Aquin: *Non est ergo in eis (in lege) spes justificationis, sed in sola fide* (Super Epistolas S. Pauli Lectura. I Ad Tim. Lectio III, 21 [zu Vers 1, 8]).

Hier ist nun mit der Erkenntnis Ernst zu machen, daß (im Unterschied zu den vergangenen 400 Jahren) der Rechtfertigungsartikel heute kaum mehr irgendwo als kirchentrennend genommen wird. Mit Recht. Denn wenn es in Luther auch einen kräftigen Trend zur Überbetonung des Unsichtbaren, des Innerlichen, sagen wir des Spiritualistischen gibt, er ist dabei, um dies nochmals zu wiederholen, nie einer nur forensischen Zudeckungs-, einer nominalistischen Rechtfertigungstheorie verfallen. Das gerechterklärende Wort Gottes ist schöpferisch. Die fremde Gerechtigkeit Gottes und Christi wird mir geschenkt, wird mein, wandelt mich um: „Nicht mehr ich lebe, sondern Christus lebt in mir".

Die Belege für diese These aus Luthers Werk sind wiederum Legion. Gewiß ist der schon angedeutete Unterschied zur katholischen sakramental-ontischen Rechtfertigung nicht zu übersehen. Luthers Ausdrucksweise lebt vom Mißtrauen, es könnte eine dingliche Umwandlung gemeint sein. Man kann also die Ansicht vertreten, die rechtfertigende Umgestaltung in Luthers Sinn erreiche nicht ganz den Grund des Geschöpflichen, ihr Allerinnerstes, ähnlich wie in Luthers Christologie die mit der Gottheit verbundene Menschheit nicht eigentlich erhöht wird (und so nicht im eigentlichen Sinn miterlöst), oder wie Christus und sein Leben nie so eng (oder zentral) mit der Kirche als solche als Leib Christi verbunden gesehen werden, daß die Kirche nicht sündig werden könne.

Aber wie immer man diese Vorbehalte gegenüber einer im eigentlichen Sinne ontischen Rechtfertigung betonen mag, Luthers gemäßigter geistlicher Realismus meint eine wirkliche Verwandlung des alten Menschen zum neuen Menschen in Christo, daß man sagen darf, Luther stehe hier im wesentlichen innerhalb der klassischen katholischen Tradition.

III. Mit dieser These stehen wir wieder an dem bisher nur im Vorübergehen angeklungenen großen Thema „Der katholische Luther".

Es ist zwar verständlich, daß sich evangelische Christen, Theologen und Kirche, wie unter einem Schock gegen die Vorstellung wehren, Luther, der Papstfeind, der Mann, der „das freie Evangelium gegen römische Tyrannei erkämpfte", könne in den Katholizismus integriert werden. Ähnliche Hemmungen bestehen auf katholischer Seite.

Indes hat das gegenwärtige Konzil uns sehen oder ahnen gelehrt, daß die bedauerliche Einseitigkeit mancher katholischer Formeln legitim ergänzt werden kann, bis zu einer solchen Tiefe, daß das Katholische bis zu der vorher nicht oder ungenügend gesehenen biblischen Fülle sich ausweitet.

Wenn nun aber der „*articulus stantis et cadentis ecclesiae*" heute nicht mehr kirchentrennend ist, wenn wir also im Hauptpunkt eins mit Luther sind, können wir es nicht vielleicht auch in anderen sein? Vielleicht läßt sich doch ein Kirchenbegriff entwickeln, der – bei selbstverständlich strenger Treue zum Bibelwort – von beiden Seiten angenommen werden könnte! Gibt es für Luther wirklich kein Lehramt? Gibt es für ihn nicht ein Kirchenamt göttlichen Rechtes? Wir erinnern daran, wie tief situationsgebunden Luthers Formulierungen waren. Kann man mit Recht sagen, er würde auch einer apostolisch gültigen, aus dem Glauben an Christus lebenden und lehrenden sakramentalen Hierarchie den Abschied gegeben haben?

Die *Confessio Augustana* bekennt sich jedenfalls zu einem Lehramt der Bischöfe im alten katholischen Sinn. Und Luther hat uns immerhin in einem ernsten theologischen Kontext im großen Galater-Kommentar dies versichert: Wenn der Papst uns diesen Artikel von der Rechtfertigung nur aus Gnade Gottes durch Jesum Christum zugeständе, wollen wir ihn nicht nur auf Händen tragen, sondern ihm die Füße küssen [60]. Das ist kein Bekenntnis zum Lehrprimat, noch weniger zur Unfehlbarkeit, ich weiß es. Aber es ist ein mächtiger, weit ausdeutender Satz, der an Gewicht gewinnt, wenn man zurückdenkt an den Gedanken des jungen Luther, den er dann zwar aufgegeben aber nicht widerlegt hatte: ein Lehramt muß es geben, *ne turpis sit confusio in populo Dei* [61], und sich vergegenwärtigt Luthers Auffassung einer echten dogmatischen Einheit der Kirche Jesu Christi.

Das Nein zur päpstlichen Kirche ist bei Luther sachlich und der Intensität nach derartig, daß man es sich nicht gut noch radikaler vorzustellen vermag. Aber dieses „Nein" bedarf dennoch einer nüchternen Prüfung. Es wird aber ausgesprochen gegenüber einer Kirche, deren unterchristliche Realität nur die schärfste Verurteilung verdienen könnte, wenn man das Wesen der Kirche mit dieser unterkatholischen Wirklichkeit identifizierte. Das tat Luther. Sein religiöser und sein seelsorgerlicher Eifer schien ihm keinen andern Weg zu lassen. Aber hier tritt in einem besonderen Fall die weiter oben herausgearbeitete Situationsbedingtheit Luthers in die Analyse ein.

Die wichtigste Vorbedingung für evangelische Christen, zu einer korrekten Stellungnahme zur These vom „Katholischen Luther" zu kommen, ist, daß sie sich frei machen von der falschen Vorstellung, der Katholizismus sei gut und brav semipelagianisch. Für vieles, was hier zu sagen wäre, nur ein Hinweis: die evangelischen Kollegen mögen einmal die Gebete nachlesen, die dem katholischen Priester zum Beten vor und nach der Messe an die Hand gegeben werden. Vor der Messe wird die Vorstellung des Verdienens in aufhellender Weise zum „empfangen" und „gewürdigtwerden", das *„mereri"* zum *„accipere"* gewandelt; und nach der Messe fleht ein von Petrus Damiani stammendes, von Thomas von Aquin be-

---

[60] WA 40 I 180. 11f.
[61] WA 12, 189, 23, vgl. auch WA 50, 633, 6.

arbeitetes Gebet: „*qui me peccatorem indignum famulum tuum, nullis meis meritis, sed sola dignatione misericordiae tuae* . . .“ – –

Um möglichst objektiv zu bleiben, zitiere ich eine evangelische Stimme, ein Wort des evangelischen Priors der Brüdergemeinschaft von Taizé, Roger Schutz, das er während der 2. Sitzungsperiode des in Rom tagenden Konzils sprach. Er sagte: „. . . ich konnte nicht davon loskommen, ich mußte an diesen Martin Luther in den Jahren vor seiner Exkommunikation denken. Ich sagte mir immer, daß er dem Herren auf den Knien gedankt haben würde, wenn er so mutige Erklärungen und so dringende Bußrufe gehört hätte, wie wir sie hier hören auf dem Konzil“ [62].

Mir scheint das ein die Reformation, die Gestalt Martin Luthers und unsere Lage und Aufgabe erhellender Ordnungsruf zu sein, voll zusammenklingend mit Luthers Programm in seiner 1. Ablaßthese, deren Einlösung auf allen christlichen Fronten die Voraussetzung für eine Verwirklichung der heute gegebenen Möglichkeiten ist:

„Als unser Herr Jesus Christus sagte ‚Tuet Buße‘, da wollte er, daß das ganze Leben des Christen eine Buße sei.“

---

[62] Joh. Christoph Hampe, Ende der Gegenreformation? Stuttgart–Mainz 1964, 378.

JOSEPH LORTZ

Reformatorisch und Katholisch beim jungen Luther (1518/19)

Der Titel dieses Aufsatzes verlangt eine Erklärung. Als Beitrag zu der vorliegenden Festschrift hatte ich Untersuchungen „Zum sakramentalen Denken beim jungen Luther" angemeldet, die ich unter das Motto der Tessaradekas consolatoria 1519 gestellt hatte: „Tanta res est communio sanctorum et ecclesia Christi!" Dem Hauptteil waren Überlegungen vorangestellt, die sich mir als Hinführung zum Hauptthema aufzudrängen schienen.[1]

Leider umfaßte das fertige Manuskript[2] etwa dreimal soviel Platz, als hier zur Verfügung steht. Nun hatte der von mir hochverehrte Kollege von Loewenich, dem diese Festschrift dargeboten wird, 1964 bei der Jahrestagung der Luther-Gesellschaft in Mainz (wo wir je in einem Vortrag und in der Diskussion freundschaftlich-eifrig miteinander rangen) u. a. geäußert, ich „wolle Luther katholisch integrieren". Das ist in der Tat eine das Ganze der Lutherdeutung angehende These, zu deren Klärung Luthers Äußerungen aus der Übergangszeit 1518/19 Wichtiges beisteuern.

Da jene Vorfragen, ohne das Thema vom „katholischen Luther" direkt anzugehen, zu einem guten Teil hierher gehören, schien es also wohl gerechtfertigt, sie, besonders in einer Walther von Loewenich gewidmeten Festschrift, gesondert vorzulegen. Der Zusammenhang mit dem ursprünglich geplanten Hauptthema findet seinen Ausdruck unten S. 50.

1. Im Vergleich zur evangelischen Forschung ist die ernste Beschäftigung mit Luther katholischerseits noch nicht sehr alt und entsprechend noch nicht immer genügend umfassend. Und obwohl zu nicht wenigem aus Luthers Welt der Katholik leichter einen sachgerechten Zugang finden könnte als die Glaubensgenossen des Reformators[3], haben wir doch offensichtlich noch in vielem aufzuholen. Der folgende Beitrag will auch in diesem Sinne aufgefaßt sein.

Es geht um Positionen, die Luther bis Ende 1519 eingenommen und verkündet hat. Nach wie vor[4] bin ich der Meinung, daß die Entdeckung an Röm. 1. 17, die Luther in dem großen Rückblick von 1545 beschreibt, vor Februar 1513

---

[1] Einen der mannigfachen Zusammenhänge zwischen Einleitung und Hauptteil kann der Leser noch jetzt in Absatz 3 in der Bezugnahme auf den „Sermon von dem hochwürdigsten Sakrament..." (1518) finden, der als Kernstück den erwähnten Betrachtungen über das sakramentale Denken beim jungen Luther zugrunde liegt; ich werde sie an anderer Stelle veröffentlichen.

[2] Zusammen entstanden mit einer Studie über „Kirchendenken beim jungen Luther", die in der Festschrift für Michael Schmaus: Wahrheit und Verkündigung (Paderborn 1967) 947—986, erschienen ist.

[3] Vgl. Joseph *Lortz*, Martin Luther, Grundzüge seiner geistigen Struktur, in: Reformata Reformanda (Festgabe für Hubert Jedin, Münster 1965), 217 f.

[4] Die Reformation in Deutschland (Freiburg ⁴ 1963) 1. 185.

47

liegt.[5] Daß Luthers Beschreibung eine dramatisch übersteigernde Zusammenpressung des wirklichen Verlaufs darstellt, kann damit sehr gut zusammenstehen, wie ja der Text sowohl das befreiend plötzliche Erkennen betont (= „wie ins Paradies eingetreten"), als es gleichzeitig als Resultat eines langen Werdeprozesses bezeichnet, wie auch Luther (am Schluß) seine geistige Art überhaupt ausdrücklich als langsames Wachsen kennzeichnet.[6]

Die von Luther beschriebene Entdeckung kreist unzweifelhaft — wenn man seine Worte nicht einfach beiseiteschieben oder ihres Sinnes berauben will — um die Deutung der „justitia Dei" als „passiva, qua Deus nos justificat", d. h. Gott rechtfertigt uns durch den Glauben, nicht aber durch die Werke, eine Auffassung, die seit den Dictata und der Römerbriefvorlesung bei Luther unbestritten ist. Die Ablehnung dieser These muß uns in die Notwendigkeit versetzen, die außerordentlich eindringlichen Worte Luthers von 1545 als eine pure literarische (und dann peinlich übertreibende) Fiktion zu nehmen, was dem Wortlaut nicht gerecht wird. Es mag wohl ein literarischer Topos mit wirksam sein[7], und

[5] Der Nachweis, daß, gegen Vogelsang, Die Anfänge von Luthers Christologie (Bl. 1929) 4, auch die Dictata nicht als Geburtsstätte der reformatorischen Erkenntnis gelten können, kann hier nicht geboten werden. Entscheidend für die Bewertung der folgenden Ausführungen ist nur, daß sie für einen Luther in Anspruch genommen werden, der den „reformatorischen" Durchbruch bereits hinter sich hat. Meines Erachtens ist zum mindesten Luthers Produktion seit der Römerbriefvorlesung nicht verständlich ohne die Annahme des bereits erfolgten Durchstoßes. Es ist nur gleich hier anzumelden, daß „reformatorischer" Durchbruch nicht — wie es zu oft geschieht — gleichbedeutend ist mit kirchentrennend; s. gleich unten.

[6] Die beiden Kategorien des langsamen Anhebens des neuen (Bibel-) Verständnisses und der plötzliche Kristallisationsprozeß zu einer Gesamtschau durchkreuzen sich in dem autobiographischen Rückblick. Neuestens ist das Thema, das trotz Karl A. *Meissingers* Mahnung (Der katholische Luther, München 1952, Anm. 1 zu S. 112) nicht zur Ruhe kommen will, bekanntlich wieder angefaßt worden von Ernst *Bizer*: Fides ex auditu (Neukirchen[3] 1966) (Luthers Entdeckung der Rechtfertigung durch das „Wort") und Kurt *Aland*: Der Weg zur Reformation (In: Theologische Existenz heute, Nr. 123, München 1965). — Der Lutherkongreß, der im Sommer 1966 in Finnland (Järvenpää) stattfand, widmete dem Thema ein eigenes Seminar, kam aber (Bizer und Aland waren nicht anwesend) nicht zu greifbarem Resultat. Vgl. noch H. *Bornkamm*: Zur Frage der justitia Dei beim jungen Luther: ARG (1961) 16—29; (1962) 1—60; O. H. *Pesch*, Zur Frage nach Luthers reformatorischer Wende, in Catholica 20 (1966) 216—243; 264—280. Dazu der wohl 1968 erscheinende Sammelband von B. *Lohse*, Der Durchbruch der reformatorischen Erkenntnis bei Luther. Wege der Forschung Bd. 123, Wissenschaftliche Buchgesellschaft Darmstadt.

[7] Es hat schon a priori viel für sich, daß Luther mit dem, was er 1545 als seine entscheidende innere theologische Befreiung beschreibt, kaum etwas anderes meinen konnte als eben das, was er sein Leben lang als articulus stantis et cadentis ecclesiae bezeichnete (s. unten S. 55). Es entspricht den geistigen Wachstumsgesetzen, daß sich mancherlei an diesem Articulus ansiedelte. In ihm aber die Entdeckung einer Worttheologie im modernen Sinn zu finden, wie Bizer das in seinen minutiösen — aber wiederum Luther viel zu sehr systematisierenden — Untersuchungen tut, ist nur möglich, weil die Überlegungen unbewußt gesteuert sind von einer modernen Denkart, von der Luther (trotz seiner vielerlei erstaunlich genialen Ansätze, besonders

48

Luthers Hang zur superlativistischen Aussage darf (oder muß) auch hier in Rechnung gesetzt werden.[8]

Daß *diese* Entdeckung nicht kirchenspaltend zu sein brauchte, wissen wir heute. Die Konsequenzen aus jener Entdeckung, die Herausbildung dessen, was eigentlich „reformatorisch" ist, konkretisiert in der Erkenntnis, daß der Papst der Antichrist sei[9], gehört, wie der Rückblick von 1545 ausdrücklich anmerkt, erst den folgenden Jahren an.[10] Keine der frühen Schriftvorlesungen — Dictata, Römer, Hebräer, Galater — führt zu klar kirchentrennenden Positionen. Entscheidende Hinwendung zu einem theologischen Bruch mit der Kirche kann man am wenigstens mit den Ablaßthesen von 1517 für gegeben ansehen, trotz des immanenten Trends gegen die Autorität der sichtbaren Kirche, den Eck (trotz allem, was seine Kritik an Ungenügendem, ja an bedauerlicher Verständnislosigkeit enthält) richtig diagnostizierte. Das Jahr 1517 ist zwar ein unübersehbarer Einschnitt in der Geschichte der Reformation: damals fing der Handel an, der „große Lärm", die „res indulgentiaria", von dem her Luther sein Leben lang den Beginn der Reformation datierte.[11]

Theologisch grundsätzlich revolutionierende Ansätze beginnen erst mit 1518

seiner Frühzeit) schlechterdings nichts wissen konnte. „Fides ex auditu" (der kennzeichnende Titel von Bizers Buch) hat für Luther und bei ihm einen zentralen Platz, aber nur in dem orthodoxen Sinn, daß das Wort uns den objektiven Bestand der in Christus Jesus geschehenen, uns treffenden Offenbarung mitteilt. Das „Wort" gehört in einer engen Verbindung zur Offenbarung, es ist nicht die Offenbarung selbst.

[8] Ich habe bereits vor 26 Jahren darauf aufmerksam gemacht, daß Luther seinen inneren theologischen Befreiungsvorgang 1518 auch am Begriff der „poenitentia" beschreibt: Reformation in Deutschland 1, 183.

[9] Dieser Vorwurf wird allmählich die Leugnung des sakramentalen Priestertums, das hierarchisch gegliedert ist, implizieren. *Hacker*, Das Ich im Glauben bei Martin Luther, Graz 1966, sieht in der reflexiven Betonung der persönlichen Heilsgewißheit als Wesen des lutherischen Glaubens „das" Unkatholische bei Luther. Über das Ich-Bezogene in Luthers Denken, auch in einseitig übertriebener Weise s. meine „Reformation in Deutschland" an vielen Stellen und den in Anm. 3 genannten Aufsatz. Aber diese Ich-Bezogenheit (gegenüber einem das opus operatum unzulässig übertreibenden damaligen dinglichen Sakramentalismus) führt zwar zu einer Unterbewertung der Kirche als objektiver, den Glauben in der Paradosis vermittelnder Größe, bleibt aber andererseits (entgegen Hacker passim) so wenig nur sachliches Denken, sondern ganz an Christus gebundener „Glauben", daß jene radikale Ich-Bezogenheit des Glaubens wiederum nicht kirchentrennend zu werden brauchte. Jene Äußerungen radikaler Ich-Bezogenheit sind nicht der ganze Luther. Hacker begeht m. E. den folgenreichen Fehler, Luther viel zu stark zu systematisieren. — Das bleibt wahr trotz Hackers richtigem und wichtigem Hinweis darauf, daß auch Cajetan nach Luthers Angabe in den „Acta Augustana" (WA 2, 13, 6) in der siebenten Ablaßresolution (insofern dort die persönliche Überzeugung des Absolventen oder Losgesprochenen die Lossprechung konstituierte) eine „neue Kirche grundgelegt" sah. Wie mir Erwin Iserloh mitteilt, hat Cajetan die entsprechenden Äußerungen Luthers in seinen Opuscula, Quaestio IV wörtlich genau zitiert (Opuscula Omnia Thomae de Vio Cajetani, Lugduni (apud haeredes Jacobi Juntae) 1562.

[10] WA 54, 179.

[11] Vgl. nur den Rückblick von 1545 WA 54, 180, 5 ff.

49

hervorzutreten: mit der Disputation gegen die scholastische Theologie, vor allem mit der Heidelberger Disputation (26. 4. 1518[12]); sie werden besonders stark akzentuiert im Jahre 1519 durch die Leipziger Disputation[13] und die sich entfaltende literarisch-theologische Polemik.

Auch die hochbedeutsamen Resolutiones zu den Ablaßthesen eröffnen bereits in vielem den Ausblick auf die romfreie Reformation, andererseits gehören sie noch zu den Etappen, die das zwar kecke, aber pietätvoll-absichtslose Herauswachsen Luthers aus der alten Kirche markieren.

2. Luthers Arbeitsüberlastung wuchs seit 1517/18 in einem unwahrscheinlichen Ausmaß.[14] Der auch von seinem geistlichen Tagewerk (Messe, Brevier,

[12] WA 1, 350—374. Vgl. auch in Anm. 9 die Problematik von Luthers Ausführungen im Augsburger Gespräch mit Cajetan (WA 2, 6 ff. [12.—18. X. 1518]).

[13] Die Leipziger Disputation (4.—14. VII. 1519) spielt aber nicht nur eine Rolle in Luthers Leben und Denken, seitdem sie gehalten wurde und Folgeerscheinungen in seiner Entwicklung sowie Reaktionen im polemischen Schrifttum zeitigte (G. Kawerau, Verzeichnis von Luthers Schriften [= SVRG Nr. 147, 1929] S. 163—206, s. d. Nummern 72, 74, 75, 77), sie steht schon mitbeeinflussend über dem ganzen Jahr 1519, das ja auch der Vorbereitung auf sie gewidmet war. Der Wandel in der Tonlage, die viel größere Keckheit Luthers, ja seine übertreibende Rücksichtslosigkeit, kann man in den entsprechenden Schriftstücken wie mit Händen greifen; z. B. wenn er in eine denkbar globale Verdammung auch jetzt Cajetan („die Cajetans" WA 2, 160, 16: Disputatio et excusatio . . . adversus criminationes D. Johannis Eccii 1519) einbezieht. Vgl. dazu sein „Verflucht sei die gottlose Nachgiebigkeit . . ." (ebd. Z. 13). Am 7. Februar versandte Luther: Disputatio Eccii et Martini Lutheri in studio Lipsensi futura" (WA Br 1, 316 ff.). Seit März arbeitet er an der „Resolutio Lutheriana super propositione sua XIII (WA 2, 180) sowie am Kommentar zum Galaterbrief (WA 2, 436—618). Aus dem gleichen Monat stammt vielleicht auch der „Sermo de duplici justitia" (WA 2, 145 ff.), dem Ende 1518 ein „Sermo de triplici justitia" (WA 2, 43 ff.) vorausgegangen war. Im Mai 1519 dann wieder die direkte Auseinandersetzung mit Eck in der schon erwähnten „Disputatio et excusatio adv. criminationes D. Joh. Eccii (WA 2, 158—161; dazu WA 9, 207—216). Schließlich folgt die Disputation selbst im Juli (WA 2, 233—285; vor allem: Otto Seitz, Der authentische Text der Leipziger Disputation, Berlin 1903). Weitere große Arbeiten Luthers aus jenen Jahren, auf deren Gedanken zurückgegriffen werden muß: Die Vorlesung über den Hebräerbrief 1517, beendet März 1518 (WA 57 III) und die „Operationes in Psalmos" 1518—21 (Ps. 1—22, WA 5, 19—673); vgl. Luthers Bemerkung über den Abbruch in der Vorrede von 1545 (WA 54, 186, 22 f.).

[14] Im Zeitalter der Humanisten war es ein stehender Topos, die drängende Eile anzudeuten, in der man „raptim" oder „cursim" schrieb (so etwa 1509 Spalatin an Luther WA Br. 1, 20, 22; oder Luther an Braun: quae festinanter et extemporaliter . . . exorata). Von Arbeitsüberlastung berichtet Luther des öfteren. Schon am 17. März 1509 an Braun: das Geschriebene quaqua potui violentia de tot tamque variis negotiis meis furatus sum particulum temporis (WA Br. 1, 16, 24 f.). Im Februar 1514 an Spalatin: ein Schreiben zu schicken verhinderten ihn negocia in hanc usque diem (WA Br. 1, 20, 6). Von dem Sermon von der Betrachtung des heiligen Leidens Christi (deren Behandlung ursprünglich im Text dieses Beitrages stand, aber aus Raumgründen herausgenommen wurde) schreibt er am 15. März 1519, er habe einen derartigen Sermon im Kopf: „. . . sed nescio, an tantum superfuturum sit ocii, ut in literas referam" (WA Br. 1, 359, 27). — Vgl. auch den Brief Luthers an seinen Freund, den Prior Lang in Erfurt (26. 10. 1516, WA Br. 1, 72, 4 ff.): „er brauche eigentlich zwei Kanzlisten."

50

Predigt) und durch Verwaltungsarbeit (Distriktsvikar der Ordensprovinz seit 1515)[15] in Anspruch genommene Mönch las 1517/18 in der Universität über den Hebräerbrief. 1519 gab er den früher gehaltenen Kurs über den Galaterbrief erweitert heraus. im gleichen Jahr begann er zum zweitenmal eine Vorlesung über die Psalmen (Operationes).

Aber all das füllte Luther nicht aus. Der Riese wurde nicht müde. Er legte außerdem noch eine Fülle von Sermonen und Traktaten vor, in denen er sich um Kontakte mit einer breiteren Leserschaft müht.[16] Dazu kommen noch zwei umfangreiche Predigtsammlungen. eine in deutscher, die andere in lateinischer Sprache: insgesamt eine hochbedeutsame, ungewöhnliche, direkt religiös-seelsorgerlich ausgerichtete Arbeit.

Die Trostschrift Tesseradekas consolatoria[17] belegt besonders eindringlich die, wenn ich so sagen soll. geistliche Konzentrationsfähigkeit Luthers. Köstlin-Kawerau[18] haben das richtig empfunden: Luther brachte diese Schrift unter einem „Sturm von Geschäften" zustande, während er nämlich gerade mit seinem heftigen Erguß gegen Emser[19] beschäftigt war; aber ihr ist hiervon nichts anzuspüren, sie atmet Ruhe in Gott und innige Erhebung zu ihm.

3. Mir hat es von den erwähnten kleinen Werken der „Sermon von dem hochwürdigsten Sakrament des heiligen wahren Leichnams Christi" besonders angetan. Er hebt in erstaunlicher Weise sakramentalkirchliche Auffassungen ans Licht, die das Spätmittelalter (teils auch das Mittelalter überhaupt) zum Schaden der christlichen Verkündigung und der kirchlichen Gesundheit mehr oder weniger oder gar (in der Praxis) ganz vergessen hatte.

Dieser Sakramentssermon von 1519. von Luther in bewußtem gedanklichem Zusammenhang mit anderen Sermonen[20] und als Auftakt für den noch bedeu-

---

Besonders betont wird das Briefeschreiben (180 Nummern für 1518/19, WA Br. 1, S. 132—607!); predigen müsse er im Konvent, bei Tisch und in der Pfarrkirche, kaum habe er Zeit, die Horen zu beten und Messe zu lesen. K. *Aland* bemerkt mit Recht (M. Luthers 95 Thesen. Hamburg 1965, S. 14), daß man seit 1518 beinah von einer Explosion an Leistungen sprechen könne.

[15] Es ist mehr als anregend, die nüchterne, sehr sichere. aber verständnisvolle und nirgend harte (und immer wieder in der konkreten Arbeit seelsorgerliche) Art der Menschenführung Luthers zu beobachten. Vgl. die Briefe an Spenlein, Dressel, WA Br. 1, 33 f.; u. a. 37 f.: 46 f.; 57 f.

[16] Sie füllen den 2. Band der WA mit fast 800 Seiten.

[17] September 1519 handschriftlich fertig, gedruckt Februar 1520 (WA 6, 99 ff.).

[18] Julius *Köstlin* — Gustav *Kawerau*, Martin Luther (⁵ 1903) 1, 280.

[19] „Ad aegocerotem Emserianum additio" gegen Ende September 1519 (WA 2, 655 ff.). Emser hatte Luther ziemlich unparteiisch und in besserem Sinn ausgelegt; dennoch ist Luther über keine Schrift seiner bisherigen Gegner mit einer solchen persönlichen Heftigkeit. Schärfe und Bitterkeit wie über diese hergefallen: Köstlin-Kawerau a. a. O. 1, 260.

[20] Über die Taufe (WA 2, 724 ff.), und die Buße ebd. 709 ff. Die Wahl der Themata ist theologisch bemerkenswert. Besonders wichtig der innere Zusammenhang zwischen Taufe und Abendmahl; von beiden führt die Thematik zu dem Komplex „Kirche" und „Kirchengemeinschaft".

51

tenderen Traktat „Von den guten Werken" (1520) geschrieben, macht mich auf gewisse Lücken meiner „Reformation in Deutschland" aufmerksam. Mit der sakramentalen Note tritt auch eindrucksvoll die Kirche in Luthers Denken hervor: Luther, der „Subjektivist" und „Ich-Bezogene"[21] ist zugleich in einer besonderen Art der Künder der Gemeinschaft durch die fruchtbare, zu einem bedeutenden Teil herrlich gepriesene Lehre vom „Corpus Christi mysticum" und von der „communio sanctorum". In einer ganz und gar ungewöhnlichen Tiefe und Sicherheit wird die Lehre von der Einleibung der kommunizierenden Christen in Christus (und seine Heiligen!) einerseits, ihr organisch-geistliches sakramentales Zusammenwachsen mit den Mitchristen andererseits so herausgearbeitet, daß sich die mit Paulus formulierte Aufgipfelung von „der *Kirche als ein Gebein mit Christus*" als innere Erfüllung der wogenden Gedankengänge ergibt.

Der Leser wolle vermerken, daß ich den Ausdruck „wogend" mit Bedacht wähle! Er möge versuchen, ihn nachzuvollziehen. Die Gemeinschaft der Heiligen im mystischen Leibe Christi ist nämlich — in ihrem Kern klar proklamiert — mehr gepriesen und appliziert, als im eigentlichen Sinn theologisch auseinandergefaltet. Es ist leicht, an den dargebotenen religiös eindringlichen Meditationen teilzunehmen. Aber es ist schwer, sie zu analysieren, weil (trotz Luthers Durchnumerierung) nicht eigentlich ein logischer Gedankenaufbau errichtet wird, als vielmehr große Gedankenkreise ausgebreitet werden, in denen manches Gleichgeartete (auch in verwandter Formulierung) immer wieder auftaucht.[22] In der Formulierung spiegelt sich meisterhaft, was Luther

---

[21] Ich benutze die Gelegenheit, noch einmal daran zu erinnern, daß mein Topos „Luthers Subjektivismus" in der „Reformation in Deutschland" sich gleichzeitig um eine starke Abschirmung Luthers durch die von ihm betonten objektiven Werte bemühte, was die Kritik m. E. durchaus nicht genügend berücksichtigte. Von bösartiger oder engstirniger Verkümmerung war keine Rede. Es handelt sich um die Auswirkung einer überstarken personalen Eigenart, die nur das sieht und apperzipiert, was sie selbst erkämpft hat und was in einem besonderen Sinn auf sie paßt; es ging und geht um das „pro me", das allerdings nicht nur biblisch gesehen recht hat (besonders der damaligen Kirche und Theologie gegenüber), sondern die Verkündigung auch unzulässig einengt. Es handelt sich um den Preis, den Luther für die mächtige Eindringlichkeit seiner Worte zu zahlen hatte. Es geht auch darum, daß Luthers Demut durch ein hohes Selbstbewußtsein ergänzt wird, so daß auffallend oft die Kategorien „ich" und „mein" berufen werden. Es gibt in Luthers Polemik sicher auch Triebhaftes (z. B. seinen Haß gegen oder seine Haß-Liebe für das Papsttum); aber nicht dieses ist mit „Ich-Bezogenheit" gemeint, sondern jene auffallend häufige sachliche Beziehung auf das eigene Gewissen und dessen Überzeugung, in der der Reformator gefangen und befreit ist. — Daß die Formulierung „Ich-Bezogenheit" nicht schön ist, gebe ich P. *Althaus* gerne zu. — Ich möchte auch hier seinen imponierenden Band über Luthers Theologie (Gütersloh 1962) mit dankbarer Betonung hervorheben. (Als ich dieses schrieb, lebte P. Althaus noch.) Daß seine Erhebungen ungenügend die chronologische Entwicklung Luthers nachzeichnen, ist allerdings ein Mangel.

[22] Die Beschäftigung mit diesem Sermon läßt besonders gut erkennen, wie schwer es ist, von einem Werk Luthers (die Disputationen vielleicht allein ausgenommen) eine nicht nur nicht falsche, sondern den Inhalt wirklich lebendig wiedergebende

52

als (immer wieder zu betonenden) Kern der Kommunion und ihrer Wirkung so umreißt: „daß beim Genuß des Hochwürdigsten Leichnams ein betrübt hungrige Seele soll sein, die Lieb, Hilf und Beistand der ganzen Gemein, Christi und aller Christenheit herzlich begehre..."[23]

4. Wie schon oft moniert wurde, ist es bei Luther in besonderem Maße wichtig, auf die formale Eigenart seines Denkens und Sprechens zu achten.

Man hat auch häufig auf die Spannungen innerhalb seiner theologischen Aussagen aufmerksam gemacht. Bei einem Prediger, der es wie Luther so ernst mit seinem und aller Christen Seelenheil nimmt, wird man diese Behauptung jeweils nur mit großer Vorsicht und nach vielfältiger Nachprüfung aussprechen. Der Verantwortungsfreudigkeit, ja Verantwortungsverwegenheit Luthers, seiner Lust an paradoxaler Übersteigerung (oft in der Form des abgründigen Gegensatzschemas) steht ein großer Verantwortungsernst zur Seite. Der radikale Polemiker war auch ein demütiger Sucher. Formal ist sein Denken zutiefst dialektisch strukturiert, theologisch in einer ungewöhnlichen Weise eschatologisch bestimmt. Von beiden Seiten her wird der höchst singuläre Luther, der „Alleiner" (Cochlaeus) zum Betonen des Einen *und* des Andern (beide im Ganzen der Verkündigung) gedrängt. Starke Spannungen in der Aussprache, ja Widersprüche in ihr dürfen ihm nicht ohne weiteres als inhaltliche Widersprüche zur Last gelegt werden. Andererseits (und vor allem) aber darf man nicht wegen dieses „Sowohl-als-auch" dem stark einseitigen Gepräge vieler Aussagen etwas von ihrer (oft brüskierenden) Wucht (aber manchmal auch Undeutlichkeit) nehmen. Luthers „simul" ist etwas sehr viel anderes als die scholastische Synthese des sowohl als auch, trotz des harten Aufeinanderpressens der contraria.[24]

Natürlich gibt es bei Luther vieles, was gleichbleibend sein Werk durchzieht

---

„Inhaltsangabe" zu liefern, d. h. seine strömende Fülle einigermaßen adaequat aufzufangen (vgl. dazu meine Bemerkung in Festgabe Jedin, oben Anm. 3, S. 216). Der Sermon ist dicht gefüllt. Er kreist nur um wenige Gedanken, die ihrerseits auch theologisch vertieft, vor allem aber pastoral-spiritual ausgebreitet werden. Es finden sich besonders eindringliche Formulierungen, bei denen man versucht ist, Luther einfach durch Zitieren dem Leser zu unterbreiten. Ich habe im folgenden dieser Versuchung etwas nachgegeben. Ich denke, auch diese Vermittlung von religiös-theologisch wertvollem Gut hat ihre Berechtigung. — Darüber soll nicht unterlassen werden, nochmals auf Luthers „verbositas" (Festgabe Jedin, a. a. O. S. 223) hinzuweisen. Sie ist mitverantwortlich für mancherlei Schwimmendes, ja Widersprüchliches in Luthers Ausführungen (oft kurz nacheinander). Es wäre ein wichtiges Thema, diese Art Luthers einmal etwas umfassender darzustellen. Als wahre Fundgrube für eine solche Arbeit würde ich (neben den genannten Traktaten) die 7. und die 38. Resolution über die Ablaßthesen empfehlen (WA 1, 539 ff.; 594 ff.). Eigentliche *Widersprüche* Luthers (wie z. B. die Äußerungen über den Deus ipse, Deus nudus, die voluntas revelata und nicht revelata in „De servo arbitrio") gehören in ein anderes Kapitel. S. auch gleich im Text in Absatz 4.
[23] WA 2, 752, 18 ff. — Die Ausführungen dieser Gedanken in Luthers Sermon s. in der in der Vorbemerkung zu diesem Aufsatz (oben S. 47) angekündigten Veröffentlichung. [24] Vgl. meine Ausführungen in Festgabe Jedin (oben Anm. 3, S. 227).

53

und es kennzeichnet. Aber andererseits sind die Schwankungen so stark, daß man von dem *einen* Luther nur mit Vorbehalten sprechen kann. Es gibt sozusagen einen Duplex-Luther, den Luther der Vorlesungen, der vorzüglich theologisch gedachten Abhandlungen und Disputationen einerseits, der Predigten und erbaulichen Traktate und Sermone andererseits.[25]

Aber die literarischen Arten sind bei ihm nicht streng getrennt; die betende und meditierende Art findet sich auch in den vorwiegend fachlich theologischen Äußerungen; auch in ihnen fehlt nicht eine pastorale Amplifikation, die sich häufig nicht an eine strenge Terminologie bindet. Man darf an die Formulierung der Predigten und predigtartigen Sermone vernünftigerweise nicht einen so strengen Maßstab anlegen wie an die gelehrten theologischen Schriften[26]; die Forderung, Luther theologisch nicht zu überfordern (gar ihn in ein theologisches System zwängen zu wollen), kann gar nicht oft genug wiederholt werden.

Es ist offenkundig, daß Luther in diesen Jahren auch gewisse Auffassungen, zu denen er bereits durchgedrungen war, etwas zu verschleiern sucht (ohne daß er die von seinem Gewissen geforderte Aussage preisgegeben hätte). Dennoch braucht ein Zweifel darüber nicht aufzukommen, daß er in diesem Jahr 1519 in seinen Sermonen darum bemüht ist, das Laienvolk zu beruhigen und die Fehde auf gelehrte Kreise einzugrenzen.[27]

[25] Vgl. das immer zitierte Boehmer-Wort (so viele Luther als Lutherbücher) s. Jedin-Festgabe S. 214; ebd. Brandenburg, man könne aus Luther alles beweisen; ähnlich neuestens Buchrucker (s. Anm. 28) S. IV: „Luther hat so viel gesagt, daß eigentlich für alles, für jeden eigenen theologischen Gedanken Belegstellen bei ihm zu finden" seien. Dazu die präzise Umschreibung des Phänomens bei *Kattenbusch*. Die Doppelschichtigkeit in Luthers Kirchenbegriff (Gotha 1928) S. 285: „Es ist die Hauptkrux jedes Lutherinterpreten, daß Luther so wenig darauf bedacht ist, technische Ausdrücke, die er prägt und oft geradezu für den Moment glänzend herausarbeitet, stets als solche festzuhalten. Im einzelnen gibt er auch gelegentlich einem bloßen Einfall, einer momentanen Idee Raum." Vieles in seinen seelsorgerlichen Aussagen (und ist das nicht der zentrale Schatz?) kann, mit H. *Bornkamm* (Lutherforschung heute, Bln. 1958, 23), nicht streng theologisch genannt werden.

[26] Für die uns hier vorzüglich beschäftigende Zeit ist die Tatsache der leidenschaftlichen Überbetonung, bzw. seine Neigung dazu, von Luther persönlich ausdrücklich bestätigt: im Bericht an seinen Kurfürsten über die Verhandlungen mit Miltitz in Altenburg (4./5. Januar 1519) teilt er als Zugeständnis an Miltitz mit, „daß ich die Wahrheit allzu hitzig und vielleicht unzeitig an tag bracht" (WA Br. 1, 290, 29 f.); in dem Entwurf eines Briefes an den Papst nimmt er sich vor, das Volk zu ermahnen, nicht seine Hitzigkeit (acrimoniam) nachzuahmen (qua ego usus sum, imo abusus et excessi ad latrones istos [die Ablaßprediger] WA Br. 1, 293. 38 ff.). Die Nuancierungen dieser Formulierungen gehen aber z. T. wohl auch auf äußere Einflüsse zurück (Kurfürst Friedrich, Miltitz, die lebensgefährliche Lage Luthers), aber sie sind (und sogar noch gleich aus dem Jahr 1519 und dann bis an Luthers Lebensende) so massiv belegt, daß man wohl nicht anders kann, denn sie als Grundeigentümlichkeit von Luthers Aussagen in die Analyse einzubeziehen.

[27] Vgl. Äußerungen im „Unterricht an seine Abgönner" aus dem gleichen Jahr über die Heiligenverehrung und das Fegefeuer (WA 2, 69, 18 f., 70. 15 ff.).

54

5. a) Ich halte es seit langem für grundlegend, daß in einer Analyse Luthers unterschieden werde zwischen seinem religiösen Anliegen und der theologischen Aussage dieses Anliegens. Das Anliegen nenne ich katholisch. Die theologische Formulierung wurde zu einem Teil unkatholisch, es läßt sich nicht gut leugnen.

Aber jene katholische Grundrichtung möchte ich ernstnehmen und auswerten. Ich gebe Folgendes zu überlegen: Das Zentrum von Luthers theologischem Denken ist die Rechtfertigung aus Glauben allein.[28] Wenn man sie nicht mit mancherlei (wichtigen) Nebenelementen identifiziert, sondern sie in dem Kern nimmt, wie Luther ihn oft vertrat, nämlich einfach in der negativen Aussage, daß nichts für das Heil dienlich ist und sein kann ohne Gott und seine Gnade, bzw. ohne daß dies im Glauben ergriffen werde[29], dann ist Luthers theologisches Zentrum katholisch. Die Entwicklung aber, die von diesem Zentrum im Laufe der Jahre zur Leugnung der sakramentalen Hierarchie fortschritt, war logisch keineswegs notwendig. Man darf eben nicht übersehen, daß das zentrale „simul iustus et peccator" eine durchaus katholische (und doch Luther befriedigende) Auslegung erlaubt. Man muß auch bedenken, daß die berühmten sola-Formeln für Luther — wenn man ihn ganz nimmt — nicht absolute Geltung haben, sondern in seinem Verständnis eine von der Gnade gewirkte „Ergänzung" (etwa der Schrift *in* der Tradition und Kirche, oder des aus Hoffnung und Liebe lebenden Glaubens) vertragen.[30]

[28] Nachdem die 4. Vollversammlung des Lutherischen Weltbundes in Helsinki 1963 trotz jahrelanger Vorbereitung und bei vierzehntägiger Diskussion über eine Definierung dieser zentralen Lehre oder „Botschaft" der Reformation sich nicht einigen konnte, muß man eigentlich Hemmungen haben, sich in der Weise auszudrücken, wie es im Text geschieht. Aber es gibt wohl keinen anderen Ausweg, als die seit der Reformation übliche Redeweise beizubehalten, auch dann nicht, wenn sie (wie etwa neuestens bei *Buchrucker*, Kirchen- und Abendmahlsgemeinschaften [Halle'sche Habilitationsschrift Mschschr. 1964] S. IX⁴) zurückgedrängt wird, weil sie seit Holl einseitig „zum System seiner (Luthers) Theologie gemacht worden sei, in das Vieles nahezu gewaltsam eingeordnet wird". Daß Heilsfragen, nicht aber Kirchenfrage und Sakrament im Vordergrund stehen, wird aber (natürlich) mit E. *Kinder*, Der evangel. Glaube und die Kirche (Berlin 1958), 57 ff., nicht geleugnet.
[29] Vgl. etwa RV Schol. zu 2.15 (WA 56, 204, 9 f.), daß wir und unsere Werke vor Gott nichts sind, wenn nicht er selber in uns durch seine Gnade wirkt. — Unsere Gerechtigkeit kommt zu Fall und vergeht (WA 3, 31, 9 f.: 1513/15 Dictata). — Vgl. auch „Hic primus et principalis articulus est quod Jesus Christus propter peccata nostra mortuus et propter iustitiam nostram surrexeit. Et quod ipse solus sit agnus (Schmalkaldische Artikel; Bekenntnisschriften der evangelisch-lutherischen Kirche [Göttingen ³ 1956] 415. Vgl. ebd. 647, 6 und Register 1163). Vgl. auch die Formulierung im Großen Galaterkommentar als einzige Vorbedingung, den Papst anzuerkennen (WA 40, I, 180, 13 ff.): „...Hoc impetrato, scilicet quod solus Deus ex mera gratia per Christum justificet, non solum volumus Papam in manibus portare, imo etiam osculari pedibus."
[30] Vgl. Peter *Manns* in Jedin-Festgabe: Fides absoluta Fides Incarnata, S. 303 u. ö. — Ich vergesse natürlich nicht die verwirrende Problematik, die um die nähere Bestimmung der Beziehung zwischen „Wort und Schrift" zu klären ist, weder bei Luther

55

b) Wenn man dies mit einbezieht, läßt sich so meditieren: gegenüber einer von Luther erstrebten gereinigten Kirche, in der — seiner Definition entsprechend — die Autorität wesentlich *Dienst*, und das allgemeine Priestertum aller Gläubigen voll. d. h. in der Freiheit und ohne Legalismus, realisiert gewesen wäre, in der das kirchliche Lehramt den grundsätzlich bekannten Geheimnischarakter des Willens Gottes und der Erlösung praktisch anerkannt, bzw. die souveräne Freiheit Gottes auch nach der Menschwerdung in der Verkündigung und Verwaltung voll zur Geltung gebracht hätte — was alles offenbar gut katholisch ist — gegenüber einer dergestalt gereinigten Kirche hätten Luthers Grundforderungen sich nicht zum Bruch mit dem Papsttum und den Bischöfen auswachsen müssen.

c) Ich gebe zu: Ich befinde mich in einer für den Historiker schwachen Position. Immerhin nicht so schwach, wie es der Fall wäre, wenn wir es mit politischer Geschichte oder Geschichte der Philosophie zu tun hätten: dort hat der historische irreale Conditionalis zwar auch aufhellende, aber nicht reale Funktion und also keine Erfolgschancen. Anders innerhalb der christlichen Verkündigung, an die Luther sich absolut band, und deren immer neu zu klärenden Forderungen er zu folgen sich bereiterklärte. Welchen Spiritualismus hätten wohl Luthers Erklärer aus ihm herausgelesen, wenn es nicht seinen Zusammenstoß mit den Schwärmern und die dadurch erfolgte Betonung der realen Gegenwart des Herrn im Sakrament gegeben hätte, oder, wenn es nicht zum Kampf mit den Antinomern gekommen wäre, der so deutlich zu katholischen Thesen zurücklenkte, und dabei sogar Einseitigkeiten der „fides sola" durch eine Aufwertung der Hoffnung und besonders der Liebe durch Luther korrigierte.[31]

Luther gab sich meist sehr selbstsicher. Aber er gestand auch, daß er nun schon so lange über den Unterschied von Gesetz und Evangelium predige — und doch den Artikel immer noch nicht bewältigt habe.[32] Seine innere Anfechtung, ob denn nun er allein nach so langer Zeit gegen die vielen Recht habe, und die Bedrängnis, in der ihn manche Einwände der Papisten aus der Schrift brach-

---

selbst noch (und mehr) in der wissenschaftlichen Diskussion. Zweifellos ist auch in dieser Frage Luther weit entfernt, eine ganz eindeutige Erklärung des hier vorliegenden Geheimnisses zu bieten. Warnen möchte ich allerdings auch davor, den Tatbestand zu unterschätzen, daß jene „sola"-Formeln, hier die „sola scriptura", schon im Mittelalter so oft gebraucht wurden und den Erörterungen zugrundegelegt wurden. Daß freilich in der Anerkennung der Schriftautorität Luther mit seinen Gegnern einfachhin übereingestimmt hätte (so *Buchrucker*, a. a. O. S. 38; daselbst Hinweis auf Friedrich *Kropatschek*, Das Schriftprinzip der lutherischen Kirche 1 [Leipzig 1904] und *Sasse*, Zur Frage nach der Kirchen- und Abendmahlsgemeinschaft [Bleckmar 1950. Lutherische Blätter S. 128]), möchte ich nicht behaupten. Einerseits wechselt die Tragweite der Formel „sola scriptura" nicht selten. Andererseits liegt hier auf Seiten Luthers, besonders des Polemikers, eines jener schicksalhaften Mißverständnisse des Katholischen vor, die alles andere sind als kleine Versehen (s. unten S. 57/58).

[31] Vgl. Peter Manns in der vorigen Anm.
[32] WA TR 3, 3874.

56

ten, hat er oft genug eingestanden.[33] *Luther war ein Suchender bis an sein Lebensende.*[34] Er formulierte, wie gesagt, in einem ungewöhnlichen Maße je und je situationsbedingt; seine lebendig-assoziative Denkart erleichterte die dadurch möglichgemachten Schwankungen. Luther hat sich un- und antikatholisch entwickelt, und die Kirche hat ihn ausgestoßen. An der geschichtlichen Tatsache ist nichts abzumarkten. Dennoch kommt auch hier — für das Wohl des historischen Betrachters und der ganzen Christenheit — viel auf eine genaue Formulierung des Tatbestandes an. Und so scheint mir die Überlegung der formulierten Frage für die Erkenntnis dessen, was Luther eigentlich wollte, ertragreich, und zwar bis in die Lehre von der sündigen Kirche und von der päpstlichen Unfehlbarkeit hinein, die noch einer bedeutenden geistlich-neutestamentlichen Erklärung fähig sind, wenn man die Schrift als Teil oder Funktion der Tradition denkt.

Auf jeden Fall wird jene Frage nicht sachfremd an Luther herangetragen.

d) Wenn man Luthers Stellung in dieser Frage nicht nur historisch korrekt nachzeichnen will, sondern versucht, das Erkannte auch ökumenisch zu werten, ist es angezeigt, die damalige Praxis und Theologie des Verdienstgedankens in der Heiligenverehrung,[35] das simonistische Hineinregieren-(wollen) der Kirche in das Reich der Abgestorbenen (in das „heimelig Gericht Gottes")[36] und nicht zuletzt die trostlos mangelhafte zeitgenössische Theologie der Messe und der Messfrüchte (die Luther im Sakramentssermon[37] von innen her so völlig überwindet) sich eindringlich ins Bewußtsein zu rufen: es war eine Situation der — biblisch gesehen — religiösen Auszehrung (also nicht des Todes) mit stark dinghaften juridischen Kategorien und Verzeichnungen. Oder man denke an den Mangel an biblischer Theologie, und wie sehr überhaupt das Denken in biblischen Kategorien bei Luthers Gegnern[38] fehlte, auch wenn sie mit einem beachtlichen Bibel*wissen* aufwarten konnten.

6. Luthers Deutung der spätmittelalterlichen Kirche läßt sich, wie skizziert, verständlich machen. Aber das konkrete Bild dieser Kirche im späten Mittelalter bleibt in vielem ein schlimmes Mißverständnis der Stiftung Jesu. Diesem

---

[33] Vgl. etwa aus der großen Galatervorlesung (1531/35) WA 40 I 678, 18 ff.; 475, 27 ff., ferner zahlreiche Tischreden, vor allem Nr. 3593 (TR 3, 439, 6) „... solltest du allein klug sein?" S. a. TR 1, 51, 4, 198, 4, 224, 3; TR 2, 436, 18.

[34] Vgl. meinen Beitrag in Jedin-Festgabe, S. 233: Der nicht „arrivierte" Luther.

[35] Manchmal müßte man Luther nicht exklusiv, sondern inklusiv verstehen dürfen, um ihm Recht zu geben, z. B. WA 10 III 408, 1 (= 1522; Predigt auf Allerheiligen und wie die Heiligen zu ehren): Was man den Heiligen tun will, daß mans abwendet von den Toten und lege es auf die Lebendigen...; 17 II 255, 14 = 1519 Postille: ... daß man die lieben Heiligen lasse bleiben, wo sie sind. — Die von Luther unerbittlich aus dem ersten Gebot immer wieder durchgeführte Salvierung der stets geltenden vollen Souveränität Gottes ist wieder ganz katholisch.

[36] WA 2. 70. 25.   [37] s. oben S. 51.

[38] Daran sollten vielleicht auch meine Kritiker denken, wenn ihnen mein Tadel, Luther sei nicht Vollhörer des Wortes gewesen, mißfällt: die römisch-katholischen Theologen sind in enormem Ausmaß mit demselben Mangel belastet.

57

Mißverständnis wiederum antwortete Luther — beinahe notwendigerweise — mit falschen Voraussetzungen, also Mißverständnissen.[39]

a) Althaus[40] hat in einem gewissen Sinn recht, daß Luthers Kampf über die empirische Wirklichkeit der Römischen Kirche seiner Zeit hinaustrug „auch wider den römischen Kirchengedanken" an sich; das ist schon einigermaßen in der Leipziger Disputation enthalten.[41] Dennoch bedarf jene Behauptung einer sorgfältigen Eingrenzung: Die Lehre vom Summepiskopat des Papstes und von seiner Unfehlbarkeit war damals noch nicht definiert. Es ist auch zu beachten. daß vieles, was damals theologisch katholischerseits vertreten wurde, keineswegs als berechtigte Wiedergabe des Katholischen, wie es im Neuen Testament grundgelegt und in der Liturgie ausgeformt ist, angesprochen werden kann (und heute entsprechend nicht als solches anerkannt wird).

Insgesamt ist zu bedenken, daß Luthers Kampf sich nicht im luftleeren Raum vollzog, sondern. daß er jenes ganz konkrete Papsttum angriff, das der mittelalterlichen hierokratischen Idee der mehr oder weniger uneingeschränkten plenitudo potestatis (mit einer weittragenden Mißdeutung der biblisch-christlichen Potestas [vgl. Matth. 28, 18] und einer legalistischen Verkürzung der christlichen Freiheit) verfallen war. ein Papsttum, das er glaubte mit dem Antichristen identifizieren zu müssen. und dessen Messe ihm zu einem Greuel des Götzendienstes geworden war. Eine ganz nüchterne Beurteilung darf die Behauptung wagen: ein Papsttum. bei dem diese Anschuldigungen hinfällig sind. würde Luther nicht bekämpft haben. Dies ist wesentlich.

All das macht uns Katholiken heute eine positivere Auseinandersetzung mit Luther möglich. Wenn der reformatorische Anspruch z. B. mit Althaus so umschrieben wird: „An die Stelle ausschließender sachlicher Stellvertretung wird die umschließende *personhafte* gesetzt".[42] so ist das durchaus innerhalb der katholischen Lehre vertretbar. Einerseits ist Luther in diesem Punkt katholischer, als es ein großer Teil der damaligen Kirche war; andererseits ist die katholische Theorie, — denken wir etwa an den evangelischerseits so leichter Hand beiseitegeschobenen Komplex Aszese — nicht so wesentlich nur dinglich (und

---

[39] „Mißverständnis"! Es handelt sich natürlich nicht darum, Luthers große Leistungen nur auf Mißverständnisse zu reduzieren, gar auf unwichtige Vordergründlichkeiten. Man möge nicht vergessen. daß der Begriff „Mißverständnis" zu der Kategorie großer. schöpferischer Kräfte im Ablauf der Geschichte gehört. Das zentrale Mißverständnis. um es auch hier zu wiederholen, lag darin, daß Luther die Kirche in ihren wichtigsten Lebens- und Lehräußerungen für wesentlich pelagianisch hielt, was sie durchaus nicht war. Aus Luthers eigenen Aussagen ergibt sich, daß er die *reine* katholische Lehre von der Rechtfertigung und die *reine* Lehre vom opus operatum nicht angreifen wollte.

[40] Paul *Althaus*, Die Theologie Martin Luthers (Gütersloh 1962) 248.

[41] Luthers XIII. These: Romanam Ecclesiam esse omnibus aliis superiorem, probatur ex frigidissimis Romanorum Pontificum decretis intra CCCC annos natis, contra quae sunt historiae approbatae MC annorum, textus scripturae divinae et decretum Niceni Concilii omnium sacratissimi (WA 2, 161, 35 ff.).

[42] a. a. O. 260.

58

gesetzlich) wie die Auffassung, gegen die Althaus an derselben Stelle mit Recht polemisiert.

b) Hier ist eine Zwischenbemerkung angebracht über die schwierige literarische Lage, in der ein Katholik sich befindet, wenn er nach der Jahrhunderte währenden, massiven katholischen antireformatorischen Haltung heute Thesen Luthers für sich reklamiert. Es geht nicht darum, wie es gelegentlich formuliert wird, den evangelischen Theologen und Christen ihre Kategorien zu stehlen.[43] Ich darf für mein Teil, an die eben erwähnte Formel anknüpfend, an meine alte These erinnern, daß Luther einen Katholizismus überwand, der nicht mehr vollkatholisch war.[44]

Am wichtigsten ist, daß Übereinstimmung katholischen Glaubens mit dem Zentrum reformatorischen Glaubens, also der Lehre von der Rechtfertigung aus dem Glauben allein, vorliegt. Luther entdeckte diese Lehre durch einen ihn quälenden Pelagianismus hindurch neu. Er hielt dann, wie eben schon gesagt, die ganze „päpstliche" Rechtfertigungslehre für Werkerei, also für unkatholisch. Wie ihm, so ging es — und dies bereitet einer Erklärung große Schwierigkeiten — den zahlreichen Theologen jener Zeit, die zu ihm stießen, die alle, wie auch Luther selbst, im päpstlich-kirchlichen Katholizismus erzogen waren, ihn also doch wohl kennen mußten.[45]

Aber heute wird, wie schon gesagt, kaum noch irgendwo diese zentrale Lehre, derentwegen die Reformation entstand und durchgehalten wurde, als kirchentrennend angesehen. Und man kann ja wirklich schlecht leugnen, daß eine Fülle von Texten und Gebeten der katholischen Kirche (Frömmigkeitsliteratur, Liturgie, Theologie) die Lehre von der Rechtfertigung aus Glauben und nicht aus Werken lehren.[46]

7. Diese Überlegungen führen, wie mir scheint, zu aufschlußreichen Fragen: Ist es nicht eine elementare Forderung, Luther so zu lesen, wie er seine Lehre — bei aller sehr robusten dogmatischen Intoleranz — selbst verstanden wissen wollte: immer verbesserungsfähig unter dem Gericht der Schrift stehend? Ist es unlutherisch, die Ergänzungsfähigkeit Luthers aus der Schrift in die Analyse aufzunehmen? Oder auch: steht nicht unter oder hinter der radikalen, auch

---

[43] Siehe S. 47 oben.

[44] Die Reformation in Deutschland, I, 176.

[45] Dasselbe Phänomen spielt im calvinistischen Raum. Farel z. B., der unter dem Einfluß von Briçonnet und Faber Stapulensis stand (die beide die Rechtfertigung nur durch Gnade für katholisch hielten, beide blieben in der alten Kirche). Farel also berichtet, daß es für ihn entscheidend gewesen sei, von Faber zu hören, daß alles Heildienliche nur aus Gnade und Barmherzigkeit Gottes ohne menschliches Verdienst komme, und daß er das sogleich fest im Glauben angenommen habe. „Jl (Lefèvre) m'enseigna que nous n'avons point de mérites, mais que tout venait de grâce et par la seule miséricorde de Dieu, sans qu'aucun l'ait mérité. Ce que je crus, sitôt qu'il me fut dit." (Epître à tous Seigneurs 171; in: „Bulletin de la Société de l'histoire du Protestantisme français" 111 (1965) 205)

[46] Das frühere katholische Mißverständnis, als ob Luther gegen die guten Werke gewesen sei, brauchen wir nicht mehr zu widerlegen.

59

groben Polemik gegen die alte Kirche ein gewisses Warten auf ihre Erneuerung?[47]

Luthers Lehre als Ganzes wurde in seinem Munde und unter seiner Feder nie so chemisch rein protestantisch wie in der Vorstellung der Epigonen, besonders nach dem 18. Jahrhundert. In Luther blieben nicht nur katholische Reste, sondern es wurde auch etwas von katholischer Grundhaltung bewahrt. Ein sehr wichtiges, weil in der Konsequenz sehr weittragendes Stück deutet sich z. B. darin an, daß unter Luthers Zustimmung und Mitwirkung das „sola scriptura"[48] durch öffentliche Bekenntnisschriften, etwa durch die Confessio Augustana, „ergänzt" wurde[49].

a) Daß Luther und seinen Mitkämpfern die Reformation in dem von ihnen angestrebten Sinne nicht ganz gelang, sondern ab sofort der Prozeß der Ab- und Aufspaltung begann und sein zerstörerisches Werk, von rückläufigen Zwischenspielen abgesehen, beinahe unaufhaltsam bis an den Anfang des 20. Jahrhunderts fortsetzte und heute in neuen Formen virulent wird, belastet die Reformation mit schwerer Hypothek.

Die Tatsache der Aufspaltung der reformatorischen Kirchen bedeutet nicht die Widerlegung ihrer Lehre. Aber diese Tatsache hat es gleichwohl mit der Wahrheit und ihrer Brechung zu tun. Weil die Aufsplitterung durch die Art der

---

[47] Ob man mit Peter Meinhold von einer späten Anerkennung der Konzilien bei Luther sprechen kann, scheint fraglich. Zwar anerkennt Luther, daß der Heilige Geist im Konzil sei, aber dennoch könne es irren (Von den Konziliis und Kirchen: 1539 WA 50, 607, 62 Ebd. 615, 28: „So ist denn ein Conzil nichts anderes denn ein Consistorium, gleich jedem Pfarrer." — Auch eine Grundüberlegung wie die, daß die Kirche des Papsttums wirkliche Kirche gewesen und noch sei (aus der er das Evangelium und die Sakramente übernommen habe), hat Luther nicht gleichmäßig durchgehalten. Im Großen Katechismus (1529) spricht er ihr den Charakter der Kirche ab: „Darumb (weil das Wort Gottes nicht gepredigt werde) ist es auch keine Christliche kyrche" (WA 30, I 188, 37).

[48] Inwieweit hat in der neuesten evangelischen Theologie diese protestantische Urformel und — mit ihr zusammenhängend — der Grundsatz von der „scriptura sui ipsius interpres" noch Geltung? Für manche scheinen sie unhaltbar geworden. Vgl. G. *Lindbeck* in: Das Problem der Lehrentwicklung und die heutige protestantische Theologie in: Concilium 3 (1967) 60 ff.

[49] Hier wäre das schwerwiegende Problem zu bedenken, in welchem Sinn die Bekenntnisschriften der reformatorischen Kirchen verbindliche Lehraussagen in ihr, also auch für die auf sie ordinierten evangelischen Geistlichen darstellen. Daß die Bekenntnisschriften unter der Hl. Schrift stehen, ist ebenso selbstverständlich, wie daß der Papst nichts gegen die Schrift definieren kann, bzw. daß das Lehramt unter der Schrift stehe. Vgl. dazu die gewichtigen Worte des Vaticanum II in der Konstitution „De Divina Revelatione" (18. Nov. 1965, AAS 58 [1966] 817—830): Caput VI, 21: ...De Sacra Scriptura in Vita Ecclesiae... Omnis ergo praedicatio ecclesiastica sicut ipsa religio christiana Sacra Scriptura nutriatur et regatur oportet. In sacris enim libris Pater qui in caelis est filiis suis peramanter occurrit et cum eis sermonem confert: tanta autem verbo Dei vis ac virtus inest, ut Ecclesiae sustentaculum ac vigor, et Ecclesia filiis fidei robur, animae cibus, vitae spiritualis fons purus et perennis exstet. Unde de Sacra Scriptura excellenter valent dicta: Vivus est enim sermo Dei et efficax (Heb. 4, 12)...".

60

Verfaßtheit der einzelnen reformatorischen Denominationen offenkundig auch
Wesentliches der Offenbarung schädigte, erscheint die theologische Problematik in sehr viel anderem Licht, als wenn es diese Belastung für die reformatorischen Kirchen nicht gäbe. Die „Wiederentdeckung" der Kirche. des kirchlichen
Amtes und der Sakramente, ja des Dogmas im evangelischen Raum hat doch
auch evangelische Theologie (nicht *die* evangelische Theologie) von gewissen
liberalspiritualistischen Auffassungen zurückgerufen. Wie sollte man z. B.
Luthers Lehre von der Absolution gerecht werden, wenn man nicht der Mittels-
person des Beichtigers und dem Mittelding der Absolution ihre echte von
Christus eingestiftete Funktion zuerkennt? In „Von den Schlüsseln" stehen
darüber drastische Formulierungen.[50] Sie sind erheblich eindeutiger als die
bedeutsamen (manchmal mächtigen) Äußerungen der 7. und 58. Ablaßresolu-
tionen. wo die gelehrte sakramentale Funktion der priesterlich-menschlichen Absolution doch immer wieder in der Nur-declaratio der vorher von Gott getätig-
ten Lossprechung und Eingießung der Rechtfertigung unterzugehen scheint.[51]
In diesem Zusammenhang ist es sinnvoll, einerseits zu fragen, ob es in den
reformatorischen Kirchen und ihrer Theologie nicht zu gewissen Verkümmerun-
gen gegenüber dem neutestamentlichen Bestande gekommen sei — und vor allem
andererseits, ob aus dem reformatorischen Uransatz und dem bleibenden reformatorischen Zentralanliegen heraus durch eine der Gesamtbibel entsprechende
Erfüllung und Läuterung der reformatorischen Äußerungen (zusammen mit
einer entsprechenden theologischen Vertiefung auf katholischer Seite) nicht eine
reinere Lösung der der Reformation vorgegebenen Aufgabe möglich werden
und ein Kirchenbegriff sichtbar werden könnte, der Luther zu wichtigen Teilen
als „katholisch" und insofern als katholisch integrierbar erkennen ließe?
b) In dem offenen Brief an die Böhmen (1523) „Vom Anbeten des Sakraments
des Heiligen Leichnams Christi", gegen Ende, wo Luther sich anschickt, den
Böhmen das anzuzeigen, was ihm an ihnen nicht gefällt. denkt er zurück an die
entstandene Spaltung zwischen ihm (dem nicht mehr päpstlichen[52]) und Rom.
Er ist sich bewußt, „Gott habe uns gar ein helles Licht geben". Dann fährt
er in merkwürdig untergründiger Sehnsucht nach der Einheit fort: „Hetten
aber meyne Papisten mügen leyden ihren feyl frundlich antzeygen und mir
widderum nit mit frevel und gewallt widderstanden, es were solch weßen nicht
drauß worden und yhr gewallt und ehre were noch wol blieben."[53]
Luther hat noch viel später das Bild einer möglichen Einheit mit dem Papsttum in sich getragen, wenn nur seine (heute als nichtkirchentrennend erkannte)
Rechtfertigungslehre anerkannt würde.[54]

[50] „Bleibe du bei den Worten Christi" (die der menschliche Beichtiger ausspricht)
„und sei gewiß, daß Gott keine andere Weise hat. die Sünden zu vergeben, denn
durch das mündliche Wort . . ." WA 30 II 498, 23 ff. = 1530 Von den Schlüsseln. —
Zum Ganzen Ernst *Sommerlath:* Der sakramentale Charakter der Absolution nach
Luthers Schrift „Von den Schlüsseln" in Festschrift für Adolf Koeberle (Hamburg 1958) S. 223.   [51] WA 1, 539 ff.; 594 ff.; s. oben S. 49.   [52] WA 11, 452, 12.
[53] WA 11, 452, 14—16.   [54] Jedin-Festgabe a. a. O. 245; s. oben Anm. 29.

61

Die Texte, die wir für dieses Festhalten an der Einheit der Kirche von Luther haben, sind vielleicht bisher noch nicht genügend beachtet worden. Verständlich neben den gehäuften radikalen Absagen! Dennoch, sie sind erstaunlich in ihrer bohrenden Eindringlichkeit, besonders da, wo Luther sich dahin äußert, daß man gerade wegen der Mißstände an der Kommunion festhalten müsse und um so mehr, je größer diese Mißstände seien.[55]

c) Das Fazit unserer Zwischenbemerkung (oben S. 59) ist trotz allem natürlich bedrückend:

Der analysierende Historiker muß seine Ohnmacht bekennen. Luther war im Gewissen gefangen; man sieht nicht, wie er den Kampf gegen Rom hätte einstellen können, ohne sich an seinem Gewissen zu versündigen. Wir stehen im Geheimnis der Gewissensentscheidung: und da aus ihr in dem hier verhandelten Fall das die Welt umgestaltende Phänomen der Reformation wurde, stehen wir zugleich — zugunsten Luthers — im Geheimnis der Welt- und der Kirchenlenkung Gottes.

Leider antwortete der radikalen Forderung und biblischen Erneuerung von römisch-katholischer Seite her vielfach triebhafte Abneigung. Das Lutherbild des Cochläus steht als Symbol. Rom und seine Theologen traten Luther sehr früh in einer Weise entgegen, die man als objektiv krasses Versagen gegenüber seinem biblischen religiös-kirchlichen Anliegen bezeichnen muß. Luther durfte sich mit vollem Recht in wichtigen Punkten mißverstanden fühlen. Sein Anliegen wurde nicht nur nicht erfaßt, sondern sogar falsch gedeutet. In vielen Thesen hatte er das Recht, sich für den besseren Theologen zu halten (weshalb er dann seine Kritik noch steigert). Auch als die Bannandrohungsbulle erging und sich zu dem zu erwartenden Urteilsspruch verdichtete, geschah dies in einer Weise, die weder Luthers Anliegen, noch in manchem seiner Lehre gerecht wurde.

d) Letztlich stehen wir vor einer von beiden Seiten mitzuverantwortenden Schuld, vor einer furchtbaren, echten Tragik. Oder ist es keine Tragik, wenn Rom und die Reformationskirchen sich 400 Jahre lang gegenseitig als ketzerisch bekämpften wegen der Rechtfertigungslehre hüben und drüben?

Andererseits: wir stehen nicht vor einer nur irreversiblen theologischen Entscheidung:

[55] Nunquid et nos, qui ferimus onera et vere importabilia monstra Rhomanae curiae, ideo fugimus et discedimus? Absit! Absit! Reprehendimus quidem, detestamur, oramus, monemus, sed non scindimus ob hoc unitatem spiritus, non inflamamur adversus eam, scientes quod charitas super omnia eminet, non tantum super rerum corporalium damna, sed etiam super omnia monstra peccatorum (WA 2, 605, 23—28: 1519 Galater-Kommentar). — Eb. Z. 17: Si enim sunt mali pontifices, sacerdotes aut quincunque, et tu vera charitate ferveres. Oder auch 1519 (2, 72, 35 ff.): „Ob nu leyder es zu Rom alßo steht, das woll beßer tuchte, ßo ist doch die und keyn ursach ßo groß, noch werden mag, das man sich von der selben kirchen reyßen adder scheyden soll. Ja yhe übeler es do zugeht, yhe mehr man zulauffen und anhangen soll, dann durch abreyßen adder vorachten wirt es nit beßer…" ebd. 73, 14 f.: „alleyn der eynickeyt soln wyr achten nemen und bey leyb nit widder streben Bepstlichen gepoten.."

62

Sakramentales Denken beim jungen Luther

Von Joseph Lortz

Kleine Mahnung für den Leser

Der nachfolgende Aufsatz ist in manchen Teilen eine, wie ich vermute, anstrengende Lektüre. Wahrscheinlich liegt das am Verfasser, dem es nicht gelang, das aus Luther erhobene Material ganz einzuschmelzen. Ganz gewiß.

Ich bin mir selber aber auch darüber klar, daß hier noch anderes im Spiel ist: Eigenarten des erhobenen Materials selbst.

Es ist begreiflich, daß jene Jahre des inneren und äußeren Umbruchs und Wachstums, Jahre auch, in denen die Bedrohung von außen ebenso anstieg wie begeisterte Zustimmung und auch das nicht wenig herrische Selbstbewußtsein Luthers,[1] daß also jene Jahre um 1519, aus deren Umschichtungsprozeß die großen Reformschriften von 1520 herausbrachen, ein vielfältiges, nicht immer ein durchsichtiges, geordnetes oder gebändigtes Auf- und Abwogen der Gedanken - und Formulierungen (!) - zeigen, das nicht leicht auf einen Nenner zu bringen ist.

Jede Stunde war damals neu für den zur vollen Reife sich Entfaltenden. (Und es ist wohl unabdinglich, daß man, um Luther real zu schildern, auch das Psychologische jenes Werdens mit in das Bild einzeichne, wenn man das sich äußernde Theologische genau erfassen will. Das mag man dann psychologische Deutung nennen; aber ohne sie wird die theologische Kennzeichnung an des Gedankens Blässe kränkeln.) Tatsächlich zeigt der unerhörte Reichtum der Gedanken Luthers in jenen Zeiten Aussagen, die in ihrer wortreichen Darbietung eine nur mangelhafte Einheit bilden.

Es ist am Tag, daß Schriften späterer Jahre größere Einheitlichkeit erreichen. Dennoch möchte ich meine, an den Texten abgelesene Überzeugung, nachdrücklich dahin formulieren: Der im Folgenden in den Texten Luthers sich dokumentierende Mangel an Konzision und Einheitlichkeit der Formulierung ist Ausdruck einer bleibenden Eigenart des Reformators. Sie ist neben der Gewalt und Tiefe und neben der präzis zupackenden Genauigkeit (ja Monumentalität) seiner Gedanken zu berücksichtigen, allgemeiner und stärker, als es, wie mir scheint, in der Forschung durchgängig geschieht.

9

Und auch deshalb bleibt die saubere Aufarbeitung der Terminologie Luthers für die verschie-
denen großen Themata seiner Theologie eine besonders dringliche Aufgabe.[2]

Für hier und jetzt noch so viel: ich habe mich nicht darum bemüht, die Härten und Unklar-
heiten auszubügeln. Holperige Wege zu gehen, ist nie recht bequem. Wie holperig allerdings
manche Gedankengänge Luthers in den im folgenden behandelten Zusammenhängen sind, wird
nur der spüren, der über die entsprechenden Texte nicht leicht hinwegschwebt, sondern ihnen
gewissenhaft (und mit Ausdauer) Wort für Wort nachgeht. – Natürlich, darin und daneben, wel-
cher Reichtum!

1 Der Rahmen: Heidelberger Disputation (Brief Martin Bucers an Beatus Rhenanus vom
1. Mai 1518 in: Briefwechsel des Beatus Rhenanus. Leipzig 1886, 106-116); Verhandlungen
mit Cajetan in Augsburg, Appellation an ein künftiges Konzil, literarische Polemik, Leipziger Disputation. – Es ist mit Händen zu greifen, wie die Vorbereitungen zur Leipziger
Disputation (durch Eck und auch Karlstadt, siehe dazu WA 2, 153) das Klima erhitzen,
wie viel selbstbewußter, ja schon einigermaßen gröber Luther mit dem Herannahen der
Leipziger Disputation wurde, etwa in der Verlautbarung vom Mai 1519 »adversus criminationes D. Joannis Ecci« (WA 2, 158 ff) mit dem doch recht persönlich aggressiven
»maledicta sit impiae illius clementiae gloria« (160, 13 f). Luther möchte nicht nur »tüchtig
beißen können (um Eck zu verdrießen), und schier unüberwindlich sein im Fressen all
seiner Gegner« (unter die er nun ungeniert auch Cajetan, dazu noch als Bestreiter der christlichen Gnade [!] einbezieht) die »Speichellecker, Weihräucherer und Opferpriester des
Apostolischen Stuhles« (ebd., 14-17).

2 Vgl. meinen Beitrag: Martin Luther. Grundzüge seiner geistigen Struktur. In: Reformata
Reformanda. Festgabe für Hubert Jedin. Bd. 1. Münster 1965, 214-246, bes. 224(2).

10

1. Die Frage, ob der junge Luther die katholische Sakramentsauffassung beiseite geschoben habe oder nicht, ist kontrovers,[3] sie ist eine wichtige Vorfrage für eine heutige Verständigung zwischen den Konfessionen[4] darüber, welches sakramentale Leben der Gemeinden als schriftgemäß, d. h. dem Willen Christi entsprechend, angesehen werden muß.

Nach meiner, sich im Laufe meines Lutherstudiums verstärkenden Überzeugung bezeugt Luther eine gereinigte und vertiefte katholische Sakramentsauffassung, die er in seiner Frühzeit in einer Weise so füllte, daß sie in der katholischen Kirche zu deren Nutzen dauernd ihren legitimen Platz hätte haben können.

Allerdings erreichte der spätere Luther nur selten jene Tiefe der sakramentalen Frömmigkeit, wie wir sie im Sakramentssermon von 1519 und in anderen Äußerungen bis 1524 über die communio sanctorum finden. Am wenigsten bringt er von dieser Kraft zum Ausdruck, wenn es ihm um die Priesterweihe geht.[5]

2 a. Die reformatorischen Kirchen haben sich mit Vorliebe als Kirchen des Wortes bezeichnet. Welch tiefe Berechtigung dem zukommt, seit Luther in seiner (immer wieder wie ein neuer Schöpfungsprozeß anmutenden) Art die Schrift neu entdeckt und »das Wort« mit so großer Würde ausgestattet hatte, seitdem »verbum Domini manet in aeternum« zur offiziellen kirchlichen und kirchenpolitischen Devise (Speyrer Reichstag 1529) geworden war und seit in unzähligen Aussprüchen und durch Darstellungen der bildenden Kunst die Bibel als Kurzformel der ganzen Reformation angesprochen wurde, braucht nicht weiter erhärtet zu werden. In einem echten Sinn (und nie auszuschöpfender Fülle) ist »das Wort« der Heiligen Schrift das Herzstück der Reformation.

Dennoch ist auch hier zu bedenken: Es ging der Reformation und ihren Urhebern so, daß ein in der Aussprache (gegenüber der spätmittelalterlichen Verdinglichung mehr oder weniger notwendigerweise) überbetonter Einzelinhalt,

---

3 Vgl. zu der Position von Ernst Bizer Erwin Iserloh: Sacramentum et exemplum. In: Reformata Reformanda. Festgabe für Hubert Jedin. Bd. 1. Münster 1965. 250 f.

4 Die hier folgenden Ausführungen hatten ursprünglich eine Einleitung. Sie erschien inzwischen unter dem Titel »Reformatorisch und katholisch beim jungen Luther« in: Humanitas Christianitas. Walther von Loewenich zum 65. Geburtstag. Witten 1968, 47-62. Auf die dort (Seite 51) herausgehobene Bedeutung des »Sermons vom Allerheiligsten Sakrament...« 1519 (WA 2, 742-758) möchte ich eigens hinweisen.

5 Vgl. viele Stellen aus: »Von der Winkelmesse und Pfaffenweihe« 1533 (WA 38, 171-195); dazu unten Seite 36.

den man mit Recht das Herzstück nennen mag, zu sehr für das Ganze gehalten wurde. Tatsächlich ist unbestritten, daß zu der Reformation Luthers, mit, in und neben dem Wort, als Element eigenen Wertes auch »die Sakramente« gehören. Die Erwähnungen und entsprechenden Auslegungen sind bei ihm selbstverständlich, genau wie in den Bekenntnisschriften seiner Kirche.[6]

Freilich, die Rolle, Funktion und Bedeutung des Sakraments in der Reformation ist umstritten. Immerhin entdecken wir seit einiger Zeit in Luther bedeutend mehr Sakramentales, als wir bis dahin erkannt hatten.

Daß Luther stärker sakramental engagiert sein soll, ist an sich erstaunlich. Luther kommt aus dem Ockhamismus, in dem die Sakramente streng okkasionalistisch gefaßt werden, weil ihnen eine Seinsqualität zuzuschreiben, so wurde argumentiert, Gottes volle Unabhängigkeit in Gefahr bringen könnte. Entgegen dieser seiner geistlichen Herkunft erobert sich Luther aus der Bibel die Gnade und die Dimension des Sakramentalen sozusagen neu.[7]

»Dimension des Sakramentalen«: damit soll von vornherein angedeutet sein, daß Luther, obgleich er, wie wir sehen werden, den traditionellen Sakramentsbegriff beibehält, doch der Aufgliederung in einzelne Sakramente weniger Bedeutung beimißt (so sehr Taufe und Altarssakrament für ihn Wesensstücke der christlichen Existenz bleiben). Über dem einzelnen Sakrament steht ein Höheres oder Tieferes. Luthers Sakramentstheologie ist in diesen Jahren 1517 (gestützt auf Augustin, Hebräerbriefvorlesung) bis 1524 eine glänzende Veranschaulichung seiner Grundlehre von der Rechtfertigung durch den Glauben allein, dieser aber als Werk Gottes in uns durch Christi Entäußerung in die Menschlichkeit und durch Leiden, Tod und Auferstehung gewonnen. Der Glaube ist unentbehrlich, der persönliche, des Heiles gewisse Glaube,[8] das Sakrament und sein Empfang nicht.

6 Wie so viele Formulierungen Luthers, zeigen auch diejenigen, in denen die Sakramente aufgeführt werden, eine für Luther typische unpräzise Umgrenzung der einzelnen Epitheta. Vgl. z. B. die schöne Stelle aus dem Betbüchlein, 1522 (WA 10 II, 394, 2 f): »eyntrechtlich mitt yhr [der Gemeinde] halltend ynn eynem glawben, wortt, sacramenten, hoffnung und lieb ...«

7 Da Luther Biel studiert hatte, ist das Vorangehende einer entsprechenden Differenzierung bedürftig.

8 Dieser Glaube ist allerdings als Gegenwärtigsetzung (siehe gleich unter 2b im Text) des verkündenden Herrn eine sakrale Wirklichkeit. Im Sakramentssermon erläutert Luther den Glauben (»da die macht an ligt« oder »daran es alles ligt« WA 2, 749, 31; 750, 23) dahin: nicht nur zu wissen was, sondern »seyn auch begeren und festiglich glawben, du habest es erlangt« (ebd, 749, 33). Er definiert das Predigen dahin, daß es nichts anders sei als

12

2 b. Andererseits ergibt sich die Tatsache, daß uns das Heil zuteil wird durch das Wort *und* die Sakramente, unmittelbar aus der Schrift. Allerdings besteht eine große innere Schwierigkeit, die Eigenständigkeit und Eigenart der Sakramente in Abhebung vom Worte genau auszudrücken. Entsprechend gibt es eigentlich kaum irgendwo eine sauber ausbalancierte Beschreibung des Verhältnisses beider, nicht bei Augustin und nicht bei Luther.

Luther spricht der Eigenständigkeit und Eigenartigkeit der Sakramente weniger Bedeutung zu als die gängige katholische Lehre. Das hängt zusammen mit seiner ganzheitlichen Auffassung des Rechtfertigungsvorgangs, der letztlich auf dem einen Glauben durch das Wort beruht. Aber »weniger« heißt nicht »gar nichts«, stuft deshalb auch von hier aus Luther noch nicht in die Kategorie »unkatholisch« ein. Da der Glaube für das Zustandekommen und die Wirkung des Sakraments selbstverständlich auch im katholischen Verständnis unerläßliches Element ist, kann man legitim fragen, ob nicht etwa diesem Glauben selbst »sakramentale« Kraft eigne; anders ausgedrückt, wie eng Glaube und Sakrament in eins zusammengebunden seien? Da der Rechtfertigungsglaube Luthers keineswegs nur äußerlich zudeckt, sondern auch ontisch umwandelt, rücken Luthers Glaubensbegriff und ein geläuterter katholischer Sakramentsbegriff näher zusammen.

Allerdings macht auch hier die Fixierung des Inhalts, wie die Forschung - und die tägliche Not des ökumenischen Dialogs - es beweist, erhebliche Schwierigkeiten. Wenn von dem Glauben allein die Rede ist, ist dann das »allein« im engstrengen Sinn genommen; oder sind etwa im vertrauenden Glauben Hoffnung und Liebe mit eingeschlossen,[9] wie es später im großen Galaterkommentar zu Tage kommt?[10] Der Inhalt des Terminus »fides« ist keineswegs immer der gleiche und präzis abgegrenzt; in dieser Hinsicht sind die von Luther beliebten, aber eben wechselnden »und-Verbindungen« seiner Aussagen aufschlußreich; eine präzise Umgrenzung fällt in sehr vielen Fällen schwer.

ein »Lehr-Schlüssel«, es soll »die Leute zur Erkenntnis führen, daß sie lernen und wissen, wie sie Gott dienen und selig werden sollen« (WA 30 II, 491, 20; Von den Schlüsseln, 1530).

9 Vgl. etwa Resolutiones disputationum de indulgentiarum virtute, 1518: »per fidem Christi efficitur Christianus unus spiritus et unam cum Christo« (WA 1, 593, 14). Dasselbe kann Luther von der caritas aussagen: »Omnia (sc. fides, spes, caritas aliaeque gratiae et dona) communia fiunt per caritatem« (WA 6, 131, 5; Tesseradekas, 1519), wo dann wieder die Amplifikationen des sprachlichen Ausdrucks einer sauberen begrifflichen Abgrenzung erhebliche Schwierigkeiten machen.

10 Vgl. aber auch schon Randbemerkungen zu Petrus Lombardus II. Dist. 26, 4 (1510/11): »Talis fides non est sine charitate et spe« (WA 9, 72, 4 f).

13

II Sakrament

1. Auch Luthers Auffassung vom Sakrament genau zu zeichnen, ist schwer. Er faßt den Begriff - wie eben schon anvisiert - in verschiedener Weise. Er schreibt die göttlich umwandelnde Kraft[11] nicht nur dem Sakrament zu, sondern biblisch korrekt allem, was der Herr ist und tut, also dem Glauben, ob er nun nur mit dem Wort allen allgemein, oder präzisiert dem Einzelnen durch ein Sakrament angeboten wird.

Zu Beginn des Sakramentssermons 1519 gibt Luther eine Art beschreibender Definition, deren Sinn im einzelnen sich wiederum nicht gerade leicht fassen läßt.[12]

Das Wichtigste aber ist, daß seine Vorstellung vom Sakrament aus der vielfältigen Offenbarungswirklichkeit der Schrift genährt ist. Von der Schrift her erweitert er seine Auffassung zu der altchristlichen Lehre, daß Christus und alles, was er ist und tut, das Ursakrament ist und entsprechend sakramental handelt. So ist alle Wirkung der Sakramente Ausfluß des Handelns Christi. Christus bewirkt schenkend das, wofür er Vorbild ist.[13] Die Ausweitung reicht so weit, daß »alle Worte, alle Geschichten des Evangeliums ›sacramenta quaedam‹ sind« (WA 9, 440, 2-5).

Das Wort aus dem Munde Gottes ist also sozusagen sakramentalisiert; infolgedessen haben wir es auch von hier aus wiederum schwer, das Eigenartige des Sakraments und seiner Wirkung vom Wort abzuheben.

2. Als Terminus bedeutet »sacramentum« für Luther, wie die deutsche Wiedergabe und auch lateinische Texte zeigen, vor allem Zeichen.[14] Zeichen ist von sich aus multivalent und noch nicht die Sache. Luther trägt diese Urbedeutung

11 Ich benütze hier diesen allgemeinen Ausdruck, obschon ihn Luther (im Kampf gegen das opus operatum) nicht mag.
12 »Das heylige Sakrament des altars ... hat auch drey dingk ... Das erst ist das sacrament odder zeychen. Das ander die bedeutung des selben sacraments. Das dritte der Glaub der selben beyden wie dan yn eynem yglichen sacrament diß drey stück seyn mussen. Das sacrament muß eußerlich und sichtlich seyn yn eyner leyplichen form odder gestalt. Die bedeutung muß innerlich und geystlich seyn yn dem geyst des menschen. Der glaub muß die beyde zusammen zu nutz und yn den prauch bringen« (WA 2, 742, 5-14). - Im Sermon von dem Neuen Testament und der heiligen Messe, 1520 (WA 6, 359, 9 f), heißt es einfach: »daß das selb zeychen [sc. Brot und Wein] ein sacrament sey, das ist, daß es eußerlich sey und doch geystlich dingk hat und bedeut«.
13 Darüber und über sacramentum und exemplum unten Seite 27.
14 Vgl. Anmerkung 53.

14

tief im Bewußtsein. Das »Zeichen« ist für seine sakramentale Auffassung zentral.[15] Aber Luther läßt dieses Zeichen nicht in der nominalistischen Sphäre stehen. Er fügt, wenn er z. B. die Auferstehung und das Leben unseres Herrn ein sacramentum nennt, bei: »sed non tantum«, oder er ergänzt mit Ausdrücken wie »causaliter« oder »efficax« und »facit«;[16] er kann aber auch sagen »transitu autem carnis Christi, significatur . . . velut sacramento«.[17]

Das Sakrament bezeichnet und wirkt (auf Grund von Christi Leiden, Tod und Auferstehung)[18] Sünde tötend, geistlich auferweckend, und zwar durch den Glauben.[19] Oder Luther gebraucht diese allgemeine Umschreibung: »in das geistliche gezogen werden«,[20] wenn es geschieht durch »dasselb zeychen« (sc. Brot und Wein), das »ein sacrament sei, das ist, daß es eusserlich sei und doch geystlich Ding hab und bedeut, damit wir durch das eusserliche in das geystliche getzogen werden«.

Das Wort »sacramentum« deckt also einen doppelten Sinn: einmal das ganze Sakrament, etwa der Taufe und des Abendmahles, oder Christi Leiden, Sterben und seine Auferstehung, - oder auch allein das sichtbare sakramentale Zeichen. Dieses Zeichen ist aber, wie gesagt, zugleich hinweisend, anzeigend *und* ursächlich vermittelnd. Um dies zu verdeutlichen, formuliert Luther gelegentlich jenes »non tantum sacramentum«, durch ein beigefügtes »causa i. e. efficax sacramentum«.[21]

15 Vgl. die vielen Stellen im folgenden, wo signum oder significatur verwandt wird.
16 Siehe Anmerkung 62 mit Zitaten aus der Römerbriefvorlesung.
17 »Igitur quod Christus egit secundum carnem tantum (non enim aliquando transiit a vitiis sicut nos, sed semper fuit et est in coelis, sicut johan. 3 ‚Nemo ascendit in coelum nisi filius hominis, qui in coelis est'), per hoc simplo suo concinit duplo nostro. Ut ait Augustinus lib. 3 de trinitate cap. 4: Nos enim carne et spiritu transimus, Christus autem carne solum transiit. Ideo transitus carnis nostrae exemplum est (quia similes ei erimus), transitu autem carnis Christi significatur tamen velut sacramento transitus spiritus« (WA 57 III, 233, 7-14). Das von Vogelsang in der Übersetzung beigefügte *nur* ist nicht sachgerecht.
18 In der Hebräerbriefvorlesung (WA 57 III, 222, 25) heißt es: Leiden Christi und sein Eingang in die Glorie »significat et est sacramentum imitandi Christum«. Die Verbindung von »significat« und »est« und »imitandi« deutet den komplexen Bestand deutlich genug an; siehe unten zu »Imitatio« Seite 27 ff.
19 WA 2, 501, 34-38; 754, 7. Allgemeiner in der Hebräerbriefvorlesung: Christi Tod bewirkt die Verwandlung unseres Geistes.
20 »Hineingezogen werden«, verdichtet zu »eingeleibt«, ist 1519 ein Lieblingswort Luthers.
21 »Resurrectio et vita Christi est non tantum sacramentum, sed et causa, id est efficax sacramentum nostrae spiritualis resurrectionis et vitae, quia facit resurgere et vivere credentem

15

In diesem Gebiet, das vom Sprachgebrauch der Bibel her so wenig Aufhellung beziehen kann (Sakrament ist kein biblischer Begriff, deckt sich auch nicht einfach mit mysterium), werden wir also gerade bei Luther gut tun, nicht zu große Anforderungen an die Exaktheit seiner Terminologie zu stellen. Der von Leben so randvolle Sakramentssermon von 1519[22] enthält nicht zu übersehende Undeutlichkeiten.[23]

Indes, über sie alle hinaus bleibt die deutliche Aussage eines ontischen Wirkens der Sakramente bei Luther. Trotz einem nicht ungefährlichen Hang zur Vergeistigung löst er die sakramentale Wirklichkeit nicht spiritualistisch auf, sondern deutet sie so, daß eine in der Sache umgestaltende Rechtfertigung mit ausgesagt wird. Wird der in dieser Art rechtfertigende, also zum Gerechtsein wandelnde Glaube so ins Spiel gebracht, daß er an ein Sakrament gebunden ist wie bei der Taufe und besonders bei der Eucharistie, dann stehen wir im Bereich sakramentaler Wirklichkeit im engeren Sinn.

Seit Luther begonnen hatte, sich in einem neuen Sinn wesentlich aus der Heiligen Schrift zu nähren, zwang ihn die Krankheit der Kirche seiner Zeit, das opus operatum des Sakraments heftig zu bekämpfen; denn durch isolierende Überbewertung des sichtbaren Zeichens und dadurch, daß in der Praxis und Gebrauchstheologie (etwa bei der Ablaßverkündigung) die unentbehrliche Grund-

in eum« (WA 56, 51, 20-22). Ebd, 296, 17-22 wird sacramentum stillschweigend als verursachend gebraucht, wenn es im Glauben angenommen wird. Sakramentssermon: Christus läßt uns das Sakrament zu einem ›gewissen warzeichen« (WA 2, 746, 2). Manchmal steht nur »Zeichen« (ebd, 753, 6), oder »gnediges Zeichen« (WA 39 I, 217, 12 [1537]). Das Ineinander von significatio (oder symbolum) und Realbezeichnung kommt in der Beschreibung der Taufe zum Ausdruck (De captivitate babylonica, 1520, WA 6, 534, 3-12) »...dum incipimus credere, simul incipimus mori« (ebd, 534, 15), was natürlich ontisch-geistlich gemeint wird. »Quod ergo baptismo tribuitur ablutio a peccatis, vere quidem tribuitur... ut baptismum exprimat, qui potius mortis et resurrectionis symbolum est« (ebd, 17). »...baptismi sacramentum: quo ad... signum... esse aliquod negotium perpetuum... res ipsa durat usque ad mortem...« (ebd, 31-39). Also, das ganze Leben hindurch »morimur et resurgimus«. Siehe auch die Zitate aus dem Taufsermon unten Anmerkung 26. Es ist also zu unterscheiden ein einfaches, nur hinweisendes Zeichen (vgl. besonders die aus dem Alten Testament), vom Zeichen, das ist »velut sacramentum« (Hebräerbriefvorlesung WA 57 III, 223, 7, siehe Anmerkung 17), d. h. also ein sakramentales Zeichen, welches wiederum gleich ist mit wirkendem Zeichen.

22 Aber auch die theologisch so viel genauere Hebräerbriefvorlesung, wo Luther z. B. in der Verwendung des tragenden Gedankens ›exemplum« nicht ganz konsequent bleibt.

23 Tautologie gleich in der ersten Sinnbestimmung dessen, was das Altarsakrament sei, siehe Anmerkung 12.

16

lage und Quelle (die in Glauben und metanoia sich darstellende Ergreifung der Rechtfertigung) zu kurz kamen, war das opus operatum für viele zu etwas Magie-artigem geworden. Denen, die die Sakramente recht brauchend »alle Früchte des Sakraments« (WA 6, 66, 5 [1520]) erwerben, stehen jene gegenüber, die mit ihren Werken mehr denn durch die heiligen Sakramente in Gottes Gnade Frieden suchen.

Dies ist die Seite der Angelegenheit, die Luther aus seelsorgerlichem Eifer am lautesten betont. Aber diese Verurteilung eines Objektivistischen darf uns nicht übersehen lassen, daß das Sakrament auch für Luther einen wesentlich objektiven Charakter behält. Luther spricht z. B. von dem »heiligen, hochwürdigsten und tröstlichen ... und voller Gnaden Sakrament« (WA 2, 713, 19 f), ein Ausdruck, den er so nicht für das »Wort« gebraucht, das doch für ihn wahrhaftig auch Träger der Gnade ist.

3. Wir sahen schon, daß die Begriffe »Corpus Christi« und »in ihn eingegliedert werden« für Luther zentrale Bedeutung haben. So wird im Sermon von der Bereitung zum Sterben gesagt, daß wir durch die Sakramente eingegliedert werden (WA 2, 692, 33); sie sind ein sicheres Zeichen, wodurch wir eingeleibt werden (WA 2, 744, 12).

In besonders kräftiger Weise wird im Sermon von der Taufe deren objektive Wirkkraft herausgehoben: »[Gott] hebet von stund an dich neu zu machen, geusst dyr ein sein gnad und heyligen geyst der anfahet, die natur und sundt zu töten ...«[24] »Es ist ein selig sterben der sund, und auferstehung yn gnaden Gottis, das der alt mensch, der in sunden empfangen wird und geboren, so erseufft wird, ein neuer Mensch eraus geht ... Also ersauffen die sund.«[25]

Freilich diese radikalen Ausdrücke werden auch (ebd. »zum vierten«) wieder eingeschränkt: Das »ersaufen der Sünd« geschieht nicht vollkommen in diesem Leben (Zeile 10 f), sondern »... weret dieweils wir leben« (Zeile 23). Das ganze Leben ist ein geistlich Taufen bis in den Tod. Die wesentliche Erneuerung kommt erst am Jüngsten Tag: Gott will dann den sündigen Menschen anders machen von »new auff« (729, 19). Ja, aber dennoch ist es nicht so, daß »gar kein Sünd mehr da sei«, es bleibt die »sündlich natur«. Hier und in den anderen Ausführungen dieser Absätze (728/29) kommt das dialektische Ineinander des »schon

---

24 WA 2, 730, 25-31; wichtig ist das geistliche Töten, parallel mit dem gesund und gesünder werden als lebenslanger Vorgang. - Im Folgenden werden die Begriffe Begierde und Sünde von Luther unterschieden und doch auch durcheinander gebraucht; ebd, 731, 7 f.
25 WA 2, 727, 30 - 728, 8 (Taufsermon, 1519).

17

tot«, »noch nicht ganz tot«, die »Bedeutung des Sakraments« ist da, aber »noch nicht gar sein Werk« getan, etc., deutlich zum Ausdruck.[26]

Dennoch ist wohl zu beachten, wie konkret und dies umfassend Luther den doppelten (negativen und positiven) Vorgang der Umwandlung nimmt: Das Sakrament des Leidens Christi ist Zerstörung der Sünde und der Wollust, und es ist das Sakrament unseres neuen und lebendigen Weges, darauf wir nur das Himmlische suchen und lieben, und zwar mit ungeteiltem (!) Herzen, völlig eingegangen in das Himmlische ... unser Wandel im Himmel.[27]

Von Aussagen, die diese ontisch-objektive Wirkweise der Sakramente lehren, enthält Luthers Werk in diesen Jahren schon seit der Römerbriefvorlesung eine beachtliche Menge: Von Christi Auferstehung hörten wir schon, daß sie geschieht »sibi corporaliter, nobis sacramentaliter« (WA 56, 58, 19; vgl. 56, 59, 15 ff: Römerbriefvorlesung, 1515/16). Dieses sacramentaliter wird so verstanden (WA 56, 296, 17-22): Christi Tod bezeichnet (significat) nicht nur die Sündenvergebung, ist nicht nur sacramentum unserer Gerechtigkeit, sondern bewirkt sie als ihre Ursache und ist auch voll ausreichende Genugtuung.[28]

26 »Und darumb als vill die Bedeutung oder das tzeychen des sacraments ist, so seint die sünd mit den menschen schon tod und er auferstanden, und ist also das sacrament geschehn, aber das werk des sacraments ist noch nit gar geschehn, das ist: der todt und aufferstehung am Jüngsten tag ist noch vorhanden« (WA 2, 729, 34 - 730, 2). »Also ist der mensch ganz reyn und unschuldig sacramentlich ... er hat das tzeychen Gottis, die Taufe, da mit angezeygt wird, seyn sünd sollen alle todt seyn und er yn gnaden auch sterben ... und aufersteh'n, reyn an sünd ... Also ist's des sacraments halben wahr, das er on sünd unschuldig sey ... aber weil er noch im fleisch, so ist er nit on sünd ... sondern angefangen reyn und unschuldig zu werden. Darumb wenn ... er zu seynen jaren kompt, so regen sich die natürlichen sündlichen begierden ... der keyns nit were, so die sünd all im sacrament erseufft und tod weren. Nu seyn sie *nur bedeuttet*, zu erseuffen, durch todt und aufferstehung ...« (WA 2, 730, 3-14). »Das hilfft dir das hochwirdig sacrament der tauff, das sich gott daselbs mit dir verbindet und mit dir eyns wird eins gnedigen trostlichen bundes« [= in spe] (WA 2, 730, 20 f).

27 WA 57 III, 222, 30 - 223, 4: Hebräerbriefvorlesung, 1518. Solche Formulierungen über die völlige Zerstörung der Sünde und die ohne Vorbehalt oder Hemmung bejahte ungeteilte Herzensliebe muß man sich merken: Die Lehre der Römerbriefvorlesung von der Sündenverfallenheit allen menschlichen Tuns, der nie zu erreichenden hilaritas des Guttuns, ist nicht der ganze Luther.

28 Hier wird das »sacramentaliter« nicht ausdrücklich an ein »Sakrament« im üblichen Sinn gebunden; es wird die objektive Wirkung festgestellt, die aber auch durch den Glauben allein angeeignet werden kann. Hier liegt (nach Ernst Sommerlath: Der sakramentale Charakter der Absolution nach Luthers Schrift »Von den Schlüsseln« in: Festschrift für Adolf Koeberle. Hamburg 1958, 223) eine wohl zu beachtende Überbetonung des Glaubens vor,

18

Natürlich - um es nochmals zu sagen - ist das alles gebunden an unsern Glauben. Seine umwandelnde Kraft als das Entscheidende im und vor dem sakramentalen Geschehen kennt Luther aus Augustin mindestens seit der Hebräerbriefvorlesung:[29] »Wozu bereitest Du den Bauch und die Zähne? Glaube, so hast Du gegessen.« (Dazu das andere Augustinus-Wort: Non sacramentum sed fides sacramenti justificat.[30]) Es geschieht ein geistliches Essen und Trinken, dies aber bedeutet: (1) den Glauben mehren bis zum völlig glauben; (2) die Hinwegnahme meiner Sünden; (3) »durch solchen Glauben in Christus eingetaucht und eingeleibt« werden.

Hier ist die innige Verwandtschaft, wenn nicht Identität, von Wirkung des Glaubens und Wirkung des Sakraments deutlich. Sie ist mit einer entscheidenden, höchst bedeutungsvollen Bedingung verbunden: Es muß aus dem nur opus operatum ein opus operantis werden, ein »prauchlich Werk«.[31]

Luthers Kritik am sakramentalen Denken liegt hier übrigens durchaus innerhalb der Möglichkeiten der Hochscholastik. Zwar geht deren Vorstellung dinglich um einige Nuancen über Luther hinaus (vgl. unten Seite 34), aber entsprechend den sakramentalen Aussagen bei Johannes 1, 14 (sehen und berühren Seiner Herrlichkeit) trägt dieses Dingliche an sich noch keineswegs eine verdinglichte Art, noch weniger die des aushandelnden (und simonistischen!) Verdienstdenkens an sich, gegen das Luther sich mit Recht so grimmig wandte.

4. Die von Luther überreich vorgetragene Lehre von der communio sanctorum[32] wird in unserem Zusammenhang nochmals aktuell wegen der Taufe, hauptsächlich der Kindertaufe. Ich gestehe, daß es mir nicht gelang, weder beim jungen noch beim späteren Luther, Einheitlichkeit in der Lehre vom »fremden Glauben« (oder »eines anderen Glaubens«)[33] festzustellen. Während Luther in

die mit den Jahren abnimmt, bis in »Von den Schlüsseln« eine einige Male verblüffend entschiedene Bindung an das Sakrament-Lösewort vertreten wird.

29 WA 57 III, 170, 1-4. Vogelsang: AaO, 134.
30 Migne PL 35, 1840: in Joann. 80, 3. Vgl. dazu Luther im Taufsermon »Glaubst du, so hast du« (WA 2, 733, 35).
31 Diese Grundauffassung der im Glauben erreichten Umwandlung bleibt Luther sein Leben lang erhalten. Vgl. z. B. im großen Galaterkommentar 1531 (35/38) zu Gal 2, 19: Das »ich bin mit Christus gekreuzigt« geht nicht auf Nachahmung des Vorbildes, sondern handelt von der im Glauben vollzogenen Mitkreuzigung, wobei denn aber der terminologisch so oft unbekümmerte Luther das opus operantis wieder zurücktreten läßt: »Sünde, Tod und Teufel werden gekreuzigt, aber in Christus, nicht in mir. Christus tut allein alles« (WA 40 I, 280, 25).
32 Siehe auch unten Seite 23 ff.

19

seinem oben angezogenen schönen Taufsermon von 1519 das Thema abhandelt, ohne daß anscheinend das Problem der Kindertaufe ihn bedrückt, äußert er sich 1525 in der Fastenpostille und 1529 im »Großen Katechismus« zu dieser Frage. In einer Predigt über Mt 8, 1 (1525)[34] wird zu der Frage des »fremden Glaubens« und seiner Macht in der Kindertaufe in ständiger Wiederholung so Stellung genommen, daß man nur durch eigenen Glauben gerettet oder durch eigenen Unglauben verdammt werde. Abgelehnt wird die päpstliche Lehre: »... daß die jungen Kinder werden ohne eigenen Glauben getauft, sondern auf den Glauben der Kirche, welchen die Paten bekennen in der Taufe«, ebenso auch die Auffassung der Waldenser, »Kinder würden auf zukünftigen Glauben getauft« (WA 17 II, 81, 16). Anschließend heißt es (ebd. 82, 26-30): »daß die Kinder in der Taufe selbst glauben und eignen Glauben haben. Denselben Gott in ihnen wirkt durch das fürbitten und erzubringen (!) der Paten der christlichen Kirche. Und das heißen wir die Kraft des fremden Glaubens ...«.

Es sieht ganz so aus, als ob Luther in diesen Äußerungen die außerordentliche Intensität, mit der er 1519 im Sakramentssermon von der einigenden und stellvertretenden Kraft der communio sanctorum spricht, nicht erreicht hätte.[35] Im »Großen Katechismus« ist es dann allein das »Wort«, von dem alles abhängt, weil der Glaube die Taufe nicht macht, sondern empfängt.[36]

5. Die katholische Sakramentstheologie sprach etwas viel, und wohl manchmal auch zu massiv, vom Eingießen der Gnade durch die Sakramente, und in diesem

---

33 Auch Werner Jetter: Die Taufe beim jungen Luther. Tübingen 1954, kommt zu dieser Auffassung. Dort heißt es: »Zur Kindertaufe finden sich Ansatzstellen fast aller seiner späteren Lösungsversuche. Aber die scharfe Front fehlt, es bleibt bei Andeutungen« (343). Zur Frage des »fremden Glaubens« schreibt er: »... die Kinder ... sind taufbedürftig ... und können mit vollem Erfolg getauft werden. Sehr unsicher bleibt, ob er schon einen durch die Taufe in den Kindern geschaffenen Glauben für möglich hielt« (251).

34 WA 17 II, 72-88. Vgl. auch WA 11, 444, 24 (Sermon vom Anbeten des göttlichen Leichnams, 1523): »Darum kann niemand für einen andern was schaffen, ein jeglicher muß für sich selbst glauben, wie auch ich für niemanden kann getauft werden.«

35 Eine Kraft, die er aber später auch noch eindringlich formulieren konnte; vgl. WA 21, 346, 21 (1529): »Denn es ist ein jeder Mensch um des anderen willen geschaffen und geboren« - und also wird er, der doch nach Luthers Lehre nur durch eignen Glauben gerettet werden kann - »auch im Tode nicht allein gelassen« (WA 2, 745, 15 f).

36 »Darnach sagen wir weiter, das uns nicht die größte macht daran ligt, ob, der da getaufft wird gleube oder nicht gleube, denn darumb wird die Tauffe nicht unrecht. Sondern an Gottes Wort und gepot ligt es alles ... Denn mein glaube macht nicht die Tauffe, sondern empfehet die Tauffe ...« (WA 30 I, 218, 24-26).

20

Zusammenhang von den Sakramenten als wirkenden Mitteln des übernatürlichen Lebens.

Da keine Wortkonkordanz über Luthers Sprachgebrauch vorliegt, bin ich nicht in der Lage, eine präzise Aussage über den Gebrauch des Ausdrucks »eingießen« und verwandter Begriffe zu geben. Daß Luther vom Kern her gegen jede stoffliche Vorstellung der Gnade war,[37] wissen wir aus seinem Kampf gegen das »opus operatum«, die »Kraft des Sakraments« (so wie er sie versteht; siehe unten Seite 27). Immerhin spricht er, wie wir hörten, noch 1519 ganz harmlos von den »der Gnaden vollen Sakramenten« (Einleitung zum Bußsermon, WA 2, 713, 22) und setzt ihr Wirken ab gegen die Werkerei. Er gebraucht auch noch das Bild von der Eingießung der Gnade (*und* des Heiligen Geistes! WA 2, 730, 27: Taufsermon, 1519) ähnlich, wie er vorher in den Dictata formuliert hatte, »daß die Gnade in uns einströmt«.[38]

Aber wie man auch das Eigenständige und Eigenartige des sakramentalischen Wirkens neben Wort und Glauben fassen mag, es kommt auf die wirkliche Mitteilung göttlichen Heilsgutes an, ja - soweit das beim Geschöpf möglich ist - göttlichen Wesens.

Eben diesen Vorgang und Bestand aber hat Luther im Sakramentssermon in reicher Fülle ausgesprochen, besonders in der Lehre von der »communio sanctorum«, wo alles aufgebaut ist auf dem Zentralwort der Verwandlung und Einleibung, nämlich in Christus und wieder aller seiner Glieder ineinander. Es ist der fröhliche Wechsel,[39] von dem Luther so gerne spricht, ein »Wechsel und eine Vermischung unserer Sünd mit Christi und seiner Heiligen Gerechtigkeit«.[40]

Daß wir mit Christus erfüllt werden, das gilt natürlich auch schon vom Glauben allein. Denn Glaube an Christus bedeutet, daß Christus im Menschen lebt, »doch nicht allein lebt, sondern wirkt ... siegt. Glaube an Christus kann nicht müßig sein, er lebt, wirkt und triumphiert ... es strömen von selbst die Werke

37 Schon in den Randbemerkungen zu den Sentenzen (1509/10) legt Luther fest, daß Charitas »de facto semper datur cum spiritu sancto et spiritus sanctus cum ea et in ea« (WA 9, 42, 35).

38 »... abundantior influit in nos gratia dei« (WA 3, 31, 21). Siehe auch WA 2, 146, 29 f (Sermo de duplici justitia, 1519): »per solam gratiam infusa nobis« und WA 56, 360, 4 f (zu Röm 8, 3): »per fidem Christi diffusum in cordibus nostris«, ferner »... diffusa, non nata ... in nobis« (ebd, 307, 17 f).

39 WA 2, 749, 32, Sakramentssermon, 1519.

40 In den Resolutiones disputationum de indulgentiarum virtute (1518) lautet eine Formulierung: »participatio suavissima et jucunda permutatio« (WA 1, 593, 30).

21

nach außen aus dem Glauben. So fließt unsere Geduld aus der Geduld Christi.«[41] Eine ähnliche umfassende Bedeutung besitzt auch das uns schon bekannte »sacramentaliter« (siehe unten Seite 31). Eigentlich fällt es weithin zusammen mit der spiritualen Wirklichkeit, die das Wesen der Rechtfertigung oder auch des Glaubens, also auch aller theologischen Tugenden ist, und zwar deshalb, weil die spiritual umgestaltende Funktion des Glaubens in allem Heilsvorgang die Grundkraft ist.

Jene durch das Abendmahlssakrament bewirkte »Communio sanctorum« oder das »corpus Christi mysticum« (im Unterschied zu Christi natürlichem Leib im Sinne der Realpräsenz) macht den eigentlichen Mittelpunkt des Sakramentssermons aus. Denn im Altarssakrament gewinnt die bewirkende Zeichenhaftigkeit einen doppelten Aspekt, weil es zu der schon angedeuteten doppelten Verwandlung kommt, einmal in den wahren, »natürlichen« Leib und das wahre Blut des Herrn, und dann dadurch in den »geistlichen Leib des Herrn«, das corpus Christi mysticum.[42]

Luther drückt sich in diesem Sakramentssermon in ungewöhnlich starken Bildern umfassend und teils überquellend aus. Man muß die Texte (die ja notwendigerweise oft in gewissem Sinne übertragen gemeint sind) trotz ihres pastoralen Pleonasmus (oder vielleicht gerade deshalb?) sehr genau lesen, um der Tragweite der (ungeheuren) ausgesprochenen Behauptungen gerecht zu werden: Christus und alle seine Heiligen nehmen aus Liebe unsere Gestalt an, indem er und alle Heiligen als Speise (wie Luther ausdrücklich sagt) in unser Wesen eingehen: wir in Ihn und seine Heiligen, Er und sie in uns »eingeleibet« (WA 2, 748, 35), gleichwie die Körner in den Brot-Leib und die Beeren der Traube in den Leib des Weines eingehen (748, 8-12), beidemal durch Entäußerung der eigenen Form (vgl. Phil 2, 7).

Und so streitet der Herr mit uns gegen die Sünde, Tod und alles Übel (748, 13); und wir, davon in Liebe entzündet, nehmen wiederum seine Gestalt, und »seyn also durch Gemeinschaft seiner Güter und unseres Unglücks eyn Kuchen, eyn Brott, eyn leyb, eyn trank und ist alles gemeyn. O das ist ein gros sakrament, sagt s. Paulus, daß Christus und die Kirch eyn fleisch und eyn gebein seynd« (748, 15-20).

Dabei ist weiter eingeschlossen - und darauf legt Luther, wie wir gleich sehen werden, besonderen Nachdruck -, daß wir eins mit unsern Nächsten werden, alles von ihnen auf uns nehmen, wahrhaft ineinander verwandelt werden durch die

41 WA 57 III, 114, 4-9, Hebräerbriefvorlesung 1517/18.
42 Belege im Sakramentssermon passim, oben Seite 14.

22

Liebe (748, 20-26). Jene »Einleibung« mit dem Herrn und allen Heiligen ist so ganz und tief, daß wir nach Johannes (1 Joh 3, 2) Ihm gleich werden; so tief und ganz wird die Gemeinschaft Christi und aller Heiligen mit uns (748, 24-26), daß sie (diese Vereinigung) »die sund und uns ganz vortilget und ihm selbs uns gleych mache am Jüngsten Tage«.[43] »Drum schau auf, es ist dir mehr not, daß du des geistlichen [d. h. die Gemeinschaft der Heiligen] dann des natürlichen Körpers acht habest.« Denn »... es muß ein verwandlung da geschehen und geübt werden durch die lieb« (751, 14-17).

6. Die ungewöhnlich reiche Auseinanderfaltung des Begriffs »geistlicher Leib des Herrn, die geradezu unersättliche Betonung des gegenseitigen Füreinander-daseins gibt der These von Althaus-Holl,[44] Luther habe die communio sanctorum vom Himmel auf die Erde gebracht, ihr Recht. Dennoch muß sie sowohl (1.) ein-geschränkt als (2.) vor einem Mißverständnis bewahrt werden.

Ad 1: Luthers communio sanctorum schließt eine solche mit den vollendeten Heiligen im Jenseits nicht aus: Die häufige Zusammenstellung »Christus und seine Engel und Heiligen« belegt das.[45] Der Ausdruck »die Heiligen« wird im Sakramentssermon auch für die vollendeten Heiligen gebraucht. In diesem Sinne werden sie oder die »lieben Heiligen« (WA 2, 755, 2) durchgehend mit und neben Christus (und den Engeln) erwähnt als die eine Seite der communio sanctorum. Im Anhang zum Sakramentssermon, über die »Bruderschaften«, werden sie sozusagen auch als in sich einigermaßen selbständig gefaßt, als solche, denen neben Gott und allen Christen viel Unehre durch die Mißstände bei den Festen der Bruderschaften geschehe (754, 31), ja, die man dadurch versucht (755, 1).

Es braucht nicht eigens bewiesen zu werden, daß weder in dem einen noch in dem anderen Falle die Heiligen auf die gleiche Ebene mit dem Herrn rücken. Aber die naiv selbstverständliche Art, wie der mittelalterlichen Tradition gemäß

---

43 Vorausgesetzt ist wieder die gleiche volle Vereinigung mit dem Nächsten »durch dieselbe Liebe« (WA 2, 749, 6 f).

44 Paul Althaus: Die Theologie Martin Luthers. Gütersloh 1962, 257. Karl Holl: Gesammelte Aufsätze. Bd. 1: Luther. 6. Aufl. Tübingen 1932, 322. Siehe dazu auch WA 30 I, 189, 22: »communio sanctorum sollte aufs klerste heißen ›Ein heilige Christenheit‹« (Großer Kate-chismus, 1529).

45 »Christus im Himmel und die Engel mit den Heiligen ...«; erst dann: »alles leyd und lieb aller Heiligen auf Erden« (WA 2, 745, 21-24, Sakramentssermon, 1519). »Communio sanc-torum, quod quilibet pro altero laboret ... Sed hoc fecerunt in vita, et si nunc facerent, intercessione potius ... id fieret« (WA 1, 607, 40 - 608, 3, Resolutiones de indulgentiarum virtute, 1518).

23

ohne merkbare Hemmung der Herr und die Heiligen als die eine, sozusagen jenseitige Seite der communio sanctorum an- und ausgesprochen werden, ist beachtenswert.[46]

Damit ist freilich nichts gesagt dagegen, daß Luthers Hauptinteresse auf den geistigen Leib des Herrn hinieden, auf die Einheit zwischen Haupt und menschlichen Gliedern der Kirche geht. Und dies ist eine kostbare Erkenntnis,[47] die selten in solcher Fülle wie bei Luther ausgebreitet wurde.[48]

Besonders ist diese Seite seiner Gedanken gedeckt durch die aktive Nächstenliebe, die nach Luther durch das Sakrament verwirklicht werden soll.

46 Vgl. noch Hebräerbriefvorlesung zu 9, 14 (Erich Vogelsang: Luthers Hebräerbrief-Vorlesung. Berlin-Leipzig 1929, 133) ist der Ausdruck für alle »Heilige« und »Reine« gemeint. WA 2, 748, 1 f (Sakramentssermon): »wir müssen der andern Übel wieder unser lassen sein, wollen wir, daß Christus und seine Heiligen unser Übel ihr sollen lassen sein.« Ohne daß die lebenden Gläubigen ausgeschlossen sind, scheinen hier doch die vollendeten Heiligen vor allem gemeint zu sein. - Bei »Christus und seinen durftigen« (sc. lieb und beistand erzeigen) ist wohl eindeutig an die darbenden Brüder gedacht, deren Not wir lindern sollen. Im Sermon vom Sterben (WA 2, 689, 6-12) »... deines Herzens Gedanken und all Dein Sinn kehren auf die, die in Gottes Gnaden gestorben ... fürnehmlich in Christo, danach in allen seinen Heiligen ... Denn Christus ist nichts denn eitel Leben, seine Heiligen auch.« Luther wird nie von einem Menschen, auch einem gläubigen, sagen, er sei eitel Leben; auch vorher scheint der Kontext auf Heilige zu weisen, die schon »bei Gott« sind. - Der Gesamttenor entspricht der geringen Neigung Luthers zur Heiligenverehrung, vgl. Vom Anbeten (An die Böhmen, 1523, WA 11, 452, 1: »Denn es ist von verstorbener Heiligen Fürbitten, ehre und anrufen nichts in der Schrift«, ebd, 4: »aus der Mutter Gottes und den Heiligen hat man ›eytel Abgötter‹ gemacht.« In dem »Unterricht an seine Abgönner« spricht er von den Gräbern der Heiligen und Wundern, die dort geschehen. Hier sind also eindeutig die »jenseitigen« Heiligen gemeint.

47 Eines der nicht seltenen Symptome, in denen sich Luthers Mahnung realisiert, daß der Mensch (auch die Kirche) nicht in Gottes heimeliges Gericht Zugang hat.

48 Vgl. die schon reichlich gebrachten Belege. Dazu Tesseradekas, 1519, WA 6, 131, 4 f: »Fides, spes, caritas, aliaeque (!) gratiae et dona ... omnia communia fiunt per caritatem.« Gründonnerstag-Predigt 1523, WA 12, 486, 8 f: »ein Kuchen mit Christo, daß wir treten mit ihm in eine Gemeinschaft seiner Güter und er in eine Gemeinschaft unserer Güter« (!). Tesseradekas, WA 6, 131, 36-38: »Quid est credere Ecclesiam sanctam quam sanctorum communiones? Quo communicant autem sancti nempe bonis et malis, omnia sunt omnium.« Weiter: durch die Verwandlung in den mystischen Leib Christi werden die Sünden überwunden (WA 2, 745, 2 f), wobei Christi Leiden mit allen heiligen Engeln und Seligen im Himmel und frommen Menschen auf Erden für mich stehen (WA 1, 607, 26). Vgl. Resolutiones disputationum de indulgentiarum virtute, 1518 (wo die Möglichkeit der intercessio vom Himmel aus offen bleibt).

24

In diesen Zusammenhang gehören auch die scharfen Aussagen Luthers, die die Verehrung des natürlichen Leibes Christi an sich (mit »Gebetlein«) abwerten; dessen Betrachtung wirkte nichts als Schaden, wenn nicht die Hauptsache, der geistliche Leib, also die Gemeinschaft der Heiligen beachtet (und aktiviert) werde.[49]

Ad 2 (oben Seite 23): Man würde Luthers Worten nicht Genüge tun, wenn man die von der allgemeinen Liebe zu und zwischen Christus, allen Heiligen und allen Gläubigen getragene Einheit und Gemeinschaft des Leibes nur zu einer moralischen, nicht sakramentalen machte. Dem widerstreben Luthers machtvoll gefüllte Worte, wie wir sie lasen, oder auch etwa der Schlußabsatz: Die anzustrebende Besserung liege nicht in der Vielzahl der Messen und Kommunionen, sondern im »Zunehmen der Bedeutung und des Glaubens dieses Sakraments« (WA 2, 757, 27 f) zu möglichst inniger Einleibung in Christus und seiner Heiligen Gemeinschaft (Zeile 30) durch Wachsen zur Gewißheit der Liebe Christi und seiner Heiligen zu uns (Zeile 32). Die von Luther in Anspruch genommene liebende Verbindung mit den Mitchristen und die Verwandlung in sie in Glück und Leid reicht in der Fülle ihrer Ausführungen in der Tat weit über das Moralische hinaus; besonders ist die Rückwirkung der geistlichen Güter und Kräfte der Mitchristen auf den Kommunizierenden in einer moralischen Kategorie nicht erschöpfend unterzubringen.[50]

Und endlich und vor allem bleibt das wirkliche Anteilhaben der Kommunizierenden am Herrn Jesus, an seinem Sein und Tun und Verdienen. Hier findet der erwähnte fröhliche Wechsel statt, der kaum anders denn als sakral-sakramental zu fassen ist. Dieser Folgerung scheint man nur entgehen zu können durch die Auffassung, daß die tragende Kraft des Ganzen, der Glaube, einen zentralen Platz innerhalb des Sakramentalen nicht haben *könne*.[51] Eine solche Folgerung würde aber Luther nicht gerecht.

49 Dabei zeigt sich wieder, wie umfassend und grundlegend, weil über den eigentlichen Bereich der Sakramente hinausreichend, Luthers Begriff der communio sanctorum ist. In den Resolutiones, 1518, WA 1, 593, 4-8, heißt es: »Quia per fidem Christi efficitur Christianus unus spiritus et unum cum Christo. Erunt enim duo in caro una, quod sacramentum magnum est in Christo et ecclesia. Cum ergo spiritus Christi sit in Christianis, per quem fratres cohaeredes, concorporales et cives fiunt Christi. Quomodo ibi possit non esse participatio omnium bonorum Christi?«

50 Siehe auch die ähnlich lautenden Stellen aus dem Sakramentssermon WA 2, 752, 33.36; 753, 1. 6. 17; auch WA 6, 66, 10 (Sermon vom Bann, 1520).

51 Darin scheint mir eine Schwäche der Ausführungen von Wilhelm Wagner: Die Kirche als

Wie schon angedeutet, kann man die Terminologie Luthers in diesen Zusammenhängen längst nicht immer als ganz einheitlich bezeichnen. Immerhin begünstigt sein Sprachgebrauch unbedingt eine sakramentale Deutung, abgesehen von den reichen, unzweideutig sakramentalen Ausführungen, die wir trafen, besonders über das konkrete Einssein der Heiligen in einem Körper Christi als seine Glieder; die Vorstellung vom Corpus Christi mysticum mit dem Herrn als Haupt des Leibes und allen Heiligen als Glied vom Glied, ist Voraussetzung der ganzen Gedankengänge: »... alßo alle heyligen seyn Christi und der Kirchen glid, die eyn geystlich ewige Gottesstadt ist ... mit Christus geistlichem corper vorleybet und sein glyd gemacht« (WA 2, 743, 13 ff).

Augustin war es, von dem Luther dessen Lieblingsidee übernommen hatte, daß es die Solidarität zwischen dem Haupt des Leibes und seinen Gliedern gibt, die sind wie Braut und Bräutigam und nur eine Stimme haben, ja ein Leben, so daß Christus getötet wird, wenn die Seinen getötet werden.[52] Der Ausdeutung der Psalmen liegt das Axiom zugrunde, daß »Christus loquitur in persona membrorum«. Wenn also Christus in den Psalmen spricht, dann aus dem Herzen dessen, in dem er wohnt. Die Heiligen sind der lebende Thron Christi, er wohnt in ihnen »sanctiter vel spiritualiter«,[53] »er wirkt auch in ihnen«. Alles, was seine Glieder tun, tun sie aus seinem Einfluß, aus der Anteilnahme an seinem Leben.[54]

Corpus Christi Mysticum beim jungen Luther. ZKTh 61 (1937), 29-98, zu liegen, die »Glauben« und »Sakrament« durch ein »entweder-oder« viel zu sehr trennen. Wagner faßt Luthers Rechtfertigungslehre beinah nur als angebliche Ablehnung einer inneren Rechtfertigung, von der vorauszuahnen gewesen sei »die Entsupranaturalisierung« der Lehre Luthers vom Corpus mysticum (89 f). Die Nächstenliebe sei nur fähig, moralische Einheit zu bewirken (96). Umgekehrt sind Wagners Vorstellungen von Sakrament und Sakramentsgnade zu stofflich gefaßt und ungenügend mit dem Glauben zusammen gesehen. - Darin scheint Wagner (70) recht zu behalten, daß mit fortschreitenden Jahren der Prozeß der Einleibung durch das Sakrament in Luthers Interessenkreis zurücktritt, dafür der Glaube, bzw. die Rechtfertigung ohne sakramentale Vermittlung stärker betont wird, wobei freilich die oben angemahnte Einschränkung von Sommerlath in ihrer Berechtigung ungeschmälert bleiben muß (siehe Anmerkung 28).

52 WA 3, 211, 23; 218, 35; 232, 39; 4, 127, 30; 3, 235, 31. Wagner: AaO, 42.

53 WA 3, 405, 8. Auch dieses »sanctiter vel spiritualiter« läßt sich nicht stringent auf einen präzisen Sinn festlegen.

54 Die Gefahr, die Allwirksamkeit Christi zur Alleinwirksamkeit Christi zu steigern, liegt bei Luther nahe, gelegentlich sagt er sogar ausdrücklich: »omnia solus« (WA 3, 545, 32: »Quia omnia opera bona ipse in nobis operatur et non ipsi nos«).

26

III Imitatio

1. Der Zentralpunkt, zu dem uns der verkündende Luther in der Beschreibung des Heilsvorgangs unermüdlich zurückführt, ist das Bekenntnis zum Deus solus, der dem Sünder Mensch sich gnädig zuneigt; negativ ausgedrückt: Luther lehrt gegen die Werkgerechtigkeit. Die Schwierigkeit bestand darin, diesem Kampf zum Trotz die Glaubenshingabe nicht nur korrekt, sondern in Fülle und fruchtbringend zu schildern. Eines der Gebiete, wo sich dieses Problem in Schärfe stellte, war die spätmittelalterliche Passionsbetrachtung: Luther hat 1519 die Probe in den beiden Sermonen »Von der Betrachtung des heiligen Leidens Christi« (Passionssermon) und »Vom Altarssakrament« glänzend bestanden. Er überwindet hier nicht nur jede moralistische, vordergründige Betrachtung, er vollendet sie zu sakramentalem Denken in Anerkennung von sakralem Sein. Man darf geradezu sagen, daß er fortschreitet bis zu einem echt biblischen opus operatum, das er doch ausdrücklich[55] abweist. Luther faßt die Problematik zu einem guten Teil zusammen im unterscheidenden Begriffspaar: Christus als »sacramentum« und als »exemplum«.[56] Auch diese oft und mit starkem Nachdruck vorgetragene Betrachtungsweise weist auf eine ontische Auffassung der sakramentalen Vermittlung hin, aber dies innerhalb der Frage nach der menschlichen Imitatio des Leidens des Herrn. Wir können Christus nicht durch Imitatio wirklich gleich werden; vielmehr die gottmenschliche Wirklichkeit, die sich vollzog, Christi Wirklichkeit (Tod und Auferstehung) als sacramentum, macht uns ihm ähnlich dadurch, daß die Sünde getilgt wird: »Ut mors Christi faciat anima mori peccato« (siehe Anmerkung 64). In und trotz der so stark durch die Ausrichtung auf das »pro me« gefärbten Atmosphäre wird die »imitatio« in die sakramentale Objektivität erhoben. Das Wichtigste und Erste bleibt die geistliche Verwandlung: »die Sünde töten«, »mit Christi Tod verwachsen und verflochten sein« und

---

55 Diese Ablehnung erfolgt - um das gleich hier auszusprechen - weil die Messe (so sagt Luther) als opus operatum ohne unser Verdienst und rechte Frucht (WA 2, 137, 1) nichts wert sei, oder anders ausgedrückt, weil der Anschein erweckt wird, als ob »die Messe opere operati et non operantis«, »von ihm selber, auch ohn unser verdienst und würde [Gott] angenehm sei... als were das genug« (Zeile 2 f); 141. 33 heißt es: »daß die Messe ohne unser Leiden-Bedenken nichts helfe«.

56 Dem schon erwähnten (Anmerkung 3) Beitrag von Erwin Iserloh in der Festgabe Jedin verdanke ich mehrere Hinweise auf Luther. In den Dank schließe ich ein die Herren Reinhart Schön, Friedhelm Krüger und Helmut Feld, Teilnehmer an unserem Luther-Seminar von 1965 über die Hebräerbriefvorlesung von 1517.

27

»teilhaben an der Auferstehung« werden in vielen Varianten mit schöner Erweiterung und höchstem Nachdruck geschildert. So wird eine erhebliche Vertiefung des zeitgenössischen Sakramentsbegriffs erreicht: sowohl seine Entleerung durch den Nominalismus als auch die juristische Satisfaktionslehre werden überwunden.[57]

2a. Wie es von der Atmosphäre der »Theologia Deutsch« her und dem überschwänglichen Lob, das Luther ihr widmet,[58] einigermaßen selbstverständlich ist, behält Luther die inbrünstige mitfühlende Versenkung in das Leiden Christi nach spätmittelalterlicher Art bei. Er überwindet aber und lehnt ab die veräußerlichte Sentimentalität, das »Nur-Mitleiden«, das nicht an die eigenen Sünden denkt.[59]

2b. Von dem Bemühen, die Passion zu »bedenken«, sie tief in uns »einzubilden« (WA 2, 137, 22), sie durch Gottes Gnade »fruchtbarlich und nicht nur menschlich unfruchtbarlich [d. h. ,das Unsere suchend' 136, 16] zu bedenken« (139, 10), so daß das Herz in Christo bestätigt und der Sünde feind ist aus Liebe, nicht aus Furcht der Pein (141, 8 f),[60] — von dieser Art der Passionsbetrachtung also sagt Luther, sie heiße (oder sei) — ein Sakrament, das in uns wirkt und das wir (er)leiden (141, 12). Diese rechte Art, Christi Leiden persönlich zu bedenken, sei ein übergroßer Wert, besser als fasten, alle Tage Psalter beten, ja 100 Messen hören; »denn dies Bedenken wandelt den Menschen wesentlich und zwar nah wie die Taufe wiederum neu gebiert.[61] Hier wirkt das Leiden Christi sein rechtes, natürliches edel Werk, erwürget den alten Adam« (139, 15).

57 Siehe Iserloh: AaO, 250 f gegen Bizer.
58 Den ersten Teil gab er 1516, das Ganze 1518 heraus. Er hielt sie für ein Werk Taulers (WA 1, 153, 9): »... ist die matery fast nach der art des erleuchteten doctors Tauleri.«
59 WA 2, 137, 10 f: die Sünde ernst nehmen! Unaussprechlicher Ernst ist nötig gegen ein »Sichabsichern« (136, 16 f); »... wenn du die negel Christi siehst durch seyn hend dringen, glaub sicher daß [das] deyn werk seynd« (ebenso seine Dornenkrone = deine bösen Gedanken, 137, 27 f).
60 Der Leser nehme sich die Mühe, sich über die Fülle der auf so wenig Raum zusammenströmenden Gedanken oder Anmutungen klar zu werden.
61 Wenn Luther das herzliche Begehren so stark betont, dann fehlt darin zwar - selbstverständlich - das psychologische Moment nicht, aber man kann nicht mit Ernst Kohlmeyer: Die Bedeutung der Kirche für Luther, ZKG 47 (1928), 467-511, von psychologisiertem Glauben sprechen. Die zitierten Äußerungen sind in die Nähe des Ausdrucks zu bringen: »des glaubens begierde«, die nach Augustin schon allein, ohne Sakrament, genügt (siehe oben Seite 19), aber, und das ist für Luther auch grundlegend, der nur im Glauben zu fassende Glaube ist dennoch und muß sein ein *gefühlter* Glaube. - Wir geraten hier in das weite Feld viel-

28

2c. Gerade an solchen Aussagen (139, 15), wo das Herz Luthers offenbar ganz dabei ist, zeigt sich wieder, daß die klare Abgrenzung bzw. präzise Formulierung dessen, was neben dem »Wort« das »Sakrament« und was »sakramental« ist, nicht eigentlich Luthers Stärke ist. Aber die sakramental umwandelnde Kraft ist ohne Zweifel anerkannt, selbstverständlich durchaus vom Glauben des Wortes her, entsprechend der von Augustin übernommenen grundlegenden Aussage.

2d. Das aus Angst und Gewissensschrecken lebende Miterleiden wird also stärkstens betont.[62] Es wird allerdings in einem Grade verlangt, der offenkundig echte Kreuzesnachfolge ist, in einer (man darf es so ausdrücken) existentialen Überwindung der Sünden durch ihr erschrecktes Erfahren (als Grund des Leidens Christi).[63] »Und wo der Mensch nit do hyn kömet [zur Erkenntnis seiner Sünden], ist ihm das Leiden Christi noch nit recht nutz worden. Denn das eigene natürlich werk des leydens Christi ist, daß es yhm den menschen gleichformig mache; auf das wie Christus an Leib und Seele jämmerlich yn unßeren sunden gemartert wird, müssen wir auch yhm nach also gemartert werden ym gewissen über unseren sunden. Es geht auch hie nit zu mit vielen Worten, sondern mit tiefen Gedanken und großer Achtung der sonden bis zum abfallen des gewissens« (WA 2, 138, 17-23). Denn »fast der nutz des leydens Christi gar daran gelegen ist, das der mensch zu seyns selb kume und fur yhm selbst erschrecke und erschlagen werde«.[64] Solch stärkstens »pro me« ausgerichtetes persönliches Fühlen des Schreckens wird als unerläßlich erklärt, zum mindesten müsse es im Tod oder im Fegefeuer durchgemacht werden (WA 2, 138, 36 f).

fältiger Art der »experientia« bei Luther, die für seine Theologie einfach grundlegend ist (»theologia disciplina experimentalis«, siehe WA 9, 98, 21), aber keineswegs eindeutig verwandt wird. Vgl. dazu die beiden Kapitel in Walther von Loewenich: Theologia crucis, über Erfahrbarkeit und Nichterfahrbarkeit des Glaubens. München 1929, 96 f und 118 f. Zu dem Begriff »fühlen« vgl. noch u. a. unten Text und Anmerkung 75 und folgende.

62 WA 2, 137, 27-29.

63 D. h. zur Erkenntnis, daß meine Sünden die Juden dahin führten, Gott zu richten und wir es sind, durch deren »sunde gott seynen sun erwurget... hatt« (WA 2, 138, 29-32).

64 Vgl. zum ganzen etwa noch aus der ersten Passionspredigt von 1518: ». . . das Leiden Christi für uns eine doppelte Bedeutung hat, als Sakrament und zum Beispiel. Sakrament, weil Christus in seinem leiblichen Tod unseren geistlichen Tod bezeichnet« (Luthers sakramentaler Begriff vom Zeichen, das »efficax« ist, oben Seite 15), ja tötet und auferweckt zugleich. Die Passion ist äußeres Beispiel, Sakrament und Geheimnis. »Christus hat in seiner Passion die Person unserer Sünden auf sich genommen. Wer also sich selbst nicht erkennt und wiederfindet im Leiden Christi, [d. h. als Sünder, dessen Sünde Christus trägt], dessen Erkenntnis reicht nicht aus, und der leidet vergebens mit Christus« (WA 1, 337, 13-15; 339, 32).

29

Der Vollzug des »bedenkens« des Leidens ist also in diesem Sermon durchaus zentral. Es ist notwendig, die starke Betonung hervorzuheben, die Luther ihm gibt und die er hier steigert bis zu der zitierten Aussage, nach der es das Bedenken wäre, das das Werk vollbringt; es ist notwendig, diese Steigerung voll mitzuvollziehen, wenn man den Befund des wundervollen Sermons nicht verkürzen will.[65]

Man darf dies aber auch ohne Hemmung tun, denn derselbe Text sagt ja ausdrücklich, daß es (natürlich) das Leiden Christi sei, das sein rechtes Werk wirke (139, 16).[66] Luther will nicht, daß »das Wesen« (= der echten Betrachtung der Leiden Christi) »in ein Schein vorwandelt« werde (142, 6 f), indem der Mensch versucht, durch allerlei Mittelchen äußerer Art »spielerisch« sich zu sichern.

2e. Die Grundkategorien der Betrachtung vom bitteren Leiden, wie sie im Sermon von 1519 vorgetragen werden, waren durch Ausführungen der Hebräerbriefvorlesung vorbereitet.

Da für das richtige Verständnis des Rechtfertigungsvorgangs (Mitwirkung des Menschen) viel von dem angefaßten Problem abhängt, gehe ich auf die Darstellung der Hebräerbriefvorlesung ein. In einer tiefgründigen Weise wird vor allem alles, was in menschlicher Weise (in Abtötung oder Betrachtung) nur mitleidendgefühlte Nachahmung Christi wäre, überholt. Christus, näherhin seine passio und sein transitus ad gloriam, werden als sacramentum gefaßt, das, im Glauben ergriffen, in uns den Sündentod und die Auferstehungsherrlichkeit bewirkt.

Auf Grund der fides fiducialis, die im strengen Sinn als pro nobis bzw. als pro me genommen ist,[67] wird das sacramentum des Leidens Christi gesteigert bis zum sacramentum imitandi (sc. Christum).[68]

65 Solche Verkürzung des Sermons läßt sich auch nur vermeiden, wenn man, wie im Text geschehen, versucht, der vielfältig bohrenden Amplifikation einigermaßen zu folgen.

66 Dazu kommen die schon angeführten weiteren Sicherungen des objektiven Werkes, und weiter: Gott bitten, »daß er es senk in ›unser Herz‹« (WA 2, 139, 3); »... allein in Gottes Hand« (WA 2, 140, 28).

67 Ich setze die ganze Stelle aus der Hebräerbriefvorlesung, die für das Thema »Christi Leiden für uns das rettende Sakrament und Beispiel« in unserem Luther-Seminar 1965/66 als entscheidend herausgestellt wurde, hierher: »Sic enim nostra paciencia ex paciencia Christi, nostra humilitas ex illius, et cetera bona simili modo, si modo firmiter credimus, quod pro nobis ista omnia fecerit, et non solum pro nobis, sed eciam coram nobis, id est (ut b. Augustinus solet dicere) non tantum ad sacramentum, sed eciam ad exemplum. Unde b. Petrus (1. Petri 4: ›Christus pro nobis passus est‹ hoc quoad sacramentum) ›vobis relinquens exemplum‹. Sacramentum passionis Christi est mors atque remissio peccatorum, exemplum autem

30

Die Nachahmung des Leidens hat eigentlichen Wert nur, wenn es als sacramentum im *Glauben* vom Gläubigen erfaßt wird. Der Glaube ist unbedingte Voraussetzung, vor allem daß man erfasse, daß Christus sich für uns seiner Gottheit in die Menschheit hinein entäußerte; er ist die primäre Unterlage für die imitatio aller »bona«. Der Glaube als Werk Gottes geht allem menschlichen Tun radicaliter et causaliter (d. h. auch sacramentaliter) voraus. Daher ist es falsch, mit den Werken anzufangen, »antequam Deus operatur in nobis, i. e. antequam credimus« (WA 57 III, 143, 5 f). Anfang muß sein Christi Leiden als sacramentum.

2f. Luther gebraucht in diesem Zusammenhang das Wort sacramentum auch im traditionellen Sinn eines kirchlichen Sakraments.[69] Vor allem aber weitet er es aus und vertieft es, nämlich zu dem Einen und Eigentlichen, zur »fides iustificans« (WA 57 III, 191, 19; 206, 1). Wenn man aus der Betrachtung und imitatio nicht diese fides gewinnt, ist alle Nachahmung und alles Fühlen fruchtlos. Andererseits muß diese fides vermehrt, sogar »erfüllt« werden.[70] Denn der Glaube ist zwar unerfahrbar, aber doch auf Erfahrungen aufgebaut.[71] Die so oft vorgetragene Meinung vom Glauben als reiner Passivität[72] ist mit Luthers gehäuften Äußerungen zur Übung des Glaubens, zu seiner Vermehrung, volleren Aus-

est imitacio penarum eius. Ideo qui Christum vult imitari quoad exemplum, necesse est, ut credat primum firma fide Christum pro se esse passum ac mortuum quoad sacramentum. Vehementer ergo errant, qui peccata delere parant primum per opera et labores penitencie, velut ab exemplo incipientes, cum deberent a sacramento incipere« (WA 57 III, 114, 7-19).

68 WA 57 III, 222, 25 - 223, 1 (Scholion zu Hebr 10, 19): ».. . sacramentum imitandi Christum . . . sacramentum mortificandae consciencie . . . sacramentum nostrae novae vitae et viae . . .« - Der Ausdruck exemplum wird terminologisch nicht in ganz gleichem Sinn gebraucht. Christus ist »idea et exemplum« und »signum et idea« (Scholion zu Hebr 2, 10 ebd., 124, 12).

69 An andrer Stelle nennt Luther statt der Sakramente den Glauben: »Denn wo bleibt der recht glaub und lieb Gottis im hertzen, da bleibt auch wahrhaftig gemeynschaft aller guten und fürbitt der Christenheyt« (WA 6, 66, 7 f). Übrigens eine der vielen Stellen, wo spannungslos und selbstverständlich die Liebe als mit dem Glauben verbunden erscheint!

70 »Unde sequitur, quod hi, qui meditantur Christi passionem tantum, ut compatiantur aut aliud quam fidem inde consequantur, prope infructuose et gentiliter meditantur. Quis enim vel gentilis, qui non aeque possit condolere Christi passo? Sed eo studio, debet eius passio cogitari, ut fides augeatur, scilicet ut quo frequentius meditetur, eo plenius credatur sanguinem Christi pro suis peccatis effusum. Hoc est enim bibere et manducare spiritualiter, scilicet hac fide in Christum impinguari et incorporari ut supra« (WA 57 III, 209, 15-23). - Vgl. schon oben Seite 26.

71 Joseph Lortz: Martin Luther. Grundzüge seiner geistigen Struktur. In: Reformata Reformanda. Festgabe für Hubert Jedin. Bd. 1. Münster 1965, 221 f.

72 Werner Jetter: AaO, 342.

31

gestaltung[73] und zum Sich-Ausstrecken nach dem Heil schlechterdings nicht zu vereinen. Daß alles heildienliche Sich-Ausstrecken auch wiederum Geschenk ist, sagt nichts dagegen, sondern enthüllt nur den Geheimnischarakter, den alles Wirken Gottes notwendig an sich trägt.

3. Als Bedingung, das Altarssakrament fruchtbar zu empfangen, steht vorne an die »Anfechtung« (aber hin bis zum »froh« werden) (WA 2, 747, 2)! Das Leben, dessen Anheben und Eingang die Taufe ist, hat in sich »übir die maß vill widerwertickkeit und anstossen mit sunden, mit leyden, fremden und eygen, da ist der teuffel, welt, eygen fleysch und gewissen wie gesagt« (746, 9 ff). Und so geht es das ganze Leben hindurch.[74] In einer theologisch und besonders religiös ungemein fruchtbaren Weise wird (in Luthers amplifizierender, paradoxer Manier) der evangelische und lutherische Grundtopos des Arm-und-Hungrig-Seins, also des Angefochtenseins, also das »unterm Kreuz stehen« zur Darstellung gebracht.

Luther hat seine Forderung nach vertieftem Gefühl aus den Dictata nicht vergessen.[75] Vgl. die vielen Stellen, die sprechen vom »rechten Glaub vom Herzensgrund«,[76] von »herzen meynen«[77] vom Neigen der Herzen, Grund des Herzens, herzlichem Vertrauen und Zuversicht des rechten lebendigen Glaubens, herzlich mit gläubiger Zuversicht[78] . . . »so sey denn der selb glaub nicht anders dann ein

---

73 Vgl. Anmerkung 70, WA 57 III, 209, 15.

74 Ebd. sagte er: ». . . die nit unfall haben oder an angst seyn odder yhr unglück nit fühlen, diß heylig sacrament nit nutz ist, oder wenig [!!] dan es nur den geben ist, die trost und sterk bedurffen . . . die erschrocken gewissen tragen, die von sunden anfechtung leyden odder auch dreyn gefallen seyn« (WA 2, 746, 16). »Gott uns mit so vill hunden jagt und treybt, daß wir nach dieser stercke sollen uns sehnen und des heyligen sacraments fro werden . . . begierig seyn« (746, 39). »Was solt es bey den freyen sicheren geystern wircken, die seyn nit durffen noch begeren: dann es spricht die Mutter gottis: er erfullet nur die hungrigen und tröstet die geengstigt seyn« (746, 20).

75 Es bedarf der »affectus« und »affectuales passiones« (da heute die reales passiones fehlen), die uns »ad meliora cogant« und wir nicht durch »pacem et securitatem dissolvamur« (WA 3, 432, 26-31).

76 WA 11, 433, 19; Vom Anbeten . . . , 1523.

77 WA 11, 444, 10. 29.

78 WA 11, 446, 14. 23. 25. - Die markante Stelle aus der Hebräerbriefvorlesung WA 57 III, 187, 7 f; 188, 14, kann wohl nicht strikt auf das Herz als Sitz des Gefühls bezogen werden: Der rechtfertigende Glaube mache die göttliche Gerechtigkeit so zur Gerechtigkeit des Herzens, wie in Christus die Menschheit durch Einigung mit der Göttlichen Natur ein und dieselbe Person geworden ist. Dieselbe Einschränkung gilt für die in der Römerbriefvorlesung als grundlegend verlangte frohe Erfüllung des Gesetzes.

32

tröstlich lebendig verlassen auf Christi gegebenen Verdienst . . . der Mensch ohn all sein Werk sich von herzens grundt drauf verlegt«.[79]

Es wäre übrigens überraschend, wenn der Bibelkenner Luther aus der Schrift nicht die dort zu findende Verbindung von Herz und Glauben erhoben hätte.[80]

IV Opus operatum

1. »Opus operatum«, dessen Ablehnung wir oben erwähnten,[81] gehört zu den Formeln, in denen Luthers Kampf gegen die Werkgerechtigkeit wie in einem Punkt zusammengefaßt ist. Luther hat sich bekanntlich früh und später[82] sehr heftig gegen dieses »theologische Geschwätz« ausgesprochen, bzw. gegen die in ihm sich ausdrückende Haltung. Er steht hier sein Leben lang in besonders empfindlicher Weise unter dem Druck der groben Verdinglichung im Sakramentalismus des Papsttums im Umkreis der Priesterweihe und der Messe. Es ist aber notwendig, genau hinzusehen, um zu erkennen, was Luther in der Sache ablehnt und was nicht. Es ist der mechanische Vollzug, die »Kraft des Sakraments«, die er ablehnt,[83] nicht die Objektivität der sakramentalen Wirkursache: »Es wirkt nichts überall, wenn es alleyn opus operatum ist, dan schaden« (WA 2, 751, 33 f). Die Frage ist zu stellen, ob er die bekämpfte Lehre nicht unzulässig vergröbert hat bzw. eine unzulässig vergröbernde Art als »die« katholische voraussetzt.

79 WA 11, 453, 28; Vom Anbeten . . . , 1523.
80 Unmittelbare Anregung konnte ihm kommen aus: Röm 10, 8. 9. 10; Röm 1, 21 (dreimal); Gal 4, 6. 21; vgl. viele andere Stellen, wo das Herz als Mitte des Lebens angesprochen wird, nicht nur als Sitz des Gefühls, versteht sich, aber doch auch als solches. - Im allgemeinen entspricht der Befund bei Luther der (philosophisch wenig exakten) Redeweise der Bibel, wo »Herz« als Sitz des Lebens so oft vorkommt; entspricht ebenfalls der Tradition, sei es der monastischen Theologie (Bernhard) oder der Scholastik (besonders stark bei Bonaventura), der deutschen (Seuse) und spätmittelalterlichen Mystik (Theologia Deutsch) einschließlich der devotio moderna. Der Bedeutungswandel des Begriffs für Herz vom Neuen Testament über Bonaventura zur deutschen Mystik und devotio moderna müßte dargestellt werden. Über die Bedeutung von καρδία im Neuen Testament siehe Kittel: Theologisches Wörterbuch zum Neuen Testament 3, 614 (ebd. vorher die Verwendung in den hebräischen und griechischen Texten der Bibel).
81 Siehe oben Seite 16. Vgl. WA 2, 137, 1-9.
82 Vgl. besonders: Von der Winkelmesse und Pfaffenweihe, 1533, unten Seite 36.
83 ». . . das sei Mißbrauch und Mißglauben« (WA 2, 752, 14-17); ». . . [als ob es] dennoch gutt sey viel Messen haben, wie unwürdig sie gehalten werden« (751, 22-24).

33

Seine Ansicht spricht er im Sakramentssermon von 1519 mit großer Eindringlichkeit aus.[84] »Drum sieh zu, das daz sacrament dir sey eyn opus operantis, das ist ein prauchlich werck, und gotte gefalle nit um seyns weßens willen, szondern umb deins glaubens und guten prauchs willen.«[85] In der Offenbarung geht es eben nicht um Gottes Wesen in sich, sondern entscheidend um unseren Glauben und »guten prauch« (WA 2, 752, 11). Es genügt nicht, daß das Sakrament »gemacht« werde (das ist opus operatum). Es muß »praucht werden im glauben« (751, 37 f), d. i. opus operantis werden. Sich auf das »gemachte« Sakrament verlassen, geschieht mit »falscher Sicherheit«. »Des Sakraments Bedeutung«[86] ist eben, daß die Gemeinschaft und der Lieb Wandel geübt werde im Unterschied zu dem bloßen Gegenwärtigwerden, denn es ist »nit um seinetwillen eingesetzt, daß es Gott gefalle, sondern um unsertwillen, das wir seyn recht, d. h. seliglich brauchen«.[87]

Aus dieser Auffassung entspringt auch Luthers Aufforderung, das Sakrament, wenn man es nicht wirklich empfangen könne, geistlich begehrend zu genießen oft, wenn nicht gar täglich.[88]

2. Und hier müssen wir feststellen, daß Luthers Verurteilung keinesfalls die katholische Doktrin trifft. Auch nach scholastischer Auffassung ist der geistliche Empfang des Sakraments wichtiger als der sakramentale, dieser letztere muß dem geistlichen nicht unbedingt folgen. Wohl aber ist entsprechend für die scholastische Auffassung der bloß sakramentale Empfang ohne den geistlichen unfruchtbar, ja Sünde.

Hierdurch ist der vergröbernden Auffassung, die Luther bekämpft, der Boden entzogen. So sehr sie leider in der spätmittelalterlichen Praxis und Vulgärtheologie (der sozusagen praktischen Verkündigung) verbreitet war, so sehr Protest *hiergegen* verständlich ist, die bekämpfte Auffassung kann nicht rechtens der scholastischen Theologie als Ganzes angelastet werden.

Wir haben es hier mit einer für Luther leider typischen Art der Polemik zu tun, die allzuwenig durch die Mißbildungen hindurch das authentische Gesicht der Kirche erkannte. In vielen Texten des Missale, der Hochscholastik und auch der devotio moderna sprach es sich sehr wohl rein aus.

84 WA 2, 751, 18-34.
85 WA 2, 752, 10 f. Der Text fährt echt lutherisch fort: »Daz wort gottis ist auch gott gefellig yn yhm selbst, es ist mir aber schedlich, wo es got nit auch in mir geffelet« (Zeile 11 f).
86 So auch angekündigt zu Beginn des Sermons (742, 15).
87 WA 2, 751, 31 f; 752, 23.
88 WA 2, 750, 21-24; siehe auch WA 6, 75, 37 f.

34

3. Bei der Betrachtung des allerheiligsten Sakraments wird die Realpräsenz immer vorausgesetzt, auch oft genug ausdrücklich als unentbehrlich gelehrt;[89] aber die einfache, sozusagen statische Gegenwärtigkeit tritt in der Bewertung und in der geistlichen Anwendung, wie oben gezeigt, klar zurück.[90]

Wie Christus unsere Gestalt annahm, so müssen wir durch dieselbe Liebe uns auch wandeln, alles dran geben (exinaniri)[91] und unserer und aller anderen Christen Gebrechen und ihre Gestalt und Notdurft an uns nehmen, ihnen geben, was wir Gutes haben (WA 2, 748, 14. 20). Wir müssen auch in dieser communio des Sakraments und des Glaubens unser Kreuz tragen für den Nächsten und dies mit echter hilfreicher Tat beweisen. Es ist ein jeder Mensch um des andern willen geschaffen.[92]

Im Grunde hören wir in diesen Formulierungen in verschiedener Art Luthers Vorstellungen vom fröhlichen Wechsel, also eine Projizierung seiner Rechtfertigungslehre in die Lehre vom Altarsakrament. Diese Lehre vom fröhlichen Wechsel ist ja entstanden aus der Erfahrung, bzw. dem Glauben, daß die eigene Gerechtigkeit nichts ist, daß nur das Geschenk Gottes hilft, d. h., daß Gott seine Gerechtigkeit uns gibt und er unsere Sünden auf sich nimmt. Es ist Luthers Erfahrung von der eigenen Befreiung, die er mindestens seit 1516 als Ermahnung formulierte, wie in dem Brief vom 8. April 1516 an Georg Spenlein in Memmingen. Spenlein soll zu Christus sprechen: »Du, Herr Jesus, bist meine Gerechtigkeit, ich aber bin deine Sünde; du hast das Meine angenommen und mir das Deine geschenkt; du hast angenommen, was du nicht warst und mir gegeben, was ich nicht war.« Diesen fröhlichen Wechsel soll wiederum Spenlein ebenso mit den

---

89 Daß die Pigharden die Realpräsenz leugnen, wird ausdrücklich als Ketzerei bezeichnet (WA 6, 80, 28 f, Verklärung etlicher Artikel des Sakramentssermons, 1520). - In »Vom Anbeten des Sakraments« (1523) gibt Luther eine Beschreibung der Realpräsenz: »Der Leib, den du nimmst, das Wort, das du hörst, ist das, das alle Welt in seiner Hand begreift und in allen Enden ist« (WA 11, 450, 13 f). Über das »wie« und die Art der Realpräsenz sollen die Leser des Sakramentssermons sich nicht viel Gedanken machen. »... da ligt nit an ob du das nit suchest. Es ist genug, daß du wissest es sey ein göttlich tzeychen, da Christi fleysch und blut warhafftig ynnen ist; wie und wo laß yhm befolen seyn« (WA 2, 750, 1-3).

90 »Das ist nicht die Hauptsache, Christus als gegenwärtig fürchten und ehren mit Gebetlein und Andacht ... sondern des Sakraments Bedeutung ist die Gemeinschaft und der Lieb Wandel« (WA 2, 751, 4 f). Hauptziel ist, wie wir zur Genüge sahen, der geistliche Leib des Herrn, freilich nie dies allein (WA 11, 437, 16, An die Böhmen). Außerdem ist die Realpräsenz wieder nicht so wichtig wie die Einsetzungsworte (ebd).

91 WA 2, 748, 8-18, vgl. auch 603, 13; 606, 10 f.

92 WA 21, 346, 21; siehe oben Seite 25.

35

Brüdern tauschen: deren Sünden zu den seinen machen, sein Gutes, wenn er solches hat, lasse er das ihre sein.[93]

4. Endlich hilft uns das *spätere* Werk Luthers nicht wenig, seinen sakramentalen Objektivismus in der Frühzeit zu verstehen.

In der katholischen Praxis und Vulgärtheologie hatte im Spätmittelalter eine eigentümlich verkehrende Vermischung Platz gegriffen: die einseitig überbetonte Geltung des an und aus sich wirkenden opus operatum und die einseitig überbetonte Macht des einzelnen Priesters, das Ganze im Umkreis der kraß ausgesagten, Gott beleidigenden Verdienstlehre, dazu noch mit simonistischer Befleckung. Wir monierten schon, daß Luther diese widerchristliche Praxis, als Lehre von einem massiven Werk des Menschen, der Kirche ohne genügende Differenzierung zur Last legte. Von da aus erklärt sich zu einem Teil seine spätere, in der Form so wenig gehobelte, Kritik an der Priesterweihe in »Von der Winkelmesse und Pfaffenweihe« (1533), wo er bis zum Überdruß »dem echten geistlichen Gottes-Cresem, welches der Heilige Geist ist« (WA 38, 228, 8) den »stinkenden (ärger als Teufelsdreck), garstigen, leiblichen, zeitlichen, schändlichen Winkel-Cresem der Papisten« entgegenstellt (228, 8; 236, 37). Aber nun darf man nicht übersehen, daß Luther gerade in dieser Massivität durchaus dahin tendiert, die Objektivität des Amtes und der Sakramente, d. h. auch die Unabhängigkeit ihrer Gültigkeit von der Güte oder Schlechtigkeit des Trägers und Spenders zu sichern. Luther sagt[94]: Der eigentliche Spender der Sakramente sind ja nicht wir, sondern Christus »der einzige, rechte, ewige Teuffer« (239, 28), wir sind nur da zum Darreichen (Zeile 15). Der Austeiler mag unwürdig sein, Amt und Sakrament bleiben »quia abusus non tollit substantiam« (235, 12 f). Die papistische Winkelmesse ist ein Greuel, nicht wegen der Unwürdigkeit der Priester, sondern weil »substantia institutionis sublata est« (Zeile 19). In allem Ernst setzt Luther den Fall als nicht unmöglich, daß sich der Teufel selbst (der sich ja in einen Engel des Lichts oder Gottes Majestät verwandeln könne) als Pfarrherr einschleiche; sollte er uns das Wort und die Sakramente nach Jesu Stiftung reichen, seien ohne Zweifel das echte rettende Wort des Herrn, sein Sakrament, seine Absolution gegeben. Luther

---

93 WA Br 1, 35 f, 25. 38. Der Austausch aller Güter und Lasten innerhalb des Corpus Christi Mysticum, wie Luther ihn im Sakramentssermon schildert, hat also bei ihm schon eine ältere, allgemeine Unterlage. Vgl. Römerbriefvorlesung Scholion zu Röm 2, 15 (WA 56, 204, 17 f): »Christus ... hic autem satisfecit, hic justus est, hic mea defensio. hic pro me mortuus est, hic suam justitiam meam fecit et meum peccatum suum fecit. Quod si peccatum meum suum fecit, iam ego illud non habeo et sum liber.«

94 WA 38, 195-256: Von der Winkelmesse und Pfaffenweihe, 1533.

36

schreckt in diesen formal-logisch unwiderlegbaren, aber so unrealistisch gewaltsamen Aussagen vor keiner Massivität zurück, so daß er das sonst bekämpfte opus operatum denkbar fest aufrichtet. Man muß die Texte selbst lesen, um die These in den paradoxalen Ausführungen voll zu erfassen.

In einem so konstituierten Zusammenhang hat es Luther leicht, den Einwand der Papisten zurückzuweisen, es gehe ja nicht um ein Menschenwerk, sondern um ein Tun »im Glauben und nach der Meinung der Kirche«. Gegenüber der leichtfertigen Übersteigerung und wahllosen Berufung seiner Gegner auf die »Kirche« antwortet er korrekt mit der Unterscheidung zwischen »Kirche« und »Kirche«. Nach der »wahrhaftigen Meinung der Kirchen« (die offenbar und jedermann bekannt ist)[95] und »steht gegründet in der Schrift« (WA 38, 216, 12 ff), ist es recht geredet, daß, was man tut in der Meinung der Kirchen, ist recht getan (216, 20 f); denn dies ist soviel als: »was man nach dem Wort Gottes und der Meinung Christi tut, das ist recht getan . . .«

In dieser späteren Art der Sicherung des recht verstandenen, von Gott gesetzten opus operatum tritt allerdings auch der eigentliche sakramentale Gesichtspunkt stark zurück. Die Auffassung (konkretisiert in der Frage nach dem Amt) gipfelt in dem Bekenntnis[96]: »es soll und kan im grunde die weyhe nichts anders seyn . . . denn ein beruf oder befel des Pfarramts oder Predigtamts Christi«, d. h. also im Grunde der Auftrag, das von Christus empfangene Wort und Sakrament an die Gläubigen weiterzureichen, womit dann also jede echte Verschiedenheit zwischen allgemeinem und speziellem Priestertum noch einmal dahinfällt, wie es schon abgelehnt ist durch die Feststellung, daß wir nur als geborene Pfaffen[97] Priester sein können.

Wenn Luther diese Lehre ganz einheitlich vertreten hätte, würde sich das Sakramentale im lutherischen Priestertum nur so retten lassen, daß man es im allgemeinen Priestertum verwirklicht sieht oder nur aus ihm ableitet. Dem ist hier nicht weiter nachzugehen. Aber es scheint doch so, daß heute in der Forschung überwiegend die Auffassung vertreten wird, Luther lehre, der Bibel entsprechend, ein von Christus gestiftetes eigenes priesterliches Amt in der Kirche.[98]

---

95 Eine der nicht seltenen Behauptungen Luthers über die fundamentale Klarheit des Glaubensinhalts der Schrift, der Rechtfertigung und der Kirche. Vgl. »Schmalkaldische Artikel«: »was die Kirche sei, wisse jedes Kind von sieben Jahren« (WA 50, 250, 2).
96 WA 38, 228, 27-29.
97 D. h. durch die Taufe zu Pfaffen Gemachte (WA 38, 20. 29 f).
98 Bischof Wilhelm Stählin vertritt sogar die These, daß Luther auch das Lehramt der Kirche nicht abgelehnt habe (ThLZ 86 [1961], 369 f).

37

V Zusammenfassung

1. Es kann wohl kein Zweifel mehr daran bestehen, daß Luther das Wesentliche des katholischen Sakramentsbegriffs beibehalten hat (was ja nicht bedeutet, daß er die sakramentale Denkart des Sakramentssermons aus dem Jahre 1519 ungeschwächt durchgehalten hätte). Man könnte diesem Schluß nur entgehen, wenn man eine pelagianisierende Schulmeinung als die katholische Lehre ansprechen würde; konkret gesagt, wenn die katholische Lehre dem äußeren sakramentalen Zeichen für sich allein in unzulässiger Weise eine unmittelbare Wirkung auf den Empfangenden zuschriebe. Diese Gefahr hat Luther radikal eliminiert. Bei ihm ist es stets (oft genug ausdrücklich gesagt, sonst als selbstverständlich vorausgesetzt) Gott, der das Sakrament, die Gnade und ihre Zuwendung wirkt, und immer ist der rechtfertigende, der Sündenvergebung sichere Glaube die Voraussetzung für die Realisierung des Sakraments und seines heilbringenden Empfangs.

Da die katholische Doktrin diese entscheidende Rolle des Glaubens nicht schmälern will, was im Widerspruch zum Neuen Testament stände, ergibt sich, daß Luther insoweit katholisch lehrte.

2. Luther geht gleichwohl über die katholische Vorstellung, wenigstens über diejenige seiner Zeit und viele spätere katholische Äußerungen in doppeltem Sinn hinaus, und zwar durch Rückgriff auf die Bibel im Sinne der Patristik. Das geschieht einmal durch Ausweitung des Begriffs »sacramentum« auf das Ursakrament Jesus Christus und sein unser Heil bewirkendes Leben, dargestellt in (a) seiner Lehre, wie sie in der Schrift niedergelegt ist, die ihn selbst unter uns lebendig werden läßt, und (b) seinem heilbringenden Leiden und der Auferstehung. Beides wird ausdrücklich mit dem Namen Sakrament belegt. Alle Worte der Evangelien sind Sakrament.[99] Die Geschichten des Evangeliums sind Sakrament, weil sie im Unterschied zu menschlichen Historiae (etwa des Livius)[100] nicht nur Dinge berichten, sondern diese berichteten Dinge die Kraft haben, ihre Nachahmung in uns (nicht etwa nur anzuzeigen, sondern) zu bewirken.

Durch diese Ausweitung ergibt sich eine zweite Differenzierung, die von der katholischen Lehre durchaus angenommen werden kann. Luther sagt nämlich nicht nur, daß das Leiden, der Tod und die Auferstehung das uns rettende Sakrament seien, sondern - wie wir oben Seite 31 anhand des Textes feststellten -,

99 WA 9, 440, 6 f.
100 WA 9, 440, 13-16.

38

daß die *Betrachtung* des Leidens (nämlich die vom rechtfertigenden Glauben und der Glaubensüberzeugung der Sündenvergebung getragene Betrachtung) die heilbringende wesentliche Wirkung erzeuge, also dieses Sakrament setze. Da wir im gleichen Zusammenhang sahen, daß der objektive Bestand und Vollzug des Sakraments gesichert ist, kann jene Ausweitung nicht eine nominalistische Erweichung des Sakramentsbegriffs bedeuten. Letztlich kommt in ihr nur die objektive Schwierigkeit zum Ausdruck, von der wir ausgingen: die Schwierigkeit, die Eigenart des »Sakraments« im Unterschied zum »Wort« präzise zu umschreiben. Luther hat, ohne das Sakrament im herkömmlichen Sinn zu leugnen, sehr stark den sakramentalen Charakter des *Wortes* empfunden und zum Ausdruck gebracht. Auch dies ist katholische Lehre, in vielen Gebeten ausgedrückt, am eindringlichsten in der Bitte der Messe: »Per evangelica dicta, deleantur nostra delicta.« Eben dieser Ausweitung des Sakramentsbegriffs hat das 1965 beendete Vaticanum II sich angeschlossen, indem es den Herrn in der Schrift und besonders in seiner Verkündigung unter uns anwesend sein läßt, uns den Tisch seines Worts zur Nahrung bereitend: »Divinas Scripturas sicut et ipsum Corpus dominicum semper venerata est Ecclesia, cum maxime in sacra Liturgia, non desinat ex mensa tam verbi Dei quam Corporis Christi panem vitae sumere, atque fidelibus porrigere.«[101]

3. Ob man Luther eine sakramentale Grundstruktur in bemerkenswertem Ausmaß zuerkennt oder nicht, hängt auch davon ab, ob man das Kultische zum Wesen des Sakraments rechnet oder nicht. Luther hat dem Kultischen wenig Wert zugemessen, allerdings hat er, wie wir sahen, ausdrücklich und oft das sakramentale äußere Zeichen (die »Bedeutung«) als notwendigen Bestandteil des Sakraments genannt, womit dem Kultischen sein Recht im Wesentlichen gesichert ist.

4. Es ist ein Zeichen tiefgründiger Katholizität, daß es Luther trotz seinem Herkommen aus der ockhamistischen Schule (freilich in Bielscher Prägung) gelang, aus seinen Kämpfen (als sie umfassend aus der Bibel befruchtet wurden) zu der lebendigen Lehre über die Gnade zu kommen, die wir an ihm kennen, und erfolgreich die sakramentale Welt des Neuen Testaments zu suchen und neu zu entdecken.[102]

101 Constitutio de Divina Revelatione, 18. November 1965.
102 Niemals vergißt auch der spätere Luther den Gedanken der Einheit der Verkündigung und der Kirche. Aber es vollzog sich bei ihm ein Prozeß, wie er ähnlich der Geschichte des Katholizismus nicht fremd ist: Die einseitige Betonung der statisch aufgefaßten realen Gegenwart

39

5. Die auch in der Darstellung des Sakraments alles andere umgreifende Frage lautet: Handelt Gott allein? Handelt er im Gnadenvorgang der Erlösung direkt? Oder gibt es neben dem alles schaffenden Gott, neben dem einen Mittler doch durch den Willen Christi Zwischenglieder der Gnadenvermittlung? Das beinhaltet z. B. auch die Frage: gibt es »selbstwertige« Sakramente?

Daß im Erlösungsvorgang nicht nur alles an den Glauben gebunden ist, sondern dieser die entscheidende Instanz und (wenn man das Wort wagen darf) Substanz ist, die an und für sich allein genügt, macht - wie betont wurde - die Beschreibung der selbständigen Sonderart der Sakramente so schwer. Luther deutet sie aber trefflich an, wenn er sagt, daß man ohne das Brot selig werden könne, nicht aber ohne den Glauben (siehe oben Seite 12). Man muß begreifen, daß für das Neue Testament, auch wenn es Sakramente als Zwischenglieder gibt, doch selbstverständlich Christus allein der direkt-indirekt Wirkende ist: das große Anliegen Luthers, daß Christus alles und in allem sei! Dennoch gilt in Luthers Sakramentenlehre auch dies: Bei ihm, der so sehr jede selbständige Kraft des Menschen zunichte macht, kommt in Übereinstimmung mit der neutestamentlichen Lehre von der besseren inneren Gerechtigkeit, die Einlösung des »pro me« machtvoll zur Geltung. Der authentische Christ ist nicht rein passiv. Auch im Empfang der Sakramente streckt er sich hungrig aus nach der geschenkten Gabe Gottes, so daß diese ein »prauchlich Werk« wird.[103]

ließ auch bei uns Katholiken den Gemeinschaftscharakter des Altarsakramentes zurücktreten. In der Gegenreformation und in der neuzeitlichen katholischen Reform vollzog sich der Prozeß aber mit glücklicherem Erfolg als in den reformatorischen Kirchen. Es gelang, die Sakramentsfrömmigkeit des späten Mittelalters (Nachfolge Christi, Buch 4!) glanzvoll fortzusetzen und sie breiten Schichten als Darstellung und Förderung echten Glaubenslebens zu vermitteln.

103 Siehe oben Seite 19.

40

Zum Kirchendenken des jungen Luther

von Joseph Lortz

Einleitung

Wie die Formulierung des Titels andeutet, soll und kann das ungeheure Thema im folgenden nicht erschöpfend behandelt werden. Es wird nur versucht, Grundlagen zu sichern und einige Aspekte davon aufzuzeigen.

Unter ‚jungem Luther' verstehen wir hier den Reformator in seinen theologischen Äußerungen bis Ende 1519, also bis unmittelbar vor jenem Bruch, der sich — nach mancherlei vorausgehenden Ansätzen — 1520 in „De captivitate" umfassend darstellt[1].

Der Nachdruck liegt auf 1519 und hier vor allem auf den Sermonen dieses Jahres. Diese Schriften bleiben weithin außerhalb der Polemik; sie zielen auf eine positive theologisch-religiöse Aussage und sind deshalb für unsere Fragestellung besonders wertvoll. Gewiß ist zu beachten, daß Luther damals noch nicht gebannt, aber auch, daß seine Lage sehr gefährlich geworden war. Der Reformator spricht sich hier jedoch nahezu unabhängig von dieser „äußeren" Situation aus. Was diese Sermone vertreten, ist echter Luther — solange man nicht ‚reformatorisch' und ‚unkatholisch' gleichsetzt. Nur in ganz geringem Umfang kann Luther die Aussagen dieser Sermone gemeint haben, wenn er etwa in dem Rückblick von 1545 beklagt, daß er als „unsinniger Papstverehrer" Rom einmal zu viele Zugeständnisse gemacht habe.

Die bedeutendste dieser Schriften ist der Sermon „Von dem hochwürdigsten Sakrament des heiligen wahren Leichnams Christi und von den Bruderschaften." Der Rahmen, in dem sich hier die ganze Betrachtung entfaltet, in dem auch die Eucharistie gefeiert wird, ist selbstverständlich die Kirche. Die „Christenlich Kirch" wird als verordnende Gemeinschaft eingeführt[2]; als Begriff wird sie ganz selbstverständlich in die wesentliche

---

[1] Trotzdem müßte vielleicht selbst dieser Bruch nicht für heillos gehalten werden. K. ALAND, *Der Weg zur Reformation* (Theologische Existenz heute Nr. 123), München 1965, S. 110 weist z. B. darauf hin, daß Luther im Brief an den Papst, der vor ‚De libertate' steht, „hat meinen können, es gäbe immer noch die Möglichkeit zur Versöhnung und zur Überbrückung der Gegensätze". Vgl. auch unten Anm. 14 und S. 967

[2] WA 2, 742, 21 f.

Beschreibung des Sakraments aufgenommen: „Also alle heyligen seyn Christi *und der Kirchen* glid[3].“ In die heilige Stadt Kirche aufgenommen werden, „heyst yn die gemeyne der heyligen genommen und mit Christus geystlichen corper vorleybet unn seyn glyd gemacht“ werden[4]. Ohne hemmende Spannung werden neben Christus ganz selbstverständlich auch die Heiligen genannt, neben den Gütern und Leiden Christi auch diejenigen der Heiligen, selbst „alle leyden und sund“. So ist nach dem jungen Luther auch die alles tragende Rechtfertigung aus Glauben allein nicht nur auf den Einzelnen, sondern auch auf die Gemeinschaft zu beziehen.

Allerdings verdrängt die klar feststellbare ekklesiale Prägung keineswegs das Personalistische in Luthers Theologie; das Heilsgeschehen wird als ein Faktum *pro me* erfahren, das hier vorgetragene Glaubensbewußtsein konzentriert sich um Glaube und Frömmigkeit des Mönches Martin Luther. Außerhalb der persönlichen Rechtfertigung und Heilsgewißheit hat auch in der Kirche und in der Heilsvermittlung durch sie nichts Bedeutung. Aber dies ist keine isoliert-individualistische Frömmigkeit, sondern eine Frucht der Kirche und in ihr, bzw. eine Frucht der communio sanctorum oder sogar deren Darstellung. —

Luther ist wahrhaftig ein Meer. Man schöpft es nicht aus, man lernt bei ihm nie aus. Es gibt zwar bei ihm eine manchmal geradezu peinlich zügellose Amplifikation der Aussagen und eine alarmierende Sorglosigkeit in der Terminologie; aber welche Kostbarkeiten können dieser Geist und dieses Herz hervorbringen: Seiten voller Innigkeit und Trost, in denen sich die polemische Erregung anderer Schriften aus den gleichen Monaten und Wochen ganz und gar nicht bemerkbar macht! An diese wirklich geistlichen Passagen wollen wir uns hier halten.

Luther ist Prediger, christlicher Prediger. Daher steht immer im Mittelpunkt die Verkündigung des Glaubens, die ebenso die furchtbare Wirklichkeit der Sünde mit Paulus groß herausstellt[5] als ihre objektive Vernichtung durch Christus allein, der nichts als „eytell leben“ ist[6].

Das ganze theologische Denken Luthers ist geprägt von einem Urtopos, dem Gedanken von der radikalen Trennung zwischen Gott und der Sphäre des Menschen. Der Mensch ist nur rein gnadenhaft an- und aufgenommen, da er Sünde und Ohnmacht ist.[6a] Gott ist nur der ganz

---

[3] A.a.O., 743, 14.   [4] Ebd. Z. 16 f.

[5] Vgl. das ‚magnificare peccatum‘ aus der Zielsetzung der Römerbriefvorlesung von 1515/16; WA 56, 157, 5 f.

[6] Vgl. die herrliche Stelle WA 2, 689, 11; dazu: H. J. Iwand, *Zur Entstehung von Luthers Kirchenbegriff*..., in: Festschrift Günther Dehn, Neukirchen 1957, S. 161, Anm. 37.

[6a] Siehe aber unten Anm. 60 und in: Festgabe Jedin S. 230 ff.

Andere; durch die Schuld der Sünde steht er im *Gegensatz* zu allem Menschlichen[7].

Dieser Ansatz wirkte sich auch aus in Luthers Kirchendenken. Wir finden ihn z. B. in scharfer, ja schärfster Unterscheidung zwischen den Geboten Gottes und denen der Kirche[8]. Es gibt zwar bei Luther eine wesentliche religiöse Anstrengung des Menschen, eine ,agricultura' der Offenbarungsgüter, ein Ausgestrecktsein des Menschen nach ihnen[9]. Dennoch ist die Rolle des Menschen wesentlich durch seine Ohnmacht gekennzeichnet. Die Ratschlüsse Gottes sind auch nach der Menschwerdung des Sohnes schlechthin getrennt von jenem Raum, in den der Mensch von sich aus hineinwirken kann. Der Ratschluß der göttlichen Majestät muß immer in seiner uns entzogenen Transzendierung unberührt und geachtet bleiben; diese klare Grenze wird auch nicht überschritten durch die mit der Verwaltung des Wortes und der Sakramente beauftragte Kirche.

Trotzdem gibt es für Luther keine andere Heilsmitteilung als im Rahmen der Kirche und in irgendeiner Weise durch ihre Mitwirkung oder Vermittlung. Die Formel ,Christus allein' erfährt hier von Luther selbst eine authentische Auslegung, oder, wenn man will, Beschränkung. Christus steht zwar selbstverständlich absolut und wesenhaft über den Heiligen; aber sozusagen in ihm besteht doch die durch die Gnade im ,fröhlichen Wechsel' von Christus geschenkte (wenn man so sagen dürfte) ,Ergänzung', stehen da ,seine Heiligen', die innerhalb der Seinssphäre des Herrn zu fassen sind, in denen Christus sich als in seinem Leibe, als in seiner Gemeinde darstellt. In der Psalmenvorlesung erscheint Christus oder sein Leben durchgehend als mit den Gläubigen identifiziert: weil Christi Leben und Leiden radicaliter und causaliter unsere Erlösung ist[10].

Zwar wird schon in den Dictata bei der Angabe des vierfachen Schriftsinns des öfteren der allegorische oder mystische Sinn — die Gegenwart Christi in der Kirche, also die Kirche als das verbindende Mittelglied —

---

[7] Vgl. dazu die Bemerkung im großen Selbsterzeugnis von 1545: ,,Quod enim ex deo non est, necesse est, ex diabolo esse"; WA 54, 184, 2 f.

[8] Man sollte beiderlei Gebot halten, sie jedoch mit großen Fleiß unterscheiden. Daher Luthers Rat, auf einem allgemeinen Konzil solle ein Teil der Kirchengebote abgeschafft werden, damit die Gebote Gottes um so heller aufleuchten; WA 2, 71, 26 f.

[9] So sind z. B. die Beschreibungen der communio sanctorum und die daraus entwickelten Forderungen voll von Imperativen zur Nächstenliebe, zum Mittragen der Schwächen des Nebenmenschen, — es ist die Forderung, den Glauben einzuüben.

[10] WA 4, 243, 7—24; — Es bleibt allerdings die Frage, ob der spätere Luther, der von der communio sanctorum kaum noch redet, das ,Christus solus' in einem schärfer exklusiven Sinne nimmt, die Gemeinde also nur als passive, die Gnade erleidende Gemeinschaft auffaßt. S. dazu Anm. [6a] und 60

übergangen und nur nach dem Verhältnis Christi zum einzelnen Christen
gefragt. Dennoch ist ‚Kirche' auch hier ein zentrales Thema, wie im Gesamtwerk Luthers. Die ganze Verkündigung vollzieht sich in der Kontinuität
und im Raum der Kirche. Der einsame Klosterkämpfer Luther, der ungestüm alles auf den einen Punkt der Heilsgewißheit im eigenen Gewissen
sammelte, der so stark Ich-bezogene, ja Ich-gebundene[11], erweist sich als
ein Mann der Kirche, der jetzt und später in starkem Bekenntnis und voller
Begeisterung in Wort, Schrift und Gesang die Kirche verkündet[12].

Die christliche Botschaft kann nur durch und in der Kirche verkündet
werden. Daher ist es für Luther zeitlebens eine so große Sorge nachzuweisen, daß das durch ihn heraufgeführte Kirchenwesen wesentlich nicht
neu, sondern die alte wahre katholische Kirche sei. Die Unterlage hierzu
bildet Luthers Auffassung von der *einen* Christenheit und ihrer *einen* Wahrheit[13], seine streng katholische dogmatische Intoleranz[14], woraus sich
folgerichtig seine zahlreichen Ketzer-Verurteilungen ergeben.

Luthers Theologie und auch sein kirchliches Aufbauwerk lassen sich
gültig als Verkündigung des reinen ‚Wortes' bezeichnen[15] (wobei natürlich

---

[11] Diese Bezeichnung will nur das ausdrücken, was Luther im ‚pro me' fordert: er legt
offensichtlich der Offenbarung nur soweit Wert bei, als sie für die Rettung des Menschen
von Belang ist. — Muß ich ausdrücklich betonen, daß — genau so wenig wie mit der
These vom ‚Subjektivisten' Luther — in keiner Weise an eine beabsichtigte, bösartig
egoistische Reduzierung gedacht ist?

[12] Vgl. noch J. Köstlin, *Luthers Theologie in ihrer geschichtlichen Entwicklung und in
ihrem inneren Zusammenhang*, Stuttgart ²1901, Bd. II, S. 256 f.: „neben der Lehre von der
Rechtfertigung durch den Glauben steht fortwährend die von der Kirche als *eigentümliche
Hauptlehre der Reformation!*" — Nach Köstlin vertritt Luther im Prozeß der Rechtfertigung und des Gläubigwerdens eine *Voraussetzung*(!) der Kirche vor Christus als Weg
zu ihm. — Wer Christus finden soll, der muß „die kirchen *am ersten* finden"; WA 10/I/1,
140, 8 f.; vgl. auch „Ecclesia soll mein Burg, mein Schloß, mein Kammer sein", WA 44,
713, 1; „Sie ist mir lieb, die werte Magdt, und kann ihr nicht vergessen", WA 35, 462;
hierzu auch P. Althaus, *Luthers Theologie*, Gütersloh 1962, S. 248.

[13] Zur Frage der kirchlichen Einheit vgl. unten, S. 980.

[14] Dementsprechend sah Luther die innere Einheit der Lehre, wie er sie für seine
Gemeinden anstrebte, im Gegensatz zur äußeren Einheit, wie sie im Papsttum herrschte,
das dabei aber „viel Sekten, Schismata und Irrtümer in sich vereinigte", WA 7, 685, 21;
in der Kirche geht es „um eine andere Einigkeit, nämlich eine geistliche", WA 28, 149,
11; — Es liegt mir jedoch auch daran, herauszuheben, daß Luthers dogmatische Intoleranz
auf einen außerordentlich engen Kreis beschränkt bleibt: wer immer lehrt, daß *alles* Heil
des Menschen von Gott, seiner Gnade, vom Glauben kommt, mit dem will Luther
Frieden schließen — und sei es der Papst in Rom (vgl. meinen Beitrag: *Martin Luther*,
Grundzüge seiner geistigen Struktur, in: Reformata reformanda. Festgabe für Hubert
Jedin, Münster 1965, S. 214—246, hier 245 zu Luthers Ausführungen im großen Galater-
Kommentar WA 40/I, 180, 11 ff.).

[15] Früher stieß dieser zusammenfassende Satz auf katholischer Seite auf Vorbehalte;
da wir uns unserer Mängel und der reformatorischen Grenzen stärker bewußt geworden
sind, brauchen diese Vorbehalte nicht wiederholt zu werden.

nicht an eine „Worttheologie" im modernen Sinn gedacht ist). Von diesem
‚Wort' her — wenn auch keineswegs einseitig auf Kosten der Sakramente —
spricht sich auch die Würde der Kirche aus. Sie ist „creatura verbi divini"[16]:
wenn das Wort verkündet wird, werden die Christen (in der Kirche) zu
neuem Leben geboren[17]. Luther denkt in seiner Glaubenspredigt immer
ganz selbstverständlich die Kirche mit, auch wenn er sie nicht eigens nennt.
So kann er sie plötzlich auch ausdrücklich anführen, als ob bis dahin im
Text von ihr schon die Rede gewesen wäre[18].

Da Luthers ganze Verkündigung als Funktion der Kirche erscheint,
ist er auch darin der geborene Widerpart der Schwärmer[19]. Vergleichen
wir hingegen Luthers Kirchenvorstellung mit der Auffassung etwa Calvins
vom Kirchenregiment, so wird bald deutlich, daß Amt und Regiment
bei der Verkündigung und Realisierung der Frohbotschaft in der Theologie
Calvins stärker betont werden als in der Predigt Luthers. Natürlich müssen
bei einer solchen Einordnung zuerst die exegetischen Vorlesungen und
die Disputationen Luthers berücksichtigt werden, jene Schriften also, in
denen er ex professo Theologie betreibt. Bei der pastoralen Geistesart
Luthers wird man aber die Sermone und Traktate nicht umgehen dürfen.

Wie ein anderer Bernhard von Clairvaux spricht, je nachdem ob er predigend meditiert oder sich reflektiert theologisch äußert[20], ein wenig
ähnlich liegen die Dinge beim Reformator: Luther duplex.

Kann man also Luther so systematisieren, wie es in der Forschung
weithin geschieht? Wir finden in Luther schwer auszugleichende Spannungen, hin bis zur Widersprüchlichkeit. Luther will zwar Theologe sein und
daher eindeutig und verbindlich sprechen. Vor allem ist er aber Ver-
kündiger, Prophet und Beter. Das religiöse Anliegen, nicht aber die es
beschreibende Lehre, ist für Luther die Hauptsache. Die theologische
Formulierung ist ihm letztlich sekundär und immer verbesserungsfähig,
wovon wichtigerweise auch die Absage an den Papst keine Ausnahme
macht.

---

[16] Resolution zur Leipziger Disputation, 1519, WA 2, 430, 6.

[17] WA 3, 571, 28.

[18] „also haben wir, daß 2 fürnehmlich Sakramente seyend *in der kirchen*", WA 2, 754, 1;
vgl. WA 2, 722, 24.

[19] Die Schwärmer sind „freikirchlich", ja sie geben sich sogar vielfach als kirchenfrei.
Dies wird jedoch stark eingeschränkt etwa durch die zentrale Stellung des Bruder-Gedan-
kens in ihrer Lehre: das Heil werde nur mit den Brüdern zusammen verwirklicht; vgl.
R. FRIEDMANN, *Das täuferische Glaubensgut. Versuch einer Deutung*, in: ARG 55 (1964)
145—160.

[20] So Luther über Bernhard: si diligenter excutias, invenies esse duplicem, WA 40/III,
354, 17; vgl. WA 15, 755, 27 f.; ferner Tischreden 1, 272, 4 u. ö.

Von diesen Voraussetzungen her wird es eher verständlich, wenn sich auch in der bisherigen Forschung reichlich entgegengesetzte Urteile über Luthers Kirchenbegriff finden. Karl Holl vertrat die These, die reformatorische Vorstellung von der Kirche lasse sich bereits in den Dictata (1513 bis 1515) nachweisen[21]. Unter Vorlegung eines viel breiteren Materials hat W. Wagner diese These bestritten[22] und m. E. mit Recht behauptet, der junge Luther biete in seinen Ausführungen über die communio sanctorum eine vollkommen katholische Lehre[23]. Holsten Fagerberg stimmt zwar dem Material von Wagner bei, behauptet aber, in den Dictata seien die Wurzeln für den späteren reformatorischen Kirchenbegriff bereits so gelegt, daß Luther von ihnen aus, ohne Bruch konsequent fortschreitend, einen antikatholischen Kirchenbegriff habe entwickeln können[24]. Die genannten Arbeiten gehen von dem Axiom aus, daß das Reformatorische bei Luther eindeutig und zwar in einem antikatholischen Sinne geprägt bzw. zu verstehen sei. Dieses Apriori wird man nicht ungeprüft lassen dürfen.

Gewiß kann man manche Ausdrücke der Dictata und der Sermone bis 1520 als erste Ansätze einer späteren, entschieden reformatorischen Auffassung nehmen[25], aber das im folgenden anzuführende Quellengut wird wohl deutlich machen, daß jedenfalls die These K. Holls nicht zu halten ist.

Neben ausdrücklicher Ablehnung katholischer Auffassungen und neben oft undifferenziert summarischer Kritik am römischen Kirchenwesen — die die klare Einordnung einer Aussage nicht immer leicht macht — lassen sich nämlich ‚katholische Wurzeln' bis in die Werke des späten Luther hinein verfolgen. Die hier anklingende These vom katholischen Luther läßt sich zwar nicht in *einem* Satz zusammenfassen, aber auch nicht billig ablehnen.

Jedenfalls ist keine Stelle der Dictata und sogar der Operationes in sich heterodox. Wohl wird man in den Operationes, dann in der Auseinandersetzung mit Alveld[26], den Übergang zu einem voll unhierarchischen

---

[21] K. Holl, *Gesammelte Aufsätze zur Kirchengeschichte* Bd. I, Tübingen [6]1932, 288 ff.

[22] W. Wagner, *Die Kirche als Corpus Christi Mysticum beim jungen Luther*, in: ZKathTh 61 (1937) 29—98.

[23] W. Wagner, a.a.O., 52 schränkt dies etwas ein: „Wenn auch keineswegs so restlos katholisch, wie Grisar es wahrhaben wollte". Grisars Auffassung möchte ich ebenso bestreiten wie die Auffassung, es handele sich nur um „katholische Reste" (vgl. W. von Loewenich).

[24] H. Fagerberg, *Die Kirche in Luthers Psalmenvorlesung 1513—1515*, in: Gedenkschrift für D. Werner Elert. Beiträge zur historischen und systematischen Theologie, hrsg. von F. Hübner, W. Maurer und E. Kinder, Berlin 1955, 109—118, besonders der Schlußabsatz.

[25] Vgl. W. Wagner, a.a.O., 73.

[26] Wider den hochberühmten Romanisten in Leipzig, 1520, WA 6, 279 ff.

Kirchenbegriff sehen dürfen, bis dann in der großen Reformschrift „An den christlichen Adel deutscher Nation" die Hierarchie ganz beseitigt ist.

Der Befund läßt sich auch nicht dahin vereinfachen, als ob der katholische Mönch Luther frühzeitig die Sakramente darangegeben und an ihre Stelle Wort und Predigt gesetzt habe. Die Quellen belegen deutlich, daß sogar der spätere Luther, trotz seiner Beschneidung der Zahl der Sakramente, erheblich sakramentsfreudiger war als etwa Ockham, der deren Siebenzahl beibehalten hatte. Besonders beim jungen Luther der Sermone von 1519 — ja trotz De captivitate[27] noch bis 1524 — ist der sakramentale Besitz unerwartet hoch[28].

Luther hat in späteren Jahren oft von seiner Kirchentreue in der hier behandelten Zeit gesprochen. In seiner Ausgabe der Ablaßthesen von 1538 etwa spricht er es besonders deutlich aus, daß damals Kirche und Kirchenbegriff für ihn grundlegend waren[29]. „Im Anfang" sei er mit seiner Kritik noch angstvoll und unsicher gewesen; umsonst hätte er in den Büchern Klarheit gesucht. So „beschloß ich, die Lebenden (sc. Lehrer) zu befragen und die Kirche Gottes selbst zu hören, damit, wenn irgendwo Werkzeuge des Heiligen Geistes übrig wären, sie ... mir über den Ablaß Gewißheit verschafften. Nun lobten viele guten Männer meine Thesen. Aber es war unmöglich, sie als Kirche und Werkzeuge des Heiligen Geistes gelten zu lassen. Ich hielt den Papst, die Kardinäle, die Bischöfe, die Theologen, Juristen dafür ... Ich kam kaum über dies eine hinweg, sc. daß man die Kirche hören müsse. Denn ich hielt die Kirche des Papstes viel hartnäckiger und ehrerbietiger — ich tat es ganz von Herzen — für die wahre Kirche, als jene Scharen von Betrügern, die heute die Papstkirche gegen mich anführen. Wie ich so auf das Urteil der Kirche und des Heiligen Geistes wartete ...[30]."

Der junge Reformator, bereits im Vollbesitz seiner Erkenntnis der Rechtfertigungslehre und der iustitia Dei passiva, hat also in dem hier behandelten Zeitraum noch die hierarchische Kirche — trotz aller Kritik — anerkannt und „von Herzen" für die wahre Kirche gehalten. Eine solche Feststellung sollte alle die nachdenklich stimmen, die die volle reformatorische Recht-

---

[27] In dieser Schrift äußert Luther Unbehagen am Ausdruck ‚Sakrament'.

[28] Vgl. hierzu meinen Beitrag in: Festschrift, W. v. Loewenich: „Communio sanctorum", die demnächt erscheint.

[29] WA 39, I, 6 f.

[30] Luther hat sich damals in einem schweren inneren Kampf befunden. Andererseits geht ihm bereits in der Römerbrief-Vorlesung (und auch in der über den Hebräerbrief) die Kritik an den Prälaten recht leicht aus der Feder. Seine Versicherung einer besonderen Verehrung der Hierarchie in dieser Zeit ist also weniger glaubhaft. Bereits in den Dictata ist dieser kritische Ton klar vorhanden: „Quoniam iniquitates meae supergressae sunt ‚caput meum', (id est statum Prelatorum) ..." Vgl. W. WAGNER, a.a.O., 44 f.

fertigungslehre a priori für unvereinbar halten mit einem gereinigten katholischen Kirchendenken.

Noch ein Wort zum Terminus ‚Kirchendenken', wie er im Titel gemeint ist. Dieser Ausdruck steht in wichtigen Beziehungen zu Begriffen wie: Ekklesiologie, Kirchenfrömmigkeit, -bewußtsein, -bild, -vorstellung, -begriff. Er ist aber von all diesen Bezeichnungen zu trennen. Wir können uns nur bemühen, Luthers durchaus unsystematisches, dynamisches *Denken* von der Kirche in den Quellen zu fassen und den einzelnen Themenkreisen in diesem Denken nachzugehen. Der Ausdruck ‚Kirchendenken' fand erst in den letzten Jahren Eingang in die wissenschaftliche Diskussion. Er sei hier ohne jede vorherige bzw. eingrenzende Definition angewandt, um mit ihm in aller Offenheit für den Befund die Frage nach der Kirche beim jungen Luther zu markieren. Nach den Bezeichnungen, die Luther für die Kirche wählt (I), gehe ich auf seine Vorstellung von der Gemeinschaft der Heiligen und vom allgemeinen Priestertum in den Jahren um 1519 ein (II). Die Frage nach Amt und Autorität in der Kirche (III) und das vielschichtige Problem der Sichtbarkeit der Kirche sowie der sündigen Kirche (IV) schließen sich an. Den letzten Punkt wird dann die oft verkannte Frage nach der Einheit der Kirche (V) bilden.

I. Terminologie

Bereits die Vielfalt der Bezeichnungen, die Luther für die Kirche gebraucht, weist auf die Unterschiedlichkeit der Perspektiven hin, mit denen sich der Reformator unserm Gegenstand nähert; neben dem Terminus ‚Kirche' und seinem lateinischen Gegenstück sind es vor allem die Charakterisierungen als corpus Christi mysticum[31] und als Communio sanctorum, die sehr oft, besonders im Sakramentssermon von 1519, vorkommen.

Daneben aber spricht Luther vom populus fidelis, vom populus spiritualis, vom neuen Gottesvolk, vom populus credentium, vom populus mysticus oder ecclesiasticus. Auch Sammelbezeichnungen wie: fideles, sancti, pauperes spiritu, „die Christo angehören," stehen in einem ekklesialen Kontext.

---

[31] WA 3, 647, 12; Vom Corpus Christi mysticum wird unterschieden: Corpus verum, naturale (WA 4, 52, 5); natürlicher Leib, auch im Sakrament, corpus personale (WA 4, 227, 3); historicum (WA 3, 454, 23). Weiteres Material ist zusammengestellt bei W. WAGNER, a.a.O., 36, Anm. 32; für die Dictata vgl. besonders H. FAGERBERG, a.a.O., 111, 114; ferner siehe die aus Luthers Werk so reich dokumentierte „Theologie Luthers" von P. ALTHAUS, a.a.O., 250 ff.; außerhalb der Kirche gebe es nach Luther nur ewigen Tod und Verdammnis; Vergebung der Sünden erlange man nur in der Gemeinde und sonst nirgendwo. — Daß Luthers theologische Arbeit ganz im Rahmen der Kirche steht, vgl. H. J. IWAND, a.a.O., 150.

Eine große Zahl biblischer oder überlieferter Bilder ergänzt die Möglichkeiten Luthers, die Kirche zu bezeichnen: sie erscheint als sponsa[32], als
templum Dei mysticum[33], als Tabernakel und Haus Gottes, als neues oder
geistliches Jerusalem, als Zion und neue Kreatur, als Mutter, die ihre
Kinder geistlich gebiert (oder sogar Christus geistlich gebiert, wie Maria es
körperlich tat), als Henne, die ihre Kücklein hütet. Nirgends wird von
Luther jedoch von Christus als Grundstein seines Hauses oder als Wein-
stock seiner Reben abgesehen. Bei aller Hochwertung der Christenheit
und der Kirche bleibt deren Christusbeziehung für den Reformator immer
intakt und konstituierend.

In all diesen Einzelperspektiven drückt sich das Kirchendenken des
jungen Luther aus; sie alle müßten im Kontext ihrer weitgespannten mittelalterlichen Überlieferung gesehen und interpretiert werden. — Zusammenfassend darf man wohl sagen, daß Luther alle wesentlichen, aus der Tradition bekannten Bezeichnungen für ‚Kirche' heranzieht, um sein geistliches
Anliegen auch von daher zu umreißen. Schon mit der gewählten Terminologie stellt sich Luther deutlich in die überlieferten Zusammenhänge hinein.

II. Communio sanctorum; allgemeines Priestertum

1. Der knappste Ausdruck und zugleich der reichste Begriff für Kirche
lautet bei Luther: communio sanctorum; er hat ihn vor allem in dem
ungewöhnlich schönen „Sermon von dem hochwürdigen Sakrament" in
Fülle ausgebreitet. Die hier vertretene Lehre von der Gemeinschaft der
Heiligen zeigt uns eine geistlich-sakramentale Vorstellung von der Kirche,
die in sich die leiblich-geistliche Realisierung des Hauptgebotes der Liebe
darstellt.

a) Die exegetischen Unterlagen sind die Paulusstellen 1 Kor 10, 17; 12,
13; 22—26; Röm 12, 5; Gal 6, 2 über den aus der Taufe und dem eucharistischen Brot gebildeten einen geistlichen Leib, in dem, einer des andern
Glied seiend, einer des andern Last tragend, die Christen das Gesetz erfüllen. Luther wiederholt diese Stellen oder ihren Sinn unermüdlich, zieht
sie immer wieder heran. Von 1 Kor 10, 17[34] meint er gelegentlich sogar[35],
es seien Worte, die alle Christen ebenso wissen sollten wie die der Konsekration.

b) Die Grundvorstellung und -benennung ist ‚communicare', d. h.
Gemeinschaft Christi d. h. „aller geistlichen guter Christi" und seiner

---

[32] WA 3, 116, 26; 211, 24; 249, 29.
[33] WA 3, 595, 13.
[34] Unum corpus multi sumus omnes qui de uno pane participamus.
[35] *Eucharistie-Predigt*, 1523, WA 12, 486, 3.

Heiligen empfangen[36], oder „vereinigt und eingeleibt" werden in Christus
und in seinen geistlichen Leib, die Heiligen-Gläubigen[37]. Die Christen
sollen (durch die Eucharistie) nach Jo 3, 2 Christus gleichförmig werden,
in ihm eins und so zugleich eine Einheit untereinander werden. Das
geschieht in einem Doppelprozeß, für den folgende Ausdrücke kennzeichnend sind: Wechsel, Vermischung, Verwandlung (= Wandel; in
einander verwandeln), eingeleibt werden[38], vereinigt werden, innigste
unzertrennliche Verbindung, eines werden wie Speise und gespeist werden;
sich selbst und alles gemein machen; das unsere wird das der andern, das
ihre meines; miteinander tragen[39], einer den andern tragen[40], in Liebe
Beistand erzeigen[41]; zu Christi Glied und „sorgfältiges Gliedmaß" für
einander werden[42], aber auch aller Übel und Sünde unser sein lassen[43];
es wird ein „ganz vereynung und unverteylete gemeynschaft"[44]; ein geistlicher Körper[45], in dem „alle Heiligen seyn *Christi und der Kirchen* glid";
Kirche ist „mit Christus geistlichem corper vorleibet und *sein Glied* gemacht"[46]. Das „gemeinwerden", die Einverleibung und Mitteilung[47]
bezieht sich auf „alle geistlich güter Christi und seiner Heiligen" und auf
„alle leyden und sünd". Das Grundgesetz ist Liebe: „und also liebe gegen
liebe entzündet wird"[48]; „lieb mit lieb vergleichen"[49], „die Gliedmaß seyn
fureinander sorgfeltig. Wo eyns leidet, da leiden alle andern mit, wo es
einem woll gehet, da freuen sich mit yhm die andern" (Kor 12, 25 f)[50].

Alles wird gemeinsam, alle geistlichen Güter Christi und der Heiligen
gehören dem, der das Sakrament empfängt, aber auch wiederum alle
Leiden und Sünden. Die terminologisch nicht immer ganz klare Ausdrucksweise steigert sich bis zu der (von Luther zu leicht genommenen) Forderung
an Stelle der Brüder die *resignatio ad infernum* auf uns zu nehmen[51].

c) Wie aus den Texten erkenntlich, ist in dieser Auffassung das Grundgesetz der Kirche erfüllt, die Verwirklichung der Nächstenliebe. Luther
bietet darüber eine reichgefüllte Illustrierung, er entwirft ein anspruchs-

---

[36] WA 2, 743, 9 f.   [37] A.a.O., 746, 13; 748, 33 f.
[38] A.a.O., 749, 7—22.   [39] A.a.O., 745, 40; 746, 1—5.
[40] A.a.O., 745, 20.   [41] A.a.O., 745, 26.
[42] A.a.O., 744, 1.
[43] A.a.O., 748, 2; Mein Unfall wird Christo und der Heiligen gemein; Christi und der
Heiligen Engel Gericht steht für mich (a.a.O., 745, 14).
[44] A.a.O., 743, 1.   [45] A.a.O., 743, 13.
[46] A.a.O., 743, 17 f.   [47] A.a.O., 743, 21.
[48] A.a.O., 743, 30.   [49] A.a.O., 743, 35.
[50] A.a.O., 743, 40—744, 1; mit der fein beobachteten, literarisch besonders gut ein-
gefangenen Reaktion der mitleidenden Glieder des menschlichen Körpers (a.a.O., 744,
2—7).
[51] WA 1, 697, 30; s. u. S. 957.

volles, ganz aus dem Evangelium geschöpftes Bild. Schier unversieglich strömen ihm die Gedanken oder auch Bilder zu, die dieses ‚den Nächsten lieben wie sich selbst‘ und ‚wie Christus dir, so du dem Bruder‘ entfalten. Im Galater-Kommentar von 1519 hat er sich darüber tief so ausgesprochen: was an Gutem in uns sein mag, ist Gabe Gottes, also der charitas, d. h. Christi Gesetz verpflichtet. Was ich habe, ist nicht mein, sondern der anderen; die es nicht haben oder dagegen sündigen, ihnen muß ich dienen[52].

Immer wieder wird (nach dem Vorbild Christi in seiner erbarmenden, stellvertretenden Liebe gegenüber Pharisäern, Zöllnern, Sündern) geistliche Gemeinschaft mit den Sündern gefordert. Wie Jesus unsere Sünden zudeckt und zerstört, mit seiner Gerechtigkeit für uns eintritt, so müssen wir unsere eigene Gerechtigkeit für den sündigen Nächsten einsetzen: „Die Kinder Gottes wollen nicht allein in den Himmel, sondern mitbringen die Allersündigsten bis zur eigenen Verwerfung[53].“

„Ich bin niemals allein, im Leben oder Sterben; Christus und die Kirche sind bei mir“. Althaus[54] nennt die folgenden Sätze aus den Tesseradekas (die noch von 1519 stammen) mit Recht eine herrliche Stelle: „Dum ego patior, patior iam non solus, patitur mecum Christus et omnes Christiani . . . Ita onus meum portant alii, illorum virtus mea est . . . Fides . . . castitas aliorum meae libidinis tentationem auffert, aliorum ieiunia(!) mea lucra sunt, alterius oratio pro me . . . Quis ergo queat desperare in peccatis? . . . non gaudeat in penis, qui sua peccata et penas iam neque portat aut si portat non solus portat, adiutus tot sanctis filii dei, ipso denique Christo? Tanta res est communio sanctorum et Ecclesia Christi.“

Die Nächstenliebe kann Luther in einer ganz selbstverständlichen Realisierung des ‚Liebe deinen Nächsten wie dich selbst‘ eindringlich so formulieren: „Du mußt der andern geprechen und durfft dyr zu herzen lassen gehen als weren sie dyn eigen, und deyn vormugen darbieten als were es ihr eygen . . .[55].

Umfassend heißt es: „Christi und aller Heiligen Geist ist mein Geist; meine Last, Not, Sünde ist Christi und der Heiligen[56].“ Die Heiligen beten für uns vor Gott; sie fechten mit uns (gegen Sünde und Not eines jeden).

---

[52] WA 2, 606, 6 f.: meam eruditionem et meam castitatem deo offerendo pro illis, eos suscipiendo, excusando . . .

[53] Auslegung des Ps. 109, 1519, WA 1, 697, 30; P. ALTHAUS, a.a.O., 278, 76.

[54] WA 2, 745, 15; WA 6, 131, 14—29; a.a.O., 263, 41.

[55] WA 2, 750, 30; vgl. aus einer Predigt von 1522: „Darum wollen wir hie reden von dem hohen Werk der Liebe, daß ein frommer Mann seine Gerechtigkeit setze *für die Sünder*, ein frommes Weib ihre Ehre für die ärgste Hure . . .“ (P. ALTHAUS 268).

[56] *Resolutiones disputationum de indulgentiarum virtute*, 1518, WA 1, 539, 12—14.

Der Glaube, die Reichtümer, das Gebet der andern wird mir in der Armut und Ohnmacht zur Hilfe!

Die gegenseitige Verwandlung der Gläubigen ineinander wird außerordentlich stark herausgearbeitet: „Wir Christen der geistliche Leib Christi sind und alles auch ein brod, ein trank, ein geist . . . *(Christi) leibs teilhaftig,* und also unternander auch gleich und eins . . . also isset und trinket auch einer den andern . . . und ist yhe eyner des ander speyss und trank, daß wir also eitel speis und trank sind untereinander gleich wie Christus uns eitel speis und trank ist[57]." Luther überträgt die Entäußerung des Herrn auf die Gläubigen, sie müssen die eigene Gestalt verlassen und eine gemeine annehmen[58]; aber auch „Christus mit allen Heiligen durch seine liebe nymt unser gestalt an . . . davon wir yn lieb entzundet nemen seyn gestalt vorlassen unss auff seyn gerechtigkeit[59]".

Das geht nicht ohne Anstrengung. Es wird gefordert, daß „der Glaub . . . der heiligen Gemeinschaft voll geübt und stark yn unß werd, er und wir der selben nach auch unser gemeynschaft woll üben[60]."

Der Grund der Einheit (und also der Kirche) ist zwar das Sakrament; aber auch hier hat der Glaube die Hauptfunktion. Wo Luther ihn (im Sakraments-Sermon) ex professo in die Diskussion einführt, ist das Wort mit Majuskeln gedruckt: GLAUBE[61], wobei der Glaube eng mit dem Begehren verknüpft wird[62]. Wie Augustin wendet sich Luther schnell vom wirklichen Leib des Herrn zum geistlichen, eben zur Gemeinschaft der Heiligen, die anzusehen viel wichtiger ist, als der natürliche Leib[63]. Einheit wird verwirklicht durch den Glauben: „. . . das du gewiß seyest, Christus und alle heiligen treten zu dir . . . mit dir tzu leben, thun und lassen, leyden und sterben und wollen gantz deyn sein, alle dingk mit dir gemeyn haben[64].

---

[57] *Vom Anbeten, 1523,* WA 11, 440, 34—411, 5—8.

[58] WA 2, 750, 34.

[59] A.a.O., 748, 14 ff.

[60] WA 2, 751, 9; Luthers intensiv wiederholte Forderung, die communio sanctorum zu üben, ist einer der Punkte in seiner Predigt, wo deutlich wird, wie sehr der nur von der Gnade lebende Mensch doch gefordert ist zur ,Cultura' des Geschenkten, und es nichts ist mit der angeblichen völligen Passivität des Menschen. Vgl. zusammenfassend: *Galater-Kommentar,* 1519: Der Christ als Nachfolger Christi in Christus ist verpflichtet, dem Nächsten ein anderer Christus zu sein (WA 2, 603, 13; 606, 1—10).

[61] WA 2, 749, 30.

[62] A.a.O., 749, 34 und 750, 4.

[63] A.a.O., 751, 13 ff.; Crede et manducasti (WA 57/III, 170, 1 ff.); vgl. Augustinus, *Tractatus LXXX in Joannis Evangelium* (PL 35, 1840) Luther übernimmt das Wort in sensu composito, d. h. in Zusammenhang mit der Kirche, durch die allein die Offenbarung (in Kraft und Wahrheit) vermittelt wird. So auch H. J. Iwand, a.a.O., 162.

[64] A.a.O., 750, 8 f.

„... diß sacrament der gemeynschafft lieb und eynigkeit mag nit zwietracht
und uneynigkeit dulden ... durch lieb yn einander verwandelt werden
...[65]." Eine echte Eingliederung in Christus, die Vermittlung seines
Lebens an den Gläubigen, ist hier deutlich, ja massiv bekannt. In Auswirkung der Teilnahme der Kommunizierenden am natürlichen Leib des
Herrn realisiert sich der darin gründende geistliche Leib weiter im ,andern',
so daß ein Maximum an Einheit behauptet werden kann, das das höchste
Ziel des Neuen Testaments ist: liebe Deinen Nächsten wie dich selbst.
Es wäre die Verwirklichung, daß wir ,dem anderen' werden wie Christus
uns, also ich dem Bruder in gewisser Weise ein Christus werde, wie Luther
es 1520 ausdrückt[66].

Die Glieder des Leibes sind also denkbar eng aneinander gebunden und
die Einheit denkbar fest, nicht aber wird das Band der Mitglieder „stark
gelockert"[67].

2. Es gehört zu Luthers besonderem Stil — und sicher trifft er damit
ins Zentrum der Offenbarung, die Erlösung von den Sünden ist —, daß
er in dem sich vollziehenden Austausch und fröhlichem Wechsel zwischen
dem in Brot und Wein gegenwärtigen Herrn und uns, und wiederum
zwischen den zur Einheit seines göttlichen Körpers Mitverwandelten, mit
besonderem Nachdruck ausdrücklich Leid, Schwäche, Sünde einbezieht[68]:
unsere Sünden sind Christi und seiner Heiligen. „Da bedurffen wir nit
alleyne hulf der gemeyne und Christi (sc. in den Versuchungen gegen die

---

[65] Ebd., 29 ff.

[66] WA 7, 35, 34 f.

[67] So F. KOHLMEYER, *Die Bedeutung der Kirche für Luther*, in: ZKG 47 (1928) 480.

[68] Vgl. die vielen Belegstellen im Vorhergehenden, außerdem WA 2, 211, 37 (Liebes-
hilfe in allen Nöten des Lebens und Sterbens); WA 2, 745, 20 ff. (Christus und die Heiligen
tragen meine Sünde, Tod und Leid): „So mustu widerum auch mit tragen der Gemein
Unfall ... Da muß nu dein Herz sich in die lieb ergeben und lernen, wie dies Sakrament
ein Sakrament der Liebe ist und (wie dir geschehen) du widerum lieb und beistand erzeigen Christum und seinen dürfftigen". Dahin gehören auch der Tod und die drohende
ewige Verdammung; deshalb sollen wir sie nicht in sich selbst und in Gottes Zorn ansehen (und uns so überwinden lassen), sondern in dem, der den Tod überwunden hat,
in Christus und „danach in allen seinen Heiligen". (*Sermon vom Sterben*, 1519, WA 2, 689,
4—10). — Vgl. noch aus den sehr vielen Stellen: „Neyn, wir müssen der anderen übell
widder uns lassen sein." (*Sakraments-Sermon* WA 2, 748, 1 ff.); Christus spricht: (ich)
„will eur leid und unfall mir gemein machen und für euch tragen, auf daß ihr auch widderumb und untereinander so tut ... und lass (ich) euch diß sacrament das alliß zu einem
gewissen warzeichen, das yhr meyn nit vorgesset." (WA 2, 746, 2 f.); „damit yhr euch
sterken müget und auch einer den anderen also trage." (ebd. 4—5). Es gibt Stellen, in
denen Luther das Eintreten für Sünde, Schmutz und Schlamm des sündigen Bruders
besonders tiefdringend schildert, etwa WA 10/III, 217, 18. — Man beachte die manchmal
etwas ungehemmt übersteigende, paradoxe Formulierung, bei der man stark empfindet, wie
wenig unter Umständen eine abstrakte Inhaltsangabe von dem gültig wiedergibt, was Luther
ins Wort gebunden ausspricht. Vgl. Festgabe Jedin, 217 (s. Anm. 14).

Konkupiszenz, aber auch in allen Nöten), daß sie mit unß da widder fechten, ßondern auch nott ist, daß Christus und seine Heiligen für uns treten vor Gott, das unß die sund nit werde gerechnet[69].

a) Das Einswerden der Gläubigen in Christus und untereinander hat sein eigentliches Ziel in der Liebe und der Stellvertretung. D. h. Luthers Vorstellung von der Kirche ist nicht an feststehenden Institutionen interessiert, sondern daran, daß das Erlösungswerk verwirklicht werde. Er denkt auch hier dynamisch.

Wenn er z. B. die communio zwischen Christus und den Heiligen und dem Kommunizierenden nachdrücklich mit dem Bild einer politischen Gemeinschaft vergleicht[70], erreicht er auch in diesem ‚groben und synlichen Gleichnis‘[71] eine beträchtliche Vertiefung dadurch, daß das Mittragen von Verantwortung, von Gefahr und Tod mit eingezeichnet[72], ja das Bild so urgiert wird, daß nach Paulus ‚eyn yglicher bürger des anderen glydmass sei und der ganzen stadt‘.

Für Luther ist die christliche Botschaft beschlossen in Christus. Christus aber steht stellvertretend für uns. Also müssen wir, seine Brüder, Stellvertreter der Brüder sein. Wir sind da für die andern[73]. Das erfährt seine Krönung in diesem Sakrament bis in den Tod hinein: wir sollen den Leib des Herrn empfangen, „daß wir nit allein darynnen (= im Tod) vorlassen, sondern von der Gemeyn Christi und aller Heiligen gesterkt werden.“

b) Wir begegneten bereits Luthers Ausruf aus den ‚Tesseradekas consolatoria‘: tanta res est communio sanctorum et ecclesia Christi[74]. Beides spielt also eng ineinander: ja, das eine *ist* das andere. Das gestaltende Prinzip ist beidesmal das gleiche: Christus. Daher sind Christus und seine Kirche ein Leib und Fleisch, ein „Gebeyn“[75].

Es fragt sich, wie die gegenseitig helfende Wirkung und wie die Gemeinschaft zu denken ist? Ist sie in der zentralen Fürbitte der Brüder und für sie

---

[69] WA 2, 744, 22 ff.

[70] WA 2, 743, 23 ff.; 745, 5 f.

[71] WA 2, 743, 31.

[72] A.a.O., 743, 33.

[73] Eine Ausnahme in der Stellvertretung macht der Glaube. Nicht durch fremden Glauben, sondern nur durch den eigenen glauben wir (wie sogar die unmündigen Kinder, vgl. *Postille*, 1525, WA 17/II, 78 ff.); „Darum kann hie niemans für den andern was schaffen, ein jeglicher muß für sich selbst glewben . . . wie auch ich für niemand kann getauft werden“ (*Vom Anbeten* . . . 1523, WA 11, 444, 24 f.) vgl. aber gleich weiter unten 961, Luther scheint in dieser Frage nicht zu endgültiger Klarheit gekommen zu sein, denn er vertritt andererseits die Auffassung, der Christ könne auch selig werden durch eines anderen Glauben (WA 17/II, 204, 24 ff.).

[74] WA 6, 131, 29.

[75] WA 3, 218, 35; 4, 275, 30; 2, 677, 29 (*gegen Emser* 1519).

nur moralisch, oder wirkt sich darüber hinaus das im Gerechtfertigten vorhandene Leben Christi im schwachen Bruder aus? Lehrt Luther eine **ontische** communio und communicatio? In der an Paulus orientierten Terminologie (quilibet pro altero laboret sicut membrum de membro) klingt beides mit[76]. In Luthers Anwendung auf den armen Lazarus scheint die communio zunächst moralisch, als ‚Exempel' zur Leidensgeduld, gemeint zu sein. Aber zutiefst handelt es sich doch (auch) um ein ontisches Einstehen für den andern in der Gemeinschaft mit Christus: „Also ein mächtig Ding ist es um einen Menschen, der im Glauben steht. Er hat uns mit seinem Hunger gespeist, mit seiner Blosheit gekleidet und mit seinem Leiden uns allen ein Exempel gegeben zu einem Trost ihm nachzufolgen[77]." Trotz des Ausdruckes ‚Exempel' scheint mir die moralische Deutung[78] des ‚sicut membrum pro membro' der von Luther angezogenen ‚communicatio sanctorum' nicht gerecht zu werden. Denn die zugesagte und verlangte Verwandlung der Christen in Christus kann nicht nur moralisch genommen werden, wenn wir *„sein Gestalt annehmen"*[79], so daß wir werden „ein Kuchen, ein brot ... ein großes Sakrament ...", so stark ineinander verflochten, daß eine wesenhaftere Bindung nicht möglich ist[80]: Christus und die Kirche sind ein Leib und Gebein[81]; Christus und alle Heiligen treten zu dir mit all ihren „tugenden, leiden und gnaden"[82].

Damit ist natürlich die gegenseitige *moralische* Hilfe der Glieder des geistlichen Leibes im Sinne des gefühlt herzlichen Mittragens nicht aufgehoben[83], obschon auch hier alles in das Kraftfeld des Glaubens gestellt ist, in dem wir uns *wandeln* lassen müssen. Die beiden Bedeutungen schwingen teils ineinander, wie an der zu betätigenden und zu übenden Verwandlung sichtbar wird: wir sollen ineinander verwandelt und gemein werden

---

[76] *Resolutiones indulgentiarum*, WA 1, 608, 1.

[77] WA 10/III, 185 f.

[78] Vgl. P. Althaus, *Luthers Theologie*, a.a.O., 259, 20.

[79] WA 2, 748, 16 f.

[80] „Dann keyn inniger tiefer unzuteyliger voreynigung ist der speys ... mit dem er gespeyset wird" (WA 2, 748, 29 f.).

[81] A.a.O., 748, 19 f.

[82] WA 2, 750, 8 f.; Ich müßte viele der schon zitierten Stellen wiederholen; der ganze Sakramentssermon fließt über von diesem ontischen Ineinsverflochtenwerden — oder die Worte müßten ihren Sinn verlieren. — Vgl. noch 749, 12: wir werden wahrhaftig in den geistlichen Leib verwandelt, d. h. „in all Tugenden und Gnad Christi und seiner Heiligen mit Christus eingeleibet" (WA 2, 748, 34 f.), so tief und ganz „in natürlich wesen" (ebd.).

[83] Die Heiligen als die irdischen Nächsten, deren Leid, Versuchungen, Gebrechen etc. wir in Erfüllung des Liebesgebotes mittragen, deren Leid wir uns zu Herzen lassen gehen (WA 2, 750, 30 ff.).

durch die Liebe, „ohne welche kein Wandel (Verwandlung) nit geschehen mag"[84].

Dem doppelten Sinn entspricht oder liegt zugrunde der doppelt orientierte Begriff der Liebe, die herkömmlich mit dem Glauben zusammen (als theologische Tugend) und andererseits als dem Nächsten in tätiger, moralischer Hilfe Gutes tuend, gefaßt wird.

Die ‚christliche Gemeinschaft'[85] ist also „die einige, innerliche, geistliche, wesentliche gemein, die gemeine christliche Bruderschaft der Heiligen, die aus Christi Wunden geflossen ist"[86], eine „Gemeinschaft der Heiligen . . . in welcher wir allesamt bruder und schwester sein so nah, daß nie ein näher erdacht" werden kann[87], wo „ein tauf, ein Christus, ein sacrament, ein speis, ein evangelium, ein glaub, ein geist, ein geistlicher körper ünd ein jeglicher des andern gliedmass ist"[88]. Es ist der „elende stand der heutigen Christenheit"[89], Christi heilige Gemeinschaft und (in sie eingeleibt) die ganze gemein[90], „um die es heute so übel bestellt ist wie noch nie"[91], der durch Glaube und Liebe geholfen werden muß, was dann alles zusammenklingt im Schlußwort: „daß ohne Liebe und Gemeinschaft alle Werk lauter gleissen und trügerischer Schein sind, weil plenitudo legis est dilectio"[92].

c) Die nähere Bestimmung der gegenseitigen (ontischen oder moralischen) Heilshilfe führt zur Frage, ob die communio sanctorum von Luther „vom Himmel auf die Erde herabgeholt wurde"[93]. Es gibt Texte, die dieser Deutung Recht geben[94], aber nicht in einer exklusiven Weise.

Die geistliche Gemeinschaft bezieht ausdrücklich die Heiligen im Himmel mit ein: „Sihe da dich fichtet manicherley sund an, nym hyn diß tzeychen damit ich dir zusage, das die sund nit dich alleyn sondern meynen sun Christum und alle seyne heyligen yn hymell *und erden* anficht[95]." Das Sakrament ist ein Zeichen von Gott, „das Christus gerechtigkeit, seyn leben un leyden fur mich steht mit allen heyligen Engelln und seligen ym hymell und *frumen menschen auff erden*[96]." Luther bleibt aber nicht bei einem Füreinander stehen, das auch moralisch oder gar spiritualistisch mißverstanden werden könnte. Die Gemeinsamkeit des Sakraments ist eine Gemeinsamkeit in der „frucht dißes sacraments". Diese Gemeinschaft wird als eine doppelte erläutert: „Eyne, dz wir Christi und aller heyligen

---

[84] A.a.O., 748, 20—26.

[85] WA 2, 757, 23.

[86] WA 2, 755, 37.

[87] A.a.O., 756, 21—23.

[88] A.a.O., 756, 24.

[89] A.a.O., 757, 38.

[90] A.a.O., 757, 29.

[91] A.a.O., 757, 23.

[92] A.a.O., 758, 5.

[93] P. Althaus, *Luthers Theologie*, a.a.O., 260, vgl. unten S. 963.

[94] Vgl. unten.

[95] WA 2, 744, 26 ff.

[96] WA 2, 745, 12 ff.

genyessen, Die andere, das wir alle Christenmenschen unßer auch lassen geniessen . . .[97]."

Diese Gemeinschaft mit den Heiligen im Jenseits hatte im Mittelalter eine unterschiedliche Deutung erfahren. Die Verehrung der Freunde Gottes im Jenseits, der „lieben Heiligen", wie Luther oft sagt, und die Unterstützung der Armen Seelen im Fegfeuer, war ein wichtiges Element, das zur Ausbildung und Anerkennung der speziell priesterlich-kirchlichen Macht seit dem frühen, dann besonders seit dem hohen Mittelalter (Cluny) beitrug. Die von Christus zum Binden und Lösen gestiftete kirchliche Macht war auf diesen Gebieten mit der Zeit offenbar über das im Neuen Testament und der alten Kirche Intendierte hinausgewachsen; sie war in einem gewissen Sinn zu einer Verfügung über Gottes ,heimeliges Gericht[98]' geworden, was in mannigfacher Weise der reinen Kirchenidee und der reinen Rechtfertigungslehre nicht mehr voll entsprach. Nun ist Luthers Kampf seit den 95 Ablaßthesen auch zum Teil gerade durch den Kampf gegen diese Entwicklung gekennzeichnet, trägt also als Ganzes dazu bei, Luthers Ansicht von der Kirche im Widerspruch zu dieser Anschauung zu prägen. Das drängt ihn, seiner ganzen Art entsprechend (und im Wesentlichen zu Recht), dazu, das Hineinregieren der Kirche in das Jenseits zu beschneiden. Dieser Zusammenhang ist bei der Beurteilung zu berücksichtigen[99]. Daß auch Luthers Vorstellung von der communio sanctorum die Verbindung des ganzen geistlichen Leibes Christi mit dem Jenseits nicht aufhebt, ergibt sich aus den vorgetragenen Texten, in denen öfters unter ,Heiligen' die vollendeten, die ,lieben Heiligen' gemeint sind zusammen mit den gleichzeitig genannten Engeln. Das läßt durchaus den Tatbestand intakt, daß Luthers Interesse vor allem am *geistlichen* Leib des Herrn hängt, daß, wie Bonhoeffer es ausdrückt, Christus in der gläubigen Gemeinde hienieden existiert: „Die Kirche ist Gegenwart Christi, wie Christus Gegenwart Gottes ist[100]." Deshalb ist auch die strikte Gegen-

---

[97] A.a.O., 754, 9 ff.

[98] Unterricht auf etliche Artikel, 1519, WA 2, 70, 24.

[99] Zu ,Situationsgebunden' und zum ,Wachsen im Dialog' vgl. J. LORTZ, *Martin Luther. Grundzüge seiner geistigen Struktur*, a.a.O., 238, dazu H. BORNKAMM, *Erneuerung der Frömmigkeit*. Luthers Predigten 1522—1524, in: Wahrheit und Glaube. Festschrift für Emanuel Hirsch, hrsg. von H. GERDES, Itzehoe 1963, S. 50—65, hier 59; B. MOELLER, *Probleme der Reformationsgeschichtsforschung* (Göttinger Antrittsvorlesung), in: ZKG 71 (1965) 254;

[100] M. LACKMANN, Thesaurus Sanctorum. Ein vergessener Beitrag Luthers zur Hagiologie, in: Festgabe Joseph Lortz, hrsg. von E. ISERLOH und P. MANNS, Baden-Baden 1958, 135—171; D. BONHOEFFER, *Sanctorum communio*. Eine dogmatische Untersuchung zur Soziologie der Kirche, München [3]1960 (Theologische Bücherei Bd. 3), 131, vgl. 92: „Wir nähern uns ganz bewußt dem Kern katholischer Auffassung vom Thesaurus, den wir mit Luther in der evangelischen Dogmatik erhalten wissen wollen".

überstellung von Kirche und Christus, die es im heutigen Protestantismus
in mancherlei Form gibt, mit Luthers Texten dieser Jahre nicht zu ver-
einbaren[101]. Denn Luthers Lehre von der communio sanctorum gipfelt
sich ja auf, wie wir sahen, bis zum paulinischen Bekenntnis, daß Kirche
und Christus ein Gebein sind.

d) Unermüdlich wendet Luther diese verschiedenen Gedanken und
Bilder um und um. Öfters bietet er Wiederholungen, aber sie stehen immer
in dem erfolgreichen Versuch, das Gemeinte noch einmal tiefer einzuprägen.

In der ‚Kurzen Form der 10 Gebote‘ (1520) steht folgende, prachtvolle
Zusammenfassung[102]: „Ich glaube, daß da sei auf Erden, so weit die Welt
ist, nit mehr denn eine heilige gemeine Christliche Kirche, welche nichts
anders ist, denn die Gemeine oder Sammlung der Heiligen, der frommen
gläubigen Menschen auf Erden, welche durch denselben Heiligen Geist
versammelt, erhalten und regiert wird ... Ich glaube, daß in dieser Gemeine oder Christenheit alle Ding gemein sind, und eines jeglichen Güter
der anderen eigen und niemand etwas eigen sei, darum mir und einem
jeglichen Gläubigen alle Gebet und gute Werk der ganzen Gemeine zu
Hülfe kommen, beistehn und stärken müssen, zu aller Zeit im Leben und
Sterben und also ein jeglicher des anderen Bürde trägt, wie Sanct Paulus
lehrt[103]."

Der Quell der gebenden und erleidenden kirchlichen Gemeinschaft ist
das Sakrament des Altars. Es verwirklicht in besonderer Weise (im ontischen wie im moralischen Sinn) den Artikel der Nächstenliebe, und so kann
dieses Sakrament ein Sakrament *der Kirche* genannt werden. Nicht nur ist
ja die Sorge auf alle ausgedehnt, das Sakrament soll auch ausdrücklich
dem Kräftigwerden der Kirche dienen[104].

3. a) Nach K. Holl[105] soll sich für Luther die Kirche auf einen „engeren
Kreis" reduzieren, der sich innerhalb der äußeren Gemeinschaft „absondert". Nur die in ihm stehen, seien Glieder Christi, und also Kirche; die
„eigentliche" Kirche sei die, in der nur Heilige sind[106].

---

[101] Dazu unten.   [102] WA 7, 219, 1—10.

[103] Hier sind die Heiligen nur als die in der Kirche zu einem Leib gewordenen *lebenden*
Gläubigen ausgesagt. Das bleibt hinter Aussprüchen im Sakramentssermon zurück; vgl.
oben. Mit vielen anderen Texten läßt auch dieser das ‚Ich' des Glaubenden durchaus in
der Gemeinschaft (gegen HACKER, *Das Ich im Glauben bei Martin Luther*, Graz 1966).

[104] WA 7, 747, 32 ff.   [105] K. HOLL, a.a.O., 1, 295.

[106] So auch W. WAGNER, a.a.O., 50, 64; — Die Fehldeutung Wagners in seinem materialiter so erfreulich dicht gefüllten Aufsatz hängt eng zusammen mit einem ungenügenden,
nämlich nach früherer katholischer Sitte verzeichnenden Begriff des Glaubens und der
Rechtfertigung (als einer reinen Imputation) bei Luther: „Wenn mit dem Glauben alles,

Das ist eine bestechende Konklusionstheologie, die aber dem Quellenbefund nicht gerecht wird.

Luther kennt zwar den Gedanken der Elitegemeinde, aber durchgezogen
hat er die Linie nie, auch nicht, ehe ihm die Schwärmer einerseits und die
Visitationen andererseits die Augen öffneten für die Gefahren des kirchlichen Separatismus und für die Armseligkeit christlichen Bestandes in der
Kirche. Er hat vielmehr den alten Kirchenbegriff beibehalten, wonach
in der Kirche Gute und Böse sind. Er weiß wohl, daß der Christ ein seltener
Vogel ist[107], er beklagt, daß ihm ‚die Leute fehlen‘, um eine ganz zufrieden-
stellende Meßordnung aufzurichten[108]. Oder, ohne die Kirche ausdrücklich auf die Guten einzuschränken, spricht er doch von der communio
sanctorum als der „Gemeinschaft aller *Guten*"[109]. Dem corpus Christi
mysticum wird entgegengesetzt das corpus simulatum, oder auch ‚corpus
diaboli‘ oder des Antichrists[110]. Die geistliche Freiheit im Neuen Testament
wird nur den ‚dilectis‘ zuerkannt[111].

Luther hat beim Versuch, das Problem zu lösen, auch die alte Unterscheidung aufgenommen von ‚in der Kirche sein‘, aber nicht ‚von ihr (de)
sein‘, und auch die andere, daß man in der ‚verborgenen‘ Kirche (s. unten
S. 976) entweder ‚numero et merito‘ oder ‚tantum numero‘ sei[112]; in vielfältigem ‚sowohl als auch‘ versucht er diese Unterscheidungen darzutun.
Sie sind entscheidend vom ‚Simul iustus et peccator‘ geprägt. Von daher
wird gesagt, daß der ‚gute‘ Mensch, also der ‚iustus‘ auch immer krank
und genesend ist[113]: „qui enim iustus est, iustificatur ad huc . . . semper
recurrere ad principium et a novo semper incipere; semper enim in stabulo

---

und ohne Glauben nichts gegeben ist, dann können nur noch die Guten und Gläubigen . . .
zur Kirche gehören." (71) — Auch das ist unzulässige Konklusionstheologie, die von
Luther durch mancherlei Unklarheiten (sogleich im Text) ermöglicht, ihm aber im eigentlichen Sinne nicht gerecht wird. Auch Wagners Behauptung (69), seit 1520 sei für Luther
nur ein engerer Kreis die wahre Kirche, ist unberechtigte Schlußfolgerung aus der Tatsache, daß seit 1520 die unsichtbare communio sanctorum nicht mit der sichtbaren Kirche
zusammenfalle; das lehrte Luther auch vorher nicht.

[107] WA 20, 576, 20.

[108] *Meßordnung*, 1526; dazu *Vom Anbeten*, 1523: „es gehören echte Christen zu diesem
(Altars) Sakrament" (WA 11, 449, 32).

[109] Z. B. *Über den Bann*, WA 6, 66, 2.

[110] Vgl. W. WAGNER, a.a.O., 35.

[111] Im AT „erat liberatio corporalis et figurative, quae *omnibus* potuit donari, sed haec
(im NT) est spiritualis, ideo solum dilectis conceditur . . ." (WA 3, 336, 33 f.).

[112] WA 3, 273, 33; 632, 5; 4, 24, 35; 129, 8; 284, 20; vgl. W. WAGNER, a.a.O., 50 und
K. HOLL, a.a.O., I, 295; dazu Augustins „multi intra . . ." (PL 37, 1428) und die Distinktion der „unio formalis" gegenüber der nur „materialis".

[113] Dictata, 1513—15, WA 3, 47, 2.

nos habet Samaritanus[114]." Erst beim Gericht wird die Trennung des Unkrauts vom Weizen erfolgen[115].

Luthers Realismus ist in dieser Angelegenheit außerordentlich: Gemeinschaft werden wir, und Glied der Kirche werde ich, durch Empfang der Sakramente, ich sei würdig oder nicht. Der Herr selbst hat seine Kirche erhalten, auf daß nicht bei der Heimsuchung etwas wider sie erfunden werde[116].

b) Das Problem läßt sich noch weiter illustrieren, wenn auch nicht lösen, aus der Beurteilung, die Luther dem schon in diesem Zusammenhang angezogenen Bann angedeihen läßt. Die kirchliche Gliedschaft ist die innere geistliche Gemeinschaft mit Christus und allen Heiligen[117]. Nun liegt aber „oft" der Fall vor, daß jemand äußerlich im Bann ist, aber „sicher und selig yn der Gemeinschaft Christi und aller heyligen innerlich", und umgekehrt „frey niessen und doch innewendig der gemeinschafft Christi ganz entfremdet und verbannet[118]." Diese Unsicherheit kann sogar vorliegen, wenn einer „umb ketzerey odder sund willen, sich zu bessern, vorbannet ist" (W 6, 65, 33 f.). Das allein Entscheidende: ob „do bleybt der recht glaub und lieb gottis *ym hertzen*". An und für sich ist des Bannes wegen niemand „darum vorworffen von yhrer (der Gläubigen = „der Heiligen") lieb, furbitt und guten werken"[119].

Wirkliche Abtrennung von der Kirche, d. h. von ihrer Gemeinschaft, kann nur der Mensch selber vollziehen, wenn „er selb syn seel durch missethatt und sund dem Teufel ubirgeben hab, sich beraubt der gemeinschafft aller heiligen mit Christo"[120].

Nun sind aber alle, die in der Kirche sind, auch Sünder. Soweit sie aber glauben, sind sie dennoch ‚wirklich‘ in der Kirche, denn „der Glaube sich keins gerichts, sondern lauterer gnade und gunst hult und barmherzigkeit versicht[121]".

Die äußere Zugehörigkeit ist also nicht ohne Bedeutung (zum Teil wegen der Gemeinschaft des Sakraments und des Betens, zu einem kleineren Teil auch wegen der Autorität der Oberen in der Kirche), aber im Grunde ist sie doch ziemlich entwertet.

So scheint es, daß die These von den ‚Sündern in der Kirche‘ wie im Evangelium und bei allen Theologen so auch bei Luther notwendigerweise

---

[114] WA 3, 231, 37 ff.

[115] WA 4, 132, 22; vgl. H. FAGERBERG, a.a.O., 115.

[116] *Hebräer-Vorlesung*, 57/III, 166, 22.

[117] *Sermon vom Sakrament* und *Sermon vom Bann* passim, vgl. oben S. 961 ff.

[118] WA 6, 65, 26—31.

[119] Ebd. 65, 34.   [120] Ebd. 66, 14 f.

[121] *Sermon von den guten Werken*, 1520, WA 6, 215, 33 f.

an einem *Sach*widerspruch leidet, den die theologische Bewertung nicht überwinden kann, so daß es nicht zu einer durchgehend einheitlichen Aussage kommt. Das ist möglich, weil die Bedeutung des Satzes ‚Sünder *in* der Kirche' nicht genau herausgearbeitet wird, entgegen der Feststellung des Tatbestandes. Auch im extremen Fall (der Antichrist in der Kirche) ist die Tatsache des ‚in der Kirche seins' ausgesagt, aber keineswegs erklärt, wie das zu denken sei.

Überwiegend, wenn auch nicht in lückenloser Konsequenz und nicht in zwingender Stringenz, dokumentiert also der Quellenbefund, daß der junge Luther dem komplizierten Tatbestand des Neuen Testament (das Netz mit guten und schlechten Fischen; Weizen und Unkraut auf dem Acker: Mt 13, 2 ff., 47 ff.) gerecht zu werden versucht, die Konturen seiner Aussagen aber nur recht undeutlich auszieht.

In besonderer Zuspitzung stellte sich das Problem, als es galt, das neue Kirchenwesen (des reinen Wortes) im Verhältnis zur verurteilten Papstkirche zu bestimmen. Die Frage nach dem Zusammenhang beider hat Luther bis zu sehr schwerer Anfechtung bedrängt. Er hat, wie genügend bekannt, das Papsttum später radikal verneint, er hat den Päpstlichen sogar den Brudernamen verweigert und sie ausdrücklich als Feinde beurteilt, mit denen nur äußerlich Friede zu halten sei[122]; er hat sich aber dadurch nie dazu treiben lassen, die Einheit der Kirche die Zeiten hindurch aufzugeben. Von der alten Kirche des Papsttums bekennt er, die Grundstücke des Glaubens (zu denen er neben den aus der Schrift erhobenen auch das Glaubensbekenntnis, also die alten Glaubenssymbole, rechnet) überkommen zu haben[123].

Sein Kampf gegen Rom wurde eigentlich bis zu seinem Lebensende immer heftiger. Mit der Triebhaftigkeit, die sich darin ausspricht und ihn vielfältig ungerecht werden läßt, haben wir uns hier nicht zu befassen. Aber der Kampf hat Luther nicht dazu zu bewegen vermocht, das Band zwischen sich und der Kirche des Papsttums ganz zu zerschneiden[124]. 4. Die Zeichnung der Kirche, des Leibes, ist bei Luther ganz positiv gewendet: der ganze Leib in all seinen Gliedern soll im Herrn leben und dem Reiche Gottes dienen. Ohne daß das sakramentale Priestertum abgelehnt wird, ist das *allgemeine Priestertum* tief angelegt und vertreten. Im Anhang des Sakraments-Sermons von 1519, wo die Bruderschaften

---

[122] WA 34/II, 387, 25 f.

[123] *Von der Wiedertaufe*, 1528: „unter dem Papsttum viel christliches Gut, ja alles christliche Gut zu finden"; „Wir schwärmen nicht also wie die Rottengeister, daß wir alles verwerfen, was der Papst unter sich hat" (WA 26, 147 f.).

[124] Vgl. „Antichrist *in* der Kirche" oben.

so realistisch abgekanzelt werden, steht der herrliche[125] Abschnitt über das Wesen der Liebe, d. h. des freien uneigennützigen Dienens, worin allein alle Ding getan werden müssen, aber eben *für die andern*, das sich dann zu der schon vorher angezogenen ‚Gemeine‘ wie von selbst aufgipfelt.

Eben hier liegt auch der *theologische* Grund, warum Luther, der das Eins-sein des Christen mit Christus so unermüdlich preist und steigert, so zurückhaltend, vielmehr verneinend wird, wenn es um den Papst als vicarius Christi geht. Der treibende Grund liegt neben rein theologischen Überlegungen, wie sie 1519 in der conclusio über die 13. These für die Leipziger Disputation anklingen[126], in der übertreibenden ‚papistischen‘ Annäherung an Christus[127], während es für Luther kein Christliches geben kann, das nicht teilhätte an den Entäußerungen und am Dienen, das also ‚Herrschen‘ ausschließt[128].

Freilich wird die Lehre vom allgemeinen Priestertum vom jungen Luther nicht gleichmäßig durchgehalten. Sogar in der Schrift an den christlichen Adel heißt es am Schluß noch: Für den Papst sei es genug, daß er über ihm (dem Kaiser) ist in göttlichen Sachen, in Predigen, Lehren und Sakrament reichen, „in wilchem auch ein yglicher Bischof und Pfarrer ubir jedermann ist[129]“.

III. Amt und Autorität

1. Man kann das „allgemeine Priestertum“ nicht gültig beschreiben, ohne weiter zu fragen nach dem besonderen Priestertum, das doch in irgendeiner Form das Urbild jenes allgemeinen Priestertums ist. Um die Frage nach priesterlichem Amt und priesterlicher Autorität im Kirchendenken des jungen Luther gültig zu beantworten, ist es wichtig festzuhalten, daß der Reformator in jenen Jahren ein katholischer Mönch war, der die Messe feierte und die sakramentale Hierarchie anerkannte. Seine oft polemische Kritik an den Mißständen in der damaligen Kirche ist ja an und für sich noch nicht reformatorischer, sondern gut spätmittelalterlicher Stil. Dieser Mönch, der faktisch und grundsätzlich die Hierarchie noch bejaht, vertritt aber gleichzeitig die Lehre von der Rechtfertigung aus Glauben allein, aber dies ist auch eine alt-katholische Lehre. Hängt nun die bald einsetzende

---

[125] Diese Bewertung möchte ich festhalten trotz der tautologisierenden Amplifikation, trotz der Häufung der Wiederholungen; vgl. auch WA 2, 757, 19 ff.

[126] . . . regnum fidei, non videtur, creditur (WA 2, 239, 28).

[127] Luther spricht schon 1519 übertreibend sogar von Identifizierung; 1521 gegen Ambrosius Catharinus Politus heißt es: Papam et Christum unum fecerunt (WA 7, 742, 4).

[128] Vgl. unten S. 969.

[129] WA 6, 465, 16 f. Vgl. *An den christlichen Adel*, dort heißt es noch „in dem Stuel“, was O. CLEMEN, interpretiert als „cum ex cathedra“ (WA 1, 425, 10 ff.).

Leugnung der Hierarchie *theologisch* (nicht nur psychologisch: als Reaktion auf das Unverständnis Roms und der „römischen" Polemiker) notwendig mit der Rechtfertigungslehre zusammen? Bis heute habe ich keinen derartigen Beweis gelesen.

Wichtig bleibt der hiermit angedeutete Unterschied zwischen theologischem Erkennen, Bekennen, Kritisieren einerseits und der gelebten katholischen Existenz andererseits, aber auch in umgekehrter Richtung. Auch wenn man im reformatorischen Luther noch viel Katholisches findet, war doch das, was sich in ihm ereignete, eine wahre transformatio substantialis gegenüber dem spätmittelalterlich Scholastisch-Kanonistischen. Man muß sich aber indes bewußt bleiben, daß die neuen Erkenntnisse sich gemäß den Gesetzen der menschlichen Psyche nicht sofort klar und restlos in Denkinhalte umsetzten[130]. Das gilt selbst für so fundamentale Erlebnisse wie Luther sie im Rückblick 1545 am Begriff der iustitia oder im Vorwort zu den Ablaßresolutiones am Begriff der poenitentia beschreibt.

In den Dictata waren die kirchlichen ‚officia' noch bedeutend stärker unterstrichen als in den Sermonen von 1519: Mißstände verrenken die Glieder des geistlichen Leibes, aber sie zerbrechen sie nicht. „Officia manent in ecclesia et numquam auferentur. Alias ecclesia cessaret[131]." Die Hierarchie gehört zum geistlichen Leibe Christi.

Ob Luthers Text das nur für die Prälaten gelten lassen will, die im Stande der Gnade sind[132], scheint mir zweifelhaft. Wir stehen hier vor derselben Unklarheit, der wir noch begegnen werden, wenn es um die Frage geht, ob die Kirche sündigen könne.

Obschon in den Sermonen von 1519 noch die Autorität der lehrenden und richtenden Kirche, insbesondere in der Form eines Konzils (für die Bestimmung einer oder beider Gestalten des Sakraments und in der Zuständigkeit für den rechten Bann), ruhig angenommen und ausgesprochen wird, enthält das Bild der Kirche, das hier zum Ausdruck kommt, doch nur wenig von der Vorherrschaft einer einzelnen Schicht in ihr. Es ist bereits jede Spur von Klerikalismus überwunden; vielmehr, er wird a limine durch die Bestimmung der potestas als ‚Pflicht zu vollem gegenseitigen Dienen in Liebe' unmöglich gemacht.

Im Jahre 1519, das uns hier vorzüglich beschäftigt, gab Luther seine berühmte 13. These ‚De potestate Papae' als Vorbereitung auf die Leip-

---

[130] Vgl. Luthers Bemerkung über seine langsam erfolgende innere Klärung im Rückblick von 1545 (WA 54, 179 ff.).

[131] WA 3, 217, 22.

[132] Vgl. W. WAGNER, a.a.O., 49.

ziger Disputation heraus[133]. In Leipzig selbst leugnete er die Unfehlbarkeit
sogar der Konzilien. Dennoch ist es für ihn selbstverständlich, daß die
Kirche mit Lehrautorität ausgestattet sei; zu beweisen, daß sie ausschließlich
als an das Wort der Schrift gebunden erscheine, wäre kaum möglich.
Mehrfach erkennt Luther 1519 die Lehr- und Disziplinargewalt der Kirche
indirekt an[134]. Aber die Hierarchie tritt dennoch deutlich zurück; das
innere Wesen der Kirche scheint nur wenig in ihrem Erscheinungsbild
aufzustrahlen. Man erkennt Luthers Bemühen, des eigentlichen Wesens
der Kirche habhaft zu werden und einer veräußerlichenden Verfälschung
entgegenzuwirken. Seit dieser frühen Zeit wird Luther oft und oft der zu
wahllosen Ausdehnung des Begriffs Kirche auf irgendwelche Äußerungen,
die in Tat oder Wort vom Klerus vorgenommen werden, entgegentreten.

Daß aber der Kirche Autorität über die Gewissen zustehe, ist für Luther
auch später (natürlich unter dem Wort der Schrift und unter Ausschluß
einer legalistischen Verhärtung) immer selbstverständlich geblieben. Aus
diesem Jahr 1519 sind in dieser Beziehung am eindringlichsten seine
Formulierungen über die Schlüssel und ihre Gewalt. Im Sermon von der
Buße heißt es: „Das sag ich darumb, daß man die allergnedigste tugent der
schlussel lieb hab und eer wirdige und nit vorachte vmb ettlicher miss-
prauch[135]," eine Formulierung, die deshalb so ernst genommen werden
muß, weil sie noch viel später (1530) intakt erscheint; sie ist also für Luther
sachlich kennzeichnend[136].

---

[133] WA 2, 161, 35 ff.; vgl. *die Resolutiones Lutherianae super propositione sua decima tertia
de potestate Papae* (per autorem locupletata) 1519, a.a.O., 183—240.

[134] WA 2, 71, 26 f. „Der halben ist auch meyn rad, das man der kirchen gepot eyns
teils ablegt yn eynen Concilio", vgl. oben Anm. 8. Luther kann noch beträchtlich später
(1530) die Kirche definieren als die um Wort und Sakrament versammelten Gläubigen *sub
uno pastore*, sei es in einer Stadt, einer Provinz oder der Welt: *Propositiones adversus totum
synagogam Satanae et universas portas inferorum*, 1530, WA 30/II, 421, 19. — Durch die Leipziger Disputation wird das Band zu den Böhmen enger; wahrscheinlich nicht ohne Einfluß von Hus (De ecclesia) wird Luther bald das Papsttum als sichtbares Haupt der Kirche
auch aus der Überlegung ablehnen, daß die Kirche als Leib nur einen Kopf haben könne,
daß also neben Christus, dem Haupt des Leibes, kein Platz bleibe. Bei dieser Ablehnung
bedauert man immer wieder, daß Luther die bereits in der Bulle ,Unam sanctam' (D
468 f.) und von Biel vorgelegten elementaren Distinktionen nicht beachtete. Bei Biel heißt
es, der Papst sei Haupt der Kirche „in einer sehr viel anderen Art als Christus" (*Gabrielis
Biel canonis misse expositio*, 1, 23, hrsg. von H. A. OBERMANN und W. J. COURTENAY,
1. Band, Wiesbaden 1963, 218), er besitzt ein „secundarium ministeriale vicarium, nonus-
quam virtutis, gratia et bonis vacuum" (a.a.O., 220). Vgl. auch W. WAGNER, a.a.O., 63
und 67.

[135] WA 2, 719, 28 ff.

[136] WA 2, 719, 30 spricht Luther von ,lieblicher, tröstlicher gewalt'; seine Schrift
Von den Schlüsseln vom Jahre 1530 formuliert so: „Die Schlüssel sind das rechte Heiligtum, welche der edelsten, heiligsten Kleinode eins sind, Gottes Christ und der Kirche, mit

Andererseits kann man nicht übersehen, daß in den verschiedenen Sermonen dieses Jahres die eigentliche Sorge Luthers nicht so sehr um die
Kirche kreist, als um den Einzelnen und die Einzelnen. Zwar setzen die
Ausführungen die Gemeinde voraus und richten sich auch an sie; es wird,
wie wir schon feststellten, ausdrücklich gesagt, daß wie im Leben so auch
im Sterben niemand allein gelassen werde[137]; der vorausgesetzte oder vorgetragene Kirchenbegriff ist auch wesentlich nicht nur als Vielzahl der
Gläubigen gesehen, sondern als Gemeinschaft[138], nur daß seine Funktion
nicht oft eigens ausgenützt wird. Auch, wenn Luther in dem Sermon von
der Betrachtung des Leidens Christi ganz selbstverständlich die *singende
Kirche* erwähnt, geht die Anwendung durchaus auf den im Gewissen er-
schrockenen einzelnen Beter[139] ohne Ausweitung auf ein „wir"; wie auch
im folgenden das Entscheidende der Leidens-Betrachtung dahin bestimmt
wird, „daß der Mensch zu seiner selbst erkenntnis komme ... erschrecke
und geschlagen werde[140]."

Auch im Sermon der guten Werke ist es der Glaube des Einzelnen, der
mit großer Betonung angesprochen wird. Ohne daß er eigentlich in das
größere Ganze eingebettet wäre, wird der persönliche Glaube als entscheidend für das ‚mit oder gegen Gott' so herausgehoben, daß für eine
wesentliche Funktion der Kirche in der Heilsvermittlung (außer der Verkündigung) kaum Bedarf zu bleiben scheint.

Man stellt also auch in dieser Frage fest, daß Luthers Denken sich vielfach im dialektischen ‚Sowohl als auch' vollzieht. So wird denn auch
umgekehrt zum Gesagten im schon angezogenen Sermon vom Bann und
im Sermon von der Buße aus diesem Jahr die Kirche immer wieder ins
Spiel gebracht durch die Träger der Schlüssel, insbesondere in der Absolution durch den Priester[141]. Diese Vollmacht des Priesters wird allerdings
insofern wieder einigermaßen ausgehöhlt, als die Betonung durchaus auf

---

Christi Blut geheiligt und die noch täglich Christi Blut austeilen" (WA 30/II, 501, 3 ff.).
Das ist übrigens eine Formulierung, der nur die Auffassung der Kirche als eines *sakramentalen* corpus gerecht wird.

[137] Vgl. oben S. 957.

[138] Die Formulierung ‚sancti' oder ‚congregatio sanctorum' (WA 3, 488, 12), d. h. die
Christus zu eigen sind, ‚sui', gibt für sich allein keinen genügenden Aufschluß über die
Gemeinde oder ihre soziologische Grundstruktur.

[139] „*Ich* will fleyssig daran gedenken", 1519 (WA 2, 138, 14).

[140] Ebd. 138, 17.

[141] Auch beim Altarsakrament ist (selbstverständlich) ohne Ausnahme die Rede von
der Reichung durch den Priester, nicht durch den Laien (WA 2, 742, 23; vgl. 26); Sakramentssermon, 1519; „eyn gewiss tzeychen von gott selber geben durch den Priester"
(WA 2, 744, 9); vgl. dazu aus der Hebräer-Vorlesung, 1517/18: „Oculi autem Domini
dicuntur sacerdotes ecclesiarum. Nam sicut oculus dirigit corpus, ita sacerdos Ecclesiam"
(WA 57/III, 198, 11).

dem allgemeinen Priestertum liegt[142]. Zu wiederholten Malen wird ausdrücklich und nachdrücklich jeder Christenmensch, ob Mann oder Frau (oder Kind) als befähigt bezeichnet, die Absolution gültig zu erteilen. Das mindert freilich andererseits nicht die fest vorgetragene Meinung von der ins Gewissen reichenden objektiven Autorität der selbstverständlich hierarchisch gegliederten Kirche.

2. Soweit nun Luther in den Äußerungen dieses Jahres eine eigentliche kirchliche Autorität[143] anerkennt, liegt ihr wichtigstes Kennzeichen freilich darin, daß die ‚potestas clavium' (Luther kürzt oft ab: „St. Peter") eigentlich keine Gewalt ist, sondern, wie schon erwähnt, ein Dienst, daß sie nicht St. Peter gehört, sondern dem Sünder, dir und mir[144]. Den Prälaten sagt Luther, daß ihr Amt Dienst ist, daß sie aber in der Gefahr stehen, durch „Gewalt und Rache" über das Volk Christi herrschen zu wollen, . . . „in Furcht gefangen zu nehmen die freie christliche Kirche[145]."

Hier stoßen wir oft auf die für Luthers Entwicklung (und zwar auch für seine dogmatische Stellung!) so wichtige Komponente seiner *seelsorgerlichen* Haltung[146].

---

[142] Vgl. darüber oben S. 955 ff.

[143] „die gewalt des banneß ist der heyligen Mutter der christlichen kirchen, das ist der *gemeyn aller Christen* von Christus gegeben" (WA 6, 38 ff.) — Aber eben: Christus ist in ihr, Christus ist es, der handelt durch die Kirche (ebd.).

[144] *Sermon von der Buße*, 1519, WA 2, 719, 16 ff.

[145] *Sermon vom Bann*, 1519/20, WA 6, 70, 35; In freiem Dienen sollen alle für die ganze Gemeinde und die ganze Christenheit da sein (und eben nicht, wie die Bruderschaften egoistisch tun, sich absondern als ein ausgewählter Teil) (WA 2, 757, 10 ff.); die Hilfe meint Luther in einem umfassenden Sinn geistlich — körperlich (ebd. 33 ff.): „daß dir zu herzen gehe aller Christen und der ganzen gemeine abnehmen oder fall yn eynem iglichen Christen und dein lieb einem iglichen gemein werde und wollest jedermann gerne helfen, niemandt hassen, mit allen mitleiden und für sie bitten." — Zur Ablehnung von Gewalt, etwa um die Einheit zu retten, vgl. unten 982 f. Das Motiv der Freiheit klingt schon vor ‚De captivate' — „nulla remedii spes sit, nisi revocato libertatis Evangelio" (WA 6, 558, 5 ff.) — und ‚De libertate christiana' von 1520 bei Luther auf. Der ganze umfassende Topos von der päpstlichen Tyrannei über die Kirche gehört hierher. Im Sermon von den guten Werken, der noch 1519 geschrieben wurde, steht in „zum 15." des ersten Teiles (WA 6, 214, 25 ff.) ein Text, der dem berühmten Auftakt in ‚Von der Freiheit' eng verwandt ist; „das alle werk und ding frey sein einem Christen durch seinen Glauben und er doch, weil die andere noch nit glauben, mit yhm tregt und helt", — daß der Verwalter des Wortes und der Sakramente *Diener* der Kirche sein muß, d. h. dazu da ist zu geben, bleibt für Luther sein Leben lang zentral. Die Verdammung der Winkelmesse und des Winkelpfaffen, der ‚missatores' („*Einleitung zur Winkelmesse*", in: O. CLEMEN, *Luthers Werke in Auswahl*, 4 Bände, Berlin ⁴1959, IV, 239 — Titel der lateinischen Übersetzungen) wird wesenhaft daraus gewonnen, daß dieser Grundverpflichtung zu geben bzw. weiterzureichen, egoistisch (und dazu noch simonistisch) zuwider gehandelt wird.

[146] Als Distriktsvikar seines Ordens hat Luther seine Theorie vom dienenden Befehlen (wie sie auch Franz von Assisi lehrt) in mannigfacher Weise geübt. Seine hierher gehörigen Briefe bringen Belege.

Man kann sagen, daß das ganze Werk Luthers seelsorgerlich geprägt ist[147], und in den Kennzeichnungen des Reformators sollte diese Seite seiner Tätigkeit wohl noch intensiver herausgehoben werden. Neben dem Beter Luther zeigt sich in seiner seelsorgerlichen Arbeit großen Stils, welchen Reichtum die Würdigung Luthers als ‚homo religiosus‘, birgt. Hier ist der Ort, das Bild des ‚verantwortungsverwegenen‘[148] Polemikers um eine wichtige Dimension zu ergänzen: Luthers Sorge und Rücksicht auf schwache Gewissen. Daß er sich selbst oft genug nicht an die eigene Forderung hält, belastet sein Charakterbild, hebt aber die Maxime selbst nicht auf, und nicht die Tatsache des Seelsorgerlichen bei Luther als eines Grundelementes.

Ein recht eindringlicher Beleg hierzu ist der angezogene Sermon vom Bann (1519/20) nicht zuletzt deshalb, weil an zahlreichen Stellen auch die Sorge um die Seele der den Bann Verhängenden sich äußert. Ein Hauptsatz lautet: „es die natur und art aller Strafe ist, sunde zu bessern[149].“ Entsprechend wird die kirchliche Obrigkeit grundsätzlich als geistlich-helfende, ‚medizinische‘ aufgefaßt.

So ist auch der rechte Bann, d. h. der innerliche, geistliche[150], der vom äußeren zu trennen ist, der Bann, von dem es heißt: ‚Christus und die Kirche tun,‘ eine Medizin (aus der freilich ‚die Tyrannen‘, den Bann ‚vorkerend‘, ein Gift (und ihr ‚Werk‘) machen[151]. Der Bann ist die Strafe einer Mutter gegen ihren Sohn, „ein mütterlich, unschädlich, heilsam straf[152]“ und eine Vermahnung der Mutter, der heiligen Kirche[153], die nur das seelische Leben ihrer Kinder mehren oder wieder herzustellen bemüht ist; die ganze Eigenart der kirchlichen potestas ist eine liebende, eben die einer geistlichen Mutter[154].

Solcher mütterlichen Zielsetzung müßte allerdings die Haltung der Gläubigen entsprechen. Wenn wir schon nach Christi Gebot (Luther zitiert Mt 5, 25) überhaupt das Leid lieben[155] und unsern Widersachern

---

[147] Luther persönlich würde vermutlich sogar die beinahe rein polemischen späteren Schriften gegen das Papsttum hierherziehen, und tatsächlich steht ja auch dort neben den groben Ausfällen durchaus echte Sorge um die Kirche.

[148] J. Lortz, *Die Reformation in Deutschland*, 2 Bde., Freiburg/Brsg. ⁴1962, I 422 ff; dem entgegengesetzt gibt es über Luthers Mißtrauen gegen sich selbst im Kampf gegen das Papsttum viele Stellen, z. B. WA 50, 389, 25.

[149] WA 6, 67, 13 f.

[150] A.a.O., 66, 23—29.

[151] A.a.O., 68, 12.

[152] A.a.O., 71, 4—13.

[153] A.a.O., 66, 18 ff. u. ö.

[154] A.a.O., 74, 30 ff.

[155] A.a.O., 70, 29.

willfahren müssen, „wie viel mehr sollen wir der christlichen Kirchen Gewalt wilfahren, sie kum ubir uns mit recht oder unrecht, durch wirdig oder unwirdige ubirkeyt[156]".

Denn es kommt uns auch ungerechte und unverdiente Strafe von unserer geistlichen Mutter, der Kirche ... „*Sie bleibt mutter, die weil Christus* bleibt, und wandelt sich nit in stiefmutter, um ein bös obrigkeit willen[157]." (Auch hier wird deutlich, wie stark Kirche und Obrigkeit in ihr von Luther auseinandergehalten werden).

Das mindert andererseits wiederum in nichts weder die Pflicht der Obrigkeit, die in der Ausübung der Gewalt „am allermeisten den andern zum Exempel gahn sollten[158]", noch das Recht der Gläubigen, wegen des Unrechts der geistlichen Obrigkeit *gegen* den Bann zu stehen.

Im Jahre 1519 war Luthers Lage gewiß prekär; dies hat ihm aber eine überlegene innere Freiheit nach beiden Seiten nicht genommen. So nimmt er einmal den Bann ernst als eine echte Funktion der Schlüsselgewalt; der Bann hat ein seelsorgerliches Ziel. Es gebe zwar falschen Bann aber Gott wolle nicht, daß der Gewalt mutwillig oder frech widerstrebt werde.

Dies ist aber nicht ein Grundsatz zum Vorteil der geistlichen Obrigkeit, sondern — hier meldet sich Luthers Kreuzestheologie zu Wort — ein schlechthin allgemeines Gesetz christlichen Lebens: auch alles Schwere, ja sogar das Schädigende, muß gern entgegengenommen werden.

Nachdem aber Luther so viel gemahnt hat, auch den unrechten Bann nicht zu verachten[159], sondern ihn zu tragen als Strafe Gottes, um in ihm die kirchlichen Oberen zu ehren, kommt er zu einer andern Schicht und Sicht des Problems: die äußere kirchliche Gemeinschaft zu haben oder nicht zu haben, tut es nicht; und „sag ich mehr: das auch der nit verdammt ist, der im rechten bann stirbt; es were dann, daß er sonst nit berewet seyn sund oder den Bann verachtet". Erst recht gilt natürlich: „selig gebenedeyet ist der im unrechten Bann stirbt; dann um der wahrheit willen, ob der er wird vorbannet, wird ihn Gott krönen ewiglich[160]. —

Was in der Kirche an äußere Autorität, und noch mehr, was an die Hierarchie erinnert, ist also nur ganz am Rande berührt. Die wenigen

---

[156] A.a.O., 70, 29 und 74, 16—26; Die Eingrenzung darf aber nicht übersehen werden: wir sollen den Bann mit Ehren aufnehmen, ohne ihn zu verachten, zwar nicht um seiner selbst willen, denn „der schadet myr nit, mehr aber dyr selber, sondernn umb Christus gepotts willen" (a.a.O., 69, 33 f.).

[157] A.a.O., 74, 31 f.

[158] A.a.O., 69, 11—16.

[159] Vgl. noch dazu: a.a.O., 73, 27 ff. sowie: Falscher Bann „kann nichts schaden" (a.a.O., 67, 11 ff.).

[160] A.a.O., 74, 19 f.

Erwähnungen prägen nicht das Gesamtbild. Das hat seinen Grund nur zu einem Teil im Thema der Sermone dieses Jahres; der tiefere Grund liegt darin, daß Luther dieser Seite des Kirchenbegriffs innerlich fremd gegenüber steht. Die Kirche wird, wie wir ausgiebig darlegten, sehr real als Gemeinschaft genommen, als corpus Christi mysticum; aber die Frage, ob diese Gemeinschaft, der doch eine sehr konkrete Autorität zugeschrieben wird (gedeckt von der späteren Lehre über die Gewalt der Schlüssel; 1530) in einer verfaßten Ordnung stehe, mit einem besondern Organ der Heilsvermittlung in Lehre und Gnade durch ein sakramentales Priestertum, interessiert Luther wenig. Daß die Priester das Sakrament feiern und austeilen, ist, wie gesagt, als selbstverständlich akzeptiert, aber es fällt keine eigene Betonung darauf.

IV. Sichtbarkeit und Sündigkeit der Kirche

1. In meiner „Reformation in Deutschland" kamen Luthers Anschauungen über die Kirche zu kurz[161]. Daß die wesentlich unsichtbare Kirche auch für Luther eine sichtbare Größe ist, hat mir Ernst Kinder deutlich gemacht[162]. Ich nehme seine korrigierende Ansicht an, glaube aber, daß man sie vertiefen muß: ausschlaggebend ist, daß vor der Sichtbarkeit der Kirche ihr geheimnisvolles ‚inwendig' steht, und daß man die beiden Elemente des Sichtbaren und Unsichtbaren ohne letzten Ausgleich stehen läßt (von der Sache her notwendigerweise).

a) Es wurde schon betont, daß für Luther die Kirche zuerst und zuletzt eine Größe des Glaubens ist. Glauben aber ist ‚non apparentium'; bei Luther ist außerdem — ganz allgemein gesprochen — eine gewisse spiritualistische Tendenz unverkennbar[163]. Kirche ist ein geistliches Ding und Sache des homo spiritualis. Sie ist ‚eyne geistlich ewige Gottis statt'[164],

---

[161] Der Mangel war in der früheren katholischen Forschung zur Reformationsgeschichte häufig, was aber z. B. E. KOHLMEYER, *Die Bedeutung der Kirche für Luther*, in: ZKG 47 (1928) 466, nicht nur anmahnt, sondern auch erklärlich findet.

[162] E. KINDER, *Die Verborgenheit der Kirche nach Luther*, in: Festgabe für Joseph Lortz I, 173—192.

[163] W. ELERT, *Morphologie des Luthertums*, 2 Bände, Verbesserter Nachdruck der ersten Auflage, München 1958, I, 266 hat auf diese spiritualistische Tendenz ernst aufmerksam gemacht. Er meint sogar, daß Luther die Kirche als überindividuelle Einheit so spiritualisiert habe, daß sie, wenn folgerichtig zu Ende gedacht, „als gestaltende Energie der Geschichte" zerstört würde; aus der Rechtfertigungslehre folge eine Überbetonung des Innerlichen und Geistlichen im Begriff der Gemeine. — Richtig hat Elert als einer der wenigen erkannt, daß gewisse starke Formulierungen Luthers „in erster Linie um der Antithese willen betont" seien (ELERT I, 227); vgl. P. ALTHAUS, a.a.O., 252 ff.; H. J. IWAND, a.a.O., 154.

[164] WA 2, 743, 14; — Dieselbe Ansicht, die dann Luther so bald i. J. 1520, gegen Alveld spiritualistisch-antipäpstlich zum ersten Mal ausführlich behandelt: „die eynigkeit

eng mit Christus verbunden, da alle Heiligen sind Christi *und* (!) der Kirche Glied. Der fleischliche Mensch lebt nur in der sichtbaren Wirklichkeit (in re), der heilige aber, der fidelis, spiritualis, sanctus lebt nicht in re, sondern in spe[165]. „Es muß alles zeitliches und empfindlich Ding abfallen und wir ihr ganz entwöhnen, sollen wir zu Gott kommen. Darum ist die mess und dies Sakrament ein Zeichen, daran wir uns üben und gewöhnen, alle sichtlich lieb, hulff und trost zu verlassen[166]." Luther bleibt bei der Ansicht, für die er schon in den Dictata einen umfassenden Beleg zu Ps. 97, 7 formuliert hatte: „opera et factura Christi, Ecclesia, non apparet aliquid esse foris, sed omnis structura eius est intus, coram deo, invisibilis. Et ideo non oculis carnalibus, sed in intellectu et fide cognoscuntur[167]." Die Kirche ist in diesem Leben „occulta"[168]; das hebt sie ab vom Weltlich-Fleischlichen: „mundus (est) in manifesto." „Nutz und not ist, daß die Liebe und Gemeinschaft Christi und aller Heiligen verborgen, unsichtlich und geistlich gescheh, und *nur* ein leiblich sichtlich äußerlich Zeichen uns geben werde. Dan wo die selben lib, gemeynschafft und beystand offentlich were, wie der menschen zeitlich gemeynschafft, so wurden wir dadurch nit gesterkt noch geubt, yn die unsichtlichen und ewigen guter zu trawen odder yhr zu begeren, sondern geubt, nur yn zeitlich sichtliche guter zu trawen . . . daß wir sie nit gern faren ließen[169]."

Man könnte also wohl im Sinne Luthers sagen, daß alle Offenbarung im eigentlichen Sinn und wesentlich unsichtbar, aber durch Zeichen erkennbar sei. Was das Sichtbare ausmache, sei im Eigentlichen verborgen!

b) Die aus den Dictata angeführten Texte mit ihrem Gegensatz von foris und occultus können zu einer etwas genaueren Deutung führen. In den Dictata kommt ‚invisibilis' selten vor, oft aber ‚absconditus'. Im Zusammenhang mit der geistlichen Kirche gebraucht, haben auch die Ausdrücke ‚invisibilis', ‚absconditus' und ‚occultus' eine geistliche Bedeutung; sie

---

der christlichen gemeyne von Christi selbs auß allen leyplichen euserlichen stellen und orten getzogen, und in die geystliche ort gelegt wird" (gegen ‚leypliche gemeyn' und ‚eynigkeit', WA 6, 293, 35), die Christenheit ist ein „geystlich gemeyn", WA 6, 295, 32; desgleichen gegen Ambrosius Catharinus Politus, 1521, „invisibilis et *spiritualis*, sola fide perceptibilis", WA 7, 710, 1. Nur diese ‚geistliche' innerliche Art des Kircheseins wird als die ‚wesentliche' und ‚wahrhaftige' bezeichnet.

[165] WA 3, 150, 30.
[166] *Sakramentssermon*, 1519, WA 2, 753, 6.
[167] WA 4, 81, 12.
[168] WA 3, 203, 22.
[169] WA 2, 752, 36 ff.; vgl. *Tauf-Sermon*, 1519, „die Tauff ist ein äußeres Zeichen oder Loßung, die uns absondert von allen ungetauften Menschen' (WA 2, 727, 20 f.), was Sicht- und Erkennbarkeit der Glieder der Kirche aussagt, aber für das Wesen der Verborgenheit im Mysterium Platz läßt.

stellen die bezeichnete Wirklichkeit in jenen Zustand, der durch das Verborgensein offenbart, — der verborgen ist, aber doch erfahrbar, nämlich im Glauben, verborgen unter einer verhüllenden Gestalt. Man kann diese geistliche Wirklichkeit, die den Grund sowohl für das Leben des einzelnen Christen als auch das der Kirche bildet, angemessen mit Fagerberg als ‚unergründlich‘ bezeichnen. Das Gegenwärtigsein vollzieht sich e contrario, in Entblößung, Schmach, Verfolgung, Tod[170]. Es ist Luthers umfassende Theorie des absconditum sub contraria specie, also auch seine theologia crucis, die hier Platz greift: was eigentlich die Kirche ist, liegt unter der Hülle verdeckt, und doch ist sie erfaßbar wie der Glaube, der nicht nur unerfahrbar, sondern auch erfahrbar ist. Letztlich allerdings sieht in diesen Bereich göttlicher Entscheidung nur der den Glauben schenkende Herr hinein.

c) Dennoch ist es notwendig, den Blickwinkel noch einmal anders zu wählen, um nicht zu vergessen, daß Luthers Lehre von der Unsichtbarkeit der Kirche keine schwärmerische Innerlichkeit ist, daß sein gewisser spiritualistischer Trend sich nie bis zur Auflösung der geschichtlichen Gestalt der Kirche oder der Verbindung zu ihr hat fortreißen lassen. Sein gesunder Realismus ist hier sozusagen stärker als die immanente Konsequenz seiner Theorie, einer Konsequenz, der allerdings die folgenden Jahrhunderte oft und reichlich erlegen sind.

Wiederum ist es auch notwendig, Luthers Art des situationsbedingten Denkens in Anschlag zu bringen[171]. Die Verdinglichung und Veräußerlichung in der Kirche (in einer wesensbedrohenden Vermenschlichung und Verdienstlichkeit konkretisiert), ist Luthers Hauptgegner, und zwar so, daß er ihm um seiner (und des armen Christenvolkes!) Seele Seligkeit willen bis aufs äußerste widerstehen muß. Daß er alles, was in dessen Nähe kommt, mit seinem vernichtenden Superlativismus trifft, ist verständlich, wenn auch damit sachlich noch nicht ohne weiteres ganz gerechtfertigt, lenkt aber den Blick auf das, worauf es Luther eigentlich ankommt.

Denn, wo Luther es nicht mit dieser Gefahr der Vermenschlichung zu tun hat, spricht er spannungslos von der Kirche, die man erkennen soll an ihrem Zeichen[172] oder, wie er es schon 1519[173], auch 1521 im Buch gegen

---

[170] absconditus = ‚sine gloria et reputatione‘ (vielmehr in Inkarnation und Kreuzesleiden), WA 3, 300, 21; so ist auch das Gesamt der Gläubigen, „quilibet fidelis“, im „tabernaculum“ dieser Kirche „absconditus“, aber umgekehrt gilt auch: „die Heiligen sind bestimmt dazu, auf dem Leuchter zu leuchten“; vgl. H. Fagerberg, a.a.O., 117; zu Ps. 33, WA 3, 183, 25 ff.

[171] Man dürfte oft geradezu von einer Situationsverfallenheit sprechen.

[172] Vgl. unten S. 978; symbola, tesserae, caracteres (WA 7, 720, 32—36).

[173] WA 1, 184, 25.

Catharinus und oft formuliert, an ihrem Kreuz-Banner, das dartut, wo
Christus mit seinem Heer zu Felde liegt. In der Angabe der Zeichen, an
denen die Kirche erkennbar ist, gibt es im Einzelnen (früh und später)
zwar einige Nuancen, aber die Hauptzeichen werden von Luther gleichbleibend gebracht, übrigens, um darauf nochmals hinzuweisen, durchweg
mit dem unübersehbaren Hinweis, daß es sich immer um den Bereich des
Glaubens (non apparentium) handelt[174]: „Quare ubicunque praedicatur
verbum dei et creditur, ibi est vera fides, petra ista immobilis: ubi autem
fides, ibi ecclesia: ubi ecclesia, ibi sponsa Christi: ubi sponsa Christi, ibi omnia
quae sunt sponsi. Ita fides omnia secum habet, quae ad fidem sequuntur,
claves, sacramenta, potestatem et omnia alia[175];" die äußeren Erkenntniszeichen sind angegeben[176], aber der Nachdruck liegt auch im weiteren
Text durchaus auf der *gläubigen* Annahme.

Und so wird Luther entsprechend später oft sagen: „unser z e y c h e n . . .
das Evangelium." Aber eben: rechte Christen wandeln allein im Glauben
des Evangeliums, „man kann sie nit äußerlich erkennen oder sehen[177]."

d) Man sieht, dieser Tatbestand, in dem ‚sichtbar', ‚unsichtbar' und ‚verborgen', auch der Begriff der Kirche als heilige (wo sie bei ihrem Heiland[178]
ist) und ihre Irrtumsfähigkeit, zusammengesehen und auseinandergehalten
werden müssen, ist sehr komplex; er wird durch Luthers Lust am Paradoxalen[179] noch weiter gesteigert: man braucht sich nicht zu wundern, daß
seine Texte in diesem Zusammenhang nur schwer in allen Punkten auf
eine Linie gebracht werden können. Man muß aber auch zugeben, daß über
den Sachwiderspruch der Schrift (die Glaubenswirklichkeit in und unter
natürlich Konkretem, die guten und schlechten Fische in dem einen Netz)
hinaus Luther sich hier in keinem Widerspruch verwickelt hat[180]. Aber den

---

[174] WA 2, 208, 2.

[175] *Resolutio super propositione XIII de potestate papae*, 1519, WA 2, 208, 25.

[176] Dieses Anliegen Luthers bleibt für ihn konstitutiv. Vgl.: „ein solch gnädig Zeichen", „ein ‚gewisses warzeichen', daran er uns führet", WA 2, 752, 33; 746, 2.

[177] Predigt, 1520, WA 9, 535, 6.

[178] Vgl. WA 38, 216, 3; diskutiert in der übernächsten Anmerkung.

[179] Beachte hierzu, daß Luther in der Heidelberger Disputation seine Thesen schlechthin „paradoxa" nennt (WA 1, 353, 4). Vgl. meinen Beitrag in Festgabe für Hubert Jedin,
226. In einem Brief erläutert er diese Auffassung: „Sunt igitur paradoxa modestis, et qui
non ea cognoverunt, sed eudoxa et calodoxa scientibus, mihi vero aristodoxa" (Briefe
1, 94, 24 f. vom 6. V. 1517). Kurz darauf (Briefe 1, 103, 6 ff. vom 4. IX. 1517) bezeichnet
er seine paradoxa ironisch aggressiv als ‚cacodoxa'; vgl. auch Briefe 1, 121,4 vom 11. XI.
1517.

[180] Eine bewundernswert ausgewogene Darstellung, weitaus die beste, die ich kenne,
stammt von P. Althaus, *Luthers Theologie* 287—296, unter der Überschrift: „Die wahre
und die empirische Kirche", mit den Untertiteln ‚Die Autorität der Tradition und ihre
Grenze'; ‚Schrift-Autorität und Kirchen-Autorität'; ‚Der Heilige Geist in der Kirchengeschichte'. Es ist eine Nachzeichnung, die den starken, im Objekt gegebenen Spannungen

inneren Gegensatz zwischen der communio sanctorum und der immer auch sündigen Kirche gibt er uns gehörig zu fühlen. Wie hätte er seine Grundauffassung vom simul justus et peccator gerade hier vergessen sollen!?

2. Für die Anschauung, daß auch die Kirche Sünderin sei, fand Luther 1532 die einprägsame Formel: „facies ecclesiae est facies peccatricis[181]." Aber die Vorstellung der sündigen heiligen Kirche taucht bei Luther früh auf. Diese Behauptung ist freilich nicht schon belegt durch die vielen (und horribilia) Mißstände in der Kirche, die Luther seit der Römerbriefvorlesung freimütig tadelt. Denn noch immer galt ihm damals der Grundsatz: abusus non tollit substantiam[182]. Außerdem ist zu beachten, daß die Kirche (die ja immer, selbst im Verfall, unter der Leitung des Heiligen Geistes steht) teilnimmt am ,simul iustus et peccator'. Die Sünde ist ja nicht einfach Abtrennung vom Haupte Christus, sondern auch Durchgang. Im Galaterkommentar von 1519 lehrt Luther, daß der allein sündenlose Christus „corpus suum et carnem suam, ecclesiam, regit et exercet, ut suam iustitiam ei influat . . . corpus quoque suum reddat obediens, quod *nondum* est tam obediens et *sine peccato*[183].

Die Kirche ist und bleibt ein Spital[184]. Diese bivalente These ergibt sich für den jungen Luther aus den häufigen Beschreibungen des Menschen als eines durch Gottes Gerechtigkeit gesund und gesünder zu machenden Kranken. Insofern ist diese Kirche auch Gottes Werk und Kraft, Gottes neue Schöpfung, die durch den Glauben entsteht. In ihr lebt nicht ihre eigene, sondern Gottes Kraft: der Glaube (durch Christus und sein Wort) und sein Werk werden zur Voraussetzung für die Entstehung der Kirche[185]. Es handelt sich um ein objektiv heiliges Gebilde: Das christliche Volk

---

standhält. Das reicht bei dem unerschütterlichen Luther bis in das Gebiet der Wahrheit: Gott läßt die offizielle Kirche auch irren, damit das ihr immer wieder so naheliegende Vertrauen auf Menschen (statt auf sein Wort allein) zerbreche. — Hier stehen wir allerdings im ökumenischen Dialog an *dem* trennenden Gedanken. Luther hat es zwar ausgesprochen, daß die Kirche heilig ist, wo sie mit ihrem Heiland ist (WA 38, 216, 3), aber er hat daraus nicht die Schlußfolgerung gezogen, daß eben dann in diesem Bereich die Pforten der Hölle die Kirche *nie* überwinden werden, und nicht nur in einem dialektischen Auf und Ab nach dem Irrtum immer wieder Zeugen der Wahrheit erstehen werden (zu P. ALTHAUS, 196; als ich dies schrieb, lebte Althaus noch).

[181] WA 40/II, 560, 10; vgl. P. ALTHAUS, a.a.O., 292.
[182] *Von der Winkelmesse*, 1533, WA 38, 239, 28; vgl. meinen Beitrag in: Festschrift für W. v. Loewenich.
[183] WA 2, 497, 30—35, den näheren Sinn dieses ,nondum sine peccato' erläutert der Kontext: „ita spiritus iusti, iam per fidem sine peccato, nichil debens legi, corpus tamen habet adhuc sibi dissimile et rebelle, in quod operatur et exercet, ut ipsum quoque sine peccato, iustum ac sanctum sibi simile reddat".
[184] Vgl. WA 56, 272, 11 ff.; 275, 26 ff.
[185] WA 3, 532, 13—17; H. FAGERBERG, a.a.O., 118.

heißt heilig, weil es in der Kirche lebt. Etwas später (1521) wird Luther sie
‚das Hauptheiligtum' nennen, welches das Wort Gottes besitzt[186].

Die in der Einführung[187] zitierten Aussagen Luthers über die Kirche
als creatura verbi divini[188] und ihre Glieder, die Christen, die durch
das Wort in der Kirche zu neuem Leben geboren werden, führen
wieder zum Hauptstück dessen, was uns Luther über die Kirche sagte: zur
Kirche als dem Eingeleibtsein der Gläubigen in den Leib Christi[189].
Dieser Leib Christi, in dem „alles Leben ist" kann nicht den Tod in sich
tragen, wohl aber, wie gesagt, das Sündhafte auf sich nehmen, das ja mit
dem Gerechtsein besteht[190]. Heilig ist die Kirche allein in Christus ihrem
Heiland durch Gnade und Vergebung der Sünden; sie ist heilig und doch
auch Sünderin.

V. Einheit der Kirche

1. Dem Apostolischen Glaubensbekenntnis entsprechend gehört der
Artikel von der Einheit der Kirche zu Luthers selbstverständlichen Funda-
mentalüberzeugungen. Seine Ausführungen über die communio sanctorum,
die wir bedachten[191], liefern bereits eine wesentliche Begründung dafür.

a) In vielerlei Schattierungen erweist sich die communio sanctorum als
Schutz, ja als wesentlicher Ausdruck der Einheit der Kirche. Gegen Bedrohungen dieser Einheit reagiert Luther scharf. Auch deswegen (unter
anderem) also wendet er sich gegen die Bruderschaften; ja, daß er dem
Sakraments-Sermon die Abfuhr gegen diese Bruderschaften anfügt, enthüllt geradezu nochmals die Einheit der Kirche als Anliegen des ganzen
Sermons. Weil die verschiedenen ‚parteiischen' und ‚werklichen'[192].
Bruderschaften die umgreifende, gegenseitige, in Liebe verwirklichte Einverleibung durch sittliche und vor allem geistliche (auf Egoismus gründende[193]) Mängel zerstören, weil sie also die durch Taufe und Sakrament

---

[186] WA 50, 629, 3; *Gegen Ambrosius Catharinus Politus*, 1521, WA 7, 721, 15.

[187] Vgl. oben S. 951   [188] WA 2, 430, 6

[189] Vgl. den *Sakraments-Sermon*, 1519, WA 2, 742—758, wo dieser Ausdruck immer
wiederkehrt.

[190] Luther scheint sich nicht eindeutig weder für noch gegen die Deutung von Hus
entschieden zu haben, wonach die Kirche die Gesamtheit nur der Prädestinierten (auch
der hic et nunc sündhaft Lebenden) ist, obschon er am 19. 3. 1520 uneingeschränktes
Lob über Hus ausspricht: „. . . miraculo quoque est, tum spiritus, tum eruditio eius"
(Briefe 2, 72, 10 ff.); vgl. aber dazu die Predigt vom 18. Mai 1520 von Christus dem Haupt
nur der Guten! (WA 4, 715, 18 ff.); W. WAGNER, a.a.O., 55, 59, 66; vgl. oben I.

[191] Dazu über die zeitlich-sachliche Einheit der Kirche durch das Papsttum hindurch
bis zum reformatorischen Kirchenwesen oben S. 967.

[192] WA 2, 755, 35; 756, 27 f.

[193] Ihre Gnaden und Verdienste sollen ja nur den eingeschriebenen Mitgliedern zu-
gutekommen.

auferbaute Einheit des Leibes des Herrn, der Kirche, schädigen, deshalb sind sie abzutun oder zu reformieren: die communio sanctorum aus Taufe und Sakrament in Glaube und Liebe[194] ist die rechte, elementare („gründliche") allgemeine, die einige, innerliche, geistliche, wesentliche Bruderschaft[195].

Jedes Element der christlichen Verkündigung bezieht seinen Rang, seine Kraft aus der Beziehung zum uns erlösenden Herrn. Das ganze Werk des Herrn, soweit er es uns hinterlassen hat, ist in seiner Kirche zusammengefaßt (in welcher auch die Heilige Schrift verkündigt wird; das Verhältnis der Kirche zu ihr wird in den hier gedeuteten Sermonen nicht näher bestimmt). Ausschlaggebend für die Wirklichkeit ‚Kirche' ist also das Verhältnis, in dem sie zu Christus gesehen wird. Luthers analysierte Gedanken über die Kirche als Communio sanctorum (mit dem Herrn und *untereinander* ein Leib) geben die Dimensionen an. Weil der eine Herr ihr Haupt ist, kann die Kirche nur *ein* Leib sein.

Von diesen Überlegungen her ergibt sich auch, daß die Einheit der Kirche eine geistliche ist[196].

b) Die Einheit der Kirche ist auch die Einheit ihrer Lehre. Philosophische Ansichten über eine doppelte Wahrheit haben in Luthers Vorstellungswelt keinen Platz. Die Vorstellung von der Wahrheit — eine Vorstellung, die sich letztlich nur für die geoffenbarte, nicht für die philosophische Wirklichkeit interessiert — hat trotz Luthers dialektischer Denkstruktur, trotz seiner sich von den Dictata an äußernden Vorliebe für paradoxe Aussagen, ein eher primitives, unbedrohtes Verhältnis zur Einheit der naiv erfaßten Wahrheit.

Gewiß gibt es bei Luther die fundamentale Unterscheidung zwischen dem homo carnalis und spiritualis. Was der homo spiritualis erkennt, und also als wahr anerkennt, kann der homo carnalis gar nicht erreichen. Aber das hat nichts zu tun mit einer doppelten Wahrheit, sei es nach Art des Averroismus, sei es so, wie sie im Umkreis des Ockhamismus auftrat. Diese Grundkategorie zweier sich auf derselben Ebene äußernden und sich dort widersprechenden Wahrheiten, gibt es in der Sphäre des homo spiritualis, also im Raum der Offenbarung, nicht.

2. a) Das Maß der Kirche in Wahrheit und Lehre ist die Schrift; weil diese einheitlich klar ist[197] , kann sie nur *eine* sein. Und entsprechend

---

[194] WA 2, 757, 18.   [195] WA 2, 755, 34 und 37.

[196] Über das Zurücktreten des Institutionellen vgl. oben S. 974 f.

[197] Über diese ‚einhellige Klarheit' (zu der es eine Menge dialektischer Spannungen bei Luther gibt) vgl. etwa den 36. Psalm, einen christlichen Menschen zu lehren, 1521), ‚Die Heilige Schrift einhellig klar', WA 8, 236, 7 ff.

müssen Lehre und Predigt in allen Kirchen auf einem Sinn bleiben und mit einhelligem Lichte leuchten[198].

Doch bleibt eine Variationsbreite. Aus der scholastischen Tradition trug Luther die Lehrunterschiede als sehr beachtlich im Bewußtsein; er hebt den Tatbestand schon 1519/20 im Schreiben an die Böhmen als die Gesamtlage der päpstlichen Kirche kennzeichnend hervor[199], und wird ihn seinen päpstlichen Gegnern mehr als einmal vorhalten.

Als die theologische Auseinandersetzung (einschließlich ihrer sich anbahnenden praktischen Folgen) mit der römischen Kurie und mit der zu ihr haltenden Theologie im Entstehen war, war es natürlich, daß Luther die größtmögliche Freiheit innerhalb der damaligen „theologischen Unklarheit" für sich in Anspruch zu nehmen suchte. Die Vorstellung, daß über manche wichtige Punkte in der Kirche erst eine einheitliche Klärung herbeigeführt werden müßte, spielt in Luthers theologischen Äußerungen von früh an eine Rolle. Seit die Spannung zur geltenden Theologie Luther stärker bewußt wird, also seit dem Ablaßstreit und den großen Disputationen 1517, 1518 und 1519 wird das Motiv zu einem oft auftauchenden Topos in seinem Schrifttum. Bei ihm selbst war das Interesse ganz darauf gerichtet, das *Wesentliche* herauszuheben, die Hauptsache von den unwichtigen Dingen der Lehre und der Verfassung, die der Kirche im Laufe der Zeit zugewachsen waren, zu trennen. Eine der bedauerlichen Ursachen des sich zur Spaltung auswachsenden Ringens gegen Rom lag ja auch darin, daß man dort eben diese Unterscheidung, besonders etwa zwischen Geboten Gottes und Geboten der Kirche, ungenügend weit mitvollzog. Die Tatsache dieses Wucherungsprozesses sah und empfand Luther sehr klar. Ihm gegenüber kämpfte er für die Einheit des *Wesens* der Offenbarung.

c) Daß diese Einheit der Kirche und ihrer Lehre keinesfalls mit Mitteln der Gewalt erhalten werden soll, ergibt sich schon aus der Auffassung des Amtes als helfendem Dienst[200]. Als Luther sich im Sakrament-Sermon von 1519 mißdeutet glaubt, räumt er den Böhmen[201] ausdrücklich ein, daß

---

[198] *Hebräer-Vorlesung*, 1517/18, ‚— So sehr ist die Kirche in der Wahrheit eine, daß sie auch unter dem Papsttum trotz allem im wahren Glauben an Christus bewahrt wurde: „wie wol es alles schwechlich zugangen" (WA 57/III, 198, 5 ff.); sie ist unvergänglich und kann nicht irren: „Am Ende" hat sie Gott doch immer wieder „herausgerissen" (wie es sich zeigt an Bernhard, Gregor, Bonaventura und Zeugen des alten Testamentes). Das hat Luther besonders scharf später in der ‚Winkelmesse' betont (WA 38, 221, 31—36; 220, 14 f.); „Drum ist hier gewißlich Christus bei den seinen gewest mit seinem heiligen Geist, und hat in ihnen den christlichen Glauben erhalten." (ebd. 221, 33 f.).

[199] *Erläuterungen zum Sermon von dem hl. Sakrament*, WA 6, 78 ff.; vgl. unten S. 983.

[200] Vgl. oben S. 972.

[201] Die Atmosphäre im Gespräch mit ihnen ist in kennzeichnender Weise freundlich, in recht starkem Unterschied zu dem Tonfall, den Luther gegenüber der römischen Kurie

ihnen, soweit sie als Utraquisten die reale Gegenwart anerkennen, kein kirchentrennendes Schisma zur Last falle, sondern daß sie nur eine Sonderart darstellten, deren es „auch auf unserer Seite mehr denn in 100 Stücken" gebe, ja, daß „gar fast eitel Schismata unter uns leider herrschen"[202]. Wichtiger als das Rechthaben (in der Einheit) sei, daß die *Liebe* auf unserer (der päpstlichen) Seite mehr suche „der Bemen seligkeit dann ihr eigen gewalt und herrschaft"; wiederum sollten die Böhmen ihrerseits mehr folgen der Einigkeit, denn obschon die Freiheit beider Gestalt gemäß dem Evangelium gegeben sei, „so seyn sie doch *mehr schuldig der eynigkeit*, wilch des sacraments bedeutung ist[203]."

Wo die Unsichtbarkeit der Kirche so beschrieben wird, daß keine Person (Papst) und kein Ort (Rom) für sie konstitutiv sein könne, stoßen wir an die Grenzen von Luthers Katholizismus[204]. Aber hiervon abgesehen sind Luthers Grundgedanken über die ‚Unsichtbarkeit' der Kirche ebensogut neutestamentlich wie katholisch; als Luther sie erstmals vortrug, ergaben sich nur deshalb Schwierigkeiten, weil die zeitgenössische katholische Theologie zum großen Teil ungenügend war. Z. B. war die These, daß es im ganz eigentlichen Sinn im Neuen Bund nur *einen* Priester gibt, beinahe vergessen (Ausnahmen: Schatzgeyer und Cajetan); dem Papst wurde ein schier grenzenloses Erhobensein über alles Kirchenrecht zugeschrieben[205]. Solche skandalösen Übertreibungen einer auch noch politisch oder wirtschaftlich mißverstandenen hierarchischen potestas wirkten sich in der Seelsorge einfach zerstörend aus. Sie standen daher bereits am Anfang des äußeren Kampfes Luthers, sie lieferten ihm aber beim Fortschreiten

---

und deren Werkerei wählt, wo entschieden ein affektiver Antikomplex deutlich hervortritt. Ein direkter Einfluß von Hus kommt für unsere Zeit noch nicht in Frage, da dessen ‚De ecclesia' erst am 3. Oktober 1519 in Luthers Händen ist (also nach dem Tesseradekas), Briefe 1, 514, 27. Wiklifs ‚Trialogus' wurde erstmalig 1525 in Basel gedruckt. — Luther steht, wie schon seit den Dictata, voll in der katholischen Tradition, besonders lernt er aus Augustin (vor allem für die Erklärung der Psalmen); vgl. E. ISERLOH, *Sacramentum et exemplum*, in: Festgabe für Hubert Jedin, I, S. 248; das Wichtigste bleibt seine überragende geistige Selbständigkeit; sie schließt eine bloße äußere Übernahme aus.

[202] *Verklärung des Sakraments-Sermons*, 1520, WA 6, 81, 14—82, 4.

[203] Weiter heißt es: „Widderumb, ob *wir* woll die gewalt und den hauffen haben, so seyn wir doch der *lib mehr schuldig* . . . Man muß nit alles tun, was *wir* macht haben, sondern was die lib des nechsten foddert . . . den mantel faren lassen zu dem rock, nach laut des Evangelii; und ists sund, dass die grossen heupter nit trachten solchs zu vortragen freuntlich." (WA 6, 81, 17 ff.).

[204] Womit noch keineswegs Luthers konditionale Vorstellung von einem das Evangelium der Rechtfertigung verkündenden Papst erledigt ist, vgl. J. LORTZ, *Martin Luther*, Grundzüge seiner geistigen Struktur, in: Festgabe für Hubert Jedin, I, S. 245.

[205] Die frühe Wurzel findet sich bei Innozenz III.: „. . . minor Deo sed maior homine." (Sermo in Consecratione Pontificis Maximi, PL 217, 658 A) — Luther polemisiert 1521 dagegen, daß der Papst über die Schrift gestellt werde, „quasi sit Deus" (W 7, 741, 36).

stets materielle Argumente gegen die sichtbare Hierarchie. Allmählich hat Luther seine korrekte Trennung von Substanz und abusus[206] vergessen oder nicht mehr zu realisieren vermocht. Offensichtlich hat er auf die kurialen Übertreibungen auch übertreibend reagiert[207]. Luther konnte nicht mit Recht behaupten, die katholische Kirche bzw. die Theologen und Kanonisten ließen keine Unterscheidung und Trennung zwischen Christus und dem Papst zu[208]. Auf dieser schlicht unglaublichen Aussage aber ruht letztlich Luthers Gleichsetzung von Papst und Antichrist. Diese Aussage und Gleichsetzung liegen aber auch der entscheidenden Absage Luthers an das Papsttum in seinem ‚Testament‘, nämlich den Schmalkaldischen Artikeln, zugrunde[209]. Bei der Abschätzung der Möglichkeiten eines ökumenischen Gesprächs kann man dies sachgemäß nicht außer acht lassen.

Luther wurde von der katholischen Kirche exkommuniziert; sie weigerte sich, seine Formulierungen anzunehmen. Abgesehen von wenigen Ausnahmen — etwa Emser, Schatzgeyer, Cajetan, Gropper, der vermittelnde katholische Evangelismus in Frankreich[210] — ging sie nicht mit dem pflichtgemäßen Ernst auf Luthers religiöses Anliegen ein; insofern hat sie den Reformator aus ihrer Gemeinschaft hinausgedrängt. Da und soweit es sich hier um zentral christliche Thesen handelt, ist die Schuld der römischen Kirche besonders groß.

Aber dies ist nur die eine Seite des Ganzen. Luther kennt auch die Selbstabtrennung von der Kirche. Der Begriff des haereticus ist ihm geläufig, er wendet ihn oft an. Unmittelbarer seiner Lage angepaßt sind aber ein paar wichtige und betonte Sätze von 1519: zunächst hatte er bewiesen, daß er bei den Lehren der Kirche — gute Werke, Fegfeuer, Ablaß — bleibe; dann sagt er, es könne überhaupt keinen Grund zur Trennung geben[211]. Gedanken, die er leider nicht durchgehalten hat.

---

[206] Vgl. oben S. 979.

[207] Vgl. etwa Aussprüche in den Tischreden: TR 4, 305, 19 ff. (Nr. 4421); TR 5, 460, 6 (Nr. 6048); TR 6, 231, 15 ff. (Nr. 6846).

[208] „E Papa et Christus unum fecerunt garrientes, e Papa et Christum mixtum esse unum illum hominem, nec separandum esse Christum a Papa" (WA 7, 742, 4—6).

[209] „Darum, so wenig wir den Teufel selbst als einen Herrn . . . anbeten können, so wenig können wir auch seinen Apostel, den Papst oder Antichrist . . . zum Haupt oder Herrn leiden" (WA 50, 219, 13 ff.).

[210] Auf diesem fußen so wichtige und wirksame Persönlichkeiten wie Seripando, Cervini und Reginald Pole, denen z. B. die fruchtbare Fassung des Dekrets ‚De justificatione‘ des Tridentinums zu einem guten Teil zu danken ist.

[211] *Kurzer Unterricht an seine Abgönner*, 1519, Abschnitt von der römischen Kirche: „Ob nu leyder es zu Rom also steht, das wohl besser tuchte, ßo ist doch die und keyn ursach ßo groß noch wer den mag, das man sich von der selben kirchen reyßen adder scheydenn soll. Ja yhe übeler es do zugeht, yhe mehr man zulauffen und anhangen soll, dann durch abreyßen adder vorachten wirt es nit besser . . . Ja umb keynerley sund adder übel, das

Schluß

Wir stehen hier vor einer jener menschlichen Grundentscheidungen schicksalhaften Ausmaßes, die selten oder nie eine eindeutige „Antwort" zulassen, weil sie von vielerlei historischen Auflagen belastet sind. Jedenfalls hat hier ein Urteil über persönliche Schuld zu unterbleiben.

Luther wurde zwar exkommuniziert; er hat sich aber auch in handfester Gegnerschaft, auch haßerfüllt, in scharfen Absagen an das Lehrgut von der römischen Kirche getrennt. Aber an seinem Willen, nichts als Gottes Wahrheit zu verkündigen, ist nicht zu zweifeln.

Daher stellt sich uns Luthers langwieriger und von ihm schmerzhaft erlebte Prozeß der inneren Loslösung von „Rom" unter einem doppelten Aspekt dar: in Formulierungen seiner Verkündigung und in denkbar scharfen Verurteilungen von Elementen der Überlieferung wird eine radikale Trennung vom Papsttum, seinem Kirchenwesen und von den damals einflußreichsten Formen seiner Lehrverkündigung faßbar, während andererseits Luther immer bemüht bleibt, die völlige Autorisierung seiner Predigt durch die Bibel und die bibelnahe Überlieferung der Kirche sowie die Glaubenskontinuität seiner Gemeinden zur Urkirche hin festzuhalten. Trotz Luthers stupender geistig-seelischer Unabhängigkeit, auch entgegen der Fülle von mehr als massiven späteren Absagen an das Papsttum, wurde doch das Band zur alten Kirche, zu ihrer Wahrheit, von ihm nie *ganz* zerschnitten[212]. Für die hier betrachtete Zeit der entscheidenden Entwicklung ist es deshalb verständlich, daß Luther sich auch hin- und hergezerrt fühlt. Dieses Bangen und Ringen äußert sich in einer nicht eindeutigen Terminologie und in gewissen Akzentschwankungen.

Aber auch der spätere Luther kennt in der Verkündigung nicht unbeträchtliche Schwankungen. Manches weist sogar über Luthers Positionen noch hinaus: in der Grundlehre von der Schrift allein und dem Uranliegen der persönlichen Heilsgewißheit liegen Ansätze, die mit innerer Konsequenz zu dem führten, was wir den liberalen Protestantismus nennen. Diese

---

man gedenken ader nennen mag, die lieb zurtrennen, und die geystliche eynigkeyt teylen, dann die lieb vormag alle ding und der eynigkeyt ist nichts zu schwer ... alleyn der eynigkeyt soln wir acht nehmen". (WA 2, 72, 35—73, 3. 15) Der Unterschied zur inneren Stimmung in der bald folgenden triebhaften antipäpstlichen Kritik ist offenkundig. Vgl. etwa die Maßstäbe in ‚De captivitate': „Ergo pene dirumpor, cogitans has impiissimas hominum temeratissimorum tyrannides ... (WA 6, 566, 23 f.).

[212] Für Luthers innere Unabhängigkeit vgl. folgende Äußerung von 1539: seine eigenen Werke sollten kein Hindernis beim Studium der Schrift sein, man solle sie nehmen, wie Luther die Dekrete und Dekretalen der Päpste nehme: „Nicht das ich darinne studieren oder eben so darnach thun müßte, was sie gedaucht hat, *Nicht viel anders tu ich mit der Veter und Concilien Bücher auch.*" (WA 50, 658, 14 ff.).

Entwicklung wurde möglich, weil Luther zu wenig eindeutig festgelegt hat, wo und wann ,Kirche' realisiert sei und weil er — sein Urmangel — ein lebendiges Lehramt der Kirche weder ausreichend betont noch genau genug umschrieben hat.

Dennoch, daß die christliche Existenz und Botschaft wesentlich an die Kirche Jesu Christi gebunden sei, daß also christliches Sein ein *kirchliches* sei und sein müsse, hat Luther mit aller Klarheit konsequent gelehrt. Luthers christlicher Glaube ist kirchlich begründet und geprägt.

WERT UND GRENZEN DER KATHOLISCHEN KONTROVERSTHEOLOGIE IN DER ERSTEN HÄLFTE DES 16. JAHRHUNDERTS*

von Joseph Lortz

Magnifizenz, Herr Präsident, Herr Generalvikar, liebe Freunde, meine Herren Kollegen, meine Damen und Herren!

Diesen Vortrag darf ich nicht beginnen, ohne wenigstens mit einem Satze dem Herrn Vorsitzenden der Gesellschaft, der im Namen von Ihnen allen gesprochen hat, für die Glückwünsche ganz herzlich zu danken. Ich bitte Gott, den Herrrn der Zeit, daß er seine und Ihre Wünsche segnen möge.

1. Der Vortrag ist als ein Festvortrag angekündigt. Festlich an ihm, meine Damen und Herren, ist die erlauchte Gesellschaft, vor der ich reden darf, die Herren Kollegen nachdrücklich mit eingeschlossen. Festlich ist auch der Anlaß, das Jubiläum, das wir gefeiert haben, dessen soeben gedacht wurde und das nun auch mir Gelegenheit gibt, mit Dank unseres Gründers Joseph Greving zu gedenken, der mich vor nunmehr 50 Jahren auf Vorschlag meines unvergeßlichen Freundes Fritz Tillmann zur Mitarbeit am Corpus Catholicorum heranzog. Der Name Joseph Grevings, des bescheidenen, unermüdlichen Mannes und bedeutenden Organisators reformationsgeschichtlichen Forschens, wird durch die von ihm geschaffenen Publikationsreihen der RST, des CC und des angeschlossenen KLK noch lange Zeit mit hoher Anerkennung dankbar genannt werden.

2. Ehe wir das eigentliche Thema angehen, ist es unerläßlich, daß wir uns die Kräfte ins Bewußtsein rufen, mit denen sich die katholische Kontroverstheologie des 16. Jahrhunderts auseinanderzusetzen hatte: die Reformation und Luther; und zwar beide in ihrer Wirklichkeit so, wie uns die Forschung sie heute allmählich sehen lehrt, nicht so, wie damals die Streiter für die Kirche sie betrachteten. H. Jedin hat dies bereits 1931 gefordert. Erst wenn wir diese Wirklichkeit sehen, wird sich die Analyse der Arbeit unserer Theologen nicht nur exakt, sondern auch fruchtbar leisten lassen. Denn gerade dies ist ja eine Zentralfrage,

---

* Im folgenden bringe ich nur den Text des Vortrages, wie er seinerzeit gehalten wurde. Weitere Ausführungen mitsamt den Belegen und vielleicht einigen Skizzen über führende Gestalten werden an anderer Stelle veröffentlicht.

vor die wir uns gestellt sehen, ob jene Theologen die Wirklichkeit, um die es ging, recht erkannt haben oder nicht.

I. Daher zunächst also zur Reformation!

1. Man kann von ihr schlechterdings nicht reden, ohne das ewige Thema der kirchlichen Mißstände anzuschneiden. Ich weiß sehr wohl, man ist des Themas heute etwas überdrüssig geworden. Es handelt sich aber bei diesem Komplex nicht um etliche Schönheitsfehler an der damaligen Kirche, auch nicht um tiefgreifende religiös-sittliche Zersetzungserscheinungen bei den Gläubigen oder dem niederen Klerus, auch das magisterium ordinarium, also die Kirche in einer sehr großen Weite und Tiefe gefaßt, war schwer belastet. Kein Geringerer als Contarini meinte 1530: Anfang und Ende aller Klagen der Lutheraner sei „abusuum multitudo“; und deren Zersetzungskraft schätzt er so ein, daß er bekennt: Die Kirche wankt darob in ihren Grundfesten, und dies, weil die Vorsteher der Kirche die an ihnen fällige Selbstreform nicht vollziehen. Bitte, es war Contarini, der so sprach; auch der Augustiner Johannes Hoffmeister spricht 1539 mit einer eigentlich erschütternden Offenheit von der kirchlichen Krankheit der Zeit. Er prangert sogar „unsere schändliche Lehr“ an und daß die Katholiken so tun, als ob Christus unser Gefangener sein solle und alles tun müsse, was wir wollen. Überflüssig, diesen beiden als Exempel herausgegriffenen Belegen weitere aus der Fülle hinzuzufügen!

2. Das Kommen der Reformation und sie selbst sind ein *rätselhaftes* Geschehen.

Reform war damals ein weitverbreitetes Stichwort für vielerlei und keineswegs nur für Kirchenfeindliches. Neben den Ordensreformen und innerkirchlichen Reformvorschlägen gab es die multivalenten geistig-kulturellen Reformtendenzen des Humanismus. Viele Reformfreudige gingen zunächst mit Luther, ohne von seinen dogmatischen Positionen eine einigermaßen genügende Kenntnis zu haben. Die radikalen Thesen in *De captivitate* von 1520 oder in Worms 1521, ja auch *De servo arbitrio* von 1525 empfanden längst nicht alle als einfach unkatholisch. Der große Gropper ist dafür ein eindrucksvolles Beispiel.

Wie unklar war doch damals die Größe „Kirche“ geworden, nach Avignon, dem Schisma, den Reformkonzilien und der widersprüchlichen Vielfalt theologischer Thesen, die sie schufen und die sie begleiteten oder die aus ihnen hervorwuchsen. Denn bei allen Analysen des damaligen kirchlichen Geschehens und Seins muß man ja leider immer auch jene vieles umgreifende Ursache mit einbeziehen, die so oft eine klare Stellungnahme erschwerte, die nie genug zu beklagende, weit verbreitete und tiefgreifende theologische Unklarheit, selbst in Grundfragen des Glaubens, wie auch Jedin es erst ganz kürzlich formulierte.

Sie verstehen, worum es mir hier geht. Ich möchte zunächst ins Bewußtsein heben, wie das, was wir heute im präzisen Sinne „Reformation" nennen, nur langsam aus dem verworrenen Vielerlei und Durcheinander der Zeit als Bruch mit der Kirche sich heraushob. Gewiß, die Reformation war ein stürmischer Aufbruch, dennoch wuchs sie und wurde sie auch wiederum nur langsam. Witzel hat das sehr stark empfunden.

3. Die Reformation war ein schwerer *Angriff* gegen die Kirche, eine radikale Fortsetzung und Steigerung jener in der Kirche selbst seit langem üblich gewordenen Kritik, für die es überhaupt kaum noch Grenzen zu geben schien. Aber sie war auch, und sogar zunächst, vor allem etwas ganz anderes, nämlich Verkündigung und Anruf. Bei Luther ist das mit Händen zu greifen, sowohl beim vorreformatorischen Mönch und in den frühen exegetischen Vorlesungen als auch in den Ablaßthesen, in den zahlreichen Predigten, in herrlichen Traktaten des Jahres 1519/1520, vielfältig auch in den sogenannten Reformationsschriften von 1520. Sicherlich zwar erfolgte dieser sein Anruf an die Kirche in Form einer schärfstens angreifenden, später sogar radikalen, manchmal ausschließlich werdenden Kritik, und in diesem Kampfe entfremdete er sich der Kirche immer mehr und mehr. Dennoch vergaß er auch ihr gegenüber sein Leben lang sein seelsorgliches Anliegen nicht. Noch 1531 erklärt er: „Wir wollen Euer Evangelium nicht aufheben, sondern dasselbe läutern und polieren als einen Spiegel, der verfinstert und verdorben ist."

4. Was aber ist in dieser lutherischen Reformation nun eigentlich „reformatorisch"? Tatsächlich wurde der Terminus „reformatorisch" oder das, was ihn umschrieb, spätestens seit 1555 so gut wie allgemein auf evangelischer wie katholischer Seite als gleichbedeutend mit glaubens- und dann kirchentrennend gebraucht, trennend nämlich von der Papstkirche. Aber eben das Recht dieses klaren Gegensatzes ist uns heute fragwürdig geworden. Daß jedenfalls solche Deutung dem historischen Bestand der ersten Hälfte des 16. Jahrhunderts nicht umfassend und exakt entspricht, ergibt sich ohne weiteres aus der Tatsache, daß auch der „reformatorische" Luther zweifelsohne viel Gutkatholisches gelehrt hat. Die zu oft gehörte Auskunft, der ganze Luther, bzw. die eigentliche Reformation, sei eben doch von der mittelalterlichen Kirche radikal getrennt, ist eine unpräzise Antwort, die unsere Frage nicht entscheidet.

Auch wenn wir die evangelische Christenheit nach dem „Reformatorischen" befragen, wird uns eine einheitliche Begriffsbestimmung nicht angeboten. Die Tagung des Lutherischen Weltbundes in Helsinki 1963 kennzeichnet die Lage: Luther hatte sein Leben lang die Rechtfertigung aus dem Glauben allein, in Christus uns Sündern geschenkt, als den einen Artikel erklärt, an dem alles hängt. Aber

auf jener Zusammenkunft in Helsinki, die jahrelang durch eine besondere theologische Kommission vorbereitet wurde, war man nach
14 tägiger intensiver Beratung nicht imstande, eine verbindliche
Definition auch nur der Rechtfertigung vorzulegen. Das „Reformatorische" hat eben viele Wurzeln, Schichten und Ziele. Es ist auch
vielfältig mit dem alten Kirchenwesen verwachsen geblieben und
ebensowenig als eine glatt definierbare und gleichbleibende Einheit
zu verstehen, wie etwa Luthers Entwicklung als eine kontinuierliche,
eingleisige und einheitliche zu betrachten wäre. Die Forschung scheint
dies zwar immer noch und, wie ich finde, einigermaßen naiv vorauszusetzen; das gilt auch von seiner so schwankenden Terminologie, die
einerseits so stiefmütterlich behandelt und andererseits absolut überfordert wird, gleichsam wie wenn jedes Wort von ihm gestochen und
auf der Goldwaage gewogen worden wäre, was sicher keineswegs der
Fall war.

5. Nun zweitens zu Luther. Auch für ihn trifft das über die Reformation Gesagte einigermaßen zu: Es war für die Katholiken der
ersten Jahrzehnte des 16. Jahrhunderts viel schwerer, Luther richtig
einzuschätzen, als für uns heute. Die Geschichte hatte ihm seinen Sieg
noch nicht bestätigt. Der Bruch mit der alten Kirche war noch jahr-
zehntelang keine rechtliche Wirklichkeit und noch viel weniger in das
allgemeine Bewußtsein getreten. Um dies etwas auszuführen, müßte
an dieser Stelle jetzt eigentlich Luthers Persönlichkeit und Größe ein
wenig näher bestimmt werden. Da es die uns zur Verfügung stehende
Zeit jedoch nicht erlaubt, darf ich Ihnen nur zwei Sätze als Thesen
zitieren.

a) Die nun schon so oft gebrauchte und von manchen etwas verächtlich zur Seite geschobene Formel vom *homo religiosus* sagt meines
Erachtens immer noch die eigentliche Tiefendimension Luthers gültig
aus. Sobald man sie nur wesenhaft im Sinne des ersten Gebotes und
der theologia crucis nimmt.

b) Die andere Formel vom *katholischen* Luther ist keineswegs „nicht
mehr verwertbar", wie Albert Brandenburg kürzlich souverän dekre-
tierte; wir sind vielmehr erst dabei, sie richtig auszufüllen, und wir
hoffen bis zum Rande. Luther war katholischer als wir wußten und
als der große Teil der evangelischen Forschung es weiß.

II. Jetzt zum Schluß dieser Einleitung ist noch die
Beziehung des Themas zu unserem Heute
herauszuheben:

1. Selbstverständlich behält die rein wissenschaftliche Frage nach
dem Platz der katholischen Kontroverstheologen des 16. Jahrhunderts
in der Geschichte der Theologie ihre Bedeutung, z. B. für die Dar-

stellung der sich damals anbahnenden theologischen Methodenlehre, für die Jedin in seinem „Pigge" so Wichtiges vorgelegt hat, oder für die Entwicklung grundlegender theologischer Begriffe. Dazu wäre noch vieles zu sagen. Aber nicht dies ist es, was mich am Thema *Heute* hier eigentlich interessiert. Ich wiederhole vielmehr meine alte These, die ich ebenfalls nicht als überholt, sondern in steigendem Maße als bedrängend empfinde, nämlich, daß wir die Aufgabe, die der Reformation gestellt war und deren Lösung ihr nicht gelang, nämlich ein gereinigtes Christentum in *einer* Kirche darzustellen, für unseren Teil mit unseren wissenschaftlichen Mitteln etwas voranbringen. Zu solcher ökumenisch ausgerichteten Arbeit kann uns auch eine Analyse der Kontroverstheologie des 16. Jahrhunderts helfen. Ob allerdings durch ihr Vorbild oder aber durch ihre Mängel, beziehungsweise durch die Erkenntnis der von ihr verpaßten Gelegenheiten, das wird sich zeigen.

2. Wenn wir über die Besonderheiten des Falles Reformation und über die kontroverstheologischen Arbeiten im 16. Jahrhundert hinaus durchzustoßen versuchen zu einer grundsätzlichen Beurteilung der Ereignisse im Lichte des Neuen Testamentes, treffen wir auf ein Grundproblem der als Theologie betriebenen Kirchengeschichte: Wie soll in der Kirche das von ihren Richtlinien Abweichende behandelt werden? Ist es einfach richterlich abzulehnen, ist das Anathem das Wichtigste zur Reinerhaltung und zur Erfüllung der Verkündigung oder soll und muß die Kirche zunächst Verständnis zeigen, d. h. Seelen suchen oder auch sich selber fragen lassen. Die Antwort, die uns die Kirchengeschichte gibt, ist – wie wir alle wissen – nicht einheitlich; aber Sie sind darüber so unterrichtet, daß ich auf die Entwicklung nicht einzugehen brauche. Indes mit dem Auftreten Luthers stellte sich das alte Problem in neuer und diesmal schicksalhafter Wucht. Würde die offizielle Kirche und würden die für sie kämpfenden Theologen nach dem christlichen Anliegen der aus ihrem Schoß Geborenen und nun Protestierenden wenigstens fragen? Es war in der Tat eine Schicksalsfrage. Sie läßt sich zu der Formulierung verdichten: War die Antwort der katholischen Verteidiger – eben jener Männer, denen unsere Reihen der RST, CC und KLK gewidmet sind – gemessen an der Bibel, an der Liturgie und am Lehramt, genügend *katholisch*?

3. Dieses Problem eines katholischen Verständnisses für das reformatorische Christentum stellt sich uns seit jüngster Zeit in wesentlich veränderter Gestalt. Nicht nur mehr einzelne katholische Wissenschaftler, die katholische Kirche als solche, steht der Reformation anders gegenüber, als das im 16. Jahrhundert und seither der Fall war. Von kleineren Schwankungen abgesehen, war das Verhalten bis vor kurzem klar gekennzeichnet als das Gegenüber von katholischer Wahrheit einerseits, der reformatorischen Häresie und dem

Häretiker Luther andererseits. Dieses Feindverhältnis war der Untergrund aller katholischen Beurteilungen der Reformation. Von diesem mehr oder weniger selbstverständlichen Verhältnis gingen auch die Studien unserer Reihen über die Kontroverstheologie des 16. Jahrhunderts aus. Seit der *Constitutio de oecumenismo* vom Vaticanum II sieht aber die katholische Kirche nicht mehr Häresie und Häretiker als ihr Gegenüber – der Ausdruck Häretiker fällt gar nicht mehr– sondern wir haben getrennte Brüder vor uns, deren Gemeinschaften als christliche Kirchen angesprochen werden, in denen der Hl. Geist heilschaffend tätig war und ist und die unter seiner Leitung christliches Erbe bewahrt und in einer eigentümlich wertvollen Art ausgebaut haben: „Der Hl. Geist, heilwirkend in den reformatorischen Kirchen und Gemeinschaften tätig." Eine gegenüber den vergangenen vier Jahrhunderten völlig neue Stellungnahme, eine Umwälzung! Was fangen wir jetzt mit all den Ausführungen an, die wir noch werden besprechen müssen, in denen die für die katholische Kirche streitenden Theologen des 16. Jahrhunderts ihre Gegner selbstverständlich Häretiker, Satanskinder und Verführer nennen, sie als solche behandeln und ihnen ausdrücklich sogar gelegentlich den Namen Christen verweigern? Welchen Wert werden wir ihren theologischen Schlußfolgerungen zubilligen, die auf der Basis solcher Grundüberzeugungen aufgebaut sind?

Und näher auf uns hier zum Jubiläum des Corpus Catholicorum Versammelte angewandt: Welcher theologische und befruchtende Sinn verbleibt unseren wissenschaftlichen Reihen, vom rein Tatsächlichen des Gewesenen und der theologiegeschichtlichen Entwicklung abgesehen? Ich denke, das sind bedrängende Feststellungen und Fragen, deren Tragweite wir noch längst nicht bewältigt haben, und ich glaube, gewisse Äußerungen des Konzils reichen weiter, als vielleicht auch die Konzilsväter erkannt haben.

III. Ich komme jetzt zum Hauptteil des Themas

1. Die Ausgangssituation der Kontroverse war für die Katholiken ausgesprochen ungünstig. Die vorhin besprochene Undurchsichtigkeit der Lage und das Überraschungsmoment, das immer den Angreifer begünstigt, wirkten zusammen. Auch gab es keine im strengen Sinn einheitliche Front der Verteidiger der alten Kirche. Weder waren die Thesen und die für sie beigebrachten Beweise genügend einheitlich, noch war die literarische Abwehraktion koordiniert. Die Verteidiger hegten auch nicht nur Sympathie füreinander. Neben den lobenden Titeln, die sie sich gegenseitig in humanistischer Manier in Vorreden und Briefen reichlich aussprachen, gab es auch unfreundliche Gegensätze.

Chronologisch können wir in der kontroverstheologischen Arbeit in der ersten Hälfte des 16. Jahrhunderts zwei Perioden unterscheiden, die allerdings seit Ende der zwanziger Jahre vielfach ineinander übergingen. Das Signum der ersten Periode war eine vordergründige, weder zusammen- und umfassende noch innerlich bewältigende Methode. Seit dem Ende der zwanziger Jahre gewinnt ein Teil der Arbeiten an selbständigem Wert. Gegenüber der bisherigen Starre – nennen wir als Repräsentanten Eck – wird sie durch teilweise größere geistige Weite gekennzeichnet. Für die weitere Öffentlichkeit wird sie unzweideutig präsent und wirksam im Kölner Gropper durch seine kirchenpolitische und seine theologische Arbeit.

2. Jetzt müßte ich an diesem Punkte eine zusammenfassende, einigermaßen eingehende Darstellung des Kampfes und natürlich die einzelnen Sachthemen angeben, um die gerungen wurde, damit eine gründliche Analyse und Bewertung der Unterscheidungslehren möglich würde: Kirche, Schrift, Tradition, Primat, Autorität der Konzilien, Sakramente, Mönchtum, Messe; aber dieses große Thema würde den Rahmen hier vollkommen sprengen. Andererseits erlaubt es auch der Bestand nicht, aus der Masse des Umstrittenen mit eindeutiger Sicherheit *ein* Thema herauszuheben, das als die Mitte des Kampfes gelten könnte. Zwar gibt es Ansätze zu einer grundsätzlichen Zusammenfassung. Hoffmeister z. B. verlegt den ganzen Unterschied in die zwei Worte „licet", „es ist erlaubt", beim Papsttum und „oportet", „es muß so sein", beim Luthertum; aber das ist, scheint mir, eher eine methodische Improvisation, die sympathisch klingt, die aber weder historisch noch dogmatisch weiterführt. Jedoch gibt es im weiten Gebiet der damaligen katholischen Frömmigkeit ein Herzstück, die Messe. Von der verderblichen Art des damaligen Meßbetriebs, seiner unmäßigen Multiplizierung, seiner oft kraß pelagianisierenden Veräußerlichung wissen wir alle. Aber wie reagierten die Theologen, als Luther mit dem Angriff auf die Messe einen entscheidenden Schritt tat? Iserloh sieht in seiner hervorragenden Arbeit in unseren RST 73/74 eine bereits kennzeichnende Tatsache der katholisch-theologischen Arbeit darin, daß diese Polemik Luthers wider die Messe in den Anfangsjahren nicht genügend beachtet wurde. Zwar beginnen in den Jahren 1522–1526 einige Katholiken hier schärfer zu sehen: Murner, Cochläus, Emser, Schatzgeyer, Mensing und endlich Eck; aber ohne daß das Thema „Messe" die Kontroverse zentral beherrscht hätte. Denn daß allmählich, auch weiter steigernd, eine Reihe von Kontroverstheologen mit Bischof Fabri den Kampf um die Messe als Angelpunkt, um den sich alles drehe, nannte, beweist noch nicht, daß sie die theologische und religiöse Tragweite des Problems erkannt und noch weniger, daß sie die Kraft zu einer Bewältigung aufgebracht hätten.

Es gibt allerdings Cajetan; und wir haben auch Schatzgeyer, bei dem Luthers Anliegen durchaus in die positiv und zusammenhängend dargestellte katholische Lehre von der Messe aufgenommen ist: Nämlich der eine, einzige Priester im Neuen Testament ist Christus; der menschliche Priester opfert nur, insofern er als Glied des Corpus Christi Mysticum an Christus teilhat; in keiner Weise bietet er Gott etwas von dem Seinen an. Leider blieb solche Auffassung, außer einigen weiteren tröstlichen Ansätzen, allein. Sie gewann keinen Einfluß, weder auf die verderbliche Praxis noch auf die allgemein vorgetragene Theorie. Vielmehr, ich zitiere Iserloh: „Die Messe im Papsttum erschien als ein Werk von endlichem Wert, das gerade deshalb so oft wie nur möglich wiederholt werden mußte. Der Opferer war der menschliche Priester; also brachte er Gott eine Gabe, seinen Sohn, dar".

IV. Wir tun nun einen weiteren Schritt und suchen etwas näher an das Denken und Argumentieren unserer Theologen heranzukommen.

Wir fragen nach ihren geistigen und religiösen Grundhaltungen.

1. Worauf waren sie eigentlich ausgerichtet? Welches waren ihre Ziele, evtl. ihre Hoffnungen? Was betrachteten sie als ihre Aufgabe, und welches hätte, an dem christlich-kirchlichen Verkündigungsauftrag gemessen, ihre Aufgabe sein sollen? Wir alle wissen, wie oft in dem einen oder anderen Zusammenhang über diese Dinge schon geredet wurde. Es kann also nicht ausbleiben, daß ich Ihnen längst schon Bekanntes wiederhole. Es geht um elementare, ziemlich offen vor Augen liegende Eigenarten des Denkens und Argumentierens, für die nach neuen Worten zu suchen wenig Sinn hätte. Es handelt sich aber auch um grundlegende Fragen nach der Stellung unserer Theologen zu Luther und der Reformation, die wir uns ins Gedächtnis zurückrufen müssen.

Was war geschehen? Ein gelehrter Mönch hatte Kampfthesen veröffentlicht und zu einer Disputation aufgefordert. Was war anders zu tun, als zu disputieren, wenn nicht mündlich, dann schriftlich; und also schrieb man polemische Traktate. Das war ebenso altbekannte Übung, wie zweckmäßig und nötig. Dies umsomehr als es bei den Aufstellungen Luthers wenigstens sehr bald um Grundfragen des christlichen Glaubens, also um unserer Seelen Seligkeit ging. Da war es im Einzelfall sogar wichtig, wenn ein Mann wie Bartholomäus Latomus aus sachgerechterem Verstehen des Bibeltextes, dem Reformator, der sich für seine Behauptung, die ganze Menschheit sei verderbt, auf Isaias 64,5 berufen hatte, mit gutem Recht widersprechen konnte.

Von Detailfragen dieser Art ist die weite theologische Diskussion zwischen Luther und seinen Gegnern voll. Gerechterweise muß die an den katholischen Theologen von Luther geübte Kritik von Fall zu Fall auf ihre Berechtigung geprüft werden. Auch wenn durch eventuelle Korrekturen sich am Gesamtbild nicht viel ändern würde, geht es doch nicht an, wie es weithin in den Weimarana und besonders in den Anmerkungen der deutschen Lutherübersetzungen geschieht, daß Luthers Darlegungen von vornherein auch im Detail zu Recht bestehend angenommen werden. Aber eben dies, meine Damen und Herren, dieses an sich so wichtige theologische Detail ist nicht das Ganze und ist nicht das Wichtigste. Schon mit Luthers Ablaßthesen war ein Unerwartetes in die seit langem geübte Kritik an der Kirche eingetreten: Durch den immanenten Trend auf eine scharfe Beschneidung der kirchlichen Potestas – ein Trend, den Eck richtig witterte – vor allem dadurch, daß Luther mit divinatorischer Intuition allgemein empfundene Nöte gültig und höchst einprägsam in Worte faßte und sie ins Bewußtsein hob, sowie durch die religiöse Kraft, die er seinen Sätzen gab, und durch die tiefe Seelsorge, aus der heraus er sie formulierte und sie hinausrief, durch all das hob er diese Thesen über den Kampf gegen die grobe Veräußerlichung hinaus. Daher dann das Wichtigste: Sie machten Geschichte. Sie drangen in breitem Strom in die Öffentlichkeit, erfaßten über den Kreis der Theologen hinaus das Volk. Diese Thesen und die folgenden Reformschriften Luthers sagten nicht nur theologische Lehren aus, in ihnen steckte, zum Ausreifen bereit, ein neues Glaubens- und Persönlichkeitsbewußtsein, ja ein neues Gemeinschaftsbewußtsein, das das christlich-kirchliche Gefüge der damaligen Gesellschaft zu sprengen die Kraft hatte; d. h., es ging nicht mehr nur um theologische Thesen und Fragen, es ging um eine durch sie zu begründende neue Art des christlichen Lebens.

Luther sprach seine Lehre überhaupt nur selten in rein theoretischer Form aus. Vielmehr ließ er sie in Predigt und Buch vor allem als höchst lebendige, prophetisch charismatische Botschaft an die Öffentlichkeit treten. Und sie ging dann bald mit einer von ihr tief befruchteten und in den Sozialorganismus maßgeblich eindringenden Neuformung des Kirchen-, Schul- und Gemeindewesens zusammen. Das Recht der katholisch-päpstlichen Vergangenheit und Gegenwart, d. h. eigentlich des Ganzen, was da war – sozial-kulturell, politisch, wirtschaftlich, kirchlich – seine Tatsächlichkeit, war bedrängt, dann verdrängt durch neue kirchlich-sozial-kulturelle Gestaltung; und denen, die diese Entwicklung nicht mitmachten, sondern nach der alten Weise der Kirche leben wollten, war die Lösung einer über die ursprünglich geforderte Disputation hinausgehenden Aufgabe abverlangt. Es stellte sich – und zwar nicht mehr nur im Hörsaal, sondern vor dem Gesamtbewußtsein der Zeit – die doch geradezu ungeheuerliche Frage nach der jure divino zu beurteilenden Berechtigung des bisherigen christlich-kirchlichen Daseins. Es war die Aufgabe gestellt, eine mit großer, teils elementarer Gewalt sich durchsetzende neue Ordnung zu bewältigen; es ging darum – um nochmals in den Gedanken Contarinis zu sprechen –, die Kirche zu retten. Den Kontroverstheologen war im Grunde aufgegeben, nicht nur eine theoretisch korrekte Behandlung der Streitfragen zu liefern, sondern ihre theologische Antwort mußte auch den zur Frage stehenden Vorgang des Lebens einfangen; von ihm – wenn auch in Schmerzen – getroffen, mußten sie seine Tragweite wenigstens andeutend ausschreiten. Sie hatten ihm in einer nicht nur korrekten, sondern von der Wahrheit stark gemachten Art zu begegnen. Die Frage war nicht nur, was sie theologisch den Argumenten Luthers entgegenzusetzen hätten, sondern auch, wieviel Kraft und Geist katholischen Lebens aus ihren Schriften den Anstürmenden entgegenströmte.

2. Daß die Kontroverstheologen Luthers massiven Angriff mit Verteidigung beantworteten, war selbstverständlich. Kritisch zu beurteilen ist indes die *Art*, in der dies geschah. Wie der Angriff Luthers zugleich ein Anruf war, so durfte die Antwort nicht erfolgen, ohne daß *er* gehört und aufgenommen wurde. Aber gerade dies vermissen wir, wir stoßen viel zu oft auf die unfruchtbare Haltung einer Nur-Verteidigung, wie sie Eck und Cochläus mit Sturheit praktizierten: ohne *caritas et humilitas*, die Contarini an ihnen vermißt, um ihnen gleichzeitig *arrogantia et superbia et pertinacia* vorzuwerfen, die sie derart blind mache, daß ihnen nichts anderes am Herzen liege, als die eigene Lehre zu verteidigen und die des Gegners zurückzuweisen.

Weil sich in dieser Art unsere Theologen nur selten über das nur Neinsagen hinaushoben – so wenig sie die zur Diskussion stehenden Anliegen positiv aus eigener katholischer Mitte gestalteten – gerieten sie in eine falsche Abhängigkeit vom Gegner. Sie ließen sich von ihm Weg und Art der Antwort aufdrängen, oft sogar soweit, daß sie in einer dürren Widerlegung, Satz für Satz, stecken blieben. Sie gaben schnell eine Antwort, sie häuften Worte und Argumente, statt zu prüfen, statt zu wägen, statt es auf eine echte, auch bedrängende Konfrontierung mit den Texten ankommen zu lassen. Luther wußte das alles gründlich und geschickt auszunutzen, denn er war auch als Theologe ein großer Publizist. Die Führung des Kampfes blieb bei ihm, oder er riß sie an sich. Das hat Fisher von Rochester schon 1525 beklagt. „Luther ist es", sagt er, „der das Thema und die Waffen bestimmt." „Oder aber es entsteht", sagt er weiter, „so etwas wie ein verworrenes Handgemenge, wo man zur erstbesten Waffe greift, zu Schwert, Stock, Stein, Beil, denn dieses Luthers Rede ist wie ein Krebsgeschwür";

d. h. Luther hatte – um jetzt mit Cochläus zu sprechen – für sich „allezeit den Vorteil im Zuvorkommen und so er seine Büchlein in großer Anzahl läßt ausfliegen, ehe denn ihm Antwort vom Gegenteil öffentlich gegeben werden kann". Die Katholiken hingegen waren Vertreter des nicht nur stärkenden, sondern auch belastenden, weil belasteten Alten. Sie trugen die Last der schwächenden Defensive.

3. Luthers Angriff, sagten wir, war auch ein Anruf und forderte Verständnis. Verständnis heißt in diesem Zusammenhang mehr als nur geistige Aufgeschlossenheit. Es ging darum, im neutestamentlichen Sinne zu hören, nämlich ob und inwieweit durch die religiös-kirchliche Neuerung, etwa in der Metanoia-Forderung der ersten Ablaßthese, echte christliche Botschaft verkündet und das Reich Christi ausgebreitet werden sollte.

Die Antwort des größten Teils der katholischen Kontroverstheologen steht von hier aus unter einem sehr ernst zu nehmenden Minuszeichen. Das hängt mit Vielerlei zusammen. Zuerst einmal damit, daß die meisten katholischen Gegner Luthers nicht den Versuch machten, seine Lehre, wenigstens soweit es bei dieser Entwicklung jeweils möglich war, im Zusammenhang zu verstehen, ehe sie ihre Antwort gaben. Der unermüdliche Pigge, wie Jedin ihn genannt hat, ist allerdings anders einzuordnen. Er schickt einem beträchtlichen Teil seiner kontroverstheologischen Produktion der Widerlegung die positive Darlegung des Gegners voraus. Aber bezeichnenderweise war schon selbst dieses Entgegenkommen, wenn man es so nennen dürfte, dem bissigen Billick, dem Mitarbeiter Groppers, zu viel. „Sunt qui mollissimis appellationibus palpent haereticos", um vielleicht von ihnen ein bißchen Lob einzuhaschen, „wie der laue Pighius". Und doch beweisen auch sogar diese Zusammenstellungen Pigges noch keineswegs, daß es um ein echtes Verständnis des Gegners gegangen wäre; vielmehr liegt gerade Pigge alles daran, das Widereinander herauszuarbeiten. Er sieht die Lehren der beiden Seiten einfachhin als Gegensatz. Wir werden darüber noch mehr hören.

Der Urtyp des sturen Neinsagers war Johannes Eck. Ausgerechnet er, der auf Disputationen geradezu versessen war, verkündigte im Enchiridion, mit den Ketzern sei nicht zu diskutieren, die seien zu verbrennen. Disputieren heißt für ihn Ketzergericht halten, den Gegner erledigen. Daß man irgendwie geistig ins Gespräch miteinander kommen könne, daran ist keinesfalls gedacht. Eck war nicht nur – was ihm zum Verdienst anzurechnen ist – ein klärender, sondern auch ein gefährlicher Mann. Seitdem er Luther in Leipzig auf der Disputation 1519 gegen dessen Widerstreben zur Verteidigung von Huss gedrängt hatte, kann man bei ihm von einer geradezu grausam zu nennenden Folgerichtigkeit sprechen. Das Wort Toleranz, meint er, sei vom Teufel, es müsse verschwinden. Eck wußte nur um die

Härte der Wahrheit; daß sie dort, wo sie allein ohne die Liebe redet, verderblich wirkt, sah er nicht. Damit gehört Eck zu den Vielen, die bewußt nur den Trennungsstrich ziehen wollten zwischen hüben und drüben. In einer Anregung zur Bannbulle schlägt er vor, man solle nicht die katholische Lehre vortragen, sondern nur die Irrtümer anprangern, und zwar sollten es die „errores absurdissimi qui primo obtutu statim horrendi videantur omni audienti" sein.

Daß ein Mann wie Eck, der unter die tätigsten antilutherischen Repräsentanten der Kirche gehört, ein Leben lang diese unfruchtbare und reichlich primitive Methode anwandte, ist kennzeichnend für einen großen Teil der katholischen Kontroverstheologen und erklärt insofern ihren Mißerfolg. Denn Eck steht nicht allein. Unsere Theologen zwingen uns insgemein allzuoft zu der betrüblichen Feststellung: was hier getrieben wird, ist *nicht mehr* als dürftige, periphere Polemik, Neinsagen und Verdammen. In dieser Verteidigung kommen die Fülle des Neuen Testamentes und die Fülle der Kirche nicht adäquat zur Geltung, nicht im entferntesten etwa so, wie Luther in seinem biblischen Denken die Kraft des Wortes ans Licht gestellt und zur Wirkung an den Gewissen gebracht hat.

4. Solche Feststellungen, meine Damen und Herren, machen nun in ihrer indirekten Aussage bei weitem noch nicht genügend deutlich, welche tragische Unterschätzung des Gegners und welche kraftlose Selbstgenügsamkeit hier im Spiele waren. Erst die konkreten Formulierungen, in denen sich dieses Nichthören aussprach, führen uns nah genug an das Versagen unserer Theologen heran. Etwa diese erschütternde Proklamation von Pigge von 1541: Für ihn ist die Reformation und die Tatsache, daß sie überhaupt Anhänger findet, ein erschütternder Triumph der Dummheit, in sich unbegreiflich, unbegreiflicher noch nach dem Sieg des Christentums über das Heidentum. Ein stupor schüttele ihn, wenn er sich überlege, wie auch nur ein Mensch, dem noch „scintillula rationis luceat", den lutherischen articuli zustimmen könne: da laufen diese Deutschen nun hinter einem Manne her, der als ein ter execrabilis schon jetzt – wie er selbst bekennt – öfters Qualen der Hölle leidet, dessen Leben, Lesen und Schreiben nichts Christliches an sich hat, einer der von Christus vorausgesagten Pseudopropheten, der aus Lust am Irren und Verführen in fleischlicher Begierde mit unwahrhaftigen Praktiken durch Mißbrauch der Schrift und durch fürchterliche Lügen zahlreiche Seelen aus der alles Heil spendenden Kirche ins Verderben herausführt. Dieser Luther ist des Teufels Werkzeug; solch ein Mensch will die angeblich weit über tausend Jahre lang verlorene Wahrheit wieder ans Licht heben, wo doch seine ganze Predigt aus nichts anderem besteht, als daß aus den seit vielen Jahrhunderten verdammten Irrtümern „absurdissima quaeque" wieder „ab inferis in lucem revocantur". Kein Wunder, daß die

Folgen dieser Tragödie („hujus evangelii tragoedia") nichts anderes sind als allgemeine Zügellosigkeit, so daß die protestantischen Führer selbst heute erklären, lieber die Herrschaft des Papstes und der Mönche als die allgemeine Zuchtlosigkeit des ihnen folgenden Volkes ertragen zu wollen.

Wir können, so scheint mir, uns nicht damit begnügen, derartiges einfach als ein Detail mehr in das seit langem aus der Kirchengeschichte uns Bekannte einzureihen. Wir müssen uns vielmehr einigermaßen klarmachen, was es bedeutet, wenn in einem der geistig tüchtigsten Kontroverstheologen, ja wenn in einer ganzen Generation von katholischen Kontroverstheologen und anschließend 400 Jahre lang eine solche intellektuelle Verachtung, die den Versuch einer haßerfüllten Vernichtung der Reformation und Luthers darstellt, geherrscht hat. Denn wenn vielleicht die Worte Pigges in ihrer beachtenswerten Prägekraft eine Ausnahmeerscheinung sein mögen, in der Sache selbst war die vorgetragene Bewertung im wesentlichen Gemeingut. Daß Luther sich und seine Anhänger in die Hölle führe, war alltäglich gebrauchter Gemeinplatz bis hin zu dem guten Papst Hadrian VI., der im kurialen Stil Luther eine Schlange nennt, die mit ihrem Gift Himmel und Erde verpestet, einen Eber, der den Weinberg des Herrn verwüstet, einen Dieb, der das Kreuz Christ zerbreche, einen Satan, der sich als Engel des Lichtes verkleide. Oder Cochläus: Für ihn stammt Luther, das Monstrum mit den sieben Köpfen, nicht von Gott, sondern aus der Natur, wohl eher vom bösen Feind, der im Paradies als Schlange, nachher oft als Faun, Satyr, Silen auftrat. Sogar einen Drachen mit drei oder vier Köpfen soll man nach den Alten gesehen haben; aber dieses hat es noch nie gegeben: ein Ungeheuer, das vermöge seiner siebengestaltigen Lehre sieben Köpfe hat; das ist eine Schöpfung des Teufels. Aufruhr und Lüge und nochmals Lüge, das ist Luther, der siebenköpfige Kuttenträger oder der „gekuttete Drache". Die Lutherischen sind „Amalek", ein viehisches Volk, und so weiter.

5. Hier ist noch eine wichtige Klärung vorzunehmen: a) Es geht nicht um eine moralische Beurteilung oder Verurteilung unserer Theologen, ob man nun an Pigge, an Eck oder an Cochläus denkt. Es geht um die uns alle angehende ungeheure Tatsache der „reformatio" durch das Evangelium. Hier freilich müssen wir feststellen, daß – objektiv gesehen – die Verteidiger der katholischen Wahrheit wesentlich mit Ursache waren, daß eine fruchtbare Diskussion zum Heile der einen Kirche so gut wie unmöglich wurde.

b) Andererseits beurteilen wir die angesprochene Atmosphäre wieder nur dann richtig, wenn wir nicht vergessen, daß sich die katholischen Kontroverstheologen gegen eine wahre Flut von ungeheuerlichen Schmähreden zur Wehr zu setzen hatten. In vielem waren

sie nur das Echo auf Luthers polternden, oft maßlos hassenden
Grimm. Für die „Acta" des Cochläus, in denen dieser seinen Luther-
haß siedendheiß sich ergießen läßt, hat Herte dies in eindringenden
Analysen nachgewiesen. In dieser endlosen Kette von Luther belastenden Zitaten aus dessen eigenen Werken ist kein einziges Wort erfunden.

Auch dies wissen wir alle: viele der von den Kontroverstheologen
vorgetragenen Urteile über die negative Wirkung der Reformation
können nicht einfach als unberechtigt oder gar erfunden abgelehnt
werden. Daß die hohen Parolen des Neuen Evangeliums von der
„Freiheit eines Christenmenschen", vom „Wort allein", vom „Gewissen", leider nur allzu oft mißbraucht wurden, ist ein tausendfach
belegter Tatbestand, den Luther und Melanchthon selbst schwer
beklagten.

Das Thema hat übrigens noch eine andere Seite: Über der oft
unschwer nachzuweisenden Schwäche der theologischen Erwiderung
vergessen wir leicht, daß hier vielfach persönlich ungerecht Behandelte
reden, Priester und Mönche, denen ein schweres Unrecht angetan
worden war. So setzten sie sich zur Wehr und verteidigten, oft an Leib
und Leben bedroht, die bedrängte, geliebte alte Kirche. Ein Mann
wie Witzel wird mit Weib und Kindern jahrelang so arg bedrückt und
gehetzt, daß man ihn nicht verurteilen kann, ohne ihm schweres
Unrecht zu tun.

6. In einem auffallenden Unterschied zu den starken Worten, mit
denen die Kontroverstheologen Luther und die Reformation kennzeichnen, steht die Art ihres Theologisierens. Sie war kleinkalibrig
und langweilig, und schon deshalb an ihrer geringen Durchschlagskraft mitbeteiligt. Trotz der Zeitnot, die uns drängt, gestatten Sie
mir wenigstens ein Wort zum Verhältnis dieser Theologen zur *Bibel*
und zu den *Kirchenvätern*.

a) Obschon nicht wenige Theologen über eine uns heute manchmal
beschämende Kenntnis der *Schrift*, oder deutlicher gesagt von Schriftstellen, verfügten, obschon einige, wie Schatzgeyer, sich sogar einem
gewissen Bibeldenken näherten, obwohl Cochläus offen und mit einer
Art heimlicher Bewunderung schildert, welche ungeahnte religiöse
Befruchtung Luther und seine Leute dadurch erreichten, daß sie durch
Luthers „*Neues Testament deutsch*" die Gläubigen an den Wortlaut der
Bibel heranbrachten, trotzdem, sagte ich, nutzten sie die Chance des
ihnen hier gewiesenen Weges nicht. Das Schriftprinzip nahm ihnen
den Mut zum Wagnis; sie dachten nicht biblisch; sie versuchten es
auch nur wenig, sondern sie benutzten die Bibelstellen als Belege für
ihre Thesen. Erst der Niederländer Franciscus Sonnius, der seit 1544
Professor in Löwen war, machte im Jahre 1564 einen energischen
Schritt vorwärts: weil die Theologen der letzten zwei Jahrhunderte in
ihren unfruchtbaren Diskussionen nicht genügend aus der reinen

Quelle der Schrift geschöpft haben, sieht ein jeder, „in quas angustias et calamitates coegerint ecclesiam Christi"; deswegen will er nun endlich nicht mehr „ex lacunis et cisternis, sed ex ipso primario fonte, verbo inquam dei", trinken, d. h. aus der Quelle selbst, nicht aus den abgestandenen Zisternenwassern.

b) Ein beeindruckendes katholisches Beispiel biblischen Denkens haben wir in der *Annotatio*, die Kardinal Pole zum Septemberentwurf des Trienter Rechtfertigungsdekretes Anfang Oktober 1546 schrieb. Das Stück gehört nicht zur Kontroverstheologie im engeren Sinne; aber es bietet auf wenig über zwei Folioseiten ein Musterbeispiel von dem, was die katholische Kontroverstheologie hätte werden können, wenn sie sich um die Vertiefung der eigenen Lehre aus der Bibel heraus bemüht hätte; denn der erste, sozusagen innere Adressat der Kontroverstheologen hätte zunächst eben die eigene Kirche sein sollen. Pole zeigt, was man bei den damaligen Verteidigern der Kirche gerne ausgeführt finden möchte, aber nicht findet.

Und nun die *Kirchenväter*: Sie sind eine große, oft sogar *die* große Autorität für die Kontroverstheologen. Allerdings kommt hier natürlich alles auf die Solidität des Vorgehens an, historisch wie dogmatisch. Leider offenbart sich die Unzulänglichkeit des Verfahrens in vielerlei Gestalt. Was der berüchtigte *Consensus Patrum* an Tücken in sich birgt, das wissen wir. Noch wichtiger, im negativen Sinne, ist aber dieses: Im Zusammenhang mit dem erasmianischen Denken offenbart die Berufung auf die Väter eine tiefgreifende dogmatische Schwierigkeit, auf die Jedin aufmerksam macht. Witzel erliegt ihr in seinem „Typus ecclesiae" (1538), einer Schrift, in der Grundgedanken der Konkordienformel vorgebildet sind, die Witzel und Butzer gemeinsam in den Religionsgesprächen zu Leipzig 1539 formulierten. Darin wird ganz einfach zurückgegriffen auf den dogmatischen Stand der sogenannten alten Kirche: „Was zu Zeiten des lieben Augustini den Kirchen ohne Verletzung der Kircheneinheit freistand, das darf ihnen auch heute freistehen". Das ist nicht mehr und nicht weniger als die Ignorierung der lehramtlichen Dogmenentwicklung, d. h. also auch des kirchlichen Lehramtes selbst.

Darf ich hier zu meiner Entlastung eine Zwischenbemerkung einfügen: Vor manchen dieser ausgesprochenen Bewertungen der kontroverstheologischen Arbeit habe ich ein etwas schlechtes Gewissen. Die Masse der zu kennzeichnenden Werke und Theologen ist so groß und in sich so verschieden, daß die Konturen besonders in dem hier gewaltsam zusammengedrängten Überblick notwendigerweise zu grob, zu vereinfacht ausfallen müssen. Um dem Gegenstand voll zu genügen, wären viel mehr Nuancierungen anzubringen als hier vorgelegt werden können. Daß die Qualität in den dreißiger Jahren stieg, erwähnte ich schon; und niemand von Ihnen, denke ich, wird mich so verstanden haben, als seien etwa Gropper, Contarini, Seripando und Witzel in den ausgesprochenen Verdikten mitgemeint. Niemand von Ihnen kann auf den Gedanken kommen, daß ich Cajetan, mit dem Luther es in Augsburg 1518 zu tun hatte, zu den kleinkalibrig denkenden Scholastikern rechnen würde. Cajetan hatte sich übrigens Luthers Texte recht genau angesehen; und in diesem Falle wären wohl für eine gerecht abwägende Beurteilung der Luther-Cajetan-Problematik tiefliegende Unterschiede ihrer Denkstrukturen heranzuziehen. Sehr viel anders liegt der Fall z. B. wiederum in der großen Auseinandersetzung Erasmus-Luther, wo Luther der Angegriffene war. Hier ist ein Doppeltes sehr instruktiv: 1. Was es auch immer mit dem geknechteten Willen – katholisch gesehen – auf sich haben mag, so tat Luther Erasmus schwer Unrecht, wenn er ihm Leugnung oder auch nur ungenügende Betonung der Gnade anlastete oder ihm überhaupt eine so gut wie vollständige, ungehemmte Freiheit des menschlichen Willens zuschob. Und 2., in dieser Auseinandersetzung war es Luther, der sich durch die Reaktion auf den Angriff zu ungewöhnlichen Übersteigerungen seiner eigenen Theologie hinreißen ließ. Hier zeigte sich Luthers grundlegende Situationsbedingtheit in einer Weise, die ihn außerordentlich belastet. Es stimmt zwar, und es ist eine tiefe Erkenntnis, wenn Heinrich Bornkamm sagt, daß Luther geradezu den Partner brauchte, um zu seinen kühnsten Erkenntnissen emporgerissen zu werden. Zu diesen Neuerungen gehören aber hier Luthers Äußerungen über den Deus nudus non revelatus und dem ihm entsprechenden zweiten Willen Gottes, Ansichten, die den übrigen Werken Luthers – eine karge Anspielung in der Genesis–Vorlesung abgerechnet – fremd sind und die ich deswegen viel lieber mit Paul Althaus als unhaltbar bezeichnen möchte. Oder man denke sogar an Luthers Schmalkaldische Artikel, die auch eine zusammenfassende Reaktion auf die katholische Theologie waren. Neben den klar abweisenden anti-papistischen Sätzen Luthers steht eine solche Masse von ungenau abgegrenzten theologischen Lehren, daß der Forschung hier eine wichtige kritische Aufgabe an Luther zu leisten noch übrig bleibt und zwar in einem nicht nebensächlichen Punkt?

Sie sehen, es wäre eine ganze Reihe von Kapiteln und Themata noch aufzugreifen, wenn der Disput, um den es geht, einigermaßen in der Nachzeichnung voll zur Darstellung kommen sollte. An vielen Stellen müßte die zu kurze Fassung, die ich wählen mußte, durch vielerlei Tatsachen mit Fleisch umgeben und zu anschaulich Lebendigem erhoben werden. Ich habe selbst zu oft den Eindruck, hier unter Zeitdruck mein Manuskript eigentlich mehr zu einem Gerippe zusammengepreßt zu haben. Ich darf Sie nur bitten, trotz dieser Kürze die gemachten Generalvorbehalte nicht zu vergessen, sondern sie bei der Beurteilung mitzudenken.

V. Ich komme zum zweiten Teil der zu behandelnden Grundlagen unserer Theologen, zu ihren religiösen Kräften

1. Denken wir zuerst an die harte Unterbewertung der Reformation und Luthers zurück. Ein Mann wie von Campen, der in Rom im Dienste Contarinis stand, wagte 1536 dieses Versagen durch die Verdächtigung zu bestätigen, ein offiziell maßgeblich an der Bereinigung der Kirchenfrage in Deutschland beteiligter Mann wie der Nuntius Aleander würde mit seinen ihm gleichenden vier Evangelisten Fabri, Cochläus, Eck und dem jüngst aufgetretenen Nausea lieber drei neue Luther aufstehen sehen, als daß dieser *eine* sich bekehre. Wäre also echter Missions- und Seeleneifer, der eigentliche religiöse Trieb, in der Kontroverstheologie so gering anzusetzen? Nein.

2. Die große religiöse Kraft der *katholischen* Partei war ihre Treue zur alten Kirche. Sie trug nicht so sehr *ihre* Lehre vor, sie diente vielmehr der überkommenen; sie suchte nicht das Ihre, sie lebte aus der Kirche und für die Kirche. Versucht man freilich diese These durchzudenken, so ist ihr Hauptwert, nämlich die Gnadenkraft, die das Leben der Glieder des Corpus Christi Mysticum aus Wort und Sakrament speist, historisch nicht zu fassen. Immerhin hätte der Luther des *Sermons vom allerheiligsten Altarssakrament* (1519), worin er die aus dem Sakrament fließende, „zusammenbackende" – wie zu einem Kuchen, sagt er – Kraft preist, für die Einfügung dieser Kraft in die Analyse Verständnis aufbringen können. Historisch greifbar aber ist dies: In unseren Theologen wirkte die oft unscheinbare, aber zäh bewahrende Kraft, die der Tradition eigen und in unserem Fall außerdem noch durch die Verheißung des Herrn garantiert ist. Tradition ist eine der großen geschichtsmächtigen Kräfte, die in unserem Denken und Tun in unseren Tagen viel zu sehr vergessen wird.

Freilich, in der Verkündigung Jesu und Pauli sind die Kategorien des Reichtums und der Fülle zentral, und da es in der damaligen Auseinandersetzung eben um die Erlösungsverkündigung ging, deren Mitte Glaube und Rechtfertigung sind, hing auch hier wieder alles an der Qualität, in der eben jene objektive Kraft realisiert wurde, d. h. es fragt sich: Steigt in diesen Kontroverstheologen und in ihren Werken die nicht zu leugnende Frömmigkeit, ihr fester Glaube, steigt er bis zum Heroischen und zur Heiligkeit auf, oder verbleiben sie wieder einmal in der Mittelmäßigkeit, in der äußeren Korrektheit?

3. Viel kommt natürlich auch auf die Art der Kirchenidee an, aus der jeweils ihr Verteidiger redete. Die Kirche litt damals zweifelsohne in Lehre und Praxis an einem Übermaß von Instutionalismus. Es ist leicht einzusehen, daß die Verteidigung einer so gefaßten Kirche auf den Reformator keinen überzeugenden Eindruck machen konnte, auf ihn, dem die Kirche so sehr als eine Größe des Glaubens galt, die er in

gesegneter Fülle der Gedanken als Corpus Christi Mysticum pries, und der sie andererseits unter das Gesetz des Kreuzes beugte, sie als ein Element der theologia crucis faßte!

Immerhin, abgesehen von Qualität und Wirkung der Leistung, abgehoben einfach auf die persönliche Haltung, muß es bei der erteilten Anerkennung bleiben: Unsere Kontroverstheologen lebten in dienender Treue aus der Kirche. Ihr persönlicher Einsatz hat zwar kaum etwas Hinreißendes an sich, aber er ist imponierend. Die Treue dieser Männer zur Kirche und ihre Opferbereitschaft – lange, lange Jahre hindurch in schwieriger Situation, inmitten von vielerlei Mißerfolgen geleistet und von vielen, die ihnen hätten helfen müssen, im Stich gelassen – verdienen sogar Bewunderung. Sie sprachen hiermit ihr Bekenntnis zur Kirche nicht nur aus, sondern sie verwirklichten es auch im Leben und in ihren Schriften. Gott weiß, klagt Mensing, wie gern ich bei mir selbst geblieben wäre und mich dieweil um meine Sünden und Gebrechen bekümmert hätte! Aber die wütenden Angriffe der Gegner zwingen ihn zu schreiben, damit er nicht mit dem Propheten bekennen muß: Wehe, daß ich geschwiegen habe. Und je in ihrer Weise wären hier noch viele Männer als Beispiel herauszuheben, selbstverständlich auch Eck, der fordert, daß sich heute niemand aus dem Kampf halten dürfe. Bei ihm stellen wir sogar ein bedeutendes Hineinwachsen in jene Sphäre fest, die wir als das Herzstück, so hat es Jedin ausgedrückt, des innerkirchlichen Wachsens seit dem Ende des 15. Jahrhunderts zu bezeichnen haben: die Seelsorge. Eine ihm eigentümlich und fruchtbar ausströmende Frömmigkeit erreichte Eck zwar nicht: aber daß er das Wächteramt der Wahrheit verwaltete, auch unter beträchtlicher Gefahr, daß er durch seine in erstaunlicher Zahl erscheinenden Bücher soviel zur Bewahrung des katholischen Bestandes beitrug, war in diesem Chaos ein nicht geringes Verdienst.

4. Mit diesem angeklungenen Gedanken an die Seelsorge stehen wir vor *dem* Thema der katholischen Kirchengeschichte dieses 16. Jahrhunderts, vor der Frage nach der innerkatholischen Reform. Man kann sagen, daß sich hier die positivste Leistung der Kontroverstheologie andeutet. Sie trägt noch die Kraft der katholischen Reform des Spätmittelalters und des beginnenden 16. Jahrhunderts in sich, wie wir sie aus den bedeutenden Versuchen eines Neubaus der Seelsorge kennen, aus den Ordens- und Klosterreformen, aus den Reformkreisen, aus den vielen Reformgutachten, von denen einige radikal angelegt sind und zum Teil sichtlich zur Sphäre des Heiligmäßigen tendieren, wie die großartigen programmatischen Vorschläge von Giustiniani und Quirini, die wiederum eine offizielle Bestätigung und Krönung im *Consilium de emendanda ecclesia* der Kardinalskommission Pauls III. erhielten.

5. Man könnte bei unseren Theologen von Cochläus und Eck bis zu Contarini, Mensing, Witzel und besonders Gropper auch einen immerhin respektablen Bestand an Spiritualität konstatieren. Doch will ich dies nur kurz erwähnen; vielleicht wird eine erschöpfende Behandlung gerade in dieser Hinsicht einmal eine nicht unbedeutende Aufhellung des ganzen Bildes bringen.

6. Aber trotzdem, wenn wir diese große Schar der Kontroverstheologen und ihre nach Umfang und Leistung gewaltige Arbeit, die ich nur flüchtig anvisieren konnte, zusammenfassend mustern, so fühlen wir uns dennoch bedrückt. Die Fülle des Katholischen, dessen Verwirklichung Quirini damals forderte und das in den großen Gestalten der Kirchengeschichte vor unseren Augen steht, wurde in dieser Kontroverstheologie mehr genannt als realisiert. Der Theologe, Prediger und Beter Martin Luther fand in ihnen keinen ebenbürtigen Gegner.

VI. So viele Fragen ich jetzt notwendigerweise auch überspringen muß, so erfordern doch auf alle Fälle jene Erscheinungen noch eine Stellungnahme, in denen die kontroverstheologische Arbeit aus der privaten Sphäre, in der sie zum größten Teil entstanden ist, in die öffentliche Auseinandersetzung hineinragte. Ich denke an die Religionsgespräche und an das Konzil von Trient.

1. Die großen Religionsverhandlungen in Augsburg (1530), Leipzig (1539), Hagenau-Worms-Regensburg (1540/1541) verdanken ihr Zustandekommen vor allem den Impulsen politischer Kräfte und waren infolgedessen auch politisch gebunden. Trotzdem kommt in ihnen der Versuch zur Darstellung, die Religionsfrage in einer umfassenden Art kontroverstheologisch einheitlich einer Lösung entgegenzuführen. Mit der Entsendung des menschlich und religiös-kirchlich so ungewöhnlichen Contarini als (sehr aktiven!) Beobachter nach Regensburg (1541) schaltete sich erstmals auch die Kurie offiziell in die Gesamtplanung ein.

Dieses Regensburger Gespräch von 1541, auf das ich mich beschränken will, war eine hochwichtige Angelegenheit. Leider wurde es auch zu einer bedrückenden Illustration für die *geschichtliche* Bedeutung von Erscheinungen, denen der angestrebte Erfolg – hier die Wiedergewinnung der Einheit – versagt blieb, obwohl es von der *theologischen* Problematik und ihren Möglichkeiten her nicht ohne weiteres so hätte zu kommen brauchen. Denn in Regensburg war, wie Jedin es gut ausgedrückt hat, der optimale Fall gegeben, daß aus dem politischen wie aus dem theologischen Lager beider Parteien die Männer zusammen waren, die einer Union am meisten günstig gesinnt

waren. Der einzige Teilnehmer, der einer Verständigung abgeneigt
gewesen ist, war Eck. Dennoch aber scheiterte die zunächst gegebene,
anscheinend beinahe greifbare Möglichkeit einer Einigung. Und
warum scheiterte sie? Daß Contarinis und Groppers Lehre von der
doppelten Gerechtigkeit sowohl von Rom als auch von Luther – von diesem
sogar mit sehr verächtlichen Worten –, und später auch vom Tridentinum abgelehnt wurde, lag mehr an der ungenügenden Formulierung
als an der Sache selbst. Denn in dieser Frage der „Rechtfertigung
a l l e i n durch Gottes Gnade" handelt es sich doch um eine Rechtfertigung, die durchaus wachsen muß – nämlich im Glauben – und
an deren Wachsen der Mensch mitbeteiligt ist. Darum ist diese
doppelte Gerechtigkeit sowohl in der Rechtfertigung Luthers als auch
in der des Tridentinums unterzubringen.

Entscheidend wurde in Regensburg der Kampf um die Transsubstantiation. Jedoch, dazu gebe ich folgendes zu überlegen: Wenn von
protestantischer Seite unzweideutig die Realpräsenz zugestanden
wurde – und wir haben uns 1541 durchaus den alten Luther mit seiner
doch recht kompakten Vorstellung von der Realpräsenz vor Augen zu
halten –, darf man dann nicht fragen, ob die katholische Seite, d. h.
Contarini, nicht zu viel Wert auf den Terminus *transsubstantiatio* gelegt
hat? Es ist doch nicht so ohne weiteres ausgemacht, daß allein Contarinis Ansicht, eine Einigung ohne gemeinsame Annahme der Transsubstantiation sei eine *Concordantia palliata*, d. i. eine „zusammen-
geklebte" Einheit, dem zentralen Sinn des 4. Lateranense entspreche;
denn in dieser Definition von 1215 war, wie üblich, nur das Negative
anathematisiert worden, hier also die *Leugnung* der Transsubstantiation,
d. h. also letzten Endes nichts anderes als die Leugnung der realen
Gegenwart Christi nach der Konsekration; und eben diese leugnete
Luther ja nicht; er erklärte sie nur anders. Gewiß, dies ist ein Urteil
aus der Sicht des 20. Jahrhunderts, und selbst heute könnten Sie mir
Pauls VI. Enzyklika *Mysterium Fidei* entgegenhalten!

Es ist gewiß hochwichtig, wenn Jedin den Finger darauf legt, daß
Contarini eben gerade deshalb auf den Ausdruck „*transsubstantiatio*"
nicht habe verzichten wollen, weil das k i r c h l i c h e L e h r a m t es im
4. Lateranense so definiert hatte, während umgekehrt die Neuerer
eben dieses unfehlbare Lehramt abgelehnt hätten; infolgedessen sei
auch dieses Religionsgespräch wie alle vorhergehenden am verschiedenen K i r c h e n b e g r i f f gescheitert.

Das ist logisch und theologisch einwandfrei.

Dennoch gebe ich zu bedenken: Wie bei allen Lehrstreitigkeiten
ging es auch damals zunächst um das, was das Vaticanum I als
Materialobjekt des Glaubens bezeichnet hat, d. i. das, was zu glauben
ist. Auch im 16. Jahrhundert hatte man sich die Frage vorgelegt, ob für
die katholische Lehre von der Eucharistie und von der Messe der

Terminus transsubstantiatio wesentlich sei. Schatzgeyer vertrat eine Zeitlang den Standpunkt, daß es auf den Namen nicht ankomme. In Regensburg legte Gropper eine Formel vor, die den Ausdruck Transsubstantiatio vermied. Darf man nicht so fragen: wenn man sich in der Sache, *materialiter*, in allen articuli fidei einig geworden wäre, hätte dann Luther eine so lehrende, die reine Wahrheit vertretende Kirche noch ablehnen können? Oder von unserer heutigen Situation aus gefragt: Würde heute ein Konzil die Unio an dem Terminus *transsubstantiatio* scheitern lassen? Aber nochmals, das sind Gedanken aus dem 20. Jahrhundert; ihnen stehen offenkundig massive Schwierigkeiten entgegen. Man soll sie trotzdem gründlich überlegen. Wir stehen mit dem Resultat von Regensburg, meine ich, nicht nur vor dem Geheimnis der Geschichte. Haben wir nicht auch eine tragisch verpaßte Gelegenheit vor uns?

2. Und nun noch ein paar Sätze zu Trient. Trient hat die vor ihm ans Licht getretene Kontroverstheologie im wesentlichen bestätigt. Es hat aber den Namen Luthers in seinen Dekreten nicht genannt. Und das ist in der Tat von erheblicher Bedeutung. Dennoch muß es ja bei dem Gesamturteil bleiben: Das Konzil wollte die Abgrenzung der katholischen Wahrheit vom lutherischen bzw. reformatorischen Irrtum festlegen. Das war eine große und berechtigte Arbeit. Es war u. a. eine gewaltige Hilfe zur Überwindung der tödlichen theologischen Unklarheit, die wir als eine Hauptursache der Entstehung der Reformation und ihrer Verbreitung, auch des inneren Wachstums von Luther selbst, erkennen; deren Beseitigung machte nun den Weg frei für den folgenden Neu- und Aufbau. Dennoch stehen wir vor einem bedrängenden Problem: insofern das Konzil nur den Trennungsstrich ziehen wollte, war es seinerseits nur die Fortführung jener Methoden der Kontroverstheologen, welche die Reformation und Luther in verhängnisvoller Weise unterbewerteten und so in einer wesentlichen Aufgabe versagten. Auch die Trienter Väter hörten, mit wenigen hochwichtigen Ausnahmen, nicht genügend auf Luther, d. h. auf christliche Anliegen, die er vertrat. Die Analyse wird durch die in der Einleitung erwähnte neueste Entwicklung im Vaticanum II erheblich kompliziert. Gewiß hat die Kirche noch keines ihrer Anathemen zurückgenommen. Dennoch bedeutet die neue Ausdrucksweise des Vaticanum II, daß in den reformatorischen Kirchen und Gemeinschaften der Hl. Geist heilschaffend am Werk sei, eine schwere Hypothek für die antireformatorischen Gesamtaussagen des Tridentinums und rückwirkend für die von ihm im wesentlichen bestätigten Thesen der Kontroverstheologen.

Nun ist es richtig, meine Damen und Herren, daß das Trienter Konzil durch seine Grundtendenz, die katholische Lehre von der reformatorischen abzugrenzen, Raum für eine weitere Entwicklung

der Theologie gelassen hat. Und nur ein ganz Ahnungsloser könnte
versucht sein, die gewaltigen, verschiedenartigen Leistungen der
katholischen Theologie seit dem Tridentinum nur negativ bewerten
zu wollen. Jedoch ist auch diese zu *wägen*: Die Theologie, die sich
dann entwickelte, war eben die Barockscholastik. Es kamen die verheerenden Gnadenstreitigkeiten, eine unüberbietbare Darstellung der
Ursünde der Theologie, nämlich ihres Vorwitzes. Und es kam schließlich die Neuscholastik, und wir endigten in einer Institutionalisierung
der Kirche, die es möglich machte, daß noch auf dem 1. Vaticanum
die kraß unwirklichen Übersteigerungen Pigges über die persönliche
Unfehlbarkeit des Papstes und die völlige Ohnmacht der Konzilien
zur Diskussion gestellt werden konnten: Thesen, die für ihren Teil die
Kirche in die volle Erstarrung des kurialen Absolutismus hätten
führen können. Und warum kam es zu dieser Entwicklung der Theologie? Natürlich aus vielerlei Gründen, aber keineswegs zuletzt auch
deshalb, weil das Tridentinum, wie unsere Kontroverstheologen, die
große Chance verpaßte, die Ausbildung einer *biblischen Theologie* in die
Wege zu leiten. Sehen wir einmal von dem Beispiel Luthers ab, von
dem wir als Anreiz schon einmal sprachen, dann bleiben immer noch
die Ansätze – die besprochenen – bei Pole, denen solche von Seripando
und seinen Gesinnungsgenossen beizufügen wären. In ihnen war
katholischerseits die Richtung zu einer biblisch denkenden Theologie
in der Kirche gewiesen, aber die Grundhaltung des Konzils führte auf
andere Wege, die wahrhaftig nicht ohne Gestrüpp waren und aus
denen wir erst heute – und durch welche Gefahren hindurch – versuchen, uns herauszuarbeiten. Das Problem reicht dann noch einen
Grad tiefer. Wir erinnern uns in dem zur Sprache stehenden Zusammenhang an ein Wort Johannes XXIII., das er schon vor dem Konzil
als Leitidee aufstellte, daß man unterscheiden müsse zwischen dem
Lehrinhalt einerseits und seiner Formulierung andererseits. Das Wort
drückt eine alte Wahrheit aus, aber als Leitidee eines Konzils und in
seinem vielfältig und tief beeinflussenden Kontext lehrt es uns mehr
als bisher zu bedenken, daß die unfehlbare, unabänderliche kirchliche
Lehre immer *noch tiefer*, also auch *anders* ausgedrückt werden kann, als
es bisher geschah.

Zusammengehalten mit dem in Luther bewahrten katholischen
Erbe fragen wir nun, ob Lehren, die zwischen uns und der Reformation
kontrovers waren, jetzt vom gewissen scholastischen und juristischen
Ballast befreit, dafür aber biblisch vertieft, nicht vielleicht legitim so
formuliert werden könnten, daß der anscheinend offenbare Widerspruch zu Luthers Lehre gar nicht vorliegt, eine Frage, eine ganz vorsichtige Frage, die selbstverständlich in jedem einzelnen Fall mit aller
Akribie und Vorsicht und Geduld geprüft werden müßte.

Eine klare Grenze der angedeuteten Annäherung bleibt: nämlich nur soweit Katholisches in Luther oder im Evangelischen und soweit Evangelisches im Katholischen enthalten ist, kann Luther, kann Lutherisches seinen legitimen Platz in der katholischen Lehre und Kirche finden. Es gibt *nur eine* Offenbarungswahrheit, und also kann keine Rede davon sein, daß Luther, wenn er Vertreter einer Lehre wäre, die widersprüchlich zur katholischen steht, von der Kirche ganz aufgenommen werden könnte. Derartige neuere katholische Elucubrationes sind eine Gefährdung der christlichen Lehre, weil Zerstörung des Begriffs der *einen* Wahrheit; sie kanonisieren den Relativismus.

Meine Damen und Herren, wir haben an Hand weniger ausgewählter Fragen einiges von der Problematik eines lebenswichtigen Geschehens der Kirchengeschichte aufzuhellen versucht. Wir waren konfrontiert mit Angaben, die stellvertretend für die Leistung einer Schar von Theologen stehen mußten, deren Zahl man auf über 270 beziffert, also stellvertretend für einen enormen opferfreudigen, treu für die alte Kirche gegen die Anstürme der reformatorischen Neuerung geleisteten Dienst.

Aber nun die Wirkung?

Das Gesagte überblickend, als Ganzes es wägend, können wir abschließend nicht von einem Erfolg unserer Leute sprechen. Wir schulden ihnen aber Dank, vor allem deshalb, so scheint mir, weil sie für ihren Teil dafür sorgten, daß das katholisch-kirchliche Selbstbewußtsein nicht unterging, sondern in die folgende Zeit zu bedeutsamem Aufbau hinübergerettet wurde. Die Ursachen des Mißerfolges sind nicht noch einmal auszubreiten. Wenn man in dieser theologisch-religiösen Auseinandersetzung die eine alles andere als irrational überschattende Tatsache setzt, daß nämlich Genie gegen Begabung stand, dann genügt es an zwei Hauptpunkten an folgendes zu erinnern:

1. Die katholischen Kontroverstheologen unterwarfen sich zu einseitig dem Gesetz der Reaktion, 2. es fehlte die einheitliche Gesamtleitung.

Ein drittes, das auszuführen keine Zeit war, möchte ich Sie bitten gerade noch anfügen zu dürfen. Der gegenseitige Kampf stand in erheblichem Maße im Zeichen von Mißverständnissen. Während Luther die in ihrem Erscheinungsbilde nicht mehr voll katholische Kirche in manchem wesentlicher als diese sich selbst erkannte und während er sie zu ihrer biblischen Fülle zurückzwingen wollte, war sein Auge gleichzeitig getrübt, und er mißverstand gründlich Wichtiges an ihr. Er hatte nicht die Kraft, durch ihre Zersetzung und die ungenügende katholische Verteidigung hindurch ihre gestiftete Form zu erkennen, so wie sie sich entgegen dem praktizierten Pelagianismus auch damals im Meßbuch der Kirche aussprach, Luthers eigene Lehre von der Rechtfertigung verkündend.

Die katholischen Theologen ihrerseits mißdeuteten Luther, insofern sie das Christliche, das Katholische seiner Anliegen nicht erkannten. Mißverständnisse, ganz gewiß, auch beim Helden des Jahrhunderts, denn „Mißverständnisse" – und das möchte ich eben doch noch den Kritikern sagen – sind im Ablauf der Geschichte nicht belanglose Kleinigkeiten, nicht unwichtige Versehen. Mißverständnisse gehören zu den großen geschichtsbildenden Kategorien.

Und endlich nun zum Schluß: Da unser Thema die katholische Auseinandersetzung mit der reformatorischen Wirklichkeit betraf und wir uns bemühten, unsere Überlegungen auf das Heute zu beziehen, ist nun wohl selbst in dieser Feierstunde eine Frage an die Gegenseite, an die von uns im Glauben getrennten Theologen, fällig. Nämlich: haben sie soviel Mühe darauf verwandt, das Berechtigte katholischer Lehren und damit gegebenenfalls die Grenzen reformatorischer Positionen zu erkennen, wie wir sie mit Liebe an das Werk des großen Mannes Luther und an eine reformierende Gestaltung unserer Kirche wagten und weiter wagen? Die Frage, meine Damen und Herren, ist nur in der Form nach rückwärts gewandt. Sie meint das Zukünftige, und eine positive Antwort wäre Ermunterung und Hilfe für unsere ja erst beginnende gemeinsame Arbeit.

Um das Konzil von Trient

Zu: Jedin, Hubert, Geschichte des Konzils von Trient.
Bd. I: Der Kampf um das Konzil. Freiburg, Herder, 1949, 658 S., DM 26,—.
Von Joseph Lortz, Mainz.

Das Buch ist eine meisterliche Leistung. Und sie ist in den maßgeblichen Punkten abschließend (über die zahlreichen noch möglichen Ergänzungen zu befinden, ist niemand so in der Lage wie der Verfasser). Quellen wie Literatur sind in imponierender Fülle zusammengebracht und kritisch verarbeitet. Sie werden mit voller Beherrschung vorgelegt, so daß nur mehr ein Minimum der geleisteten Anstrengung im Text durchschimmert.

Historiographisch erhebt sich das Werk also deutlich über die Methode so großer Leistungen wie der von Pastor und Janssen, die immerhin weithin im Material stecken blieben. Hier wird nicht nur ein vollständiges Mosaik rekonstruiert, sondern es entsteht vor den Augen des Lesers aus unendlich vielen wieder zum Leben erweckten Ansätzen, Kräften, Versuchen, Widerständen, Plänen, Theorien und Rückschlägen das lebendige Gewebe des kirchengeschichtlichen 15. Jahrhunderts, soweit es nur irgendwie für das kommende Konzil von Trient Bedeutung besitzt (vielleicht zu sehr nur vom Konzil aus gesehen). Das Nachzeichnen dieses so vielfach verschlungenen und in alle Sparten des Politischen, Kirchlichen, Religiösen, Theologischen und Rechtlichen hineinreichenden Wachsens geschieht so, daß der Verfasser in jedem Augenblick das ganze bunte Gewirr und in ihm die vielfältigen Einzelelemente in ihrem Vor- und Nach- und Nebeneinander, in ihrer gegenseitigen Abhängigkeit und ihrer Auswirkung im historischen Werden, also in ihrer beinahe unübersehbaren Multivalenz, überblickt und ihre jeweilige Funktion im historischen Werden angibt.

Der Verfasser w e i ß nicht nur all die zahllosen Dinge, die hereinspielen, sie sind ihm zu lebendiger Anschauung geworden. Er kennt viele der agierenden Personen, Päpste, Fürsten, Kardinäle, Legaten, Theologen so gut (und bei einigen merkt man, wie nahe sie ihm stehen), als ob er mit ihnen gelebt hätte. Und wie fein differenziert weiß er sie oder weiß er ihre Art und Taktik, ihre Begabung (oder deren Begrenzung), die Methode ihrer Diplomatie oder eine besondere Art ihrer Theologie mit ein paar Worten oder in detailliertem Abwägen zu kennzeichnen!

Viele Jahre angestrengter Arbeit und eine imponierende geistige Kraft mußten sich vereinigen, damit diese Leistung entstehen konnte.

Aber hier liegt auch das Resultat von Bemühungen vor, die in einem weiteren Zusammenhang stehen. Die umfassende Durcharbeitung besonders der K i r c h e n geschichte des 15. Jahrhunderts durch ganze Generationen von Gelehrten beider Konfessionen, und in noch engerem Sinne die von der Görresgesellschaft systematisch geleitete Erarbeitung der Materialien zum Konzil von Trient im Zusammenhang mit der dadurch angeregten oder wesentlich geförderten kritischen Bearbeitung der auftauchenden Probleme. Arbeiten also, an denen der Verfasser seit langem maßgeblich beteiligt ist, tragen hier in einer Weise Frucht, wie sie einer großen Gemeinschaftsplanung und -leistung nicht allzuoft beschieden ist. Wie viele haben gewünscht zu lesen, was jetzt in einem ersten Band vor uns liegt und sich in den folgenden Bänden weiter vor uns ausbreiten soll! Mit welch anerkennendem Zuruf würde Sebastian Merkle, als der unter allen Berufenste, diesen Band begrüßt haben!

Das heißt natürlich nicht, daß er zu allem ja gesagt hätte. Er hätte nicht nur oft genug die Akzente anders, weniger zurückhaltend, gesetzt, er würde auch manche Linie gleichmäßiger durchgezogen haben. Ich füge im folgenden einige, teils kritische Bemerkungen an; sie wollen das gespendete hohe Lob differenzieren, nicht zurücknehmen.

Die Geschichte des Konzils von Trient beginnt nicht mit Trient selbst, sondern ein gutes Jahrhundert früher. Man kann sich sogar auf den Standpunkt stellen, daß sie nicht mit dem Ende der sogenannten Reformkonzilien beginnt, und nicht einmal mit dem Schisma; ihre Anfänge liegen in den Erschütterungen, die mit einer gewissen inneren Logik zu jener Kräftelagerung führten, die ein allgemeines Konzil notwendig machte. Jene Erschütterungen liegen auch schon im 13., unmittelbar verursachend dann im 14. Jahrhundert (s. gleich unten). Jedin berührt kurz Marsiglio von Padua und Wilhelm von Ockham, die beide die Konziliaridee grundlegten, ja bereitstellten. Vielleicht wäre es nicht unwichtig gewesen, dem 14. Jahrhundert etwas mehr Aufmerksamkeit zu schenken. Denn Ockhams A r t, Theologie zu treiben, und einige seiner theologischen Thesen über Gott und Rechtfertigung, andererseits die Säkularisierung des Papsttums, wie sie in Avignon ansetzte, sind Grundlagen, die das, was dann kam und zum Konzil trieb, erst ermöglichten. — Auf alle Fälle, nur durch detaillierte Darlegung des ungewöhnlichen, manchmal ungeheuerlichen Durcheinander und Gegeneinander des 15. Jahrhunderts und dann des Geschehens im 16. Jahrhundert konnte das Kommen und das — Zuspätkommen Trients verständlich werden. Der Katholizismus des 15. Jahrhunderts ist ja, wie Jedin mit Recht hervorhebt, von dem heutigen so verschieden, daß der moderne Katholik von ihm sich nur schwer eine richtige Vorstellung machen kann (s. unten Sp. 161 f.). Mit vollem Recht widmet Jedin also dem V o r s p i e l des Konzils einen eigenen Band (S. VII).

Das kirchliche Geschehen und Versagen des Spätmittelalters hängt tief mit einer umfassenden kirchlichen U n k l a r h e i t zusammen: Unklarheit der zeitgeschichtlichen Form des kirchlichen Seins selbst; Unklarheit auch als eine unmittelbar theologische Verundeutlichung, und von da aus eine Unklarheit des Glaubensbewußtseins, die in einem seltsam vielfältigen Schwanken in der Darstellung der Lehre, in der Verwaltung und in der äußeren Haltung der verschiedenen kirchlichen Führerschichten zum Ausdruck kam. Die theologische Unklarheit ist für die Analyse vor allem wichtig. Sie war grundgelegt, seitdem ockhamistische Theologie im 15. Jahrhundert, zurechtgebogen, in der Kirche gelehrt wurde; und seitdem es den Konziliarismus gab, d. h. den Versuch, die unter Petrus geeinte Kirche in eine demokratische Anstalt umzubilden.

Als Voraussetzung des Konzils von Trient und all dessen, was mit ihm zusammenhängt, stellt Jedin natürlich vor allem die fällige R e f o r m an Haupt und Gliedern, die nicht eingelöst war, heraus. Eben von diesem Anliegen her entstand als eines der Hauptstichworte der Ruf nach dem Konzil (manchmal zu gewaltiger Sehnsucht gesteigert, vgl. etwa 90) und auch der Konziliarismus. Die Kurie steht gegen das Konzil, das ganze Jahrhundert hindurch, auch noch bis unmittelbar vor Trient; sie sucht es hinauszuschieben, zu umgehen oder seine Idee auszuhöhlen, benutzt es andererseits auch als Druckmittel im politischen und kirchenpolitischen Spiel (wie umgekehrt die politischen Mächte immer wieder mit einem Konzil drohen; auf der andern Seite stellen sich auch treueste Anhänger der Kirche gegen die Kurie, um das Konzil durchzusetzen. Es gab damals eine berechtigte Forderung nicht nur eines Konzils, sondern, wenn man die Dinge zeitgeschichtlich faßt, sogar des Konziliarismus, bei jenen nämlich, die das Konzil nicht für ihren eigenen Nutzen verlangten, sondern für die Wiederherstellung der Kirche in der Nachfolge Christi. Man könnte Jedins ganzes Material und den darin geschilderten Kampf um das Konzil unter den Gesamtnenner bringen: religiöse Treue zur Kirche gegen kirchlichen (oder politischen) Egoismus. Kirchlich unverdächtige Karthäuser sehen im Programm des Restaurationspapsttums Verrat an der katholischen Wahrheit, schmählichen Abfall vom wahren Kirchenbegriff und die hartnäckige Vertretung eines Irrtums; sie wenden sich mit so scharfen Worten gegen die ‚kleine Schar' der Kurialen, welche die Gesundung der Gesamtkirche hindern, ohne, ja gegen die man auf einem Konzil handeln müsse, daß man aus ihrer Sprache stellenweise glauben könnte, Savonarola zu hören vermeint (33). — Später finden wir (ohne den Konziliarismus) den gleichen religiösen Eifer vertieft in den Advisamenta von Kardinal Capranica (96) und wieder später in den glänzenden Gutachten der Freunde Contarinis (Giustiani und Quirini), welche beide Gutachten bei Jedin einigermaßen die katholische Reform im Programm vorwegnehmen (103 f.), dazu bei Contarini selbst, bei Herzog Georg von Sachsen, bei deutschen Theologen usw. usw. Freilich, das ganze Bemühen endet immer wieder ohne ‚positives Resultat . . . Alle Möglichkeiten, das Konzil zu umgehen, wurden real. Immer wieder wurden die Dinge von der Kurie zu wenig ernst genommen. Bis ans Ende sogar der unermüdliche Eck in einer einigermaßen erschütternden Weise resigniert die Enttäuschung so vieler Jahren und das Versagen der Päpste in diesen hundert Jahren ausspricht, und auch der treue Cochläus auf eine Rettung nicht mehr zu hoffen wagt (vgl. 544 70; vgl. noch 69).

Der Konziliarismus kann auch in seiner revolutionären Form nicht n u r aus der Not der Zeit oder aus dem Egoismus der Nutznießer oder dem religiösen Eifer der Besten ganz erklärt werden. Der Konziliarismus ist nicht nur eine aus bestimmten kanonistischen Gegebenheiten erwachsene kirchliche Streitbewegung. Er ist auch Ausdruck der damals unwiderstehlich (leider in ungenügender Bindung) aufbrechenden ‚demokratischen' Idee, und dies im Zusammenhang mit dem in seinem Bereich zunächst legitim sich durchsetzenden nationalen Bewußtsein. Beides steht in wurzelhaftem Zusammenhang mit dem selbständiger werdenden Geistesleben.

Im Problemkomplex Konziliarismus scheint mir ideengeschichtlich dem Phänomen Nikolaus von Kues besondere Bedeutung zuzukommen. Hier wird an einem ausnehmend wichtigen Beispiel die Auffassung vom Dogma im Spätmittelalter zu klären sein. Es würde dabei nicht nur um eine oder mehrere Einzelsichten gehen, sondern um die Klärung einer entscheidenden Grundhaltung. Es ist oder die noch oft anzuziehende kirchliche Unklarheit (die theologische und kanonistische, aber auch die in der Privilegien- und Dispenspraxis der Kurie sich aussprechende), die eigentlich zur Diskussion stehen wird. Gerade die spekulative Unterbauung sowohl der konziliaristischen Gedanken des Cusanus wie seiner späteren monarchisch-päpstlichen Auffassungen dürften für die Klärung des angeführten Problems Wichtiges hergeben. Die vielfältige Kreuzung spekulativ-theologischer und kirchenpolitischer Überlegungen wird in sorgfältiger Analyse auseinanderzulegen sein. Gerade das vielfache I n e i n a n d e r von konziliaristischem und päpstlich-monarchischem Ideengut, wie es die allmähliche Stärkung des Primatsgedankens bietet, ist ergiebiges Material für die Durchführung einer solchen Arbeit über Kraft, Klarheit, Reichweite des damaligen ‚Dogmas'. — Dem ungeheuren Entwicklungsbogen der Aeneas Silvio, des späteren Pius II., vom eifrigen Konziliaristen über die Neutralität zum treuen Diener der Kurie hin mehr gewünscht als dem Satz, daß er ‚dann zu der Seite überging, die im Begriff war zu siegen' (18). —

Als Ziel des Konzils stand also seit dem Schisma die Reform voran. Daneben schwang vieles mit. Es wäre theologiegeschichtlich eine reizvolle Aufgabe nachzuzeichnen, wie weit und in welcher (auch verdeckter) Form die causa fidei seit Paul II. in den Konzilprogrammen zum Ausdruck kam. Mit der Reformation weitet sich diese Frage im selben Maße aus, wie die Häresie zu dem schier unglaublichen Resultat einer neuen Kirchenbildung führte. Nun stand vor allem die Wiedergewinnung der Protestanten obenan. Aber die Zielsetzung reduziert sich und wird zugleich positiver, als sich die Evangelischen dem Konzil versagen. Und dies ist ein recht komplizierter Vorgang. Denn das protestantische Versagen stand wieder in Zusammenhang mit der erwähnten kirchlichen Unklarheit. Diesem Untergrund entsprechend bezeugte sich die katholische Reaktion gegen die Reformation als manchmal jämmerlich uneinheitlich und kraftlos. In wachsendem Maße erwiesen sich die Dinge im eigenen Lager als viel unheilvoller, als man geahnt hatte. Entsprechend wurde die Klärung der innerkatholischen Lage dringlich, und man erstrebte die Stärkung der schwankenden Katholiken, die Sicherung des katholischen Bestandes überhaupt. Dieser Wandel der Zielsetzung ist außerordentlich lehrreich und hätte für verschiedene Auffassungen des ganzen Geschehens Hinweise geben können, die nicht ganz realisiert wurden, etwa in der Auffassung der katholischen Kontroverstheologie und der Kritik im eigenen Hause (s. unten).

Der Gesamthintergrund für all dies ist das, was wir ‚spätmittelalterliche Mißstände' in der Kirche nennen. Zur Methode ihrer Erforschung habe ich mich in der ‚Trierer Theologischen Zeitschrift' (1949; auch als S.-A. 1950) geäußert. Jedenfalls ist es notwendig, den Begriff ‚Mißstand' von dem Vordergründigen, von dem, was Skandal ist, und von dem, was im Umkreis persönlich moralischer Schuld beschlossen bleibt, zu befreien und also zu fragen nach religiöser Kraft und Unkraft, nach Lehramt und Sakrament und nach Seelsorge. So faßt auch Jedin das Problem. Sein Material liegt in erdrückendem Maße, daß sein Satz: ‚Kirchenamt ist Hirtenamt' weithin nicht mehr galt (das Verständnis, das er S. 352 für die Residenzflucht aufbringt, scheint mir allerdings erstaunlich weit zu gehen). Eine der objektiven Wurzeln des Verderbnis wird in dem Fiskalismus, der mit Recht als die große, immer wieder vergiftende Wurzel der Mißstände herausgearbeitet wird (332; 96 u. ö.). Wenn man an die bis zur vollen Rechtsunsicherheit entfaltete päpstliche Willkür denkt; wenn man überlegt, wie stark durch diesen Fiskalismus (plus Simonie) die Unzufriedenheit in weitestem Umkreis, und zwar hier mit Recht, gestiegen war, mit welcher selbstverständlichen Gering-

schätzung gegen den Papst sie ausgesprochen wurde (107 f. 14. 30),
und wenn man hinzunimmt, daß die Kurie beinahe nur mehr politisch
überlegte und handelte, dann begreift man, wie und warum die
politischen Gewalten und ein bedeutender Teil der öffentlichen Meinung ihrerseits so reagierten, daß sie den Papst als einen Kontrahenten unter anderen betrachteten und behandelten. Nur, daß auch
dies wieder tiefer reicht, als der angedeutete politische Aspekt es
ausdrücklich ausspricht. Wir stehen abermals im Schatten der theologischen Unklarheit, und dies, obwohl diese politischen Gegner
zunächst die dogmatische Treue zur Kirche nicht ausdrücklich verletzten.

Die beste Illustration zur Problematik, die hier zur Diskussion
steht, bietet Paul III.: ein großer Politiker, den Jedin mit besonderer
Eindringlichkeit und einer gewissen Bewunderung schildert (280.
285 f. 374. 428). Ein Greis, der in jugendlicher Kraft eine hintergründige, doppelgleisige Politik genial durchführte (374. 428). Freilich, wenn man das Schwanken dieser Politik überblickt und mit
Jedin feststellt, daß hier überhaupt nur mehr politisch gedacht wurde,
wenn man die frühere Klage Herzog Georgs von Sachsen (daß
leichthin hunderttausend Seelen geopfert würden; 229) in ihrem Kern
auch hierher ziehen darf, dann fragt man sich, was in einem solchen
Spiel mit „den großen kirchlichen Interessen" (423) gemeint sein
kann, und man ist geneigt, in dem Doppelgleisigen doch auch etwas
Doppelzüngiges zu finden. Die Kritik Morones schürft nicht nur am
tiefsten, sie ist vernichtend. Der Einzige, der hier damals opponieren
durfte, weil er trotz aller selbstverständlichen politischen und
dynastischen Zielsetzungen „Interessen" und „Kirche" nicht verwechselte, war Karl V. Mit Recht war seine Forderung an den
Nuntius Poggio 1540 hochgereizt (279).

Es ist schwer, den schon öfter angezogenen Begriff
‚kirchliche Unklarheit' genau zu umgrenzen. Das liegt
schon am Begriff selbst. Was er fassen will (von dem
dauernden, aus Willkür genährten Schwanken abgesehen),
liegt sehr tief und reicht in alle Sparten des damaligen
kirchlichen Seins hinein. Auch der Bedeutungswandel
dieser Unklarheit ist wichtig, der sich vollzieht vom 14.
über das 15. in das 16. Jahrhundert: von Ockham zum
kirchlichen Ockhamismus, zum Renaissance-Papsttum und
seinem Überkurialismus, zum Humanismus und mit ihm
in die Zeiten der Reformation, wo Leo X. die bekannte
widerspruchsvolle Behandlung von Luthers Prozeß zuließ
bzw. veranlaßte. Man kann sich nicht einfach auf den
Begriff Häresie oder Nichthäresie zurückziehen. Man muß
erkennen, daß es in der Kirche, bei voller Integrität des
Lehramtes, so etwas wie eine gewisse Blutleere geben kann
(1518 wird der Zustand der Diözese des Bischofs
Briçonnet, Meaux, als ‚exsanguis' bezeichnet): also
jenes Stadium, für das mir der Begriff „nicht mehr
vollkatholisch" ergiebig scheint. Die Frage war damals
außerordentlich bedrängend: Was ist katholisch? Was ist
katholisches Dogma? Wie weit reicht seine Verpflichtung? Die wichtigste Anwendung war die Frage: Gibt
es Katholisches auch in der reformatorischen Lehre?
Jedin sagt einmal (S. 168): „Für ihn (Adrian VI.) wie für
jeden katholischen Christen, der nicht durch die Ideen des
Konziliarismus angesteckt war, galt Luther als Häretiker."
Lassen wir einmal die vorsichtige, nicht ganz klare Einklammerung des Konziliarismus, über den Jedin uns belehrt, daß auch die feierlichen Verurteilungen ihm für viele
nicht den Charakter einer katholischen Glaubenswahrheit hatten nehmen können (z. B. 52. 91. 33), beiseite. Dann
ist hier die Kategorie ‚katholisch', abstrakt genommen,
zwar richtig ausgesprochen; aber was bedeutet solch ein
Satz für unsere h i s t o r i s c h e Frage, wenn eine allgemeine
autoritär gestützte Klarheit damals nicht vorlag!

Die wichtigste Grundlage zu dieser umfassenden Unklarheit, die in der theologischen Unklarheit ihre gefährlichste Form angenommen hatte, liegt zweifellos jenseits
der Theologie, nämlich in der Säkularisierung eines beträchtlichen Teils der Lebensäußerungen der damaligen
Kirche. Diese Säkularisierung ergab oder war eine unklare Darstellung dessen, was die Kirche als Stiftung

Jesu Christi hätte sein müssen; unklares Sein also, das
notwendigerweise Unklarheit ausstrahlen mußte und leicht
eine unklare Vorstellung vom Wesen der Kirche vermitteln
konnte. Außerdem: die Klarheit der Bestimmungen, die
ein Lehramt autoritär erläßt, ist weitgehend abhängig von
der Stärke dieser Autorität und von ihrer klaren Anerkennung. Da beides weithin im Bewußtsein der Agierenden
fehlte, sieht man, wie auch von hier aus die theologische
Unklarheit gefördert werden mußte. — Es war nicht die
Aufgabe Jedins, die geistesgeschichtlichen Zusammenhänge
in dieser Weise auszudeuten. Aber diese Art der Betrachtung ist nützlich, wenn das Material, das er bietet, in seinen verschiedenen Formen ganz erklärt werden soll.
Wenn man seinen Band einmal unter diesem Betrachtungswinkel liest, präsentiert sich die damalige innerkirchliche
Unklarheit an sehr vielen Stellen in unerwarteter Eindringlichkeit, und zwar weit über die ausdrücklichen Feststellungen hinaus, die — an sich bestürzend genug — etwa
die „Verwirrung der Begriffe von Kirche, Konzil und
Papsttum" (53) herausheben, oder die „für die modernen
Katholiken kaum mehr vorstellbare Verwirrung der Begriffe" (460) und im Gesamt eine „entsetzliche Verwirrung
auf doktrinellem Gebiet" (298). — Die naivste — aber wie
weitreichende! — Form dieser Unklarheit trägt vor, wenn
gute Katholiken, Nonnen oder ein theologisch geschulter
Bischof oder der spanische Humanist Lud. Vives, die von
den Reformatoren vertretenen Lehren als radikale Neuerung bezeichnen, aber doch deren Bejahung durch ein
kommendes Konzil in Rechnung setzen (dazu das so oft
wiederholte „bis zum Konzil", unter welchem dehnbaren
Vorbehalt zahlreiche Kompromisse geschlossen worden
waren [460]; vgl. 166]). Nicht viel weniger gefährlich war im
Endeffekt die Meinung des spanischen Kronkardinals
Loaysa (der nur Feuer und Schwert für eine gute Antwort
auf die Häresie hält): „immer noch besser eine Verständigung mit den Protestanten unter stillschweigender Duldung ihrer Irrtümer als die Konzilslösung" (206)! — Welch
ein Durcheinander des kanonistischen und theologischen
Denkens in der Lehre vom akuten Notstand (vgl. 74 f)!
Sogar Torquemada erlag der Versuchung, auf dieses Gleis
auszuweichen: das Konzil ohne Papst als Ausnahmefall!
Aber wie oft konnte in dem Jahrhundert vor Trient d i e
s e r Fall auch von kirchentreuesten Christen als vorliegend angesehen werden, da doch so oft ‚hartnäckige' Verweigerung des Konzils zu belegen, also ‚der Verdacht der
Häresie', gegeben war (76)! Wie wenig trifft die Voraussage Torquemadas, so etwas würde kaum vorkommen, den
wirklichen Verlauf der Geschichte!

Von zentraler Wichtigkeit ist, daß der Begriff des Primats des Papstes bis zur Unkenntlichkeit verdunkelt war.
Schon deswegen, weil ihm einerseits in einem schlechthin
nicht mehr zu steigernden Überkurialismus a l l e Macht
zugeschrieben wurde (daß er überhaupt nie Simonie
begehen könne; daß er etwa das Kirchenrecht ohne
weiteres aufheben und durch ein anderes ersetzen könne;
vgl. 24 f.), weil ihm andererseits die Macht aus göttlichem
Recht bis zur voll demokratischen Abminderung verweigert und der Konziliarismus nach wie vor als eine
katholische Lehre vertreten wurde. Auch die papalistische Doktrin selbst zeigt unklare Zurückhaltung
(z. B. bei Biel). Hier hätte der innere Zusammenhang
der Entwicklung etwas stärker genannt werden können.
Die Übertreibungen in der Lehre von der potestas in temporalibus und der Fiskalismus, die als beiden entstandene
Rechtsunsicherheit durch die Willkür der Kurie: dies
alles stand im Schatten der allgemeinen geistigen, kirchenpolitischen und theologischen Schwankungen, die das
Abendland im 15. Jahrhundert nicht nur belastet, sondern die es erschüttert hatten: die Unsicherheit, wo wahre

Kirche sei, die Unsicherheit darüber, wo ihre Grenze sei, also die Möglichkeit oder gar Notwendigkeit, diese Grenze mehr oder weniger selbständig festzulegen, oder wenigstens die Versuchung dazu. — Daß auf der entgegengesetzten Front die Irrtumslosigkeit des doch als letzte Instanz angerufenen allgemeinen Konzils nicht ganz allgemein anerkannt war, erweitert und bestätigt das Gesagte (570[92]).

Die kirchengeschichtlich zentrale Frage auch an Erasmus kann keine andere sein als die, ob er in seiner Verkündigung das Christentum v o l l wiedergegeben oder es verengt oder erweicht habe? Ob er Verständnis gehabt habe für das Dogma und das Lehramt und das Sakrament? Die Beantwortung dieser Fragen hat große Bedeutung für die Entstehung der Reformation. Aber es ist im Widerspruch zu Jedin nicht so, als ob ohne diese Perspektive das Urteil über Erasmus viel positiver würde, es sei denn, man beachte nur den Gelehrten, den Sprachkünstler und den Herausgeber des Neuen Testamentes (diesseits seiner exegetischen Methode). Was noch aussteht, um das Urteil definitiv zu machen, ist eine erschöpfende Darstellung seiner Alterstheologie. Sie wird zu erweisen haben, ob mit der zuchtvolleren Zurückhaltung des alten Erasmus und seinem starken Bekenntnis zur Autorität der Kirche die Mängel seiner destruktiven Kritik, seines Adogmatismus usw. innerlich überwunden wurden, ob er wirklich in irgendeinem existentiellen Sinne aus der Kirche lebte. Es wäre schön, wenn sich ein heiligmäßiger Tod des großen Humanisten erweisen ließe. Die Beweisführung von R. G. Villoslada in Miscellanea Giovanni Mercati, vol. IV. 1946, p. 380—406 (vgl. Revue d'histoire ecclésiastique, vol. XLV 1. 2., p. 174) scheint mir dafür nicht entfernt zu genügen. Vorläufig stelle ich fest, daß Erasmus auch in der späten Concordantia von 1533 der Adogmatische bleibt, der er war (291). Er will nicht immer ü b e r den Religionsparteien stehen. So soll es nach der Gratulationsepistel von 1533 an Paul III. auch der Papst halten. Wenn Erasmus sagt, die b e i d e r s e i t i g e n Theologen seien schuld am Riß, so ist darin die Wirkung einer teilweise überflüssigen theologischen Weiterentwicklung der religiösen Grundanliegen richtig gesehen, aber es werden dogmatische (das ist etwas anderes als theologische) Fixierungen wie früher unterschätzt. Das, was Erasmus an Gefährdung in sich trug (die Briefe bieten eine Fülle von Material. Ich empfehle für unseren Zusammenhang aus den Jahren 1527/28 z. B. den herrlichen Brief über Froben, und darin über dessen Tod [7, 228] und den Schluß des Briefes an Butzer [7, 233]), war auch, daß er „gefährdete die Kontinuität der theologischen Tradition" (127). Aber es war viel mehr. — Sicherlich fehlte, wie bei Ficino, dieser Laientheologie „die notwendige Schärfe der Begriffe" (128). Aber dies war nur eine Auswirkung der tieferliegenden und weitergreifenden Entfremdung von der dogmatischen Festlegung; es liegt dieser Theologie nicht wenig am Herzen, etwa eine neue Terminologie aufzubauen, nachdem sie mit der angeblich überwundenen scholastischen so schlechte Erfahrungen gemacht hatte. — Wenn man sich der prozentual stets vergleichslosen Wichtigkeit der Inkubationszeit im Unterschied zum späteren Ausreifen bewußt bleibt, wird man sich in der Frage, ob Erasmus vor allem Wegbereiter Luthers gewesen sei, schwerlich der runden Verneinung des Verfassers anschließen (129). Unter Kundigen braucht nicht darüber zu werden, daß der Humanismus auch tiefe positive Einwirkungen auf die kirchliche Erneuerungsbewegung hatte. Aber nicht aus sich heraus — sondern durch die nähere Aktualisierung seiner Bivalenz nach dieser positiven Seite hin durch Elemente, die als solche nicht spezifisch humanistische sind: Treue zur Kirche durch Anteilnahme an ihrem sakramentalen Sein. Bei Erasmus ist dies nicht zu finden. Jedin selbst muß resigniert schließen: „Neue Ideale waren aufgezeigt; aber: was war schließlich erreicht worden?" (131). Und nur 25 Seiten weiter (S. 153) stößt man auf Tatsachen, die eben analysierten und ergänzten Gedankengängen nicht zur Darstellung kommen und ganz anders die zerstörende Wirkung des großen Mannes erkennen lassen. — Erasmus sieht die dogmatische Kluft nicht ganz. Bleiben wir also bei Jedins anderm Urteil: Wirklich, „Erasmus hat die organischen Lebensgesetze der Kirche nicht belauscht" (292). (Den Einwand der Freundschaft des hl. Thomas More mit Erasmus habe ich im Beitrag zur Tillmann-Festschrift (Düsseldorf 1950, 271—326, S. 294 ff.) behandelt. Ich füge hier eine Parallele an, die mir auffellend zu sein scheint: heute ist von allen Seiten anerkannt, daß ein Wesensunterschied zwischen Anton Bruckner und Richard Wagner besteht, und doch war Bruckner geradezu ein Anbeter Wagners. — Zum allgemeinen Problem: Erasmus und das Dogma darf ich auf den eben erwähnten Beitrag verweisen. Ich gedenke der Frage weiter nach-

zugehen. Das hochinstruktive neuplatonische Material (besonders wichtig der Gedanke der geheimen Einheit aller Religion!) z. B bei Cusanus, Marsiglio Ficino und Pico della Mirandola einerseits, von Bessarion kommend bei Wessel Gansfort und der von ihm über Agricola befruchteten Devotio moderna anderseits, belegt einen doppelten in Erasmus mündenden Traditionsstrom. Der vielschichtige Adogmatismus und Moralismus des Evangelismus endlich erweitert und erhellt weiterhin den dogmen- und frömmigkeitsgeschichtlich wichtigen Problemkreis.

K a r l V. gehört vor allem n i c h t in diesen Zusammenhang. Mit Recht rückt ihn Jedin stark ab von Gattinara, dessen Bindung an das Dogma viel stärker erasmianisch erweicht war (533 Anmerk. 76; 529 Anmerk. 21), der nicht wie sein kaiserlicher Herr von dem im Gewissen tief verpflichtenden Bewußtsein erfüllt war, den katholischen Glauben und also die Kirche schützen zu müssen (529 Anmerk. 18). Karl war es, der den Riegel sprengte, der auch Franz I. endlich zwang, seinen Widerspruch gegen das Konzil aufzugeben; er war der ernsteste von allen, der einzige, der immer das Konzil gewünscht hatte (250. 407 f. passim). Und deshalb ist die Kennzeichnung der beiden großen Gegenspieler, Karls V. und Pauls III., etwas überraschend (419). Das Katholisch-Kirchliche als primäres Gewissensanliegen des Kaisers wird, unterschätzt. Ich sehe nicht, daß der Kaiser dem Papst die Preisgabe seiner Selbständigkeit zumutete. Allerdings ist Voraussetzung seiner Forderung, daß der Papst nicht Politik gegen die Religion mache. Die Wiederherstellung dieser Ordnung, die selbstverständlich hätte sein sollen, wäre nicht nur „in des Kaisers Augen", sondern in Wirklichkeit — ein Triumph der Kirche gewesen. Wenn in dieser Angelegenheit der Überwindung der Protestanten der Papst höchst wenig Eifer gezeigt hatte, seine jetzige Schwenkung zum erheblichen Teile seiner Familienpolitik zuliebe vornahm, wenn er nach Mühlberg den Kaiser im Stich ließ, dann stimmt zwar das Urteil Jedins: „Paul III. dagegen schloß das Bündnis so, wie jeder moderne Staatsmann ein Bündnis schließt, zu einem bestimmten Zweck." Aber dann stehen wir einmal mehr am entscheidenden Punkte: es handelt sich so stark um Politik, daß aus der Feststellung eine Anklage wird (s. weiter unten Sp. 167 f.). — Voll zuzustimmen ist dem Tadel gegen Karl S. 398. Nur daß das Urteil über die Gegenspieler an der Kurie öfters genau so präzise hätte sein sollen. — Bleibt die Frage: Karl V. und das Dogma. Die Zugeständnisse auf dem Reichstag zu Speyer 1544 (397) sind an sich am belastendsten für die katholische Treue des Kaisers. Aber sie sind so sorgfältig befristet, weiter durch und durch politisch abgezweckt (die Hände frei zu bekommen gegen Franz I., und dann gegen die Protestanten; letzteres hat der weitere Verlauf bewiesen), daß sie für diese Frage doch nicht gar so viel abwerfen. — Daß der Einfluß des katholischen Dogmas auf Karl V. von Brandi nicht behandelt wurde, ist die große Lücke in seinem bewundernswerten Werk, denn Karl V. lebte aus katholischem Dogma." (Eine erschöpfende Darstellung steht von unserm Stipendiaten Dr. Trusen zu erwarten.)

Zur katholischen K o n t r o v e r s t h e o l o g i e : Operierten jene Theologen wirklich richtig, die beinahe nur das Trennende sahen und betonten? War es nicht auch, und zwar primär, ihre Aufgabe, das Wahre in andern, also das Gemeinsame zu sehen, um so vielleicht im echten Sinne den Irrtum zu überwinden? Das Trennende genau zu kennzeichnen, ist im Katholischen lebenswichtig, damit die Wahrheit rein erhalten werde und das Dogma von der Häresie getrennt bleibe. Eck hat dieses Notwendige geleistet. Aber dies einseitig tun, heißt zur Unfruchtbarkeit verurteilen (die natürlich auch Jedin selbst tadelt 317. 319. 322. 325. 327 f.). Leider haben Eck und andere dies unter Beweis gestellt. Alle Äußerungen unter Christen sollten ausnahmslos nur sein in der Liebe, also in der Funktion des Apostels oder des Missionars. Der Beweis für die Richtigkeit dieser These in Anwendung auf die Reformationszeit kann aus Jedin selbst erhoben werden. Wenn es wahr ist, daß die Frage Rechtfertigung aus Glauben (man müßte hinzufügen: und Frage der bessern innern Gerechtigkeit) in den dreißiger und vierziger Jahren des 16. Jahrhunderts „in der Luft lag", in allen Herzen lebendig war und diese Angelegenheit über einen Kirchenstreit in Deutschland hinausgewachsen war zu einer Angelegenheit des europäischen Geistes (295/6), dann deutet das gerade die Aufgabe an, die zu lösen hier aufgegeben war: das Gemeinsame katholisch aufzufüllen.

Zu W i t z e l (564 [24]): es liegt jetzt (noch ungedruckt) die Göttinger Promotionsarbeit von Winfried Trusen vor. Das Eintreten Witzels für das Konzil ist nicht das eines ‚echten Exspektanten', denn auch ohne Konzil hatte er für sich persönlich bereits die Entscheidung gefällt. — Witzels Hoffnung auf Rückführung der Neugläubigen (durch das Konzil, durch katholische Reform) hat etwas rührend Unwirkliches. Seine theologische Unklarheit ist öfters taktisch abgezweckt. Zum Primat: ‚Ich anerkenne den Papst, so er ein guter Hirt ist.‛

In das ungeheure Durcheinander des Kampfes um das Konzil hat Jedin die katholische Reformbewegung in einer Art eingezeichnet, der ich umso freier zustimme, als ich weithin eigenen Auffassungen begegne: ein langer, mühevoller Weg (350), nicht in einem Zug durchzuführen, ein wahrer Kreuzweg. Auch Beste wurden unterwegs mutlos angesichts des dauernden Versagens der Kurie (380). Aber der Raum der Heiligkeit ist erreicht; man macht Ernst mit der Nachfolge Christi (118); das Gericht wird demütig im eigenen Hause angesetzt. Kraftzentrum ist zunächst stark das Laientum (116), der Klerikalismus wird überwunden. Gerade diesen anonymen Ansatz bei den Laien möchte ich freilich nicht einen Umweg nennen (111), eben, weil es „ein wahrhaft christlicher Weg" war. — An religiösen bzw. reformeifrigen Bischöfen fügt Jedin den berühmten drei Namen Niders sieben weitere bei. Erfreulich. Aber eher geeignet — scheint mir —, den allgemeinen Abstand vom Ideal noch stärker spürbar zu machen (120 f.). Daß die Synoden gehäuft wurden, besagt an sich nichts Eindeutiges inmitten der damaligen Lage. — Wenn man fragt, warum die kirchliche Reform sich so spät durchsetzte, müßte man wieder zu einem guten Teil auf theologische Unklarheit abheben. Seitdem die Reformation sich erhoben hatte, drang die katholische Reform deswegen nicht schnell durch, weil die Reformation praktisch von sehr vielen nicht als Häresie erkannt wurde. Dieses Tatsächliche, erschreckend vielfach belegbar, ist objektiv recht tief verwurzelt. Die katholische Reaktion gegen die Reformation war in vielen Sparten alles andere als eindeutig einheitlich. (Das Festhalten an der Vorstellung der noch immer vorhandenen e i n e n Kirche müßte allerdings auch positiv gewertet werden [zu 154]).

Die Zeichnung der theologischen Gedanken L u t h e r s leidet unter der besonders durch K. Holl geförderten Anschauung einer durchgängigen Einheitlichkeit. Ich halte das Gegenteil für beweisbar. (Eine eigene Auseinandersetzung mit Maurer, Theol. Lit. Zt. 75 [1950] 245 ff. ist notwendig). — Der spätere Luther wußte gelegentlich zu seinem Vorteil kluge Rücksicht auf die Umwelt zu nehmen. Aber das Urteil S. 163 schiebt Dinge als entscheidend in den Vordergrund, die zwar irgendwie mit schwangen, aber (besonders damals!) als für Luther entscheidend nicht nachzuweisen sind. — S. 295/6 ist bei der zutreffenden Wiedergabe des Tatbestandes das Katholische nicht genügend berücksichtigt. In der bedeutenden Übersicht über evangelistische Literatur S. 297 und vorher ist der Beleg für die katholischen Kern der Neuerung enthalten. — Hier spielt dann auch die Frage der Kritik am Kirchlichen herein, sei es während oder nach der Reformation. Immer kommt es auf ein Doppeltes an: daß die Kritik geleistet werde nicht nur mit Worten, sondern auch in Selbstheilung; zweitens nicht gegen die Kirche, sondern aus ihrer Mitte und für sie. Unter diesen Voraussetzungen gewahrt sein, behält die Kritik am Kirchlichen i m m e r ihr Recht. Jedin formuliert genau (331): „Die Kritik aus dem eigenen Lager war eine höchst delikate Sache geworden, seitdem es ein feindliches Lager gab." Gut. Aber (abgesehen von dem religiös Grundsätzlichen, auf das ich noch zurückkomme), ein paar Zeilen weiter: ‚Zu Beginn der Glaubensspaltung ist die Entwicklung so weit gediehen, daß über gewisse Seiten der Kurialpraxis kaum noch Meinungsverschiedenheiten möglich sind" (331). Forderte das die Kritik opportune importune?

Angesichts des oft bezeugten Gefühls, die sich ausbreitende Reformation werde bald g a n z Deutschland vom Papsttum getrennt haben (313. 380. 599 Anm. 100), erhebt sich die heilsame Frage: hätte ein rechtzeitig berufenes Konzil die Kirchentrennung verhindern können? (155. 461). Angesichts der religiösen Grundlage der neuen Bewegung und der in ihr durchbrechenden neuen A r t würde ich der Meinung Jedins (für 1521—25) nicht leicht zustimmen. — Man darf anderseits fragen:‛ Ist es so, daß die Reformation notwendigerweise bis zum radikalen Ende führen m u ß t e? (210). Auch hier darf man zweifeln, vorausgesetzt, daß ein Konzil so früh gekommen wäre, daß es dem Worte Luthers die Möglichkeit genommen hätte, überhaupt ein breites Echo zu finden. Es bleiben allerdings auch noch andere Elemente: das Bewußtsein, daß ein widersprüchlich Neues vorliegt, wird so spät Allgemeingut, man anerkennt so spät, daß die Trennung definitiv sei, man hat — was damals vollkommen ungenügend gesehen wurde — so viel Gemeinsames, daß man berechtigterweise bei der Überzeugung bleiben kann: wären die grundlegenden Mißverständnisse ausgeräumt worden, hätte sich der Riß nicht verfestigen können. Denn diese These ist wohl erschüttert: Entstehen, Inhalt und entscheidende Ausbreitung der Reformation beruhen auch auf entscheidenden Mißverständnissen; Contarini hat es scharfsinnig erkannt (309). — Jedins Antwort (132) trifft den Kern der Sache: die Reformation wurde siegreich, weil die katholische Reform nicht zur Zeit kam. Nur, daß dies auch theologisch gilt: weil die katholische Reform (im angegebenen Sinn) versagte, konnte das, was die Reformation an echt christlichem Besitz neu, wenn auch häretisch einseitig vortrug, sich nicht orthodox und für die Kirche und in ihr auswirken. Und also muß auch als Ursache des reformatorischen Sieges wieder die theologische Unklarheit mit aufgeführt werden. Karl V. sah am 30. X. 1530 richtig (212).

Warum kam die Reformation in Deutschland? (105). Über den Hinweis S. 121 hinaus wäre zu fragen, w a r u m die Deutschen fromm sein wollten ohne und gegen den Klerus und den Papst? Vgl. dazu meine „Reformation als religiöses Anliegen heute", Trier 1948, 174 f.

Geschichte ist nur jene Vergangenheit, die uns heute angeht und fordert. Je mehr die Art der Aussage dem entspricht, desto besser. Für den Christen gibt es keine nur positive Berichterstattung. Auch das einmalig Konkrete, mit dem die Geschichte es zu tun hat, muß zum Allgemeinen erhoben werden in dem Sinne, daß es gemessen wird. Gemessen nämlich an dem einmalig Einmaligen des Inkarnierten, welcher ein für alle Mal Maßstäbe gebracht hat, die allein über die Wirklichkeit des Geschehens und des Geschehenden vor der Ewigkeit entscheiden. Jedins großer Dienst an der Wissenschaft und an der Kirche durch diesen bedeutenden Band wäre noch größer gewesen, wenn er dementsprechend seine Darstellung durchgehender zu einer theologischen Geschichtsschreibung gemacht hätte; an der Wissenschaft: weil in unsern theologischen Kontroversen die volle innere Unabhängigkeit christlicher Freiheit noch nicht erreicht ist und des mitreißenden Beispiels bedarf, d. h. auch der vollen Freiheit der Diskussion, d. h. auch der ausdrücklichen Urteilsfindung über die Feststellung der Tatsachen hinaus, für das kräftige Leben der Kirche (wie eines jeden soziologischen Organismus) nötig ist, aber wieder noch nicht genügend realisiert wird. Das Thema dieses Bandes fällt nicht zusammen mit den Fragen nach dem Werden der Reformation, ihrem Inhalt und dem Kampf der Kirche gegen sie; aber es trifft sich auf weiten Strecken mit ihnen. Auf diesem Gelände stehen wir seit einem halben Jahrhundert in einem mühevollen Kampf, das geschichtliche ‚mea culpa' auch dort zu Gehör zu bringen, wo man aus Anlage oder Gewöhnung oder Einstellung Mühe hat, sich der eigenartigen Kategorie, die das historische Denken (eine A r t des Denkens) darstellt, zu öffnen. Der Erfolg dieser Arbeit ist für die Gesundheit in der Kirche von erheblicher Bedeutung. Der Dienst an ihr wird nur teilweise erfüllt durch die lautere Feststellung der Tatsachen. Man darf annehmen, daß ein Buch wie das vorliegende, das sich ausdrücklich zur Aufdeckung der I d e e n bekennt, dem zustimmt.

An manchen Stellen zeigt die Darstellung eine gewisse Tendenz, die Problematik, soweit sie kirchlich belastend ist, durch zurückhaltende Formulierungen weniger voll zur . Darstellung kommen zu lassen. Dies wird nicht dadurch beseitigt, daß dann wohl an andern Stellen Tatsachen offen ausgesprochen werden, in denen die ganze Wucht der Zersetzung enthalten ist. Das Material, das Jedin den ganzen Band hindurch in solcher Fülle vorlegt, forderte mit der Formulierung: „Keine der beiden Fragen können wir schlechthin verneinen" (S. 4), sondern ließ eigentlich nur e i n e Antwort zu, eine runde B e j a h u n g. — Wenn es ebd. heißt: „Die kirchliche Hierarchie entsprach nicht mehr ganz ihrer apostolischen Sendung", so erweist das Buch selbst diese Formulierung als zu wenig realistisch. Denn der Band belegt, daß das Versagen weithin lebensbedrohend geworden war. Nach sehr vielem, was Jedin vorher und nachher vorlegt, klingt deshalb S. 109 f. sein Wort vom i r g e n d - w i e gestörten Gleichgewicht der Kräfte zu dünn. Es paßt nicht zu den Tatsachen, die Symptom schwerer Erkrankung waren. Daß die Kräfte, die für eine Besserung eintraten, nicht durchkamen, erklärt Jedin richtig, aber die religiös-kirchliche Bewertung ist nicht ausreichend gegeben. Die Ohnmacht der Kritiker, in diesem Fall italienischer Bischöfe mit kurialer Gesinnung, ist Folge eines religiöskirchlichen Versagens der Kurie, die diplomatisch-politisch ihren Vorteil sucht: „Interessen" statt Wahrheit, Glaube und Kirche . . . Wenn es S. 113 heißt, die Förderung der Observanz bzw. der Reformen sei durch die geistlichen Obrigkeiten nicht k o n s e q u e n t durchgeführt worden, so bleibt auch diese Formulierung weit hinter der Wirklichkeit zurück, verwunderlich besonders gegenüber den dann ebd. sofort folgenden Aussagen. Trotz der wichtigen und gewichtigen angeführten Namen bleiben die ebd. folgenden Aussagen zu allgemein. — Natürlich es ist wahr, ja eine Binsenwahrheit, daß „die ordentliche Seelsorge n i c h t g ä n z l i c h gelegen haben kann'; oder: daß Ansätze zur Besserung im Weltklerus vorhanden gewesen seien, und daß es in allen Landen gute Bischöfe und Priester gegeben habe (S. 119 f.). Aber was besagt solche Allgemeinheit, sobald man Fülle des Lebens von der negativen Korrektheit abhebt? (S. meine „Reformation als rel. Anliegen" S. 90 f.) Auch äußerlich eindeutig kirchliche Taten, wie Kirchenbauten und -vergrößerungen (119), die zahllosen Altar- und sonstigen Stiftungen des 15. Jahrhunderts mit den darin investierten erheblichen wirtschaftlichen Opfern sind ja doch keineswegs vollgültiger Beweis echter innerer Verbundenheit mit der Kirche. (Das Problem der l a t e n t e n Risses und die Frage: Fassade oder Leben? stehen hinter den allen.) Daß also Bauern des Bistums Paris sich kurzerhand selbst einen Vikar suchten und besoldeten (ebd.), ist zwar zunächst Zeichen religiösen Eifers. Aber sicher eine Kraft auch zur Peripherierung und zu einer gefährlichen Verselbständigung. Die Reformation erwies, wie gefährlich hier die liegende Multivalenz war. — Oder was beweist es, wenn das Bistum Séez die Zahl seines Klerus um das Vierfache erhöhte (ebd.)? Alles kommt auf den Wert dieses Klerus an. Und also ist es eine Frage der gerechten Verteilung von Licht und Schatten, ob und in welcher Betonung unbestimmt gehaltene Feststellungen wie die angegebenen ausgesprochen werden sollen. Um so mehr, als Jedin selbst dann bekennt: Nach 1500 verkümmerten damals Ansätze. — Ähnliches gilt für England (für 1492–1514). Daß es dort „keine groben Unordnungen' (ebd.) gegeben, daß Episkopat und Pfarrseelsorge „nicht g ä n z l i c h versagt haben können" (120), gehört in die eben schon besprochene Kategorie. Wenn es schließlich von der Verkündigung des Ablasses (138) heißt, sie sei „von Übertreibungen und Mißbräuchen nicht frei" gewesen, so ist das angesichts der simonistischen, manchmal beinahe sakrilegischen Versündigung am Grundgesetz des Christentums (von der bessern innern Gerechtigkeit), angesichts der grauenhaften religiös zerstörenden Wirkung des Ablaßbetriebes und angesichts der engen Verbindung dieser Schäden mit der damaligen Form der Kurie unmöglich schwach formuliert und hebt sich ungünstig ab gegen das Eingeständnis S. 331: „Die Ablässe sind weithin zur bloßen Finanzoperation herabgesunken."

Manchmal wird die Eigengesetzlichkeit oder auch nur die Tatsächlichkeit des politischen (und wirtschaftlich-finanziellen, beamtlichen) Realitäten ohne genügenden Vorbehalt hingenommen. Es scheint, daß nicht streng genug nach dem Recht ihres Schwergewichts gefragt wird, das ein Übergewicht gegenüber dem Religiösen

war und also das echt Kirchliche unzulässig hemmte. Jedin kennt den kurialen Apparat und seine Arbeitsweise so gut, daß vielleicht gerade dadurch sich die Versuchung realisierte, diesem Apparat das Recht des Bestehenden allzu schnell zuzugestehen. Man braucht nur die Geschichte Adrians VI., so wie sie auch bei Jedin dargestellt ist, zu überlegen, um zu sehen, mit welcher verheerenden Macht der Apparat in Gebiete hinein regiert, für die er nicht zuständig war, und wie er Kategorien, die der Kirche ursprünglich fremd waren, in sie hineinlanciert und sie zum Nachteil der kirchlichen Reform dort in Funktion hält. In seiner d a m a l i g e n Wirklichkeit entschleierte sich dieser Apparat als ein weithin Unreligiöses, auch wenn man absieht von dem „Abgrund von Abneigung und Haß", der den Papst im Vatikan umgab. Jedin zitiert das berühmte Bekenntnis der in der Hauptsache vom Papst selbst entworfenen Instruktion vom 25. November 1522, „in der z u m e r s t e n u n d l e t z t e n M a l e ein Papst das offene Bekenntnis ablegte, daß die Sünden des Klerus und der Kurie viel Schuld am gegenwärtigen Wirrsal trügen" (168). Erschütternd (wenn es stimmt) dieses „zum ersten Male", erschütternder dieses „zum letzten Male"; ganz aber erst wirkend, wenn man den sehr harten Wortlaut des päpstlichen Bekenntnisses nachliest (vgl. M i r b t, Quellen 261 Z. 24—28; 34/35). Kein Geringerer als der vorbildliche Contarini hat das Argument zurückgewiesen, man dürfe sich durch eine Reform der ‚Kompositionen' keine Blöße vor den Lutheranern geben. Daß die kuriale Gegenseite diese Auffassung mit unverkennbarer Ironie in einer großartig schlauen Art überspielen konnte (345), ist nur Ausdruck der Pervertierung, zu der die Dinge gediehen waren. Es war höchst unangenehm und traurig, aber nicht zu umgehen und mußte ertragen werden, wenn Luther seine erste Ablaßthese praktisch so weit widerrief, daß er das consilium de emendanda ecclesia nur als dumpffißiges Manöver gelten ließ (346). Es war aber auch nicht zu umgehen, ja zur Reinigung und Heilung direkt nötig, daß die Macht des Papstes in die Debatte einbezogen wurde; dies konnte kein Einwand gegen die kirchliche Reform sein, außer in den Augen von Kurzsichtigen, die wieder einmal die Kirche mit kirchlichen Interessen und manchmal mit e i g e n e n Interessen verwechselten (346). Contarinis Ruf zum „Weg Christi" traf das allein Richtige (ebd.; vgl. 350 ff. u. 97). Gibt man den angezogenen Argumenten gegen eine radikale Reform nach, kommt man folgerichtig dazu, auch die Klagen der ‚armen Kurialen' als legitimen Einwand anzuerkennen, die „vor Hunger sterben", aber — damit das nicht geschehe — bereit waren, die Kirche geistig kraftlos werden zu lassen.

Kann man wirklich von einem echten k i r c h l i c h e n Erfolg sprechen oder sagen, es sei ein k i r c h l i c h e n Sinn so ein Erfolg gewesen, daß Franz I. im Jahre 1536 die Neutralitätspolitik Pauls III. durch ein mühsam zugegebenes und „zudem entwertetes" (251) ‚Ja' zum Konzil belohnte? Zeigt sich nicht vielmehr hier eher, was die klare und standhafte r e l i g i ö s e Forderung eines Konzils hätte erreichen können? Man kann gewiß den nicht eingetretenen Erfolg nicht durch einen Irrealis vordemonstrieren. Aber noch weniger Gewicht behält angesichts von Feststellungen wie den ebd. vorher mitgeteilten die Berufung auf den Zwang der p o l i t i s c h e n Lage. — Man kann vielleicht sagen, daß die Aufgabe der päpstlichen Neutralität gegenüber Frankreich für den Papst „aus vielen und nicht zuletzt auch aus kirchlichen Gründen unannehmbar war" (267). (Obschon das „kirchlich" hier ebenso zu umschreiben wäre.) Aber daß diese Berechtigung nur vorlag wegen des von Franz angedrohten französischen Schismas, ist aufschlußreich für die Unordnung der innerkirchlichen Verhältnisse. Wenn in den späteren 30er Jahren bei Paul III. offensichtlich ein religiöses Bemühen um die kirchliche Reform vorherrschend, dagegen gewisse Rücksichten auf politische Faktoren eine Ausnahme an der Peripherie gewesen oder wenigstens in klarer Unterordnung unter die Religiöse geblieben wären, gut! Aber der politische Opportunismus ist in seiner Regierung ein wesentliches Stück, und er wirkt zuungunsten der Kirche. Pius IV. hat es später schroff formuliert: die Sache ging schief, weil Paul III. den Kaiser im Stich ließ. (Vgl. Jedin, Seripando 2, 85[1].) Ähnliches gilt für die Beurteilung der katholischen Fürsten, so z. B. Franz I.: es ist eben ein verhängnisvoller innerer Widerspruch, wenn ein christlicher Fürst die Spannung zwischen Religion und Staatsräson zugunsten der letzteren löst und dadurch „schweres Unheil anrichtet". Es darf in solchen Fällen nicht um den politischen o d e r religiöskirchlichen „Standpunkt" gehen; der politische darf nicht — da es sich um einen katholischen Fürsten handelt — in Opposition zu einem wesentlich christlichen treten (268).

Natürlich: das Material mußte in seinem Eigenwert erhoben werden. Das geschieht in der oben gerühmten mustergültigen Art. Es war auch nicht die Aufgabe Jedins, bei allen Analysen immer wieder die angemerkte Frage nach dem christlichen Recht dieser endlos sich häufenden rechtlichen und politischen Ansichten, Forderungen, Schachzüge, Tarnungen, Operationen zu stellen. Das würde die historische Erzählung, die untadelig gehandhabt ist, in einem unerträglichen Maße zerrissen haben. Aber doch: der gefährlichen Spannung, ja, dem Widerspruch jener spätmittelalterlichen ‚kirchlichen Auffassungen und Gestaltungen‘ (so weit unter die Herrschaft des formallogischen oder des formaljuristischen Denkens geraten!) zum christlichen Glauben wird nicht immer genügend Ausdruck gegeben. Die Linie, die in Urteilen wie dem über Sixtus IV. (69) angelegt ist: Sein Pontifikat „leitete in der Geschichte des Kardinalskollegiums eine nach außen hin glanzvolle . . ., für die Kirche selbst aber verhängnisvolle Periode ein", ist ungenügend durchgezogen. Daß die Schwierigkeiten, die sich einer Reform der Kurie entgegensetzten, enorm waren, macht Jedin des öftern eindringlich klar. Man kann verstehen, daß Päpste und Kurialbeamte immer wieder der Wucht der nun einmal so weit getriebenen Bindung des Kirchlichen an das Politisch-Wirtschaftliche nachgaben; ist wäre töricht, nicht in Rechnung zu setzen, daß „sie unter dem Druck ihrer Umgebung und einer teilweise jahrhundertealten Tradition standen" (60); es ist sehr begreiflich, daß die Beamtenkollegien sich der Herabsetzung der Taxen widersetzten; sogar der Gedanke der wohlerworbenen Rechte kann nicht einfach beiseitegeschoben werden; nicht nur der Konziliarismus, auch ein allgemeines Konzil barg für die Kurie, für die Päpste des 15. und der ersten Hälfte des 16. Jahrhunderts, echte Gefahren; wenn also die Kurie den Versuch machte, die Reform ohne Konzil durchzuführen, so konnte das auch Jedins guter Formulierung (355) nicht eine reine Gewissensangelegenheit sein; etc., etc. . . Aber: daß z. B. viele Mißstände in der Ämterverteilung und Gnadenverteilung durch die Finanznot der Päpste verursacht waren (95), daß umgekehrt durch eine Reform ein nicht zu deckendes Defizit entstanden wäre, daß die vorgelegten „Reformvorschläge nicht durchführbar" waren (582, Anmerk. 26), macht nur die vorliegenden Mißstände offenbar; man ist verpflichtet, nach den Ursachen des Zustandes zu fragen und ihn zu bewerten (60. 334); es ist nicht einfach bei dieser Tatsache stehen zu bleiben; es kann noch weniger (was in der politischen Geschichte möglich wäre) eine Entschuldigung abgeben; in der Kirche gibt es das resignierende „inoperabel" des Chirurgen nicht. Man muß vielmehr fragen, wieso und mit welchem Recht die Lage so geworden war (60. 334). Das Urchristentum würde hier zweifellos radikal geantwortet haben. Die Möglichkeit einer adaequaten Entscheidung war und ist davon abhängig, ob man bereit ist, gegebenenfalls nicht tief zu schneiden, und also den Krebsschaden in der zeitgeschichtlichen Form der Institution selbst zu sehen (wobei natürlich die Kategorie Ursache von der Kategorie Schuld zu trennen ist). Ein ‚rücksichtsloses‘ Durchgreifen war möglich, oder man müßte die Pläne Adrians VI. als Utopie erklären. Am Unaufgebenden des Evangeliums hat jeder ‚Standpunkt‘ (418), also auch das Recht, ihn in der Analyse als Entlastung anzuführen, seine Grenze. — Die Auffassung Leos XIII. (S. VI) wurde in

einem Brief an Msgr. d'Hulst (bei Baudrillart in seiner Biographie über d'Hulst 1, 456) instruktiv in einer Weise zugespitzt, deren man sich öfters erinnern sollte: „Es gibt unruhige und muckerische Geister (esprits inquiets et chagrins), welche die römischen Kongregationen drängen, sich über noch unentschiedene Fragen zu äußern; derartigem widersetze ich mich; ich halte sie auf. Denn man darf die Gelehrten nicht hindern zu arbeiten. Man muß ihnen die Ruhe lassen, zu zögern und sogar zu irren. Die Wahrheit kann dabei nur gewinnen. Die Kirche wird immer noch rechtzeitig kommen, um sie wieder auf den rechten Weg zu setzen."

Hier ist noch das oben im 2. Satz dieses Referates ausgesprochene Urteil einzugrenzen: an nicht wenigen Stellen wäre eine ausdrückliche Auseinandersetzung mit der Literatur oder eine Bezugnahme auf sie fällig gewesen. —

Auf seinen kirchengeschichtlich-religiösen Gehalt hin betrachtet, wirkt das Buch also erschütternd — und tröstlich. Wir erleben, wie in einer geradezu mutlos machenden Hartnäckigkeit, Sorglosigkeit oder auch Frivolität Jahrzehnt um Jahrzehnt, und dann Jahr um Jahr, Monat um Monat die für die Kirche lebensnotwendig gewordene Reform an Haupt und Gliedern hinausgeschoben wird, wie die starke Medizin eines Generalkonzils unmöglich gemacht, verscherzt, verspielt wird, immer wieder die Religion der Politik geopfert wird, sei es von seiten der päpstlichen Kurie im engern Sinn, sei es von seiten der Parteiungen unter den Kardinälen, der Fürsten oder der päpstlichen Beamten: eine nicht abreißende Kette von verpaßten Gelegenheiten und religiös-christlichem Versagen . . . Daß aber aus diesem chronischen Versagen, daß aus diesem schier unausrottbaren Denken, Handeln und Verhandeln in politischen und wirtschaftlichen Kategorien christlicher und vor allem kirchlicher Kreise endlich doch, und gerade durch den im letzten so sehr dem fürstlich-politischen Machtdenken verhafteten Renaissance-Papst Paul III. als Ergebnis das Konzil von Trient erstand, und daß dieses Konzil, seinen vielen äußeren und inneren Bedrohungen zu Trotz, doch zu einer epochemachenden religiösen Stärkung des Papsttums und des Katholizismus führte, ohne die das Vatikanum mit seiner bezwingenden Darstellung der Einheit der Kirche nicht hätte kommen können, dies ist ein tröstlicher Hinweis auf die göttliche Führung der Kirche. Was wäre es geworden, wenn die Reformatoren ihre pflichtmäßige heroische Probe der Demut bestanden hätten und ihre Kräfte von der Kirche in das Reformwerk eingebracht worden wären!

Schmidt, P. W. SVD. Freiburg/Schw., **Der Ursprung der Gottesidee**. Eine historisch-kritische und positive Studie. III. Teil: Die Religionen der Hirtenvölker, B. VIII: **Die afrikanischen Hirtenvölker: Niloten und Synthese mit Hamiten und Hamitoiden**. Mit einem Anhang: Die Mittel-Ojibwä, und einer Karte. Verlag Aschendorff, Münster i. W. 1949. XXX und 777 S. Kart. DM 42,50 bzw. in Lederrücken DM 47,50.

Wie schon früher bemerkt, hatte P. Schmidt mit B. VI den II. Teil, Die Religionen der Urvölker, abgeschlossen. Mit B. VII begann er den III. Teil, Die Religionen der Primärkulturen, nämlich der Hirtenvölker, als die ältesten erschienen die zentralasiatischen Hirtenvölker, die Turkvölker in B. IX (durch die Schwierigkeiten der Materialbeschaffung bedingt); während B. VII die Religionen der afrikanischen Hirtenvölker III, nämlich die Hamiten und Hamitoiden enthielt. Der jetzt vorliegende B. VIII bringt die Religionen der afrikanischen Hirtenvölker II, die Niloten, welche also historisch vor die Hamiten und Hamitoiden gehören.

Es ist wichtig zu bemerken, daß erst die kulturhistorische Methode (Menghin: kulturvergleichende) für Ethnographie und Religionsgeschichte eine feste historische Grundlage geschaffen hat. Denn die zugrunde liegende stratigraphische und erdgeschichtliche Chronologie, gegründet auf der vertikalen Abfolge der Artefakte führenden Erdschichten, offenbarte mit dem Spaten in der Hand die tiefstliegenden ältesten Kulturen (Menghin, Weltgeschichte der Steinzeit 1931, S. 15). Mit dieser Methode, angewendet mit der

entsprechend kritischen Vorsicht, ist, wie Schmidt (in dem vorliegenden Bande S. 572/691) ausführt, jedem Evolutionismus, der mit „inneren Gesetzen" arbeitet und so die historische Folge begründen kann, der Boden entzogen. Da jedoch die Chronologie immer noch zu sehr in die spez. Kreise der forscherischen Arbeit je auf ihrem Gebiete eingezogen ist, empfiehlt es sich, kurz die Chronologie Schmidts mit jener Menghins zu vergleichen. Während Schmidt vor der Primärkulturen die Kultur schlichthin stellt, unterscheidet Menghin schon die „Grundkulturen" des Paläolithicums in frühe („Urkultur"), mittlere und späte Grundkultur; letztere schon in dreifacher Form als Eskimoide Knochenkultur, Tasmanoide Klingenkultur und Australoide Faustkeilkultur. Darauf läßt er die „Frühen Stammkulturen" des Miolithicums folgen, wiederum gegliedert in Alt-Viehzüchterische Knochenkultur, Totemistische Klingenkultur (Jäger), Alt-Pflanzerische Faustkeilkultur. Von diesen schließt er die Reiterkultur, Rinderhirtenkultur, Jungpflanzerische (Walzenbeil-) Kultur des Protoneolithicums („Mittlere Stammkultur"), jeweils als historisch der Mixoneolithicums hervorgegangen. Er beendet seine „Weltgeschichte der Steinzeit" (S. 533) mit den „Späten Stammkulturen" des Mixoneolithicums: Steppenkultur der Hirtenkrieger, Herrenkultur der Städter, Dorfkultur der Bauern; von da geht die Folge über die Bronze- und Eisenzeit in die Vollkultur über. Von hier aus gesehen, würden die „Primärkulturen" bei Schmidt in etwa den (frühen und) mittleren Stammkulturen des Mio- und Protoneolithicums bei Menghin entsprechen, wie sich aus der Bezeichnung „Hirtenvölker" ergibt, deren Kulturgrundlage die

Um das Konzil von Trient

Zu: **Jedin**, Hubert, **Geschichte des Konzils von Trient.**
Bd. II: Die erste Trienter Tagungsperiode 1545/47. Freiburg, Herder, 1957, X u. 550 S., DM 38,—.

von J o s e p h L o r t z , Mainz

I. Teil

I. 1. Bücher zu rezensieren ist eine Kunst, für die es keine allgemein gültige Methodenlehre gibt. Für mein Teil gestehe ich, daß ich sie in dem Sinn mangelhaft beherrsche, als es mir schwer fällt, in dieser Sparte schnelle Arbeit zu leisten. Deshalb kommt auch diese Besprechung wieder zu spät. Ein Buch von der Bedeutung des vorliegenden hätte den Lesern eines theol. Rezensionsblattes sehr schnell angezeigt werden sollen. Es vermittelt allerdings auch ein gutes Gewissen, wenn man seine Anzeige erst abschickt, nachdem man Zeile für Zeile, sogar die meisten der Anmerkungen, nachdenkend gelesen und viele der benutzten Quellen im Zusammenhang durchgearbeitet, also das Ganze und viele Einzelheiten gründlich studiert hat.

Einem so stoffreichen Buch wie diesem 2. Band von Jedins monumentaler ‚Geschichte des Konzils von Trient' in einer Besprechung gerecht zu werden scheint mir besonders schwer. Nicht wegen der positiven Bewertung der mächtigen Leistung. Die Schwierigkeit sehe ich in der Auswahl dessen, was dem Leser unterbreitet werden soll, ohne daß man seine dicke Broschüre vorlegt. Unwillkürlich und sehr berechtigterweise wendet sich nämlich das Interesse von dem zu besprechenden Buch immer wieder zum Objekt, zum Konzil selbst, jener ungewöhnlichen Erscheinung, die über drei Jahrhunderte dem Leben der Kirche Richtlinien gab und in lebendiger Weise noch in unsere eigene Welt hereinragt.

In welchem Umfang sollen also in einer Rezension dieses Buches die Vorgänge auf dem Konzil besprochen werden? Auf die großen Linien des Ablaufs darf der Rezensent sich nicht zurückziehen, denn eben sie sind längst bekannt. Es handelt sich um das Detail, ohne daß ich mit dieser Aussage Jedins vortrefflich geprägten hierher zielenden Grundsatz (407) anerkennen möchte. Entgegen der Meinung Rankes (Röm. Päpste, Sämtl. Werke 39 [Leipzig 1878] 41) ist nun endlich eine das Detail ausschöpfende Geschichte des Tridentinums möglich geworden. Hier liegt sie für die erste Periode (1545—1547) vor, unter Heranziehung von allen bis heute erreichbaren Quellen (als Grundlage die Ausgabe der Diarien, Dekrete, Briefe und Traktate der Görresgesellschaft; dazu eigene archival.

Forschungen des Verfassers), unter Berücksichtigung aller auf das Konzil von außen einwirkenden und sich in ihm auswirkenden Kräfte und mit Diskutierung der weit ausgebreiteten Sekundärliteratur. Eine Besprechung soll zwar (über das kritische Gespräch mit dem Verfasser und den anderen Historikern hinaus) eine Hinleitung zur Lektüre des Buches selbst sein. Aber die Fülle des hier als Resultat einer ungewöhnlichen Arbeitsleistung Gebotenen darf m. E. beanspruchen, auch in einer Besprechung viel kräftiger ausgebreitet zu werden, als das in schnell hingeschriebenen Rezensionen zu geschehen pflegt. Mir selbst hat die Beschäftigung mit Jedins Buch so viel Ertrag gebracht, daß ich hier nur den geringsten Teil davon vorlegen kann. Eine gründliche Auseinandersetzung mit einer wichtigen Monographie muß ja in jedem Fall auch weiter führen. Schon allein das Thema ‚Konzil und Reformation' verlangt nach einer beinahe monographischen Darstellung. In sie spielt die Kernfrage nach der Zielsetzung des Konzils hinein[1]. Das Konzil liefert auch hochwichtige Beiträge zum 'Problem der Theologie' und zur damaligen 'Theologischen Unklarheit'. Diese drei Abschnitte klammere ich hier aus[2]. Um die Besprechung in der Theol. Revue unterbringen zu können, ist die Redaktion freundlicherweise auf meinen Vorschlag eingegangen, sie auf zwei Nummern zu verteilen.

2. Für den Verfasser des Buches kam es darauf an, aufzudecken, wie es im einzelnen zu den bekannten Dekreten und Canones gekommen ist, sie genau zu präzisieren und durch diese Darstellung des Ablaufs ihre Bedeutung herauszustellen. Das wird besonders wichtig bei dem Hauptertrag dieser 1. Periode, bei den dogmatischen Dekreten, da es sich hier um Verpflichtendes in einem durchgreifenden Sinn handelt. Das Ergebnis entwickelte sich auf mancherlei geraden und ungeraden Linien des Planens, Probierens, Tastens, Wagens, in dem wir auch als sehr wichtiges Agens die Furcht (vor Verketzerung) antreffen werden. Das erste Erstaunliche an dieser Kirchenversammlung ist nämlich dies: Nachdem sie so lang und zäh und unzählbar oft gefordert,

[1] S. unten Sp. 158 u. meinen Beitrag in der Festschr. ‚Universitas' für Bischof Dr. Albert Stohr von Mainz (‚Über die Zielsetzungen des Konzils von Trient').

[2] Zusammen mit einer Reihe von Fragen, die sich aus der Entstehung des Rechtfertigungsdekretes ergeben, gedenke ich diese drei Kapitel in einer eigenen Arbeit vorzulegen.

allerdings auch immer wieder hinaus- und beiseitegeschoben worden war, stand, als sie eröffnet wurde, im Bewußtsein der Allgemeinheit und auch der führenden Männer als ungefähres Thema eigentlich nur fest, daß es irgendwie eine Reform bringen sollte. Die Ankündigungsbullen nennen mehrere Aufgaben, stellen aber nicht ein klares Ziel heraus. Schon der Inhalt der alten Formel ,Reform an Haupt und Gliedern' wurde von den maßgeblichen Kräften sehr unterschiedlich und sogar gegensätzlich ausgelegt. Daß es auch zu einer Stellungnahme gegenüber der reformatorischen Lehre und dem protestantischen Kirchenwesen, also ganz allgemein gesprochen auch zu irgendeiner Auseinandersetzung mit ihnen, kommen müsse, war ebenfalls klar (Verkündigungsdekret s. Jedin I, 404 ff.). Aber wie diese Reform und diese Auseinandersetzung angelegt sein sollten, welches das eigentliche Objekt des Konzils, welches die anzuwendende Methode und der in Gang zu setzende Mechanismus sein sollten, darüber stand erstaunlich, ja gefährlich wenig fest.

3. Der erste Band des nunmehr auf insgesamt 4 Bände berechneten monumentalen Werkes führte bis zum Tage der Eröffnung am 13. Dez. 1545. In jenem ersten Band war eine Fülle von in vielen Ländern Europas beheimateten Kräften und Gegenkräften über mehr als ein Jahrhundert hin zu überblicken, zu ordnen und zu deuten. Die Erzählung war also durchgehend auch auf die Erstellung von Querschnitten und die Herausarbeitung von Dominanten angewiesen (vgl. ThR 47 [1951] 157 ff.). Für diesen 2. Band war die Aufgabe eine sehr viel andere. Trotz des mühsamen Prozesses, in dem das Konzil nach seiner Form suchte, ist das Objekt der Betrachtung jetzt ein festes Corpus, eben jene Tagung von Kirchenmännern in Trient. Es geht um die Erzählung einer Ereignisfolge auf einem ziemlich genau umgrenzten Bezirk und die Herausarbeitung eines Wachstumsprozesses auf einem genau bezeichneten geistigen Acker in genau bestimmter Zeit. Da auch die großen Weltmächte in verschiedener Art hereinwirken, und da sie selbständig operieren, kann dies allerdings über mehr als in die Erzählung des Konzilsgeschehens am gehörigen Ort voll miteinfließen. Die Darstellung muß also gelegentlich rasten, um Ereignisse, Wechsel der Kräftekonstellationen, die sich inzwischen ergeben haben, zu überblicken. Auch gibt es am Ende des Bandes eine Reihe von systematischen Kapiteln, und sogar eines, ,Das Parallelogramm der Kräfte' (407-418), das man vielleicht zur Erleichterung des Verständnisses zuerst lesen sollte. Gut. Aber den Kern des Buches bildet die unermüdliche Rekonstruktion des geistigen Lebens dieses Konzils von Tag zu Tag, d. h. des Entstehens der verschiedenen Dekrete und Canones, wie sich dies aus den Bemühungen der Konzilsführung mit ihren Instruktionen, ihren dauernden Rückfragen in Rom, aus den verschiedenen vorbereitenden, beratenden und endlich den beschließenden Gremien ergab. Diese Zug um Zug nachvollzogene Rekonstruktion dessen, was sich damals in Trient zutrug, legt der Verfasser bewußt in einer möglichst weit realisierten, referierenden Art des ,wie es gewesen ist' vor. Er führt aber die Erzählung nicht, wie erst geplant, bis 1552, sondern aus verschiedenen Gründen (Vorwort S. VI) nur bis zum Ende der 1. Trienter Periode, 12. März 1547, umfassend die Sessiones 1-8, also bis zur beschlossenen Translation nach Bologna.

Als Ergebnis liegt vor uns ein mächtiger Band dieses opus magnum, das für sehr lange Zeit die maßgebliche Darstellung der Geschichte des Tridentinums und eine Fundgrube von Kenntnissen und von Anregungen für weitere (besonders dogmengeschichtliche) Detailforschungen sein wird. Kaum wird einer zu finden sein, der in annähernd gleicher Weise von Haus aus geeignet und durch viele Vorarbeiten gerüstet wäre, dem hier Vorgelegten Gleichwertiges, ge-

schweige denn Besseres, an die Seite zu setzen. Zwar bringt es die vom Verfasser gewählte Methode auch mit sich, daß sich auf nicht ganz kurze Strecken eine etwas positivistische Darstellung ergibt, die der Spannung entbehrt, Ungleichmäßigkeiten aufweist und zu einer zu Zeiten mühsamen Wanderung wird (407). Es muß aber gleich hinzugefügt werden, daß eben diese Methode dem Ablauf des Konzils adäquat ist. Dort, wo die auf dem Konzil geleistete Arbeit selbst mit innerer Spannung erfüllt ist, wird die Darstellung zu einer sogar erregenden Lektüre (s. hierzu VII. ,Desiderata' am Schluß dieser Besprechung).

4. Das Ganze überblickend und nüchtern wertend, kann m. E. nicht wohl zu einem anderen Gesamtschluß kommen als diesem: Kein Lob ist zu hoch gegriffen, wenn es darum geht, diesen Band mit seinem eigentlich unübersehbaren Material an Quellen verschiedenster Art, an Analysen der theologischen und politischen Arbeit auf dem Konzil und außerhalb desselben an Stellungnahmen des Verfassers, wenn es also darum geht, diesen mächtigen Band vom Standpunkt der Gelehrsamkeit aus zu bewerten. Die verhandelten Grundprobleme des christlichen Glaubens, die Fülle der agierenden Persönlichkeiten, die Verschiedenheit ihrer Kräfte und Interessen, das geradezu verwirrende Spiel der Kräfte, die vielen Ausblicke auf Nebenerscheinungen, die wie die Hauptthemata in ihren geschichtlichen Wurzeln weit zurückgreifen, und die besprochenen ebenso verschiedenartigen theologischen Schulrichtungen, das wichtige und verwickelte dogmengeschichtliche und kanonistische Material und daneben wieder das politische Geschehen, das alles ist mit ungewöhnlicher Beherrschung selbständig gemeistert. Die Leistung ist bewundernswert.

Das riesige Material (dazu gehören als eigene Werte auch nicht wenige Anmerkungen mit ihren weiterführenden Andeutungen oder Ausführungen) ist peinlich genau belegt. Trotz meiner sehr langen Beschäftigung mit dem Buch habe ich, im Verhältnis zur ungeheuren Fülle gerechnet, zwar nicht sehr viele Stellen nachgeprüft, aber man darf mit gutem Gewissen behaupten, daß die Durcharbeitung mit einer ungewöhnlichen Genauigkeit und Gleichmäßigkeit geführt wurde. Das einzelne sachlich, sicher, überlegen und scharf beobachtend und unterscheidend, hat Jedin gleichzeitig das Ganze dauernd im Blick. Er ist in der Lage, die Persönlichkeiten des Konzils zu beschreiben und zu beurteilen wie nahe Bekannte. Er hat sich in das Ganze und die Einzelheiten hineingelebt, daß er Dinge und Menschen lebendig vor sich sieht, ihre Arbeit und deren Wirkung als Stoß und Gegenstoß zu empfinden und in ihren verschiedenen Funktionen und Reaktionen im Mit-, Neben- und Gegeneinander zu beschreiben vermag. Erstaunlich auch, welch tiefgreifende Forschung in gewissen, knapp aufzählbaren und kurz charakterisierenden Mitteilungen, wie etwa denen S. 395 ff. über die verschiedenen Arten geistiger Tätigkeit, humanistisch-antiker, humanistisch-christlicher und kanonistischer Wißbegier ihren Niederschlag gefunden hat. Kein Name wird nur zitiert, er steht irgendwie im zeitlichen und sachlichen Rahmen, und manchmal tut sich ein ganzes Feld von Arbeitsmöglichkeiten auf (Sirleto-Briefe S. 398 u. Anm. 28), und doch handelt es sich hier um Dinge, die z. T. nur mittelbar zu den Erörterungen des Konzils gehören. Meisterlich, wie das chronologische Fortschreiten beibehalten und doch das Ineinander der verschiedenen Kräfte im zeitlich-ursächlichen Zusammenhang übersichtlich dargestellt und auch wieder organisch ineinandergearbeitet wird: die verschiedenen sich helfend oder kritisch überschneidenden theologischen Arbeitsleistungen in Trient, die verschieden geartete Kritik oder Zustimmung, die aus Rom kommt, die verschiedenen Auffassungen, Zielsetzungen, Parteiungen, Reaktionen an der Kurie, die veränderte Haltung des Papstnepoten (als er als Kriegslegat am Kaiserhof weilt), und wie in dies alles hinein das im großen Sinne Politische spielt. Das Hin und Her der Translationsfrage, das ja auch die Kräfte in Trient selbst so stark gegeneinander stellte, aber besonders die Verhandlungen und Beeinflussungen zwischen Kaiser und Papst stellen hier spezielle Anforderungen an Überblick und Nachzeichnung der Verbindungslinien. Und immer wieder ruht die Darstellung auf breitester Basis der Belege.

Es braucht kaum eigens gesagt zu werden, daß solches Pauschallob sich nicht im wörtlichen Sinn gleichmäßig auf alle Teile oder gar Punkte der Analyse bezieht, oder daß jedes 'wahrscheinlich' des Textes die jeweils entgegenstehenden Schwierigkeiten voll löst (vgl. z. B. die Frage der Translation; s. unten). Wie könnte das bei dem schier unübersehbaren Material, der Fülle der hier geleisteten Präparierarbeit der Fall sein!

II. 1. Um sich einen Überblick über den Verlauf der behandelten 1. Periode zu verschaffen, sind das dem Bande beigegebene Faltblatt und die Seitenüberschriften, die den Ereignissen in engem Kontakt folgen, mit Nutzen heranzuziehen. Wir erleben die Entstehung und Verkündigung von 4 dogmatischen und von reformerischen Dekreten: über Schrift und Tradition, von der Erbsünde, von der Rechtfertigung, von den Sakramenten (im allgemeinen; Taufe und Firmung) — über die Vulgata, über Schriftstudium und Predigt, über die Residenzpflicht und 15 Reformkapitel (Sessio VII). Bis dann das Konzil nach Bologna transferiert wird und damit sie schlimmste Bedrohung, die schon lange über ihm schwebte, Wirklichkeit wird. Jedin fällt das schwerwiegende Urteil: „Ohne die Translation konnte die deutsche Glaubensspaltung einen anderen Ausgang haben" (376). —

Die Arbeit der Konzilsväter war durch die erwähnte mangelhafte Vorbereitung außerordentlich erschwert. Die zu leistende Arbeit wurde außerdem zunächst auf den meisten Gebieten kraß unterschätzt; man wußte beinahe nichts von der lähmenden theologischen Unklarheit, und nur wenige ahnten die tiefe Verwurzelung der so laut beklagten kirchlichen Mißstände; es gab zu Beginn kein Programm, keine Geschäftsordnung, keine Instruktionen der Legaten, keine klare Abgrenzung der Kompetenzen Papst–Legaten–Konziliare; das kam bald in den Spannungen der Legaten zu den Konzilsvätern, aber zeitweilig auch zum Papst, zum Ausdruck. Daß sich hierin recht schnell eine Klärung durchsetzte, darin sieht Jedin mit Recht das wichtigste Ereignis der Anlaufzeit des Konzils (36). Eine entscheidende Ausrichtung und insofern Grundlegung der Arbeit erfolgte durch den mühsam errungenen Kompromiß (28. 118 u. ö.), daß weder dem Dogma noch der Reform — wie die Majorität es zunächst verlangt hatte (23 ff.; der Umschwung könnte wohl noch deutlicher gemacht werden) — die Priorität zuerkannt wurde, sondern die beiden Anliegen nebeneinander behandelt werden sollten, eine Entscheidung, die de facto zu ungunsten der Reformfrage ausschlug. Die Gesamtkurve des wesentlich bivalenten Konzils (kirchliches Ereignis und, im Zusammenhang mit dem Plan des Kaisers, ein Politikum großen Stils) ist sehr komplex. Aber grundsätzlich denken sowohl die cisalpinen wie die ultramontanen Kräfte sowohl vom Kirchlichen wie vom Politischen her (wenn man die meist nur beobachtenden Franzosen ausklammert). Sehr bald setzt die schon in der Vorgeschichte des Konzils grundgelegte, nun in vielfältigem Auf und Ab heranreifende Krise der Translation an. Diplomatisch undeutliche Entscheidungen der Kurie bzw. des Papstes, der die Verantwortung nach außen nicht übernehmen möchte (192 u. ö.), spielen dabei eine schicksalhafte Rolle (ich meine, das hätte noch klarer herausgehoben werden können). Tragend ist dabei die scharf antikaiserliche Gesinnung Gervinis, und auch del Montes, mit ihrer verhängnisvollen Verkennung der eigentlichen Absichten des Kaisers hin bis zur Verdächtigung, er werde den Protestanten Glaubenssubstanz opfern, und mit der ‚erschütternden' Unterbewertung der katastrophalen Lage der deutschen Kirche, die sie praktisch

abgeschrieben hatten (194/5). Die hier hereinspielende kirchliche Bewertung des Papstes und des Kaisers gehört zu den Kernproblemen der ganzen Zeit, von ihr hängt auch Entscheidendes für die Deutung des Konzils ab. Eine Reihe von Fragen, die sich hier aufdrängen, können nur in größerem Rahmen behandelt werden. M. E. wird die diplomatisch verschleierte, auch im Kirchlichen stärkstens politische Denkart Pauls III. ungenügend betont, hingegen die Mißdeutung des zwar auch (natürlich) machtpolitisch, im letzten aber kirchlich-religiös (im Sinne der mittelalterlichen sakralen Kaiseridee) denkenden Karls V. durch die Legaten ohne genügende Korrektur stehengelassen.

Trotz aller Schwierigkeiten und Versager steht das Konzil aber auch immer wieder unter einem freundlichen Stern, der diese seine erste Periode doch zu sehr bedeutenden Resultaten führte. Man darf mit Recht vermuten, daß sie in der stark versteiften Atmosphäre seiner 3. Periode nicht mehr hätten erreicht werden können. Allmählich setzte die Erkenntnis durch, daß es nicht genüge, nur Entscheidungen früherer Konzilien zu wiederholen, sondern daß eine neue Aufgabe zu lösen sei. Dieses ‚neu' wurde allerdings auf dem Konzil dem Protestantismus gegenüber oft übertrieben, ein Mangel, in dem auch Jedin m. E. dem katholischen Gehalt der religiös-kirchlichen Neuerung nicht gerecht wird. Entsprechend entwickelte sich dann die theologische Arbeit (in den Kongregationen der Theologen und in den Generalkongregationen) als Vorbereitung der Abstimmungen in sehr beachtlicher Breite und Tiefe. Die feierlichen Sessionen behielten nur mehr den Wert abschließender Abstimmung und Verkündigung.

2. Besondere Wichtigkeit darf Jedins Kennzeichnung der leitenden Persönlichkeiten beanspruchen, die, langsam aus einzelnen Zügen zusammenwachsend, je nach dem Gefälle der Ereignisse an einem Punkt der Entwicklung in treffenden Sätzen zusammengefaßt wird, wiederum eine eindrucksvolle Bestätigung der Methode des ‚wie es gewesen ist':

Paul III., der weit über seine amtliche Wirkung hinaus persönlich eingreift und zweifellos die wichtigste und (diplomatisch geschickteste) Kraft an der Kurie ist. Wie weit seine Äußerungen bei verschiedenen Fragen der Reform, des Verhältnisses zum Kaiser, der Translation ernst oder diplomatisch ausweichend gemeint waren, hätte wohl genauer geklärt oder als Frage gestellt werden sollen: etwa in jener Genauigkeit, mit der die überzeugend herausvirrt, daß der Renaissancepapst unbedingt für Redefreiheit der Konzilsteilnehmer eintrat. — Karl V., der sich in der tatsächlichen Beeinflussung des Konzils im Gegensatz zu seinen drohenden Vorwürfen gegen Cervini und den Papst (die trotz ihrer mit Händen zu greifenden Ungerechtigkeiten und Übertreibungen nicht gar so sehr berechtfertigen sind) stärker zurückhält, als in Jedins Darstellung zum Ausdruck kommt. — Die Legaten, deren Bild menschlich, kirchlich, theologisch und politisch unter Jedins Feder immer deutlicher nachgezeichnet wird. Trotz ihrer (manchmal auch ärgerlich zum Ausdruck gebrachten) Selbständigkeit sind sie papalistisch in einem ausgeprägten Sinn. Sie empfinden sich durchaus als Beauftragte des Papstes, nicht als Sprecher des Konzils, dem sie eine Jurisdiktion nur durch Übertragung durch den Papst zuerkennen. Für jede Kleinigkeit fragen sie in Rom an. Sie wollen nur lassen sie keinen Versuch zu, die päpstliche Macht einzuengen, sondern sie schließen jede ernste Kritik an ihm und seiner Machtfülle aus. Die Möglichkeit einer Diskussion über die Gewaltenfrage Papst—Konzil liegt dauernd wie ein Alpdruck auf ihnen (105. 301. 303). Da sie allein die Traktandenliste bestimmten, konnten sie in großem Umfang Vorentscheidungen in ihrem und des Papstes Sinne fällen. Sie leisteten eine ungewöhnliche Arbeit und führten das Konzil (auch durch die berechnende Zusammensetzung der Kommissionen [vgl. etwa 43 f.] und in der Leitung der Debatten) in elastischer Weise, bei der allerdings die ‚Bauernschläue' des schlagfertigen, aber auch sanguinischen del Monte sich bis zur nicht ganz fairen List vorwagt, die aber wegen mangelnder Offenheit zu einer Vertrauenskrise des Konzils führen kann (290). Mit besonderer Liebe ist seiner Bedeutung gemäß der zweite Legat, der entscheidende Mann in dogmaticis, Cervini, geschildert, der humanistische Gelehrte auch auf dem Konzil und der für die Reform Brennende. In seiner Nähe steht der von ihm immer stärker herangezogene, ebenso gelehrte wie fromme wie sympathische General der Augustinereremiten Girolamo Seripando, für dessen Schilderung und Bewertung Jedin durch seine zweibändige Monographie besonders gut vorbereitet war. Dieser Mann wird von keinem Teilnehmer an mutiger Offenheit, an Kenntnis der reformatorischen Lehren übertroffen, und auch nicht in der demütigen Kraft, eigene, best begründete Ansichten zugunsten des großen Ganzen zurücktreten zu lassen. Durch Seripando und den bald abtretenden Kardinal Pole kam etwas von der Atmosphäre des, wenn man so sagen darf, katholischen Evangelismus in das Konzil, eine Tatsache, die für eine sachgerechte Auseinandersetzung des Konzils mit der reformatorischen Neuerung von Bedeutung war, und deren Beachtung für unsere Beurteilung unerläßlich ist. — Die Kennzeichnung der K o n z i l s v ä t e r ist von der Buntheit, die ihrer verschiedenen geistigen, religiösen, kirchlichen oder kirchenpolitischen und charakterlichen Veranlagung entspricht. Als entscheidend muß u. a. zweierlei festgehalten werden: Die Väter erwiesen sich schnell von erheblich stärkerem Selbstbewußtsein, als erwartet worden war (35. vgl. 67/68 u. ö). Allmählich wuchs ein Teil von ihnen so in die Arbeit hinein, daß dem Konzil durchaus das Zeugnis ausgestellt werden muß, intensiv (252), aber wissenschaftlich genau (262) gearbeitet zu haben. Keineswegs begnügt man sich mit vagen Behauptungen oder gar zornigen Ausbrüchen gegen die Ketzer, obschon sich derartiges zusammen mit groben Mißdeutungen (besonders in Konzilspredigten; vgl. die von Cavarjal bei le Plat 1, 124—133) auch findet. Die innere Anteilnahme steigerte gelegentlich die Auseinandersetzungen sogar bis zur Existenzbedrohung des Konzils. Allerdings fehlen keineswegs vielerlei Versager (die Theologie war manchen, bes. italienischen Bischöfen, zu wenig vertraut) oder Erscheinungen nachlassender Energie, oder umgekehrt zu großer Hast (das Residenzdekret wurde geradezu durchgepeitscht 257).

Ein besonderes Problem stellt die zahlenmäßige und nationale Zusammensetzung des Konzils dar. Daß die bischöflichen Prokuratoren vom Stimmrecht ausgeschlossen waren, wirkte sich für die deutsche Kirche sehr nachteilig aus. Schuld trugen die Legaten, weil sie die vom Papst gewährte Möglichkeit nicht realisierten, die Prokuratoren deutscher Bischöfe als stimmberechtigt zuzulassen. Die deutsche Kirche war infolgedessen nicht vertreten (der einzige Mainzer Weihbischof Helding weilte nicht einen ganzen Monat am Konzil); die anwesenden Franzosen (eigentlich nur gallikanistische Beobachter des konziliaristischen Franz I.) arbeiteten kaum mit. Das Konzil (insgesamt rund 100 stimmberechtigte Teilnehmer [74 f]) war also praktisch eine Arbeitsgemeinschaft von Spaniern (reformeifrig und theologisch bedeutend) und einer italienischen Mehrheit (57. 407 ff.). Es ist richtig, daß die Prälaten „aus fast allen katholisch gebliebenen Ländern Europas" stammten (408), aber ohne nähere Bestimmung erweckt der Satz ein unzutreffendes Bild quantitativer Oekumenizität. — Die Bedeutung der T h e o l o g e n (minores, insgesamt 104, die aber wie die Prälaten niemals gleichzeitig am Konzil weilten; die Bettelorden hatten die absolute Mehrheit) stieg, je mehr das Konzil sich in die zu entscheidenden Fragen vertiefte. Daß es gelang, die zäh vorandrängenden Schultheorien (126. 318 u. ö.) zu einem großen Teil zurückzudämmen, ist besonders wichtig. — Aus detailliertester Quellenkenntnis erwächst aus hundert Steinchen auch ein genau abgewogenes Bild des geistig so gar nicht überlegenen, aber unermüdlichen und meist ehrlichen, für die Kenntnis des Konzils bei weitem wichtigsten Mannes, Angelo Massarelli (58. 419 ff. bes. 428).

III. Trotz des erwähnten politischen Charakters ruhen Wesen, historische Bedeutung und noch mehr die Geschichtswirksamkeit des Konzils überwiegend, und weithin sogar allein, im kirchlichen, theologischen und pastoral-reformerischen Bereich. Nur aus dieser Sicht heraus vermag man übrigens auch die Funktion des Politischen auf dem Konzil adäquat zu bestimmen.

So sehr die Beseitigung der Mißstände ein Kernpunkt war, die Klärung der dogmatischen Grundfragen blieb in sich und gegenüber der religiösen Neuerung das Wichtigere

(was auch immer von protestantischer und von kaiserlichkatholischer Seite hiergegen gesagt wurde). Tatsächlich wurde im Tridentinum in Reaktion auf die protestantische Betonung des reinen Wortes, also eines Erkenntnismäßigen, der Nachdruck stärker als bisher auf das Lehrmäßige gelegt, während bis dahin Priester- und Hirtenamt der Kirche in stärkerem Maße als gleich wichtig neben dem prophetischen Amt der Lehre in Erscheinung getreten waren (vgl. Lortz in: Trierer Theologische Zeitschrift 68 [1959] 19). In dieser Akzentverschiebung nun deutet sich die wichtigste aller Fragen an, die eine Deutung des Konzils stellt, der erst Jedin die genügende Beachtung geschenkt hat, deren Beantwortung auch nach ihm noch weitere Arbeit verträgt: Was wollte das Konzil im letzten? was war eigentlich sein Ziel? Denn das in den Sessiones Verkündete berechtigt nicht zu der Auffassung, die bisher in der theologischen Literatur aller Schattierungen in beiden Konfessionen reichlich undifferenziert zu Worte kam: alles vom Konzil in den Dekreten oder in den Canones Fixierte sei als veritas divina et catholica zu nehmen. Denn der Begriff ‚fides' und derjenige des ‚anathema' wurden damals — nach Nachweisen wie sie Piet Jansen S. J. und Jedin mehrfach vorlegten — in viel breiterem Sinn genommen als heute (325 u. ö.). Entsprechend ist es von Bedeutung, in jedem einzelnen Fall den theologischen Wert einer Konzilsäußerung genau festzulegen. Das erlaubt aber dann, unbefangener an die Auslegung der Konzilsbestimmungen heranzugehen, des Konzils, das sich selber manchmal als nicht abschließend verstand (17. u. ö.). Ein instruktives Beispiel ist die Deutung der Verkündigung zweier Glaubensquellen, der Schrift und der „wie von Hand zu Hand" mündlich weitergereichten Tradition. Was bedeutet in dieser Definition das ‚et-et', das das frühere ‚partim-partim' ersetzte? Bezeichnet es zwei selbständige, unabhängig nebeneinander stehende Kanäle der Offenbarung? Oder sind wir berechtigt, etwa in der von Geiselmann vertretenen Auffassung, die mündliche Tradition in Funktion der Schrift zu sehen? Für jede Stellungnahme ist es hier wichtig zu berücksichtigen, daß den Konzilsvätern einschließlich der Legaten die Tragweite des Traditionsproblems nur langsam aufging. Jedin neigt, m. E. mit Recht, durchaus zu einer, sagen wir, funktionellen Wertung. Für mein Teil bin ich der Meinung, daß die Replik, die P. Lennerz (Scriptura sola ? in: Gregorianum 40 (1959) 38-53) Geiselmann erteilte, die situationsbedingten Texte des Konzils nicht ausschöpft, jedenfalls Geiselmann nicht widerlegt (Vgl. auch meinen Beitrag zur Festschrift Stohr, [oben Anm. 1]).

Aber hinter allen solchen inhaltlichen Deutungen erhebt sich die Frage nach der Zielsetzung des Konzils in einem tiefergreifenden, das Ganze umfassenden formalen Sinn. Das Konzil wollte, wie es von Konziliaren des öfteren formuliert wird, sagen, was katholisch sei, und das Reformatorische, bzw. das Lutherische, ablehnen. Dadurch, daß früher allein herrschenden verurteilenden Canones durch bedeutsame Lehrdekrete ergänzt wurden, wird die positive Darlegung als Ziel unüberhörbar betont. Aber dann stellt sich erst danach die entscheidende Frage: Wo liegt das Hauptinteresse des Konzils? Wollte es die katholische Lehre im einzelnen festlegen, oder wollte es wesentlich das Katholische gegen das Häretische abgrenzen? Sind für die Deutung des Konzils die Lehrstücke maßgebend, oder muß man bei den Canones ansetzen? Ich bin mit Jedin der Meinung, daß die Canones den entscheidenden Ausgangspunkt bilden. Zu dieser Erkenntnis führen sowohl die Aussagen des Konzils wie seine Methode. Für die Methode sind besonders wichtig die Ausschaltung der theologischen Schulmeinungen, die weitgehende Überwindung der scholastischen Kunstsprache und das Hinstreben zu einer bibelmäßigen Ausdrucksweise. Ob die Väter damit wirklich ganz allgemein zum „Nerv der

Kontroverse" (262) vordrangen, ist eine andere Frage; denn auf lange Zeit standen sich Ansichten gegenüber, deren Spannungen auf grundlegend verschiedenen Meinungen über das Wesen der Rechtfertigung hinauslaufen konnten. An einer solchen Stelle wird der Unterschied des religiösen Anliegens von seiner theologisch-abstrakten Formulierung in seiner ganzen Tragweite deutlich. Daß dieses religiöse Anliegen unter den verschiedenen theologischen Einkleidungen ein gemeinsames katholisches war, machte die allmähliche Klärung bis zur beglückenden Einstimmigkeit möglich; es machte sie aber weder selbstverständlich noch leicht. Auf alle Fälle geht es dem Konzil entscheidend mehr um die Abgrenzung als um das Festlegen (Vgl. hierzu meinen schon zitierten Beitrag zur Festschrift Stohr). Im Zusammenhang mit der erwähnten breiteren Bedeutung von ‚fides' und ‚anathema' begreift man die Tragweite dieser Auffassung. Es geht, kann man sagen, um die Erkenntnis, daß die feierlichen Aussagen des Konzils nicht nur in gleichmäßigem starr unabänderlichen Unfehlbarkeitscharakter tragen. In einem jeweils genau festzulegenden Grade rücken vielmehr manche Aussagen in die Sphäre lebendiger Verkündigung.

In die gleiche Sparte gehört die schon gestreifte Frage: Sollten nur Bestimmungen früherer Konzilien wiederholt werden? Teils wurde eine neue Begründung abgelehnt (wie beim Schriftkanon, und dies sowohl gegenüber reformatorischer wie humanistischer Kritik 45 f. 54), teils empfand man die Aufgabe (allerdings in einem weder durch die theologische Tradition noch durch den Inhalt der protestantischen Lehre gerechtfertigten Ausmaß) als neu. Das gewinnt beträchtliche Bedeutung in der Rechtfertigung. Weder die Frage noch die Antwort war so neu, wie die Konzilsväter,

die Kurie, der Kaiser und auch Jedin es behaupten (162 f. 262; 265, der Kaiser 265 f.).[3] Ganz allgemein gesprochen war gewiß (149 f.) die katholische Auffassung nie gefährdet, im Heilsprozess sei schlechterdings als eine der Gnade gebunden. Aber es wurden auch massive Auffassungen einer gesetzlichen Aufrechnung der Verdienste vor Gott (209), oder die Verharmlosung der Konkupiszenz zu einer indifferenten seelischen Potenz (122) vorgetragen, wogegen Seripando ebenso protestierte, wie er in seinen erschütternden Klagen über unbiblisches Denken uns andeutet, wie Bedrohliches auch in orthodoxen Thesen stecken konnte: ‚Diese ganze Not bereitet uns die Philosophie, wenn wir über die göttlichen Geheimnisse mit ihren Worten reden wollen.' Das heißt, auch hier stoßen wir auf die noch immer ungenügend beachtete und gelegentlich so kindlich mißdeutete (Jacques Etienne, Spiritualisme érasmien et théologiens louvanistes [Louvain-Gembloux 1956] 95) These von der vortridentinischen theologischen Unklarheit. — In diesem Sinne und Zusammenhang darf man auch sagen, daß das bedeutendste Ereignis des Konzils, das Rechtfertigungsdekret, nicht ausgenützt wurde. Es hätte über die katholische Klärung und die Abgrenzung gegenüber der reformatorischen Lehre hinaus zu einer fruchtbaren Auseinandersetzung mit den Protestanten führen können, für die zwar vor und am Konzil Ansatzpunkte vorhanden sind, deren Möglichkeit aber erst heute von beiden Fronten erkannt zu werden beginnt.

---

[3] Lehrreich der Versuch einer genauen Umschreibung des Tatbestandes durch Pole (an Morone) 28. Aug. 1546, CT 10, 631 ff: ‚quod ad rem ipsam attinet, numquam verus eius sensus defuerit . . .', aber „sub hac forma" (wie jetzt vorgelegt) „numquam fuit tractata".

Um das Konzil von Trient

von J o s e p h L o r t z, Mainz

Zu: Jedin, Hubert, Geschichte des Konzils von Trient.

Bd. II: Die erste Trienter Tagungsperiode 1545/47. Freiburg, Herder, 1957, X u. 550 S., DM 38,—

II. Teil

IV. 1. Eine einigermaßen erschöpfende Besprechung des Buches von H. Jedin, Geschichte des Konzils von Trient [1], müßte die Ereignisse und Debatten und Jedins immer wieder imponierende Analysen der Reihe nach im einzelnen durchgehen. Das ist aus Platzmangel hier nicht möglich. Nur wenige Notizen: Die Frage nach verschiedenen Autoritätsgraden im Alten Testament wird ausdrücklich nicht entschieden (44 ff.). Die lateinischen Übersetzungen neben der Vulgata verlieren keineswegs einfach ihren Wert (57. 76). Das kritische Bibelstudium beurteilt man in Rom, aus humanistischen Einsichten heraus, freier als auf dem Konzil (79 ff.), Männer wie Cervini und Seripando ausgenommen, denen auch der Grundsatz, daß die Schrift ‚sui ipsius interpres' sei, in einem katholischen Verständnis geläufig war („ex ipso sacrorum librorum fonte" 56). Verschiedene Stellungnahmen zum Bibellesen der Laien sind hingegen bestürzend ungenügend. Hätte Vf. hier nicht etwas weniger zurückhaltend sein sollen?

In den Verhandlungen über die Erbsünde (wie später über die Rechtfertigung) wird dauernd mit dem Begriff Sünde operiert, aber er wird nicht genau umschrieben. Es ist eine Schwierigkeit, auf die man (als Echo der schwierigen Paulustexte) in einer kaum nicht zu lösenden Form auch bei Luther seit der Römerbriefvorlesung stößt. Durch entsprechende Fragen an die Texte hätte die Analyse m. E. in diesem Punkt vertieft werden können (‚peccatum actuale' gegen ‚peccatum remanens'; Todsünde und läßliche Sünde; Liebe und vollkommene Liebe. 121 f.).

Der weitaus spannendste Teil des Buches behandelt die Rechtfertigung. Nach Anläufen und Vorentwürfen kam es

in intensiver theologischer Kleinarbeit schließlich zu dem Dekret, dessen schlechthin zentrale Bedeutung die Legaten schon früh erkannt hatten und das sie dann so überschwenglich feierten (144, vgl. auch die Schlußrede am Ende des ganzen Konzils 1563 von Ragazzoni in CT 9, 1098 ff.). Die absolute Gnadenhaftigkeit alles Heilsgeschehens und der meritorische Charakter der in der Gnade gewirkten guten Werke werden festgehalten, das meritum selbst aber als donum dei festgelegt [Denzinger 810 [de iustif. cap. 16]]. Der inneren Spannung und dem allmählichen Entstehen des Dekretes entspricht Jedins Darstellung. Die Erzählung, d. h. die Ausbreitung des aus vielerlei Ansichten zusammenschießenden Gewebes, stellt ein Maximum an umfassender Nachzeichnung dar.

Um die Tragweite dieses Lobes ganz zu würdigen, muß man die Entwicklung von Sitzung zu Sitzung nachlesen, wie sie Jedin als Frucht einer unendlichen Mühe und einer immer wieder peinlich exakten Analyse bietet. Diese selbst ist der Sache entsprechend alles andere als nur geradlinig. Die Fülle der Vorstöße, Gegenstöße und Wiederholungen, die Mängel der manchmal unsicheren Theorie, die längst nicht immer einheitliche Terminologie für die vielfältigen Elemente Gnade, Glaube, Heiligung, Verzeihung, acceptatio, Werke etc. machen das Bild bis zur Unübersichtlichkeit bunt. Es ist eine bedeutende Leistung, dennoch die allmählich ansetzenden und dann sich durchsetzenden Kräfteströme sichtbar gemacht zu haben. Dabei tritt eine Schwäche hervor, die stärker betont werden könnte: die Rechtfertigung wird von vielen Theologen und Vätern stark additiv nach einzelnen Etappen und Elementen beschrieben. Die verhältnismäßig weitgehende Überwindung dieser sozusagen quantitativen Zerlegung der Rechtfertigung-Heiligung im endgültigen Text des Dekretes läßt das Anliegen und ein großes Verdienst des Konzils heraustreten (150 f. 156. 157. u. ö.).

Die Wichtigkeit der Angelegenheit für Inhalt wie Methode der Auseinandersetzungen auf dem Konzil hätten m. E. verlangt, daß zu der zentralen Formel ‚fide sola' auf die Vorfahren kräftiger hingewiesen worden wäre (neben Bernhard v. Clairvaux eine ganze Reihe von Aussprüchen bei Thomas v. Aquin; 150. 153. 155 u. ö.). Übrigens zeigt sich gerade an diesem Punkt die noch zu besprechende Furcht der Theologen und Konzilsväter, in die Nähe lutherischer Formulierungen zu geraten (vgl. die Formel ‚per fidem' nicht ‚ex fide' bei Bertano 154).

Die Auseinandersetzungen um den Begriff ‚fides' und seine Funktion in der Rechtfertigung, auch um die Heilsoder vielmehr Gnadengewißheit (211 ff.) gestalteten sich schwierig und zum Teil heftig. In der Frage der Gnadengewißheit schwankten die Ansichten zwischen voller Verwerfung (Salmeron 206, die Theologen des Theologen des Dominikanerordens, aber auch einige Franziskaner 211 f.) und einer aus dem Glauben kommenden Möglichkeit der Gewißheit, die gelegentlich bis zur Pflichtmäßigkeit gesteigert wurde (212). Jedin hat wohl recht, wenn er meint, im Grunde liege je eine verschiedene Auffassung des Begriffs vor. Wenn er aber sagt, daß die auf dem Konzil vertretene ‚Glaubensgewißheit mit dem lutherischen Fiduzialglauben nichts zu tun habe' (212), so setze ich hinter diesen Satz ein Fragezeichen. Denn auch Luther läßt die Glaubenssicherheit durch die Glaubensunsicherheit (ich lege mich nicht auf die Terminologie fest) bedingt sein; auch bei ihm handelt es sich um ein „Jubeln in Zittern und Freude zugleich", was ja auch z. B. der gegen die Glaubensgewißheit redende Dominikaner Gaspar a Regibus (211 f.) zugibt. Der Fiduzialglaube hat Abstufungen, auch bei Luther.

Die Erörterung der wichtigen Frage der doppelten Gerechtigkeit litt sehr unter einer nicht geklärten Terminologie und wiederum dem schon erwähnten übertriebenen Willen, den Rechtfertigungsvorgang in einzelne Phasen und Elemente zu zerlegen. Entsprechend wird eine abschließende dogmatische Beurteilung der Frage (sie wurde nicht entschieden) davon abhängen, ob die beiden ‚justitiae' als wirklich verschiedene Seinsformen oder nur verschiedene Aspekte der einen (immer frei geschenkten) Gerechtigkeit gefaßt werden. Jedin hat die Bedeutung dieser Frage besonders auf den Seiten 208 (bzw. 203) bis 219 in einer wieder gleichmäßig bewältigenden Art unter Vorführung vieler Namen und Thesen dargestellt. Aber er hat nicht auf eine entscheidende Lücke aufmerksam gemacht. In dem Nebensatz eines Votums steht ‚sonst wäre der Gerechte zugleich auch ungerecht'. In die biblische Sprache übersetzt entspricht dem das Votum des theologisch nominalistisch denkenden Mazochi der aber mit gutem Grund hier die theologische Definition beiseite schiebt und dafür die Umschreibung des hl. Paulus hinsetzt (215). Nach katholischer Lehre ist der in der Gnade Sterbende im allgemeinen noch der Reinigung bedürftig, d. h. insofern noch nicht völlig in der Liebe Gottes. Er wird gerecht durch die volle Zuwendung der Verdienste Christi. Diese Schlußfolgerung ist als solche in der Diskussion über Gnadengewißheit und doppelte Gerechtigkeit nicht gezogen worden. Wohl aber hören wir Äußerungen, die klingen, als ob die Gnade, die uns zuteil wird, an sich genüge, daß wir das ewige Leben v e r d i e n e n. Die ganze Erörterung greift so tief, weil es letztlich um den zugrunde liegenden Wahrheitsbegriff geht, der sich je nachdem in einer ontisch echten oder in einer nur imputierten, nur als solche ‚nominierten' Rechtfertigung realisiert; biblisch-theologisch ausgedrückt: in einer ‚nur fremden' Rechtfertigung, oder einer zwar gegeschenkten, aber auch zu eigen gegebenen Rechtfertigung, die also auch als eigene weiterwirken kann. Die Eigengerechtigkeit, ‚justitia inhaerens', wurde im katholischen Rahmen allerdings verschieden gefaßt. Seripando identifizierte sie später mit den im Gnadenstand verrichteten Werken (202 ff.).

2. Den Schwachgläubigen unter uns, die immer noch meinen, die für unsere Auffassung oft unvorstellbare Zersetzung in der vortridentinischen Kirche einigermaßen wegdisputieren zu sollen, ist die Darstellung und Behandlung der kirchlichen Mißstände auf dem Tridentinum besonders zu empfehlen. Wieder einmal wird deutlich, daß es sich bei diesem ‚Krebsschaden' nicht nur um Symptome handelt, sondern – soweit nicht die wesenhafte Heiligkeit und Unfehlbarkeit der Kirche in Frage steht – um mangelhafte Strukturansätze.

Daß die Legaten höchstens Mißstände an den Institutionen zugeben wollten, nicht aber in diesen selbst, S. 287, ist natürlich kein Gegenbeweis. Die Schäden des Benefizienwesens beruhen in der Verwechslung von Amt und Pfründe, also in einer wurzelhaften Vernachlässigung der Seelsorge. Die Einzelheiten (cumulus [schlimme Belege 270], Stellvertreter, Nichtresidenz etc.) sind bekannt, und ebenso, wie erfolgreich die Nutznießer eine Besserung lange zu verhindern wußten. Das alles wird durch die Verhandlungen des Konzils erneut bestätigt. Die Mißstände erwiesen sich z. B. in der Frage der Residenz (die ja die Voraussetzung war für eine christliche Auffassung der Seelsorge) als noch größer als befürchtet. Aber so sehr schienen sie auch mit der legitimen Macht der Päpste beinah unlöslich verknüpft, daß die Legaten in ihrer kurialistischen Gebundenheit ihre Verantwortung nicht einlösten, weil sie die ihnen vom Papst übertragenen Möglichkeiten nicht ausschöpften, was wohl kräftiger hätte herausgehoben werden können (vgl. 311). Das wirkt besonders eindringlich bei einem so ehrlich für die Reform brennenden Mann wie Cervini. Bei Reformäußerungen des Montes dürfte man mit Recht noch skeptischer sein als Jedin (287. 305). Die Voraussetzung für eine echte Reform war ein Eingriff des Konzils in die kurialen Verhältnisse, und eben diesen wollten die Legaten nicht von Konzil in Angriff nehmen lassen (ein Umschwung ihrer Einstellung 304), wie sich gleicherweise, trotz einiger Ausnahmen, letztlich die damalige Kurie dagegen sträubte. Ob die Legaten mit einem energischen Versuch der Kritik gegenüber der vielfältig diplomatisch verklausulierten Verhandlungsart Pauls III. (die ich, trotz seiner gelegentlichen Aufgeschlossenheit, stärker betonen würde, als Jedin es tut, Material dazu 228. 324. 334), etwas erreicht hätten, bleibt sehr die Frage.

Trotz aller Schwierigkeiten wurden die dogmatischen Fragen geklärt, in der Reform hingegen wurde nicht viel erreicht. Zuerst nur mit Mühe angekurbelt, dann durch den Verdacht belastet, die Kurie wolle überhaupt keine Reform, gerieten die Reformdiskussionen unter den Druck stärkster Parteiungen, die das Konzil geradezu einer Vertrauenskrise entgegentreiben ließen (290). Und doch kann Jedin mit Recht später (und keineswegs harmonisierend) hervorheben, daß auch auf dem Gebiet der Reformen die Anstrengungen allmählich zusammenwuchsen (306), wenn auch nur zu einem mäßigen Resultat (312).

Der innere Zusammenhang der Mißstände mit der protestantischen Neuerung wurde oft, am stärksten in einigen Predigten (die eine gesonderte Wiedergabe verdienen) hervorgehoben. Die Evangelischen kehrten den Zusammenhang bedeutungsvoll um (‚mali mores' eine Folge der ‚mala instituta' 42), wozu Stupperich (Die Reformatoren und das Tridentinum in: Archiv für Reformationsgeschichte, 47 (1956) 20-63) weitere Parallelen bietet.

V. Die konziliaristische, dann die protestantische Furcht oder der Verdacht, ein kommendes und das dann in Trient verwirklichte Konzil werde nicht frei sein, sei nicht frei, dieser Vorwurf, der in der Polemik bis in die neueste Zeit hinein eine Rolle spielte, war auch auf dem Konzil zu hören, teils aus den Reihen der kaiserlichen Prälaten gegen kuriale Beeinflussung gerichtet (33), teils gegen eine angebliche Beeinflussung des Konzils durch den Kaiser, der es in Trient an der Gurgel halte. Wenn die Legaten nach Rom lamentierten, ‚alles stehe auf dem Spiel, man wolle den päpstlichen Stuhl erniedrigen' (223), so sind das handfeste, berechnete Übertreibungen im Dienst der Translationswünsche. Es fällt Jedin nicht schwer, die wesentliche Freiheit des Konzils im Sinne voller Redefreiheit einwandfrei nachzuweisen (bes.

410 f.). Die scharfen Debatten, in denen es echte Opposition gab (31. 411), die sogar die Suffizienz der Hl. Schrift und das ‚fide sola' vertraten (74), sind eindeutige Beweise; der Papst wollte Redefreiheit, selbst bis zur Häresie (309. 411), und die Legaten⁣ schlossen sich dieser Auffassung im wesentlichen an (52. 528⁴. 503¹⁷). Der Papst lehnte das von Monte beantragte Verfahren gegen den episkopalistischen Martelli von Fiesole ab; Begründung: Redefreiheit (411). Jedin hätte seinen Beweis noch steigern können durch die eingehende Darlegung (die S. 411 anklingt: keiner der Dissidenten kam vor die Inquisition) der ungewöhnlichen Sachlichkeit, mit der in dieser Zeit des Konzils Inquisitionsprozesse gegen verdächtige Konzilsteilnehmer durchgeführt wurden, selbst nach den sehr trüben Erfahrungen, die man durch die kaum als aufrichtig zu bewertenden unendlichen Ausflüchte Vergerios gemacht hatte (vgl. G. Buschbell, Reformation und Inquisation in Italien, Paderborn 1910).

Daß das Konzil seitens des Kaisers nur unter schwachem, nirgends konsequent durchgehaltenem Druck stand, daß der Kaiser in die dogmatischen Erörterungen nie eigentlich eingriff (ausgenommen der Versuch, die Verkündigung grundlegend trennender dogmatischer Entscheidungen hinauszuschieben, um die Möglichkeit eines echten Gesprächs mit den Abgewichenen und damit ihrer Rückführung nicht zu vernichten), geht ebenfalls aus der Analyse des Geschehens klar hervor, wenn es vielleicht auch etwas stärker hätte betont werden dürfen.

Aber die Frage der Freiheit des Konzils greift noch tiefer. Das Konzil war vielfältig in einem Sinne beeinflußt, der sehr wohl volle Sachlichkeit der Entschließung beeinträchtigen konnte. Das reicht hin bis zur Beeinflussung durch die italienische Majorität, die sich zwar nicht immer kompakt äußerte, die aber ein bedeutendes Gewicht hatte, etwa dadurch, daß es dem Papst möglich war, die kuriale Front am Konzil durch Beorderung einer Reihe italienischer Bischöfe nach Trient zu stärken (224). Und schließlich war es ja diese Majorität, welche die verhängnisvolle schicksalhafte Translation nach Bologna erzwang.

Viel wichtiger sind zwei andere subtilere Arten des Einflusses. Das kirchliche Bewußtsein der Mehrheit des Konzils war so, und die tief beeinflussende Führung durch die Legaten bewirkte, daß eine papalistische Atmosphäre entstand (vgl. etwa 223. 287. 401 f.), die es praktisch unmöglich machte, an der Macht des Papstes Kritik zu üben, sogar zu einem Teil, die Kritik an den Mißständen der Kurie ernstlich voran zu treiben (viele Stellen, dazu die schon erwähnte Verhinderung der Diskussion der Gewaltenfrage), ohne der Verdächtigung der Unkirchlichkeit ausgesetzt zu sein. Cervini vertrat einen Standpunkt, der das Konzil eigentlich hätte überflüssig machen können: der Papst könne die noch ausstehenden Lehrstücke von Rom aus verkünden (227). Ganz allgemein darf man daran denken, was echte Jurisdiktion des Konzils überhaupt bedeuten könnte, wenn es sie nur vom Papst besaß (s. Sp. 156, Jedin 413). Die papalistische Haltung des Tridentinums ist bekanntlich für die sich in den kommenden Jahrhunderten vollendende Einheit der Kirche unter dem Papsttum von größter Bedeutung: aber das hinderte nicht, daß sie damals für ihr Teil auch die Möglichkeit der freien Aussage hemmte. Auch hier zeigt sich die schon angezogene Furcht. — Stärker tritt sie hervor (auch gegenüber der Verwendung einiger Stellen des Römerbriefes) wenn Gedanken oder auch nur ihre Formulierung in die Nähe Luthers zu geraten schienen, was dann etwa Prediger veranlaßte, die Manuskripte ihrer Predigten nicht in dritte Hände zu geben. Die mutigen Vorstöße von Bonuccio, Pole, Seripando u. a. mit einer erstaunlich tiefen paulinischen Theologie in Voten, Predigten und Briefen, und mit der Forderung, nicht alles Neue deshalb für häretisch zu halten, weil Luther es gesagt habe, drangen nur ungenügend durch.

wenn sie auch für die Gesamtatmosphäre des Konzils und dadurch für sein Ergebnis von großem, ja sehr großem Wert sind. Nicht übersehen werden darf aber auch, daß Cervini in der höchst gefährlichen Debatte um das Votum des episkopalistischen Bischofs von Fiesole über die Residenz entschieden den Versuch der Zelanti zurückwies, die Redefreiheit mit dem allzuschnellen Vorwurf ‚Häresie' zu beeinträchtigen (308 ff.).

VI. 1. Und nun muß ich natürlich auf die Anrede eingehen, die im Vorwort (S. VI) an mich persönlich gerichtet ist. Sie besagt zweierlei: der Verfasser habe sich, wie schon im 1. Band, die Selbstbescheidung auferlegt, nur zu berichten „wie es gewesen ist", er habe aber nicht systematische Lösungen vorgeschlagen, wie ich es in meiner Besprechung in dieser Zeitschrift (47 [1951] 157-170) verlangt hätte. — Was den zweiten Punkt anlangt, ich habe meine angezogene Besprechung nachgelesen, ich habe sie von meinen Assistenten nachlesen lassen: wir können die erwähnte und abgelehnte Anregung oder Forderung nicht finden.

Die Auffassung,, es sei die Aufgabe des Kirchenhistorikers, nur zu erzählen, wie es gewesen ist, hat Jedin an der Stelle, auf die er im Vorwort a. a. O. verweist, dargestellt (Trierer Theol. Ztschrft 61 [1952] 65—78). Ich darf die Leser darauf hinweisen, daß ich in derselben Zeitschrift (61 [1952] 317—27) dem Verfasser geantwortet habe. Über die dort und hier verhandelte Aufgabe des Kirchenhistorikers dürfen wir, Jedin und ich, uns auf die angezogenen Aufsätze beziehen. Für Jedin kommt noch ein Aufsatz im Saeculum 5 (1954) 19 ff hinzu. Neuestens schreibt über das Thema Oswald Köhler, „Der Gegenstand der Kirchengeschichte" in: Historisches Jahrbuch 1958, 254—69; zu diesem Aufsatz möchte ich vorläufig anmerken, daß in meinem Programm des Kirchengeschichtlers und auch in dessen Realisierung in meinen Schriften von ‘einer Auflösung der Kirchenhistorie als historischer Disziplin zugunsten einer spekulativen Heilsgeschichte' (a. a. O. 255) nicht die Rede sein kann.

Was Kirchengeschichte als Wissenschaft sein kann, hängt an der Eigenart ihres Objektes, der Kirche. Sie ist sichtbar und wesentlich unsichtbar. Das Sichtbare kann durch rein verstandesmäßiges Erfassen in dem Sinn historisch-wissenschaftlich dargestellt werden, wie andere Geschichte auch. Für das Unsichtbare tritt wesentlich die theologische Dimension ins Spiel, und in diesem Belang kann Kirchengeschichte Wissenschaft nur sein, wie alle Theologie, nämlich streng sui generis. Die Kunst des Kirchengeschichtlers besteht darin daß er das eine und das andere zwar neben- und nacheinander untersuchen muß, es aber nicht nebeneinander stehen läßt, sondern, entsprechend der Einheit seines übernatürlichen Objektes, das in die Geschichte eingehend selber Geschichte wurde und doch gleichzeitig im Wesen metahistorisch blieb, das Kirchengeschichtliche als Ganzes durch den vom Glauben erleuchteten Verstand in den Blick bekommt. Daß er sich dabei dauernd der Grenzen seiner Erfassung, wie sie sich aus der Eigenart seines Objektes ergeben, bewußt bleibt, ist wesentlich. —

Die Feststellung dessen, wie es gewesen ist, bleibt zunächst die Basis für alles Weitere. Freilich kann auch dies in verschiedener Weise angefaßt werden. So wie es Jedin in diesem Bande verwirklicht hat, kann man ihm nur nochmals mit Bewunderung bestätigen, daß er diese Methode meisterlich angewendet und in der angegebenen Selbstbescheidung in großer Dichte eine adäquate Wiedererweckung der Vergangenheit erreicht hat. Meine folgenden Zusätze zu dieser Feststellung bezwecken in keiner Weise, dieses Lob zu überdecken oder zu mindern.

Jedin hat an irgend einer Stelle dieses Bandes richtig gesagt, daß es meistens an der von den Partnern einer Diskussion verschieden verstandenen Terminologie hängt, wenn sie, statt sich zu verständigen, aneinander vorbeireden. Das gilt auch, glaube ich, für die Bestimmung, was es eigentlich heißt, „nur zu erzählen, wie es gewesen ist", also festzulegen, wo die Grenze liegt zwischen diesem „erzählen, wie es gewesen ist" und einer Deutung oder Beurteilung des Geschehenen, in unserem Fall einer theologischen Beurteilung'. Zugespitzter stellt sich das Problem, wenn für die Beurteilung historischer Vergangenheit moderne Fragestellungen mit verwandt werden; aber auch hier liegt m. E. eine ungenügend geklärte, noch genauer zu umreißende Terminologie vor. Denn ich glaube aus Jedins Band den Beweis führen zu können, daß er durchaus nicht nur erzählt hat, wie es gewesen ist.

2. a. Bei der Darlegung der Debatten über das Wesen und die Siebenzahl der Sakramente sagt Jedin (332), es sei eine für das moderne Empfinden bedauerliche Lücke, daß gewisse Bestimmungen des Armenierdekrets nicht übernommen, und so das Blickfeld nicht erweitert worden sei. – Ist das nun eine Feststellung, wie es war? Denn Jedin ist weiterhin der Meinung: ,Die Sakramentskanones schrien nach einer Inbezugsetzung zum inneren Wesen und zur hierarchischen Struktur der Kirche' (ebd.). In diesen Zusammenhang gestellt, meint er, wären Siebenzahl und Objektivität der Sakramente weit besser begriffen, wäre die Weite und Tiefe des sakramentalen Kosmos sichtbar geworden. Solche Ausführungen scheinen mir in erfreulicher Weise sowohl zu einer theologischen Geschichtsauffassung zu drängen als sich (sogar ausdrücklich) von modernen Fragestellungen zu nähren; denn ,Kosmos der Sakramente' ist trotz der Ansätze der Hochscholastik und beim Bischof von Fiesole (322/3) eine wesentliche Vorstellungsweise des ,modernen Empfindens'.

b. Im Ablauf des Konzils von Trient war die Verlegung nach Bologna von Trient fort nach allen Dimensionen hin geradezu schicksalsgeschwängert. Kann das innerhalb der Kategorie „wie es gewesen" einfach beschrieben werden? Jedin sagt: „Die Verlegung des Konzils nach Bologna war ein schwerer und verhängnisvoller Fehler" (375). Dies ist offenbar ein (sehr berechtigtes, notwendiges) Überschreiten des nur Beschreibens, und zwar nur möglich durch die Hereinnahme der Folgen dieses Schrittes in die Beurteilung. – Oder man vergleiche Ausführungen, wie sie auf S. 269 über die Residenzpflicht stehen; wenn sie nicht ein Urteil von heute her einschließen, müßte man sagen, es fehle ihnen eine Dimension, die noch zu ergänzen wäre. – Vgl. auch den Gedanken des Verfassers zur Unterlassung der schon von Pius IV. geplanten Veröffentlichung aller Protokolle (424) aus Furcht: „Man sah nicht, daß die Geschichte des Konzils dadurch dessen Gegnern ausgeliefert wurde" (425). – S. 326: 'Auffallend . . . daß die Frage nach der geschichtlichen Entstehung der Siebenzahl (der Sakramente) auch nicht andeutungsweise gestellt wurde.'

3. a. Manches an diesen und ähnlichen Formulierungen des Buches [4] kann als einfach reflektierende Äußerung gekennzeichnet werden, die nicht fehlen dürfe, wenn das „wie es gewesen" nicht zu einem geistlosen Aufreihen des Einzelmaterials werden solle. Aber gerade hier zeigt sich bereits, wie unmöglich das reine Erzählen „wie es gewesen" an sich überhaupt ist. Die Notiz auf der Umschlagkappe spricht dem Buch denn auch eine Verbindung von reflexiver Systematik und Erzählung zu. Ich halte diese Kennzeichnung für richtig und sehe in ihr die Zuerkennung eines bedeutenden Wertes. Wie sie aber mit reiner Erzählung, die nur aussagt, wie es gewesen sei, zusammenstehen könnte, vermag ich schlecht zu verstehen. Ich möchte meinen Satz bleiben, daß alle große Historie, auch die von Ranke, trotz jener Devise aus der Vorrede der „Geschichte der romanischen und germanischen Völker von 1494–1514" [5] zugleich über das reine Erzählen hinausging. Sie wäre weder in sich noch in ihrer Wirkung so bedeutend, wenn sie es nicht getan hätte.

b. Die Aufgabe von Jedins Buch ist, zu zeigen, wie die für das Leben der katholischen Kirche lebenswichtigen Dekrete und Canones des Tridentinums entstanden sind. Natürlich soll dadurch auch ihr eigentlicher Sinn und ihre

Tragweite bestimmt werden. Auch dies fällt aus dem Rahmen des reinen Erzählens, wie es gewesen ist, heraus. Jener Sinn und jene Tragweite haben ja gerade darin ihren Wert, daß sie (weil sie in dem angegebenen Sinn wirksam wurden oder die etwa verfehlten) die Folgezeit bis zu uns heute angehen. Die Fragen, die damals behandelt wurden, sind noch heute lebendige Fragen, stehen z. T. ungelöst zwischen uns, haben aber andererseits in entscheidenden Feststellungen (besonders das Rechtfertigungsdekret kommt hier in Betracht) die Möglichkeiten zu fruchtbarem Gespräch bis hin zu einer Verständigung geboten. Dies ist nicht etwas Nebensächliches im Geschichtlichen. Man kann diese Möglichkeit in einer historischen Darstellung natürlich nicht ausschöpfen, sonst käme man bei einem großen Thema wie dem vorliegenden an kein Ende. A l l e s , was auf dem Konzil vorgetragen wurde, darzustellen, oder gar in seinen Dimensionen auszuwerten, konnte, wie Jedin mit Recht öfters feststellt, nicht die Aufgabe sein. Er muß also eine Auswahl treffen. Aber bei dieser Auswahl könnte z. B. mit vollem Recht bei der Erzählung dessen, wie es gewesen ist, durchgehend darauf geachtet werden, ob und in welchem Grade die Väter die gegnerische Lehre kannten, zu erkennen versuchten, oder nicht. Es gibt dafür Ansätze (vgl. 324 u. ö. und die Bestrebungen, z. B. die scholastische Terminologie aus dem Spiel zu lassen). –

Nach Jedins Meinung, von der wir bereits zustimmend sprachen, ist es geradezu entscheidend, zu erkennen, ob das Konzil abgrenzen oder das Katholische detailliert festlegen wollte. Zur Beantwortung dieser Frage gibt es direkte Äußerungen von Konzilsvätern; aber sie sind nur karge Ansatzpunkte für eine erschöpfende Behandlung. Ich darf mich hierfür auf das im I. Teil Sp. 158 Gesagte und auf meinen dort erwähnten Beitrag in der Festschrift Stohr berufen. Für eine richtige Beschreibung des konziliaren Geschehens kommt hier Entscheidendes darauf an, ob die Konzilsväter das Lutherische richtig, und also auch das Katholische in ihm, erkannten und in ihre Beurteilung einreihten oder nicht. Diese Frage ist mit jener nach den Zielsetzungen so eng verbunden, daß es nicht über eine authentische Schilderung des Konzils hinausgehen würde, sie zu stellen und zu beantworten. Wohl aber ist damit die reine Darstellung des Geschehens überschritten hin zu einer Wesensdeutung. Man müßte die das Geschehen herausarbeitende Darstellung geradezu gewaltsam kastrieren, wenn man jene Gesichtspunkte aus ihr geflissentlich ausfallen lassen wollte. Wie immer man das Ziel des Trienter Konzils nach seinen eigenen Äußerungen definieren mag, es war ihm auch die causa fidei im vertieften Sinn einer neuen causa unionis, die in anderem Sinn aus dem Schisma und von Pisa her kannten, aufgegeben. Es gehört durchaus zur Aufgabe einer Geschichte des Tridentinums, festzustellen, daß die päpstliche Seite jene Pflicht im Unterschied zum Kaiser viel weniger, und ich würde auch urteilend hinzufügen, nicht genügend, ins Auge faßte.

4. Vor allem sind es drei präzise gewichtige Aussagen des Buches, die ihrem Wortlaut und Sinn nach über das reine Erzählen hinausgehen.

a. Jedin setzt seinem Bande in einer hochinstruktiven Weise folgende drei Fragen voran (3 ff.), mit denen dieser s. Z. seine Geschichte des Tridentinums eröffnete: (1) „Wie kam es, daß dieses Konzil, ersehnt und betrieben, um die zerfallene Einheit der Kirche wiederherzustellen, im Gegenteil die Spaltung begründete und die Parteien so erbitterte, daß ihre Versöhnung unmöglich wurde? (2) Wie war es möglich, daß die Absicht der Fürsten, den Klerus zu reformieren mit seiner Hilfe, vereitelt wurde und daß das Streben der Bischöfe, ihre großenteils auf den Papst übergegangene Autorität wieder zu gewinnen, zum völligen Verlust dieser Autorität geführt und sie selbst an ihrer eigenen Knechtschaft interessiert hat? (3) Und wie ist es zu erklären, daß das Konzil, gefürchtet von der römischen Kurie, weil es ihr als das wirksamste Mittel erschien, durch das ihre Übermacht beschränkt werden könne, eben diese dermaßen gefestigt und gesichert hat, daß sie so fest verwurzelt ist wie nie zuvor?" – Man könnte sagen,

---

[4] Vgl. Jedins Beurteilung des Rechtfertigungsdekrets gegen Schierse (262), die Beurteilung des Canones (263). Vgl. auch über den Humanismus von Cervini 38 f.

[5] Leipzig ²1874, S. VII (Band 33/34 der 2. Gesamtausgabe).

diese Fragen Sarpis seien von Jedin als eine Art Betrachtung der Erzählung des Verlaufs vorangestellt und hätten mit dieser nichts zu tun. Der Ausweg ist nicht gangbar, selbst, wenn man über die mannigfachen Wertungen und Deutungen der jenen Fragen gewidmeten fünfeinhalb Seiten hinweg sieht. Denn Jedin erklärt (4) ausdrücklich ‚die drei Fragen Sarpis seien echte Fragen an die Geschichte des Konzils von Trient, die auch wir an vorlegen müssen‘. Natürlich sind wir hierin derselben Meinung. Aber wenn dies noch heißen könnte, rein zu erzählen, wie es gewesen ist, dann würden wir eine verschiedene Sprache sprechen. Hier wird ausdrücklich eine sowohl theologische wie historischganzheitliche Fragestellung eingeführt, die in die Richtung weist, die über das Erzählen hinaus zu einer theologischen und historischen Bewertung und Stellungnahme führt.

b. Jedin macht sich (263) den berühmten historischen irrealen Conditionalis Harnacks über das Rechtfertigungsdekret zu eigen: ‚man kann zweifeln, ob die Reformation sich entwickelt hätte, wenn es auf dem Laterankonzil zu Anfang des Jahrhunderts erlassen worden und der Kirche wirklich in Fleisch und Blut übergegangen wäre‘ (Dogmengeschichte III⁶, Tübingen 1932, S. 711). Jedin weist darauf hin, daß Harnack die Ausmalung der Folgen als dem Historiker nicht zustehend ablehne. Aber natürlich! Wer würde sich dabei aufhalten außer einem Romanschriftsteller? Aber eben jener eine schwerwiegende Satz, dem Jedin ausdrücklich folgen zu können erklärt, ist entscheidend. Er beleuchtet die außergewöhnliche Bedeutung des Dekrets. Aber die Form ist eben nicht eine Schilderung dessen, wie es gewesen, sondern eine Bewertung, aber eine Bewertung nicht nur des Inhalts eines Konzilsdekrets, sondern seiner e v e n t u e l l e n Wirkung, wenn es nämlich unter anderen sachlichen und zeitlichen Umständen entstanden wäre.

Man kann Folgendes hinzufügen: Wenn das Rechtfertigungsdekret in seinem Wert nicht überbetont ist (260 u. ö.), bestand vorher in dieser Zentralfrage auch in der Kirche beträchtliche Unsicherheit. Wenn das der Fall ist, darf der Historiker legitim sagen, daß diese Unsicherheit Anstoß zur reformatorischen Deutung der christlichen Lehre wurde, daß also objektive katholische Schuld an der Reformation vorliegt. Das auszusprechen wäre nicht eine bloße Erzählung, wie es gewesen, es hätte auch den damaligen Tatbestand tiefer, auch theologisch tiefer, gefaßt und beurteilt.

c. Die Translation des Konzils nach Bologna bewertet Jedin unter anderem so: „Der Zwist zwischen Papst und Kaiser, der jetzt ausbrach, war die Rettung der deutschen Protestanten in höchster Not. (‚Wunderbar, ruft Ranke, von seinem Standpunkt aus mit Recht, wie auch dieses Mal die Entzweiung des Papsttums und des Kaisertums, hervorgerufen durch die politische Stellung der ersten, den Protestanten zu Hilfe kam . . .‘). Wir verlieren uns nicht im Labyrinth der Spekulationen um historische Möglichkeiten, sondern gehen von gesicherten Tatsachen aus, wenn wir sagen: Ohne die Translation des Trienter Konzils nach Bologna k o n n t e die deutsche Glaubensspaltung einen anderen Ausgang haben" (376). Wenn Jedin diese Ansicht äußert und diejenige von Ranke akzeptiert, was liegt näher als zu sagen, daß eine politische Stellungnahme des Papstes bzw. die von ihr gezogenen Schlußfolgerungen im schlimmen Widerstreit mit seinen primären Pflichten standen? Dies wäre eine tief ansetzende Beschreibung des Papsttums Pauls III. gewesen, wie es war: eine gefährliche zwiespältige Erscheinung. Man wird nicht unhistorisch denken, wenn man die Faktoren, mit denen man es zu tun hat, dergestalt auf ihre innere Einheit hin befragt und die festgestellte Verneinung ausspricht. —

Die Translation, die das Konzil dem Einfluß des Kaisers möglichst entziehen sollte, ist die Vollendung zweier vorherliegender Tatsachenreihen, die zusammen de facto die Einheit der kath. Front zerbrachen, die Kräfte des Kaisers verminderten, seine Pläne durchkreuzten (194 ff. 265 f. 375 f.). Die eindringliche Darstellung der Trans-

ferierung ist wichtig. Aber viel mehr als das (in den Einzelheiten durchaus nicht so bedeutsame) Fragen nach dem Namen des verantwortlichen Urhebers sind die Folgen: ihre Erwähnung ist aber nicht mehr nur ein Erzählen „wie es gewesen". — Die Translation also eine Rettung der Reformation: eine legitime Schlußfolgerung Rankes und Jedins, die aber keineswegs nur erzählt, wie es gewesen ist, sondern stillschweigend den schwerwiegenden historischen Irrealis in die Betrachtung einführt. Daß das von Jedin ausdrücklich abgelehnte Ausspinnen zu törichten Kombinationen unstatthaft wäre, wurde schon gesagt. Aber mit diesem Vorbehalt bleibt Rassow's Bemerkung des Nachdenkens wert: „nur dem historischen Laien soll man Spekulationen darüber, ‚was geschehen wäre wenn damals nicht . . . widerraten‘" [6]). Der historische irreale Conditionalis hilft, die vielen Möglichkeiten einer gegebenen historischen Situation zu erkennen und dadurch die einzige, aus ihnen kristallisierte Tatsächlichkeit besser zu erfassen.

VII. Vor einer Leistung, wie sie dieser Band darstellt, würde es eher lächerlich wirken, an dieser oder jener Kleinigkeit eine Ungenauigkeit nachweisen zu wollen. Derartiges wird die systematische Verarbeitung des Materials als Dank an Jedin für die von ihm gelieferte, fortan unentbehrliche Basis zu leisten haben. Ich möchte aber einige Desiderata anmelden, die m. E. dem Buch und seinen Lesern nützen könnten.

1. Jedin nennt seine Darlegungen eine zu Zeiten mühsame Wanderung (407). Ich glaube, daß das zutrifft. Und zuerst ist dazu zu sagen, daß die Mühe gelohnt hat. Dann aber kann man auch fragen, ob diese Mühsal nicht manchmal (nicht dem Verfasser, wohl aber) dem Leser etwas hätte erspart werden können? Da es sich nicht nur um ein Buch für Spezialisten handelt, da vielmehr zu wünschen ist, daß es eine möglichst breite Leserschaft erfaßte, sollte das Maximum getan werden, um die großen Linien der Entwicklung nicht durch das Detail der verschlungenen Wege verdecken zu lassen. Vielleicht könnten sie so nachgezogen werden, daß sie auch für denjenigen leichter im Gedächtnis haften, der das Buch nicht studiert, sondern nur liest. Es könnte m. E. in der Tat erreicht werden, daß die Darstellung (wie jetzt z. B. beim Kampf um das Rechtfertigungsdekret) für jeden Leser geradezu packend würde.

Das könnte erreicht werden, wenn nicht weniges aus dem Text in die Anmerkungen verwiesen würde. Das würde die Substanz der Darstellung nicht vermindern. Solcher Details, die weil an sich nicht übermäßig wichtig, jetzt m. E. den Text zu sehr belasten, die aber, in den Anmerkungen gespeichert, jene „Mühsal" mindern könnten, habe ich mir eine Menge notiert. Ich bin mir bewußt, wie die Ansichten berechtigterweise auseinandergehen können; nur der Autor selbst vermag hierbei das optimale Verhältnis herzustellen; denn manchmal stehen neben Details, die man für weniger wichtig halten kann, andere, die besonders illustrativ sind. Gekürzt werden sollte wohl auch S. 308: das Dekret ein Ganzes oder nicht? Die Frage ist an sich wichtig; fragt sich nur, ob für ihre Darstellung nötig ist, das Hin und Her und Her und Hin so ausführlich zu bringen.

2. Abschnitt 12 trägt alles zusammen über das, was man liturgisches Leben auf dem Konzil nennen kann (es ergibt sich, daß man entscheidend der römischen Regel des Gottesdienstes incl. Predigten und Prediger folgte); aber es handelt sich doch wohl etwas zu sehr um Notizen, die nebeneinander stehen; gewisse Anzeichen (Wiederholungen) scheinen dafür zu sprechen, daß dieser Abschnitt vielleicht nicht so durchgearbeitet wurde (trotz der auch hier weit ausgreifenden Dokumentation!) wie die anderen Teile des Buches. S. 382: es reihen sich hier auch vielerlei Namen aneinander, die teils unbekannt, teils für die Geschichte des Konzils wenig (andere allerdings viel) bedeuten. Die Verteilung der genannten Persönlichkeiten auf die liturgischen Funktionen ist nicht immer eindeutig, so daß einzelne Mitteilungen nicht ihren ganzen Wert realisieren.

S. 277 habe ich Bedenken, der Kennzeichnung von Cervini als prophetisch zuzustimmen. Die Aussage über den Niedergang des Papsttums im Zeitalter des Absolutismus klingt so, als ob der Absolu-

---

[6] Peter Rassow, Die politische Welt Karls V. (München o. J. ca 1947) 14.

tismus an diesem Niedergang allein schuld sei. Gewiß soll man dessen Sünden und seine Ungerechtigkeiten gegen Kirche und Papst nicht verkleinern. Aber die Hauptverantwortung fällt wohl auf das g e i s t l i c h e Fürstentum des Papsttums und der Bischofskurien. Die Verzettelung kirchlicher Kräfte in theologischen Streitigkeiten kommt hinzu, die ein großes Kapitel christlicher Liebe verzehren. Die kirchliche Macht des Absolutismus ist ein legitimer Sproß des spätmittelalterlichen Staats- und Territorialkirchentums; an seiner Ausbildung aber ist das Papsttum maßgeblich beteiligt.

S. 147: die von den Legaten formulierten Fragen scheinen mir vernünftig und klar; zu einem echten Problem liegt eine echte Stellungnahme vor; ihr Vorgehen erscheint mir lobenswert, ist aber nicht ein Wagnis.

S. 324: eine weitere Ausgabe der Schrift von Archinto erschien auch in Krakau 1545 (Hosius, Ep 1, 192 f.).

3. a) Zu der sehr nützlichen Zeittafel sollte eine Namenstafel kommen. Wer die Akteure nicht so kennt wie der Verfasser, kommt nicht nur zu Beginn der Lektüre in Verlegenheit. Später, in Kapitel 13, wird eine solche Tafel bei den Rückverweisen auf die einzelnen sessiones direkt nötig. Zwar wäre eine Vollständigkeit nicht erwünscht, dafür ist das Register da. Aber neben den Legaten (die natürlich keine Schwierigkeiten bereiten) sollten die Hauptakteure der Hauptthemata (die Bischöfe unter Personen- und Diözesennamen) in diese Namenstafel benannt werden; die kaiserlichen Vertreter und Nuntien sollten zusammengestellt werden. Die Abwechslung in der Benennung der Prälaten je nach ihrem Personennamen oder ihrem Bischofssitz ist wegen der Lesbarkeit kaum zu umgehen. Anderseits ist sie auf manchen Seiten, wenn der Leser nicht beinahe dauernd im Register nachschlagen will, eine starke Hemmung. Wo immer angängig, sollte bei der üblichen Nennung nach dem Bischofssitz der Eigenname in Klammern beigesetzt werden.

b) Am Ende des Bandes steht ein Kapitel „Einführung in die Quellen" (Protokolle, Diarien [Massarelli! Severoli, der konziliare Nachlaß Seripandos; Pratanus], Rechnungsbuch, Korrespondenz, die ersten Drucke, Sarpi, Pallavicino, Historiker des 19. Jh.); es sollte meine ich, am Anfang stehen. Jedenfalls sollte man es zuerst lesen. Es erleichtert jedem die Lektüre des Buches und macht sie ertragreicher. — Während sonst (bes. Abschnitt 12) die Summen in Scudi angegeben sind, lauten sie in der „Einführung in die Quellen" auf Dukaten.

Druckfehler sind sehr selten: Eine sorgfältige Leistung von Autor und Verlag (S. VI).

Das Konzil von Trient, die grundlegende offizielle Stellungnahme der Kirche zur Reformation und zu ihrer eigenen weit gediehenen Schwäche, kann man nicht ohne Bewegung, manchmal nicht ohne Erschütterung studieren.

Die Gemütsbewegung hat verschiedene Ursachen: ungenügender Bußeifer für eine tiefergreifende Reform an Haupt und Gliedern; verpaßte Gelegenheit, die Verurteilung der Neuerung zum Ausgangspunkt eines missionarisch aufgefaßten Gesprächsanfanges zu machen, kurz, in dieser Beziehung das Triumphieren des kurzfristigen Denkens. Denn die Behauptungen über die weite Verständigungsbereitschaft der damaligen Kirche, wie sie an manchen Stellen der Literatur, etwa in Georg Schreibers Sammlung so verschiedenartiger Beiträge, enthalten sind, halten der nüchternen Nachprüfung nicht stand (s. darüber die angekündigte Studie oben Anm. 2). Anderseits nenne man den angedeuteten Wunsch nach einem damaligen Gespräch nicht unhistorisch: nach den Versuchen von Contarini und den anderen Vermittlungstheologen finden sich auch auf dem Tridentinum selbst Ansätze, die beweisen, daß derartige Auffassungen damals lebendig waren; sie hätten zum Nutzen der Christenheit ausgebaut werden können. Selbst die Einladung der Protestanten zum Konzil hat in diesem Zusammenhang eine gewisse Beweiskraft.

Aber dann erhebt sich doch auch die andere Erkenntnis: Aus den mangelhaften Ansätzen und Haltungen kam grundlegend Klärendes und Neues, das sowohl eine tiefgreifende Reform suo tempore ermöglichte, als die Lehrdefinitionen so faßte, daß sie die Türe nicht verschlossen, sondern formal und inhaltlich das Gespräch mit den reformatorischen Christen ermöglichten, wie wir es heute erleben. Ohne also das Mittelmäßige und manchmal Vorläufige aus der Geschichte des Konzils, bzw. dieser ersten Periode, zu streichen, ohne das Kompromißartige mancher Lösung zu übersehen: es wurde eine weltgeschichtliche Leistung, eine geistiggeistliche Klärung von unabsehbarer Bedeutung vollbracht oder grundgelegt.

Von all dem bietet Jedin eine adäquate Darstellung: eine große repräsentative Leistung moderner Historiographie.

Joseph Lortz

ZUR ZIELSETZUNG DES KONZILS VON TRIENT

1. Das Folgende ist die zusammengestrichene Einleitung zu einer Abhandlung über
»Das Konzil von Trient und die Reformation«. Die Abhandlung selbst[1] ist ein Neben-
produkt meiner Besprechung von Jedins zweitem Band seiner monumentalen ‚Geschichte des Konzils von Trient'[2]. Dieser Zusammenhang hatte für mich eine angeneh-
me Folge: Ich konnte mich zumeist auf das Material stützen, das Jedin zur bequemen
Benutzung bereitgestellt hat oder zu dem er in seinem mustergültigen Anmerkungsapparat den Weg weist.
Damit waren auch zwei Begrenzungen gegeben. Zwar blieb ich nicht ganz bei dem von
Jedin in seiner Darstellung gebotenen Stoff stehen; andererseits arbeitete ich aber
auch keineswegs den gesamten, auch nicht den bereits gedruckten Quellenbestand,
etwa die gesamten Bände des CT der Görres-Gesellschaft erschöpfend durch, oder,
was etwa die Predigten angeht, alle, die gedruckt erreichbar sind. Und zweitens gelten
die folgenden Beobachtungen zunächst nur für die erste Sitzungsperiode des Konzils[3].
Diese zweite Einschränkung ist für mein Thema von großer Bedeutung. Geistesgeschichtlich ändert sich nämlich die Lage von der ersten zur dritten Sitzungsperiode
des Konzils in einem außerordentlichen Maße. Die Atmosphäre der ersten Periode wird
in wichtiger Weise dadurch gekennzeichnet, daß nicht wenige maßgebliche Köpfe des
Konzils vom Humanismus geprägt waren. Humanismus aber meint hier zwar auch
philologisch-wissenschaftliche Interessen, dies aber beinahe nur in der Berührung mit
christlich-kirchlichen und theologischen Haltungen, wie sie in den kleinen Reformkreisen der ersten Hälfte des 16. Jahrhunderts in Italien gepflegt wurden und wie sie
sich auch in dem darstellen, was man katholischen Evangelismus oder wenigstens
Evangelismus im katholischen Raum nennen könnte. Auch dieser ‚katholische' Evangelismus ist von vielfältiger Art. Immer aber ist er gekennzeichnet durch geistige Aufgeschlossenheit und durch ein Hindrängen zum religiös Wesentlichen. Von beiden
Seiten her macht er sich den Integralisten verdächtig, die für seine Vertreter schnell
mit der Beschuldigung »Häretiker« zur Hand waren. Dieser Evangelismus prägt
keineswegs die erste Periode des Konzils als Ganzes, er stellt aber eine ihrer wichtigen
Triebkräfte dar.
Gewiß wird auch in der dritten Periode des Konzils ein hierhergehörender Mann wie
der Augustinergeneral Girolamo Seripando sogar als päpstlicher Legat das Konzil
leiten, aber für die Art des wieder viel scholastischer gewordenen Denkens wird der
Fürstbischof von Ermland Kardinal Stanislaus Hosius repräsentativ sein, der in der
Theologie die humanistischen Neigungen seiner Frühzeit abgestreift hat. Das Konzil
machte eine tiefgreifende geistige, auch theologische Entwicklung durch. Während der
langen Unterbrechungen, die zwischen den einzelnen Perioden liegen, änderte sich ferner
die politische, geistige, religiöse und kirchliche Lage stark, mehr oder weniger sogar
wesentlich. Die Christenheit erlebt den Augsburger Religionsfrieden 1555, das heißt

89

das reichsrechtliche Auseinanderbrechen der einen Kirche; und wenn man den gesamten reformatorischen Vormarsch, insbesondere den des Calvinismus in die Betrachtung einbezieht, stehen wir vor einem öffentlich rechtlichen Auseinanderbrechen der einen Kirche und Christenheit in ganz Europa. Die Kirche war nun in eine so eminente Lebensgefahr geraten, daß ihre Haltung sich beinahe mit Notwendigkeit im Gegenschlag verschärfte. Das Pontifikat Pauls IV. und die neue Art der römischen Inquisition bedeuten eine scharfe Umlagerung in der innerkirchlichen Atmosphäre. Die Genannten, Seripando und Hosius, waren beide wirkliche Kenner der reformatorischen Lehre. Aber die allgemeine Haltung des Konzils auch gegenüber dieser Lehre hatte sich zwischen der ersten und dritten Periode des Konzils versteift. Es ist nicht ohne weiteres sicher, daß die in mancher Hinsicht imponierende Arbeit der ersten Sitzungsperiode (mit dem Resultat des Rechtfertigungsdekrets) ebenso in der dritten Periode hätte geleistet werden können. Die konzilsfreie Zeit des Eiferers Pauls IV. hatte das Gegenreformatorische in aggressiver Form entbunden. Entsprechend war eine neue Scholastik, die sich zwar auf Thomas stützte (und noch mehr auf ihn berief), entstanden, aber aus ihr wurde eben das, was wir Barockscholastik nennen. Was man in der ersten Sitzungsperiode als biblisches Denken im Rahmen des damals Möglichen ansprechen darf, hatte, als man zur dritten Periode zusammentraf, an Kraft verloren.

2. a) Man darf sagen, daß es die Reformation war, beziehungsweise die Bedrohung, die sie für die päpstliche Kirche darstellte, die das so lange und stürmisch aus allen Schichten der Kirche geforderte, aber von kurialen Kreisen immer wieder verweigerte, umgangene, hinausgeschobene Konzil von Trient endlich herbeigeführt hatte. Entsprechend stellt es von seinem Beginn an in vielfältigem Sinn eine Antwort auf die Reformation dar.

Die Frage war, ob die Antwort eine Auseinandersetzung mit ihr bringen würde, eine innere Bewältigung ihrer Anliegen, oder nur – oder vorzüglich – eine Verurteilung und damit eine Abgrenzung gegen sie. Nun darf man der Meinung sein, daß gegenüber der Aufgabe, die dem Tridentinum durch seinen Zusammenhang mit den ernsten Reformforderungen des verflossenen Jahrhunderts, durch die innerkirchliche Lage und die Reformation gestellt war, eine reine Verurteilung des Angriffs nicht als genügende Lösung angesehen werden kann. Aber ebenso wäre es verfehlt, der Verurteilung an sich eine weittragende Bedeutung abzusprechen; sie bedeutete innerkirchlich die Befreiung aus einer höchst gefährlichen, immer wieder anzuziehenden, theologischen Unklarheit. Auf alle Fälle umschließt die formulierte Frage die Problematik des Konzils in ihrer wohl wichtigsten Gestalt.

b) Das Konzil war eine kirchliche, eine theologische und eine politische Veranstaltung. Entsprechend strebte es verschiedenartigen Zielen zu, die sich keineswegs deckten, schon weil die Interessen seiner verschiedenen Träger – Papst, Kaiser, Konzilsväter, Theologen, Prediger – in mancherlei Spannung zueinander standen. So wurde auch die Antwort des Konzils auf die Herausforderung der Reformation verschieden gegeben. Das war aber weniger eine Bereicherung des Geschehens als eine Belastung; am nachteiligsten dort, wo sich die kirchlichen und politischen Interessen im gleichen Träger, dem Papsttum und der Kurie, kreuzten.

90

Ausschließlich religiös-kirchlich wurde die Aufgabe des Konzils höchstens von einer Anzahl Theologen und Theologen-Prälaten aufgefaßt. Am Ernst ihrer Hingabe kann man nicht zweifeln. Aber diese religiös-theologischen Interessen wurden sehr uneinheitlich vertreten, ob man nun nach dem Ernst der geforderten Selbstreform fragt (welche Forderung zu einem erheblichen Teil durch die Vorwürfe der Neuerer veranlaßt war, und damit auf die Beseitigung einer, wenn nicht *der* Ursache der Neuerung, nämlich ihrer Ausbreitung, abzielte), oder ob man an Art und Grad der *geistigen* Auseinandersetzung denkt.

c) Nach dem Willen des Kaisers sollte das Konzil vor allem die Gelegenheit und der Schauplatz sein, auf dem die Zurückführung der Abgewichenen sich vollziehen könnte. Niemand hatte dieses Ziel so erfaßt wie er, niemand hielt es so fest wie er; er allein war der echte Gegenspieler des deutschen Reformators. In diesem Sinne hatte er seit langem auf das Konzil hingearbeitet, ja es dem Papst abgerungen. Daß aber die Arbeit des Konzils sich so vollzog beziehungsweise so geleitet wurde, daß selbst die geringe Aussicht, die man bestenfalls der Verwirklichung dieses Zieles zusprechen durfte, sich verflüchtigte, gehört wieder stärkstens zu der Art, in der das Konzil eine Antwort auf die Reformation wurde: Weil man kurialerseits in der pflichtmäßigen Sorge um die Reinheit der Lehre die dogmatische Klärung unbedingt voranstellte, kümmerte man sich wenig um Überlegungen, die eine Überwindung des Gegensatzes durch Berücksichtigung gegnerischer Ansprüche vielleicht hätte erleichtern können, ohne der Wahrheit zu nahe zu treten. Allerdings meinte Erzbischof Hieronymus Ragazoni in seiner Rede am Ende der dritten Periode des Konzils (3. Dezember 1563, CT IX 1098, 25 – 1103, 29), es sei zwar bedauerlich, daß die Evangelischen nicht zum Konzil gekommen seien – aber wenn sie gekommen wären, hätten sie ihre Sache auch nicht besser vertreten können, als die Konzilsväter es selbst taten. Aber solch ein Ausspruch, der als Zeichen der katholischen Verständigungsbereitschaft zitiert wurde[4], zeugt wohl doch eher davon, wie stark die vorliegende Problematik auch in diesem Falle unterschätzt wurde.

Die Zurückführung der Abgewichenen war auch für den Kaiser eine religiös-kirchliche Aufgabe. Seine sakrale Auffassung der Kaiserwürde stand im Spiel, die treibende und formende Kraft seines ganzen politischen Handelns. Die Erreichung der Zurückführung der Neuerer war im Plan des Kaisers auch nicht unbedingt an den Gedanken einer vorherigen militärischen Niederwerfung der politischen Vertreter der Neuerung im Reich geknüpft. Die theologischen Verhandlungen auf dem Augsburger Reichstag 1530 und die Religionsgespräche der 1540er Jahre waren von der Seite des Kaisers ernst gemeint. Erst als die Religionsgespräche fehlgeschlagen waren (dasjenige von Regensburg 1546 wurde doch wohl nur zur Verschleierung der eigentlichen Absichten eingeleitet und eine Zeitlang am Leben erhalten)[5], wurde das Konzil von Kaiser und Papst definitiv in jenen politisch-militärischen Zusammenhang hineingestellt, den die Bündnisbesprechungen und die Abmachungen zwischen den beiden Häuptern der Christenheit umschreiben.

Es ist wichtig, daß man dies sehe. Sonst gerät man in Gefahr, den religiösen Ernst der katholischen Kräfte im ganzen Spiel und damit auch auf dem Konzil und besonders den der kaiserlichen Prälaten zu unterschätzen. Die vom Kaiser und vielen anderen damals genährte Hoffnung einer Rückführung der Neugläubigen konnte für alle jene als nicht gar so schwer realisierbar erscheinen, die die kirchlich-politischen Spannungen nicht aus der Nähe erlebten und die theologisch-dogmatischen Unterschiede entweder nicht in ihrer Tiefe kannten oder in ihrer Tragweite nicht richtig einschätzten. Tatsächlich war eben diese Tiefe vielen nicht einsichtig. Die Analyse der Konzilsdebatten belegt das übergenug. Und so war jene Hoffnung und die Meinung, sie könne leicht durch das Konzil verwirklicht werden, damals zwar für viele eine gewisse Selbstverständlichkeit; andererseits war sie über das Gesagte hinaus eine gefährliche Täuschung. Gefährlich, weil dadurch die Größe der zu leistenden Aufgabe und auch die Art, wie sie allein fruchtbar angepackt werden konnte, vielen, sagen wir zusammenfassend, der ‚Partei' der Integralisten, verschleiert wurde.

Es erlagen aber nicht alle jener gefährlichen Überschätzung des Konzils. Bei den Männern, die das Reformatorische am besten kannten und für seine Problematik am meisten Verständnis aufbrachten, die also auch die Aufgabe der Auseinandersetzung am positivsten auffaßten, finden sich, so weit ich sehe, wenig Spuren davon. Bischof Pietro Bertano von Fano argumentierte richtig, das Erscheinen der Protestanten in Trient werde keineswegs jenes prompt wirkende Allheilmittel sein, das manche in ihm sähen (Jedin 2, 230). Leider bestand daneben (mehr oder weniger unbewußt) eine gefährliche Resignation nicht weniger Väter des Konzils, auch der Legaten und großer Teile der römischen Kurie: Sie waren der Meinung, man müsse (wenigstens vorläufig) Deutschland für die Kirche abschreiben. Jedin hat nur allzusehr recht, wenn er sagt, man könne ihre Kurzsichtigkeit nur mit Erschütterung zur Kenntnis nehmen.

Entsprechend der Hoffnung des Kaisers und seinen Weisungen waren die Prälaten, die seine Auffassungen teilten, darum besorgt, die Möglichkeit offenzuhalten, daß jene Hoffnung realisiert werden könnte. Also waren sie wie der Kaiser darauf bedacht, es möchte kein dogmatisches Definitivum (besonders über die Rechtfertigung) ergehen. Der Antagonismus, der gerade in diesem Punkte die Kurialen und die Kaiserlichen trennte, darf nicht als ein weniger wichtiger äußerlicher Streit betrachtet werden. Auch er stellt einen der Kräfteströme dar, in denen, aus sachlich und zeitlich tiefen Wurzeln erwachsend, die innere Entelechie des Konzils nach Darstellung ringt. Das Ergebnis war von kirchengeschichtlich weltweiter Wirkung; Art und Kraft und Unkraft des Lebens der Kirche hingen von der Lösung zu einem erheblichen Teil ab. Die Frage nach dem pflichtmäßigen Verhalten des Papstes gegenüber den Anstrengungen Karls V. wird komplizierter, aber doch nicht eine andere, je für die Jahre vor 1552 und die Jahre nachher, als Karls Plan einer Weltmonarchie zusammenbrach. Es handelt sich nicht darum, ob das Papsttum seine Universalität an die des Kaisers hätte binden sollen; es geht darum, ob das Papsttum seine ihm auferlegte Pflicht für eine Rettung der *christlichen* Einheit leistete, besonders als Frankreich den Protestantismus in Deutschland entscheidend stützte (direkt, oder indirekt durch das Bündnis mit den Türken)[6].

d) Was allerdings der Kaiser genauer unter Rückführung verstand, das heißt, wie er sich die Verständigung mit den Lutheranern im religiös-dogmatischen Raum vorstellte, ist eine höchst komplizierte Frage. Ihre Beantwortung hängt an der Auffassung von dem, was nach Karls V. Auffassung verpflichtender Glaubensinhalt und verpflichtendes Kirchenwesen sei. Was war für ihn ein Dogma? Und welchen Umkreis des Sakramentalen deckte es?

92

Das Problem ist bis heute hundertmal am Rande gestreift, nirgends aber durchbehandelt worden. Am wenigsten von dem besten Kenner Karls V., von Karl Brandi, der für diese Seite der Frage weniger Interesse und wohl auch nicht das nötige Organ besaß.

Der Historiker darf rückblickend zunächst mit gutem Grund so viel sagen, daß die Hoffnung Karls V. und seiner Anhänger zwar nicht utopisch, aber reichlich grob konzipiert war. Es ist möglich, daß ihr eine erasmianisch beeinflußte Unterbewertung des Dogmatischen zugrunde lag. Ihr unleugbarer Mangel an Präzision war andererseits sicher mitverschuldet durch jene erwähnte (sehr verständliche) Unkenntnis des Tiefgangs der dogmatischen Unterschiede der lutherischen Lehre vom Glauben der alten Kirche.

Aber man darf weder diese Unkenntnis übertreiben noch die Vorstellungen, die Karl vom katholischem Glauben hatte, allzusehr verflüchtigen. Wenn man Karls katholische Überzeugung als eine Art populärwissenschaftlicher, moralistischer commonsense – Theologie nimmt, die sich am Festhalten an den nicht weiter explizierten Artikeln des Glaubensbekenntnisses genug sein läßt (diesen Standpunkt vertritt Rassow in seiner ,Politischen Welt' Karls V.), ist die Antwort leicht. Aber darf man dem Kaiser wirklich eine so dünne rationalistische Auffassung des katholischen Glaubens zuschreiben? War er (wieder nach Rassow a. a. O.) wirklich so naiv, die ganze hochmittelalterliche Entwicklung des Glaubensverhältnisses und der Kirchenidee, insbesondere des päpstlichen Primats, beiseite zu schieben? Dachte er wirklich so unhierarchisch und darin so unsakramental? Oder war ihm die Kirche des hierarchisch gegliederten speziellen sakramentalen Priestertums nicht so sehr eine gottgewollte Selbstverständlichkeit, daß er nie daran denken konnte, auf ihre Anerkennung durch die Abgewichenen zu verzichten?[7]

3. Wir können den Fragen wegen der vorgeschriebenen Raumbegrenzung nicht weiter nachgehen. So viel ist sicher, daß Entscheidendes an dem Problem hängt: Welchen Wahrheitsbegriff deckte damals der Ausdruck Dogma? Die Frage nach dem angewandten Wahrheitsbegriff ist für jede geistesgeschichtliche Analyse jeder historischen Epoche grundlegend. Für die Beschreibung der damaligen theologischen und dogmatischen Lage sind wir mit ihr an einen schlechthin entscheidenden Punkt geraten. Von ihrem Verständnis hängt auch viel für eine richtige Bestimmung dessen ab, was das Konzil mit seinen Dekreten und Anathematismen wollte.

Die nachvatikanischen Theologen neigen dazu, den Begriff fides immer im engen Sinne des göttlich Geoffenbarten und ein Anathema als Schutz einer solchen fides divina et catholica aufzufassen. Diese Rückprojizierung ist historisch im Unrecht. Im Bereich des Geistigen ist, wie eben gesagt, das alles andere begründende und von weither in einer bestimmten Art vorantreibende Element der zugrunde liegende Wahrheitsbegriff. Er und nichts anderes bestimmt in letzter Tiefe die Art des Denkens, also auch die Rahmenfragen, und legt dadurch bereits weitgehend die Einzelantworten fest. Innerhalb der christlichen Lehre geht es demnach in den verschiedenen Jahrhunderten und Schulen darum zu wissen, welche Auffassung sie von dem christlichen Dogma hatten. Diese Auffassung ist keineswegs bei allen die gleiche. Ob man bei den Apologeten oder den christlichen Gnostikern, bei den Vorscholastikern, den Vertretern der Hoch- und der Spätscholastik und bei den einzelnen Schulen der Kanonisten ansetzt: Sie operieren mit einer teilweise sehr anderen Auffassung von dem, was der verpflichtende Inhalt des Glaubens sei. Die Konstruktionen Ockhams sind in einem beunruhigenden Maße verschieden von dem, was Thomas von Aquin erkennend beschreibt.

Im geistigen Umbruch, den der Humanismus darstellte, gewinnt diese Frage ,Was ist Wahrheit?', ,Was ist Dogma?' eine beinahe wesentlich gesteigerte Bedeutung. Für die Männer, die damals schon dem Skeptizismus mehr oder weniger erlagen und in eine unkirchliche ,Weltanschauung' abglitten, braucht das nicht weiter erklärt zu werden. Aber auch seine kirchlichen Vertreter (wie zum Beispiel Seripando, Cervini und noch mehr Pole) waren viel empfänglicher für stärkere Abstufungen der theologisch-dogmatischen Bewertung als die damaligen Vertreter der via antiqua, als die nachtridentinischen und ganz besonders die nachvatikanischen Theologen. Das Geheimnis des Ineinander von unfehlbar fester und lebendig elastischer Aussage und des Zusammengeltens des Lehramtes mit dem Priester- und Hirtenamt, die gemeinsam, aber aus verschiedener Perspektive, für das eine Gut der Offenbarung verantwortlich sind[8], das Wissen um dieses Ineinander war noch lebendiger Besitz und nicht durch einen intellektualistisch übermäßig dürren Wahrheitsbegriff unfruchtbar geworden.

Für eine gültige Analyse des Tridentinums ist die Beachtung dieses Tatbestandes von Wichtigkeit. Wenn auf dem Tridentinum eine Lehre verurteilt wurde, so kommt für die Bestimmung der Tragweite solcher Urteilsfindung viel darauf an, in welchem Grade die Konzilsväter in jedem einzelnen Fall die verteidigte Wahrheit als göttliche oder kirchliche Wahrheit nehmen und wie weit sie das Abweichen einer Aussage von ihr als Häresie, als ,haeresi proxima', ,irrig', ,falsch' oder ,ärgerniserregend' nehmen. Eine ähnliche Abstufung gilt entsprechend für das ,anathema sit' der Konzilskanones[9].

4. a) Je mehr man über das Einzelgeschehen auf dem Konzil hinaus seinen kirchengeschichtlichen und geistesgeschichtlichen Sinn fruchtbar erfassen will, um so eindringlicher stellt sich die Frage nach den Zielen, die es sich selbst allmählich setzte.

Das gilt auch, ja, wie mir scheint, besonders für das hier behandelte Problem ,Konzil und Reformation'. Wir haben oben die Frage, ob und inwieweit die lutherischen Reformatoren für die Väter des Konzils zu Gesprächspartnern geworden seien oder nicht, unerledigt liegen lassen. Aber nur eine nähere Bestimmung dessen, was unter Gesprächspartner hier zu verstehen ist, und wie weit die Aufgabe gelöst wurde, kann zu einer sachgerechten Bestimmung des Verhältnisses des Konzils zur religiösen Neuerung des 16. Jahrhunderts und zu einer historisch gerechten Bewertung seiner Urteile führen[10].

Auf dem Konzil gab es Männer, die die Notwendigkeit einer inneren Auseinandersetzung mit zentralen Anliegen der Reformation empfanden. Wir tragen also mit der näheren Auslegung unserer Frage keineswegs moderne Gesichtspunkte in die Betrachtung des 16. Jahrhunderts hinein. Allerdings ist es wichtig zu beachten, daß diese Auseinandersetzung bei manchen eine indirekte war: Sie polemisierten nicht gegen die Reformatoren, sondern rangen mit zentralen Fragen der Heilsverkündigung (etwa des Glaubens, seiner Funktion in der Rechtfertigung, des Gerechtfertigten, der dennoch Sünder ist), die auch für die Reformatoren im Mittelpunkt des Interesses standen, auf die sie selbst aber (im Zusammenhang etwa mit dem Evangelismus) von der Bibel, speziell von Paulus und Johannes her gestoßen waren.

94

b) Das Konzil war eine Lebensäußerung der auf Leben und Tod angegriffenen Kirche in eben diesem Kampf. Es mußte sich also zunächst um lebensrettende Abwehr bemühen. Einschränkend ist aber ein Doppeltes zu bedenken. Es wurde zwar bereits gesagt (oben S. 90), daß diese Abwehr auch positiv zu bewerten ist; aber im Bereich des Geistigen ist die nur negative Abwehr immer ungenügend. Sie muß auch positive Lebensäußerung sein, die sich mit den abgelehnten Werten mißt. – Das Problem spitzt sich im Christentum weiter zu: Keine historische Situation ändert Substanz und wesenhafte Aufgabe der Kirche. Und also wird Beschreibung und Bewertung des Geschehens in der Kirche nie von diesem Bleibenden absehen dürfen, das heißt, die Geschichte, die dies beschreibt, darf nicht vergessen, daß sie auch – in aller denkbar kritischen Sichtungsarbeit – Theologie ist. Theologie ist alles andere als eine nur uninteressierte formalwissenschaftliche Klassierung. Diese Aussage aber beinhaltet für die theologische Geschichtsschreibung nicht weniger als die Erkenntnis, daß es keine Periode oder Episode gibt, die nicht (auch) unter dem Kreuze stünde. Es gibt auch keine Lebensäußerung in ihr, die das Recht hätte, außer acht zu lassen, daß das Christentum wesentlich missionarisch ist. Für die Situation des Tridentinums im ‚Kampf‘ gegen den Angriff der religiösen Neuerer bedeutet das zum Beispiel: Die Kirche mußte den Verkündigungsauftrag ihres Herrn zur Gewinnung der Brüder selbstverständlich auch in diesem Kampf gegen ihre Feinde, im Kampf gegen die Feinde der Wahrheit, verwirklichen.

c) Auf dem Konzil selbst ist das Ziel, das verwirklicht werden sollte, verschieden ausgesprochen worden. Die Äußerungen sind wertvoll, aber verhältnismäßig spärlich, und nur selten bringen sie eine exakt umschriebene Festlegung. Was das Konzil wollte, muß zur Hauptsache aus der Analyse der Verhandlungen gewonnen werden.

Man entdeckt zunächst, daß weder die Legaten noch die Väter, noch die Theologen mit einer klaren Vorstellung von der zu leistenden Arbeit nach Trient kamen. Es ist nicht der kleinste unter den Ehrentiteln, auf die sich das Konzil ein Anrecht erarbeitet hat, daß die Anstrengungen seiner Leiter und Mitarbeiter eine Entwicklung bewirkten, die diese ungünstige Ausgangsposition durch einen bedeutenden Klärungsprozeß überwand.

Im Verlauf der Debatten wurde dann etwa formuliert, das Konzil müsse die Wahrheit gegen den Irrtum abgrenzen und das katholische Bewußtsein klar formulieren (öfters), im Einzelfall zum Beispiel, es sollte die katholische Auffassung von den Sakramenten gegenüber derjenigen der Lutheraner feststellen[11]. Der als Staatssekretär fungierende Kardinalnepote Farnese schreibt den Legaten kurz vor der Beendigung der ersten Periode[12], das Konzil solle feststellen, was katholisch sei und was nicht; Kardinal Pole verlangt vom Konzil, die religio wiederherzustellen (Jedin 2, 24).

Man sieht leicht, wie vielfältig die Zielsetzungen sein konnten, die in so allgemeine Ausdrucksweise eingekleidet sind.

Etwas instruktiver sind verschiedene Stellungnahmen bei der Behandlung der Heilsgewißheit (die Vota vom 28. August 1546)[13]. Der Präsident del Monte stellte die Frage, ob es darum gehen solle, das Häretische zu verurteilen oder den Stoff »diffuse et copiose« zu traktieren. Sein Kollege Cervini bleibt in seiner Formulierung, die ohne weitere Präzisierung nicht von besonderem Nutzen sein konnte, hinter ihm zurück: Ut catholica veritas affirmatur et haeretica assertio damnatur. Der Bischof von Upsala sprach sich dafür aus, daß nur die catholica veritas weiter festgelegt werde sine alia discussione. Der Erzbischof von Armagh meinte, die katholische Ansicht über die Gnadengewißheit solle nicht entschieden werden, sed haeretica assertio simpliciter damnetur; der Bischof von Feltre zieht sich auf die Thematik zurück, die dem Konzil allgemein gestellt ist: Dogma und Sitten; da die Heilsgewißheit, so sagte er, weder zu dem einen noch zu dem anderen gehöre (!), solle nur die häretische Ansicht verurteilt werden. Eine andere Meinung ist nicht ganz so deutlich überbracht: Discutiatur et diligenter examinetur; eine weitere wieder ist der gegenteiligen Ansicht, es solle der Stoff nicht durchdiskutiert, sondern den Scholastikern frei gelassen werden, nur Luther solle man verurteilen; ein anderer wollte ebenfalls keine Diskussion; ein Votum wird von Massarelli so umschrieben: Die Sache solle behandelt werden ‚sine controversia', was mit den unmittelbar vorher aufgeführten Voten identisch, aber auch umfassender gemeint sein kann. Andere forderten einfach, es solle keine der katholischen Ansichten getadelt (offendatur) werden.

Versucht man diese Stellungnahmen nach ihren Gemeinsamkeiten zu kennzeichnen, kann man sagen: Manchmal soll die Verurteilung der lutherischen Lehre mit der Feststellung der katholischen verbunden werden; aber wo nicht eine ausführliche Erörterung verlangt wird (was nur selten geschieht), heißt das offenbar nicht mehr, als catholicam veritatem ‚sine discussione' auszusagen, so daß der zur Diskussion stehende Artikel nicht in einer genau umschriebenen Art festgelegt werde, sondern dies den Theologen überlassen bleibe. So drückt es auch die Schlußbemerkung von Massarelli aus: Placuit articulum indecisum relinquere, assertionem Lutheranorum damnandam.

d) Wenn also ein guter Teil der angeführten Formulierungen der Konzilsväter einigermaßen farblos erscheint, so liegt ihnen und einer ganzen Reihe von praktischen Stellungnahmen, die damit verbunden waren, doch ein gemeinsamer Gedanke von höchster Wichtigkeit zugrunde, der sich immer mehr als allgemeine Richtlinie heraushob und durchsetzte. Im Lichte dieser Gesamtausrichtung wird klar, worum es auf dem Konzil ging und worum nicht. Materialiter sollte nicht über Schulmeinungen verhandelt, noch weniger gestritten und hier den Theologen die Freiheit beschnitten werden. ‚Verhandelt' werden sollte nur über Kontroverslehren[14], das heißt über den Kern von Glaubensfragen, die von den Neuerern bestritten waren.

Und zwar war es recht eigentlich die *Art* der Aussage, in der sich das Eigentümliche der Zielsetzung in dogmaticis am besten erkennen läßt: Das Konzil versucht, seine Aussagen von der komplizierten Schulsprache freizuhalten und sich einer einfachen Ausdrucksweise oder einer der Bibel entnommenen Sprache zu bedienen[15]. Es war keine leichte Aufgabe. Diesen Theologen (in der erdrückenden Überzahl aus den alten Bettelorden) war das Denken und Diskutieren in der scholastischen Kunstsprache (die so leicht das gefährliche Gefühl vermittelt, durch eine geistreiche Distinktionsformel das Rätsel wirklich aufgeknackt zu haben) das tägliche Brot. Sie mußten sich dessen sozusagen entwöhnen. In der Generaldebatte um die Rechtfertigung (Status I) faßte der Bischof von Syrakus seine Ansicht in einer Form zusammen, die Jedin 2, 156 nach Massarelli als kennzeichnende Antwort auf die neue Heilslehre wörtlich zitiert. Aber auch diese so hoch geschätzte Lösung zeigt deutlich, wie notwendig die Rückwendung zum biblischen Besitz war. Denn sie illustriert, wie unbiblisch (in der Art der

96

Aussage) die Etappen und Mittel der Rechtfertigung auseinandergefaltet und dann einigermaßen wie gleichwertige Stücke additiv zusammengestellt werden. Der wesentliche innere Zusammenhang der Elemente und des Vorgangs wird kaum empfunden, jedenfalls nicht dargestellt.

Selbst bei Seripando, der im Bestreben, die theologischen Aussagen des Konzils von der Philosophie zu befreien, in erster Linie steht, wirkt die Beschreibung, die er auf Grund des von den Legaten vorgelegten Schemas vom Vorgang der Rechtfertigung gibt, in ihrem Ineinandergreifen von vier Elementen[16] noch additiv. Was heißt denn, der von Gott frei geschenkten Berufungsgnade zustimmen und in ihr Buße tun anderes, als im Glauben vertrauend, Gott anerkennend sich von der Sünde abwenden (oder umgekehrt)? Hier aber wird gesagt, daß erst danach die Gerechtigkeit Gottes an den Menschen herantrete. Ist nicht dieser dem Menschen zugewandte Erlösungswille Gottes jene Berufungsgnade?[17]

e) In die angegebene entscheidende Ausrichtung des Konzils gehört auch die öfters wiederkehrende Mahnung, das Konzil habe zu entscheiden, nicht zu erklären. In dieser Beziehung darf man wohl mit Jedin 2, 323 f. mit Betonung herausstellen, daß das Konzil einen Antrag von Filippo Archinto, Bischof von Saluzzo, (in der Februar-Generaldebatte über die Sakramente) keine trennenden Canones aufzustellen, sondern nur positiv in einem Lehrstück die katholische doctrina auszusprechen, zwar diskutierte und auch die Legaten darüber in Rom recherchierten, daß sie ihn aber ablehnten und es bei der bisherigen verurteilend-abgrenzenden Methode blieb. Diese Tendenz zur Nur-Abgrenzung zeigt sich bei den Debatten um die Sakramente auch insofern gut, als hier mit Erfolg von Anfang an die scholastische Kunstsprache zurückgedrängt wurde (Jedin 2, 318, 333, vgl. 328).

Ganz klar hatte sich dieselbe grundlegende formelle Auffassung in der Generaldebatte vom 28. August über die Gnadengewißheit Ausdruck gegeben: Über das theologisch noch nicht Geklärte wird nicht entschieden. Und schon vorher, bei den Debatten über die Konkupiszenz, war eine Entscheidung über Schulmeinungen ausgeschlossen worden.

Offenbar wurde trotzdem über die reine Negation hinaus eine gewisse positive Festlegung des Katholischen angestrebt; allein schon der Stolz der Legaten, ja des Konzils überhaupt, der von der Nachwelt in nicht gewöhnlichem Ausmaß bestätigt wurde, das Dekret de justificatione, beweist das ausgiebig. Aber – und hier liegt das Wichtigste – diese Festlegung begnügt sich mit einem Minimum. Allgemein kann man sagen, die katholische Festlegung erfolgte nur so weit, als dadurch eine häretische Deutung ausgeschlossen wurde. Das Konzil will ablehnen und abgrenzen, ohne sich festzulegen. Das kann man gerade am Dekret de justificatione nachweisen. Die klaren eindeutigen Partien sind Abgrenzungen gegen protestantische Lehrmeinungen (obschon dabei der gemeinsame Kern nicht genügend betont wird); wo der positive Ausbau beginnt, schimmern ungeklärte innerkatholische Schulmeinungen durch. (Nebenbei gesagt, es ist von größter Bedeutung für eine exakte Eruierung dessen, was Trient *verbindlich* festlegte, daß man diese Differenzierung beharrlich im Auge behält).

Das Ganze hat für die Exegese der offiziellen tridentinischen Verlautbarungen eine hochwichtige grundsätzliche Konsequenz: Die Bestimmung der Zielsetzung des Konzils hat von den Canones auszugehen (Jedin 2, 263), wobei außerdem auf die teilweise

97

disziplinäre Bedeutung zu achten ist, die damals das ‚Anathema‘ noch besaß (vgl. Anm. 9). Aber es kommt natürlich auf das ‚Wie‘ der Abgrenzung an: Man muß die Meinung des Gegners genau kennen, aber auch über den Wortlaut der Canones hinaus ihr Entstehen und die ihnen – so oder so – zugrunde liegende katholische doctrina. Daß tatsächlich die Trennungslinie nur genau gezogen werden kann, wenn man die Lehre der Gegenseite materiell und in ihrer inneren Entelechie mit genügender Exaktheit kennt, erfährt man bei der Lektüre der Trienter Verhandlungen immer wieder. Jedin hat dem Grundsatz jetzt zugestimmt[18]. Es gibt noch ein weiteres Hilfsmittel. Was die tridentinische Ablehnung jeweils meint und wie weit sie trägt, läßt sich dann klarer angeben, wenn man den Tatbestand der theologischen Unklarheit ausschöpft[19]. Diese Unklarheit bestand darin, daß das Bewußtsein für die Grenzlinie zwischen vollkatholisch und nicht mehr vollkatholisch undeutlich geworden war. Von hier aus weiterschreitend hat Luther nicht mehr Voll-katholisches zum Häretischen ausbauen können. Es war eine notwendige und lebensrettende Tat, die Trennungslinie wieder klar aufzuzeigen[20].

Umgekehrt stoßen wir gerade hier auch wieder an eine Grenze dieser vorzugsweise abwehrenden Haltung. Die Furcht, in die Nähe Luthers zu geraten, belastet alle Debatten dieser Periode des Konzils. Seripandos, Poles und anderer Mahnungen, ihr nicht zu verfallen, wirkten nicht tief. Besonders zeigen sich die Spanier von ihr beeinflußt. Es war aber eine unsachliche, unfreie Furcht, weil man nämlich nicht die (schon eben angedeutete) Tatsache realisierte, daß bestimmte religiöse Anliegen Luther einen katholischen Kern haben. So galt diese Angst eigentlich mehr der Formulierung als dem Inhalt. Und von hier aus kam man in Gefahr, das Wahre, das in der abgelehnten These steckte, nicht genügend zu würdigen. Bei der Behandlung der bleibenden Sünde im Menschen, aber auch in der Frage der Heilssicherheit kann man die Wirkung dieser Furcht wie mit Händen greifen.

Und also – oder muß man sagen trotzdem? – setzt die nackte Verurteilung der lutherischen These nicht eine weit vorangetriebene Einigung über die catholica veritas voraus[21]. Das pflichtgemäße Bekennen der persönlichen Heilsgewißheit zum Beispiel wird, wie wir sagen, abgelehnt, ohne daß, oder ehe man festgelegt hatte, wie weit die Heilsgewißheit doch vorhanden sein könne und müsse. Wohl aber ist es andererseits die selbstverständliche Grundvoraussetzung bei all diesen Voten (und sie gilt eigentlich für das ganze Konzil): daß es eine allen als solche bekannte »katholische Wahrheit« gebe, und ebenso, daß die Position des Gegners häretisch sei. Hierüber gibt es keine Diskussionen. Erst bei der näheren Ausdeutung der katholischen Position entsteht die Frage, ob diese oder jene Art dem katholischen Glaubensbewußtsein voll oder weniger voll entspreche oder ob etwa die entsprechende Formulierung selbst häretisch sei.

f) Diese weise Selbstbegrenzung des Konzils wirkt tief. Sie diente nicht etwa nur dem geistigen Frieden zwischen den verschiedenen Prälaten, Orden und Schulrichtungen, dessen Erhaltung für das Funktionieren der Versammlung begreiflicherweise hochwichtig war; sie liegt in der fundamentalen Erkenntnis, daß der Glaube einerseits und seine theologische Erläuterung andererseits etwas Grundverschiedenes seien; eine Erkenntnis, die theoretisch selbstverständlich, in der Praxis der Schultheologen oft genug vergessen worden war. Diese Erkenntnis – objektive Trennung von Glauben

98

und Theologie – beinhaltet auch irgendwie die Erkenntnis von der Einfachheit der zentralen Glaubenswerte. Sie ließ das Konzil, das von allen möglichen theologischen Richtungen getragen war, zu einer gewissen Einheit und in den Beschlüssen zu einer echten Einheit werden. Sie rettete das Konzil aus der durch die Pluralität extremer Gegensätze entstandenen und genährten theologischen Unklarheit oder aus der von Konziliaren öfters beklagten Konfusion der Meinungen[22].

Die angegebene Erkenntnis (objektive Trennung von Glauben und Theologie, Einfachheit der zentralen Glaubenswerte) führte das Konzil zum Erfolg und läßt heute eine vertiefende Erfassung seiner Äußerungen zu, wie wir es etwa in der Frage der mündlichen Tradition durch die Auslegungen Geiselmanns ausprobieren[23]: Das Konzil, das die katholische Lehre in grundlegenden Kapiteln doktrinell viel genauer fixierte, als es bis dahin geschehen war, bewahrte sich dennoch vor einem allzu starren Wahrheitsbegriff.

g) Das hier angedeutete, keineswegs ganz eindeutige, sondern multivalente Ziel wurde bei weitem nicht erreicht. Aber soweit die innere Bewältigung der gestellten Aufgabe gelang, ist sie gebunden an die teilweise Überwindung der von Seripando formulierten grundsätzlichen Schwierigkeit: »Diese ganze Not bereitet uns die Philosophie, wenn wir über die göttlichen Geheimnisse mit ihren Worten reden wollen«[24], statt daß wir, so dürfen wir aus seinen und Poles Gedankengängen heraus ergänzen, uns an den Aussagen der Bibel genügen lassen oder wenigstens in der Nähe der biblischen Aussprache bleiben. Oder, um es zu wiederholen: Der Vorgang konkretisiert sich darin, daß das Konzil den Trennungsstrich gegenüber den Irrlehren nur in weitmaschiger Darstellung positiv ergänzte.

Nachhaltiger und fruchtbarer als alle anderen Teilnehmer des Konzils liefert Seripando Beiträge zu einer positiven Auseinandersetzung mit den Problemen, die durch Luther zentraler Gegenstand des theologischen Ringens geworden waren. Es ist aber für die bewertende Akzentsetzung geradezu entscheidend, daß Jedin in seinem ‚Seripando‘ einsichtig machen konnte, daß Seripandos hier einschlägige Entwicklung nicht eigentlich von der Lektüre reformatorischen Schrifttums ausging, sondern vom Evangelismus. Seine augustinische Theologie vermittelte ihm neben anderem aus Paulus als Zentralthema eine katholisch verstandene Lehre von der fides sola als Zentrum des Rechtfertigungsvorganges. Mit tiefem religiösem Ernst verkündete er auch auf dem Konzil die bleibende Sünde im Menschen (weil nach Augustinus das ‚ne concupisces‘ nicht erfüllt wird; CT 12, 551, 10). Dies lag zwar in der Richtung von Luthers Anliegen, aber solange daraus nicht eine unbesiegbare Konkupiszenz im Menschen gemacht wurde, war die Lehre nicht lutherisch. Umgekehrt dürfte man die auf dem Konzil gelegentlich versuchte Herabminderung der Konkupiszenz zu einer rein natürlichen Regung kaum noch als voll katholisch ansprechen.

Außer Seripando gibt es eine kleine, aber keineswegs bedeutungslose Zahl von Predigern, Theologen und Konzilsvätern, die, ohne den Boden des Katholischen zu verlassen, in einer richtigen Weise die Bedeutung des Glaubens für die Rechtfertigung (sogar hin bis zur ‚sola fides‘) oder das ‚sola scriptura‘ oder das ‚simul iustus et peccator‘, die Nichtigkeit menschlicher Kräfte und Werke und Verdienste verkünden oder mit Schärfe einzig das Vertrauen auf Gottes Barmherzigkeit fordern. Leider sind nur wenige der hierhergehörenden Voten im Wortlaut erhalten; immerhin kann man die ausgesprochene Grundausrichtung und ihre Bewertung mit gutem Gewissen wissenschaftlich vertreten.

Bei den Predigern denke ich an den General der Serviten Agostino Bonuccio (seine Predigt in der sessio IV ist eine erstaunliche, tiefe und freimütige Leistung; CT 5, 95 – 101), an den Karmeliter Marinarius (Le Plat 1,23 – 32; 134 – 143), und an den spanischen Dominikaner Carranza (der übrigens ein intimer Kenner von Luthers »De libertate christiana« war (Le Plat 1,52 – 62).

Was die Voten angeht, so handelt es sich etwa um einen französischen Minoriten (Jedin 2, 148), der die Rechtfertigung durch den Glauben ohne Werke behauptete; in einer nicht ganz korrekten Lage präsentieren sich auch Ambrosius Catharinus und Pighius (Jedin 2, 121). In der Frage der menschlichen Mitwirkung bei der Rechtfertigung sollen zwei Augustinereremiten, zwei Dominikaner und ein Servit sich angeblich für die Passivität des Willens (beziehungsweise für eine einseitige Betonung des Glaubens an Christi Verdienste) erklärt haben.

Wichtiger sind natürlich die Voten der stimmberechtigten Konzilsväter, etwa des Erzbischofs von Siena, Bandini-Piccolomini (CT 1,86, 20 – 29), der Bischöfe von Chioggia (1,33,39 ff.), von Cava (5,294,26 ff.; 352, 23 ff.), von Worcester (5,364,20 ff.; 383,20 ff.), von Aquino (5,327,17 ff.) und Belluno (5,325,1 ff.).

Daß diese Männer durch ihre Ansichten »viele skandalisierten«, ja von manchen glatt als Lutheraner getadelt wurden und daß einige Schwierigkeiten mit der Inquisition hatten, ist eine Tatsache. Aber eine kritische Bewertung findet trotz einiger Überspitzungen keine Veranlassung zur dogmatischen Verurteilung, sobald man die Ausführungen im Zusammenhang und in der Intention nimmt, in der sie vorgetragen wurden. Und mit dieser Bewertung steht man in Übereinstimmung mit dem großen Teil der Konzilsväter und vor allem, soweit zu sehen ist, – wenn auch mit einigen Einschränkungen – mit der Auffassung der Präsidenten des Konzils. Als im Ernst diskutierbar bleiben eigentlich nur die zwei Fälle von Giacomo Nacchianti (dem Bischof von Chioggia) und von Tommaso Sanfelice (dem Bischof von Cava) übrig.

Den Gipfel des Hierhergehörenden bildet der Brief Poles an Monte vom 28. August 1546 (CT 10,631 f.): Eine mit großer Beherrschung des Materials aus dem Römerbrief, Johannes-Evangelium und 1 Jo ohne abstrakte Formulierung, rein biblisch ungewöhnlich eindrucksvoll ausgesprochene katholische Darstellung des simul justus et peccator (die Formel selbst wird nicht gebraucht).

Obschon die hier vorgetragenen Gedanken formell auf dem Konzil nicht zum Siege kamen, wird darin etwas wie ein Untergrund sichtbar, aus dem die geistige Atmosphäre sich in einer hochwichtigen Art nährte. In einer bewundernswert dienenden Haltung hat besonders Seripando unter dem sanften, aber sehr beharrlichen Druck von Cervini die hier liegenden Kräfte und Anschauungen in die Formulierungen des Konzils heimgeholt. Er hat, schmerzlich leidend, verzichtet, er drang mit seinen eigentlichen Anliegen und Formulierungen nicht durch. Aber er hat dadurch einer gemeinschaftlichen Grundlage zur Aussprache verholfen, die heute zu ihrem Teil ein echtes Gespräch der getrennten Brüder ermöglicht.

100

ANMERKUNGEN

[1] Dasselbe gilt für eine Studie über »Das Problem der Theologie auf dem Tridentinum« und für eine andere über »Die theologische Unklarheit vor der Reformation illustriert am Tridentinum«.

[2] Im folgenden zitiert als JEDIN 2 mit Seitenangabe. Die Bände der Ausgabe der Görresgesellschaft der Quellen zum Tridentinum werden zitiert als CT mit Band- und Seitenzahl.

[3] Das Gesamtthema gehört zu denen, die, wie Jedin es auch seinerseits anmeldet, noch viel umfassender angepackt werden müssen. Es stand nicht in meinen Möglichkeiten, die dazu nötigen ausgedehnten Nachforschungen über alle in Frage kommenden Theologen und Prälaten vorzunehmen und den auswärtigen Beziehungen (bzw. entsprechenden Plänen) zum Konzil, besonders den protestantischen, nachzugehen. Diese große Arbeit kann nur in einer Vielfalt von lokal und personell getrennten Studien allmählich geleistet werden. Ob die hier bzw. in den in Anm. 1 angeführten Studien versuchte, viel bescheidenere Arbeit sich dennoch lohnt, muß der Leser entscheiden.

[4] E. STAKEMEIER, Trienter Lehrentscheidungen und reformatorische Anliegen, in: G. Schreiber, Weltkonzil von Trient. 1. Freiburg 1951. S. 84.

[5] Dazu JEDIN 2, S. 165 f.

[6] Vgl. dagegen: H. LUTZ, Karl V. und die Kurie 1552 – 56, in: Rivista di Storia della Chiesa in Italia 13 (1959) 34. 37.

[7] Würde er die seine Aktion sehr belastende strikte Forderung an die protestantischen Fürsten, der Fronleichnamsprozession beizuwohnen, ausgesprochen haben, wenn es ihm nur um jene »primitive« Konzeption des Katholischen gegangen wäre? (Siehe dazu: V. VON TETLEBEN, Protokoll des Augsburger Reichstages 1530. Hrsg. von H. Grundmann. [Gütersloh 1958.] S. 62 ff.).

[8] Vgl. hierzu J. LORTZ, Die Einheit der Christenheit. Unfehlbarkeit und lebendige Aussage. Trier 1959; auch in: Trierer Theologische Zeitschrift 68 (1959) 8 – 29, 85 – 107, 211 – 228.

[9] Vgl. hierzu die Untersuchungen von P. FRANSEN, in: Ephemerides theologicae Lovanienses 29 (1953) 657 – 672; Scholastik 25 (1950) 492 – 517; 26 (1951) 191 – 221.

[10] Das Problem hängt methodisch eng mit der Kontroverstheologie und ihrer Aufgabe zusammen. Siehe hierüber H. JEDIN, Die Aufgabe des Kirchengeschichtsschreibers, in: Trierer Theologische Zeitschrift 61 (1952) 65 – 78. Replik hierzu: J. LORTZ, Zur Aufgabe des Kirchengeschichtsschreibers, ebd. 61 (1952) 317 – 327. Dazu H. JEDIN, Kirchengeschichte als Heilsgeschichte? in: Saeculum 5 (1954) 119 ff. und O. KÖHLER, Der Gegenstand der Kirchengeschichte, in: Historisches Jahrbuch 77 (1958) 254 – 269.

[11] Vgl. das Material bei JEDIN 2, S. 508, Anm. 8, und die Bemerkungen ebd. in Anm. 9.

[12] 25. Februar 1547; CT 10, S. 827 ff.

[13] CT 5, S. 418 f.

[14] Vgl. etwa JEDIN 2, S. 106. 118. 135 und das in den Anmerkungen angebotene Material, das zu weiteren interessanten Differenzierungen führt. Denen, die dennoch hinter den Streitfragen her waren, sollte sogar Schweigen auferlegt werden. Solche Beschränkungen konnten auch zu einer bequemen Flucht vor einer tiefschürfenden Begründung führen, wie sich das wohl bei der Behandlung des ,character indelebilis' zeigt (JEDIN 2, S. 327). Aber die positive Bedeutung trägt weiter. Erst im Zusammenhang mit der Frage ,Was ist Theologie?' kann sie ganz erfaßt werden. Ich hoffe in dem Anm. 1 angekündigten Aufsatz darauf zurückzukommen. – Ein anderes wichtiges Beispiel für die hier ins Auge gefaßte Selbstbeschränkung bietet die Entscheidung über den Schriftkanon. Es wird abgelehnt, den Kanon gegenüber dem reformatorischen, auch humanistischen Schrifttum neu zu begründen, d. h. sich gegen Hieronymus, Erasmus, Cajetan und teilweise Seripando auszusprechen. Das Konzil will die theologischen Streitfragen Augustin – Hieronymus nicht entscheiden (JEDIN 2, S. 45).

[15] Die darin zum Ausdruck kommende Hinbewegung aus der Vielfalt der Schulmeinungen zur Einheit der Bibel und ihrer Sprache war ein hohes Vorbild. Die Nachzeit hat es lange Jahrhunderte (vgl. etwa die uns allmählich unbegreifliche Hybris der Theologen in den Gnadenstreitigkeiten!) vergessen. Wir fangen wieder an, daraus zu lernen.

[16] Seripando hatte diese Grundlage allerdings nicht von sich aus gewonnen, sie vielmehr in seinem Votum vom 28. Dezember 1545 in geistreicher Weise zugunsten der einfachen Ausdrucksweise der Bibel, der Väter und sogar des hl. Thomas von Aquin scharf kritisiert.

[17] Ich sehe entsprechend nicht recht, inwiefern hier Seripando Luther ein Stück entgegenkommen soll (zu *Jedin 2*, S. 158). In diesen Darlegungen kündigt sich das Problem ‚Theologie', ihres Wertes und ihrer Gefahren, an. Das Konzil bietet reiches Material für diese Frage, von deren sachlicher und pädagogischer Lösung Unabsehbares für die Wirkung der Kirche abhängt. Mit ‚pädagogisch' ziele ich sowohl auf die evangelischen Christen, wie auf die modernen westlichen Ungläubigen, wie auf die Menschen fernöstlicher oder afrikanisch-primitiver Kultur.

[18] Vgl. hierüber auch meine Rezension zum 1. Band von JEDINS Geschichte des Konzils von Trient [Theologische Revue 47 (1951) 157 – 170] und meine Replik an Jedin (siehe Anm. 8).

[19] Diese Formel, die ich auch in: Die Reformation in Deutschland (Freiburg 1949) und in einem Artikel über: Erasmus kirchengeschichtlich, in: Festschrift für F. Tillmann (Düsseldorf 1950) verwendet habe, hat Jacques Etienne in seltsamer Weise mißverstanden. Er meint, sie stimme nicht, denn er habe »einige Seiten des Sentenzenkommentars von Gabriel Biel durchgelesen und daraus den Eindruck eines Denkens gewonnen, in dem der präzise Sinn der Worte und der Grad der Behauptungen dauernd kontrolliert würden«. [J. ETIENNE, Spiritualisme érasmien et théologiens louvanistes. Löwen 1956. S. 95]. Natürlich will meine These nicht sagen, daß die Theologen des 15. und 16. Jahrhunderts alle oder in ihrer Mehrzahl Konfusionsgeister gewesen seien, sondern sie will ausdrücken, daß der Begriff für das, was sicher katholisch war im Sinne der Bibel, der Liturgie, der monastischen Theologie und der Hochscholastik, weithin verloren gegangen war. ‚Weithin', das heißt: In verschiedenen Kreisen, die in der Kirche des 14., 15. und 16. Jahrhunderts einflußreich waren. Von der Logistik Ockhams an über die Übertreibungen sowohl des Konziliarismus als auch des Kurialismus und wiederum zu den Schwankungen des nicht-kirchlichen Humanismus hin bis zu der ungeheuren Vielfältigkeit der Schulstreitigkeiten in allen wichtigen Fragen und bis zur Unsicherheit der praktischen Theologie (etwa in der Lehre vom Ablaß!): Eine geradezu unübersehbare Fülle von Unsicherheiten, die von den Vätern des Konzils ihrerseits des öfteren als eine confusio opinionum bezeichnet werden.
Der Gedanke der potestas Dei absoluta stammt nicht aus unklar denkenden Köpfen, richtig! Wenn aber ein ganzes theologisches System einseitig von hier aus denkt, dann kommen wesentliche Elemente der Offenbarung in der Verkündigung zu kurz bis hin zur Gnade, die belanglos wird; es entwickelte sich ein intellektueller Pelagianismus, der sich weit von dem vollen Hören der Offenbarung entfernt, eine Haltung, die dauernd in Versuchung ist, zeigen zu wollen, wie Gott die Offenbarung auch anders, ja eigentlich besser (Ockhams These über die Consubstantiatio) hätte einrichten können. Wenn in Pico della Mirandola gewisse Aussagen nahe an eine gnostische Auffassung der Erlösung heranrücken, kommt das Wesen des Christentums in Gefahr, die nicht durch die Zensurierung gewisser Thesen gebannt ist. Wenn in konziliaristischen Gedankengängen der Primat möglichst abgewertet wird und in extrem kurialistischen Kreisen seine Überbewertung ihn zu einer kaum noch steigbaren absoluten Macht emporhebt, dann ist die Idee selbst in Gefahr. Viele gefährliche Aussagen des ordentlichen Lehramtes, des Papstes und der Fürstbischöfe, wissen von der Lehre, daß es im Heilsprozeß *nichts* Heildienliches gibt außer in der Gnade, praktisch nicht mehr viel. Deswegen eben hatte es das Tridentinum so schwer, hier klar zu sehen. Die Handhabung der Lehren der Heiligenverehrung, der Reliquien, der Ablässe, des Standes der Vollkommenheit, der Winkelmessen sind in der vorreformatorischen Zeit voll von Vorstellungen, die statt des vollen Lebens der Kirche Blutarmut zeigen. Die Unterbewertung der dogmatischen Fixierung einerseits, die beinahe hemmungslose Distinktionslust andererseits, die natürlich gerade in ihrer theologischen Begriffsklarheit (die aber Haarspalterei ist) überstark in gefährlich Peripherisches abgleitet, kommen hinzu. Dies alles, in ein paar Andeutungen zusammengerafft, ist das, was ich als theologische Unklarheit des 15. (auch des 16.) Jahrhunderts anspreche. Denn es besteht zu gleicher Zeit zusammen in derselben katholischen Kirche.

[20] Vgl. J. LORTZ, Die Reformation in Deutschland (s. Anm. 17) Band 2. S. 88 und öfters.

[21] Vgl. dazu JEDIN 2, S. 242.

[22] Die theologische Unklarheit auf dem Konzil läßt sich mit großer Eindringlichkeit feststellen, sie verlangt einen eigenen Abschnitt.

[23] Die Replik von H. LENNERZ, Scriptura sola? in: Gregorianum 40 (1959) 38 – 53, erledigt m. E. die Deutung Geiselmanns keineswegs. Ich werde in dem Aufsatz »Das Tridentinum und die Reformation« darauf eingehen.

[24] JEDIN 2, S. 250.

102

Joseph Lortz

LUTHER UND WIR KATHOLIKEN HEUTE[1]

I. *Einführung*

Nicht alles, was in der Vergangenheit geschah, verdient den Namen „Geschichte"; Geschichte ist Vergangenheit, die uns heute etwas angeht. Sie ist
nicht einfach vergangen, vorbei und aus. Geschichte ist in die Gegenwart
herüberwirkende Vergangenheit, gebend oder fordernd.
Für beide Wirkarten bietet die Reformation reiches Anschauungsmaterial.
Über ihre positiven Werte, die sie uns im Werke Luthers hinterließ, werden wir noch zu reden haben. Zunächst aber tun wir gut daran, uns bewußt
daran zu erinnern, daß die Reformation ihr Ziel in einem wesentlichen
Teil nicht erreicht hat.
Abgekürzt, aber mit Recht, kann man sagen: Wer Reformation sagt, sagt
Luther. In ihrem Beginn war sie konzentriert im Gewissen und Geist eines
einzelnen, des einsam vor Gott um das Evangelium ringenden Mönches.
Aber das Geschehen wuchs so sehr in die Breite und Tiefe, daß allmählich
die ganze Welt von ihm erfaßt wurde. Mehr: Die Welt wurde im Ganzen
dieses Werdens umgestaltet, ja revolutioniert auf allen Gebieten menschlichen Seins und menschlicher Tätigkeit.
Dennoch, vor allem andern, was die Reformation auch war, sie war ein
religiös-kirchlicher Vorgang.
In diesem Bereich war sie, von sehr wichtigen Randerscheinungen abgesehen, nicht Revolution. Ihr eindeutiges Ziel war vielmehr: ein gereinigtes
Christentum in der e i n e n katholischen Kirche darzustellen. Leider wurde
eben dies nicht erreicht. Das tragische Ergebnis war die uns bis heute belastende Zerstörung der alten christlichen Einheit. Es kam die Spaltung in
mehrere, dann in viele Kirchen und Denominationen.
Man kann sagen, daß die Aufspaltung in verschiedene Bekenntnisse im
Laufe der Jahrhunderte innerhalb der kirchengeschichtlichen Entwicklung
für das Christentum Vorteile im Sinne der Konkurrenz brachte[2]. Die
wachsende dogmatische Bindungslosigkeit innerhalb des Protestantismus
war tatsächlich eine der wesentlichen Voraussetzungen für die unbefangene

---

[1] Die folgenden Ausführungen wurden am 12. Februar 1973 als Vortrag in Inns-
bruck gehalten, an der Wirkstätte des Jubilars und in seiner Gegenwart. Als
Illustration einiger Grundgedanken zu meinem Gratulationsbrief (vgl. S. 7) mag
er innerhalb des Rahmenthemas nicht ganz fehl am Platz sein.

[2] Vgl. z. B. Percy E. *Schramm*, Der heilige Bonifaz als Mensch, in: Archiv für
mittelrheinische Kirchengeschichte 20, 1968, 9—36, 11.

166

Prüfung des kirchenhistorischen Tatbestandes älterer und frühester Jahrhunderte und damit für Großtaten der wissenschaftlichen, historisch-philologischen Erkenntnisse im Bereich der Exegese, der Dogmengeschichte und der Kirchengeschichte allgemein. Aber um welchen Preis? Trotz der unübersehbaren Fülle der Einzelerkenntnisse wird man nicht sagen können, daß uns der Zugang zum wahren Brot des Lebens über Luther oder Thomas von Aquin hinaus wesentlich reichlicher gereicht worden wäre. Sicher aber ist, daß die Widersprüchlichkeiten der vorgelegten Lösungen in vielfältiger Weise die Reinheit des Glaubensbekenntnisses beeinträchtigen und in Richtung auf Verunsicherung und Relativismus wirken, so sehr, daß ein Vergleich der Vorteile gegenüber den Nachteilen nicht einmal ernsthaft zur Diskussion gestellt werden kann.

Heute erfährt die Aufspaltung eine Reduplikation selbstzerstörerischer Art durch einen mehr oder weniger radikalen Adogmatismus auf katholischer und evangelischer Seite, so daß sich das Gegeneinander selbst aufzuheben droht, dadurch, daß die sakramantale Wirklichkeit des kirchlichen Amtes auch auf katholischer Seite so weit reduziert wird, daß der Unterschied zu den evangelischen Auffassungen nicht überwunden, sondern zum Verschwinden gebracht wird[3] (das Memorandum der Universitäts-ökumenischen Institute, Kaiser-Grünewald 1973). — Das großartige Ringen des Theologen Luther schon seit seiner ersten großen Vorlesung über die Psalmen, sodann faszinierend in der Vorlesung über den Römerbrief und in vielen dazugehörenden und dann folgenden Schriften Luthers erheben die These über jeden Zweifel.

Als dann die werdende neue Art der Verkündigung des Evangeliums mit Luthers Ablaßthesen vom 31. Oktober 1517 in die Öffentlichkeit trat, konnte es den Anschein haben, als ob der Streit vor allem um Mißstände ginge. Aber Kardinal Cajetan hat schon 1518 in der Diskussion mit Luther erkannt, daß „dies heiße, eine neue Kirche aufrichten"!

Schon dreieinhalb Jahre nach der Veröffentlichung der Ablaßthesen wurde der Bezug zu neuen Lehren in einem historischen Einzelgeschehen deutlich: auf dem Reichstag zu Worms 1521. Hier werden wir unmittelbar vor unser Hauptthema gestellt: Wo ist die reine Lehre des Evangeliums? Besteht die kirchliche Trennung zu Recht?

Luther hatte die Verweigerung seines Widerrufs so begründet: Der Papst habe mit falschen Lehren die Gewissen gefangen; daher könne er, Luther, nichts zurücknehmen. „Es sei denn, daß ich durch das Zeugnis der Schrift oder aber durch klare Vernunftsgründe überwunden würde, so bleibe ich, überwunden durch die von mir angeführten Schriftstellen und mein Gewissen, im Worte Gottes gefangen, und weder kann noch will ich widerrufen, da gegen das Gewissen handeln beschwerlich, unheilsam und gefährlich ist. Gott helfe mir — Amen."

---

[3] Vgl. das Memorandum ökumenischer Universitätsinstitute: Reform und Anerkennung kirchlicher Ämter. München-Mainz 1973.

Die der Szene immanente Spannung können wir bis heute unmittelbar nachempfinden. Gedeutet wird sie uns durch die Reaktion des einzigen, der mit unbedingter Konsequenz, und auf der Höhe des historischen Momentes stehend, sich der Herausforderung Luthers stellte: in der Antwort des Kaisers.

Er war damals erst 21 Jahre alt. Bereits am Tage nach Luthers Weigerung legte er den unentschlossenen Ständen eine eigenhändig französisch geschriebene Erklärung[4] vor. Der Wortlaut: „Ein einfacher Mönch, geleitet von seinem privaten Urteil, hat sich erhoben gegen den Glauben, den alle Christen seit mehr als tausend Jahren bewahrten, und er behauptet dreist, daß alle Christen sich bis heute geirrt hätten. Ich habe also beschlossen, in dieser Sache alle meine Staaten, meine Freunde, meinen Leib und mein Blut, mein Leben und meine Seele einzusetzen — und von Euch verlange ich, daß Ihr Euch in dieser Sache als gute Christen erweist."

II. *Luthers Grundanliegen*

1. Das Wort des Kaisers, daß Luthers Initiative den Vorwurf einschließe, alle Christen bis zu seinem Auftreten hätten sich im Glauben geirrt, wird nicht immer in seinem vollen Gewicht erkannt. Es enthält aber in direkter Konsequenz nichts Geringeres als dies: Indem die Reformation Martin Luthers sich gegen den Lehranspruch der gestifteten bischöflichen und sakramental strukturierten Papstkirche stellt, identifiziert sie sich, nolens volens, mit der ungeheuren Behauptung, daß Jesus Christus nicht, wie er verheißen hat, die Kirche durch seinen Geist in der Wahrheit bewahrt hat, sondern daß sie, im Westen wie im Osten, schon bald nach des Erlösers Tod (spätestens seit dem 2. oder Mitte des 3. Jahrhunderts) in wesentlichen Fragen in Irrtum gefallen sei: ein nicht zu überbietender Anspruch und Vorwurf: Erst Luther habe die verlorengegangene offenbarte Wahrheit wieder ans Licht gebracht.

2. Welche Wahrheit ist gemeint? Welches sind Luthers Grundanliegen?
Über das, was Luthers eigentliche Meinung sei, hat man alle Jahrhunderte hindurch gestritten. Katholischerseits war in diesen Auseinandersetzungen von jeher der Vorwurf zentral, Luther entleere den Glauben im Sinne einer bestimmten Doktrin zu einer mehr oder weniger reinen Vertrauenshaltung, dem Fiduzialglauben.

Heute ist vollends strittig geworden, wo man die zentralen Anliegen Luthers suchen, wie man sie interpretieren müsse: Was ist das „Reformato-

---

[4] Das Original ist verschollen. Vgl. zu einer Abschrift des Textes durch einen kaiserlichen Sekretär die Deutschen Reichstagsakten Bd. II, Gotha 1896, Nr. 82, S. 594—596, bearb. v. A. *Wrede*. Eine Analyse und Neuedition durch H. *Wolter*, Das Bekenntnis des Kaisers, findet sich in: Der Reichstag zu Worms 1521, hrsg. Fr. *Reuter*, Worms 1971, S. 222—236.

168

rische", näherhin das Reformatorische bei Luther? Ist es eine inhaltlich und objektiv bestimmbare Lehre, oder ist es ein formales geistiges Prinzip der Entwicklung, das eigentlich nur das freie Gewissen des einzelnen in Anspruch nimmt und jeweils inhaltlich neu gefühlt werden könne oder solle? Zunächst ist zuzugeben: Es gibt extreme Formulierungen Luthers, in denen, dem Wortlaut nach, das „Ich" im Glauben bis zum Greifen eindeutig das Objektive der Glaubenstatsachen und der Glaubensverkündigung zu verschlingen scheint. Luther deklariert z. B. schlankweg: „In Dingen des Glaubens ist sich ein jeder Christ Papst und Kirche[5]."

Ein erstaunlicher Text! Ihm stehen viele andere zur Seite, die das menschlich Subjektive des Glaubens in so ungeschützter Weise ins Spiel bringen, daß Hacker[6] glaubte, in einem ganzen Buch nachweisen zu können, der rechtfertigende Glaube sei für Luther nichts anderes als die eigene subjektive Überzeugung, deswegen gerechtfertigt zu sein, weil er reflexiv eben von diesem inneren Vorgang überzeugt sei.

3. Wir sind sofort mit dem Hauptproblem aller Lutheranalysen konfrontiert: Wo — und wie — ist der authentische, der eigentliche Luther zu finden?

Die Antwort läßt sich nur teilweise vom materialen Inhalt Lutherischer Einzelthesen her geben. Umfassend kommt man einer befriedigenden Lösung des Problems nur nahe, wenn man Luthers Art und Weise zu denken und zu formulieren ins Auge faßt: Wir stoßen auf den „Doctor hyperbolicus[7]".

Es ist eine Grundforderung an alle Lutherexegese, daß man das Phänomen des *komplexen* Luthers gründlich und — man darf es ehrlich sagen — unermüdlich bedenkt und in der Analyse präsent hält, wenn man dem Reformator nicht unrecht tun will.

Luther vermag sehr scharf zu distinguieren und präzise zu formulieren. Seine Disputation oder etwa seine Auseinandersetzung mit Erasmus in der Schrift „Vom geknechteten Willen[8]" belegen es vielfältig. Aber Luther war kein vom Intellekt her geprägter Typ. Das Temperament — und von welchem Ausmaß und Übermaß! — ist vorherrschend.

Luther hat das katholische „sowohl — als auch" in seinem „simul" so hart aufeinander gepreßt[9], daß statt des spannungsreichen Ausgleichs die Gefahr des Widerspruchs entsteht.

Falten wir diese Andeutungen etwas auseinander!

---

[5] WA 5, 407, 35—38 (Operationes in PS); 1519—21.

[6] Paul *Hacker*, Das Ich im Glauben bei Martin Luther, Graz 1966.

[7] Vgl. J. *Lortz*, Reformation in Deutschland Bd. I, S. 151; Vgl. H. *Grisar*, Luther Bd. II, Freiburg 1911, S. 663.

[8] De servo arbitrio; vgl. einen Kernsatz wie diesen: Spiritus sanctus non est scepticus.

[9] Vgl. dazu J. *Lortz*, Martin Luther — Grundzüge seiner geistigen Struktur, in: Reformata, Reformanda Bd. I.

Luther ist schier unüberwindbar beherrscht vom Drang (und der Lust), in Paradoxen zu reden.

Als christlicher Theologe hat er dazu das Recht. Denn Paradoxa sind tief im Bestand des christlichen Glaubens beheimatet. Was könnte in der Tat menschlichem Verstand paradoxer erscheinen als das Bekenntnis zu Jesus Christus, dem „Gott-Menschen", dem Paradox aller Paradoxe, wie die Väter sagen. Als Theologe führt er aus der Offenbarung seine große Kategorie des Handelns Gottes in der Verborgenheit unter dem Gegensatz in die Diskussion ein: ein Modell, denkbar gut geeignet, die Wahrheit in paradoxalen Formulierungen einzufangen.

Diese Vorliebe verschärft sich bei Luther durch eine ihn gleichfalls prägende ungebändigte Neigung zum Superlativismus jeder Art, —

was wiederum im Zusammenhang zu sehen ist mit seiner sozusagen ständigen Abhängigkeit von der polemisch zugespitzten Situation, in der er (jeweils in höchstem Maß engagiert) steht.

Diese Elemente führen Luther, den Mann so beweglichen Geistes und Temperaments, immer wieder dazu, dem, was ihn gerade momentan beschäftigt, übersteigerten Ausdruck zu geben, es nicht selten zu vergewaltigen. So reißt er seine Positionen zu einem beträchtlichen Teil auseinander. Der Befund des literarischen Werkes belastet Luthers Aussagen in dieser Hinsicht mit einer solchen Masse erheblicher Einseitigkeiten, daß wir oft ratlos vor dem zumindest anscheinend Widersprüchlichen stehen. Luthers terminologische Sorglosigkeit, manchmal von Absatz zu Absatz, ist in dieser Hinsicht wahrhaft erstaunlich[10].

Es fiel denn auch z. B. Johannes Cochläus, dem unermüdlichen Bestreiter Luthers, nicht schwer, einen „siebenköpfigen Luther" so zu belegen, daß der Topos des „im Kern sich selbst widersprechenden Luther" in der katholischen Lutherliteratur die Jahrhunderte überdauerte.

Zuerst ist es nötig, diesen Tatbestand unverklemmt zuzugeben: Es gibt tatsächlich bedeutende Spannungen und Schwankungen in den Aussagen des Reformators. Den harmonisch-einlinigen Luther aber gibt es nicht. Luther ist ein Vulkan und ein Ozean gewaltig bewegter Kräfte. Er ist auf weiteste Strecken seines Werkes in Wort und Schrift nicht ausgeglichen, sondern erregt, aufgewühlt, ungleichmäßig.

Erst auf dem Hintergrund dieser Disharmonien kann man dann die darunter liegende Einheit mit Erfolg aufzeigen und ihre Eigenart erkennen. Diese Einheit ist starr und elastisch zugleich. Sie gründet, wie schon angedeutet, in einem zu höchster Stufe gesteigerten Selbstbewußtsein (dem anderseits eine wesenhafte Demut im Glauben eignet).

Das Ich-Bewußtsein hat bei Luther schon früh Züge des großen Sendungsbewußtseins. Er hat eine eindringliche, wenn auch nicht einheitliche Vorstellung davon, was Gott durch ihn und seine Lehre mit der Christenheit vorhat. In seinen Teufelsverwünschungen meldet sich wohl auch das Emp-

---

[10] Vgl. J. *Lortz*, Einheit der Christenheit, Trier 1959, S. 43 f.

170

finden für die Schwere der Verantwortung an, ob denn nun wirklich er allein das Richtige gefunden habe. Aber aufs Ganze gesehen ist das Bewußtsein, Evangelist Gottes zu sein, das beherrschende Motiv: allerdings mit welcher übersteigernden Vehemenz! Er scheut nicht davor zurück, seiner Verkündigung schicksalhafte Entscheidung für Gegenwart und Zukunft zuzuschreiben. Er redet oft mit einer gewalttätig erobernden Eigenwilligkeit, die sich bis zu einer „prophetischen" Verantwortungsverwegenheit übersteigert; insgesamt eine bei einem christlich-religiösen Reformator höchst problematische Ich-Bezogenheit.

Diese Art kann man nicht zu stark betonen — oder man verliert den mehr als vitalen Luther aus dem Blick und würde ihn dann falsch sublimieren. Eine von den zahllosen hierher gehörigen Übersteigerungen, die keineswegs aus dem Gesamtbild herausfällt, lautet nach einer bei Tisch vorgezogenen Formulierung so:

„Es geht wild zu in der Welt. Kurz gesagt, ich bin der Block, der Gott im Wege liegt. Wenn ich sterbe, so wird er dreinschlagen[11]." An seine Sendung ist das Gericht geknüpft über Papst, Schwärmer, Juden und Mohammed.

Aber nun doch die Hauptsache: Es gibt in Luther eine zentrale Einheit, kräftig genug, dem überbordenden „Ich" seiner Rede standzuhalten. Denn ohne Zweifel: Kreuz und Auferstehung, die reale Gegenwart Christi im Altarsakrament und allgemein die im Glaubensbekenntnis ausgesagten Artikel sind für Luther objektive Gegebenheiten; sie bleiben für ihn auch dann Realität, wenn „niemand" mehr daran glauben würde: auf diese objektive Realität bezieht sich nach ihm der christliche Glaube.

Von diesem objektiven Denken ist Luthers Werk von früh an gefüllt. Gewisse, anscheinend verwirrende gegensätzliche Aussagen (schon in der ersten Psalmen-Vorlesung[12]) erweisen sich bei näherer Prüfung als Formulierungen, die den objektiven Bestand von Heilstatsachen und Heilslehren nicht antasten. Seit seinem Brief von der Wartburg an Capito hält er den Ordo der Liebe, die alles versteht, strikt getrennt vom Ordo des Glaubens, der nichts Abweichendes duldet.

In unserem Jahrhundert des sich im Existentialismus vollendenden Relativismus und Subjektivismus, bei der heutigen Abneigung gegen festgeprägte, objektive Glaubenssätze muß man es besonders deutlich sagen: Für Luther war die runde Bejahung der objektiv überlieferten Offenbarung, wie sie die Christenheit seit je im Credo betet, das unabdingbare Zentrum seiner Verkündigung — der eine, dreifaltige Gott, dessen zweite Person, das

---

[11] WA TR 2, 1714 : 1532.

[12] Man vergleiche etwa gegenüber A. *Brandenburgs* weitreichenden Interpretationen zu Ps. 18, 11, in: Gericht und Evangelium, Paderborn 1960, S. 139 f., Luthers Glossa in der Praefatio der Dictata WA 3, 12, 31—35: „Ps. 33. Accedite ad eum et illuminamini, et facies vestre non confundentur. Alii autem circumeunt et quasi dedita opera fugiant Christum, ita differunt accedere cum textu ad eum. Ego autem quandocunque habeo aliquem textum nuceum, cuius cortex mihi durus est, allido eum mox ad petram et invenio nucleum suavissimum."

„Wort", Fleisch wurde aus Maria der Jungfrau; Jesus, der für uns lebte, sühnend litt und starb, auferstand von den Toten und durch seine Himmelfahrt für uns bei Gott das ewige Reich bereitete —.

In diesem Zentrum müssen wir den religiös-theologischen Luther erfassen, wenn wir ihn nicht objektiv verfälschen wollen: Luther war dogmatisch gebunden; er war sogar von dogmatischer Intoleranz im Sinne der allgemeinen christlichen Lehre des eben zitierten alt-kirchlichen Credo.

Es kann dementsprechend in keiner Weise für uns eine Versuchung sein, den Reformator nach von uns definierten Existentialien unserer Zeit deuten zu wollen. Die Aufgabe besteht vielmehr darin, den ganzen, den so unerhört komplexen Luther, und diesen historisch, in seiner Zeit, in seinem eigenen Selbstverständnis, zu erfassen.

4. Soweit uns nun dies gelingt, entdecken wir, daß der anscheinend nur kämpferische, sogar revolutionierende Reformator dennoch, und zwar in gewichtiger Weise, zentrale alt-christliche-mittelalterlich-katholische Voraussetzungen bewußt festhielt.

Das heißt, dringen wir zum Kern dessen vor, was Luther die reine, gesunde Lehre nannte, dann entdecken wir, daß der protestierende Mönch Luther über weiteste Strecken die Bibel, schlicht gesagt, katholisch las und aus ihr katholisch lehrte: Es gibt auch den katholischen Luther.

Die Ausgangsposition erlaube ich mir, mit meiner schon alten Formulierung festzuhalten: Als Luther zu seiner reformatorischen Erkenntnis durchbrach, überwand er sich in einen Katholizismus, der nicht mehr vollkatholisch war.

Was ich hier als „katholischen" Luther anspreche, soll nicht den Versuch decken, die Eigenart des großen Mannes einzuebnen, um ihn dann vielleicht, wie man sagt, katholisch integrieren zu können.

Nein, auch der „katholische" Luther denkt, spricht und verkündet Katholisches in hochpersönlicher, unverwechselbarer Eigenart und Kostbarkeit: der Großteil seiner theologischen Werke und seine Predigten und Choräle bieten den Beleg. Die gesamte „Aura" des Denkens und Sprechens ist unverwechselbar, sie manifestiert sich in (auch inhaltlich) bedeutender Weise in einer bevorzugten antithetischen Terminologie (z. B. die dialektischen Begriffspaare Gesetz und Evangelium, Buchstabe und Geist, carnalis und spiritualis, manifestus und absconditus oder visibilia und invisibilia). Aber von diesem Luther, so wie er war — eigentümlich und sehr eigenwillig —, kann jeder Christ, kann jeder Katholik viel, sogar Entscheidendes, lernen. Jedoch ihn leichthin einschmelzen, das kann man — Gott sei Dank — nicht.

Ich will natürlich auch nicht behaupten, Luther sei in *allem* katholisch gewesen. Dies zu behaupten wäre eher lächerlich. Luthers Person steht unverwechselbar in der Geschichte als der große Papst-Bekämpfer, Papst-Verneiner und, wie er es meinte, Papst-Vernichter. Man müßte einen großen Teil seines Werkes (und welche Masse gröbster antipäpstlicher Verdammungsurteile) aus allen Epochen seines Lebens streichen, wenn man dies leugnen wollte. Der Papst ist der Antichrist, Luther Antipapa.

172

Aber dennoch können wir vom Gesagten aus weit in neues Land vorstoßen.

Die eigentliche Schuld der katholischen Kirche an Luther besteht darin, daß sie es ihm (dem langjährigen tadellosen Mönch und Priester) paradoxerweise schwer, ja praktisch unmöglich machte, unter ihrem so mißgestalteten Äußeren ihr echtes Wesen zu erkennen. Auf dem Hintergrund solcher katholischen Mitschuld an der Reformation wird ein Lutherbild sichtbar, das helfen kann, die Spaltung der Christenheit als keinesfalls einfachhin unüberwindbar anzusehen, das vielmehr eine Hilfe sein kann, die Wiedergewinnung der Einheit vorzubereiten.

Man muß zwar festhalten: Ohne die politische (und auch kräftig politischegoistisch ausgenützte) Unterstützung durch Fürsten und Stadtobrigkeiten hätte Luther kommen können, nicht aber die reformatorische Umgestaltung der Welt. Dennoch, der Kern, der die Reformation vorantrug, liegt ohne den geringsten Zweifel zutiefst im Religiösen, vor allem im Glauben Luthers selbst. Das bleibt auch dann voll stehen, wenn man die Eigenart und Begrenzung dieses „Religiösen" durch Absetzung vom Katholischen dadurch abhebt, daß man bestimmt formuliert: der große Glaubende, Luther, der große Beter, der begnadete Prediger, der berufene Lehrer des Evangeliums war kein Heiliger[13]. — Das ist hier nicht auszuführen, wohl aber im Bewußtsein zu behalten, um durch die schier erdrückende Komplexität des Mannes nicht dazu verleitet zu werden, die Großtaten seines Geistes und seines glaubenden Herzens durch Einschränkungen und Vorbehalte ungültigerweise abzuwerten. Wenn man sich an Luther — den Vulkan — heranwagt, muß man bereit sein, sich seiner verzehrenden Glut auszusetzen.

Als Luthers theologische Auffassungen mit dem Bekanntwerden seiner Thesen gegen den Ablaß (1517) in die große Öffentlichkeit einbrachen, hatte er persönlich durch seine Gewissenskämpfe im Kloster, seine Studien, sein Gebetsleben, dann als theologischer Lehrer, auch als Seelsorger, bereits eine bedeutende, sogar im eigentlichen Sinn des Wortes genial-schöpferische Entwicklung hinter sich.

Schon seine erste Ablaßthese von 1517 hatte, so dürfen wir heute sagen, geradezu prophetisch den Kern seines ganzen folgenden Lebenswerkes als eine religiöse Aufgabe vorweggenommen: „Als unser Herr Jesus sagte: ‚Tuet Buße‘, da wollte er, daß das ganze Leben des Christen eine Buße sei." Ziel und Aufgabe sind und bleiben sein Leben lang: das Evangelium zu verkünden, nicht mehr und nicht weniger. Die Grundhaltung war und blieb das „coram Deo". Im tiefsten wollte Luther nur Evangelist Gottes sein.

5. Dies alles gesagt und vorausgesetzt, ist für eine rechte Beurteilung Luthers und ebenso für einen verständnisvollen Dialog der Christen von

---

[13] Eindrucksvoll hat G. *Bernanos* diesen Sachverhalt in seinem Fragment über „Bruder Martin" dargestellt: Luther war begabt mit Gesundheit, Kraft, Beredsamkeit; „ein Genie der Kontroverse", alles zusammen nicht gerade „die bevorzugtesten Waffen meiner Heiligen", in: Esprit, Oct. 1951, S. 439.

schlechthin entscheidender Bedeutung, daß man den Mut hat, folgende umfassende Tatsache zu sehen: die ganze Auseinandersetzung Luther — Papst (und umgekehrt) ist wesentlich überschattet (und wurde auch zu einem entscheidenden Teil nur möglich) durch Mißverständnisse *(gegenseitige* Mißverständnisse) großen Stils.

Das ist eine massive These. Ich habe sie nach bestem Vermögen geprüft; ich finde keine Möglichkeit, ihr zu entgehen.

Voraussetzung für diese Auffassung ist, daß man Luthers Ringen um die Rechtfertigung aus dem Glauben nach Röm 1, 17 (ein Ringen bis zum geistig-geistlichen Zerbrechen!) ernst nimmt und seine Berichte darüber nicht zugunsten eines Spätansatzes des reformatorischen Durchbruchs und einer Luther fremden Worttheologie beiseiteschiebt. In dieser Voraussetzung steckt eine zweite: Luther trug damals für sein Leben jenes seelische Trauma davon, das ihm subjektiv keine andere Möglichkeit ließ, als auf jede Art wirklicher und auch nur anscheinender Werkerei überallergisch zu reagieren und infolgedessen die Kirche, die er doch als Priester geliebt hatte, nicht mehr objektiv sehen zu können — eine Häufung von verschiedensten, auch absurden Mißdeutungen, dessen eine Unzahl seiner Urteile Zeugnis sind.

Das anvisierte — doppelseitige! — Mißverständnis großen Stils betrifft gerade Luthers berechtigtes Zentralanliegen. Es ergab sich folgende Lage: Rom und die zum Papst haltenden Theologen verstanden nicht, daß Luthers (allerdings lebensbedrohender) Angriff im Kern eben doch katholisch war und außerdem in dieser Grundhaltung ein positives Angebot, das (wiederum trotz allem!) aus tiefer Seelen- und Seelsorgernot geboren war.

Diese Unfähigkeit auf katholischer Seite kommt allerdings zu einem guten Teil auf das Schuldkonto Luthers.

Nicht, als ob wir die geradezu unüberschaubare und kaum noch ehrlich tragbare Last der Mißstände in der damaligen Kirche herunterspielen möchten: Nein, wir haben unser katholisches, kirchliches „mea culpa" noch längst nicht genügend unserem Bewußtsein eingeprägt und ihm noch nicht durch eine entsprechende Metanoia die notwendige mittragende Gesinnungsveränderung beigesellt. Luthers zornige Prophetenklage war in einem tiefen Ursprung berechtigt.

Das ändert nichts daran, daß seine schon erwähnte übertreibende und affektgeladene (grobianistische) Ausdrucksweise, die schwankende Terminologie seiner Schwatzhaftigkeit (wie er selber beklagt) und sein Mangel an systematischem Denken ein gerüttelt Maß von Schuld am erwähnten Mißverstehen tragen. Die ganze Art seines Vortrags machte es den katholischen Theologen nicht eben leicht, unter der Fassade wütender Aggressivität das berechtigte Anliegen zu entdecken. Katholische Theologen konnten nicht selten (auch mit empörtem Erstaunen) dem Reformator antworten, daß seine Wiedergabe katholischer Lehre einfach nicht stimme.

Wieder anderseits lag dennoch die Schuld eindeutig und wesentlich auch bei der damaligen Kirche, wie ich es eben andeutete. Denn Luther erfuhr sie tatsächlich in einem Zustand, in dem Theorie und Praxis weithin ausein-

174

anderfielen, gekennzeichnet durch massive Werkerei, z. B. im Umkreis des kirchlichen Amtes, der Messe und in der simonistischen, grob unchristlichen Ablaßpraxis.

Noch mehr: Luther vernahm von damaligen Theologen sogar eine unchristliche, unkatholische *Lehre,* die den Heilswert der vom Menschen und seinen Kräften vollbrachten sogenannten „guten Werke" in unzulässiger Weise übersteigerte.

Es gehört zur büßenden Liebestat, die wir Katholiken immer noch und immer wieder in das ökumenische Gespräch einzubringen haben, daß wir er- und bekennen, bis zu welchem Grade der Verwirrung ein bedeutender Teil damaliger Theologie abgesunken war. Luther hat unrecht, wenn er die gesamte katholische Theologie mit dem Ockhamismus in eins setzt. Dennoch steht seine Klage wider uns, wenn er dazu bekennt: Was andere in dieser Theologie gefunden haben, weiß ich nicht; ich weiß aber, daß ich dort Christus verlor[14].

Zusammengefaßt heißt das also: Einerseits erkannten die Katholiken in Luthers Lehre nicht, was in ihr katholisch war; anderseits sah auch Luther nicht, daß sein zentrales religiöses Anliegen — Gott allein! — innerhalb der authentischen katholischen Lehre seinen Platz hätte haben können oder vielmehr hatte.

6. Wenn dem nun so ist, müssen wir Heutigen die gegenseitigen Positionen gründlich überdenken: Sind wir mit Recht kirchlich getrennt?

In Übereinstimmung mit dem Reformator selbst kann man sein ungeheures theologisches und kirchliches Werk auf einen einfachen und doch alles tragenden Gedanken zurückführen: Rechtfertigung aus dem Glauben.

Luther hat in mehreren Berichten geschildert, wie er, nach schweren, beinahe verzweifelten Kämpfen, diese bis dahin angeblich unbekannte Lehre entdeckt habe: nämlich, daß der sündige Mensch allein durch Gottes freischenkende Gnade gerechtfertigt werde.

Aber dies war — wie wir alle (spätestens seit 1904 durch den großen Lutherfeind, den hochgelehrten Dominikaner Heinrich Denifle) wissen — keine neue Lehre, sondern alter katholischer Besitz; Luther hatte ihn neu und in erneuernder Kraft wiederentdeckt.

Und so sind wir in der Forschung seit mehr als drei Jahrzehnten dabei, zu betonen und zu belegen, daß diese für die Reformation zentrale Lehre keineswegs kirchentrennend hätte sein brauchen.

Heute ist das tatsächlich eine auf beiden Seiten allgemeine theologische Erkenntnis, sobald und solange man Luthers Lehre von der Rechtfertigung aus dem Glauben allein nur — wie rechtens — in ihrem Kern betrachtet, nicht aber diverse Theologumena damit verquickt, die für Luther keineswegs zu ihrem Wesen gehören, d. h. wenn man sie zurückführt auf dieses Bekenntnis: Nichts ist im Heilsgeschehen wirksam, was von natürlicher

---

[14] WA 2, 414, 22—28: Quare quid alii in Theologia scholastica didicerint, ipsi viderint. Ego scio et confiteor, me aliud nihil didicisse quam ignorantiam peccati . . . Ego Christum amiseram illic, nunc in Paulo reperi.

Menschenkraft allein käme, nichts ist also heilsdienlich, was nicht von Gott geschenkt ist.

Das heißt aber: Wenn es wahr bleiben soll, was Luther ohne Wanken betonte, daß diese Lehre von der Rechtfertigung allein aus dem Glauben der articulus sei, mit dem die Kirche steht und fällt, dann ist die Konsequenz zwingend: Die im 16. Jahrhundert durch Luther entstandene Kirchenspaltung braucht nicht — darf nicht — als ein bleibendes Schicksal der Christenheit hingenommen zu werden.

7. Diesen Zentralbegriff der Rechtfertigung müssen wir freilich von einem seit Luthers Anfängen, besonders aber seit der Aufklärung, weit verbreiteten Mißverständnis freihalten; Rechtfertigung im Lutherischen Sinn hat nichts mit Individualismus und Subjektivismus zu tun.

Vielmehr: Die Lehre von der Rechtfertigung aus dem Glauben allein, die Luther als ein im Tiefsten des Gewissens einsam Bedrängter sich erkämpft hatte, wurde von ihm theologisch nicht so ausgewertet, als würde die Rechtfertigung dem einzelnen, Privaten, zuteil. Er faßt sie vielmehr als eine Gabe an die Glieder der Kirche und durch die Kirche.

Das Ziel ist und bleibt, wie gesagt, Verkündigung des Evangeliums Jesu Christi. In ihr aber hat Luther in maßgeblichen Bekenntnissen der *Kirche* als göttlich gestifteter Institution den Vorrang des unbedingt Grundlegenden gegeben.

Für Luther ist die Kirche schlechterdings der Schoß, aus dem er durch die Bibel all seine Reichtümer empfangen hat. (Er kennt übrigens zeit seines Lebens nur die eine, die alte „katholische" Kirche. Nie wollte er eine neue Kirche gründen, am wenigsten eine Kirche, die seinen Namen tragen würde.)

Im Umkreis dieser Kategorie „Kirche" gibt es bei Luther erstaunliche Aussagen, die manchen Theologen veranlassen müßten, sein Bild vom Reformator zu revidieren[15]. In einigen Formulierungen weitet sich Luthers spiritualer Raum so weit, daß aus ihm geradezu die katholische Formel von der „Kirche als Ursakrament" hätte entwickelt werden können.

Zum Beleg gebe ich einen Text aus einer Predigt des Reformators von 1523, die sich bis in den Wortlaut hinein deckt mit Ausführungen aus der späteren Genesisvorlesung (1535 bis 1545) um etwa 1540[16].

---

[15] Das Memorandum der ökumenischen Universitätsinstitute und ebenso D. *Olivier*, Les deux visages du prêtre, Paris 1971, geben der sakramentalen Potenz bei Luther nicht annähernd genügend Platz.

[16] Ich verdanke diese Texte dem Referat, das mein Assistent Dr. Peter *Manns* auf einem Luther-Symposion hielt, das wir vom 7. bis 9. Dezember 1972 in unserem Mainzer Institut für Europäische Geschichte, Abteilung Abendländische Religionsgeschichte, durchführten. Dem Symposion lag das Thema zugrunde: Wahrheit und Bekenntnis im Glauben Luthers. Es wurde die Frage behandelt, ob es beim Reformator eine ungebrochene Gebundenheit an eine umschreibbare und allgemeingültig formulierbare Offenbarungswahrheit gibt oder nicht. Läßt sein personalistischer Ansatz die Überzeugung von der objektiven Gültigkeit der Offenbarungswahrheit unverkürzt bestehen und darüber hinaus die Überzeugung, daß

176

„So ist die christliche Kirche, die Braut Christi: Sie hat niemand über sich, wenn nicht Jesus Christus, ihren Bräutigam. Was immer sie tut, das ist getan im Himmel und auf der Erde. Wenn ein Kind getauft wird, ist es eben so getauft, als hätte es Christus selbst getauft und stünde selbst dort. Die Taufe ist Handeln Gottes. So auch, wenn ich dich losspreche oder dich zum Amt (ministerium) berufe (voco) und die Hände auflege. Zweifle nicht, dies sei Kraft Gottes (virtus dei) ... Der Kirche Leib und Bauch sind die Sakramente, damit und in welchen sie mich trägt. Die Kirche vermag alles, was Gott vermag."

Hier eröffnen sich Aspekte, die — nicht ohne Luthers Schuld — dem gängigen Bild des Reformators scharf widersprechen. Von ihnen aus könnte, wie angedeutet, eine sakramentale Auffüllung Luthers legitim vorgenommen werden. Das gesamte Werk des Reformators, besonders seine Ekklesiologie, wäre unter diesem Aspekt zu prüfen.

8. Über dieser so gesehenen Bindung Luthers an die alte Kirche darf man einen anderen Aspekt nicht vergessen, der ebenfalls zur Herzmitte dieses unüberschaubar reichen, von Kräften überquellenden Genius gehört: das in der Geschiche der Theologie seit Bernhard von Clairvaux vergleichslose Festsaugen an dem Wortlaut der Bibel. Damit vollzog Luther geradezu einen neuen *Anfang*; es ergab sich ein schöpferisches Neuverständnis der Bibel, für die es in der Geschichte der Kirche keine Parallele gibt: einen Vorgang des Lebens, der sich in theoretische Aussagen nicht rein einfangen läßt.

Luther ist in der Weise dem Wort der Bibel zugewandt und — so könnte man sagen — verwandt, daß es als Kraft Gottes ihn persönlich sehr, sehr oft geistlich, „im Herrn", eine „neue Kreatur" werden läßt, in der Predigt wie auch in der Vorlesung, bereichernd, befreiend und bedrängend.

Daß diese Bewertung für einen sehr großen Teil des *polemischen* Werks nicht gilt, ist wohl ohne weitere Betonung einem jeden einsichtig.

Aber aufs Ganze gesehen, deutet das Gesagte an, daß das Katholische in Luther ohne Zweifel auch in jene Sphäre der Glaubensvermittlung hineinragt, die man als auszeichnend katholisch bezeichnen darf: die (sozusagen) ontische Berührung mit dem Göttlichen.

Denn Luthers Kampf gegen die kirchliche Verdinglichung und für eine entsprechende Verinnerlichung bedeutet in keiner Weise eine spiritualistische Sublimierung oder Verdünnung. Das Verständnis für das Sakramentale ist zwar beim Reformator beträchtlich verengt, aber es findet sich keineswegs die sakramentale Austrocknung, die wir aus dem modernen liberalen Protestantismus kennen. Vielmehr hielt Luther trotz seiner (schwankenden) Reduzierung der sieben Sakramente auf zwei den alten katholischen Sakramentsbegriff fest: das Sakrament bewirkt, was es anzeigt. Luther lehrte die

die Kirche einen soliden Wahrheitsbesitz trotz aller Fehlbarkeit zu verwalten hat. Die herangezogenen Texte: WA 14, 267, 25 f. Predigt vom 4. Oktober 1532 über Genesis 17; WA 43, 601, 11 ff. zu Genesis 28, 17.

Realpräsenz des Leibes und Blutes Christi nicht nur dogmatisch korrekt, sondern geradezu massiv realistisch; er vertrat mit Wärme auch die Lehre vom geheimnisvollen Leibe Christi, gerade durch das Sakrament des Altars. Wenn man die eben vorgelegten Sätze aus der Genesis-Erklärung im Licht dieser Tatsachen liest, entdeckt man, welche sakramentale Bereicherung Luthers Verkündigung in voller Legitimität zugeführt werden könnte. Legitim deshalb, weil losgelöst von dem furchtbaren Papsthaß und der Mißdeutung der Messe, die Luther persönlich und konkret den Weg zum reinen Verständnis der authentischen katholischen Sakramentalität verstellten, wo die Realisierung des paulinischen Gedankens „Christus lebt in mir" (Gal 2, 20) theologisch realisierbar wird[17].

Mit all dem steht übrigens eng zusammen die spezifische Vertiefung und Erhöhung, mit der Luther das „Wort" schmückte, im besonderen das gepredigte Verbum audibile, das zu fast sakramentaler Würde hervorgehoben wird: Verbum efficax.

9. Aus dieser Linie (des „Ontischen") fällt auch Luthers Rede von der „imputierten" Gerechtigkeit nicht heraus. Katholiken wie Protestanten haben aus diesem „Imputieren" zu Unrecht eine bloße Zudeckung gemacht. Gewiß, die Rechtfertigung in uns ist nicht unser, sondern Gottes Werk; der Mensch an sich ist Sünder! Auch steht Luther mit letzter Schärfe und sogar mit übertriebenem Mißtrauen gegen jede donatistische Verfälschung eines übertriebenen Opus operatum des Sakramentalen hin zum Sakramentalistischen.

Aber Luther kennt anderseits durchaus die innere Umschaffung des Sünders.

In diesem Sinne muß auch selbstverständlich Luthers klassische Formel vom „Gerechter zugleich und Sünder" verstanden werden. Sie drückt zwar die Macht der bleibenden Sündhaftigkeit scharf aus, aber dieser sündige Mensch ist durch Gottes Gnade eben auch zugleich wirklich gerecht. Mit der Taufe fängt Gottes rechtfertigendes Werk in uns an, die bleibende Sünde wird allmählich zu einer „beherrschten" (regnatum) — und dies auch durch die täglich fortschreitende Übung des Glaubens seitens des Menschen.

In die Nähe dieser Dimension hin zur „ontischen" Berührung mit dem göttlichen Leben gehört noch eine weitere Grundfärbung der Verkündigung Luthers: Seine Theologie ist nur selten reine Spekulation; oft ist sie vielmehr geistliches Werk — betend, im Glauben gesprochen; prophetisch-spirituell, verwandt mit dem sapientalen Habitus des Aquinaten — wie Luther sagt: mit Maria zu Füßen Jesu sitzend, aus seinen Worten erlauscht; oder: glaubend empfangen aus den angeschauten Wunden des am Holz für uns Gekreuzigten!

10. Wenn wir in solcher Weise mit Recht vom „katholischen Luther" spre-

---

[17] Man vergleiche nur, wie Luther in seinem Galaterkommentar von 1519 (WA 2, 501, 34 ff.) bei der Auslegung dieser Stelle mittels der Augustinischen Unterscheidung von sacramentum et exemplum (De trinitate IV, cap. 3) eine Rückführung des katholischen Sakramentsbegriffes auf Christus als Ursakrament vornimmt.

chen dürfen, können wir anderseits nicht übersehen, daß Luthers Wort und Werk diesem Verständnis schwere Hindernisse entgegensetzen.

Denn erstens einmal: dieses Wort und Werk sind nicht nur Theologie. Und auch Luthers Theologie kann man nicht einfach vom historisch-konkreten Kontext trennen, wie es einer Analyse z. B. des (auch nicht zeitlosen) Thomas von Aquin erlaubt ist. In der Konkretheit des Geschichtlichen (das auch heute als Gesamtvorstellung unter uns fortwirkt) steckt die Persönlichkeit Luthers in all ihrer Vitalität. Persönlichkeit und theologisch-kirchliches Werk drohten oft (und drohen noch) in ihrer Ungebändigtheit aus der positiven Verkündigung und dem Neuaufbau in die pure polemisch-negative Verketzerung und (wörtlich zu nehmende) Verteufelung des Papstes und seines papistischen Werkes umzuschlagen. Die furchtbare Gewalt dieser in allen Variationen der Sprache unermüdlich wiederholten niederreißenden Negative in Luthers Werk scheint den Gedanken einer inneren Verständigung Luther — Papstkirche in den Bereich hoffnungsloser Unwirklichkeit zu verweisen. Man kann über diese Schwierigkeit nicht einfach hinwegsehen. Man kann ihr anderseits keine einfachhin ab- und ausschließende Bedeutung zumessen. So sehr Luther bis an sein Lebensende eine Metanoia des Papstes als unmöglich bezeichnete, er läßt die Möglichkeit anderseits offen.

Was nach Ausweis der Auseinandersetzungen seit dem Beginn der Reformation als eigentliche Schwierigkeiten zwischen uns steht, sind Fragen der Wahrheit, *theologische* Schwierigkeiten. Unsere Bedrängnis entsteht vor allem aus dem Kirchenbegriff und aus der Frage des sakramentalen Kirchenamtes. Vorläufig ist hier eine echte, volle Verständigung zwischen katholischer und evangelischer bzw. „neutraler" Deutung nicht in Sicht. Was auch immer neuestens katholisch und evangelisch ökumenische Forschungsinstitute darüber behaupten mögen, ohne Luthers Sakramentalität aus ihrer Potentialität zu der ihr möglichen Fülle vertieft zu haben, können wir nicht in der Redlichkeit des guten Gewissens den definitiven Schritt zur eucharistischen Gemeinschaft tun. Denn solange dies nicht geschieht, bleibt der Unterschied zwischen dem Diener des Wortes und dem sakramental geweihten Diener des Altars wesentlich. Die Reduzierung der Ordination als Sakrament oder Nicht-Sakrament auf die Ebene der Sprachregelung bleibt eine nominalistische Willkür. (Von der Frage des päpstlichen Primats sehe ich dabei noch ganz ab.)

Dies muß man klar sehen und es sagen: Sonst verrät man — und daran hängt alles! — den Primat der Wahrheit; man gerät aus der Pluralität der Werte und der Hierarchie der Wahrheiten in einen Pluralismus der Wahrheit, was ein Widerspruch in sich ist.

Dennoch gibt es auch in diesen noch offenen Fragen des Kirchenbegriffs und des sakramentalen Kirchenamtes Möglichkeiten gegenseitigen Verständnisses. In dieser Beziehung ist das erwähnte Memorandum ökumenischer Universitätsinstitute für die evangelischen Mitverfasser (und den Bereich ihrer Autorität) ein ermutigendes Zeichen.

Zunächst und vor allem ist es ja nicht so, wie es evangelische Forschung

12*

179

lange behauptete, als ob Luther kein eigentliches kirchliches Amt gekannt hätte. Luther lehrt keineswegs *nur* die wesentlich gleiche geistliche Würde aller Gläubigen im allgemeinen Priestertum. Vielmehr: Gemeinsam mit den noch an Luthers Lehre festhaltenden reformatorischen Theologen ist festzustellen, daß Luther eine ganze Reihe kirchlicher Ämter kennt — zusammenfließend im Predigtamt. Auch kommt für ihn die Potestas dieses Amtes keineswegs demokratisch nur von der Gemeinde, sondern ist — gut katholisch — vom göttlichen Herrn gestiftet und also göttlichen Rechts, so unsympahisch unseren evangelischen Brüdern solche Terminologie auch sein mag[18].

Die Zwölfe, die Apostel, waren nicht mehr einfachhin dieselben wie vorher, nachdem der Herr in besonderer Weise seine Hand auf sie gelegt, sie erwählt, sie eingeweiht und dann gesandt hatte (so wie ihn der Vater gesandt hatte). In irgendeiner Analogie gilt Ähnliches für die Ordination in Luthers Kirche: deshalb hat er eine Wiederholung der Ordination in seiner Kirche konsequent abgelehnt; deshalb hat er auch versucht, die Ordinierung der neuen Prediger durch altgläubige Bischöfe (die in der apostolischen Sukzession standen) zu erlangen[19]; und deshalb hat er das kirchliche Amt zu den Kennzeichen der wahren Kirche gerechnet.

Sogar in der Zentralfrage des von Luther so grimmig gehaßten Papsttums ist eine Verständigung nicht einfach ausgeschlossen.

Es gibt leider Luthers manchmal unqualifizierbar grobianistischen Papst-Haß. Ich nehme diese Formulierung ernst. Die evangelische Forderung hat das Unvermögen Grisars, Luther zu verstehen, mit Recht heftig getadelt. Aber sein riesiges, uns alle in der hier zur Diskussion stehenden Frage so bedrückendes Material hat sie vielmehr verdrängt, statt in echter Metanoia zu bewältigen.

Aber gerade, wenn man das Übertreibende in Luther ohne Bemäntelung kraß herausstellt, hat man das Recht, die Worte des Reformators in seinen wütend groben anti-päpstlichen Ausbrüchen theologisch nicht immer auf die Goldwaage legen zu müssen. Man darf nach der grundsätzlichen Stellungnahme fragen, ohne der Konsequenzmacherei bezichtigt werden zu dürfen.

Und hier stoßen wir auf die Feststellung, daß Luther das Papsttum deswegen ablehnte, weil er der Meinung war, der Papst lehre, der Mensch könne aus eigenen Kräften sein Heil verdienen, und benütze in diesem unchristlichen Sinn die Kirche, um als ihr Tyrann über sie zu herrschen.

Ein im Wortlaut ziemlich vereinzelter Satz Luthers aus seinem großen

---

[18] P. *Meinhold* spricht bei einer Stellungnahme zu P. *Bläsers* „Fragen eines katholischen Christen an die evangelische Kirche" in diesem Zusammenhang davon, „daß die Gemeinde, ich möchte beinahe sagen, ‚iure divino' für das kirchliche Amt zu sorgen ... hat." Vgl. Dialog konkret, Theologische Brennpunkte Bd. 11, Bergen-Enkheim 1967, S. 76.

[19] WA 41, 241, 1 „oft und viel erboten episcopis...". Vgl. auch den besonders nachdrücklichen Einleitungssatz zu „Von den Winkelmessen und Pfaffenweihe", WA 38, 105 mit der besonderen Beziehung auf die Verhandlungen in Augsburg.

Galaterkommentar von 1531 gibt uns in dieser Sache sogar ausdrücklich recht. Dort steht das runde Eingeständnis: „Wenn nur der Papst uns zugeben würde, daß allein Gott aus bloßer Gnade durch Christus die Sünder gerecht mache, so wollten wir ihn nicht allein auf Händen tragen, sondern ihm auch die Füße küssen!"[20]

Hier drängt sich eine theologisch weittragende Schlußfolgerung auf: Luthers Reduzierung der sakramentalhierarchischen Struktur der Kirche, letztlich auch seine Leugnung des päpstlichen Lehramtes, ergibt sich nicht konsequent aus seinem Grundanliegen der Rechtfertigungslehre; sie beruht vielmehr auf seiner irrigen Annahme, Papst und Papstkirche stünden zu ihr im Widerspruch. Diese Voraussetzung beruht aber, wie wir sahen, auf einem Mißverständnis Luthers — dem entscheidenden Mißverständnis im tragischen Geschehen unserer Kirchentrennung.

11. Die bekannteste, aber auch erstaunlichste Schwierigkeit im ökumenischen Dialog kommt aus Luthers Verhältnis zur Heiligen Schrift. An der Bibel ist er zum Reformator geworden. Sie ist für ihn innerhalb der Verkündigung zur Autorität schlechthin geworden, in einer einigermaßen unergründlichen Tiefe, freilich auch (nach Ausweis besonders des alten Luther) in prophetischer Beweglichkeit.

Luther hat dankbar bekannt, daß er die Bibel von der Papstkirche empfangen habe. Aber er hat an derselben Heiligen Schrift, wie sie die Kirche überliefert hat, dadurch wesentliche Kritik geübt, daß er nur das als maßgebend annehmen wollte, was nach seinem Empfinden „Christus treibet". Aus diesem Grund hat er bekanntlich den Jakobusbrief als „stroherne Epistel" aus dem Kanon verwiesen. Außerdem ist es am Tag, daß Luther (der die ganze Heilige Schrift in ihrem Wortlaut so genau kannte) die Synoptiker (Matthäus, Markus und Lukas; auch übrigens Johannes) nicht annähernd in dem Maße in seiner Verkündigung zum Ausdruck kommen läßt wie seinen geliebten Paulus.

Was aber Paulus angeht, so ist auch da Luther einseitig geprägt; denn auch in Paulus selbst gibt es mehr als die eine Schicht der Rechtfertigungslehre.

Von hier aus ist Luther, der eigentlich nur vom „Worte" lebte, dessen Kraft er wie kaum ein anderer im Aufbau der Kirche mächtig werden ließ, dennoch nicht Vollhörer des Wortes — ganz im Gegensatz zu seinem Willen und zu seinem Anspruch, es zu sein. Die Rede klingt den treuen Lutheranern hart. Annehmbar scheint sie nur denen, die von der unerbittlich verpflichtenden Kraft der biblischen Aussage, wie sie Luther spürte und bekannte, eine dogmatisch nicht zulässige Vorstellung haben.

Wer hingegen Luthers dogmatische Haltung ernst nimmt, steht auch in dieser Frage vor dem Problem des Hörers Luther, der zugleich Prophet war. Die rationale Klammer, die das Problem lösen könnte, wird er nicht anzugeben imstande sein.

---

[20] WA 40, I, 180, 11 = 1531/35. Dazu 40, III, 433, 21: wenn er zugeben würde, daß die Rechtfertigung nur pretio sanguinis, non propriis operibus geschehe, dann hätte der Papst nicht nur justam rem, sondern usum sanctae rei.

Luther begründet seinen Eingriff in den Kanon der Schrift mit jener erwähnten, eindrucksvoll paradoxalen, aber hoffnungslos undeutlichen Behauptung: die „Mitte" der Bibel, ihr Kern, soll der Wert-Maßstab sein: jenes „Was Christus treibet".

Wir wissen alle, daß wir vor der ausweglosen Frage stehen: Wer soll darüber entscheiden, was Christum treibet?

Luther nämlich erläutert seine Meinung z. B. so: „Was Christus nicht lehret, ist noch nicht apostolisch, wenngleich St. Petrus oder Paulus lehrte. Wiederum: Was Christus predigte, das wäre apostolisch, wenngleich Juden, Hannas, Pilatus und Herodes tät."[21]

Die ungeheure und auch so offenkundig widersprüchliche Vielfältigkeit der Bibelauslegung im reformatorischen Raum die Jahrhunderte hindurch liefert den erschütternden Beweis, daß eine einheitliche Auslegung ohne Lehramt nicht zu erreichen ist.

Daß die gleiche Zersplitterung der Bibelauslegung sich neuerdings auch bei katholischen Theologen zeigt, belegt nur, wohin die unkatholische Leugnung eines unfehlbaren Lehramtes führen muß.

Luther hat die Schrift so sehr erhöht, daß er sie „allein" zum Maßstab des Glaubens machte, weil das Evangelium Jesu Christi, das aus ihr spricht, ihn positiv überwältigte. Aber zweifellos war daran mitbeteiligt die Zurückweisung des Papsttums als einer Tyrannis über das Wort. Hier stehen auch heute in der Frage des Lehramtes, besonders seiner Unfehlbarkeit, tiefe Unterschiede der Auffassung trennend zwischen den Konfessionen. Aber man darf wohl mit Recht behaupten, daß Luther seinen Vorwurf dem heutigen Papsttum gegenüber nicht aufrechterhalten könnte, überhaupt gegen eine Kirche, die das Amt als Dienst so nachdrücklich herausstellt. Da auch alle Würde des Amtes ausdrücklich als rein geschenkte Teilnahme an der Gottesherrschaft Christi verkündigt wird, darf man auch an dieser Stelle die Möglichkeit einer Verständigung nicht ausschließen.

12. Letzten Endes liegt die Wurzel der Spaltung (und heute die Gefahr, daß sie von diesem Punkt aus zu Ende gebracht werde) in der Preisgabe der von der Kirche übermittelten Tradition. Es ist der Bruch, durch den ein einzelner oder einzelne aus der Gemeinschaft heraustretend versuchen, von einem bestimmten Punkt der kirchlichen Entwicklung aus diese abzubiegen oder rückgängig zu machen — daß also Theologen das Recht beanspruchten, aus eigenem Gewissen und eigener wissenschaftlicher Auslegung der Schrift über die Jahrhunderte zurück Wurzel und wesentliche Art des Kirche-Seins wesentlich anders zu bestimmen, als es die Kirchengeschichte ausweist, die Geschichte jener Kirche, die der Herr durch den zu sendenden Geist in alle Wahrheit einzuführen zugesagt hat und der er als Hüter und Leiter die Apostel und deren Erben gegeben hat. — Nebenbei ein Unternehmen, das zutiefst einer ungeschichtlichen und unrealistischen Denkweise entspricht und damit im Namen der Geschichte der geschichtlichen Kirche Gewalt antut.

---

[21] WA Deutsche Bibel 7, S. 84, 26.

182

In der Tat, der so oft in der neueren Geschichte der Kirche und besonders in unserer hochgelehrten modernen historisch-kritischen Exegese unternommene Versuch, das frühchristliche Leben der Kirche aus den wenigen zufällig auf uns gekommenen Bruchstücken der christlichen Tradition, die in der Bibel in schriftlicher Form erhalten sind, zu rekonstruieren, bleibt zumindest hypothetisch. Die Grundlage ist, trotz aller erstaunlichen Gelehrsamkeit, von der Sache selbst her notwendigerweise zu schmal für eine überzeugende Lösung. Die unübersehbar vielfältige Widersprüchlichkeit der Lösungsversuche gewinnt für den nüchternen Betrachter nicht dadurch an Eindruckskraft, daß sie von mal zu mal als die jeweils geltende, freilich auch immer wieder von der Wissenschaft her selbst heftigst bestrittene „Wissenchaft" angepriesen und für eine Zeitlang angenommen wird.

Der Grundfehler: es fehlt allzusehr die Ganzheitsbetrachtung und mit ihr die pneumatische Vertiefung. Von hier aus gesehen, bietet Luther — wie vor ihm etwa Thomas von Aquin — so unvergleichlich sie wissenschaftlich hinter unserer heutigen Exegese zurückstehen — doch umgekehrt so viel mehr von jenem Mark der Nuß, das Luther aus dem halben dürren Wort der Schrift herausklopft.

Der Glaubenskonferenz der Deutschen Bischofskonferenz ist eben jetzt durchaus zuzustimmen, wenn sie jenen Versuch ökumenischer Universitätsinstitute u. a. damit zurückweist, daß sie feststellt:[22] „Nicht das Ganze des gewordenen Glaubens der Kirche, sondern seine von den Verfassern vermuteten ersten Stadien gelten als allein maßgebliche Norm" des kirchlichen Amtes. Solche Methode nimmt die ernste Forderung des „Semper reformandum" viel zu leicht; sie ist keineswegs von der pflichtmäßigen Ehrfurcht vor der Gesamttradition des Glaubensgutes in der eigenen Kirche und in den Kirchen des Ostens geprägt. Das Bewußtsein der Grenze der wissenschaftlich-historischen Methode ist nicht so lebendig, wie das Glaubensbewußtsein es verlangt. Aber gerade dies alles scheint es keineswegs zu empfehlen, derartige Bemühungen als Ganzes noch nachdrücklich zu ermutigen. Der Sensus ecclesiasticus, das alte Wort vom „sentire cum ecclesia" (das heute niemand mehr zu zitieren wagt), muß selbsverständlich die Grundausrichtung der „Bemühungen" mit kontrollieren.

13. Noch ein weiteres Mißverständnis ist auszuräumen. Es ergab sich beinahe mit Notwendigkeit aus dem Zerrbild, das die Kirche praktisch zu Beginn des 16. Jahrhunderts von dem darbot, was sie hätte sein sollen. Dem übermäßigen, vielfach veräußerlichten „verdienstlichen" Tun antwortete eine Art spiritualistisch untertreibender Art der „Mitwirkung" des Menschen im Heilsgeschehen. Trotz vieler radikaler, übrigens großartiger, Formulierungen Luthers über die volle Sündhaftigkeit des Menschen (die geniale Römerbriefvorlesung hat hier, Paulus übersteigernd, das Mißverstehen leicht gemacht[23]) hat der Reformator den Menschen keineswegs nur passiv ge-

---

[22] Vgl. Deutsche Tagespost vom 9. und 10. Februar 1973; KNA-Kritisch Ökumenischer Informationsdienst Nr. 8, 14. Februar 1973.

[23] Vgl. z. B. Röm 14, 23, Alles aber, was nicht aus Glauben geschieht, ist Sünde.

sehen. Tatsächlich erwachte er, so sahen wir schon, zum Reformator im Kampf gegen die „Werke"; das Wüten gegen die Werkerei prägt, als Gegenstück zur mächtigen Verkündigung des Glaubens, folgerichtig eigentlich sein ganzes Wirken. In dem, was Luther dabei eigentlich angreift, hat er recht; er vertritt eine katholische These. Man muß aber — auch heute noch — das weitverbreitete Mißverständnis fernhalten, als ob Luther die guten Werke als solche verworfen hätte. Er hat sie selbstverständlich gefordert: Gute Werke, im Gauben getan, sind Zeichen des rettenden Glaubens, das allererste aller guten Werke[24]. Bezeichnend genug, daß seine erste deutsche Schrift eben von den guten Werken handelt.

III. Besinnung

1. Eine kritische Besinnung, wie die vorgetragene, versteht sich theologisch wesentlich als ökumenisch; d. h., sie lebt von Jo 17, 21: „Vater, laß sie alle eins sein, damit die Welt glaube . . ."

Darf ich, diesen Gedanken fortspinnend, wieder einmal die von uns getrennten christlichen Brüder und ihre Kirchen fragen, ob sie ähnlich viel Mühe und Liebe an das Studium des Katholischen und seiner eventuellen Berechtigung gewandt haben und wenden, wie wir Katholiken an Luther und seine Reformation?

Müßten sie sich nicht doch viel allgemeiner, mit den evangelischen Brüdern von Taizé, fragen: ob die Reformation in allen Dimensionen der Wahrheit ist, wenn sie die lange Tradition der 16 ersten Jahrhunderte ausschließt?

Müßten sie sich in diesem Sinne der gemeinsamen vorreformatorischen Kirchengeschichte und in der Gesinnungs-Gemeinschaft mit den Kirchen der östlichen Orthodoxie nicht z. B. viel mehr um die Heimholung des Sakramentalen, des katholisch Sakramentalen, bemühen?

Dies ist zwar eine heikle, aber auch eine lebenswichtige Sache.

Die Kirche zur Zeit Luthers und besonders ihr Erscheinungsbild in seinem subjektiven Erlebnis war so sakramentalistisch, der Reformator selbst zuerst durch den ockhamistisch-theologischen, dann durch den reformatorischen Entwicklungsgang so einseitig belastet (oder verwundet), daß dem rückblickenden Betrachter kaum etwas anderes übrig bleibt, als zu bekennen: Es

---

[24] WA 9, 206 (zum Vierten) u. ö. (= Von den guten Werken 1520); vgl. auch „Von der Freiheit eines Christenmenschen" (1520), Clemen II, 16, 26 ff.: „Die werck aber seyn todte ding / kunden nit ehren noch loben gott / wie wol sie mugen geschehen! / und lassen sich thun gott zu ehren und lob / aber wir suche hie den / d' nit gethan wirt / als die werck / sondern den selbthetter und werckmeyster / der gott ehret / und die werck thut. Das ist niemat dan der glaub des hertzen / der ist das haubt und gantzis weßens der frumkeyt / darumb es eyn ferlich finster rede ist / Wenn man leret / die gottis gepot mit wercken / durch den glauben muß geschehen seyn / und die werck folgen nach der erfullung / wie wir hörenn werden."

ging über dieses gläubigen Mannes Kräfte, das gesunde Sakramentale, das die Kirche auch damals nicht verloren hatte, voll in den Blick zu bekommen. Dennoch enthält seine Verkündigung Ansätze — oder Möglichkeiten —, deren Realisierung heute, in veränderter Lage, legitim zur Erfüllung gebracht werden könnten, ... vielleicht! In veränderter Lage: wo vom Sakramentalismus nicht einmal mehr geträumt werden kann — und wo das Amt gerade im regierenden Papst so sehr zu einem Dienst geworden ist, daß Luthers Alptraum von des Papstes Tyrannei gegenstandslos geworden ist. Ich erwähnte vorhin die erstaunlichen Gedanken Luthers zu einer Definition der Kirche. Warum sollten unsere evangelischen Brüder nicht von solchen Gedanken aus, ihre atavistische Angst vor sakramentaler Magie überwindend, im Blick auf die orthodoxen und anglikanischen Kirchen nicht ernst und nachhaltig fragen, ob ihnen nicht eine Heimholung des Sakraments — eine echte Heimholung, nicht nur eine Sprachregelung! — in das kirchliche, das priesterliche Amt möglich werden könnte, eine Verwirklichung, die durch die besondere Lage der Kirche und der Persönlichkeit des Reformators diesem damals verwehrt wurde? Warum, warum nicht?

2. Eine andere, umgekehrte Frage aber stellt man vielleicht an mich: Ist das, was im vorstehenden über den katholischen Luther ausgeführt wurde, vielleicht nur die private Meinung einiger katholischer Forscher?

Das war früher in der Tat so; heute nicht mehr. Wir haben etwas erreicht. Die Zeiten der bewegenden Una-Sancta-Arbeit der dreißiger, vierziger und fünfziger Jahre waren nicht ohne Frucht. Wenn es auch ein Irrtum war, den damals verheißungsvollen Frühling mit der Ernte des Herbstes zu verwechseln[25], der ausgestreute Samen begann doch zu keimen.

Ich habe im voranstehenden Auffassungen vorgetragen, die heute ihren Platz in der offiziellen katholischen Lehre haben.

Denn erstens: Wir erlebten inzwischen das Zweite Vatikanische Konzil. Es hat im Dekret über den Ökumenismus und in vielen anderen Verlautbarungen enorm viel für die Annäherung der Katholiken an die getrennt christlichen Brüder getan.

Es ist schon eine nicht geringe Sache, daß dieses Konzil die Bezeichnung „Häretiker" nicht mehr verwendet, sondern sogar anerkennt, daß in Gemeinschaften reformatorischer Christen der Heilige Geist heilswirksam tätig geworden ist.

Zweitens: Die seit sechs Jahren arbeitende offizielle ökumenische Theologiekommission, in der je der Lutherische Weltbund und das Römische Einheitssekretariat vertreten sind, hat bestätigt, daß die zentrale Lehre der Rechtfertigung heute nicht mehr kirchentrennend ist.

Ich füge noch einen besonders eindrucksvollen dritten Einzelbeleg bei: 1970 fand in Evian der Kongreß des Lutherischen Weltbundes statt. In offiziellem Auftrag des Papstes nahm daran der Kurienkardinal Jan Willebrands teil, der Leiter des Päpstlichen Einheitssekretariats.

[25] Vgl. das Buch von U. *Valeske,* Die Stunde ist da — Zum Gespräch zwischen den Konfessionen, Stuttgart 1948; vgl. ders. in: Una Sancta 18, 1963, S. 112—124.

Seine Rede vor der Vollversammlung enthielt auch eine Anerkennung der religiösen Persönlichkeit Luthers und seines Werkes. Sie deckt sich — bis in die Formulierungen hinein — weitgehend mit dem, was ich hier vortrug: Willebrands Rede endete mit dem Satz, daß, von der Rechtfertigungslehre her gesehen, Luther unser aller Lehrer sein könnte. Das ist eine ganz und gar ungewöhnliche Anerkennung Luthers, wenn man bedenkt, daß jemand im Auftrag des Papstes diese Worte sprach. Das sollte evangelischerseits entgegenkommend gewogen und honoriert werden. Bis heute geschah es nicht in genügendem Ausmaß.

3. Das sage ich wahrhaftig nicht, um uns ein billiges Alibi zu verschaffen. Im Gegenteil! Je ernster wir Luther und seine Reformation nehmen, um so ernster werden wir auch ihr Zentralmotiv als Verpflichtung für uns empfinden. Gemäß der ersten Ablaßthese Luthers war dies aber, Buße zu tun.

Dieses „Buße tun" im Sinne von „Metanoia", d. h. „Umdenken", ist seit dem Mahnruf des Täufers und seit der Predigt Jesu für jede christliche Verkündigung und für jede christliche Lebensart, besonders für jede christliche Reform, zentral. Für die Wiedervereinigung müssen wir uns bereiten durch die Erneuerung. Der erste Adressat der ökumenischen Bemühungen sind wir selbst.

Heute wird zudem die Forderung dieses Motivs innerkirchlich und ökumenisch besonders drängend. Und dies wegen der lebensbedrohenden Krise, in die wir mit der Kirche seit einigen Jahren geraten sind.

Diese Krise können wir nicht bewältigen ohne büßende Kritik, auch nicht ohne Kritik an Überlieferungen unserer eigenen Kirche. Es bleibt bei der Devise, unter der wir angetreten sind: „An der Kritik können wir nicht vorbei; wir können nur durch sie hindurch."

Aber: Kritik ist nicht das Ganze. Zu aller Kritik gehört — vorher — ein Positivum. Die Bibel verlangt Bereitsein zum Hören, ein Geöffnetsein zum Entgegennehmen. Wir bedürfen einer Atmosphäre der Ehrfurcht, Wärme und Liebe, auch der Verantwortung für das Überlieferte, damit wir die Tradition nicht nur positiv übernehmen, sondern sie aufzunehmen, zu schätzen und zu bewahren wissen.

Die Krise, die die Kirche heute durchlebt, ist ungewöhnlich. Die Versuche, sie zu bewältigen, müssen in ihrem Wagemut dem entsprechen. Aber das beseitigt keineswegs Lebensgesetze, deren erstes ist, daß kein Baum wachsen kann ohne Wurzeln, daß kein noch so kühner Entwurf gedeihen kann, ohne auch vom gestifteten Erbe zu leben und ohne an das erarbeitete, erlebte und erbetete Erbe der Jahrhunderte anzuknüpfen. Nur der Anarchismus glaubt an das Axiom, daß man vom Nullpunkt ausgehen solle oder müsse.

Die rechten Maßstäbe der Kritik sind keineswegs identisch mit dem so laut gepriesenen „Heute". Kühnheit macht Behutsamkeit nicht überflüssig. Wer allzu schnell und also leichtfertig theologische Überlieferungen aufgibt oder bekämpft, weil sie der angeblichen mehr oder weniger „autonomen" Eigenart des eben heute lebenden Menschen, seiner modernen (!) Existenzerfahrung, nicht mehr entsprächen — wer die Modelle christlich-kirchlichen Den-

186

kens und Lebens nicht mehr aus der Bibel, sondern allzusehr aus Soziologie und Tiefenpsychologie entnimmt, gerät in Gefahr, den Menschen zum Maßstab des Geoffenbarten in Innerweltlichkeit zu verkehren. Die Felix culpa, daß solche Humanisierung des Göttlichen in eine Divinisierung des Weltlichen umschlage, ist leider nicht sehr groß.

Eben diese Verkehrung zur Vertikalen ist es, die den Ökumenismus, also die einigende Verständigung zwischen Luther und uns, zwischen Reformation und Katholizismus, heute schwerer bedroht als vor 40 Jahren, und das eben jetzt, wo wir uns am nächsten zu sein schienen und auch tatsächlich sein könnten.

Das Wichtigste ist dies: die Steigerung der Gefahr kommt nicht von den ernsten, noch ungelösten dogmatischen Differenzen, von denen wir sprachen. Sie entsteht inmitten eines ungeheuren Verlustes an Glaubenssubstanz theologisch dadurch, daß man gerade diese dogmatischen Gegensätze leugnet, bagatellisiert, sie zum Verschwinden bringt, weil man die Grundlagen der Glaubensbotschaft der Auflösung preisgibt, etwa durch radikale Umdeutung oder Weg-Deutung des transzendentalen personalen Gottesbegriffs, indem man es für eine geläuterte Geistigkeit ansieht, erhaben-überheblich zu bekennen: an einen Gott zu glauben, der sich liebend um mich einzelnen kümmert, sei Götzendienst; oder, noch tiefer angesetzt, weil man den strikten Wahrheitsbegriff und damit den Primat der Wahrheit aufgibt.

In dieser Lage kommt viel, sehr viel auf eines jeden persönliche Haltung an! Und in ihr auf die Unterscheidung der Geister!

Gewiß, um es nochmals zu betonen, die Lösung der Lebenskrise, die die Kirche schüttelt, verlangt Mut. Aber es scheint, daß verwegenes Wagen, ungenügend abgesichertes Experimentieren in Kirche, Theologie und Moral nie so gefährlich war wie in unserer Lage. Bedarf es heute wahrhaftig noch weiterer Aufforderungen zum aufgeschlossenen Experimentieren? Wendet man gleichzeitig genügend Kraft an, den Reichtum der Vergangenheit, den allerdings so viele Kurzsichtige nicht mehr sehen, aufleuchten zu lassen und seine (relative) Verbindlichkeit den zu Führenden einzuprägen?

Daß wir Dankbarkeit empfinden sollen über die Fortschritte gegenseitigen Verstehens und darüber, daß wir den Geist der Verketzerung überwunden haben, ist uns eine Selbstverständlichkeit. Aber die wichtigere Forderung lautet: In der Kirche, welche „Säule und Feste der Wahrheit ist" (1 Tim 3, 15), „Wahrheit treiben in Liebe" (Eph 4, 15). *Wahrheit* ist das Haupt- und Stichwort. Es ist Pflicht, verantwortlich und empfindlich darauf zu achten, daß dieses Wesentliche nicht verletzt werde, besonders, daß nicht der Trend allmächtig werde, einigermaßen übermütig, das Unaufgebbare endlos zu hinterfragen.

Es ist etwas anderes, zum gegenseitigen Verstehen bereit zu sein oder vor allem die Neigung für das der definierten Tradition Widersprechende zu fördern. Es ist auch noch nicht Verketzerung, wenn man vor der heutigen allergischen Empfindlichkeit gegenüber klar bestimmten theologischen Aussagen auf der unaufgebbaren überlieferten Lehre des Glaubensbekenntnisses und seiner Formulierung besteht. Es gibt Urworte, die nicht zu ersetzen sind; es ist von Vorteil, wenn man einer allzu abstrakt komplizierten vorwitzigen Theologie absagt und statt einer diffizilen Theorie z. B. über einen Opfercharakter der Messe und das „Wie" der Realpräsenz nachspüren zu wollen, die größere Kraft auf das Bekenntnis konzentriert. Man muß nicht Theologe sein, um in den Himmel zu kommen. Das klare Bekenntnis hat den Segen der ältesten Konzilien.

Des verwegenen Experimentierens ist bereits allerorten viel zuviel: in der hohen Theologie, im Religionsunterricht, in der Predigt und in der Gestaltung des Gottesdienstes.

Kritik, sagte ich, muß sein. Aber Kontestieren als Grundhaltung des Lebens zerstört. Ehrfurchtslose, unfrohe, bemäkelnde, verdächtigende Kritisiererei über alles und jedes, über Papst und Bischöfe zuerst, mitsamt der Kirche und ihrer beinahe nur noch negativ gesehenen armseligen Vergangenheit: wer beteiligt sich schon nicht mehr an dieser Begeiferung, die keinerlei Mut mehr verlangt? Nein, Freund, nicht diese Töne! Wir brauchen Besseres: den Mut der Demut.

Wohl ist es richtig, daß man auf verschiedenen Wegen versucht, zur Wahrheit vorzudringen[26]. Aber alles kommt darauf an, daß just die Legitimität bewahrt und daß Widerspruch zum Wesen vermieden werde.

Es mag sein, daß die Theologie der Zukunft pluralistisch sein wird. Es kann eine korrekte Form sein. Aber der allzu ungehemmte Trend zu solch überall wuchernder Propaganda für den Pluralismus ist bereits ausgesprochen gefährlich geworden. Wir leben in einem solchen Zustand der Verunsicherung, wir sind so sehr für das Un-Feste anfällig geworden, daß es zunächst einmal darauf ankommt (innerhalb der notwendigen Erneuerung!), den Kern unverletzt zu bewahren.

Die Lage ist erreicht, vor der der alte Karl Barth, christlich mitsorgend, uns Katholiken warnte: „Es geht bei euch ums Ganze!"

Jeder von uns kennt die Krise, um die es sich handelt, aus mancherlei Debatten der letzten Jahre. Am eindringlichsten stellt sie sich dar am „Exemplum Holland", näherhin an seinem Pastoral-Konzil und dessen Folgen. Durch eine ausgesprochen verantwortungsverwegene und erneuerungssüchtige Betonung der Orthopraxie (durch die man die Orthodoxie überspielt) erstrebt man dergestalt neue Strukturen der Kirche, daß für die Reinheit des Glaubensbekenntnisses vielfältig unmittelbare Gefahr droht.

Es ist hier nicht der Ort, diesen schweren Anklagen im einzelnen nachzugehen[27]. Das folgende genüge zur Illustrierung:

---

[26] H. B. *Meyer,* Der lange Marsch zur Einheit der Kirchen, in: „Glaube und Leben", Mainz 29, 2, 14. Jänner 1973.
Vgl. auch Karl *Barth,* Ad limina Apostolorum, Zürich 1967, S. 17: „Wenn ihr (der katholischen Kirche) doch eine Wiederholung, wenigstens der schlimmsten Irrtümer, die bei uns seit dem 16. Jahrhundert begangen worden sind, erspart bleiben möchte!"

[27] J. *Lortz,* „Holland in Not" (Teil 1 + 2); Luxemburg 1971.

188

Einer der maßgeblichen Mitarbeiter des Holländischen Pastoralkonzils war P. Fiolet, damals Professor für katholische Dogmatik in Utrecht. Zusammen mit H. van der Linde und anderen Autoren zeigte er auf der Grundlage (Reaktion und Fortführung) von van de Pols „Ende des konventionellen Christentums" (Wien 1967) „Neue Perspektiven nach dem Ende des konventionellen Christentums" (Wien 1968) auf. Im einleitenden Kapitel erwähnen die beiden Herausgeber zwar auch die Autorität der Kirche und ihre unveränderliche Lehre, aber dann lesen wir u. a. folgendes: „Diese Krise (der Kirche) ist eine radikale, denn sie besteht nicht im Suchen nach neuen Wahrheiten, nach einem neuen Bekenntnis und neuen kirchlichen Strukturen, sie bedeutet eine Revolution im Sein der Kirche und im Christ-Sein selbst. In der Kirche wird keine Ruhe eintreten, ehe sie nicht — und zwar in ihren Gläubigen — die letzten Konsequenzen dieser Revolution gezogen und innerlich bewältigt hat.

Der Kern dieser radikalen Revolution liegt in einem neuen Gottesverständnis: dem gläubigen Menschen wird es bewußt, daß sein Glaube nicht mehr in der Übergabe an einen außerweltlichen Gott bestehen kann, sondern im Erlebnis seiner Existenz in dieser Welt als Gottesbegegnung."

Diese zitierte Schilderung ist eine Analyse; sie gibt nicht schlechthin die Meinung der Herausgeber wieder. Wie nahe sie aber wenigstens dem Empfinden des einen der beiden Herausgeber, dem erwähnten Professor H. Fiolet (jetzt Vorsitzender der Vereinigung christlicher Kirchen in Holland), steht, zeigt spätestens dessen Interview vom 24. Dezember 1969, unmittelbar vor Beginn der 5. Tagung des Holländischen Pastoralkonzils (3. bis 7. Jänner 1970). Mir scheint es unmöglich, dieses Bekenntnis noch katholisch zu nennen[28].

Er erklärt: „Die Kirche, wie sie augenblicklich existiert, finde ich nicht nötig ... Ich meine, wir müßten sogar alles dransetzen, diese Gestalt der Kirche so schnell wie möglich zum Abbruch zu bringen. Wir müssen diese Krise akut machen."

„Was heißt Kirchen? Es sollen keine Gruppen sein, die nur auf Grund einer gemeinsamen Glaubensüberzeugung gebildet werden. Es geht vielmehr um eine Bewegung, um Aktionsgruppen."

„Die Wahrheit ist nicht auf einmal senkrecht aus dem Himmel gefallen, kein Mensch hat Gott je gehört."

„Wir können auch das Lebensmodell Jesu von Nazareth nicht mehr ohne weiteres übernehmen."

„Die Wahrheit kann nicht mehr aus der Vergangenheit überbracht werden ..."

Wenn wir uns von solchen Texten heutiger christlicher, katholischer Theologen zu Luther zurückwenden, müssen wir wohl erst einmal gründlich Atem schöpfen. Wir finden uns nicht so schnell zurecht. Der Boden wankt.

---

[28] Limburgs Dagblad vom 24. Dezember 1969; übersetzt und in einem Manuskript v. G. *Fittkau* vorgelegt.

An Aussagen, wie wir sie hörten, die Widerhall weit verbreiteter und zielstrebig weitergetragener Vorstellungen sind, kann man geradezu fühlen, wie weit heutigen christlichen Menschen und Theologen zentrale Stücke christlicher Lehre fremd geworden sind. Die nackte Klarheit christlicher Grundaussagen des Bekenntnisses, insbesondere über den personalen Gott, ist ihnen anstößig geworden; und dem heute durchgängig verkündeten seichten Optimismus der Innerweltlichkeit widerspricht die Lehre von der Sünde.

IV. Schluß

In dieser umfassenden Krisis, die eine allgemeine Orientierungslosigkeit ist, inmitten einer fortschreitenden Umstürzung aller festen Werte genügen nicht mehr einzelne therapeutische Maßnahmen. Wir kommen nicht mehr aus mit einzelnen Anweisungen und Anwendungen.

Wir brauchen geradezu eine andere Art des Seins. Wir bedürfen einer anderen geistigen und geistlichen Atmosphäre.

Zu allererst müßte unsere philosophisch und exegetisch staunenswert gelehrte Theologie wieder fundamental erfassen, daß es nicht nur einen natürlich wachsenden Wildwuchs in der Geschichte der Kirche gab, sondern auch die vom verheißenen Geist geleitete Einführung in die Wahrheit. Der Rückbezug auf den Ursprung ist für die Kirche absolut unentbehrlich. Die Stiftung blieb aber der Entwicklung ausdrücklich geöffnet.

Psychisch gesehen brauchen wir innerhalb der Kirche eine menschlichere, vom Neuen Testament nahegelegte Art des Umgangs, auch und besonders in der kritischen Aussage.

Ganz einfach gesagt: Wir müssen die Kategorie des Frommseins wieder entdecken. Etwa so, wie es der großartige anglikanische Erzbischof Ramsey seinen Priesterkandidaten zusprach: „Denken Sie weit häufiger an den Himmel! Denn dort ist der wahre Bezugspunkt für unser tägliches Wirken.“

Oder — um ein anderes Stichwort herauszustellen: Wir müssen den Wert des *Einfachen* wieder entdecken, gerade in Sachen des Glaubens.

Die hochdiffizilen Produktionen enormer Theologengehirne werden uns nicht retten — besonders, wenn sie anfangen, die armen, unbedarften einfachen Christen von gestern in der Kälte stehen zu lassen[29].

Es ist keine Nebensache, sondern gehört zum ernstesten Grundstock und zum Kostbarsten der Botschaft, daß Jesus die Kleinen und den kindlichen Glauben so hoch gepriesen hat.

Für Luther ist es eine große Auszeichnung, daß seine stürmische Gewalttätigkeit es anderseits eben mit dieser kindlichen Einfachheit ernst nahm.

Über der grandiosen Bewegtheit seines Lebens steht als sein allerletztes

---

[29] Michael *Ramsey*, Worte an meine Priester, Einsiedeln 1972, S. 79.

190

Wort, geschrieben am Abend seines Todes, dieses Bekenntnis radikaler Demut: „Wir sind Bettler, das ist wahr."[30]

Als Ausdruck derselben wesenhaften Demut finden wir innerhalb seines Lebens einen erstaunlich reichen Befund eben jenes heute uns fehlenden Einfachen: Er, ein Riese des Geistes, des Willens, des Wortes und der Tat, vor Tod und Teufel ein Unerschrockener, bleibt, wo es ums Ganze geht, ein Liebhaber des Katechismus. Aus dessen unverändertem Wortlaut will er, auch als reifer Mann, immer wieder wie ein Kind[31] das Leben des Glaubens gewinnen: aus der in Sätzen formulierten, lebenden und belebenden Kraft des Wortes Gottes[32] im Katechismus.

Ich denke, wir sollten keine Scheu haben, uns neben Luther auf diese Stufe des geistigen Seins zu stellen.

---

[30] WA Br. 5, 317.

[31] WA 30, 1. 125 Deutsch (Großer Katechismus, 1529). Dazu der öftere Lobpreis auf die Würde des Kindes.

[32] Luther gebraucht das Wort ausdrücklich in diesem Zusammenhang; a. a. O.

Die Einheit des Christentums in katholischer Sicht

Von Prof. Joseph L o r t z , Mainz

Karl Eder zur Vollendung seines 70. Lebensjahres

> „So brauchen wir kein Erstaunen zu fühlen, wenn auch die heilige
> Kirche, die übernatürliche Schöpfung Gottes, uns als ihr allgemeines
> Kennzeichen eine bewunderungswürdige Folgerichtigkeit und Einheit
> in Worten und Taten zeigt, die aber dann und wann durch an-
> scheinende Unregelmäßigkeiten gestört und verdunkelt wird, welche
> eine Übung des Glaubens von unserer Seite nötig machen und fordern.“
>
> J. H. Newman

I. Grundsätzliches zur kontroverstheologischen Methode

Das Thema ist gemeint als ein Ausschnitt aus der Kontroverstheologie,
wie sie sich als Folge der Reformation herausbildete; seine Behandlung
wird also von selbst zu einer Aussprache mit der protestantischen Theologie.

Noch immer sind wir in diesem Bereich weit entfernt von einer allgemein angenommenen und umfassend genügenden, allen Beteiligten selbstverständlichen wissenschaftlichen Methode. Immer noch ist es notwendig,
sich nachdrücklich über die einzunehmende Grundhaltung klar zu werden.
Das kann hier natürlich nur andeutend geschehen.

1. Die Forderung voller Wahrhaftigkeit überhaupt zu nennen, oder
sie gar mit Betonung an die erste Stelle zu rücken, könnte überflüssig
erscheinen; sie ist eine selbstverständliche Forderung jeder wissenschaftlichen Bemühung. Aber die theoretische Frage nach der christlichen
Einheit und also auch nach der Einheit zwischen den getrennten Konfessionen berührt, gewollt oder ungewollt, die konkrete Stellungnahme der miteinander Redenden in dieser Frage. Hier können leicht
unsachliche Motive hereinwirken, und sie haben das oft getan. Von da
aus hat es sehr wohl einen Sinn, den Bedingungen der Verwirklichung
der Wahrhaftigkeit nachzusinnen. Sie sollte dergestalt realisiert werden,
daß aus unseren Überlegungen jede Berechnung ausgeschlossen ist, die
nicht ausdrücklich ausgesprochen und begründet wird. Daß es noch als
notwendig erachtet werden kann, das zu formulieren, ist kein besonders
gutes Präjudiz für den Stand der Diskussion. Freilich muß auch verlangt
werden, daß ein entsprechender Vorwurf, der eine Verletzung dieser
Wahrhaftigkeit, Ehrlichkeit und Offenheit behauptet, nur nach gründlicher Prüfung und in genauer Formulierung erhoben werde. So weit
ich sehe, muß diese Warnung im Bereich unseres Themas und im Umkreis
wissenschaftlicher Literatur heute mehr an evangelische Beurteiler katho-

8

lischen Denkens als umgekehrt gerichtet werden[1]. Man müßte doch wohl
evangelischerseits stärker versuchen, zu verstehen, daß der Anspruch
der katholischen Kirche, in absoluter Weise Wahrheit auszusagen und
ihre Verkündigung zu kontrollieren, keineswegs die innere Freiheit,
Sauberkeit, Redlichkeit und den Mut zur entsprechenden Verkündigung
zerstört. Auch dies sollte intensiver bedacht werden, daß eine strenge
dogmatische Bindung und eine entsprechende dogmatische Intoleranz die
Kommunikationsfähigkeit keineswegs mindern oder gar aufheben muß;
in diesem von Jaspers unermüdlich als Grundaxiom wiederholten Urteil
ist gerade die entscheidende Kommunikationskraft des Gesetzes der Form
außer acht gelassen; es ist auch nicht zur Kenntnis genommen die vielfältig zu belegende Erfahrung einer erheblichen Verständigung und einer
realen Annäherung gerade zwischen dogmatisch getrennten christlichen
Gesprächspartnern. Denn dogmatische Bindung schließt echte Toleranz
ja keineswegs aus. Im Christentum verlangt das Gebot der Liebe — die
den Fanatismus ausschließt — geradezu nach ihr, — sobald man nämlich Toleranz von jeder opportunistischen Berechnung des nur-Ertragens
trennt, und sie faßt als Verständnis der konkreten Situation mit all
ihren Positiva und Negativa, in der jemand die Wahrheit zu verkünden
hat. Dann wird Toleranz zum Versuch, die gegebenen Möglichkeiten von
der Wahrheits m i t t e her zu verwirklichen.

2. Eine weitere methodische Bemerkung: bei echter geistiger Auseinandersetzung geht es letztlich um ein ‚aut-aut', um Wahrheit oder
Irrtum. Das muß gesehen und gesagt werden. Da aber diese Wahrheit
und dieser Irrtum so in Geist und Seele des Gesprächspartners verankert
sind, daß es sich nicht um vordergründiges Widerlegen handeln kann,
sondern um eine innere Bewältigung und eventuelle Überwindung, ist
ernstliche Bemühung, den Gesprächspartner verstehen zu wollen, Voraussetzung des Gesprächs. In unserem Falle ist diese Bemühung nicht fruchtbar verwirklicht, wenn der katholische Gesprächspartner nicht Einsicht
hat in den christlichen, näherhin in den katholischen Besitz der Reformation. Die These z. B. vom katholischen Luther ist noch nicht erschöpfend durchkontrolliert[2]. Weder ist das Ontologische seiner Vorstellungen
in der Rechtfertigung, noch seine Bejahung des Natürlichen in der Liebe
(die erste Galater-Vorlesung von 1519 nach der Römerbrief-Vorlesung!),
noch die Rolle der Liebe in der Konstituierung des Glaubens in ihrem
ganzen Gewicht erkannt; kurz, das Katholische des religiösen Anliegens

---

[1] Vgl. W. v. L o e w e n i c h , Der moderne Katholizismus, 2. Aufl. Witten
1956; Belege in meiner Besprechung in: Theol. Revue 53 (1957) 193.

[2] Das gilt m. E. auch für den Beitrag von W. v. L o e w e n i c h , Das Problem des ‚katholischen Luther' in: Dank an Paul Althaus. Eine Festgabe zum
70. Geburtstag (Gütersloh 1958) 141—150.

9

der Reformation wird noch nicht genügend gesehen. In dieser Formulierung gilt das Urteil für beide Seiten.

Die Frage besitzt grundsätzliche Bedeutung und erhebliche kirchengeschichtliche Relevanz: Was ist die Aufgabe der Kontroverstheologie? Ich glaube, die Auffassung, die ich in dieser Zeitschrift[3] vertreten habe, wiederholen zu sollen: Je genauer die Auffassung, die es zu beurteilen gilt, erkannt wird, um so genauer, also richtiger (und also auch fruchtbarer) wird bei einer Ablehnung der Trennungsschnitt angesetzt werden können.

3. Eine besondere Erscheinung in der gesamten kontroverstheologischen Auseinandersetzung stellt das Konzil von Trient dar. Die Zielsetzungen eines Konzils können höchst verschiedene sein, wie wir in Fülle aus der Geschichte der mittelalterlichen Konzilien, nicht zuletzt der Reformkonzilien des Spätmittelalters (zu denen in einer höheren Form das Tridentinum gehört) ablesen. Natürlich ist ein Konzil keine wissenschaftlich-theologische Akademie. Auch soweit es sich um die Beurteilung einer konkreten Lehre, in specie der reformatorischen, handelt, kann man mit Recht die Meinung vertreten, daß es für ein Konzil vor allem darauf ankommt, den Irrtum abzuwehren. Diese vorzugsweise negative Klärung der Offenbarungswahrheit durch Abweisung der Häresie war es ja durchaus, die auf dem Gebiet der Lehre die Arbeit der Konzilien seit dem Altertum bis zum Tridentinum einschließlich prägte. Aber auch dies wird sich über die Fixierung der Grenze hinaus um so fruchtbarer in der jeweiligen historischen Situation und für ihre Fortbildung auswirken können, je genauer die gegnerische Lehre — also auch das, was in ihr an Wahrheit vorhanden ist — erkannt wird. Denn auch jeder Irrtum lebt ja von dem Stück Wahrheit, das in ihm enthalten ist[4]. Und da ein Konzil sich auch nicht in dem erschöpft, was in ihm das Wesentliche ist, also in der Dogmatisierung und der entsprechenden Verurteilung, weil es vielmehr auch als ein Ganzes beurteilt werden muß, an dem menschliche Kraft und menschliches Versagen beteiligt sind, kann man die Frage stellen, ob nicht etwa die Erkenntnis des genuinen Sinnes einer gegnerischen Lehre von einem bestimmten Konzil hätte gesteigert werden können? Ist es nicht z. B. durchaus legitim, zu überlegen, ob die Trienter Konzilsväter den wünschenswerten Gebrauch von der für sie zusammengestellten ‚Lutherbibliothek‘ machten oder nicht?

---

[3] TThZ 61 (1952) 317—327.

[4] Diesen vielleicht etwas zu oft zitierten Topos muß man ernstnehmen. Er wird in verschiedener Form schon von den Apologeten des 2. Jhs. ausgesprochen, Thomas von Aquin formuliert ihn prägnant: ‚omne malum fundatur in aliquo bono et omne falsum in aliquo vero‘ (S. th. I q 17 a 4 ad 2;). Auch N e w m a n wiederholt ihn in: Die Einheit der Kirche und die Vielfältigkeit ihrer Ämter. Dt. Übers. von K. Schmidthüs, Zeugen des Wortes, H. 3 (Freiburg 1947) 79.

10

Daß sich das Konzil von Trient selbst nicht ganz ausschließlich mit der Verurteilung und der nackten Feststellung der katholischen Position zufrieden geben wollte, zeigen nicht nur die Verhandlungen, sondern auch die Dekrete, in denen sich ein gewisses Material zu einem ‚Dialog‘ mit reformatorischen Lehren findet, und wo gewissen reformatorischen Behauptungen in einem bestimmten Sinn ein relatives Recht zuerkannt wird, der freilich wesentlich ergänzt werden müßte. Das Dekret über die Rechtfertigung, die Feststellung, daß in der Messe Jesus Christus das eigentliche Subjekt ist, das Bekenntnis zur Unsichtbarkeit der Kirche[5] können das belegen. Aber aufs Ganze gesehen, darf wohl geantwortet werden, daß das Tridentinum dem, was an der Reformation katholischer Besitz war, nicht besonders viel Beachtung geschenkt hat. Das ist zunächst verständlich. Die zu bewältigende, unmittelbar aufgegebene und auch wirklich bewältigte Aufgabe war so immens, hat auch so ungeheure direkte und indirekte klärende und aufbauende Wirkungen ausgelöst, daß jene Feststellung nur entfernt etwas mit Kritik zu tun hat. Nur kann man von diesen Vorbehalten aus verstehen lernen, daß gewisse reformatorische Fragestellungen in ihrem k a t h o l i s c h e n Ansatzpunkt damals unbewältigt stehen blieben. Auch von dieser Sachlage her sind spätere Erscheinungen der katholischen Kirchengeschichte wie Jansenismus, Quietismus, Gnadenstreitigkeiten und Episkopalismus mit zu verstehen.

Dem Tridentinum ging es auch um die causa reformationis, und in welcher Tiefe! Aber dadurch, daß die Reformfrage von den Reformatoren untrennbar mit einer neuen L e h r e verbunden worden war, wurden die dogmatischen Fragen zum Hauptthema des Konzils. So erwuchs das, was das Tridentinum vor allem anderen kennzeichnet, konkret aus der lehrmäßigen Art der Reformation. Das führt zu einer Frage, die uns von diesen methodologischen Bemerkungen zum Inhalt des Themas hinleitet: obwaltet ein Unterschied zwischen den vorreformatorischen Konzilien und dem Tridentinum im Hinblick auf ihre lehrmäßige Darbietung? Spiegelt sich im Tridentinum ein Umschwung zu einer stärkeren Betonung des Lehrmäßigen in der Kirche? Die Frage reicht sehr tief; um eine Antwort werden wir uns weiter unten bemühen.

II. Das Selbstverständnis der Reformation

1. Wer von einem Gespräch mit dem Protestantismus redet, steht sofort vor der Frage, mit welchem Protestantismus der Dialog geführt werden soll? oder, was dasselbe ist, mit welchem Selbstverständnis, das der Protestantismus von sich hat?

---

[5] Vgl. Catechismus Romanus Pars I Caput X, 20 u. 21.

11

Das Luthertum und der Calvinismus verstehen sich als Kirche. Ob aber jede dieser Kirchen sich in der Weise als eine Wesenheit verstehe, daß sie ohne Aufgabe ihres Bekenntnisses nicht mit anderen Lehren echte Gemeinschaft des Glaubens und des Sakraments haben könne, steht nicht fest. In vielen Abwandlungen ist diese Frage heute innerhalb der Ökumene Gegenstand von Beratungen.

Prägnant hat Hanns R ü c k e r t das Problem formuliert[6]. Er reklamiert ganz allgemein für den Protestantismus, daß er sich als kirchliche K o n f e s s i o n im strikten Sinne verstehe, d. h. als eine gebrochene Teilnahme an der einen unsichtbaren Kirche Jesu Christi, in der also Konfessionen verschiedener Lehre nebeneinander stehen, jede die andere gelten läßt als gebrochene Teilnahme an der einen Kirche Christi, und doch jede mit absoluter Sicherheit an ihrem eigenen Glaubensbekenntnis als d e r Wahrheit festhält.

An dieser Auffassung könne und solle, meint Rückert, auch die radikal von den evangelischen Kirchen des Irrtums bezichtigte katholische Kirche teilnehmen. Dies sei übrigens, sagt er, schon die Meinung Luthers gewesen, der zwar die Papstkirche als Sitz des Antichristen heftig bekämpft habe, aber nie aus der einen katholischen Kirche ausgeschieden sei[7].

Diese Auffassung der evangelischen Kirchen und Denominationen als Konfessionen im angegebenen Sinn scheint die schwere Hypothek einzuschließen, daß es eine einzige Wahrheit des einen Evangeliums nicht gebe, oder daß sie nicht festzustellen sei, daß aber gleichzeitig die evangelischen Konfessionen sich doch so verhalten, als besäßen sie diese eine Wahrheit. Der Begriff der Wahrheit scheint stark verdunkelt und geschwächt. Für die evangelischen Kirchen und Denominationen ergibt sich von dieser Position aus zwar die Möglichkeit einer echten Oikumene, auch ohne daß eine strikte Einheit der Lehre zwischen ihnen besteht; es bleibt nur die eben angedeutete entscheidende Frage, wie weit diese Bereitschaft theologisch-logisch sauber dargestellt werden könnte. Das Problem tritt noch deutlicher hervor und wird noch bedrängender angesichts der Annäherung offiziell lutherisch-deutscher Kreise (S c h l i n k , W i l m , W i s c h m a n n , I w a n d , V o g e l) aus allerneuester Zeit (1958) an die sowjetische russisch-orthodoxe Kirche, der von den besuchenden

---

[6] Hanns R ü c k e r t , Die Bedeutung des konfessionellen Gegensatzes für die evangelische Theologie. In: Materialdienst des Konfessionskundlichen Instituts Bensheim 8 (1957) 81 ff.

[7] Diese Auffassung, der man seit Jahren öfter als früher begegnet, verdient eine das ganze Werk Luthers einbeziehende Untersuchung. Aber auch heute schon kann man m. E. mit gutem Gewissen sagen, daß hier nicht sehr häufige Randbemerkungen, die gegen die grundsätzliche Stellungnahme nicht aufkommen, weit über Gebühr bewertet werden. Luthers dogmatische Intoleranz war erheblich härter, als hier sichtbar wird; s. unten Abschnitt 9 a.

12

Theologen ‚die Gemeinschaft des Glaubens' bescheinigt wurde, und daß sie eine wahre ‚Kirche des Wortes' sei[8].

Auf die hiermit angeschnittene Frage nach der Einheit des Protestantismus kommen wir noch zurück[9].

2. Wie man sich zu dieser Selbstdefinition des Protestantismus (als Mehrheit von echten Konfessionen) stellen mag, so viel bleibt Tatsache: der Protestantismus oder die einzelnen reformatorischen Kirchen besitzen zwar ein ihre Diener und Mitglieder verpflichtendes Bekenntnis und entsprechende cffizielle Bekenntnisschriften; aber so ernst auch diese Bindung betont und gelobt wird, sie ist nirgends eindeutig festgelegt, noch festlegbar, noch beansprucht eine dieser Kirchen, Macht und Fähigkeit hierzu zu haben. Vielmehr bekennt der Protestantismus insgesamt, daß er unter dem Gericht des immer wieder neu zu befragenden Wortes steht.

Das hat eine schlechthin unabsehbare Bedeutung. Es besagt nämlich nicht nur eine so ungewöhnliche Spannung der beiden Elemente, daß man sie als Widerspruch bezeichnen darf, es schließt auch ein, daß der Protestantismus, so fest er auch in seinem Bekenntnis und dessen Verständnis stehen mag, von seinem Wesen her, theologisch-grundsätzlich sich immer wieder selbst in Frage stellen kann, oder sogar in Frage stellen muß. In manchen evangelischen Formulierungen wird dies mit besonderer Emphase gefordert[10].

Diese grundsätzliche Möglichkeit entspricht sowohl der Entstehung des Protestantismus wie seiner sich selbst immer wieder aufspaltenden Entwicklung und der schier unübersehbaren Vielfalt seiner Ansichten auch in grundlegenden Fragen. Der Protestantismus entstand im 16. Jahrhundert durch seine Absage an die seit über 1000 Jahren bestehende Form der Kirche, insbesondere an ihre sakramentale Hierarchie und das unfehlbare Lehramt, sei es der Konzilien, sei es des Papstes. Wie immer man das Recht dieses Protestes bestimmen möge, und selbst wenn man, der geschichtlichen Wirklichkeit entsprechend, die ‚Ursachen' der Reformation so zusammenstellt, daß die Reformation als geschichtlich unausweichlich erscheint, die Reformatoren, voran Luther, tragen für den Protest die unmittelbare Verantwortung. Wie stark auch weiter das Sendungsbewußtsein der Reformatoren gewesen sein mag, wie stark sie sich vom Geiste Gottes geführt glaubten, keiner von ihnen nahm für sich

---

[8] Die Beratungen, die Mitte August (1958) in Utrecht stattfanden, stellen uns vor die gleiche Problematik. Über ihr Resultat drang kaum etwas in die Öffentlichkeit, doch scheint eine Wiederholung geplant zu sein.

[9] Unten Abschnitt 9 b.

[10] Letztlich heißt dies nichts anderes, als daß im Protestantismus die Theologie in absoluter Souveränität das letzte Wort hat; es ist das Grundprinzip der Professorenkirche, die Hanns Rückert als einen Vorzug für den Protestantismus reklamiert.

13

Inspiration im strikten theologischen Sinne in Anspruch[11]. Auch von hier aus darf, ja muß der evangelische Gesprächspartner in die Diskussion grundsätzlich die Möglichkeit einschließen, daß die Reformatoren sich bei der Schaffung dieses Novum geirrt haben.

3. Bei der katholischen Kirche liegt der Fall wesentlich anders. Sie ist Trägerin und Ergebnis einer nachweislich im Wesentlichen kontinuierlichen Entwicklung, die mit den Aposteln selbst und der Urgemeinde anhebt. Es gibt in den Zeiten, die alle Strukturelemente des Katholizismus ausbilden, keinen wesentlichen Bruch der Tradition[12]. Historisch wie theologisch-dogmatisch stoßen wir hier an eine schlechthin entscheidende Grundlage: an die Verheißungen des Herrn, durch welche er seiner Kirche seinen Beistand derart zugesagt hat, daß die Pforten der Hölle sie nicht überwältigen werden, daß sie also die Säule der Wahrheit sei (Mt 16, 19; 1 Tim 3, 15). Diese Verheißungen besagen, daß es in der Kirche und ihrer Verkündigung einen Kern geben muß, der nie angetastet werden konnte und nie angetastet wurde. Denn, wenn es in der Urkirche und ihrer fortdauernden Erscheinung einen wesentlichen Bruch der Tradition gibt, ist das Wort des Herrn nicht in Erfüllung gegangen. Tatsächlich finden Vertreter neuester evangelischer Exegese (Käsemann) die Elemente des ‚Katholischen‘ bereits bei Lukas, was die Möglichkeit eines Bruches auch rein theoretisch stärkstens einengt, ja ihn nur möglich macht durch eine radikale Aufspaltung der biblischen Botschaft selbst in verschiedene Schichten, so daß überhaupt n i e   e i n e Botschaft, nie   e i n Glaube die Jünger des Herrn geeint hätte, so daß vielmehr die   e i n e Kirche Jesu von Anfang an nie anders existiert hätte als in rein spiritualistischem Sinn, die sich sozusagen noch unter den Augen des Herrn — er sandte ja bereits Jünger zu predigen aus (Lk 10, 1 ff.) — in verschiedenen auch sich widersprechenden Traditionen dargestellt hätte.

III. Was ist Einheit des Christentums?

In all diese Überlegungen spielt, in verschiedener Form, die Frage hinein: Was ist ‚Einheit‘ des Christentums? An welchem Maßstab können wir das, was wir seine Einheit nennen, messen?

1. Bedeutung der L e h r e für die Einheit

Daß der Begriff der Einheit an sich in einer verwirrenden Weise vieldeutig ist, wissen wir zumindest seit Aristoteles.

---

[11] Von den ‚Schwärmern‘ sehe ich hier ab.

[12] Der Ton liegt auf wesentlich. Es versteht sich von selbst, daß die vielfältige und nicht nur geradlinige Entwicklung durch die Jahrhunderte, die uns die Kirchengeschichte schildert, mit diesem Urteil nicht harmonisierend verdunkelt werden soll. Die Beurteilung selbst wird heute in ihrem Tatbestand gerade von der radikalsten evangelischen Forschung betont, freilich unter Preisgabe der Einheit des Evangeliums selbst.

14

Aber auch für seine Bestimmung im Raum der christlichen Verkündigung sind viele Elemente zu berücksichtigen. Den Kreis unserer Gesprächspartner grenzen wir zunächst grob dadurch ab, daß wir die Auseinandersetzung nur mit bekenntnistreuen evangelischen Christen, Kirchen oder Denominationen ins Auge fassen. D. h. wir erkennen der ‚L e h r e' einen maßgebenden Platz im Christentum zu. Was diese Lehre inhaltlich sei, noch mehr, welcher A r t ihr Wesen sei, bleibt noch zu bestimmen. Im evangelischen Raum gibt es keine allgemein gültige Definition. Aber ungefähr ist das gemeint, was man anvisiert, wenn immer wieder der Primat der Wahrheit vor jedem anderen Maßstab gefordert wird.

Tatsächlich ist für die Beantwortung der gestellten Frage das Verhältnis von Wahrheit und Lehre von Wichtigkeit. Hanns R ü c k e r t gibt auch für die Behandlung dieser Frage einen wichtigen Hinweis. Er meint[13], in der katholischen Kirche sei bis zur Reformation die L e h r e nur ein Gebiet kirchlicher Lebensäußerung neben anderen gewesen, vielleicht sogar eines, auf das kein besonderer Akzent fiel. Man könne fragen, ob nicht Kultus und rechtliche Ordnung als wichtiger und dem Zentrum näher empfunden wurden? Das ist eine bedeutsame Behauptung, zu deren Eingrenzung zwar viel anzuführen wäre[14], die aber in ihrem Kern richtig trifft und noch tiefer reicht, als Rückert wohl meinte. Sie deutet nämlich auf eine strukturelle Eigenart der Kirche hin. Der behauptete Tatbestand trifft zu, hängt aber nach katholischer Lehre weitgehend daran, daß die Einheit der Kirche zusammensteht mit der Verschiedenartigkeit ihrer Ämter. Die drei Ämter Jesu Christi als Prophet (Lehrer), Priester und König (Hirt) sind von ihm seiner Stiftung, der Kirche, seinem Leibe, übertragen und werden von ihr durch ihr Lehramt, Priesteramt und Hirtenamt ausgeübt[15].

Nach der Reformation und seither trat das Lehramt in der katholischen Kirche tatsächlich bedeutend stärker hervor. Ein längst vorliegender Tatbestand wurde genauer bezeichnet, abgegrenzt und stärker ausgenutzt. Dies wiederum hängt mit der Reformation selber zusammen, deren Tendenz zur Konzentrierung sich auch darin äußert, daß sie das Amt überhaupt verkümmern ließ, dafür beinahe allen Nachdruck auf die nun ungeschützt da-

---

[13] a. a. O. (Materialdienst) 83.

[14] etwa einerseits: die Dogmenformulierung der Jahrhunderte 4—7; die vorscholastische und die scholastische Theologie; die Lehrtätigkeit der Päpste und Konzilien vom 11. Jh. ab; anderseits die hierher gehörenden kirchlichen Mißstände, insbesondere die direkte und indirekte theologische Unklarheit am Ende des Mittelalters, s. unten Abschnitt 7 b.

[15] Es versteht sich, daß wir in dieser katholischen Synthese ebenso wenig ein additives Aggregat vor uns haben, wie das katholische ‚und' überhaupt sich auf Addition mehrerer nebeneinander stehender Größen bezieht. Auch hier ist die Dreiheit Funktion der Einheit.

15

stehende (und schon dadurch geschwächte) ‚reine Lehre‘ legte. Denn die reformatorische Verkündigung entstand, so darf man zusammenfassend sagen, aus der exegetischen Arbeit Luthers als eine neue Lehre und als Bestreitung der katholischen Lehre. Die Reaktion der katholischen Kirche entsprach dem Lebensgesetz, nach dem sie seit den ersten Zeiten, schon seit dem Entstehen der apostolischen Schriften und dann in den Lehrstreitigkeiten der folgenden Jahrhunderte gehandelt hatte: sie lehnte die neue Lehre ab und verkündete die ihre durch neue, genauere Dogmenformulierungen.

In den neueren Jahrhunderten setzte sich die so angelegte Entwicklung von selbst in verstärktem Maße fort, weil die Menschheit in immer steigendem Maße vom Verstand her, also lehrmäßig, gebildet wurde. (Daß aber auch dies im Leben der katholischen Kirche nie in dem Sinne ein einseitiger Prozeß wurde, daß das Ganze dadurch eine wesentliche Schädigung erlitten hätte, daß also die Gaben der beiden anderen Ämter in der Kirche nie fehlten, ist angesichts der verheerenden Folgen einer einseitig intellektualistischen Prägung der „Moderne“ besonders hervorzuheben[16]. (Der in anderem Zusammenhang zu besprechende Vorwurf ‚Macht statt Wahrheit‘ bestätigt der Kirche dasselbe in indirekter Form[17].)

Insofern wird in dem vorhin abgegrenzten Kreis der Gesprächspartner Einstimmigkeit darüber herrschen, daß das Glaubensbekenntnis, also die verkündete L e h r e in einem entscheidenden Sinn d i e Grundlage des Christentums ist. Sobald wir aber daran gehen, diese Lehre inhaltlich zu bestimmen und zu fragen, wieweit sie ein für allemal festliege oder nicht, ergeben sich starke und sogar wesentliche Differenzen sowohl zwischen der katholischen und der reformatorischen Auffassung als zwischen verschiedenen reformatorisch-evangelischen Auffassungen untereinander.

2. *Festigkeit und Elastizität des katholischen Einheitsbegriffes*

Über das, was katholische Lehre und ihre Einheit sind, und über die Art, wie die katholische Kirche nach ihrem Selbstverständnis sie besitzt, herrschen auf evangelischer Seite bei weitem nicht nur zutreffende Vorstellungen. Die katholische Kirche beansprucht für sich die christliche Lehre in einem denkbar geschlossenen und abschließenden Sinn. Lehre und Verkündigung sind nach ihrem Glauben gedeckt durch die Unfehlbarkeit des lebendigen Lehramtes. Aber dieser unfehlbaren und un-

---

[16] Die Enzykliken der Päpste seit Leo XIII. über soziale, kirchenpolitische und kultische Fragen können zur Beleuchtung des Ganzen dienen. — Vgl. dazu unten Abschnitt 7 c über die ‚Actio catholica‘ Pius' XI.

[17] Da der Christus, der die Wahrheit ist, kam, um Zeugnis von der Wahrheit zu geben (Joh 18, 37), und seine Stiftung, die Kirche, Säule und Fundament der Wahrheit ist (1 Tim 3, 15), ist die Gleichsetzung Christentum gleich Kirche für unsere Auseinandersetzung korrekt. — Werner B e c k e r im Vorwort zu dem oben, Anm. 4, genannten Werk S. 17; zustimmend Norbert S c h i f f e r s , Die Einheit der Kirche nach John Henry Newman (Düsseldorf 1956) 192.

16

wandelbaren Lehre haftet nicht jene Starre an, die man ihr evangelischerseits meistens nachsagt, und die eine intellektualistische sogenannte Neuscholastik tatsächlich manchmal zur Darstellung gebracht hat. Sie bekennt vielmehr, die unfehlbare Unwandelbarkeit der Lehre in jener lebensvollen und auch bedrängenden Art auszusprechen, wie sie der Fülle des heiligen Wortes der Schrift einerseits und der Gebrochenheit des historischen kirchlichen Geschehens anderseits entspricht.

Kardinal John Henry N e w m a n hat diese Frage in seiner „reifsten Darstellung über die Kirche" behandelt, in der katholischen Vorrede, die er 1877 der Neuveröffentlichung seiner Vorlesung über das Lehramt (Prophetical Office) aus seiner anglikanischen Zeit voransetzte, aus der das diesen Seiten vorangestellte Motto entnommen ist.

Es scheint ebenso von der Sache her wie für die Fruchtbarkeit des Gesprächs zwischen den Konfessionen von Bedeutung, diesem Ineinander von Festigkeit und Elastizität nachzudenken. Und je schwieriger das Thema ist, um so nützlicher dürfte es sein, einem erprobten Führer zu folgen. Nun kann man ohne Übertreibung sagen, daß es in neuerer Zeit keinen katholischen Theologen gab, in dem in gleicher Weise eine hohe kritische Begabung und Schulung sich sowohl im systematischen theologischen Durchdenken bewährte, wie auch in der vollen inneren Freiheit, die vor keiner historischen Tatsache, wie unbequem sie immer zu sein schien, der Versuchung erlag, sie wegzudisputieren. Diesem ungewöhnlich kühnen katholischen Theologen aber hat P i u s XII. in einem Brief an den Erzbischof von Westminster vom April 1945 bestätigt, daß „sein ganzes Leben der Wahrheit gehörte"[18].

Um zu erklären, was Newman zu dieser kühnen Festigkeit befähigte, kann man vielleicht auf folgende drei Punkte hinweisen: (1) er erfaßte den paradoxalen Charakter des Christentums und seiner Lehre, realisierte

---

[18] Zitiert a. a. O. in der Vorrede von Werner B e c k e r S. 5. Dieses Lob wird in überraschender Weise (und auch in der Richtung dieser Arbeit) konkretisiert in einem Aufsatz von Franz Michel W i l l a m ‚Kardinal John Henry Newman und die kirchliche Lehrtradition' in: „Orientierung". 22 (Zürich 1958) 61—66. Der Verfasser weist darin nach, daß „Pius XII. Newmans viel umstrittene Gedanken, die auch bei den Gottesbeweisen eine nicht unbedeutende Rolle spielen, zu den seinen macht". (Vorbemerkung der Redaktion der „Orientierung"). Näherhin habe Pius dies realisiert in der Ansprache zur Eröffnung der Sitzungen der Rota Romana am 1. X. 1942, wo er bei Behandlung des Problems der certitudo moralis sich sprachlicher Ausdrücke bediente, die einer Übernahme typisch newmanscher Fachausdrücke gleichkamen. Das Grundresultat Newmans (vgl. Grammar of assent) faßt Willam so zusammen: 1.) „Die Religion gründet nicht — auf die Macht des Gemütes, sondern auf einen Denkvorgang, an dem der Geist des Menschen irgendwie beteiligt ist." — 2.) „Die Gläubigen stimmen der Wahrheit der Offenbarung nicht auf Grund von Beweisgängen deduktiver, streng wissenschaftlicher Art, sondern auf Grund von Beweisgängen in Aufstellung von Probabilitäten zu, weil dieses Forschungsverfahren allein Ansätze zur Erforschung der Wirklichkeit liefern kann."

17

aber zugleich die hohe Kunst, das Gesamt der christlichen Offenbarungs-
lehren in imponierender Gleichmäßigkeit in der Darstellung zu ihrem
Recht kommen zu lassen; — (2) es eignete ihm eine tief dringende Erfassung der Eigenart der Wahrheit an sich, die nämlich nie in rein noë-
tischer Erfassung ganz zu bewältigen ist; — (3) er erkannte scharf das Verhältnis der Glaubenswahrheit in ihrem Verhältnis zu den natürlichen
Faktoren, durch die wir sie erfassen, und die konkreten Brechungen, in
denen sie in der Geschichte auftritt. Alle drei Punkte weisen auf dieselbe
eine Tatsache hin, daß der Menschen Erkenntnis Stückwerk ist[19], daß aber
„tausend Schwierigkeiten noch keinen Zweifel machen"[20]. Es ist gut, bei
manchem der folgenden Gedanken Newmans sich an diesen profunden
Satz zu erinnern. Wankenloses, treues Glaubensbekenntnis besagt keineswegs, daß es nicht doch von sehr legitimen, bedrängenden Schwierigkeiten
belastet sei. Es ist vielmehr eine Grundtatsache, daß jeder große Gedanke
— und das gilt erst recht vom christlichen Glauben — Schwierigkeiten
zu tragen hat, die wir nicht restlos lösen können. Der Wahrheit hänge ich
primär an, nicht, weil ich alle entgegenstehenden Schwierigkeiten aufgelöst hätte, sondern auf Grund ihrer positiven Elemente.

Zur Grundstruktur des Christentums und der Kirche gehört die Katholizität im ursprünglichen Sinn des Wortes. Dieses Grundgesetz verwirklicht sich auch in ihrer Einheit. Das Christentum ist vollkommene Einheit in einer Vielfalt der Äußerungen, erwachsend aus einem göttlichen
Kern, sich aussprechend hinein in das Geschöpfliche. Dabei ist dies einer
der großen Ehrentitel des Christentums: der Einbruch des Göttlichen in
die Natur (und sogar gegen sie), den das Christentum darstellt, tastet
die natürlichen Kategorien des Seins und Wachsens (die Wunder ausgenommen) nicht an; sie bleiben vielmehr als maßgebliches Substrat
und entsprechende Kräfte bestehen. Die christliche Offenbarung der Herrlichkeit des Vaters durch den Sohn hat trotz der Fülle des im eigentlichen
Sinne Wunderbaren, wodurch es getragen wird und das es füllt, nichts zu
tun mit einer wie immer gearteten Magie. Es ist Geschichte. Von daher
freilich hat es mitzutragen am Gebrochensein alles Geschöpflichen nach
dem Fall.

Damit dieser Synthese ihr voller Reichtum bewahrt bleibe, darf ihre
ungeheure Spannung nicht zugedeckt, sondern sie muß bestanden werden.
Eine harmonisierende, gar konzeptualistische Abrundung gibt nur ein
armseliges Bild von der christlichen Lehre und von der Fülle des Lebens
der Kirche, der Mutter der Völker in der Nachfolge des gekreuzigten

---

[19] Als Zusammenfassung der Existenz wie der Lebensarbeit des großen
Mannes kann die von Newmann selbst verfaßte Grabinschrift gelten: Ex umbra
et imaginibus in veritatem. Vgl. dazu die Ausführungen von Schiffers a. a. O.
253.
[20] a. a. O. 18 aus seiner Apologia pro vita sua.

18

Gottes. Erst die ungeheure Spannung in der bejahten Einheit gibt der die Spannung bewältigenden Einheit ihre Würde und das volle Zeugnis der Kraft.

Auf die Einheit der Kirche hin betrachtet, realisiert sich diese Spannung u. a. darin, daß sie sich auch darstellt in den drei oben genannten verschiedenen Ämtern: Prophetenamt — Priesteramt — Hirtenamt. Denn, so lehrt ohne Zögern Newman: diese verschiedenen Ämter stellen der Kirche so verschiedene, überschneidende Aufgaben, daß sie diese — die Unfehlbarkeit des Dogmas und die wesentliche Heiligkeit ausgenommen — nicht immer in voller Reinheit, sondern manchmal nur als Kompromisse lösen kann[21].

3. Die Aussageweise der Bibel

‚Die Darstellung der unfehlbaren Lehre ist manchmal nur als Kompromiß möglich‘: das ist ein großes, ja erschreckendes Wort. Zwar, in jener allgemeinen Formulierung ausgesprochen, kann die Theorie ohne weiteres einleuchtend und erhellend scheinen. Aber in der näheren Anwendung auf die Heilige Schrift und in der präzisen Bewertung gewisser Fakten der Kirchengeschichte ergeben sich nicht geringe Schwierigkeiten.

Wenn wir hier nicht Zufälligkeiten der Einzelauslegung ausgesetzt sein wollen, ist es gut, sich an die E i g e n a r t der christlichen Wahrheit zu erinnern. Denn von dem Wahrheitsbegriff, den man — bewußt oder unbewußt — irgendeiner Untersuchung oder Diskussion zugrunde legt, hängt für das Resultat Entscheidendes ab.

Walther v. L o e w e n i c h hat völlig recht, wenn er feststellt, daß evangelische und katholische Christen, bzw. die sich gegenüberstehenden Kirchen, einen verschiedenen Wahrheitsbegriff besitzen, und daß in dieser Verschiedenheit das Widersprüchliche der Lehren, der Kirchen überhaupt, wurzelt[22].

An der Frage, ob sich die Gesprächspartner im Begriff der Wahrheit näher kommen können oder nicht, hängt die Möglichkeit oder Unmöglichkeit eines fruchtbaren Dialogs. Wenn das Ontologische des katholischen Denkens und sein Realismus sich im Protestantismus gar nicht fänden, wenn dort der mehr oder weniger freischwebende Dynamismus ausschließlich herrschte, wäre es utopisch, an eine einigermaßen tief greifende Verständigung zu denken.

Darauf haben wir hier nicht näher einzugehen. Da aber beide Fronten, zwischen denen das Gespräch geführt werden soll (s. oben S. 14) sich zur Heiligen Schrift bekennen, engt sich die Frage zunächst dahin ein:

---

[21] Newman, Die Einheit 30.

[22] W. v. L o e w e n i c h, Der moderne Katholizismus, Witten 1956. Dazu die Besprechung von A. H a r t m a n n in: Stimmen der Zeit 81/157 (1956) 361 ff und L o r t z in: Theol. Revue 53 (1957), 193—196.

19

welches ist der Wahrheitsbegriff der Heiligen Schrift, näherhin des NT? Welches ist ihre Art, sich auszudrücken?

Es ist nun keineswegs etwa eine polemische Liebhaberei, sondern ein hohes Anliegen, wenn ich mit allem Nachdruck an die Spitze dieser Erörterung die Forderung setze, auf katholischer Seite solle die auf die gestellte Frage antwortende Bestimmung die Fehler einer früheren allzu apologetisch-konzeptualistischen Art vermeiden. Das kann erreicht werden, wenn in der theologischen Gedankenführung folgende grundlegende Tatsachen und Beobachtungen voll zur Geltung kommen: (1) die Wahrheit des NT ist Jesus Christus selbst, seine Person, sein Leben, seine Lehre[23]; — (2) diese Lehre ist vor allem die Verkündigung vom Leben Gottes in uns durch Jesus Christus seinen Sohn, ist also die Lehre von einer lebendigen Beziehung Gottes zum Menschen, wodurch der Sünder gerechtfertigt wird; — (3) diese Lehre ist nach Paulus nicht in Menschenwort und Menschendenken zu fassen; sie ist Geist und Kraft (vgl. 1 Kor 2, 1. 4. 13); — (4) diese Lehre ist uns zwar von Jesus Christus und seinen Aposteln ein für allemal abschließend gebracht, aber nicht als etwas nur objektiv Dingliches; sie wird vielmehr auch durch den Heiligen Geist, der die Kirche in alle Wahrheit einführt (Joh 16, 13) in der Kirche Gottes fortwährend Ereignis, sei es durch das ‚unaussprechliche‘ (also nicht intellektuell-menschlich auflösbare) Seufzen des Heiligen Geistes in unsern Herzen (Röm 8, 26), sei es durch die Feststellungen des vom Heiligen Geist geleiteten unfehlbaren Lehramtes.

Die Eigenart der biblischen Verkündigung ist also weder die des Begriffes, noch des begrifflichen Syllogismus[24]; sie ist vielmehr die des prophetisch-religiösen Wortes. Dieses Wort ruht wesentlich im Geheimnis und ist entscheidend Ausdruck des dem menschlichen Geist nur inadaequat, analog erreichbaren verborgenen Gottes: Deo quasi ignoto conjungimur[25].

---

[23] Es genügt nicht zu sagen, die christliche Wahrheit sei nicht abstrakt, nicht ein System. Man muß sehen, daß sie konkret gestiftet wurde in der Kirche. Der Kirche wurde die Glaubenswahrheit von Jesus Christus anvertraut durch Einstiftung, durch sein Leben, Leiden, Sterben, Auferstehen und durch seine Verkündigung, von der übrigens Leben, Leiden, Sterben und Auferstehen nur ein besonderer Aspekt sind.

[24] Es bedarf kaum des Hinweises darauf, daß dies nicht ausschließt, daß aus der bestimmten Verkündigung des Herrn und seiner Apostel Begriffe gewonnen und aus ihnen Syllogismen gebildet werden, d. h. Theologie im präzis-abendländischen Sinne erhoben werden könne. Sehr gewichtige Ansätze hierzu finden sich nicht nur bei Paulus und Johannes. Hier kommt es aber darauf an, den wichtigen Unterschied zwischen dem Worte Gottes und dem vorzüglich abstrakten Charakter des menschlichen Verstehens und Sprechens deutlich hervorzuheben.

[25] Thomas Aq., S. th. I q 12 a 13 ad 1.

20

Der Sinn der Schrift ist zugleich klar und dunkel, immer aber tief. Das von ihr Gemeinte kann weiter reichen, als ihr Wortlaut unmittelbar ausdrückt. Der rechte Sinn muß, besonders gegenüber den Irrtümern der Häretiker, von der Kirche ausgelegt werden, von der Kirche, nicht nur von der Schrift selbst. Zwar ist es gerade eine katholische Forderung, daß die Schrift sui ipsius interpres ist, denn immer ist nur d a s Wahrheit der Schrift, in der a l l e ihre Äußerungen über den verhandelten Gegenstand berücksichtigt werden. Aber so umfassend wir sie auch befragen, die Schrift erteilt längst nicht immer eine klare Antwort. Die Kirchengeschichte beweist es; und es gehört zu den erstaunlichsten Tatsachen der Geschichte des menschlichen Geistes, daß trotz der niederdrückenden Fülle der aus der Schrift erhobenen, sich gegenseitig so oft aufhebenden Deutungen die Auffassung von der sich selbst klar deutenden Schrift mit solch selbstverständlicher Hartnäckigkeit fort und fort vertreten wird[26]. Es scheint das Natürliche, und zeugt von einer instinktsicheren gesunden, dem Gestifteten gemäßen Reaktion, daß von Anfang an die Jahrhunderte hindurch sich als eine Grunderscheinung des Christentums ergab, daß die Kirche die Schrift autoritativ auslegte.

Das möge genügen, um die Problematik einigermaßen anzudeuten. Es handelt sich um Eigenarten, die mit dem Worte Gottes wesentlich verbunden sind. Wir müssen zugeben, daß sie nicht gerade selten von Katholiken weniger betont wurden, als ihnen zukommt. Eben dies ist nachzuholen. Die gewisse Unbestimmtheit (wenn der Ausdruck erlaubt ist), die dadurch in die Verkündigung zu kommen scheint, ist zunächst einmal zu tragen. Das darf ohne Vermessenheit gefordert werden. Denn einmal handelt es sich nur darum, die Eigenart des Gotteswortes der Schrift ohne jede Transposition zu hören und wiederzugeben; und dann ist diese „Unbestimmtheit" ja nur Ausdruck jener Ungewißheit und jenes Wagnisses des Glaubens, die seine irrtumslose Sicherheit und Gewißheit von der Sekurität trennen. Es ist die geheimnisvolle Ungewißheit der Fruchtbarkeit, aber der Fruchtbarkeit des Wortes Gottes unter der Leitung des Heiligen Geistes, so daß die unwandelbare Lehre der Offenbarung durch die Berücksichtigung jener Eigenarten nicht das Geringste von ihrer Irrtumslosigkeit einbüßt. Es handelt sich um keine wie immer geartete Reduzierung und Vereinseitigung; sondern vielmehr darum, der Verkündigung ihren göttlichen Charakter des inspirierten Offenbarungswortes zu lassen. Denn, wenn man jene Eigenart realisiert, d. h. wenn die Verkündigung dem Inhalt und der Intention des geoffenbarten Wortes nahe bleibt, kommt auch das andere Element voll zum Tragen, das hier nur kurz erwähnt zu werden braucht: wenn der Herr predigte, wenn die Apostel predigten und

---

[26] An diesem Punkte erfaßt man mit besonderer Deutlichkeit sowohl die Verschiedenheit des der Deutung zugrunde liegenden Wahrheitsbegriffes als die subjektivistische Begrenzung menschlichen Denkens.

21

schrieben, war es offenkundig ihre Meinung, daß Hörer oder Leser das, was ausgesagt wurde (und an dem doch Leben oder Tod hing), in seinem zentralen Sinn ,verstehen' und so zum Glauben kommen konnten. Das heißt, das Evangelium und seine Verkündigung beruhen auch auf der Voraussetzung, daß es in ihm einen klar umschreibbaren, ausdrückbaren, lehrbaren Kern gibt (s. S. 14), jenen Kern, den die Kirche z. B. durch das Konzil von Nicaea 325 in die genaue Formel ὁμοούσιος τῷ πατρί faßte. Nur daß über diesem Kern jene angegebenen Elemente der göttlichen geheimnisvollen Fülle in der Verkündigung nicht zu kurz kommen dürfen.

4. Spannungen in der Verwirklichung der Einheit

Zu einer ähnlichen Bestimmung der Eigenart der christlichen Wahrheit als einer polaren Spannungseinheit im angegebenen Sinn veranlaßt uns auch die Geschichte der Kirche.

a. Um hier richtig zu sehen, ist es nützlich, sich — wieder mit Newman — die großen Bewegungsgesetze klar zu machen, wie sie in der Oikonomie des Alten und Neuen Testaments zum Ausdruck kommen.

Die Oikonomie der alttestamentlichen Offenbarung ist manchmal ein geradezu erregender Beweis für die so oft leichthin ausgesprochene Grundwahrheit, daß Gottes Gedanken wesentlich von den unseren verschieden sind; sie lehrt uns nachdrücklich, daß Gott sein auserwähltes Volk auf Wegen führte, die der christliche Gläubige, der ,im Geist und in der Wahrheit' (Joh 4, 24) beten und wandeln will, schier für unmöglich halten möchte. Wenn nicht die Autorität des Herrn (trotz seines machtvollen „Ich aber sage euch") das gesamte Alte Testament derart deckte, daß nicht ein Jota des Gesetzes verlorengehen darf, das Gesetz vielmehr zu seiner Fülle erhoben wird, würden gewisse Mitteilungen, die wir in ihm lesen, für uns kaum zu bewältigen sein.

Um N e w m a n s Gedanken hier authentisch wiederzugeben, muß man wenigstens einen Teil davon wörtlich zitieren: „In einigen grundlegenden Punkten, der Einzigkeit und Allmacht Gottes, erlaubt das mosaische Gesetz . . . keine Nachgiebigkeit gegen den sittlichen Zustand der Zeit; es war ja das Ziel der Heilsveranstaltung, mit ihm den Götzendienst abzuschaffen . . .; aber dort, wo die Sendung des auserwählten Volkes nicht unmittelbar betroffen war, und inmitten heidnischer Völker wurde selbst der Götzendienst mit gleichsam göttlicher Bestätigung geduldet, als ob vielleicht ein tieferes Gefühl in ihm verborgen läge. So hatte zur Zeit der Patriarchen Joseph einen Wahrsagebecher und heiratete die Tochter des Priesters von Heliopolis (Gen 41, 45) . . . Und als Naaman Gott um Verzeihung bat, wenn er „das Haupt im Tempel des Rimmon beuge", da sagte der Prophet nichts weiter als „Gehe in Frieden" (4 Kg 5, 18 f.). Und der heilige Paulus sagt sowohl den gebildeten wie den ungebildeten Götzendienern von Lystra und Athen, daß Gott, während Er sich allen

22

Völkern zu verschiedenen Zeiten durch Wohltaten bezeugte, sie doch „ihre eigenen Wege gehen ließ" und „über die Zeiten ihrer Unwissenheit hinwegsah" (Apg 14, 16 f.; 17, 30)[27].

Die volle Tragweite dieser Oikonomie bedrängt uns freilich erst mit ganzer Wucht, wenn wir sie gewandelt auf der höheren Ebene des Neuen Testaments wiederfinden, auf der Ebene der Vollkommenheit. Hier hat Newman seine Kunst, zugleich radikal und differenziert zu denken, in besonders großartiger Weise bewährt. Um die Radikalität der Aussage nicht mißzuverstehen, muß man sich daran erinnern, daß der scharfsinnige Theologe Newman ein Diener und Liebhaber der Kirche war, und daß er nicht ohne Erfolg nach Heiligkeit strebte. Noch wichtiger ist vielleicht dies: Newman war zutiefst getroffen von der Erkenntnis, daß die Offenbarung Heilstat ist. So war in ihm das unerbittlich wahrhaftige Fragen nach der ehernen Wahrheit immer wesentlich verbunden mit dem Bestreben des geborenen Seelsorgers, der mit zarter Behutsamkeit darauf bedacht ist, die Seele des Bruders ja nicht zu belasten. (Ein wichtiger Fall von Bild und Gegenbild, wenn man Newman neben die großartige, aber auch verantwortungsverwegene Rücksichtslosigkeit des polemischen Verkünders Luther hält!)

Auch hier können nur ein paar Andeutungen gegeben werden. An der Geschichte des blutflüssigen Weibes, das im Gedränge, das den Herrn umgibt, hofft, unbemerkt eine heilende Kraft aus der Berührung seines Gewandes gewinnen zu können (Mt 9, 20 ff.; Mk 5, 25 ff.; Luk 8, 43 ff.), illustriert Newman die erstaunliche Tatsache, daß der Herr, der alle Veräußerlichung in der Religion zerschlug, der die Vollkommenheit von allen forderte, geradezu dem Aberglauben des guten Willens in seiner Verkündigung seinen Platz gelassen, indem er ‚über ihn hinwegsah', „und zwar wegen des Verdienstes ihres (des Weibes) Glaubens, der als wirkliches Element in ihm (dem Aberglauben) enthalten war"[28]. Auch dies ist der Herr, der die Kleinen und Unvernünftigen in sein Reich aufnimmt.

Die Oikonomie des NT, der Frohbotschaft, der Verkündigung der Erlösung und Heiligung offenbart sich in der uns hier interessierenden Sicht wohl am stärksten darin, daß das Reich Gottes verkündet wird unter dem Bilde des Netzes, das gute und schlechte Fische fängt, so daß die Kirche nicht nur Mutter der Heiligen, sondern auch Kirche der Sünder sein wird (Mt 13, 47 ff.; Mt 13, 24; 8, 12; u.a.m.).

Der gleiche Herr, der dies verkündet, mahnt sogar, das Unkraut wachsen zu lassen bis zur Ernte, damit nicht der Weizen mit dem Unkraut ausgerissen werde (Mt 13, 30). Auf welche Art der Unvollkommenheit im

---

[27] Newman, Die Einheit 51 f.
[28] a. a. O. 57.

23

Reiche Gottes deutet es hin, daß der göttliche Sämann und der Herr der Ernte diesen Satz ausspricht? Von Jesus haben wir das gleichfalls erstaunliche Wort, daß schon für Ihn ist, wer nur nicht wider Ihn ist (Mk 9, 40). — Wir dürfen an solchen geheimnisvollen Worten nicht achtlos vorübergehen, und müssen doch erkennen, daß sie sich einer vollen harmonischen Einfügung in die Verkündigung der Wahrheit nicht leicht fügen.

Auch das Wachsen der ersten Christenheit führt uns zu ähnlichen Überlegungen. Ist es nicht immer wieder tief aufrüttelnd zu sehen, unter welch schweren Geburtswehen das Christentum sich von den groben Mißverständnissen des Judentums losringen mußte? Wie in diesem Kampf Petrus der Fels, der Menschenfischer, der die andern im Glauben stärken sollte, so weit versagte, daß Paulus ihm ins Angesicht widerstehen mußte (Gal 2, 11)? Oder ist es nicht eine Anomalie, daß ein Mensch dem uns erlösenden Leiden des einzigen Mittlers etwas hinzufügen kann? Wer hätte den Mut, dies zu behaupten, wenn es uns nicht im inspirierten Gotteswort überliefert wäre (Kol 1, 24)?

b. Entsprechende Spannungen finden sich auch in den späteren Perioden der Geschichte der Kirche. Die Kirche ist die Jahrhunderte hindurch die strenge Eiferin für die Wahrheit, und sie verurteilt fort und fort den Irrtum. Aber es bleiben in ihrem Leben auch die Wirkungen jener vorhin angedeuteten, sagen wir einmal, Nebenmotive, wirksam.

Wenn Augustin den Manichäern zugesteht, daß es schwer sei, die Wahrheit zu erobern und zu bewahren[29] oder wenn er sagt, daß viele, die in der Kirche stehen, in Wahrheit draußen sind, und viele, die dem Anschein nach außerhalb stehen, in ihr leben[30], oder wenn Hieronymus so respektvoll von der geistigen Kraft spricht, die notwendig sei, um eine Häresie aufzubauen[31], so wäre dies wenig, wenn es nur Auffassungen einzelner (immerhin von Kirchenlehrern!) wären. Aber in diesen Äußerungen klingt eine Grundauffassung der neutestamentlichen Offenbarung wieder, die in dem unausdenkbaren Satz Joh 1, 9 steht: daß der Logos jeden Menschen erleuchtet.

Aus diesem Satz zusammen mit dem Logosbegriff der griechischen Philosophie, der in Joh 1 bis zur Gottheit des Sohnes vertieft wird, hat das christliche Denken Lehren gewonnen, die aus der Bestimmung der Einheit des Christentums und seiner Lehre nicht ausgeklammert werden dürfen: die Lehre vom logos spermatikos, von den viae extraordinariae gratiae für solche, die außerhalb der Kirche stehen, die Unterscheidung von Leib und Seele der Kirche bzw. die Wirklichkeit, die durch diese beiden Begriffe genannt werden sollte. Von ihnen her ergab und ergibt sich

---

[29] Contra Man. cap. 2 (PL 42, 174).

[30] De baptismo contra Donatistas cap. 27 (PL 43, 196).

[31] In Oseam, lib. 2. cap. 10, 1 (PL 25, 902).

24

die richtige, weite Auslegung des Satzes von der allein seligmachenden Kirche: sie erscheint als die eifersüchtige Hüterin des Wahrheitsschatzes, den sie allein besitzt, aber zugleich sind alle ihre Kinder, die guten Willens sind und der Gnade nicht widerstehen. An dieser Synthese wird sichtbar, daß alle Wahrheitsverkündigung der Kirche, wie entscheidend und schneidend sie lauten mag, nicht nur diese eine Dimension besitzt. Jedes ihrer unfehlbaren Worte reicht ins Mysterium, auch für unser Erkennen.

Die unfehlbare Wahrheitsaussage im Christentum ist nach einer Seite hin auch unvollkommen. Inwiefern und warum?

Die im spezifischen Sinn zentrale Tatsache des Christentums ist nicht Gott, sondern, daß Gott Fleisch wurde. Mit dieser Fleischwerdung wurde der Sohn, der unveränderliche, heilige Gott, der die Wahrheit selber ist, uns in allem gleich, in allen Schwächen, Unvollkommenheiten und Versuchungen, eines ausgenommen, die Sünde (Hebr 4, 15).

Das gilt konsequenterweise auch für die Lehre der Wahrheit, die der Fleischgewordene verkündete, seiner Kirche anvertraute und von ihr austeilen ließ. Gewiß gilt es nur, soweit es mit dem Wesen der Wahrheit, also der Unmöglichkeit, daß das Wort Gottes positiv Falsches aussage, vereinbar ist. Aber dies vorausgesetzt, bleiben alle Folgerungen, die sich notwendigerweise daraus ergeben, daß diese Lehre nur in menschlicher, also geschöpflicher Sprache ausgesprochen werden konnte. Die Inspiration hebt diesen Charakter nicht auf. Eines blieb ausgeschlossen: der Irrtum. Die sehr spannungsreiche Vielfältigkeit, mit der die verschiedenen inspirierten Verfasser der Heiligen Schrift das gleiche eine Evangelium verkünden, ist der eindrucksvolle Niederschlag dieser Tatsache.

Die Frage ist: wo beginnt die Sünde? — wo beginnt der Irrtum? Die Leugnung einer in der Offenbarung enthaltenen Aussage (etwa des Dogmas, das uns belehrt, daß der Sohn gleichen Wesens mit dem Vater sei) durch eine konträre Aussage ist unzweifelhaft Irrtum; aber zu bestimmen, wo in einer p o s i t i v e n Auslegung dessen, was ‚gleichwesentlich‘ bedeutet, nicht mehr die Wahrheit ausgesprochen ist und der Irrtum beginnt oder nicht beginnt, bleibt (bevor die Kirche lehramtlich gesprochen hat) nicht nur schwierig, sondern versetzt uns dadurch, daß ein striktes Mysterium zur Aussage steht, in eine gewisse Unauflöslichkeit von Schwierigkeiten. Schwierigkeiten und Dunkelheiten bleiben deshalb unausweichlich, weil das Göttliche in der geschöpflich unvollkommenen Sprache ausgedrückt wird. Denn diese Sprache ist, wenn sie über das Vordergründigste, die simple Feststellung der Quantität, hinausgeht, immer mehrdeutig. Eines der Grundprobleme der Theologie ist gerade die Frage, wie wir in der theologischen Aussage der Offenbarung der Eindeutigkeit möglichst nahe kommen könnten. Diese Schwierigkeit wird auch durch die Dogmatisierung nicht voll behoben. S c h i f f e r s[32] macht darauf auf-

---

[32] S c h i f f e r s a. a. O. 270.

25

merksam, daß in lehramtlichen Aussagen die (nicht eindeutigen) Bilder der Heiligen Schrift oft unkommentiert vertreten werden (regnum, columba, mater, corpus mysticum, coniunx Christi, gens . . .). Deswegen muß sich der christliche Theologe bei der positiven Ausdeutung der Geheimnisse so großer Vorsicht befleißigen. Hier wird eine Gefahr aller Konklusionstheologie sichtbar. Newman sagt in diesem Bezug, es sei direkt unreligiös, nach dem inneren „wie" eines Offenbarungsmysteriums zu fragen[33].

c. In dem dieser Studie vorangesetzten Motto ist angedeutet, daß es uns hier zu einem guten Teil darum geht, die gewissen ‚Unregelmäßigkeiten', die die ‚einheitliche Folgerichtigkeit der Kirche stören und verdunkeln' ins Bewußtsein zu heben. Entsprechend wurden die Elemente, denen diese Funktion zur Last fällt, verhältnismäßig ausführlich besprochen. Dies soll jedoch nicht die Einsicht verdunkeln, daß es sich dabei nicht um den entscheidenden Kern, sondern eben um Ausnahmen von der Regel handelt. Alle besprochenen Belege jener Unregelmäßigkeiten nehmen nichts weg von der Tatsache, daß zum Wesen des Christentums, der Kirche, ihre Einheit und Folgerichtigkeit gehören, die bestehen trotz jener Unregelmäßigkeiten. Und was die Wahrheit und den Wahrheitsbegriff angeht, so nehmen alle vorgetragenen ‚einschränkenden' Überlegungen nichts weg von der andern, schon ausgesprochenen simplen, aber schlechtweg grundlegenden Tatsache und der ihr entsprechenden Erkenntnis: wenn es nicht objektiv Seiendes gibt, und wenn dem Menschen nicht gegeben ist, es zu einem genügenden Teil sicher zu erfassen, dann hat alles Philosophieren und Dialogisieren keinen Sinn. Alles wäre dann gleich wahr und gleichermaßen unwahr. Es gibt nur eine Möglichkeit, im Bereich des Gedanklichen verbindlich zu reden: daß es möglich ist, Wesentliches der Wahrheit zu erkennen, es in einer Weise zu benennen, die alle Teilnehmer des Gesprächs auf einen erkennbaren und vergleichbaren Inhalt festlegt. Diese Art der Wahrheit — eine im Sein verankerte, die Zeit überdauernde, für alle Menschen gültige, im Kern erfaßbare Wahrheit — bekennt die katholische Kirche in ihren Aussagen; sie tut es auf Grund von Tatsachen, die unzerdeutbar festliegen wie etwa die Auferstehung des Herrn. Sie lehrt eine Wahrheit, die i s t , die sogar fertig ist. Und die trotzdem lebt. Leben aber besagt über das Aussagbare hinaus auch Unaussagbares.

5. Erklärung der Spannungen bei J. H. Newman.

Nun sind die grundsätzlichen Fragen und die theologisch-exegetischen Ausgangspositionen unseres Problems so weit abgeklärt, daß wir von ihnen aus die Beantwortung der oben (S. 19) aufgeschobenen Frage versuchen können.

---

[33] Schiffers a. a. O. 215.

26

a. Die als nicht vermeidbar angekündigten Unklarheiten haben sich in der Geschichte der Kirche manchmal so gesteigert, daß sie ein beunruhigendes Maß von ‚Sowohl als auch‘ einzuschließen scheinen. Newman sagt, daß solche Schwierigkeiten in der Kirche durch die ‚Logik der Tatsachen‘, also durch einen Kompromiß gelöst wurden. — Man sieht wieder sofort das bedrückende Problem: wie soll es Kompromisse im Bereich der Wahrheit geben können?

Nun ist immer darauf zurückzukommen, daß das strikte Geheimnis einer adaequaten Aussage wesensmäßig widersteht. „Das Geheimnis der ‚Braut‘ ist größer als die begrifflichen Versuche der Theologen"[34]. Wie Thomas von Aquin[35], der seine Summa theologica mitten in der Arbeit des 3. Teiles abbrach, weil alles, was er schreibe, so ganz ungenügend sei im Verhältnis zur göttlichen Wirklichkeit[36], weiß auch Newman um die Grenzen der Theologie, „die sich nicht immer durchsetzen kann, weil sie zu intellektuell und unbeugsam ist; denn sie ist eine Wissenschaft, die nach dem Richtigen und nicht so sehr nach dem Rätlichen fragen muß". Mit ruhig wagender Sicherheit zieht Newman die Grenzen: es ist durchaus möglich, sagt er, daß die Theologie ‚religiöse Anliegen übersieht und die andere einheitschaffende Kraft übergeht, die im Gebot der Liebe gegeben ist, die ihrerseits die Wahrhaftigkeit zu einer Tugend macht, deren wesenhafte Eigenschaft das Maßhalten ist[37].

Im Raum der Offenbarung — der Offenbarung Gottes, der die Einheit ist — besteht nichts vereinzelt. Im Gesamt des Christlichen kann nichts voll bestehen ohne die Liebe, auch nicht die Wahrheit. Die Einheit der Liebe im Christentum aber ist nicht Einheit eines abstrakten Systems, sie ist G e m e i n s c h a f t, nämlich Gemeinschaft der Christenheit, Gemeinschaft der Gemeinden in der Kirche. Von dieser Gemeinschaft darf man wohl mit Hans A s m u s s e n sagen[38], daß sie sich nie im luftleeren Raum vollzieht und darstellt, sondern im konkreten Koordinatensystem der Kräfte, zu denen auch Staat und Kultur gehören. Schon hier treten offenbar Kräfte ins Spiel, die nicht mehr rein intellektuell als ‚Wahrheit‘ zu fassen sind.

---

[34] Newman bei S c h i f f e r s 313.

[35] s. o. Anm. 25.

[36] Wie Spreu erscheint mir alles, was ich geschrieben, verglichen mit dem, was ich geschaut (Akten des Heiligsprechungsprozesses 1319—23, in: Fontes vitae S. Thomae Aquinatis, (Toulouse 1912—28) 377.

[37] S c h i f f e r s 143; Newman, Die Einheit 38.

[38] In einem Vortrag am 2. 7. 1958 über „Das Christentum, eine Einheit", Nr. 25 der ‚Vorträge des Instituts für Europäische Geschichte Mainz, Abteilung Abendländische Religionsgeschichte‘, (Wiesbaden 1958) 9.

27

Damit kehren wir zu dem schon oben (S. 18) angesprochenen Thema und zu Newmans Versuch einer Lösung zurück. Newmann argumentiert so: „In der Kirche überschneiden sich die einzelnen Wirkbereiche, so daß es durchaus geschehen kann, daß eine theologische Formulierung inopportun ist für das emotional geleitete religiöse Frömmigkeitsleben der Glieder, oder daß im religiösen Bereich Exzesse auftreten, die theologisch nicht haltbar sind, oder auch, daß das Herrscheramt in der Kirche mit theologischen und religiösen Anliegen in Konflikt gerät. Zwar ist der Kirche als Heilsmittel in dieser Not die Unfehlbarkeit für ihre ausdrückliche Lehrverkündigung verheißen, die sich indirekt auch auf die beiden anderen Aufgabenkreise erstreckt, aber weil die Träger des kirchlichen Amtes nicht mit der Gabe der Unsündbarkeit ausgestattet sind, deshalb wird sich in der Kirche immer Ähnliches wiederholen, wie es dem heiligen Petrus widerfuhr, als er in Antiochia das missionarische Prinzip der Kirche außer acht ließ aus Menschenfurcht"[39] (Gal 2, 12 ff.).

Isoliert betrachtet, kann diese Theorie der Überschneidungen, die wir oben (S. 18 f.) einleuchtend nannten, leicht mißverstanden werden. Man muß sich an die Grundüberzeugung erinnern, von der aus Newman operiert. Die Kirche ist für ihn vor allem die Säule der Wahrheit, ihre Lehre unfehlbar, unveränderlich. Wenn es die Sündbarkeit der Menschen in der Kirche ist, die an den zu besprechenden Undeutlichkeiten der Wahrheitsverkündigung schuld ist, so sieht man auch hier nur richtig, wenn man in die Analyse den hohen Glanz der Heiligkeit hereinnimmt, mit der Newman die Braut des Sohnes und die Mutter der Heiligen ausrüstet, und bedenkt, daß ihm die Kirche schlechthin sacramentum unitatis ist[40]. Den furchtbaren Satz von den vielen, die berufen, den wenigen, die auserwählt sind (Mt 20, 16), wiederholt er oft; aber die Kirche „vertraut, daß sie noch aus ihren Gliedern, die dem Bösen wieder verfallen sind, lebendige Steine für den ‚einen, ganzen, vollendeten Tempel Gottes formen kann . . .‘, so daß auch die Vielen ‚einmal zu Geheiligten werden‘" (Eph 2, 21); die Kirche der Sünder ist die Kirche der Hoffnung. Die Auserwählung betrifft die Kirche als Ganzes; als Ganzes wird sie durch die Erlösung dem Vater ohne Makel vorgestellt, s o ist sie die Mutter der Heiligen[41].

Gerade diese Betrachtung der Kirche als eines Ganzes ist für Newmans Beweisführung entscheidend. Auch in der hier von ihm gebotenen Darstellung der bedrängenden Spannungen im Kirchenbegriff bewährt sich seine Kunst, die verschiedenen Aspekte einer theologischen Frage sowohl in dogmatisch-systematischer Darlegung wie in kirchengeschichtlicher Illustration gleichzeitig voll und ohne Abstrich im Blick zu behalten:

---

[39] S c h i f f e r s 142, Newmans Wortlaut in: Die Einheit 31 f.
[40] S c h i f f e r s a. a. O. 235.
[41] S c h i f f e r s a. a. O. 247 u. 252.

28

die Kirche zugleich einerseits makellose Braut des Erlösers, Mutter der Heiligen, deren Kleider reingewaschen sind im Blute des Lammes (Offb 7, 14) und mit der Unfehlbarkeit ausgerüstet, anderseits in ihrer konkreten Erscheinung Kirche der Sünder[42], in der es Spreu neben Weizen gibt (Mt 3, 12), törichte Jungfrauen neben klugen (Mt 25, 1 ff.). Erst im künftigen Aeon wird sich die volle Lösung des Zwiespalts Heilige-Sünder und die Vollendung des ‚stückweisen‘ Erkennens darbieten.

Aber schon in der Geschichte der Kirche vollzieht sich, wenn auch in der Art des ‚Stückwerkes‘ (1 Kor 13, 9 ff.), die Klärung dieser Erkenntnisse. Die geschichtliche Wanderung der Kirche durch die Jahrhunderte ist für sich allein schon Lehrverkündigung und eines der wichtigsten Mittel ihrer Klärung. Gewisse Aussagen der Heiligen Schrift zeigen, daß Paulus und die ersten Christen das Wiederkommen des Herrn für bald zu erwarten schienen (1 Kor 15, 51). Der Ablauf der Geschichte hat uns den Text des inspirierten Schriftstellers besser verstehen, seinen Inhalt richtiger erfassen gelehrt. Denn dieser Inhalt des prophetischen Wortes trägt weiter — es ist Wort Gottes —, als das Bewußtsein des inspirierten Menschen zu fassen vermag. Wenn uns also aus der Heiligen Schrift durch die Kirche die Lehre von der Unfehlbarkeit unzweifelhaft vorgestellt wird, könnten nicht die Tatsachen der Geschichte auch für unsere Vorstellungen von der Unfehlbarkeit und von der Art wie sie sich praktisch äußern kann, zur Vertiefung beitragen? (wird fortgesetzt)

---

[42] Material für beide Thesen bei S c h i f f e r s an vielen Stellen, z. B. 245 ff.

29

Die Einheit des Christentums in katholischer Sicht

Von Professor Joseph L o r t z, Mainz

II. Teil

6. Einzelfragen:

Auf dem Hintergrund der vorstehenden Darlegungen können wir versuchen, Newmans Gedanken zu einzelnen kirchengeschichtlichen „Trübungen" in der Lehrverkündigung (so wollen wir sie einmal nennen) kurz darzustellen. Darstellen heißt noch nicht einfachhin zustimmen. Eine wissenschaftliche, theologisch wie geschichtlich abschließende Bewertung steht auch nach S c h i f f e r s schönem Buch über „Die Einheit der Kirche bei Newman" (auf der Basis einer erschöpfenden Kenntnis der einschlägigen neuesten katholischen und evangelischen Theologie aufruhend), das die von Newman behandelten Details leider nicht kritisch angeht, noch aus. Unser Ziel ist ein anderes: unter Vorlegung einiger sich aufdrängender kirchengeschichtlicher Ergänzungen zu sehen, wie in einem anerkannt katholischen System diese kirchengeschichtlichen Irregularitäten aus einer breiten theologischen Unterlage einheitlich erklärt, oder doch aufgehellt werden können, ohne daß man zu vordergründigen Harmonisierungsversuchen Zuflucht zu nehmen braucht.

a. Der Wichtigkeit nach stehen an erster Stelle die in der Forschung oft verhandelten „Fälle" der Päpste Liberius (352-366; im Kampf um das Nicaenum gegen die arianischen Glaubensformeln) und Honorius (625-638; im Kampf gegen den Monotheletismus). Von diesen Päpsten sagt Newman, daß sie offenkundig „einfach nicht zu rechtfertigende Handlungen" vollzogen, die vielmehr einen „wirklichen Verrat an der Wahrheit" darstellen[43]. Aber diese Stellungnahme könnte doch gerechtfertigt werden, weil und insofern diese Päpste der Meinung waren, ihre erste Pflicht sei es, der Christenheit Frieden, Einheit und Zusammenhalt zu sichern. Zugrunde läge folgendes Prinzip (das die genannten Päpste allerdings falsch angewandt hätten): „daß keine Handlung theologisch ein Irrtum sein kann, die unbedingt und zweifellos für die Einheit, Heiligkeit und den Frieden der Kirche notwendig ist; ... Wenn man nun sicher sein könnte, daß wirklich eine Notwendigkeit vorläge, so dürfte man das Prinzip wohl zugeben ...", aber es müßten auch die höchsten Garantien für die richtige Anwendung gegeben sein[44].

Man darf durchaus der Meinung sein, daß Newmans klassische Knappheit bei der Behandlung der beiden schwierigen Fälle nicht ausreicht. Seine Beurteilung der beiden Päpste im Verhältnis zur Wahrheit der

---

[43] John H. Newman, Die Einheit der Kirche und die Vielfältigkeit ihrer Ämter (Freiburg 1947) 73.

[44] a. a. O., 74.

85

Lehre einerseits, zur seelischen und theologischen Kompliziertheit der historischen Lage andererseits, schöpft die Problematik kaum aus. Newmans eigener Vorbehalt („wenn man sicher sein könne...") deutet dies an.

Daß Papst Liberius, „der erste Papst", wie er genannt wurde, der Gegner Alarichs (als des Kaisers [Honorius] Versagen den Papst, wie so oft in den folgenden Jahrhunderten, geradezu in die politische Macht hineindrängte, damit die Kirche Roms und seine Gläubigen nicht dem Untergang preisgegeben würden), daß also dieser Papst als Verbannter seinen Mann als Glaubensbekenner stand, auch, daß gerade er verlangte, daß alle „causae maiores" vor den Apostolischen Stuhl zu bringen seien, gibt Newmans Ausführungen, soweit sie zugunsten des Papstes lauten, eine nicht unbedeutende positive Ergänzung; für die Einschätzung des Papstes Honorius muß festgehalten werden, daß der Patriarch Sergius in seinem Brief geschickt die Sorge um das Seelenheil der Monotheleten ins Spiel gebracht hatte. Andererseits war es zwar verhängnisvoll, daß Honorius die Tragweite des Kampfes nicht erfaßt hatte und das Ganze für einen Kampf um Worte zu halten geneigt war; aber Unklarheit oder auch Unterschätzung der praktischen Wichtigkeit (ja Notwendigkeit) einer dogmatischen Formel ist noch nicht Verrat an der Wahrheit.

Für die Festigkeit der These Newmans ist wichtig, daß er (ob mit Absicht oder als Ergebnis ungenügender kirchenhistorischer Kenntnisse kann dahingestellt bleiben) für sich die ungünstigste Position wählt, daß er eine scheinbare oder wirkliche Schwäche der Wahrheitsverkündung in einem recht bedrängenden Ausmaß anerkennt - und er eben doch ein noch so geringes Zurückweichen in der Anerkennung der Unfehlbarkeit der Kirche und näherhin der Päpste nicht kennt.

Theologisch wichtiger ist dies: die Entwicklung[45] der Kirche und ihrer Lehre schließt auch eine Entwicklung in sich vom Bewußtsein des Anspruchs, den die Offenbarung an die Gläubigen stellt. Das, was z. B. die Bestellung Petri zum Felsengrund der Kirche bedeutet (Mt 16, 18), und was also in diesem Stück im Glauben anzunehmen und zu bekennen ist, hat sich die Jahrhunderte hindurch langsam geklärt. Eine eigentliche Definition erging erst auf dem Vatikanischen Konzil, d. h. im Jahre 1870. Entsprechend ist für die Beurteilung der zur Verhandlung stehenden Fälle entscheidend, daß es eine theologisch genaue Bestimmung und Abgrenzung des obersten päpstlichen Wächteramtes weder für die Verkündigung der Lehre noch für die Aktivierung der Hirtensorge und der Autorität des Königsamtes im 4. und 7. Jahrhundert gab. Hierzu ist der Anspruch des römischen Bischofs, der oberste Hüter der reinen Lehre und der oberste Richter in der Kirche (alle *causae maiores* vor seinem Stuhl! s.

---

[45] S. u. Abschnitt 7.

86

oben) zu sein, kein Widerspruch, sondern die wesenhafte Ergänzung. (Die Geschichte des kirchlichen Lebens des Mittelalters unter diesem Gesichtspunkt ist zu einem großen Teil erst noch zu schreiben.)

Wie immer man nun zu diesen Erwägungen, Ergänzungen und Vorbehalten stehen mag, man wird beeindruckt sein dürfen von Newmans theologischer Gesamtkonzeption, in der die verschiedenen Ämter der Kirche als ein untrennbares Ganzes behandelt werden, in dem keines für sich allein steht, und in dem man keines isoliert betrachten darf, obschon die L e h r e das Fundament von allem, diese aber unabänderlich ist und immer unfehlbar vorgetragen werden muß. Newman realisiert, wie schon gesagt, gerade hier eine ungewöhnliche Kraft der Synthese, die bis zur Bewältigung einer äußersten polaren Spannung geht; es ist die Bewältigung einer sprengenden Paradoxie, die in der Inkarnation und im Gekreuzigten vorgebildet ist und den Kern aller *theologia crucis* bildet. Diese Bewältigung möchte allerdings die vorliegende „äußerste polare Spannung" in keiner Weise verneinen oder verharmlosen.

b. Die Behandlung der simonistischen, häretischen und schismatischen Weihen im Mittelalter empfindet Newman als noch belastender. Hier ist zunächst festzuhalten, daß das zur Beurteilung stehende Material ungewöhnlich weitschichtig ist und daß die zeitgenössischen Aussagen in ihrem theologischen Wert zu einem beträchtlichen Teil nicht präzis gekennzeichnet sind. Im Bewußtsein der zu schützenden unabdingbaren Werte der Offenbarung und des Glaubens (und auch im natürlichen Drang, die *potestas* zu mehren) haben sich kirchliche Äußerungen nicht selten einer amplifizierenden, auch superlativistischen Formulierung bedient, die die theologischen Konturen nur unklar erkennen läßt. Auffassungen und Ansprüche, die wir heute als offenkundig zeitgebunden und zeitbedingt erkennen, sind häufig, rein dem Wortlaut nach, in einer Form vorgetragen, die eine absolute und zeitlose Gültigkeit auszudrücken scheint. Eine Fülle von mittelalterlichen kurialen Äußerungen über die *plenitudo potestatis papae in temporalibus* gehören hierher, die offenbar von der Kirche nicht als zum *depositum fidei* gehörend betrachtet werden. Wie die Heilige Schrift, so hat sich eben auch die Kirche (wenigstens oft) nicht einer abstrakt kritischen, sondern einer lebensvollen Form der Aussage bedient.

Die Problematik der umstrittenen Weihen illustriert Newman u. a. am Beispiel Leos IX. (1049—54). Dieser Papst, so sagt er, habe auf einem Konzil die simonistischen Weihen für ungültig erklärt, aber die kirchliche Wirklichkeit seiner Zeit habe ihn gezwungen, „eine mildere Entscheidung zu erlassen". Hier sei die richtige Lösung herbeigeführt worden „durch die Logik der Tatsachen, die zu Zeiten über alle positiven Gesetze und Rechte hinweggeht und deren Wirksamkeit bis hart an die Grenze der unwandelbaren Wahrheiten in der Religion, Sittenlehre und Theologie

87

reicht"[46]. Daß solche Logik der Tatsachen Recht haben könne, beruhe darin, daß „es unvorstellbar ist, daß der Herr und Schöpfer der Kirche wollte, daß die Ausübung eines ihrer Ämter zur Vernichtung eines anderen führe"[47].

Die Formulierungen lassen Newmans Auffassung gut heraustreten. Aber der historische Tatbestand ist nicht exakt beschrieben. Denn tatsächlich waren die Ansichten des Papstes und seines ersten Konzils (Lateran April 1049)[48] in diesem Fall zunächst getrennt. Die Konzilsväter wehrten sich in scharfer Form gegen des Papstes Forderungen. Indem sie klar machten, daß bei der Durchführung der strengen Auffassung des Papstes die Mehrzahl der Kirchen verwaist sein würden, waren sie es, die auf dem Konzil selbst jene Logik der Tatsachen zur Geltung brachten, von der Newman spricht.

Aber das, was wir die damalige Gregorianische Reform nennen, enthält eine solche Fülle ähnlicher sich kreuzender, vorpreschender und mehr oder weniger nachgebender Ansichten, daß nur eine erschöpfende Besprechung des ganzen Kampfes zu einem abschließenden Urteil führen könnte. Der von Newman angeführte Fall des ersten Konzils Leos IX. hat immerhin beispielhaft hinweisende Bedeutung und belegt, wenn man ihn stellvertretend für das ganze Ringen nimmt — Kampf um die Selbständigkeit des Religiösen und Kirchlichen und ihren höheren Wert gegenüber der weltlichen Gewalt - gut die von ihm aufgestellte These.

c. Leichter liegen dogmatisch (von der päpstlichen Unfehlbarkeit her) die beiden folgenden von Newman besprochenen Fälle, besonders, weil im Fall der Ketzertaufe der römische Bischof gegen einen großen Teil von Bischöfen die gesunde Lehre vertrat. Wer freilich die geschichtliche Wirklichkeit, besonders in den früheren Jahrhunderten der Ausformung, zu wägen gelernt hat, wird sich der Deutungskraft auch dieser Beispiele für unsere Darstellung (daß auch die unfehlbare Lehrverkündigung an den Unvollkommenheiten, die der Fleischwerdung anhaften, mitzutragen hat) nicht leicht entziehen können:

Im Donatistenstreit anerkannten die afrikanischen katholischen Bischöfe gegen Rom die donatistischen schismatischen Weihen, d. h., sagt Newman, „die Theologie weicht einem kirchenpolitischen Bedürfnis; das Anliegen des Friedens und der Einheit weist einen sichereren Weg, zu Lehrentwicklungen zu kommen, als unmittelbar theologische Methoden"[49].

---

[46] a. a. O., 77.
[47] ebd.
[48] Mansi 19, col. 721 ff.
[49] a. a. O., 78.

88

Als Beispiel kirchenpolitischer Hereinwirkung kann man dies wohl gelten lassen. Aber die dogmatische Frage ist an dieser Stelle anscheinend weder präzise gestellt noch bis zu Ende durchdiskutiert. —

Eindringlicher spricht die römische Anerkennung der Ketzertaufe, d. h. der Taufe durch Sekten, „die nur einen geringen oder gar keinen Anspruch darauf hatten, eine wirkliche Taufe zu erteilen, und wo in vielen oder den meisten das überreichlich vorhandene Übel das spärliche und schwächliche Gute überdeckte"[50]. „Die Apostolischen Kanones sagen: Diejenigen, die von Häretikern getauft sind, können nicht Gläubige sein"[51]. Nachdem ursprünglich in der westlichen Kirche, auch in Nordafrika, die Ketzertaufe anerkannt worden war, setzt mit Tertullian (De baptismo 15) eine Wende ein. Synoden und Kirchenschriftsteller lehnten von da über Cyprian zu Cyrill von Alexandrien, Athanasius und Ambrosius die Ketzertaufe ab[52]. Die Verurteilung erfolgte nicht nur in sachlicher Ablehnung, sondern auch in teilweise außerordentlich scharfen Formulierungen als Unheil und als das Gegenteil der Erlösung und als Verführung zum geistlichen Untergang[52]. - Daß sich dann durch Augustinus die römische Auffassung durchsetzte, beurteilt Newman dahin, daß es „rätlich" und „zur Pflicht" wurde, diese „bedingte Taufe" anzuerkennen, wenn nicht der Kreis der Anhänger der Kirche beschränkt und die Katholizität der Kirche beeinträchtigt werden sollte. Es sei ein Blick gewesen auf die in ihnen vorhandene „wie auch immer schlafende - Wahrheit". „Der Herrscherstuhl des hl. Petrus, immer auf der Ausschau nach Erweiterung des Reiches Christi, begriff dies wohl"[54]. Durch den ausdrücklichen Hinweis darauf[55], daß die Taufe als die Pforte zum Christentum und seinen anderen Sakramenten galt und der Seele ein übernatürliches Merkmal einbrannte, so daß „die Häretiker weit und breit, wenn sie getauft waren, Kinder der Kirche" waren, öffnet Newman den Weg zur Begründung der Rechtfertigung der Ketzertaufe als *opus operatum*, ohne aber diesen Gedanken auszuführen.

---

[50] a. a. O. 79.

[51] a. a. O. 87; vgl. MPG 1,947—950; Col. wird die Taufe der Häretiker das Üble genannt (μόλυσμα), durch welches die so Getauften der gleichen Verdammung verfallen wie die Häretiker; denn jene sind ja keine Priester (ἱερεῖς). — Von Ketzern Getaufte werden nicht des Geheimnisses teilhaftig (initiati; μεμύηνται) und empfangen nicht Nachlaß der Sünden, sondern Einbindung in den Unglauben (δεσμόν ἀσεβείας).

[52] Vgl. Altaner, Patrologie (Freiburg 1958): Tertullian S. 137; Cyprian S. 153; Athanasius S. 249 ff.; Augustin S. 391, 408.

[53] Vgl. außer Anm. 51 die einzelnen Unterschriften mit den dazugehörigen Urteilen der Synode vom Jahre 258 unter Cyprian (PL 3, 1130 ff.; 1047 ff.;): Qui haereticorum baptisma probant, nostrum reprobum efficiunt (Col. 1131). Haereticus haereticum baptizans simul cum eo in mortem cadit (Col. 1143).

[54] a. a. O. 80.

[55] a. a. O. 79.

89

d. Zusammenfassend darf wiederholt werden, daß Newmans Ansichten und Urteile mancherlei Fragen offen lassen. Insbesondere werden wir für Liberius und Honorius die von Newman gewünschten, restlos klärenden Details über die Absichten dieser Päpste, aus denen heraus sie sprachen, wahrscheinlich nie kennen. Und also werden wir unter dem Druck einer wie immer zu benennenden Unklarheit des theologisch-historischen Befundes verbleiben. Kleingläubig aber wäre es, jede derartige Belastung theologisch *a priori* als unmöglich erklären zu wollen, und *à tout prix* eine historische Glättung bzw. Einebnung aller Details erzwingen zu wollen. Weder die Verheißung Mt 16, 18.19 noch Joh 21, 15 ff., noch alle Aussagen über die Makellosigkeit und Unfehlbarkeit der Kirche sind in ihrer Gültigkeit abhängig von der ohne Rest aufgehenden Lösung oder der Nichtlösung dieser historischen, im übrigen so wichtigen, Fragen.

Zusammen mit den Erwägungen über die Eigenart der biblischen Sprache, über die Oikonomie des Alten und des Neuen Testamentes und bestimmte „ausweitende" Aussagen im Neuen Testament, führen uns die besprochenen kirchengeschichtlichen Tatbestände und ihre Problematik zu dem mahnenden Schluß, den Begriff „christliche Wahrheit" nicht zu intellektualistisch oder gar konzeptualistisch zu fassen. Da Sünde und Irrtum sich in historischen Tatsachen dargestellt haben, und da die in der Geschichte vorgetragenen verschiedenen Überzeugungen der Menschen sich vielfach kraß widersprechen, ist es unmöglich, einen historischen Tatbestand (und mag er von noch so großer Reichweite sein) a n s i c h schon als Wahrheitsbeweis[56] anzunehmen. Aber andererseits ist ernst zu bedenken, daß sich nichts in der Geschichte des Menschengeschlechts und der Kirche entfaltet hat ohne den Willen des Herrn der Geschichte. Ihr Inhalt entspricht offensichtlich manchmal keineswegs unseren frommen Vorstellungen von dem, was angeblich Gottes Wesen und Willen angemessen sei, sondern liegt vor uns in einer *a priori* unvorstellbaren, oft höchst seltsamen Buntheit, deren Tatsächlichkeit wir einfach anzuerkennen haben. Der Wahrheitsbegriff muß dieser lebendigen, auch bedrohenden Vielfalt entsprechen. Eine einseitig intellektualistische Auffassung der christlichen Wahrheit würde auch der Fülle des lebendigen religiös-prophetischen Bibeltextes nicht gerecht, es würde ihn aushöhlen und austrocknen. Korrektheit der Formel ist noch nicht Wahrheit.

Entscheidend bleibt nur dies Eine: daß in dieser Buntheit und durch ihre Dunkelheiten hindurch die Wahrheit sich in ihrem wesentlichen Gehalt mit hinreichender Klarheit - und also siegreich - dokumentiert. Und dies eben lehrt trotz allem der Befund. Denn - um es nochmals zu wieder-

---

[56] Tatsachen, die aus sich heraus die Wahrheit durch einen besonderen göttlichen Machterweis aussprechen (Wunder, Weissagungen) klammere ich hier aus.

90

holen - alles, was aus Schrift und Geschichte uns veranlaßte, den Wahrheitsbegriff in der angegebenen Form auszuweiten, nimmt ihm nichts an Kraft und Entschiedenheit, es mehrt sie. Dies bleibt, wie schon ausgeführt, unangetastet die unentbehrliche Voraussetzung: jede Wahrheit, über die man sich verständigen will, also auch die Verkündigung der Kirche, muß in einem entscheidenden Kern erkennbar und umschreibbar sein. Dies ist das A und O jeder Wahrheitsdefinition, auch aller christlichen Wahrheit. Daß die moderne Philosophie und ein Teil der evangelischen Theologie diesen Kern vergaßen, ist vorzüglichste Ursache der geistigen und geistlichen Auflösung, in die wir zu unserem Unheil hineingeraten sind. Es ging der Maßstab verloren, der allein über Gefühl und Andeutungen hinaus eine sinnvolle und kontrollierbare Unterlage gibt. Aber auch in dieser Frage muß sich die durch den komplexen Befund der Schrift und der Kirchengeschichte verlangte und von der katholischen Exegese grundsätzlich proklamierte Synthese bewähren. Der feste erkenn- und umschreibbare, unveränderliche objektive Kern u n d die angedeutete ausstrahlende Lebendigkeit müssen zusammen festgehalten werden und in der Verkündigung zum Tragen kommen.

7. Einheit und Entwicklung der Lehre

a. Und nun führen wir in die Bestimmungen dessen, was „Einheit" des Christentums sein kann, den gelegentlich schon erwähnten Begriff[57] der E n t w i c k l u n g ein, der das Christentum als ein auch historisches Gebilde gemäß der Ankündigung des Herrn unterworfen ist.

Ob diese Entwicklung eine Bedrohung der Einheit war oder wurde oder sein kann - sie gehört zu den Grundtatsachen des Christentums, die es von der Gnosis und jeder Art akuten Spiritualismus trennen. Das Christentum ist der Eintritt des Göttlichen in die Geschichte. Die Form, die der Herr seiner Botschaft gab, hat sich dieser Tatsache gemäß, und wie vom Herrn vorausgesagt, entwickelt.

„Die Kunst ist noch nicht erfunden, daß ein Baum wachsen könne ohne Rinde"[58]. Die Rinde ist am Anfang des Wachstums verhältnismäßig weich. Sie wird mit der Zeit kräftiger, aber auch härter; sie schützt das Leben, setzt ihm aber auch Grenzen, weist ihm andererseits auch den Weg zur Höhe oder erlaubt ihm diesen Aufstieg.

Bild bleibt immer Bild. Aber innerhalb dieses Vorbehalts darf das hier gebrauchte berechtigterweise auf das Leben der Kirche und ihr Bekenntnis ernstlich angewendet werden.

---

[57] S. oben S. 80.
[58] Ad. v. H a r n a c k in seinem Vortrag in Bonn 1922 anläßlich des 100. Geburtstages von Ritschl; Smend-Verzeichnis 1352.

91

Schon die vorbereitende Oikonomie des Alten Bundes (mit ihren beträchtlichen Niveauunterschieden der geoffenbarten Religion) und des Neuen Bundes[59] weisen bedeutungsvoll darauf hin, daß die Entwicklung zum Wesen der Offenbarung Gottes, so wie er sie uns in der Geschichte hat darbieten wollen, gehört. Tatsächlich hat ja die Kirche in einem erstaunlichen Umfang eine Entwicklung durchgemacht. Daran nimmt auch ihre Lehre teil, obwohl sie unveränderlich ist. Mit dieser Grunderkenntnis muß man Ernst machen, man darf sie nicht zu einem leeren Wort erniedrigen.

Die Entwicklung der Lehre der Kirche seit den Tagen der Apostelgeschichte durch die Dogmengeschichte aller Jahrhunderte hindurch ist ein Prozeß reicher Entfaltung, aber damit natürlich auch ein Prozeß begrenzender Festlegung. Keine Frage, daß weder der evangelische Christ (ich spreche von den bekenntnisgebundenen) noch der Katholik heute auch nur annähernd so frei der Offenbarung gegenübersteht wie etwa ein Gläubiger des ersten Jahrhunderts, als weder das *„homoousios"*, noch der Primat des Papstes, noch die leibliche Aufnahme Marias in den Himmel definiert waren.

Die Dogmenformulierung ist eine wesentliche Funktion der Kirche. Sie ist sogar eine Lebensnotwendigkeit, wenn die Wahrheit bewahrt werden soll. Wenn man das Problem kirchengeschichtlich durchdenkt, tritt das in großer Eindringlichkeit zu Tage. Die Sicherung des trinitarischen Glaubens mit den näheren christologischen Bestimmungen der ersten Konzilien lassen das in ihrem gegenseitigen logischen Zusammenhang in besonderer Stringenz heraustreten. An Erscheinungen wie Ockham oder Erasmus, die zwar im katholischen Raum verbleiben, aber das Dogma möglichst reduziert sehen möchten[60], kann man die gleiche These gleichsam negativ anschaulich machen, bzw. die Gefährlichkeit einer Unterbewertung der Dogmenformulierung erkennen. Daß man einen Unterschied machen muß zwischen Dogmatismus (der unchristlich ist, weil ihm die Liebe fehlt) und dem genuin christlichen Dogma, das Garant der Freiheit ist, sei nur eben angemerkt[61].

---

[59] S. oben 22.

[60] Ockhams Denken von der *potestas Dei absoluta* aus entwertet - konsequent zu Ende gedacht - das Dogma überhaupt; für Erasmus aber ist sein Wunsch, es möchten doch nicht so viele „Lehren" in der Kirche festgelegt werden, ein Grundmotiv (*De libero arbitrio* Ia 7; und oft). Daß hierin auch ein sehr berechtigtes Motiv enthalten ist, beseitigt nicht die Gefahr dessen, was ich bei Erasmus seinen Adogmatismus nenne. Der Ausdruck besagt nicht, daß Erasmus den Boden des Dogmas verlassen habe, er deutet eine Ausrichtung des Denkens an, bei der das *„sentire cum ecclesia"* auf ein gefährliches Minimum reduziert ist; konsequent weiterentwickelt hat es im 16., 17., besonders aber im 18. Jahrhundert zu wesentlichen dogmatischen Mangelerscheinungen geführt.

[61] Vgl. dazu: Lortz in: „Europa und Christentum" (= Veröffentlichungen des Instituts für Europäische Geschichte Mainz Bd. 18 [Wiesbaden 1959] 71-193).

92

b. In der Entwicklung die Jahrhunderte hindurch gibt es nach den altchristlichen Konzilien in diesem Prozeß der Festlegung der Lehre zwei über alle anderen herausragende Erscheinungen, die uns unseres Themas wegen unmittelbar angehen, das Tridentinum und das Vaticanum; beide haben dem, was wir als „Einheit" des Christentums befragen, eine präzisere und zugleich umfassendere Auslegung gegeben, als sie vorher allgemein anerkannt war. Entsprechend verblieb der Auslegungsfreiheit der Gläubigen nachher weniger Raum als vorher.

—

Wenn ich in diesem Zusammenhang von „Einengung" spreche, so ist das Wort in jenem schon angedeuteten grundlegenden Sinn zu nehmen, in dem (1.) jedes Wirklichkeitwerden eo ipso die Ausschaltung aller anderen vorher noch vorhandenen Realisationsmöglichkeiten bedeutet; in dem (2.) diese Einengung für alle Lebewesen eine Daseinsbedingung, also ein Positivum darstellt. Die hier in Betracht kommenden definierenden Dekrete machen ohne weiteres klar, wie sehr die Festlegung eine Klärung und eine Vertiefung der Glaubensauffassung darstellt. Man muß sich aber (3.) gleichfalls darüber klar sein, daß im Bereich des Geistigen und im Umkreis der Freiheit solches Positivum auch einen echten Verzicht verlangt. Aber gerade dieser Verzicht kann eine wirkliche Rettung werden[62].

Kirchen- und dogmengeschichtlich kann man das reich illustriert anschauen, wenn man die Theologie des 14. und 15. Jahrhunderts mit den Definitionen des T r i d e n t i n u m s vergleicht. Die Freiheit des kirchlich nicht im ganzen verurteilten dogmatischen Ockham[63] und des entsprechenden Ockhamismus, die Freiheit des nach entgegengesetzten Seiten theologisch übertreibenden Kurialismus, die theologische Ungebundenheit in der freiheitlichen Atmosphäre der Renaissancekurie[64] waren nach dem Tridentinum nicht mehr möglich. Man kann das - ohne die Einengung zu übersehen - nur als großen Vorteil buchen; es war eine Lebensrettung. Denn mit dem Tridentinum wurde zu entscheidenden Teilen jene theologische Unklarheit beseitigt[64a], die eine der wichtigsten Vorbedingungen für

---

[62] Gerade diesen Verzicht hat Ockham, obwohl er das Dogma an sich festhielt, geistig-geistlich nicht geleistet.

[63] Zwar wurde in Avignon ein Prozeß gegen ihn angestrengt, in dem sein theologisches Werk zensuriert wurde. Aber der Prozeß wurde nicht abgeschlossen und die Zensuren nicht veröffentlicht, formell also blieb er unverurteilt.

[64] Vgl. hierzu das große Thema „Toleranz" im kirchlichen Raum des 16. Jahrhunderts.

[64a] Die Diskussion des Tridentinums, wie sie der mächtige Band 2 von A. J e d i n, Geschichte des Konzils von Trient (Freiburg 1957) für die erste Periode meisterhaft schildert, lassen sowohl das Gewicht als auch die Verbreitung dieser Unklarheit, dieser Unsicherheit, ja Konfusion, eindringlich heraustreten.

93

die Blutleere war, die es ermöglichte, daß die Reformation sich durchsetzen konnte. Nach dem Tridentinum war es ungleich leichter, genau auszusagen, was katholische Lehre sei, als vorher. Und durch die Verkündigungen des Tridentinums wurde das, was in der kirchlichen Lehre wesentlich, und also religiös nährend war, ganz anders tief in das Bewußtsein der Katholiken geprägt, als das vorher der Fall gewesen war.

Was sich übrigens durch die Feststellungen des Tridentinums tatsächlich an eigentlichen (also hemmenden) Einschränkungen ergab, geht entscheidend zu Lasten der Reformation. Ihre vereinseitigende Lehre verlangte die sorgsame und feste Umgrenzung des Ganzen, eine festere als vorher. Außerdem war die Reformation ein Kampf gegen die alte Kirche bis zur Existenzbedrohung. Die dadurch erzwungene Abwehrhaltung, das Mißtrauen gegen an sich berechtigte Anliegen, die in der Neuen Lehre bis zur häretischen Einseitigkeit übersteigert waren, und die entsprechend polemisch-apologetische Einstellung waren zunächst kaum zu vermeiden. Aber Notwendigkeiten besagen keineswegs nur Vorteil. In diesem Falle haben sie sich in den folgenden Jahrhunderte, zusammen mit Kleingläubigkeit, auch stark zum Nachteil der Kirche ausgewirkt. -

Die weiter reichenden Definitionen des Vaticanums, für die das 16. Jahrhundert noch nicht genügend vorbereitet gewesen war, reiften heran durch einen vielschichtigen Prozeß lehramtlicher Äußerungen (in den verwickelten Gnadenstreitigkeiten) und theologischer Bemühung um den Begriff der Kirche, besonders des obersten Lehr- und Hirtenamtes. Sie wurden aber auch notwendig, weil herausgefordert durch den allgemeinen Ansturm der ungläubig gewordenen Kultur gegen die Kirche. Es ist von einer in der Geschichte seltenen Eindruckskraft, daß die lehramtlich gesicherte Zusammenfassung aller kirchlichen Gewalt in der einen Hand des Papstes zeitlich zusammenfällt mit der politischen Entmächtigung des Papsttums durch die Unterdrückung des Kirchenstaates. Angesichts des sich entwickelnden subjektivistischen und säkularisierten Chaos, das am Ende des 19. und zu Beginn des 20. Jahrhunderts in mannigfachen gefährlichen Angriffen und auch durch Infiltration eine bedeutende Gefahr für die Kirche wurde, gewinnt diese Entwicklung eine ungewöhnliche positive Bedeutung. Aber auch das nimmt wiederum keineswegs die Tatsache weg, daß nunmehr die Freiheit der Katholiken in der theologischen Diskussion, die der Bischöfe und Erzbischöfe keineswegs ausgeschlossen, geringer geworden war, als sie vordem war.

Die Ausprägung der Entscheidungen des Vaticanums im neuen Codex Juris Canonici hat die Zusammenfassung aller Gewalt in der Hand des Papstes weitergeführt. Daß das wiederum nicht geschehen konnte, ohne daß gewisse Freiheiten eingeengt wurden, liegt in der Natur der Sache. Für die Bewertung bzw. für das Verständnis hängt hier Entscheidendes

94

davon ab, ob man fähig ist, das Wesen der Wahrheitserkenntnis und ihrer Sicherung zu trennen von der vollen Ungebundenheit menschlichen Suchens. Für jeden selbständigen Denker ist die zuletzt genannte Einschränkung auch Verzicht. In gewissen Fragen und durch gewisse Tatbestände kann sie sogar zum Kreuz werden. Wenn er aber die Geschichte des Christentums dort überschaut, wo sie sich ohne lebendiges Lehramt (und ohne seine beschränkenden Eingriffe) entwickelte, stellt er leicht fest, daß jene völlige Freiheit oft und oft (und heute in einer ungeheuren Breite) Grundlagen der christlichen Lehre am Leben bedrohte und bedroht. Die der neutestamentlichen Offenbarung wesenseigene Freiheit beseitigt ja keineswegs unsere strenge geistig-geistliche und moralische Verpflichtung gegenüber ihren Lehren und Geboten und also unsere Bindung durch sie. Wem entsprechend die Offenbarung mehr gilt als das noch so ernste Fragen an sich, wird erkennen, daß ein Preis für die Sicherheit gefordert werden muß. Zu hoch kann er nicht sein - allein den Gewissenszwang ausgenommen -, außer man stellt das Fragen über das Erreichen der Wahrheit. Dann aber verengt sich die Sinnmöglichkeit der Diskussion bis zu ihrer Verneinung[65].

Um hier eine befriedigende breite geistige Basis der Beurteilung zu gewinnen, muß man die Kraft und die Würde des Gesetzes der Form verstanden haben. Daß das heutige Denken dies so wenig vermag, rechtfertigt um so mehr einen Hinweis auf Hermann Hefeles Buch zu diesem Thema, einem der wesentlichen und noch längst nicht überholten Bücher dieses Jahrhunderts[66].

c. Natürlich trägt das Gefälle der angedeuteten Entwicklung auch gewisse Gefahren in sich, die Gefahren eines jeden Zentralismus.

Aber gerade hier tut sich eine überraschende und befreiende Erkenntnis auf: diesen wesenhaften Zentralismus können wir um so echter und wirksamer (nämlich in seiner Reinheit) verteidigen, je offener wir seine Gefahren sehen und zugeben. Die Wahrheit hat nichts zu fürchten. Einerleiheit aber ist der intimste Gegensatz zur Einheit. Das gilt auch für die Kirche.

Hier wäre vieles zu bedenken. - Aber im Programm Pius' XI. erschien in einer geradezu providentiellen Weise die Garantie dafür, daß in der Kirche jene natürlichen Kategorien des Wachstums, die Sicherung und Einengung zugleich bedeuten, durch andere Kräfte geschützt werden, die irgendwelche wesenhafte Einseitigkeit von der Kirche fernhalten. Und gerade jetzt, wo der Ring der dogmatischen Verfassung so sichernd geschlossen ist, kann die Kirche anderseits ohne Bedenken ihren Dienern

---

[65] Vgl. G. L a n c z k o w s k i, Toynbees Approach to Religion, in: Theol. Literaturzeitung 83 (1958) S. 427.

[66] Hermann H e f e l e, Das Gesetz der Form. Briefe an Tote (Jena 1928).

und Kindern Freiheiten geben, die ohne jene Sicherung im Umkreis des modernen Relativismus gefährlich wären. Sie kann das in jenem Wagemut, den Papst Pius XII. besonders in den ersten Jahren seines Pontifikats sooft äußerte und forderte, und den er nicht lange vor seinem Tod mit der unter Umständen recht weittragenden Ernennung des orientalischen Kardinals Agagianian zum Propräfekten der Propaganda neu erwies. Dies um so mehr, als sich in der gesamten Kirchengeschichte (die frühesten Zeiten ausgenommen) keine Lage angeben läßt, in der der Klerus als Gesamtheit so sehr wie heute aus der Kirche heraus und für sie lebt oder zu leben sich bemüht.

8. Bedeutung der Theologie

In dieser lehramtlichen Festlegung der Verkündigung spielt die Theologie eine bedeutende Rolle. Wir trafen oben (S. 26) auf Newmans Auffassung, daß jedes Fragen nach dem „Wie" eines Offenbarungsmysteriums irreligiös sei. Aber derselbe Newman wagt auch den Satz, jeder religiöse Mensch müsse in einem gewissen Sinne Theologe sein[67]. Müßte man also Theologe sein, um in den Himmel zu kommen? Doch offenbar nicht. Trotzdem zwingt die Frage nach der Einheit der Lehre dazu, auf den engen Zusammenhang zwischen Offenbarung, bzw. Lehre und Theologie zu achten. Ob man diese enge Verbindung bedauert oder erfreulich findet, Tatsache ist zunächst einmal, daß schon die Verkünder der Offenbarung in der Heiligen Schrift Alten und Neuen Testaments sie zugleich deuteten, daß die Schriften des Neuen Testaments bereits Kontroversen über die Auslegung widerspiegeln (z. B. Rechtfertigung aus Glauben allein als ein *locus classicus* des Heiligen Paulus gegenüber der ausdrücklichen Einschränkung bei Jakobus 2, 17: Glaube ohne Werke ist tot), daß insgesamt besonders bei Paulus und Johannes die Theologie in bedeutsamer Weise mit der Verkündigung verbunden ist.

Anderseits gehört ja wohl dies vor allem anderen zum Kern und Kennzeichen der Offenbarung, daß sie reine Verkündigung Gottes an die Menschen ist. Entsprechend gibt es solche reine Verkündigung auch in der kirchlichen Aussage. Diese Feststellung trägt weiter als es vielleicht zunächst scheinen mag. Sie führt zu einer entscheidenden Frage wie dieser: wann liegt in einem Satz der Heiligen Schrift eine theologische Aussage im strikten Sinne vor? Oder zu dieser anderen: bedeutet ein gemeinsames Glaubensbekenntnis schon echte Einheit des Glaubens? Für Menschen oder auch für Gemeinschaften, die naiv und unreflektiert dasselbe Credo beten, in deren Denken also eine Interpretation dieses Credo noch nicht hineinwirkt, wird man die Frage bejahen müssen.

---

[67] S c h i f f e r s a. a. O. 220 aus Grammar of assent 121.

96

Indessen, da der Glaube an den Herrn Jesus Christus das Zentrum des christlichen Seins ist, kann man sagen, daß auch ein theologisch noch nicht durchdachtes und geklärtes, aber gemeinsames Bekenntnis an den einen Herrn, ein entscheidendes Band der Einheit ist, oder sein kann. Es war das offenbar in den ersten Jahrhunderten sogar durch die Unklarheiten des Subordinationismus hindurch, bis Arius auftrat und ausdrücklich bestritt, daß Jesus Gott sei. Dann freilich hat die Dogmendefinierung dem Wortlaut des Bekenntnisses fortschreitend eine obligatorische Interpretierung gegeben. Man sieht ohne weiteres die Tragweite: wenn man die Kirchengeschichte ernst nimmt, kann die christliche Einheit heute nicht mehr damit gesichert werden, daß man sich mit der Aufklärung auf „denselben Gott" und auf „denselben Herrn" beruft; die Frage der Auslegung wird unumgänglich und entscheidet.

9. Reformation und Einheit

Und dies führt uns zurück zu der Problematik der Einheit, wie sie sich aus der Reformation ergab.

a. Als Grundposition vertritt die Reformation des 16. Jahrhunderts eine Anschauung, die durchaus verschieden ist von der oben (S. 12) nach Hanns Rückert vorgelegten, die auf dem Begriff der Konfession aufbaut. Eine formale Grundposition der Reformation liegt in ihrer dogmatischen Intoleranz. Die Reformatoren sind der Auffassung, daß die Schrift offenkundig nur e i n e Wahrheit und Lehre verkünden will und verkündet, so sehr eine, daß nicht einmal ein Ansatzpunkt zu einer relativistischen Deutung in ihr gefunden werden kann[68]. In der Tat sind die „auflockernden" Sätze, die wir oben mit Betonung zitierten (Joh 1, Mt 13, 20, Mk 40, Phil 1, 18), in der Heiligen Schrift eingebettet in jene „dogmatische Intoleranz", die am einfachsten und härtesten (und immer wieder entscheidend klärend) Paulus in den beiden Sätzen 1 Kor 15,14 und in Gal 1,8 formuliert: „Ist Christus nicht auferstanden, so ist töricht unser Glaube"; und „Selbst, wenn ein Engel vom Himmel käme, und verkündigte euch ein anderes Evangelium, *anathema sit!*"

Es ist hier nicht der Ort, die aufgestellte Behauptung für die Reformatoren im einzelnen zu belegen. Wir brauchen nicht zu übersehen, daß z. B. Luthers Exegese existentialistische - und das heißt ins Subjektivistische hinleitende - Ansätze enthält. Aber wenn man diese Ansätze für die Hauptsache erklärt und Luther wesentlich existentialistisch deutet, wie es

---

[68] Für die Vermittlungstheologen auf beiden Seiten, etwa Witzel, de Dominis, Cassander, Calixt, gilt diese Bestimmung natürlich nur in abgewandelter und abgeschwächter Weise. Auch Erasmus gehört mit seiner Unterbewertung der Dogmendefinierung und mit der Differenzierung zwischen Wesentlichem und Nichtwesentlichem im Heilsnotwendigen hierher, sein Einfluß ist bei allen Vermittlungstheologen zu spüren.

97

heute versucht wird, wenn man sich wohl selbst (Bultmann) als den einzigen legitimen Vollstrecker der Reformation erklären möchte, dann muß man Luther kraß anders deuten, als er sich selbst verstand.

Sogar die widersprüchlichen Formulierungen, die sich auf ein und derselben Seite der Römerbriefvorlesung finden, also aus derselben Vorlesungsstunde (!) stammen, geben nicht das Recht, Luther zum existentialistischen Denker zu machen. Jedenfalls war seine dogmatische Intoleranz so ungebrochen[69], daß er Zwingli als Sohn des Teufels ebenso in die Hölle versetzte wie den Papst. Die erwähnten Ansätze gehören zu den Schwankungen in Luthers Denken, die allerdings für ihn so konstitutiv sind, daß es den einen Luther gar nicht gibt. Wer wird es unternehmen, die Harmonie zwischen Luthers Römerbriefvorlesung und der kleinen Galatervorlesung nachzuweisen? Aber das Thema ist auch für den reifen und den alten Luther gestellt. Leider fehlt immer noch die entsagungsvolle Arbeit, die das gesamte Material unvoreingenommen verhören würde, statt es von einem selbstgewählten Zentrum des „echten" Luther aus einheitlich zu deuten.

b. Wir sind mit dieser Frage nicht von unserem Thema abgewichen. Denn die Frage nach Luthers Lehreinheit ist bedeutsam für die Bestimmung der Einheit des Protestantismus, die ihrerseits unser Anliegen natürlich ganz nahe angeht.

Gibt es diese Einheit des Protestantismus? Das autonome Gewissen des modernen (liberalen) Protestantismus gehörte ursprünglich keineswegs zum Prinzip der Reformation.

Aber die von früh an sich tatsächlich vollziehende und sich bis heute fortsetzende Aufspaltung stellt die Frage, ob sie nicht mit innerer Konsequenz kommen mußte, und ob sie also, trotz allem, nicht in immer neuen Formen kommen werde? Dies bleibt eine Schicksalsfrage für die reformatorischen Kirchen. Ich sehe nicht, wie man der Schlußfolgerung von Loewenichs ausweichen könne, Luther sei wider seinen Willen Vater des Liberalismus geworden[70]. Und es ist ja auch nicht an dem, daß der Aufspaltung im protestantischen Raum heute endgültig ein Riegel vorgeschoben sei. Leider nicht. Trotz der bewunderswerten Selbstbesinnung des Luthertums und der reformierten Theologie. Thesen der modernsten

---

[69] Ansätze zu einer Toleranz gibt es bei Luther insofern, als er die Erzwingung des Glaubens durch Gewalt ablehnt. Aber selbst in der Frage der Freihaltung der Lehrverkündigung und der kirchlichen Gemeinschaft von Gewalt ist die Linie nicht einheitlich durchgeführt. Nikolaus Paulus hat das bereits (nach eigenen früheren Untersuchungen) im Jahre 1911 ausführlich belegt (in: Protestantismus und Toleranz im 16. Jahrhundert, Freiburg 1911). Man sollte diese Feststellungen nicht so leicht übersehen.

[70] W. v. L o e w e n i c h , Der moderne Katholizismus (Witten 1956) 121.

98

evangelischen Exegese und die Bultmannschen Positionen insgesamt (trotz ihres tief christlichen Anliegens) sind alarmierende Zeichen ratloser Unsicherheit.

c. Trotzdem ist zu sagen, daß wir Katholiken es uns in diesem Punkt wohl meist zu leicht gemacht haben. Wir richteten unsere Aufmerksamkeit gern etwas einseitig auf die Aufspaltung des Protestantismus und nahmen sie zum Anlaß, etwas überschnell den Blick vom gemeinsamen reformatorischen Besitz, und sogar von seinem positiven Inhalt überhaupt, fortzuwenden.

Gewiß, selbst C. de Vogel, die in einem wichtigen Kapitel ihres Konversionsbuches den Katholiken nachdrücklich ins Gewissen redet, die Einheit im Protestantismus nicht zu übersehen, gibt die Schwierigkeit zu, diese Einheit nachzuweisen[71]. Anderseits betont sie mit Recht das Gemeinsame. Bei jenen Kirchen und Denominationen, die im Weltkirchenrat zu Faith and Order gehören, ist dies Gemeinsame ja durch nichts Geringeres garantiert als durch das gemeinsame Bekenntnis zu „Jesus Christus, Gott und Erlöser der Welt". Die andere daneben stehende Bindung durch das „Evangelium nach dem Verständnis der Reformation" gibt zwar mehr Raum für Verschiedenheiten des Glaubens, spricht aber doch noch gewichtig Gemeinsames nachdrücklich aus. Auch weist de Vogel mit Recht auf den für das Christentum mit entscheidenden Raum jenseits der Theologie, das praktisch-religiöse Leben, hin: im Leben aus dem Schriftwort, im täglichen Lesen des lebendigen Wortes der Bibel kennen die verschiedenen Gruppen der Protestanten „nur e i n Evangelium, nur eine Heilsökonomie, die ihnen von ihrer Kirche gepredigt wird"[72].

Grundbedingung ist allerdings die Voraussetzung, die auch wir für die Umgrenzung des Kreises unseres Gesprächspartners annahmen, daß nämlich der liberale Protestantismus ausgeschlossen sei[73]. Freilich fragen wir mit vielen unserer evangelischen Freunde, ob dieser (theoretisch oder praktisch) liberale Protestantismus nicht die erdrückende Majorität der heutigen Protestanten stelle. Auch darf man wohl die reformatorische Verantwortung für die evangelischen Sekten nicht so schnell beiseite schieben, wie de Vogel es tut.

---

[71] C. de V o g e l, Du Protestantisme orthodoxe à l'Eglise Catholique (Paris 1956) 290 ff. Das Kapitel illustriert in eindrucksvoller Weise, was ein Konvertit sein soll: „ein evangelischer Christ, der entdeckt hat, daß der kostbarste Inhalt seines bisherigen Lebens, das Evangelium, nur an e i n e r Stelle ganz zu finden ist, in der katholischen Kirche, der also nichts preisgibt, sondern mitbringt und gewinnt." Lortz, Die Reformation als religiöses Anliegen heute (Trier 1948) 11.
[72] d e V o g e l, a. a. O., 290, siehe auch oben S. 15.
[73] a. a. O. 291.

Anderseits wäre es wiederum Unrecht, den heutigen liberalen Protestantismus nur christlich negativ zu bewerten; er hat sich gegenüber der liberalen protestantischen Theologie der Jahrhundertwende erheblich gewandelt. Mag diese Wandlung eine logische Inkonsequenz darstellen - wie ich glaube -, das Glaubensbekenntnis zu Jesus Christus als dem Herrn und „Erlöser" ist in ihm stark geworden; wir erkennen das erfreut an; wir bauen es in die Analyse ein.

Die Grundgefahr des reformatorischen Christentums ist damit allerdings nicht beseitigt. Wenn wir auch versuchen, die evangelische Gemeinsamkeit voll zu sehen, bleibt doch andererseits (selbst innerhalb der positiv bekenntnisgebundenen reformatorischen Kirchen und Gemeinschaften) die dem reformatorischen Christentum von der Wurzel her eingebundene Zwiespältigkeit als große Last: das gemeinsame Bekenntnis in einer Reihe von Schriften von stark verschiedener Provenienz und stark uneinheitlicher innerer Prägung zu besitzen, die nicht von einem lebendigen Lehramt bindend ausgelegt werden, deren Deutung also doch letztlich dem jeweiligen Erklärer ausgeliefert ist und damit den Charakter des unbedingt Verpflichtenden verliert. Die Unklarheit über das, was man im evangelischen Raum Lehramt nennen kann, hängt hiermit zusammen. Hier ist eine Ungewißheit über das, was verpflichtende Lehre ist, grundgelegt, die sehr weit reicht. In der konkreten Haltung stoßen wir eigentlich nur auf e i n e Grenze, die aber eine schwere Inkonsequenz darstellt und stärker als alles andere die Zwiespältigkeit der Grundposition (*scriptura sola* ohne unfehlbares lebendiges Lehramt) offenbart: so gut wie jede These darf in der evangelischen Theologie vertreten werden, so gut wie alles darf innerhalb des reformatorischen Raumes in Zweifel gezogen werden, sogar die wahre Gottheit Christi oder die Tatsache seiner Auferstehung - nur eines darf nicht gesagt werden, daß in Mt 16,18 und den dazu gehörigen Stellen der Primat Petri und seiner Nachfolger ausgesagt sei[74].

Trotz dieser Feststellung bleibt noch ein anderer Aspekt, der zugunsten des christlichen Besitzes der reformatorischen Gemeinschaften und ihrer „Einheit" spricht. Man lernt ihn erkennen und in seiner Bedeutung wägen, wenn man die Aufmerksamkeit auf jene geheimnisvolle Paradoxie richtet, in der sich die Person des Herrn im reformatorischen Raum in vielfältiger Weise als wirkmächtig erwies: (1.) Der Protestantismus hat immer, wenn auch manchmal in sehr zusammengeschrumpfter Gemeinschaft eine orthodoxe Form mit Kirche, Bekenntnis und Sakramenten bewahrt; - oder er hat (2.) dieses Positive wieder errungen; (3.) eben heute ist diese Tendenz selbst in dogmenfreien Denominationen lebendig, wo der Protestantismus vielfältig nach strengerer Ordnung und festerem Bekenntnis sucht.

---

[74] Vgl. hierzu den Fall des evangelisch-lutherischen Pfarrers Richard B a u - m a n n. (R. Baumann, Prozeß um den Papst, Tübingen 1958.)

100

Und (4.) ist in diese Analyse einzusetzen das neue Erwachen des dem Christentum notwendigen Begriffs der Einheit und des Verlangens, sie zu verwirklichen. Was in dieser Beziehung in der evangelisch-anglikanischen ökumenischen Bewegung unter dem Weltkirchenrat sich vollzieht, ist ein positiv kirchengeschichtlicher Vorgang ersten Ranges; auf alle Fälle stehen wir vor der mächtigen Demonstration einer innerchristlichen Kraft der Vereinheitlichung innerhalb und trotz aller (nahezu tödlichen) Zerrissenheit. Es bedeutet viel, wenn so ausdrücklich die Trennung in der Christenheit als Sünde und Verbrechen bezeichnet wird. Es ist etwas Großes, wenn so ganz und gar verschiedene Denominationen zusammenstehen und sich um des einen Herrn willen ertragen wollen. Zwar, der Begriff „Einheit" ist in der ökumenischen Bewegung von einer vielfältigen, niederdrückenden Verworrenheit. Aber doch ist in ihr Forderung und Sehnsucht nach jenem noch nicht mit Inhalt gefüllten Ideal der Einheit eine Realität. Sie sollte um so ernster genommen werden, als die Bedeutung solcher zunächst eigentlich nur formalen Grundhaltungen ganz allgemein für alles geistige Wachsen groß ist. Sie läßt sich am Wahrheitsbegriff und an der notwendigen Abwehr des Relativismus illustrieren. Der seit je (und heute mehr denn je) vielfältig aufgespaltenen Welt wird es, soweit menschliches Verstehen reicht, nie gelingen, sich zu einer inhaltlich festgelegten einheitlichen Wahrheit zusammenzufinden. Das gilt auch für das Abendland, das, von seinen Wurzeln her, nur im Christentum bestehen kann. Und doch, welche Hilfe könnte der heutigen geistigen und allgemeinen kulturellen Unsicherheit dadurch zuströmen, daß auch nur die Frage nach der Möglichkeit, dem Nutzen und dann der Notwendigkeit e i n e r e i n z i g e n Wahrheit ins Bewußtsein der Menschen eingeprägt würde? und die nötige Sehnsucht nach diesem Ziel wachsen würde! –

Noch ein Element muß mit ins Auge gefaßt werden, wenn man das, was evangelisch-reformatorische Einheit ist oder sein kann, bestimmen will.

Alle großen Gegensätze im Bereich des Geisteswissenschaftlichen haben letztlich ihren eigentlich tragenden Grund nicht in verschiedenen Einzelerkenntnissen oder Einzelaussagen (obschon natürlich solche in der Sphäre des Bewußtseins den Ausgangspunkt bilden), sie gehen vielmehr zurück auf verschiedene A r t e n des Denkens.

Die Verschiedenheit von katholischem und reformatorischem Glauben und theologischem Denken kann durch eine Menge einzelner Unterscheidungslehren gekennzeichnet werden. Man kann die Verschiedenheit auch an den Grundprinzipien illustrieren, etwa den dem Material- und Formalprinzip der Reformation (Bibel allein; Glaube allein); damit ist dann sozusagen materialiter eine letzte Basis erreicht.

Aber noch tiefer reichen Frage und Antwort nach der A r t des Denkens, durch die auch diese beiden Prinzipien gewonnen wurden. Ich möchte

101

sagen, daß im Verhältnis „reformatorisch-katholisch" das Reformatorische sich kennzeichnet als ein spiritualistisches Denken gegenüber dem gemäßigten Realismus katholischer Denkart.

Wohlgemerkt, ich behaupte nicht, daß der Protestantismus, und in ihm besonders das Luthertum, reiner Spiritualismus sei. Es wurde schon angemerkt, daß ontologisches (und damit katholisches) Denken in Luther stärker ist, als man meist annimmt. Aber entscheidend spiritualistische Ansätze gehören zu seinem Wesen. Der Katholizismus betont das objektiv Seiende, er gewährt neben dem Unsichtbaren und Geistigen viel stärker als der Protestantismus dem Sichtbaren, dem Benennbaren, der Institution ihr Recht. Das kann man ebenso am Begriff des Glaubens und der Rechtfertigung wie an dem der Kirche und der Sakramente sowie ihrer kirchlichen Anwendung illustrieren. Und eben diese spiritualistische Denkart stellt eine wichtige, verbindende Kraft im Protestantismus dar; sie muß als solche eingeschätzt werden.

Als Gesamtresultat dieses Abschnittes stellen wir also fest, daß dem Protestantismus trotz seiner bedrohlichen Aufspaltung eine wichtige innere Einheit eignet.

IV. Zusammenfassung

1. Die Einheit des Christentums oder ihre Wiederherstellung hängt, wie wir meinten, eng zusammen mit der Vorstellung, die die Christen von der Wahrheit haben. Wie wir das Problem der Einheit auch stellen, immer erscheint als ausschlaggebend, daß ein objektiver Bestand an Erkenntnissen oder Bekenntnissen fest angenommen werde. Es genügt nicht, im Bereich des Aktualen und Persönlichen eine stärkere Verbindung oder Vertiefung anzustreben, so verdienstlich, so unentbehrlich das auch ist. Gewiß darf die innere Problematik, die der theologischen Fixierung eigen ist, nicht unterschätzt werden. Der Geheimnischarakter der Offenbarung mahnt uns immer wieder, der Grenze bewußt zu bleiben, die ihrer rationalen Durchleuchtung gesetzt ist. Wenn man zu energisch nach der theoretischen Formel fragt, die die verschiedenen Gegebenheiten der Offenbarung in sich und in ihrem Zusammenhang untereinander erfassen und klären könnte, kann jene Problematik sich zu einer nicht geringen Gefahr auswachsen. Sie kann aber vermieden werden. Es ist ja keineswegs so, daß die Theologie der Hochscholastik, geschweige denn ihre schwächeren Nachkommen der Barockzeit und des 19./20. Jahrhunderts, die vorscholastische Theologie in dem Sinn überholt hätten, daß diese unnütz geworden wäre. St. Bernhard hat uns theologisch noch etwas zu sagen. Und die theologische Methode der Heiligen Schrift - wenn man den Ausdruck Methode hier einmal gelten lassen will - ist noch immer gültig; das einfache (nicht theoretisch verarbeitete) Aussagen der ver-

102

s c h i e d e n e n Mitteilungen der Offenbarung über einen bestimmten Gegenstand, so daß dieser von diesen verschiedenen Aspekten her positiv beschrieben wird, bleibt nicht nur die Grundlage alles theologischen Durchdringens, sie besitzt ihren Wert in sich. Es ist der Wert der sich selbst erklärenden Heiligen Schrift - so weit sie sich selbst erklärt[75]. Von hier aus kann die eigentliche theologische Verarbeitung (die theoretisch-abstrakte) in gewissem Sinn als von geringerer Wichtigkeit erscheinen. Im Bereich der Lehre könnte man vielleicht zur Not sogar für ein zentrales Stück wie die Eucharistie in einem bestimmten Sinn Friedrich D e l e k a t[76] zustimmen, daß nämlich das, was er unter „theologischer Auffassung" des Abendmahls versteht, von sekundärer Bedeutung sei. Die Erklärung des „Wie" ist in der Tat nicht so entscheidend wie das Bekenntnis zum „Sein". Aber eben daran ist jede Aussage zu messen, und nur insofern kann jene „theologische Auffassung" von sekundärer Bedeutung sein, als sie das Wesentliche des Abendmahls bewahrt, d. h. wenn die wirkliche Gegenwart von Leib und Blut Jesu Christi als strikte Voraussetzung jeder Aussage, also als „die Wahrheit" stehen bleibt. Wenn diese eine Wahrheit durch eine neue Deutung aus einer neuen Situation heraus verletzt wird, ist die angebliche Vertiefung nicht mehr als eine relativistische Illusion. Wenn „mir von niemand anderem der Sinn des Lebens ... verbindlich beantwortet werden kann"[77], so ist das, zu Ende gedacht, die Leugnung der Offenbarung; das Objektive versinkt, die Fundamente sind zerstört.

Wenn jemand sagt: „Von der Wahrheit kann man sich gefangen nehmen lassen, aber man darf sie nicht dazu mißbrauchen, einen anderen zu verhaften"[78], so ist das wirklich schön formuliert. Nur darf es nicht bedeuten, daß die Wahrheit ihre Festigkeit preisgibt. Sie darf nicht Mittel der Verhaftung werden, weil sie nie ohne die Liebe sein darf und das Gewissen des anderen achten muß. Wohl aber bindet und verpflichtet die Wahrheit aus sich selbst heraus im Gewissen. Sie gibt sich selbst auf, wenn sie nicht fordert, anerkannt zu werden. Das wieder kann sie nur, wenn sie nur eine ist, und zwar i s t.

Ich kann freilich die Wahrheit weder fix und fertig von irgendwoher übernehmen, noch sie einfach „haben". Alle Wahrheitsfindung ist Wahrheitsverwirklichung, im Christentum der besseren inneren Gerechtigkeit erst recht. Aber in einem echten Sinne kann das Gewissen nur von einem objektiv Gültigen überwunden werden, weil alles andere letztlich seinem eigenen Urteil unterworfen bzw. dieses eigene Urteil selber ist. Das Gesetz aber, das ich mir selber gab, kann ich auch aufheben.

---

[75] S. oben S. 21.
[76] Sonntagsblatt (Hannover 1956) Nr. 11, S. 27.
[77] W. W a l z, Liberalismus - überholt oder unerreicht? in: Zeitwende 27, (Hamburg 1956) 160.
[78] ebd.

103

2. Für viele evangelische Christen und evangelische Kirchen sind die Hemmungen, einer Auffassung von der Einheit des Christentums beizustimmen, wie sie hier beschrieben wurde, sehr stark. Das Gesagte beweist es. Ich möchte noch auf folgendes eigens hinweisen.

a. Weiter oben (S. 13) wurde auf den engen Zusammenhang hingewiesen, der zwischen der evangelischen Theologie und der jeweils modernen geistigen Situation besteht. Nun geht es heute für einen großen Teil der noch einigermaßen Denkenden - nicht am wenigsten unter den Jüngeren - beinahe gar nicht mehr um die Feststellung des Grundsätzlichen (im Sinn unantastbarer erster Prinzipien) und des Objektiven. Daß nach unserer Überzeugung die Wiedergewinnung des Objektiven Voraussetzung für eine umfassende Erneuerung ist, braucht hier nicht wiederholt zu werden. Aber das, was man die Situationsbedingtheit nennt, hat doch eine solche Mächtigkeit im allgemeinen Bewußtsein (und Wünschen) erlangt, daß auch die Glaubensverkündigung ihr tatsächlich in höherem Grade Rechnung tragen muß als bisher; wir müssen stärker aus der Situation des Bedrängten heraus denken und mit mehr Verständnis für seine Lage die Offenbarung aussprechen. Wenn die katholische Fassung des Wahrheitsbegriffs, seine Verkündigung und seine praktische Verwaltung sooft radikaler oder gar empörter, auch modern-überheblicher Ablehnung begegnet, sind wir aufgerufen, auch nach den Mängeln der eigenen Art zu fragen. Wir haben im Vorstehenden in verschiedener Art Ansätze zu einer Antwort zu geben versucht.

b. Andere Hemmungen liegen und reichen tiefer. Die Anerkennung einer objektiven einzigen Wahrheit führt in unentrinnbarer Konsequenz zur dogmatischen Intoleranz, zu der sich auch die Reformation bekannte. Müßten nicht evangelische Christen, die zu dieser harten Exklusivität der Reformation zurückkehren, konsequenterweise diese Intoleranz gegenüber allen anderen reformatorischen Denominationen in Anspruch nehmen, ebenso wie gegenüber der römisch-katholischen und der orthodoxen Kirche? Das aber wäre für die meisten von ihnen eine unerträgliche Verengung und die Verurteilung wesentlicher Teile der Entwicklung, welche die reformatorischen Auffassungen bisher durchmachten. Dahinter taucht wieder[79] jene Schicksalsfrage der Reformation auf: f ü h r t e nicht die Verwerfung des lebendigen unfehlbaren Lehramtes mit Notwendigkeit die Spaltungen innerhalb des reformatorischen Christentums herbei? Aber diese Gedanken, zu Ende geführt, bedeuten eine Existenzbedrohung des reformatorischen Christentums; es ist leicht einzusehen, daß es sich bewußt und unbewußt gegen diese Bedrohung wehrt.

c. Andererseits stellt uns die ökumenische Bewegung wie das Gespräch zwischen den Konfessionen vor die Frage, ob eine Einheit der Christenheit

---

[79] Vgl. oben S. 12 f.

104

nur utopischer Traum ist? Wer dieser Auffassung nicht ist, wer also die Zurückgewinnung einer wirklichen Einheit für sachlich möglich hält, muß nach den Möglichkeiten der Verwirklichung einer Annäherung suchen.

In der Reformation haben Menschen rund 1500 Jahre nach der Entstehung des Christentums Wesentliches der bisherigen Tradition als Fehlentwicklung im krassen Sinn des Antichristlichen verworfen. Wir wissen einigermaßen, wie viel christlicher Eifer an dieser Beurteilung beteiligt war. Aber die damals verkündete neue Konzeption wurde nicht von Aposteln verkündet, wie es bei jener für alles spätere entscheidenden Gestaltung im apostolischen und nachapostolischen Zeitalter der Fall war. Die Reformatoren nahmen für sich keinen direkten außergewöhnlichen Auftrag Gottes in Anspruch[80].

Das aber eröffnet die Möglichkeit, an jenes von Menschen verursachte reformatorische Geschehen[81] die Frage zu stellen, ob es von seinen eigenen Voraussetzungen aus seinen Auftrag rein eingelöst habe. Je mehr wir heute wissen, daß die Reformation nicht nur Spaltung und Verlust war, je besser wir erkennen, daß auch bei einer Bejahung der eben formulierten Frage das Recht des r e l i g i ö s e n, des eigentlichen reformatorischen Anliegens, keineswegs einfach geleugnet wäre, vielmehr in seiner Realisierung geschützt würde, um so mehr darf wohl auch ein einzelner Katholik jene Frage formulieren; er darf hoffen, daß der evangelische Christ sie sich nicht einfach als ungehörig verbittet.

Die Frage der Einheit des Protestantismus führt letztlich zurück auf die Frage, ob das, was man das „Reformatorische" nennen darf, eine echte Einheit im Sinne des Neu-Entstandenen ist, oder ob es eine Umwandlung früherer Motive sei. Meines Erachtens muß die Antwort berücksichtigen, daß im geistigen Werden (natürlich innerhalb eines und desselben Milieus) dieses „aut-aut" keine Geltung hat. Die reformatorische Erkenntnis ist in gewissem Sinne sicher ein Neues; sie ist aber nachweislich auch Gestaltwandel früherer Motive. Es ist eine gefährliche Methode, das Neue als d i e Mitte *a priori* bestimmen zu wollen. Eine nüchtern entgegennehmende materielle Erhebung aller Motive und Motivwandlungen ausschließlich in Konfrontierung mit dem früheren Denken kann allein eine genügende Unterlage bieten, in wissenschaftlich einwandfreier Weise die echte Mitte - soweit sie vorhanden sein mag - zu bestimmen.

---

[80] Das Sendungsbewußtsein der Reformatoren wird hiermit nicht geleugnet. Mit diesem Bewußtsein verträgt sich, daß sich Luther in gewissem (nicht aber im strikten) Sinne für inspiriert hielt (oben S. 14). Hierher gehörige Äußerungen in der Literatur (auch bei Congar, Vraie et fausse réforme [Paris 1950], S. 511 ff.) bedürfen einer genauen Umgrenzung durch planmäßige Untersuchung des gesamten Materials. Das gilt auch noch nach Holl (Luther, Gesammelte Aufzur Kirchengeschichte [Tübingen 1932] 381—419, bes. 392 f., 405 ff.).

[81] S. oben Seite 12 f.

105

Übrigens, wie man auch hier antworten möge, über dies alles hinweg besteht heute auf evangelischer Seite jenes starke Verlangen nach der Einheit der Christen, von der wir sprachen und die man auch innerhalb der Ökumene als zum Wesen des Christentums gehörig bezeichnet. Kann diese Einheit Zuständlichkeiten und Lehren umfassen, die Widersprüchliches aussagen? Kann aber das sich ausschließende Widersprüchliche ausgeschaltet werden, es sei denn, man bekennt sich zur These von der einen objektiven Wahrheit?

Und wieder ein anderes: wir wissen heute, trotz der Trennung, und in ihr, daß das Gemeinsame der getrennten Christenheit in eine größere Tiefe reicht, als früher angenommen wurde. In der Frage der Rechtfertigung erreicht die Wandlung der Erkenntnis bereits den Grad des Entscheidenden.

3. Können wir auf dem Boden solcher Voraussetzungen etwas tun für die Vertiefung der Einheit, wo sie besteht, oder für ihre Wiedergewinnung, wo sie verlorenging?

Wir sprachen des öfteren von der ausschlaggebenden Bedeutung der Theologie innerhalb der evangelischen Kirchen. Entsprechend wird in der kontroverstheologischen Diskussion seit einiger Zeit die katholische Anerkennung etwa Luthers als eines *homo religiosus* zwar akzeptiert, aber als nicht entscheidend klassifiziert. Hier deuten sich letzte Gegensätzlichkeiten an. Sollte sich nicht gerade die Gegnerin der „Hure Vernunft" auch hier ernstlich ihr ureigene Frage vorlegen, ob nicht doch das von Jesus Christus gewirkte Religiöse, der Glaube, diesseits der theologischen Formulierung seines Wesens, das Wichtigere, das Entscheidende sei? Niemand wird natürlich eine verneinende Antwort geben; das aber verpflichtet zu den entsprechenden Konsequenzen.

Das wichtige Buch „Katholische Reformation[82], des lutherischen Kreises „Die Sammlung", mit dem wir uns in einem weiteren Beitrag noch beschäftigen wollen, erstrebt die Einheit durch die Ausweitung des „Allein" zum umfassenden „Katholischen"[83]. Meines Erachtens ist hier eine Einsicht ausgesprochen, in der der Weg zu einer Auflockerung unserer Trennungsnöte angebahnt ist. Denn hier wird eine Möglichkeit der Verständigung aufgewiesen, in der keinem der Partner etwas genommen, wohl aber etwas gegeben würde. In jenem Motiv der „Sammlung" liegt zuinnerst die Einsicht, daß das entscheidende religiöse Anliegen der Reformation,

[82] Hrsg. v. M. Lackmann, H. Asmussen, E. Finke, W. Lehmann, R. Baumann, Stuttgart 1958.
[83] Vgl. bes. den Beitrag v. M. Lackmann „Ruf der evgl. Christenheit zur katholischen Erfüllung", a. a. O. S. 81—132.

106

noch besser d a s reformatorische Anliegen, nämlich das zentral-religiöse („nichts Heilsdienliches außer in und durch die dem Sünder frei geschenkte Gnade Gottes") ein katholisches war, und daß nur tatsächliche Vereinseitigung und Ausklammerung dies vom umfassend Katholischen abspaltete. Schon Bernhard von Clairvaux und Thomas von Aquin kennen das „sola fide"[84].

Es wäre viel gewonnen, wenn die Katholiken die katholische Idee der Einheit im Sinne dieser Meister der monastischen Theologie und der nur in dauernder Bejahung des Unerforschbaren ratiozinierenden echten Scholastik ausweiteten; wenn andererseits die evangelische Christenheit verstehen würde, daß gemäß dem Evangelium nach dem Willen Christi, das „Christus allein" bedeutet „Christus und die Kirche". Das scheint durchaus möglich. Denn in diesem Falle bedeutet das „und" keine Addition zweier gleichwertiger Größen; es handelt sich auch nicht um eine unzulässige Erhöhung des Menschlichen. Das erste Gebot bleibt voll gewahrt.

---

[84] Bernhard von Clairvaux, Serm. in f. Ann. B. M. V. 1,3 (PL 183, 384), Serm. in Nat. B. M. V. (Mab. I, 2, 2140 — De Aquaeductu), wo allerdings, „gratia" steht (Nimirum sola est gratia, qua salvamur), das aber offenkundig keinen Platz läßt für einen menschlichen Eigenwert. Thomas v. Aquin, Sup. Epist. ad Rom. Cap. III Lect. IV, 317: arbitramur nos Apostoli, veritatem a Christo edocti, hominem quemcumque, sive Judaeum sive Gentilem, iustificari per fidem. Et hoc sine operibus legis. - Hans Küng, dessen Buch, Rechtfertigung - Die Lehre Karl Barths und eine katholische Besinnung (Einsiedeln 1957), sich ex professo mit der Frage beschäftigt, schreibt S. 244: „Die Formel gehört durchaus zur katholischen Tradition. Schon Bellarmin (De iustificatione II, 25) hat das gesehen, und er zitiert für die „reformatorische" Formel: Origenes, Hilarius, Basilius, Chrysostomus, Augustinus, Cyrillus Alexandrinus und vor allem Ambrosiaster und Bernhard." Für Thomas fügt er noch eine besonders deutliche Stelle bei, aus der Exegese von 1 Tim 1. 8: „Data est lex, ut cognoscatur peccatum: quia nisi lex diceret, non concupisces, concupiscentiam nesciebam (Rom 7,7); quod dicitur in decalogo. Non est ergo in eis spes iustificationis, sed in sola fide . . ."

107

Evangelische Kritik am katholischen Begriff der Einheit

Von Professor Josef Lortz, Mainz

Je stärker in der Oikumene die Einheit des Christentums betont und gefordert wird, desto auffallender wirkt eine entgegengesetzte Tendenz im Protestantismus, den anzustrebenden Begriff dieser Einheit aufzuweichen. Aus welchen Gründen dies geschieht, braucht hier nicht im einzelnen untersucht zu werden. Soviel tritt jedenfalls hervor, daß es sich auch um ein Bemühen handelt, der katholischen Auffassung der Einheit des Christentums oder dem, was man dafür hält, die Berechtigung zu bestreiten. Die Tendenz an sich kann nicht überraschen; denn das Zugeständnis, daß die anzustrebende kirchliche Einheit in katholischem Sinne verstanden werden müsse, würde mit Konsequenz die Rekatholisierung verlangen, also eine Selbstaufgabe des Protestantismus in seiner separatistischen Form bedeuten. Alles kommt daher auf die Festigkeit der Thesen an, in denen sich jene Ablehnung konkretisiert. Ich führe deren vier an:

I. Die Offenbarung — und damit ihre Einheit — wird katholischerseits unzulässigerweise und unbiblisch verstanden als *summa doctrinae*, als eine Sammlung wissensmäßiger Lehren.

II. Die katholische Auffassung der christlichen Einheit verwechselt Wahrheit mit Einheit und weiterhin Wahrheit und Einheit mit Macht.

III. Das Evangelium selbst verkündigt nicht und verlangt nicht eine feststellbare Einheit.

IV. Geschichtlich hat es eine volle Einheit des Christentums nie gegeben; und also war auch die Reformation nicht die Zertrümmerung einer angeblich vorhandenen Einheit; es ist Unrecht, der Reformation Glaubensspaltung vorzuwerfen.

Diese Thesen sind im einzelnen zu besprechen.

I. Summa doctrinae?

1. Die Behauptung, die katholische Auffassung betrachte die Offenbarung als eine Summe wissensmäßiger Lehren, braucht in dieser Kurzformel nicht mehr zurückgewiesen zu werden[1]. Sie wird in dieser Form nirgends als katholische These vertreten. Schon manche der früheren Ausführungen genügen zum Beweis[1a].

Zuzugeben ist freilich nochmals, daß verschiedene Arten katholischer Theologie (der Schule und der Praxis) zu lange und zu einseitig das Ding-

---

[1] Der Ausdruck ‚Summa doctrinae' war der lutherischen Orthodoxie geläufig.
[1a] Vgl. oben S. 8 ff. und 85 ff.

211

liche und das erlernbare Wissensmäßige der Offenbarung überbetonten, auch, daß abstraktes Aussagen über die Offenbarung die Verkündigung im Wortlaut der Bibel mehr als gut war überdeckte. Daß alles Handeln Gottes am Menschen, auch durch seine Kirche hindurch, immer ein personales Handeln des personalen Gottes am personalen Menschen ist, wurde sicher in gewissen Sparten katholischer Theologie zu wenig betont.

Nur, daß diese Schwächeerscheinungen heute kaum noch das Bild der wissenschaftlichen katholischen Theologie mitbestimmen und ihr also auch nicht mehr vorgerückt werden dürften. —

Die zu behandelnde These reicht allerdings weiter. Man kann das aus neuerlichen evangelischen Auseinandersetzungen mit Auffassungen des rechtslutherischen Kreises „Die Sammlung" ersehen, näherhin aus der Auseinandersetzung mit einem Aufsatz des lutherischen Pfarrers Max L a c k m a n n im Sammelband ‚Katholische Reformation'[2]. In diesem Aufsatz fordert L a c k m a n n als Basis der theologischen Diskussion eine im Wortsinn katholische Erhebung der Aussagen der Heiligen Schrift gegenüber der Methode Luthers, der aus der Heiligen Schrift ausgewählt habe, der nur die Rechtfertigung aus ihr herausgehört bzw. alle ihre Äußerungen in Funktion der Rechtfertigung gelesen habe, der in der Heilsökonomie nur Gott sehe, nicht aber, daß Gott den Menschen zu seinem Partner emporgehoben hat.

Lackmann hat hier zweifellos den Maßstab aufgestellt, der am meisten Chancen bietet, den Offenbarungsgehalt voll objektiv zu erfassen. Denn er verzichtet darauf, von sich aus irgend etwas als ‚das Wesen des Christentums' zu bezeichnen; er verlangt ganz einfach, daß, was immer als Heilsaussage in der Heiligen Schrift stehe, seinen Platz finden könne und finden müsse in einer wie immer gearteten Darstellung der christlichen Offenbarung[3]. Er setzt einen methodischen Ansatzpunkt, der voll Ernst machen will mit der Aufgabe des Christen, Hörer, ganz Hörer des Wortes, des ganzen Wortes zu sein.

2. Oberkirchenrat Hugo S c h n e l l hat zu Lackmann in der Evangelisch-Lutherischen Kirchenzeitung[4] Stellung genommen. Er argumentierte u. a. so: „Die Heilige Schrift ist nicht in erster Linie die von Gott gegebene Urkunde seiner Wahrheit ... Die Schrift enthält nicht nebeneinanderstehende Wahrheiten gleicher Dignität. Das fleischgewordene Wort, das die Wahrheit ist, sagt nicht: ‚Glaubet meiner Lehre', ‚Folget meinen Vorschriften', sondern ‚Glaubet an mich' (Joh 14, 1), ‚Folget mir nach' (Mt 16, 24) ... Nicht die einflächige Sicht, sondern nur die perspek-

---

[2] Hrsg. v. M. L a c k m a n n, H. A s m u s s e n, E. F i n c k e, W. L e h m a n n, R. B a u m a n n, Schwabenverlag, Stuttgart 1958.

[3] Vgl. dazu L o r t z, Reformation als religiöses Anliegen, Trier 1948, 137 ff.; dazu ‚Geschichte der Kirche' (Münster [20]/1958), 280 ff.

[4] Nr. F (Berlin 1958) 104 ff.

212

tivische Konzentration auf die Mitte ist dem biblischen Kerygma angemessen!"

Andererseits sei reformatorische Konzentration keineswegs mit Reduktion zu verwechseln. „Wo die Mitte ist, ist auch die Fülle." Hingegen habe „die römisch-katholische Kirche die ‚Fülle' mit dem Preis der Vergesetzlichung erkauft. Das Evangelium ist ins Gesetz verwandelt, das Eschatologische ist ins Diesseits hineingebunden".

Es darf gleich vermerkt werden, daß diese Replik im Unterschied zu Lackmanns vorsichtig entgegennehmender Grundhaltung mehrere Deutungen des Autors enthält, die zunächst nur den Wert einer subjektiven Auffassung des Autors haben. Es liegt einer der Fälle vor, wo der Katholik mit Verwunderung zur Kenntnis nimmt, daß der evangelische Theologe, der doch nur das Wort gelten lassen will, seiner Vernunft grundsätzlich erheblich mehr Anstrengung zumutet und ihr bei der Auslegung des Bibelwortes mehr Mitsprache zuerkennt als der Katholik[5]. Man kann gewiß den reformatorischen Wahrheitsbegriff nicht einfachhin durch Luthers Wort von der „Hure Vernunft" charakterisieren. Um die Elemente in den Blick zu bekommen, die den katholischen und reformatorischen Wahrheitsgedanken verbinden, wäre es nötig, den ‚fideistischen' Grundzug des reformatorischen Denkens und den Inhalt dieses Lutherwortes vorsichtig abzugrenzen. Als die lutherische Orthodoxie seit dem Ende des 16. Jahrhunderts und im 17. Jahrhundert so stark auf den von Luther massiv getadelten Aristoteles zurückgriff, da verwirklichte sie nicht nur einfachhin einen Widerspruch zu Luthers Haltung. Es ist schon wahr, daß die Reformatoren auch die Meinung vertraten, keine theologische Aussage sei möglich, die sich nicht philosophischer Sprache bedient. Es bedarf einer sorgfältigen Überlegung, ob die Rezipierung des Aristoteles damals wirklich nur ein volles Mißverständnis Luthers bedeutete[6]. Andererseits kann keine genaue Lektüre Luthers übersehen, mit welcher Heftigkeit er die Verurteilung der Philosophie vorgetragen, sie allerdings auch wieder ungenau abgegrenzt hat. Also braucht und darf der Reformation so sehr eine fideistische ist, daß die Neurezipierung des man wohl doch nicht die Ansicht aufgeben, daß die Grundauffassung Aristoteles im reformatorischen Raum ein Paradoxon bleibt. Die in den modernen Jahrhunderten im Protestantismus erfolgte Verwerfung des aristotelisch-realistischen Denkens liegt, alles in allem genommen, un-

---

[5] Zur Herkunft dieser Art des Denkens ist Luthers exegetische Arbeit seit 1513/15, besonders seit 1518 ff., wichtig.

[6] Vgl. hierzu Wilhelm L i n k , Das Ringen Luthers um die Freiheit der Theologie von der Philosophie (München 1940, 2. unver. Aufl. 1955), 165; Robert C. S c h u l t z , Gesetz und Evangelium in der luther. Theologie des 19. Jahrh. Luther-Verlagshaus Berlin 1958, 9 ff. und passim.

213

gleich mehr in der Konsequenz der Ansätze der Reformation als jene Rezipierung. — Der Einwand ‚Wo die Mitte ist, ist auch die Fülle' klingt wunderschön, und wo die Mitte wirklich getroffen wird, spricht er eine für Geschichte und alles Leben tiefe Weisheit allgemeiner Geltung aus. Aber wo in der christlichen Verkündigung die Mitte sei oder was sie sei, muß erst bestimmt werden. Und eben hier lauert die Gefahr, daß die Konzentration doch zur Verkürzung werde. — Die Geschichte der reformatorischen Theologie in ihrer erschreckenden widersprüchlichen Vielschichtigkeit beweist[7], daß sie oft nicht bewältigt wurde.

Was den I n h a l t der Replik angeht, so ist von vornherein ebenso klar wie selbstverständlich, daß es sich auch für Lackmann, wenn ich ihn nicht ganz falsch verstehe, nicht um eine quantitative Vollständigkeit handelt, und noch weniger um ein Nebeneinander von nur gleichwertigen Elementen. Ihre Relationsfunktion untereinander darf, das scheint selbstverständlich, nicht übersehen werden. Es stellt sich im Prinzip das gleiche Problem wie bei der Deutung des katholischen „und". Dieses „und" meint nicht ein äußeres Zusammenzählen; es wurzelt in dem „Gott und Mensch" der personhaften Einheit Jesu Christi, dessen eine Lehre das Leben Gottes im erlösten Menschen will und bringt. Aber es verbietet, daß irgendein Punkt dieser Lehre, auch nur „ein Jota" (vgl. Mt 5, 17), in der Verkündigung der Kirche nicht Platz finden könne. — Was die Rechtfertigung anlangt, so ist sie zweifellos ein Zentrum der biblischen Verkündigung, von der aus Entscheidendes der Gesamtlehre zu verstehen ist. Es kann aber nicht wohl einem Zweifel unterliegen, daß, wer die Heilige Schrift des Neuen Testaments nur von der Rechtfertigung her liest, weder Epheser, noch Kolosser, noch Johannes, noch der Apokalypse ganz gerecht werden kann. Er wird kaum genügend die christliche Grundhaltung der Anbetung und die im großen Stil liturgische Verehrung (Kolosser und Apokalypse) einbeziehen können. Und wer die Synoptiker so gut kennt, wie Luther sie kannte, aber doch ihre Aussagen wesentlich in Funktion der von Paulus aus gedeuteten Rechtfertigung liest, wird ihren Eigenwerten nicht gerecht werden können. Er wird z. B. nicht genügend zur Darstellung bringen, daß die Sünde keinesfalls immer ein verzweifeltes Gewissen schaffen muß, sondern daß das Sünder-Bewußtsein („Wenn ihr alles getan, sprecht doch: wir sind ‚unnütze' Knechte", Lk 17, 10) zusammenstehen darf mit dem ruhigen Bewußtsein, Kind des Vaters zu sein. Es mag zugegeben werden, daß eine einseitige Betonung dieses letzteren Gedankens die Gefahr in sich bergen kann, die grundlegende Forderung Anselms v. Canterbury nicht genügend zu realisieren: *„Nondum consi-*

---

[7] Evangelische Leser sollten bei einer solchen Formulierung nicht vergessen, daß sie oft genug von evangelischen Historikern und Theologen vertreten wurde.

214

derasti, quanti ponderis sit peccatum"[8]. Aber dies bliebe immer nur ein Versagen in der praktischen Realisierung der angestrebten „katholischen" Erhebung des Materials, ein Versagen in der Verwirklichung der katholischen Synthese; es wäre nicht ein berechtigter Einwand gegen das Prinzip erbracht.

Es läßt sich auch nicht leugnen, daß die Schrift Vorschriften enthält, die den Menschen binden, binden in Jesus Christus. Dies sehen und es in einer festumschriebenen Lehre[9] und in Kirchengeboten aussprechen und vorschreiben, bedeutet noch nicht legalistische Pervertierung. Es besteht ein großer, ein wesentlicher Unterschied zwischen dem Evangelium der vollkommenen Freiheit[10] und dem alten ‚Gesetz': der Unterschied des ‚Ich aber sage Euch'. Aber dies Evangelium will nicht einmal ‚ein Jota des Gesetzes' aufheben, sondern es erfüllen (Mt 5, 17f.). Es geht hier nicht um die Ausdeutung dieses Satzes, wohl aber um die einfache Feststellung, daß das Evangelium keineswegs ohne feste Bindung ist. Das Gegenüber von Evangelium und Gesetz ist kein einfach ausschließendes, sobald man ‚Gesetz' nicht im Sinne eines nur äußerlichen zeremoniellen Vollzugs nimmt, bei dem die innere Gerechtigkeit, die Gesinnung, der Glaube unbeteiligt wären. Schon Paulus für sich allein, und sogar im Römerbrief — wenn man ihn denn ganz nimmt und z. B. Röm. 6, 17 nicht übersieht — liefert den Beweis. Der Gegensatz wurde zwar von den Reformatoren und von der reformatorischen Theologie durch Betonung und Überbetonung zu einem Widerspruch übersteigert. Es war aber eben eine Übersteigerung, schon deshalb, weil in die Deutung die reformatorische Konzeption der christlichen Freiheit hereinspielt, eine Idee, die bis heute theologisch ganz ungenügend abgeklärt wurde. (Dagegen ist beim späteren orthodoxen Luthertum, z. B. bei Calixt[11], in der richtigen Erkenntnis dieser Bindung durch Gott der Glaube als ein Akt heilsnotwendiger Gesetzeserfüllung aufgefaßt worden.)

---

[8] Anselm v. Cant., ‚Cur Deus homo' 1, 21 (PL 158, 393 C). Entsprechend ist einzuräumen, daß das tiefe Sündenbewußtsein, bzw. die intensive *theologia crucis* Lutherischer und Calvinischer Prägung selbst in ihrer übertrieben scharfen Einseitigkeit Christen zu überaus heilsamem Ernst erzogen haben.

[9] Über den hier zugrunde gelegten Wahrheitsbegriff naiv-realistischer Prägung, der das Schriftwort im einfachen Wortlaut ohne angebliche Vertiefung (die in Wirklichkeit zu einer spiritualistischen Gefährdung wird) nimmt, s. oben S. 21 und S. 90.

[10] Das Wort steht ausgerechnet in der ‚strohernen Epistel' des Jakobus (2, 12) und zeigt, weil es vom neutestamentlichen Gesetz ausgesagt ist, in einer besonders beeindruckenden Weise die Verwandtschaft vom Evangelium einerseits und dem neutestamentlichen Gesetz andererseits.

[11] Siehe darüber: Hermann S c h ü s s l e r, Georg C a l i x t, Theologie und Kirchenpolitik. Eine Studie zur Ökumenizität des Luthertums. Demnächst (1959) in den ‚Veröffentlichungen des Instituts für Europäische Geschichte', Abt. Abendländische Religionsgeschichte.

215

Schnell sieht in Lackmanns Grundsatz von der „gesamt-kirchlichen Wahrheit" eine unzulässige, biblizistische Identifizierung des geschriebenen Bibelbuchstabens mit dem Worte Gottes. Dies sei deshalb unzulässig, weil „zwischen dem Text (der Bibel) und dem Hörer das Handeln des Geistes steht", durch das er Glauben schafft. Dieser Vorgang aber könne durch ein kirchliches Lehramt weder gefördert noch gesichert bleiben[12].

Gewiß schafft der Geist den Glauben, und dies durch die Predigt. („Wie sollen sie glauben, wenn sie nicht hören?" Röm 10, 14). Aber wer ist der Prediger? Der einzelne Pastor? Gar der einzelne Professor? Oder ist es die Kirche?

Wenn aber die Kirche, ist sie dann Trägerin des Geistes und seiner Wirkkraft oder nicht? In den entscheidenden Verkündigungen der Aus-sendung mit der Übertragung des Heiligen Geistes ist ein Amt gestiftet. Wie immer es zu deuten sein mag, man kann es nicht leichthin durch die Behauptung einer Verlegalisierung abtun. Hier äußert sich die evange-lische Stellungnahme zwar in allem Ernst, aber doch mit unzulänglicher Differenzierung. Es offenbart sich eine erstaunlich geringe Fähigkeit, die Stiftung des Herrn, die Kirche, als objektive Größe ernst zu nehmen, und das Lehramt sakral und sakramental zu sehen. Wird hier letztlich nicht behauptet, die Kirche könne nicht Vermittlerin des Geistes sein?

Die Glieder der Kirche sind Menschen. Aber die Kirche ist nicht nur menschlich. Die Kirche ist auch mehr als ihre Glieder. Nicht die Menschen, die das bischöfliche oder päpstliche Amt ausüben, sind das Lehramt; es sind vielmehr diese Menschen als Träger des göttlich gestifteten, durch die Gnade getragenen und durch die Verheißung gesicherten Amtes. Daß die Amtsträger zu Legalisten werden können, braucht angesichts des Evangeliums und der Kirchengeschichte nicht erst diskutiert zu werden. Alles hängt daran, ob es in diesem Amt einen Bezirk der Unfehlbarkeit gibt. Schnell sagt vom unfehlbaren Amt: „Was Gottes Geist tut, wird vom Menschen beansprucht"[13]. Hier muß man noch einmal allen Ernstes fragen, ob der Wirklichkeit des mit Autorität ausgestatteten Apostels, der Wirklichkeit des Amtes als Geistträgers (der eben als Amtsträger nicht nur mehr Mensch ist) genügend Rechnung getragen wird. Entgegen dem, was er sicherlich will, sieht Schnell auch nicht, daß mit solcher Argumentierung entweder einer Spiritualisierung oder Rationalisierung der Botschaft der Weg geöffnet ist.

Auch die Minimalisierung der Lehre durch die anderen von Schnell vorgelegten Bemerkungen werden nicht dem Ganzen der biblischen Ver-

---

[12] A. a. O. 104.
[13] A. a. O. 105.

216

kündigung gerecht. Die Aufforderung des Herrn ‚Glaubet an mich‘ (Joh 14, 1) (nicht: Glaubet an meine Lehre!) schließt ein, daß er der Sohn Gottes ist. Wer dies nicht glaubt, glaubt nicht an ihn (1 Joh 5, 10). Dies aber umschließt offenkundig eine Lehre; wir sind an sie gebunden; wir müssen sie glauben. Sie wurde in Nicaea 325 als Dogma formuliert. Die trinitarischen wie die folgenden christologischen Kämpfe lassen keinen Zweifel darüber, daß damals die Kirche den Glauben an diese Lehre als Vorbedingung des Heils erachtete. Nur die volle Leugnung der *fides quae* könnte S c h n e l l s Schlußfolgerungen Recht geben. Aber sie würde, entgegen dem, was er vertritt, die grundlegenden Tatsachen des NT und die entsprechenden Aussagen darüber zerstören.

Da es nicht darum geht, eine Ansicht zu widerlegen, sondern der Verständigung durch die Wahrheit einen Weg zu bereiten, ist es gut, daran zu denken, daß oft eine ungenügende Praxis eine übertreibende und damit unzulässige Theorie als Reaktion verursachte. Eine hierher zielende Gewissenserforschung kann niemand erlassen werden, natürlich auch uns Katholiken und unserer Kirche nicht. Werkgerechtigkeit und Gesetzlichkeit sind im übrigen für die katholische Kirche, deren Sichtbarkeit und hierarchische Organisation zu ihrem Wesen gehören, an sich eine größere Gefahr, als es im ‚spiritualistischen‘ Protestantismus[14] der Fall ist. Die Kirchengeschichte illustriert das an mancherlei Veräußerlichung, an Peripherischem, die sicher nicht wenigen den Blick für den sakramentalen Charakter des kirchlichen Amtes trüben konnten. Eine bedauerliche Reaktion, für die wir Mitverantwortung tragen; aber weder eine Widerlegung des katholischen, noch ein Beweis des protestantischen Prinzips.

Tatsache bleibt auch, daß das unfehlbare Lehramt in den Reihen der Katholiken weder Glaubensschwäche noch Irrglauben und Unglauben verhindern konnte. Die Tatsachen beweisen es und bestätigen erneut die Voraussage des Stifters. Allerdings ist damit das Wort: *Tu autem conversus, confirma fratres tuos!* (Lk 22, 32) keineswegs außer Kraft gesetzt. Es gehört thematisch zu der großen Zusicherung des Herrn, daß die Pforten der Hölle seine Kirche nicht überwältigen werden (Mt 16, 18). Da anderseits auch die Stiftung Jesu als die Kirche der Sünder verkündigt ist, da sie sich als solche in dem Sinne erwiesen hat, daß alles, was nicht ihren innersten Besitz an Wahrheit und Heiligkeit darstellt, dem Krankwerden verfallen kann, kann es sich bei diesem *confirma*, im wesentlichen Sinne genommen, nur darum handeln, daß die *sana doctrina*, das *depositum fidei* ungeschmälert bewahrt werde, so daß die Kirche und ihre Lehre immer die Leuchte der Wahrheit am dunklen Ort sei (Mt 5, 15f.).

---

[14] Im oben S. 102 eingeschränkten Sinn. Zur katholischen Auffassung siehe auch unten S. 223 f. und Anmerkung 21.

217

Diesen Dienst aber hat das lebendige unfehlbare Lehramt zweifellos in dem Sinne geleistet, daß ein wesentlicher Abfall etwa vom Bekenntnis zur Gottheit Jesu Christi nie in der katholischen Kirche hat gelehrt werden können, während dies in der liberalen protestantischen Theologie und in Teilen der reformatorischen Kirchen sehr wohl und sogar in breitem Ausmaß real wurde.

II. Verwechselt die katholische Auffassung die Wahrheit mit Einheit und Macht?

1. W. v. L o e w e n i c h hat in seinem Buch über den modernen Katholizismus[15], das trotz aller Vorbehalte, die gegenüber vielen Äußerungen anzubringen sind[16], sicherlich Zeugnis davon gibt, wieviel ihm an einem Gespräch mit den Katholiken liegt, diese These mit einer gewissen Härte vertreten[17]. Ich glaube die Ansätze zu sehen, die einen Mann wie ihn zu diesem Urteil hinführen. Zunächst: Wahrheit und Einheit sind in der Tat durch eine außerordentliche Affinität verbunden. Wahrheit kann nur eine sein. Daran hängt beinahe alles. Wer diese Grundlage annimmt, für den ist die Gleichung Wahrheit = Einheit und umgekehrt nicht eine Verletzung der Wahrheit, sondern ihr Schutz; wer diese Grundlage als ‚primitiv' belächelt, kann kaum anders als feststellen, daß der katholische Begriff Einheit zu eng ist für das, was er als Wahrheit definiert.

Was die Verwechslung von Wahrheit und kirchlicher Macht angeht, so liegt hier der Ansatz zur Verurteilung der katholischen Haltung in der ungenügenden Erkenntnis und Anerkennung dessen, was das kirchliche Wächteramt, wie Bonifatius es nannte, im Wesen ist. Wer nicht davon überzeugt ist, daß dieses Amt in seinem innersten Kern dem Irrtum und der Sünde entnommen ist, kann kaum zur Vorstellung durchdringen, hier seien Herrschaft und Macht letztlich (eben im Verhältnis zu diesem Kern) nichts anderes als Dienst an der Wahrheit. Denn diese absolutistische Macht der Unfehlbarkeit (und des Summepiskopates) ist in der Tat, mit N e w m a n zu sprechen, erschreckend: Sie ist „Ausübung einer absoluten und fast despotischen Herrschaft über ihre Glieder der Kirche"[18]. „Das Königsamt der Kirche, wie es vom Papste repräsentiert wird, scheint das Theologische, wie es von der Schrift und der Überlieferung dargestellt wird, zu vergewaltigen." (ebd.)

---

[15] W. v. L o e w e n i c h, Der moderne Katholizismus, Witten ²1956.

[16] J. L o r t z in: Theol. Revue 53 (Münster 1957) 139.

[17] Im Grunde der alte Vorwurf der Reformatoren gegen den Papst, und zwar unter Einschluß der ev. Vermittlungstheologen, wie etwa Calixts.

[18] J. H. N e w m a n, Die Einheit der Kirche und die Mannigfaltigkeit ihrer Ämter (Freiburg 1947) 71.

218

Scheint! Denn immer wieder steht das gewaltige Wort da: die Pforten der Hölle werden sie nicht überwältigen (Mt 16, 18). Und immer bleibt auch als bestätigende Einlösung dieses Wortes die historische Erfahrung, jene nämlich, die uns zwar so bedrückend viel Machtstreben und Machtdenken in der Kirche erleiden läßt; nur, daß das Wunder sich vollzog, daß diese tief zeitgebundenen, aber auch des historischen Sinnes nicht entbehrenden Erscheinungen und diese Menschlichkeiten das Dogma selbst nicht zu trüben vermochten. Daß Macht und Machtdenken (so weit es über die in der Offenbarung verheißene geistliche Macht hinausging) ein Weg zur absoluten Macht des unfehlbaren Lehramtes wurde, ist in seinen Einzelheiten oft schmerzlich genug zu tragen. Aber auch dies ist eine Form des Kreuzes in der Kirche und des legitimen Weges der Wahrheit durch die Unvollkommenheit des Geschöpflichen hindurch, eine Bewährung von Gottes Kraft an menschlicher Schwäche (2 Kor 12,9); die Wahrheit der Grundthese vom unfehlbaren Lehramt der Kirche wird dadurch nicht gemindert (s. unten über Pseudo-Isidor S. 227). Übrigens weder der Papst, noch die Bischöfe, noch alle Kirchen-Glieder, noch die Lehre der Kirche m a c h e n die Einheit; sie lassen sie nicht entstehen, sie sind ihr Ausdruck oder sollen es sein. Sie sind es aber, weil die Einheit der Kirche gesetzt ist in Christus, dessen Leib die Kirche ist, und deretwegen jedes Amt besteht. Entsprechend ist es nie Eigenbesitz eines Menschen.

2. In einem für das Gespräch zwischen den Konfessionen aufschlußreichen Vortrag[19] wandte sich Erwin M ü h l h a u p t gegen das, was er „radikale" Einheit der Christenheit oder der Glaubensverkündigung im katholischen Verständnis nannte. ‚Radikale' Einheit, meinte er, sei Totalitarismus, oder führe zu ihm. Die Gefahr der versklavenden Linientreue werde in einer radikalen Einheit zu groß. Einheit könne es nur in Freiheit geben; eine Einheit, in der der Gläubige gegängelt werde, sei verdächtig und gefährlich. Viel Gesetz mache viele Heuchler. Die freie Forschung der Schrift müsse anerkannt werden. Das persönliche Gottverhältnis zusammen mit der verpflichtenden Lehre der (evangelischen) Kirche festzuhalten, könne zwar als Quadratur des Zirkels erscheinen, aber in der Gnade Gottes sei d i e s e Einheit möglich; sie werde in Christus erfahren und erlebt. Je mehr sie aber erstrebt werde, desto weniger werde sie realisiert; umgekehrt, je weniger sie gesucht werde, desto mehr werde sie in Christus verwirklicht. An Krankenbetten, im KZ und in Kriegszeiten habe sich das gezeigt. Nicht umsonst sei die Ökumenische Bewegung ein Kind der Mission. Und deren Einheit sei kein leerer Wahn. Man dürfe eben nicht vergessen, daß, wie all unser Denken, auch alle Einheit hienieden Bruchstück sei. „Die Einheit ist ein Glaubensartikel, kein Sehartikel."

---

[19] Im Südwestdeutschen Rundfunk am 2. Juni 1957.

219

Man sieht: die Zusammenfassung einer ganzen Reihe nicht neuer Einwände.

Um auch hier nicht mißverstanden zu werden und etwa unversehens die Widerlegung an die Stelle des Gespräches treten zu lassen: wir vergessen nicht einen Augenblick jene alles grundlegende innere Einheit im Herrn, deren nämlich, die in Glauben und Liebe Ihm verbunden sind; wir vergessen nicht, wie diese durch Ihn bewirkte innere Verbundenheit fähig ist, auch die äußeren Unterschiede und Unterschiede des Glaubens aus einer letzten Tiefe zu überbrücken und sich zu dokumentieren, vor allem im gemeinsamen Leiden für Ihn, bis zur gemeinsamen Hingabe des Lebens für den einen Herrn. Es ist beschämend, daß diese von vielen getrennten Brüdern im KZ und im Krieg erfahrene Gemeinschaft unserm schwachgläubigen Bewußtsein so weit entschwunden ist.

Aber hier tut grundsätzliche Klärung not. Daß die Welt gegen den Herrn und seine Stiftung steht, ist die Regel. Daß diese Gegnerschaft sich in kirchenfeindlichem KZ und im Krieg auswirkt, ist nicht die Regel. Die Botschaft Christi ist wesentlich in eine gewisse Ordnung hineingesprochen, für die vielen und dies auf Dauer. Der Einzelne kann in der abstrusesten Form vor Gott richtig stehen, darüber entscheidet Gott allein. Das Reich Gottes aber wurde verkündet, damit ein Schiff der Rettung, ein Fels der Sicherheit da sei. Für die Verkündigung fordert dies eine erkennbare bleibende Lehre.

Das ist grundlegend. Darüber hinaus ist zu prüfen, wie weit die vorgebrachte Kritik standhält. Die anfechtbare historische Grundlegung (von dem recht unvollständig erfaßten Plato angefangen), die M ü h l h a u p t seinen theologischen Thesen vorausschickte, lasse ich auf sich beruhen. Und von dem, was über die Last oder Gefahr der absoluten Lehrgewalt eben gesagt wurde, ist nichts zurückzunehmen. Die Gefahr des Zentralismus an sich ist nicht zu leugnen, der Unterschied von Korrektheit und Wahrheit bleibt wesentlich, und da Gott seinen kirchlichen Vertretern nicht die Unsündlichkeit zugesichert hat, wird auch die in diesen Stichworten angedeutete Versuchung sich immer wieder erheben.

Indes liegt ja, wie immer wieder zu betonen ist, eben darin ein wesentliches Element der christlichen Stiftung, daß dem Sein und Wachsen der natürlichen Kategorien die Grenze der Unfehlbarkeit gesetzt ist. Entscheidend ist also, ob man den Einbruch der Macht in das W e s e n der christlichen Wahrheit durch die Vertreter der Kirche nachweisen kann oder nicht. Es ist seltsam, mit wie viel Energie in den zu besprechenden Äußerungen gewünscht wird, die Einheit der Lehre möge weniger fest, weniger geschlossen sein. Es offenbart sich der Einfluß der modernen relativistischen Erweichung, der Einbruch der widersprüchlichen Vielheit wird leicht genommen und leicht gemacht. Aber gerade

220

diese eminente Gefahr erweist einmal mehr die Notwendigkeit einer echten Einheit der Wahrheit.

3. Daß die Freiheit des Christenmenschen unabdingbar zur christlichen Lehre gehört, bedarf keiner weiteren theologischen Beweisführung. Christliche Freiheit ist uns vom Herrn erworben, sie ist von Paulus gegenüber Widerständen von außen und von innen verteidigt worden, er hat sie uns, den Kindern und Erben Gottes und Miterben Christi (Röm 8, 17) in ergreifenden Worten zugesprochen (Vgl. Gal 3, 29). Aus der Erfahrung aller Geschichte können wir hinzufügen — und wir sollten diese Mahnung gerade heute beherzigen! —, daß es im Bereich des Geistigen Qualität nicht gibt ohne Freiheit.

Aber wer definiert uns diese christliche Freiheit? Wer wird den hohen Begriff in den Werken Luthers sauber von seiner ungenauen Abgrenzung, von seinem geradezu maßlosen Verbrauch trennen? Bei der Lektüre von Luthers *De votis monasticis* kann die Aufgabe als schier aussichtslos erscheinen.

Sicherlich ist das persönliche Gottverhältnis im Christentum grundlegend, aber eben, wie M ü h l h a u p t korrekt festhält, zusammen mit der verpflichtenden Lehre der Kirche. Aber dies zu realisieren e r - s c h e i n t nicht nur als Quadratur des Zirkels, dies i s t sie, so lange die Instanz geleugnet wird, die im einzelnen Fall durch Dogmatisierung jene Lehre wirklich verpflichtend zu machen die Autorität hat. Der Glaube ist konkret objektiv im einzelnen Menschen. So hat der Herr den Glauben jeweils anerkannt. Aber dieser Glaube ist nicht isoliert. Das Evangelium und seine Realisierung sind nicht dem einzelnen Menschen anvertraut, sondern der Kirche. Die Kirche ist der Ort des Glaubens. Sie ist auch das, was die Einheit sichert und uns rettet, nicht aus eigener Kraft, versteht sich, sondern durch die Austeilung der Geheimnisse Gottes.

4. Die ganze reformatorische Theologie ist durch den zentralchristlichen Gedanken geprägt, Gott alle Ehre allein zuzuschreiben. Leider geht er zusammen mit einer pessimistisch-quietistischen Grundhaltung, die in mehr als einer Form in die Gefahr kommt, dem Menschen geradezu die Mitarbeit an der Ausbreitung des Reiches Gottes zu verbieten. Wenn alles Sünde ist, was der Mensch tut, dann dürfte er ja eigentlich auch das Evangelium nicht predigen. Es bliebe am Ende nichts übrig, als daß er sein ganzes Leben wortwörtlich nach Mt 6, 6 führte: nur in seinem Kämmerlein mit seinem Vater inwendig zu sprechen.

In diesen Kreis eines versucherischen Quietismus' gehört auch die vorgebrachte unbewiesene Behauptung (oben S. 220), die Einheit werde um so weniger realisiert, je mehr man sie erstrebe. Die vielen Aufforderungen zur Mitarbeit an der Ausbreitung des Reiches Gottes z. B. Mt 10, 7; 28, 19; Mk 6, 7; Lk 10, 2; 24, 47, die selbstverständlich auch auf

221

evangelischer Seite gelten (aber hier oft unbewußt ausgeschlossen werden) und das Hohepriesterliche Gebet Joh 17, 21 ff. widersprechen laut. Der Einwand behält dort recht, wo die Einheit egoistisch angestrebt wird. Ein solcher Egoismus wird keinesfalls immer schon durch eine gute Meinung, nicht einmal durch heroischen Einsatz, ausgeschlossen. Der Eifer für das Haus Gottes hat sich in der Geschichte manchmal derartiger Methoden bedient, daß er keineswegs als reines Dienen am Gottesreich gelten kann. Die Geschichte der kirchlichen Reunionsgespräche (und der Kampf der Konfessionen unter Gewaltanwendung) liefert das Material zur Illustrierung. Wo man aber eingedenk war und ist — und dies ist eine der großen Errungenschaften der Una-Sancta-Arbeit seit Newman, und, recht beachtlich in die Breite dringend, seit 40 Jahren —, daß die Einheit nicht von Menschen gemacht werden kann, sondern als Pfingstwunder von Gott als Gnade geschenkt werden muß, da spricht auch die historische Erfahrung gegen die vorgetragene Behauptung.

In diesen Überlegungen darf gewiß die Tatsache nicht übersehen werden, daß alle Wahrheit auch im Geheimnis steht, daß auch die christliche Offenbarungswahrheit, so wie w i r sie erkennen, Stückwerk ist (1 Kor 13, 9). Aber wiederum zeugen das Neue Testament und die Überlieferung dafür, daß diese selbe Offenbarungswahrheit nicht n u r Stückwerk ist. Sie enthält einen erkennbaren Teil, der Wahrheit ist, und gegen den Irrtum abgrenzbar. Der Beweis ergibt sich neben vielem andern daraus, daß das Offenbarungswort von uns Anerkennung verlangt, und daß es uns hierfür Leben schenkt oder Tod auferlegt. Die Forderung wäre unerträglich, wenn der Kern der verkündeten Wahrheit nicht dem Irrtum entnommen wäre, wenn die Kirche nicht unfehlbar wäre.

III. Evangelium und Einheit

1. Die dritte These, daß das Evangelium keine feststellbare Einheit verlange, wird in verschiedener Weise begründet: Paulus habe verkündet, daß Spaltungen sein müssen (1 Kor 11, 18); er wollte zufrieden sein ‚wenn nur Christus gepredigt werde‘ (Phil 1, 18). Und es wird behauptet, der für die Einheit immer wieder berufene *locus classicus* Joh 17, 21 ff. verlange gar keine sichtbare Einheit; denn diese solle ja sein ‚wie Du Vater in mir und ich i n Dir‘; es sei also eine unsichtbare, persönliche innerliche Verbindung gemeint.

Eine erschöpfende Behandlung des Stoffes ist Aufgabe der Exegeten. Es müßte ja wohl zunächst aufgezeigt werden, daß trotz aller Unterschiede der verschiedenen Schichten des Neuen Testaments eine Einheitlichkeit das Bewußtsein des Herrn und seine Predigt prägt. Aber auch ohne ihrer Arbeit vorzugreifen, darf ein Doppeltes, sich gegenseitig Ergänzendes, gesagt werden: die lebendige Vielfältigkeit, in der uns die Verkündigung

222

Jesu durch die Verfasser der Heiligen Bücher Neuen Testamentes überliefert ist, liefert zunächst einen Beweis, daß sie in einem echten geschichtlichen Prozeß entstanden. Es wäre ein verdächtiges Sympton, wenn wir
vor einer wie durch Zauber geleiteten und gestalteten Tradition buch-
stabenmäßiger Einheitlichkeit, frei von Spannungen, stünden. Anderseits
scheint es *a priori* undenkbar, daß die Lehre, „die doch nicht mein ist,
sondern des Vaters" (Joh 7, 16), mit dem aber der Sohn eins ist (Joh 10, 30),
nicht eine einzige sein soll, die alle Schafe sammelt. Nirgends sieht man,
wo eine widersprüchliche Auslegung zugelassen sein könnte.

Ist diese Position gesichert, dann könnte jene dritte These nur gehalten
werden, wenn sich die Kirche als eine unsichtbar gedachte Gemeinschaft
erweisen ließe. Nachdem aber die reformatorische Position (außer in den
extremsten Sekten) die Sichtbarkeit wenigstens zu einem Teil mit festhielt,
und sie durch ein Glaubensbekenntnis, durch gewisse verpflichtende kanonische Bücher, durch Taufe und Abendmahl auch erkennbar darstellte,
scheint es, daß die volle Unsichtbarkeit der verlangten Einheit selbst im
reformatorischen Sinne nicht legitim vertreten werden könne. Je mehr
außerdem das Amt als real in der Kirche wieder entdeckt wird, um so
größeres Gewicht gewinnt die gezogene Folgerung.

Was nun den Satz des Paulus Phil 1, 18 angeht („wenn nur Christus gepredigt wird"), so gehört er offenbar zu jenen Äußerungen des Seelsorgers
Paulus, durch die er allen alles werden wollte (1 Kor 9, 22), er, der so vorbildliche Scheu davor hatte, das Gewissen eines Bruders zu belasten. Auch
diese Pflicht ist offenkundig für die christliche Verkündigung zentral (denn
das Christentum ist seinem Wesen nach missionarisch ausgerichtet); daß sie
radikal auch zusammen mit der katholischen Position verwirklicht werden
kann, ist am Beispiel Newmans ergreifend zu studieren. Man kann sagen,
er sei hierin ein besonderer Schüler des Paulus gewesen. Denn über jenem
seelsorgerlichem Entgegenkommen steht der unentwegte Kampf des
Apostels gegen die Spaltungen (damit alle in dem einen Herrn, dem
einen Glauben, der einen Taufe, dem einen Geist seien; Eph 4, 5), am besten
zusammengefaßt in dem schon zitierten Satz: Und wenn ein Engel vom
Himmel käme, und verkündigte euch ein anderes Evangelium, *anathema
sit!* (Gal. 1, 8). Von hier aus ist die behauptete These eigentlich nur zu
verstehen aus dem modernen (philosophisch bedingten) Unvermögen,
sich eine strikte Einheit, in objektiver Lehre ruhend, überhaupt vorzustellen.

2. Daß die Einheit der Christenheit auch eine unsichtbare ist, darin
sind wir einig, und natürlich auch auf Grund von Joh 17, 21 ff. Auch
N e w m a n schließt aus dieser Stelle auf die u n s i c h t b a r e Einheit
der durch die Wiedergeburt im Glauben in den inkarnierten Logos Ein-
gebundenen, da ‚unser Wandel schon jetzt bei Gott ist' (Phil 3, 20). „Wie
Christus in unaussprechlicher Weise im Himmel war, sogar in den Tagen

seines Fleisches, so sind wir nach unserm Maße es auch nach den Worten
seines Gebetes, daß seine Jünger ,alle eins seien, wie Du Vater in mir
bist und ich in Dir; daß auch sie in uns seien' "[20]. Denn selbstverständlich
ist auch nach katholischer Lehre die Kirche eine Größe des Glaubens und
also unsichtbar. Der vom Tridentinum geplante Catechismus Romanus sagt
deutlich, daß wir sie *fide solum* erfassen[21]. Aber das hindert ja nicht ihre
Sichtbarkeit. Das der Inkarnation (Gott-Mensch) und dem Evangelium
wesentliche ,und' fordert auch hier die notwendige Ergänzung. Seitdem
der Logos in Menschengestalt erschien und lehrte und Sakramente einsetzte, seit die Apostel und Jünger seine Herrlichkeit sahen und mit ihren
Händen betasteten, seit der Herr Jünger aussandte, dann den Aposteln
den Heiligen Geist und seinen Auftrag übertrug, seit er auf Petrus seine
Kirche baute, seit noch der Verklärte den Paulus berief und die Apostel
wie das Apostelkollegium sichtbar ihre Autorität über die Gemeinden zur
Geltung brachten, seitdem ist die Kirche nicht n u r unsichtbar. Und also
auch ihre Einheit nicht. Sie ist konstatierbar.

Dies leugnen, hieße auch Sinn und Bedeutung der ökumenischen Bewegung entscheidend mindern. Warum sollte man die Zersplitterung bedauern und verurteilen, wenn alle Einheit sich in dem unsichtbaren Sich-
treffen in dem unsichtbaren Herrn erschöpft? Warum sollte dann die sakramentale Interkommunion eine Bedeutung besitzen oder umgekehrt eine
Schwierigkeit bereiten?

3. Und endlich, wie immer man auch die in Joh 17, 22 ff. ausgesagte
Einheit positiv auslegen und umschreiben möge, das Minimum, das man
ihr zugestehen muß, ist, daß dieses Wort keine Widersprüche in der Einheit duldet. Was wäre sonst diese Einheit, diese unvorstellbare, alles
Denkbare noch übertreffende Einheit? Wenn aber Widersprüchliches nicht
zugelassen werden kann, ist hier auch die Einheit der Lehre gefordert, der
Lehre über die Inkarnation, den Christus, die wesentlichen Stücke seines
Lebens (einschließlich besonders seiner Auferstehung) und seiner Lehre,
und sicherlich auch der Verkündigung über die von ihm als Gefäß der Erlösung gestifteten Kirche. Wenn aber die Christen in diesem Sinne eins

---

[20] Vgl. N. S c h i f f e r s , Die Einheit der Kirche nach J. H. Newman,
Düsseldorf 1956, 255.

[21] Catechismus Romanus Pars I Caput X, 20: ... *tamen illa mysteria, quae
in sancta Dei ecclesia contineri partim declarata est, partim in sacramento
ordinis explicatur, mens fide tantummodo illustrata, non ullis rationibus con-
victa, intelligere potest. Quum igitur hic articulus, non minus quam ceteri,
intelligentiae nostrae facultatem et vires superet, jure optimo confitemur, nos
ecclesiae ortum, munera et dignitatem non humana ratione cognoscere, sed
fidei oculis intueri. ebd. 21 ... Quare, quemadmodum naturae viribus comparari
non potest, ita etiam fide solum intelligimus, in ecclesia claves regni coelorum
esse ...*

224

sein sollen, auch so, daß die Welt an ihrer Uneinigkeit kein Ärgernis nehme (welche Uneinigkeit aber hindert so sehr den Glauben der Welt als die widersprüchlichen Lehraussagen?), dann zielt dies Wort aus dem Hohepriesterlichen Gebet auch auf eine sicht- und konstatierbare Einheit.

IV.
Keine Einheit des Christentums in der Geschichte?

1. Die vierte These, daß es in der Geschichte der Kirche nie eine echte Einheit gegeben habe, daß eine solche insbesondere vor der Reformation nicht mehr bestanden habe, ist wohl auch zu verstehen als eine gewisse Reaktion gegen das *mea culpa*, wodurch evangelische Christen und Theologen Schuld an der Reformation zu tragen zu bekennen begonnen haben, und die sie als Zeit der Glaubensspaltung zu bezeichnen sich gewöhnt haben. Jedenfalls scheint eine solche Motivation u. a. den Ausführungen zugrunde zu liegen, in denen Hanns R ü c k e r t diese vierte These diskutiert[22].

Ausgangspunkt der Untersuchung muß auch hier der Tatbestand der Einheit in Lehre und Stiftung Jesu gemäß der neutestamentlichen Verkündigung sein. Wenn nicht anerkannt wird, daß Jesus seine Kirche als echte Einheit gründete, hat die zur Diskussion stehende These ohne weiteres recht. Wenn man aber mit der *opinio communis* und der gesamten Tradition die Ansicht zugrunde legt, daß Jesus eine wahre Einheit stiftete und an ihr festzuhalten verlangte trotz der vorausgesagten Kämpfe und Spaltungen, bekommt die Frage ein grundsätzlich anderes Aussehen. Die auftretenden späteren Schismen sind dann Widerspruch zu dem vom Herrn Gegründeten, das, was heute die allgemeine Ansicht auch innerhalb der ökumenischen Bewegung ist: schuldbare Trennung.

Das gesamte reformatorische und das protestantische Selbstbewußtsein bis in die neueste Zeit hinein scheint der These nicht sonderlich günstig zu sein. Das Bewußtsein der Weltgeltung der Reformation, so wie es sich in der Theologie, der Literatur und der Kultur im weitesten Umfang ausspricht, lebt stärkstens von der Überzeugung, daß die Reformation der vorherigen, päpstlich gebundenen Einheit endlich eine freiere Vielfalt[22a] entgegengesetzt oder eine solche ermöglicht habe; eine echte vorreformatorische Einheit scheint ohne weiteres bejaht zu sein.

Will man aber die These trotz des erwähnten protestantischen Schuldbekenntnisses aufrecht erhalten, wird alle Aufspaltung zu einer bedauerlichen, aber unvermeidlichen Sünde, die immer da war. Aber dann ist

---

[22] Hanns R ü c k e r t , Die Einheit der Kirche und der Zwiespalt der Konfessionen = Calver Hefte 16 (Stuttgart 1958) 6 f.

[22a] Was die Vielfalt anbelangt, sind die Vorstellungen der Reformatoren und des Großteils der ersten reformatorischen Generation auszuklammern. Sie wollten die päpstlich-kirchliche Einheit durch eine neue Einheit ersetzen.

225

auch die Anstrengung der Reformation in ihrem Ernst angegriffen und das Streben zur Einheit wird saftlos. Wer in diesen Dingen nicht überwiegend vom Protest, also auch vom antirömischen Affekt leben will, sollte das ernstlich erwägen.

2 Um die mit der These gestellte Frage begründet zu beantworten, wird man zwischen Spaltung und Absplitterung geringeren Umfangs unterscheiden müssen. Diese Unterscheidung tut z. B. dem Worte Pauli Genüge, daß ‚Spaltungen sein müssen' (1 Kor 11, 19). Es war eine Folge der Sünde, daß die Einheit, bzw. die Einigkeit der Christen in der Kirche nicht restlos bewahrt werden konnte. Es stimmt auch durchaus[23], daß es im Altertum Sonderkirchen gab, im Osten wie in Nordafrika, die eine schwere Konkurrenz der ‚Großkirche' darstellten; es gab weiter die bedrohliche Spaltung durch den weitverbreiteten Arianismus in seinen verschiedenen Abarten und den geistig-geistlichen Bruderkrieg der monotheletischen Streitigkeiten; es gab mancherlei Schismen kleineren und größeren Umfangs. Trotzdem entwickelte sich die Kirche der römischen Bischöfe konsequent zu d e r Kirche und zum Zentrum der Kirchen; jene Absplitterungen aber gingen verhältnismäßig schnell bis auf kleine Gruppen zugrunde. Theologisch wichtiger ist, daß das Bewußtsein von der einen, und zwar sichtbaren Kirche nicht angetastet wurde (wenn auch die Klarheit dieses Bewußtseins schwankte). Dies gilt zunächst einmal bis zum 11. Jahrhundert. Denn die starke Zusammenhanglosigkeit der abendländischen Landeskirchen seit der Völkerwanderung und wieder nach Gregor I. bis zum Ende des 8. Jahrhunderts stellt ein anderes Problem als das der Spaltung im Sinne des feindlichen Gegeneinanders.

Diesen Sinn hat allerdings die Trennung der Ost- und Westkirche im 11. Jahrhundert, und sie ist ein Ereignis von einschneidender Bedeutung. In ihren Auswirkungen führte sie sogar bis in die Problematik einer echten Glaubensspaltung hinein. Aber in sich selbst betrachtet, ereignete sich im 11. Jahrhundert zwar eine tragische Verwundung der kirchlichen Einheit von ungeheuer zerstörender Kraft, aber keine Glaubensspaltung. Es blieb in der Ostkirche dasselbe bisherige Credo, dargestellt und gelehrt wie bisher in einer sakramentalen Hierarchie, mit derselben vielschichtigen Frömmigkeit der Heiligenverehrung, dem Unilateralismus der Reformation ebenso fremd wie es die *complexio oppositorum* der römisch-katholischen Kirche ist.

3. Daß seit Konstantin die Einheit der Kirche mehr als einmal durch die politische Macht, etwa des Kaisers, gerettet wurde[24], ist eine Tatsache. Man kann das in einzelnen Fällen ruhig als einen Schönheitsfehler be-

---

[23] Vgl. Rückert a. a. O. 6.
[24] Ebd. S. 7.

226

trachten; man darf sogar im Hinblick auf hoch- und spätmittelalterliche beklagenswerte Erscheinungen und Folgen in diesem Ineinander von Staat und Kirche schwere Hypotheken erblicken, die später eingelöst werden mußten; man darf insgesamt zugeben, daß die ‚Notwendigkeit‘ einer solchen äußeren Hilfe die Schwäche christlichen Glaubens — der ja die Einheit von sich aus hätte realisieren müssen — beweist: aber all das belegt im Endeffekt nicht mehr, als daß auch die Einheit der Wahrheit in der Kirche auf unvollkommenen Wegen erreicht und erhalten wurde. Wenn man die hier liegende Problematik in ihrer ganzen bedrückenden Schwere in den Blick bekommen will, soll man sich die wichtige Rolle vergegenwärtigen, die die mittelalterlichen Fälschungen seit Pseudo-Isidor in der Ausbildung der Lehre von der spezifisch mittelalterlichen Vollgewalt des Papsttums *in temporalibus* gespielt haben. Denn ohne die in ihnen vorgetragenen Behauptungen hätte die Entwicklung, historisch gesprochen, niemals bis zum Tridentinum und Vaticanum gedeihen können. Aber auch dies beweist nicht mehr, als daß der Begriff und die Wirklichkeit der *felix culpa* für die Heilsökonomie zentral sind. Und endlich: das Eingreifen des Staates zugunsten der Einheit der Kirche bildet ein wichtiges, man darf sagen entscheidendes, Stück der von Gott geleiteten Geschichte; diese Geschichte des Mittelalters hat aber der Ausbreitung der Offenbarung in offensichtlicher Weise gedient; trotz der zugegebenen Einschränkung könnte nur eine spiritualistische Denkart behaupten, d i e s e s Resultat sei durch das Eingreifen des Staates in seinem positiven Gehalt wesentlich gemindert worden.

4. Die Einheit innerhalb der westlichen Kirche wurde im Mittelalter durch eine Reihe von Erscheinungen außerordentlich geschwächt, an der die Kirche unmittelbar, und zu einem Teil auch schuldhaft, beteiligt war: durch den Kampf zwischen *sacerdotium* und *imperium* (auch durch die alarmierende Erscheinung der Gegenpäpste, die man seltsamerweise so oft wie etwas Harmloses erwähnt); durch das ‚Avignoner Exil‘; am furchtbarsten durch das abendländische Schisma (wo ist die rechtmäßige Kirche und ihr rechtmäßiges Oberhaupt?) und die radikale Form der Konziliaridee.

Diese Erscheinungen mittelalterlicher Kirchengeschichte bilden eine gewaltige Belastung der Kirche und ihrer Einheit, so gewaltig, daß kaum ein Gläubiger sie als unter der Leitung des Heiligen Geistes für möglich erklärt haben würde, wenn nicht die Tatsachen feststünden. Aber selbst diese oft schier unglaublichen Schwächeerscheinungen besagen nichts Entscheidendes gegen die katholische Auffassung von der Einheit der Kirche und ihrer Lehre. Vielmehr, trotz allem Gesagten war die Einheit des Glaubens und der Kirche im Wesentlichen der Lehre, der Sakramente, der Verfassung und — historisch so wichtig! — im Selbstbewußtsein der abendländischen Christenheit tief existent. Um 1500 waren die Zeit und das Abendland als Ganzes, religiös-kirchlich gesehen, eine päpstliche Größe[25].

Ein latender Riß war vorhanden, und er ging so ungeheuer tief, daß eine wirkliche Spaltung historisch unausbleiblich wurde. Hierin liegt die katholische Schuld an der entstehenden Kirchenspaltung. Aber weder vor dem 16. Jahrhundert noch nachher wurde in der römisch-katholischen Kirche die wesenhafte Einheit durch eine falsche Stellungnahme des Lehramtes, durch eine die Tradition durchbrechende offizielle Lehre geschädigt.

Erst die Reformation hat diese Einheit, unter Ausnützung der genannten Schwächen, zerschlagen; erst sie brachte eine echte Glaubensspaltung und eine häretische, nicht nur schismatische Kirchenspaltung. Denn sie schuf und vertrat einen neuen Kirchenbegriff.

Daß die Reformation am Begriff e i n e r allgemeinen Kirche zunächst festhielt, mildert oder verunklart das Bild etwas, beseitigt die Spaltung nicht. Vielmehr wurde die Einheit gerade durch die stark (nicht nur!) spiritualistische Idee der überwiegend als nicht sichtbar definierten Kirche in einer besonders gefährlichen Weise getroffen.

Die Reformation ist nicht die Kirchenspaltung, aber sie hat sie bewirkt. Nochmals: dies leugnen, heißt den Ernst des reformatorischen Kampfes mindern. Die Trennung verliert an Bedrohlichkeit und der Trieb, sie zu überwinden, an Kraft. Hier geht es um viel mehr als um eine kirchengeschichtliche Feststellung.

---

[25] Hierzu meine Bemerkungen in: Die Reformation in Deutschland. Freiburg ³1948, 1, 7 ff.; Die Reformation als religiöses Anliegen, Trier 1948, S. 40.

228

ÖKUMENISMUS OHNE WAHRHEIT?

Von Joseph Lortz

Vorbemerkung:

Das ‚Malta-Papier‘, der Bericht einer gemeinsamen römisch-katholischen und evangelisch-lutherischen Kommission[1], ist bereits ein Stück Geschichte geworden. Um seine Konsensaussagen zu vertiefen und weiter zu führen, wurde vom päpstlichen Einheitssekretariat in Rom eine Stellungnahme zu verschiedenen Fragen erbeten.

Dieser Aufsatz ist meine gekürzte, überarbeitete und ergänzte Antwort an das Einheitssekretariat. Ich versuche zunächst durch allgemeine Beobachtungen (I) zur Problematik des ökumenischen Dialogs eine wesentliche Grundlage für meine Antworten zu bereiten. — In der Form von Einzelbemerkungen (II) lege ich dann Betrachtungen zu Aussagen und methodischen Grundhaltungen des Berichtes vor. Die darauf folgende Beantwortung der Fragen (III) hebt in ihren letzten Abschnitten auf eine akute Bedrohung des heutigen Ökumenismus ab: auf die Gefahr seiner Pervertierung (und damit Selbstauflösung) durch verschiedene Formen der Säkularisierung.

I. Allgemeine Beobachtungen

1. Man muß dafür dankbar sein, daß vom ‚Malta-Papier‘ der *Wahrheitsfrage* im Ökumenismus grundsätzlich der Primat zugestanden wird (Nr. 14). Damit ist gemäß Joh 17,20 f. das einzig legitime Prinzip des Ökumenismus ausgesprochen. Wenn es bei den christlichen Einheitsbemühungen nicht mehr — und zwar mit striktem Vorrang vor allem anderen — um die in Schrift, Tradition und Lehre der Kirche vorgegebenen verbindlichen Heilswahrheiten in Jesus Christus geht, verliert der Ökumenismus sein eigentliches Objekt und seinen Maßstab. Er zerstört sich selbst. Die Fruchtbarkeit der ökumenischen Arbeit hängt davon ab, wie weit echter apostolischer Glaube in ihrem Überlegen und Tun lebendig ist. Sie darf nicht nur aus dem löblichen Drang nach ‚kirchlicher Einheit‘ leben, sondern aus dem *Glaubens*elan des Evangeliums, dessen Mitte der Wille des gekreuzigten und auferstandenen Jesus Christus ist.

2. Die lange Geschichte der Häresien in der Kirche und auch die aktuellen Schwierigkeiten im ökumenischen Dialog beweisen jedoch, wie kom-

---

[1] Herder Korrespondenz 25 (1971) 536—544. Die im Folgenden ohne weitere Kennzeichnung in Klammern angegebenen Nummern beziehen sich auf diese Textwiedergabe.

5

pliziert der Prozeß der *christlichen Wahrheitsfindung* sein kann. Die eine göttliche Wahrheit ist zwar in ihrem Wesensbestand unantastbar vorgegeben und geoffenbart, aber so, daß sie durch die Inkarnation an die begrenzte menschliche Sprach- und Erkenntnisfähigkeit gebunden ist. Die crux der Wahrheitsfindung liegt in der Begrenztheit der menschlichen Interpretations- und Akzeptationskraft.

Wir sind heute — ganz anders noch die Neuscholastik — hellsichtig geworden für die Bedingungen, unter denen Wahrheit erfaßt und wiedergegeben werden kann. Die Unangemessenheit aller menschlichen Aussagen und ihrer Abhängigkeit auch (und gerade) von unbewußten Faktoren, reicht weiter, als wir früher annahmen. Von allen anderen Verursachungen abgesehen, liegt dies zunächst daran, daß es in der menschlichen Sprache selbst so wenig Eindeutigkeit gibt. Es gibt sie nur in zwei Fällen: in der Quantitätsaussage und im Falle des logischen Widerspruchs, d. h. bei der kontradiktorischen Verneinung einer ausgesprochenen Wahrheit unter demselben Bezugspunkt, unter dem sie behauptet wurde. Daß Inadaequatheit und Unausschöpflichkeit die Aussagen im geistigen Bereich so sehr beherrschen, hängt weiterhin mit der Geschichtlichkeit der menschlichen Erkenntnis zusammen; gemeint sind die Einwirkungen all jener sozialen und kulturellen Einflüsse, die den Erfahrungs- und Denkhorizont des Menschen ausmachen.

Von hierher erklärt sich das den Historiker bedrückende Phänomen der *Mißverständnisse* großen Stils. In bezug auf die Reformation des XVI. Jahrhunderts z. B. und ihres Schicksals ist das deutlich zu erkennen: Der Kampf ging damals und dann über 400 Jahre lang vor allem um die Rechtfertigung, den ‚articulus stantis et cadentis ecclesiae'. Weder Luther noch das Tridentinum noch ihre Nachfahren sahen, daß die Lehre von der Rechtfertigung aus Glauben und nicht aus menschlichen Werken altes katholisches Gut ist[2], sobald man sich auf den Kern dieser Lehre konzentriert. Heute haben wir diese Einsicht[3]; wir erkennen, daß die These ihrem inneren Gewicht nach nicht kirchentrennend ist. Das Problem des Mißverständnisses stellt sich ähnlich auch für viele andere Themata der Reformation — Mißverständnisse, die uns ein gut Teil der Schwierigkeiten vererbten, mit denen wir uns im ökumenischen Ringen abmühen.

3. Was hilft in der unentrinnbaren Sprachnot des Menschen bei der ungetrübten Vermittlung der göttlichen Offenbarungswahrheit weiter? Sicher-

---

[2] Für das Tridentinum liegt hier eine beträchtliche Spannung zu seiner Formulierung im Dekret De iustificatione vor.

[3] Für die offizielle kirchliche Stellungnahme s. Kardinal Jan Willebrands, Rede vor dem Lutherischen Weltbund in Evian, in: Herder Korrespondenz 24, 1970, 427—431. S. 431.

lich nicht das heute zur Mode gewordene Kriterium der *Orthopraxie*: damit würde die Wahrheit ihrer Durchsetzungsfähigkeit oder kirchenpolitischen Mehrheiten geopfert. Natürlich muß die Wahrheit ständig an ihren konkreten Auswirkungen überprüft werden; etwa, ob sie in einer freiheitlichen, brüderlichen und sozialen Lebensform der Christen untereinander und mit der Welt realisiert wird. Aber etwas anderes ist es, die Geltung und Legitimität der Wahrheit von ihren oft mangelhaften Verwirklichungen abhängig zu machen.

Wenig hilfreich ist auch die unter Hinweis auf den geschichtlich vermittelten Charakter der Offenbarung eingebürgerte Redeweise von den notwendigen *verschiedenen* Formulierungen der einen Wahrheit und von dem *Pluralismus* der über die Wahrheit reflektierenden Theologien. Pluralismus ist nur so weit berechtigt, als nicht bestritten wird, daß wir trotz der nur analogen Verkündigung der Schrift, der Tradition, der Kirche und ihres Lehramtes in ihnen doch unzweifelhaft den Inhalt der christlichen Wahrheit empfangen haben. Trotz aller offenkundigen geschichtlichen Bindungen, trotz der Vielfalt (manchmal bis zur Unauflöslichkeit gesteigerter Spannungen), trotz der oft traditionsbedingten unterschiedlichen Ausfaltung von Einzelinhalten, ist dies katholischer Glaube: daß wir durch den providentiellen Beistand des Heiligen Geistes in den Offenbarungszeugnissen und ihren kirchlich-verbindlichen Deutungen Teilhaber an der Wahrheit Gottes sind.

Diese Wahrheit ist *eine*. Sie ist im Kern auch eine *einfache*, d. h. verstehbar zugesprochene Wahrheit. Wenn Worte überhaupt einen Sinn haben, dann ist das, was Jesu Botschaft und Leben im Wesentlichen aussagen will, von einer großen inneren Einheit. Die in Jesus Christus offenbar gewordene Wahrheit ist mindestens (gerade wegen ihres inkarnatorischen Charakters) insoweit eindeutig, als der logische Widerspruch gegen ihre (auch historisch-kritisch zu prüfende) Aussage als Irrtum und als Häresie bezeichnet werden darf. Dieser Satz vom logischen Widerspruch besagt nicht. daß die Wahrheit immer und unbedingt nur in einer abstrakten theologischen Formel artikuliert werden kann. Das Evangelium selbst stellt uns die Einheit der Wahrheit in mancherlei ‚Sowohl-als-auch' pragmatisch nebeneinander. Es ist jene Art der Darstellung, aus der die alten katholischen Formeln des ‚et-et' (nicht additiv zu nehmen!) oder der ‚complexio oppositorum' gewonnen wurden. Alle denkbaren (der Sache würdigen) Erklärungen der Offenbarung sind vertretbar — wenn auch nicht immer nützlich — falls nur der logische Widerspruch zur Offenbarung selbst ausgeschlossen bleibt. Das wird vom heute grassierenden theologischen Vorwitz, der alles und jedes noch und nochmals ‚hinterfragen' will, zu wenig beachtet. Die Offenbarung stellt uns in die Welt der Geheimnisse. In ihr kommt es für uns (solange wir nicht zum Schauen gelangt sind, vgl. Hebr 11,1), nicht auf das ‚Wie‘ an, sondern auf das ‚Daß‘. Wie etwa nach der Konsekration unter Brot und Wein der Leib und das Blut Christi zugegen sind, dies kann uns keine noch so kluge Spekulation aufschließen. Aber das Faktum selbst können wir sehr wohl aus der Offenbarung als unbezweifelbar annehmen.

4. Im echten ökumenischen Dialog stehen sich verschiedene Glaubensüberzeugungen von der einen Wahrheit Jesu Christi gegenüber, hin bis zum schroffen Widerspruch von Dogma und Häresie. Insofern diese Gegenüberstellung durch moralische, soziale und geschichtsbedingt-apologetische Fehlhaltungen der Christen verursacht wurde, ist sie überwindbar. (Der Verlauf der Ökumene in den letzten 60 Jahren hat dies — wenn auch noch nicht gründlich genug — gezeigt.) Insofern jedoch der jeweils unnachgiebig Geltung fordernde Anspruch der Wahrheit das Gegenüber bedingt, ist es zunächst einmal sachlogisch notwendig. Welcher Weg kann aus diesem Dilemma herausführen?

Jüngst hat Yves Congar[4] dieses Problem des kontradiktorisch bestimmten Dialogs behandelt. Er nützt einen scheinbar unbedeutenden Satz von Thomas von Aquin, der eine Aussage von Augustin mittels der Erforschung ihrer Intention annehmbar machen will: »Sed tamen ut profundius intentionem Augustini scrutemur.« Congar wendet die Methode dieser These auf den Dialog mit der Theologie Luthers an: »Nous sommes appelés, après la bulle Exsurge, le concile de Trente, Bellarmin et quatre siècles de controverse sans effort pour comprendre vraiment ce que Luther a voulu dire, comment il est venu à cela. nous sommes appelés à dire: ‚Sed tamen ut profundius intentionem Lutheri scrutemur‘[5]. Ein solches Ausforschen hat zur These vom ‚katholischen Luther‘ geführt; sie will nichts anderes, als aus den Texten Luthers seine eigentliche innere Ausrichtung herausheben. Dabei ergab sich, daß das, was an der Oberfläche zu Kontroversen führte, tiefer erfaßt, nichts Kirchentrennendes, sondern die Mitte des Katholischen in sich birgt. In dieser Art der Auseinandersetzung mit der Reformation bleibt der Primat der Wahrheit gewahrt: es gibt nur eine Wahrheit und nicht zwei: »une vérité ne peut pas être contraire à une autre vérité«[6].

Congar macht sich bei seiner Überlegung auch die wichtigen und manchmal erstaunlichen Texte des Ökumenismusdekrets von Vat. II zunutze: In der Kirche soll ein jeder — auch der theologische Bearbeiter der Offenbarung — je nach seiner Funktion gebührend frei und vor allem der Liebe verpflichtet sein: dies aber »unter Wahrung der Einheit im Notwendigen«[7]. Das Notwendige ist das Erbe der Apostel, das »in verschie-

---

[4] Valeur et portée oecuménique de quelques principes herméneutiques de saint Thomas d'Aquin. In: Revue des sciences philos. et théol. 57 (1973) 611—626.
[5] a.a.O. S. 623.   [6] a.a.O. S. 622.   [7] De oecumenismo Kap. 1, Nr. 4.

denen Formen und auf verschiedene Weise übernommen und daher schon von Anfang an in der Kirche hier und dort verschieden ausgelegt wurde, wobei die Verschiedenheit der Mentalität und der Lebensverhältnisse eine Rolle spielten«[8].

Die legitime Verschiedenheit ist nicht auf den Inhalt, sondern auf die theologische Lehrformulierung der Sache bezogen. Im Versuch, die geoffenbarte Lehre tiefer zu erfassen, sind die Methoden, Mittel und Ausdrucksformen verschieden: in den Kirchen des Orients anders als in denen des Okzidents. Es ist demnach nicht erstaunlich, sagt das Konzil weiter, daß gewisse Aspekte des geoffenbarten Mysteriums manchmal besser durch den einen als durch den anderen ausgedrückt werden, so sehr, daß diese verschiedenen theologischen Formeln oft eher komplementär denn als sich widersprechend aufgefaßt werden müssen[9]. Was Paulus in Eph 4,15 als Grundregel festgelegt hat (»Wahrheit sagen [tun] in Liebe«), wendet Congar mit Thomas ausdrücklich auf den theologischen Dialog an: Oportet *amare utrosque,* scilicet eos quorum opinionem sequimur et eos quorum opinionem repudiamus. Utrique enim studuerunt ad inquirendam veritatem et nos in hoc adiuverunt[10].

In der theologischen Auseinandersetzung sind wir demnach gehalten, den Intentionen, den inneren Zielsetzungen des Gegners mit verständnisvollem Entgegenkommen, mit einem Vorschuß an gutem Willen nachzuspüren. Wir dürfen nicht vorzugsweise auf Widerlegung aus sein. Davon bleibt unberührt die Pflicht, an einem bestimmten Punkt die Grenze anzugeben. Es gibt Häresien und Schismen: cela limite la liberté d'innovation[11]. Solchen Häresien ist, sage ich, mit ,dogmatischer Intoleranz' zu begegnen. Das ominöse Wort darf nicht moralisch mißdeutet werden. Im Bereich der Wahrheit besagt es für den Christen nichts als die volle und uneigennützige Selbstbindung an die Offenbarung bis zu dem Punkt, wo eine tiefere Erkenntnis mir einsichtig macht, daß ich bis dahin eine falsche Auffassung von der reinen Wahrheit der Offenbarung hatte, mein Gesprächspartner aber die bessere Erkenntnis besaß, oder gegebenenfalls umgekehrt. Diese Haltung hat nichts mit subjektiv innerer Verschlossenheit oder Härte zu tun. Zu ihr gehört vielmehr das Bewußtsein, selbst noch auf dem Weg zur reinen Wahrheit zu sein. ,Dogmatische Intoleranz' ist also eine Forderung an mich selbst. Sie will zum Ausdruck bringen, daß ich mit unbeirrbarer Festigkeit an der Glaubenssubstanz festhalte, die Gott mir durch die Kirche geschenkt hat. Nicht die

[8] Ebd. Kap. 3, Nr. 14.
[9] Ebd. Kap. 3, Nr. 17.
[10] Thomas von Aquin. Comm. in Metaph. lib. 12 lect. 9 (ed. Cathala n. 2566), bei Congar a.a.O. 622, Anm. 47.
[11] Y. Congar, a.a.O. 624.

Verdammung des Dialogpartners ist das Ziel, sondern das Bewahren des Glaubens. Dabei kann der Andersdenkende — vom Heiligen Geist geführt — zur Vertiefung meines Glaubensverständnisses beitragen.

5. Besonders bedrohlich wirkt heute in der katholischen Kirche das Klima einer geistig-geistlichen Verunsicherung. In der öffentlichen Aussprache prägen allmählich gewisse theologische Thesen das Glaubensbewußtsein, die nicht mit den offiziellen Lehraussagen der Kirche in Einklang stehen. Ohne die Zustimmung (manchmal auch ohne genügend Widerspruch) der Bischöfe und des Papstes werden progressistische Theorien als selbstverständliches katholisches Glaubensgut vorgetragen, die es einfach nicht sind. Fehldeutungen oder Unklarheiten, etwa über die Trinität, die Auferstehung, die Eucharistie, die Unfehlbarkeit, die Sünde und auch den Teufel, haben sich auf breiter Front in der Literatur, der Predigt und der Katechese durchgesetzt. Viele haben die Gewohnheit angenommen, die eindeutige Sprache der Dogmen zu vermeiden. Statt von ‚Christus, Gott und Mensch' sprechen sie von ‚Gott in ihm' oder von ‚Gott begegnet uns in Christus'. Anderes läßt man völlig unausgesprochen: Erbsünde, Jungfrauen-Geburt, Wunder im NT usw. Das alles gehört als allgemeiner, tiefgehender Trend zu einem gefährlichen Prozeß der Auszehrung der Glaubenssubstanz. Die im katholischen Raum weit auswuchernde theologische Verschwommenheit belastet auch das ökumenische Gespräch. Früher wurde den Katholiken — trotz all ihrer Meinungsvielfalt — oft Bewunderung und Respekt für die letzte Sicherheit ihres Standpunktes gezollt. Heute fragen die ökumenischen Partner wohl verwundert, welches denn nun eigentlich die katholische Lehre sei? Die Voraussetzung und das Fundament jeder Verständigung ist zunächst einmal die Zuverlässigkeit, mit der beiderseitig Glaubenssätze in einem objektiven Sinne verbindlich ausgedrückt werden. Fehlt diese Klarheit, und treten an ihre Stelle unverbindliche Aussagen, die stets variiert, und wiederum dem Zweifel ausgesetzt werden dürfen, dann wäre ein erreichbarer Konsens auf Sand gebaut.

II. Einzelbemerkungen

1. Im ‚Malta-Papier' hat sich eine bedeutende Summe theologischer und spiritueller Bemühungen niedergeschlagen. Auf weiten Strecken kann es als Beispiel für jenen spirituellen Ökumenismus dienen, den das Vat. II empfohlen hat[12]. Andererseits aber lassen sich in diesem wichtigen Papier Tendenzen erkennen, die die Verständigung über eine Erneuerung und Vereinigung der Kirchen zu sehr im Sog gewisser moderner Einseitig-

[12] De oecumenismo Kap. 2, Nr. 8.

10

keiten suchen. Nicht ganz selten leidet der Kommissionsbericht an einer Überbewertung des ‚Heute‘, des ‚Neuen‘, der ‚Veränderung‘[13].

Es ist selbstverständlich, daß das Evangelium immer wieder (vor allem in »besonderen Situationen«) in neuer Sprache verkündet werden muß. Jedoch, in einer Zeit, in der so gut wie alles sich so rasch ändert, daß jedes Gespür für das Dauernde, Bleibende überhaupt verloren zu gehen droht, wird es gefährlich, die Forderung nach ‚Neuem‘ vielleicht doch etwas zu oft und zu laut auszusprechen. Es ist notwendig, auch das bleibende Erbe ins Bewußtsein zu heben. Alle auf die Neuaneignung und Neuaussage des Evangeliums, auf das ‚dynamische‘ Geschehen in der Kirche hinzielenden Passagen des Berichtes müßten eigentlich mit dem Zusatz formuliert werden: unter dem Vorbehalt des mit Jesus Christus ein für allemal gegebenen absolut Neuen und Definitiven (Alpha und Omega) und unter Bewahrung dieses in der ursprünglichen Verkündigung vermittelten Inhaltes.

2. Um in der Rechtfertigungslehre nicht unnütz die Gemeinsamkeit zu erschweren, hat sich der Studienbericht zu Recht auf deren Kern beschränkt[14], hat komplizierende zusätzliche Fragen vermieden: im Wirken des Heils geschieht nichts ohne Gnade, ohne Glaube, ohne Gott; nichts von Gott wesentlich unabhängig Menschliches! Dies ist vorzugsweise mit den Aussagen der Bibel zu verkünden. Die Beispiele des Berichts belegen selbst, wie reich der erwähnte Kern im NT ausgesprochen wird[15].

In diesem Abschnitt über die Rechtfertigungslehre (Nr. 26—30) vermißt man ein Eingehen auf das *Sakramentale*. Es ist dies aber unerläßlich (auch in Hinsicht auf die Beziehungen zur orthodoxen Kirche). Trotz der sakramentalen Auffüllung des Verkündigungswortes in den evange-

[13] Nr. 14: Wie können wir dieses Evangelium heute verstehen und verwirklichen? Nr. 15: Deshalb müssen wir die Frage nach dem Evangelium aus der heutigen theologischen und kirchlichen Perspektive neu stellen. Nr. 18: Da das Evangelium in immer neue geschichtliche Situationen hinein bezeugt werden muß, stellt sich die Frage nach den Kriterien, auf Grund welcher man zwischen legitimen und illegitimen späteren Entwicklungen unterscheiden kann. Nr. 19: In besonderen Situationen ... kann es der Kirche als dem Volk Gottes gegeben werden, das Evangelium im Blick auf neue Fragen mit Autorität neu zu bekennen.

[14] Nr. 26: Auch die katholischen Theologen betonen in der Rechtfertigungsfrage, daß die Heilsgabe Gottes für den Glaubenden an keine menschlichen Bedingungen geknüpft ist. Die lutherischen Theologen betonen, daß das Rechtfertigungsgeschehen nicht auf die individuelle Sündenvergebung beschränkt ist, und sehen in ihm nicht eine rein äußerlich bleibende Gerechterklärung des Sünders. Vielmehr wird durch die Rechtfertigungsbotschaft die im Christusgeschehen realisierte Gottesgerechtigkeit dem Sünder als eine ihn umfassende Wirklichkeit übereignet und dadurch das neue Leben der Glaubenden begründet.

[15] Nr. 27: Es wurde jedoch auch darauf verwiesen, daß das im Evangelium bezeugte Heilsgeschehen auch in anderen dem NT entnommenen Vorstellungen wie Versöhnung, Freiheit, Erlösung, neues Leben, neue Schöpfung, zusammenfassend zum Ausdruck gebracht werden kann.

lischen Kirchen sollte der direkten Pflege des sakramentalen Besitzes (und also auch der eucharistischen Frömmigkeit) viel mehr Aufmerksamkeit gewidmet werden. Es wäre eindringlich danach zu fragen, ob hier nicht ungenützte Möglichkeiten liegen. Das letzte Abendmahl des Herrn, sein Leiden und Tod, die Geistvermittlung und die Praxis der Sakramentenverwaltung im NT liefern die Unterlagen.

Nebenbei: von Sakrament und sakramentalem Denken kann man legitim miteinander reden, auch ohne daß eine gemeinsam akzeptierte, theoretisch ausgefeilte Formel darüber vorläge, was ein Sakrament eigentlich ist. Im Gedanken z. B. an die geistlich nährende, die Sünden tilgende Kraft des Leibes und Blutes Christi, genügt die Anerkenntnis einer im Heiligen Geist gewährten und im objektiven Zeichen garantierten geistlichen Kraft.

3. Wo das ‚Malta-Papier‘ von der Notwendigkeit einer kirchlich-rechtlichen Ordnung spricht, wird als Ziel dieser Normen genannt: »der freien Entfaltung des religiösen Lebens der Gläubigen zu dienen« (Nr. 32). Weiterhin wird der Wert des Rechtes relativiert durch den Hinweis auf die »unmittelbare Verantwortung gegenüber Gott« (Nr. 32) und einem gegenüber den kirchlichen Vorschriften offenen (?) »Raum der Freiheit für das Wirken des Herrn« (Nr. 32). Deutlicher hätte bei diesen Prinzipien für die Reform des Kirchenrechtes die lebenswichtige Grenze erwähnt werden müssen: Die kirchliche Ordnung hat primär nicht so sehr dem Schutz der Freiheit der Gläubigen zu dienen, als vor allem dem Schutz der Verkündigung des Herrn. Mehr als auf die »jeweiligen gesellschaftlichen Wirklichkeiten« (Nr. 33) muß das Recht in der Kirche auf die Treue zum Evangelium bedacht sein. Es ist ein unguter Zustand, wenn das Bewußtsein dieser Seite des Tatbestandes beinahe völlig verblaßt.

4. Ich warne vor der pauschalen Ablehnung des sogenannten Triumphalismus der Kirche[16]. Das Wort ist allzusehr leichthin akzeptierte Mode geworden. Der ganze ungeheure religiöse Reichtum barocker Kunst, Liturgie, Mystik und Kultur demonstriert auch eine Vermählung des ‚Triumphalismus‘ mit der theologia crucis. Er enthält jedenfalls unentbehrliche Äußerungen echt christlichen Glaubens in einer Fülle kleinerer und mittlerer Zeugnisse der Literatur, Mystik und Kunst ebenso wie in großen Formen (bei Michelangelo oder Teresa von Avila und Johannes vom Kreuz). Dabei braucht nicht vergessen zu werden, daß die Zeit des Barocks nicht nur eine Zeit der Heiligen war. Auch für diese Epoche hat Luthers Satz Geltung, daß der Christ ein seltener Vogel ist.

Es gibt eine legitime Anteilnahme der Kirche an der Glorie des gekreuzigten Auferstandenen, auch wenn der Sieg Christi in der Welt und über

---

[16] Nr. 40: Zunächst ist zu sagen, daß die erlösende Tat Gottes in Christus am Kreuz und durch das Kreuz geschieht. Sie läßt keinen Platz für Triumphalismus und theokratische Tendenzen, denen die Christen so oft zum Opfer gefallen sind.

12

die Welt noch verborgen ist. Die Kirche teilt zwar sein Leiden, und ‚nur‘ der Gekreuzigte ist zu verkünden (1 Kor 1,23; 2,2); aber das mindert das Gesagte nicht, denn der Gekreuzigte ist auch der Verklärte.

5. Es ist erfreulich, daß das ‚Malta-Papier‘ »bei der Reflexion über die Verkündigung des Evangeliums die jeweilige soziale, psychologische und politische Funktion der Kirchen in unserer Gesellschaft mitberücksichtigt« (Nr. 45); sie zu vernachlässigen wäre Versündigung an der Verkündigung. Aber diese Rücksicht ist wiederum nicht die einzige und darf nicht allein oder einseitig in die Aussage einbezogen werden. Die Kirche ist zugleich immer wieder zum scharf trennenden Nein gegenüber der Gottesferne und Gottesfeindlichkeit der Welt verpflichtet. Um dem in unserer Gegenwart genüge zu tun, bedarf es einer bewußten, beharrlichen Anstrengung, die sich dem Gefälle eines herrschenden Denkens entgegenstellt. Im selben Sinn ist die zu bejahende Notwendigkeit neuer kirchlicher Strukturen vorsichtig secundum quid zu nehmen[17]. Die Katholiken sind erfreulicherweise durch das Vaticanum II aus einer vielfältigen Enge befreit worden. Es ist jedoch nicht zu bestreiten, daß der Mut zur Veränderung und die Übertreibung der Freiheit heute bei nicht wenigen Theologen, Priestern und Laien erheblich über die ehrfürchtig zu wahrenden Grenzen hinaus zu verführen droht.

6. Der Begriff ‚Charisma‘ sollte erheblich vorsichtiger gebraucht werden, als es zur Übung wurde[18]. Was war z. B. charismatisch an der Berufung der Apostel? Obschon die Berufung erst durch die spätere Sendung zu ihrer Fülle kommt, ist der Tatbestand doch bemerkenswert, daß die Berufung der Apostel kein charismatisches Element in den Berufenen aufweist. Das NT zeigt uns das einigermaßen an der Haltung der Jünger vor der Geistausgießung. Die Flucht aller Apostel in Gethsemane, die Verleugnung Petri, und sogar später dessen Versagen als schon vom Auferstandenen Gesandter in Antiochia (Gal 2, 11 ff.): all das zeigt die Schwierigkeit auf, den Begriff deutlich abzugrenzen. Es ist ungenau, sich uneingeschränkt auf ‚die‘ charismatische Struktur der Gemeinden zu berufen, wie sie uns (teils) in paulinischen Briefen begegnet.

An dieser Stelle der Überlegungen wäre es wichtig, sich an ein durchgängig Gemeinsames in allen Büchern des NT zu erinnern, besonders soweit sie uns einen Einblick in das Leben früh-christlicher Gemeinschaf-

---

[17] Nr. 46: Die Weltbezogenheit des Evangeliums verweist auf die Notwendigkeit neuer Strukturen unserer Kirchen.
[18] Nr. 53: Der auf die Apostel zurückgehende Auftrag der Gesamtkirche vollzieht sich durch eine Vielfalt von Charismen. ... Deshalb kommen die Charismen nicht nur einer bestimmten Gruppe in der Kirche zu und sind nicht nur auf die Ämter beschränkt. Sie erweisen ihre Echtheit darin. daß sie Christus bezeugen, füreinander da sind und so der Einheit und der Auferbauung des Leibes Christi dienen. Deshalb sind die Charismen konstitutiv für die Ordnung und Struktur der Kirche.

ten gestatten: die uns vorliegenden Quellen sind bruchstückhaft, durch viele Zufälligkeiten und Lücken des Mitgeteilten gekennzeichnet. Wie wesentlich anders sähe unser Bild des Urchristentums aus, wenn z. B. der erste Korintherbrief verloren gegangen wäre!

7. Mit allem Nachdruck möchte ich der Auffassung widersprechen, daß »die Frage, ob die Ordination ein Sakrament ist, hauptsächlich terminologischer Art« sei[19]. Sakrament ist als Sache vom Wort zu unterscheiden. Trient hat die Sakramente als Realitäten über das Wort hinaus beschrieben. Das entspricht der Tatsache, daß Jesus seine Predigt von der kommenden Gottesherrschaft am Abend seines Lebens in auffallender Weise durch die Stiftung des Altarsakramentes (oder Sakramente: »Priesteramt«) ergänzte, und daß der Auferstandene durch den Auftrag zur Taufe und Sündenvergebung weitere Sakramente stiftete. Der Schritt in der Heilsökonomie voran, über die Lehre von der besseren inneren Gerechtigkeit hinaus, ist gar nicht zu übersehen. Dies zwingt zu einer gravierenden Unterscheidung von Wort und Sakrament — was nicht eine innere Fremdheit des einen vom anderen bedeutet.

Die Schriften Luthers[20] lassen es zu, die Kirche als Ursakrament zu begreifen und von da aus die Ordination der Sache nach sakramental zu fassen. Eine Reaktivierung dieses sakramentalen Besitzes im evangelischen bzw. lutherischen Bewußtsein würde eine Verständigung über das Bischofs- und Priesteramt und die Ordination als Weihe ermöglichen, ohne Minderung des evangelischen Verständnisses oder eine Praerogative gegen das ‚Wort'. Die »sachliche Konvergenz«, die der Bericht anspricht, würde zu einer echten Gemeinsamkeit, ohne daß ein Partner auf etwas Eigenes zu verzichten brauchte oder den Besitz des anderen geringer achten müßte.

Ähnliches gilt für den »priesterlichen Charakter«, der mit der Ordination verbunden ist[21]. Die Reformatoren verwarfen diese Lehre hauptsächlich deswegen, weil damals eine unnötige, physisch-realistische Auffassung des

[19] Nr. 59: Es ist uns heute ein besseres Verständnis verschiedener traditioneller Elemente der beiderseitigen Tradition in der Lehre vom Amt möglich. Wir sehen klarer als früher, daß die Frage, ob die Ordination ein Sakrament ist, hauptsächlich terminologischer Art ist. Die Katholiken verstehen unter Ordination ein Sakrament, das den Amtsträger gnadenhaft für den Dienst an anderen ausrüstet. Die Lutheraner begrenzen üblicherweise den Gebrauch des Wortes ‚Sakrament' auf Taufe und Abendmahl (bisweilen auch Absolution). Faktisch geschieht aber die Übertragung des Amtes in beiden Kirchen auf ähnliche Weise: durch Handauflegung und Anrufung des Heiligen Geistes um seine Gaben für die rechte Ausübung des Dienstes. So ergibt sich trotz allen noch bestehenden Unterschieden eine sachliche Konvergenz.

[20] WA 14, 267, 25—30; 268, 17—27; 43, 601, 11—31; vgl. dazu J. Lortz. Luther und wir Katholiken heute, in: Festschrift für Ferdinand Maass (Wien 1973) 176.

[21] Nr. 60: Auch die Lutheraner besitzen insofern in der Praxis eine Entsprechung zur katholischen Lehre vom »priesterlichen Charakter«, als sie die Ordination nicht wiederholen.

‚Charakters' mit einer sakramentalistisch übersteigerten Praxis Hand in Hand ging, die wiederum die bekannte Überbetonung des Eigenwertes des geistlichen Standes nährte, was Luther unaufhörlich zur grimmigen Polemik reizte. Derartige Praxis und Vorstellungen haben wir längst überwunden. Indes ist sehr wohl zu überlegen, ob nicht die Berufung ins Amt durch den Herrn dem Berufenen unwiederholbar und unterscheidend Anteil an seinem Priestertum schenkt. Der Mensch ist nicht mehr derselbe, wenn der Herr in auszeichnender Weise seine Hand auf ihn gelegt hat. Dies anzuerkennen würde ausreichen, um einen ‚priesterlichen Charakter' bei den Aposteln anzunehmen. Entsprechend könnte eine Prägung ihrer Nachfolger durch Weihe oder (sakramentale) Ordination angenommen werden. Der Gefahr eines unbiblischen Standes-Klerikalismus durch die Charakter-Lehre ist der Weg abgeschnitten, wenn und so lange der Dienstcharakter des Amtes im Bewußtsein lebendig gehalten wird.

8. Für die Möglichkeit einer gegenseitigen Anerkennung der kirchlichen Ämter werden von den katholischen Teilnehmern der Kommission etwas unscharf weitreichende Schritte des Entgegenkommens angedeutet: Anerkennung des kirchlichen Charakters bei den nichtkatholischen Gemeinschaften; das Amt der lutherischen Kirchen als pneumatischer Aufbruch in einer Notsituation; vertiefte Auffassung der apostolischen Sukzession; Möglichkeit der charismatisch entstandenen Beauftragung; presbyterale Sukzession. Hier zeigt sich eine oft zu beobachtende ökumenische Schwierigkeit, die nicht selten zur Methode wurde. Ohne einer gegenseitigen Aufrechnung zu verfallen, sollte vielmehr der Sache wegen auch der Annäherung evangelischer Vorstellungen an katholische Denkart stärkere Aufmerksamkeit geschenkt werden.

9. Die tatsächlich vorhandene und im ‚Malta-Papier' beschriebene Praxis der Interkommunion ist exakt auf ihr Recht zu prüfen[22]. Wenn die Gemeinschaft in der Eucharistiefeier wirklich ein Zeichen der Kircheneinheit ist, dann soll man doch redlich zugeben, daß diese Einheit noch nicht vorhanden ist.

Sie kann auch nicht einfach via facti durch den ökumenischen Elan kleiner oder die Bedenkenlosigkeit großer Gruppen produziert werden. Landesbischof Harms erinnert in einer mündlichen Stellungnahme mit Recht die Kirchenleitungen an ihre besondere Verantwortung[23]. Übrigens könnten

---

[22] Nr. 69: Die verschiedenen Experimente einer gemeinsamen Feier des Abendmahls sind jedoch auch Zeichen für den Ernst der Frage und drängen nach weiterer theologischer und kirchenrechtlicher Klärung. Die kirchlichen Amtsträger ... werden jedoch auch darauf achten müssen, dem Wirken des Geistes nicht zu widerstehen, sondern mit helfenden Weisungen der Gemeinde der Gläubigen voranzugehen in der Hoffnung auf die Wiedervereinigung aller getrennten Christen.

[23] Anläßlich der Mai-Juni Tagung der Synode der deutschen Bistümer in Würzburg 1974.

wir Katholiken in diesem Punkte, angesichts der Schuld, die wir an der Spaltung tragen, ‚Theologie des Kreuzes' üben. Der in größerem Stil und programmatisch zuerst in Holland begangene Weg, durch unerlaubte Eucharistiegemeinschaft die Kirche umzustrukturieren, erliegt zu leicht radikal revolutionären Vorstellungen [24] und relativistischen Erweichungen.

Der für eine wechselseitige Interkommunionsvereinbarung gemachte Vorschlag einer praktischen Annäherung scheint trotz der Einschränkungen und vorsichtigen Formulierungen zu weit zu gehen (Nr. 73—74). Vorgeschlagen wird der Weg einer »sukzessiven Annäherung«. Gedacht ist an die Erlaubnis zur offenen Kommunionsgemeinschaft bei besonderen Anlässen »als Zeichen und Antizipation der verheißenen und erhofften Einheit«. Bedeutet das nicht den Versuch einer untheologischen Lösung? Man fragt sich, warum in Einzelfällen legitim und theologisch begründet sein sollte, was der Allgemeinheit vorenthalten wird? Dies wäre ein Weg der ‚Ausnahmefälle', der nach alter Erfahrung beinahe sicher zu einer Durchlöcherung der grundsätzlichen Positionen (hier des Verbots der communicatio in sacris) führen würde.

Im Widerspruch zum Kommissionsbericht ist die Verwirklichung eucharistischer Gemeinschaft sehr wohl »von der vollen Anerkennung des kirchlichen Amtes abhängig« (Nr. 73) zu machen.

Der Verzicht auf die Kommunionsgemeinschaft kann im übrigen auch ökumenisch positiv wirksam sein. J. Ratzinger überlegt im Anschluß an die origenistische Auslegung von Mk 14,25: »Ist es nicht eine sinnvolle Form liturgischen Handelns, wenn die getrennten Christen, die als Getrennte zusammenkommen, dabei bewußt in den Verzicht Jesu eintreten — wenn sie gerade durch das Fasten mit ihm und so miteinander kommunizieren, sich als Büßende mit der stellvertretenden Buße Jesu vereinen und so die ‚Eucharistie' *der Hoffnung* begehen?«[25] Fehlt uns hier ein genügendes Vertrauen auf den Heiligen Geist?

10. Den Wunsch nach mehr verbindlicher Einmütigkeit der lutherischen Kirchen hinsichtlich der Lehre vom Amt, kann man nur mit größtem Nachdruck unterstützen. Der jetzige Zustand rührt an die Wurzel unserer Uneinigkeit. Die theologische Unklarheit auf katholischer Seite war im XVI. Jahrhundert eine der wirkkräftigsten Ursachen für die Reformation. Die theologische Unklarheit und der hemmungslose Pluralismus bei Theologen und Kirchenmännern auf evangelischer Seite spielt heute

[24] Vgl. z. B. die neomarxistisch gefärbten revolutionären Thesen des holländischen Theologen H. A. M. Fiolet in: Limburgs Dagblad vom 24. 12. 1969. Eine Kritik dieser Thesen bei J. Lortz, Holland in Not (Luxemburg² 1970), S. 18—20.
[25] Ökumene am Ort, Catholica 2, 1973, S. 158 und in einem Gespräch mit dem Evang. Pressedienst zur Gemeinsamen Synode der kath. Bistümer in Würzburg in: Christ in der Gegenwart vom 9. 6. 1974, S. 178.

umgekehrt eine ähnliche Rolle. Der Einwand, heute gäbe es diese Uneinmütigkeit auch auf katholischer Seite, trifft leider einen weitverbreiteten, büßend zu bekennenden Mißstand. Ohne ihn in seinem akuten Verständnis zu überwinden, werden wir nicht zu einer saubereren, dauernden und fruchtbaren Gesamtlösung kommen.

III. Beantwortung der Fragen

1. Welche Zusammenarbeit ist jetzt auf lokaler Ebene zwischen Katholiken und Lutheranern möglich?

1.1 Das Erste ist, daß jede Kirche einen möglichst reichen Glauben an die Person des Herrn Jesus Christus zu entzünden versucht. Je lebendiger der Glaube und die Liebe Christi zu uns ist, um so eher wird sich unsere Hoffnung auf die Einheit in *Ihm* erfüllen können. Entsprechend ist, negativ gesehen, das Wichtigste, daß eine Auszehrung dieses Glaubensbesitzes verhindert wird. Solange in der öffentlichen Darstellung kirchlicher Themen einseitig die kritischen, verunsichernden, die unterschiedlichen Bekenntnisse nivellierenden Stimmen bevorzugt werden, wird beinahe unausweichlich jedes gemeinsame Vorgehen der Kirchen mißverständlich.

1.2 Es gibt eine ganze Reihe von Punkten, in denen nicht unmittelbar Fragen des Glaubens tangiert sind, und wo auf lokaler Ebene die ökumenische Zusammenarbeit möglich, längst aber noch nicht ausgeschöpft ist.

Im sozial-caritativen Bereich wäre eine völlige Kooperation angebracht. Warum sollten konfessionsverschiedene Gemeinden nicht dort, wo die politisch-soziale Verantwortung des Christen angesprochen ist, gemeinsam diskutieren und mit einer Stimme Stellungnahmen bzw. Aktionen vorbereiten?

Die Christen erleben heute im Alltag ihres Berufes, ihrer Familie und Freizeit eine Art selbstverständlich gewachsener Ökumene. Mindestens Teile dieser Gemeinsamkeit wollen sie mit Recht auch im Leben ihrer Kirchengemeinde institutionell-sichtbar vorfinden.

1.3 Damit der Eifer nicht erlahmt, bedarf es geistlicher (nicht nur bürokratischer) Impulse von den Leitungsgremien her. Ihnen ist hier eine besondere Verpflichtung (z. B. des Gebetes für die gemeinsamen Unternehmungen) auferlegt. Das Gebet müßte überhaupt noch viel intensiver als bisher für das ökumenische Anliegen nutzbar gemacht werden (vgl. Mt 7,7 ff.). Durch das Füreinander- und Miteinanderbeten um die Erlösung vom Übel der Spaltung können die Christen auf die eindrücklichste Weise ihren gemeinschaftlichen Glaubenssinn unter Beweis stellen. Christlicher Ökumenismus will das Reich *Gottes* mitbauen. In diesem

Mühen hat immer der betende Glaube den Vorrang vor dem sozial-caritativen Engagement: Unsere Hilfe ist im Namen des Herrn. Aus dem Kampf der Bekennenden Kirche in der Hitlerzeit wissen wir, daß evangelische Gruppen der hier geforderten Synthese in bewundernswertem Gebetsgeist gerecht wurden (Vgl. 1 Thess 5,17!).

2. Welche Konsequenzen hat die schon erreichte Übereinstimmung für das gemeinsame Leben der Kirchen?

2.1 Die schon erreichte Verständigung soll Zuversicht nähren. Unter der Verschiedenheit der kirchlichen Bekenntnisse liegt eine Fülle wesentlicher Gemeinsamkeit. Die verbindende Basis ist größer und tiefer, als das konkrete Neben- und Gegeneinander manchmal ahnen läßt. (Wie weit reicht z. B. die gemeinsame Taufe, wenn man ihre theologischen Implikationen ernst nimmt!)

Allerdings müßten im gemeinsamen Leben der Kirchen die Übereinstimmungen auch klarer als bisher herausgestellt werden. Unterbleibt nämlich die permanente Verdeutlichung der Gemeinsamkeiten (und Hindernisse), so leistet man ungewollt der Skepsis und Resignation Vorschub. Verschwommene Vorstellungen über den wirklich erreichten Konsens fördern jene relativistischen Tendenzen, die die trennenden Glaubensunterschiede bloß als nebensächliche Fehlwirkungen kirchlicher Ämter und Behörden, als Theologenzank abtun, um auf Kosten der Wahrheit des Evangeliums einer ‚Wiedervereinigung‘ außerhalb des offiziellen kirchlichen Rahmens zuzusteuern.

2.2 Es wäre förderlich, die beiderseitige Schuld an der Kirchenspaltung durch eine gemeinsame Bußliturgie zum Ausdruck zu bringen. Die biblische Aufforderung zur metanoia ist für den Christen zentral und zwischen den Konfessionen unbestritten. Könnte nicht gerade die liturgische Form der Bußandachten (auch angesichts ihres theologischen Stellenwertes gegenüber der sakramentalen Einzelbeichte) Ansätze für ökumenisch gestalteten Gottesdienst bieten?

2.3 Es wäre in besonderer Weise wertvoll, die Gemeinden über die historische Verursachung der Kirchenspaltung aufzuklären. Man muß sich hierbei allerdings bewußt sein, daß es für Katholiken um die Annahme einer schweren Last geht. Das Bekenntnis der ja eigentlich unvorstellbar harten katholischen Schuld ist — außerhalb der Forschung — noch nicht umfassend genug ausgesprochen worden. Man muß uns Katholiken ungeschminkt und in größerer Fülle als bisher sagen. daß unsere Kirche unmittelbar vor der Reformation durch die Auswucherungen ihrer Theologie und den desolaten Zustand ihrer Institutionen bis an den Rand des Untergangs geraten war. Wenn auch das Anliegen katholischer Positionen oft grundsätzlich berechtigt war, die schwere Gefahr lag in Übertreibungen und mißbräuchlichen Anwendungen. Man braucht nur die Lehre von der päpstlichen plenitudo potestatis in temporalibus zu nennen, um die unheimliche, von lange her auswuchernde Zersetzung bis ins Zentrum vor sich zu sehen. Bei diesen und anderen Beispielen käme es darauf an, nicht bei einer theoretischen Aussage (von etwas längst Bekanntem) stehen zu bleiben, sondern deutlich zu machen, daß sich in der Kirche am Ende des Mittelalters und zu Beginn des XVI. Jahrhunderts die Verkündigung der reinen Lehre des Evangeliums in Theologie und Praxis weithin verwirrt hatte.

Diese Belastung wird nicht aufgehoben durch die Tatsache, daß die Reformatoren, nicht zuletzt Martin Luther, ihrerseits durch einseitige und widersprüchliche Formulierungen viel Schuld daran tragen, daß die katholische Kirche damals und lange Zeit hindurch das, was an der reformatorischen Verkündigung orthodox war, in seiner Katholizität nicht erkannten. Allerdings gehört es sehr wohl zur ökumenischen Gewissenserforschung, daß unsere evangelischen Brüder ihren Teil der Schuld erkennen und offen bekennen.

3. Welche Punkte bedürfen weiterer Untersuchungen?

3.1 Das ‚Malta-Papier‘ nennt in seiner Einleitung als Themenkreise, die ausgeklammert wurden und die noch näher zu untersuchen sind: das Verhältnis von Kirche—Evangelium—Glaube zu den Sakramenten; von Natur-Gnade und Gesetz-Evangelium; die Frage des Lehramtes und die der Mariologie. Ergänzend kann noch die Frage nach einer gefüllten Verehrung der Heiligen überhaupt gestellt werden. Das hier liegende religiöse Potential wird bis heute zu Unrecht zu wenig ernst genommen. — Vor einer möglichen Einigung in der Frage des Abendmahls sind auch noch ganz konkrete Probleme des Eucharistieverständnisses zu klären: Wer hat die Befugnis, der eucharistischen Feier priesterlich-sakramental »vorzustehen«? Welche Disposition muß bei dem Einzelnen vorhanden sein, um die heilige Kommunion empfangen zu können? Bezieht sich der Glaube an die Realpräsenz nur auf die kultische Spendung, oder dauert die Gegenwart Christi darüber hinaus? Wie ist der Bezug zwischen Eucharistie und Kreuzesopfer Christi zu bestimmen?

Man sieht, ein schweres Paket von Fragen. Für die Theologen stellt sich jeweils eine in sauberer dogmatischer und exegetischer Arbeit zu leistende Aufgabe. Für die Kirche als Ganzes sind jedoch die möglichen Ergebnisse der Theologen allein nicht ausreichend. Das Volk Gottes bedarf mehr noch der kirchlichen Lehrgewalt und einer spirituellen Führung, die nicht am Schreibtisch produziert werden kann, sondern vom prophetisch verkündeten Wort und von einer durch den Heiligen Geist gelenkten Liturgie inspiriert sein muß.

3.2 Bezüglich des kirchlichen Amtes kann auch der ‚Malta-Bericht‘ in den offenen Streitfragen (Apostolische Sukzession, Ordination als Sakrament) nur Annäherungen feststellen.

Es bleibt zu überlegen, ob hier nicht die Aussagen der Gruppe von Dombes[26] und die Verlautbarung der amerikanischen (lutherisch/römisch-katholischen) Arbeitsgemeinschaft[27] weiterhelfen. Im Bericht von Dombes betont die protestantische Seite ausdrücklich: »Aufgrund der durch die Spaltung des 16. Jahrhunderts entstandenen Situation erkennen wir an, daß wir ... die volle Zeichenhaftigkeit dieser (apostolischen) Sukzession entbehren. ... Im Hinblick auf die Einheit der Kirche und ihrer Dienstämter erkennen wir die Notwendigkeit an, das volle unverkürzte Zeichen für die apostolische Sukzession wiederzuerlangen«. Sie schlägt eine »wechselseitige Wiederannahme der Ämter in Form einer gegenseitigen Handauflegung vor und sieht darin die Bedeutung eines Bußaktes der Versöhnung, in dem jeder vor dem anderen anerkennen würde, was ihm fehlt« (S. 39). Diese Form des ökumenischen Dialogs ist eine weitgehende Verwirklichung des ‚par cum pari agat‘ (Ökumenismusdekret Kap. 2 Nr. 9) und braucht keineswegs einer unangemessenen gegenseitigen Aufrechnung zu dienen.

3.3 Eine radikale Ablehnung der *Tradition* führt zur geistigen Sterilität. Sie würde nichts anderes besagen, als daß die von den Aposteln im Namen des Herrn Gesandten nichts sagen und tun dürfen, als nur zu wiederholen, was früher gesagt und getan wurde. Eine vollkommen irreale Vorstellung, eine Institutionalisierung des tötenden Buchstabens! Demgegenüber hält das Dombes-Papier fest, daß das Amt zur Interpretation und Aktualisation des Evangeliums verpflichtet ist: »unter der Leitung des Heiligen Geistes in der Gemeinschaft mit der ganzen Kirche« (S. 37). Es ist natürlich recht und notwendig, wenn streng auf den Ursprung des Evangeliums d. h. auf Reden und Tun des Herrn und auf die Urkirche zurückgegriffen wird: aus der Quelle müssen wir gesunden. Indes gibt es eine legitime (und unvermeidbare) Entwicklung aus dem Ursprung. Immer wieder, durch die Geschichte von 20 Jahrhunderten, wurde die Botschaft Jesu Christi jeweils in neuer Sprache und neuen Zusammenhängen bezeugt und doch unverfälscht weitergegeben. Wird die Tradition so in einem gefüllten Sinn als Zeugnis für den Christus heri et hodie verstanden, dann sind im ökumenischen Dialog problematische Einzelfragen, die die Tradition uns aufgibt, lösbar. Dem freien Wirken des Heiligen Geistes, der immer und überall weht, wo er will, muß theologische volle Anerkennung gesichert sein. Das NT und die Jahrhunderte der Kirchengeschichte haben uns eine unübersehbare, oft

---

[26] Herder Korrespondenz 27, 1973, S. 33—39.
[27] Vgl. den Text bei H. Meyer, Luthertum und Katholizismus im Gespräch. Ökumenische Perspektiven 3 (Frankfurt 1973), S. 111—142.

hart bedrängende Vielfalt kirchlicher Ausdrucksformen überbracht. Eine Harmonisierung der Spannungen ist selbstverständlich unberechtigt. Wir sollten Derartiges nicht einmal wünschen; die Vielfalt des lebendig Gewachsenen würde an Kraft verlieren. Die angedeutete Offenheit für die Tradition — in das Gesamt der Kirche eingebunden — macht die Bewältigung der ,Fülle' der Wahrheit (Joh 16, 12 f.) grundsätzlich möglich, freilich nach dem Gesetz von »Spiegel und Rätsel« (Kor 13, 12 b).

Die Bemühungen der Denkschrift von Dombes, das Geheimnis der Eucharistie tiefer zu erfassen und neu nahe zu bringen, sind dafür vorbildhaft (vgl. S. 33—36). Auf ihrem Hintergrund könnte es z. B. leicht werden, die bestehenden Barrieren gegen die verehrende Behandlung der nicht verzehrten eucharistischen Partikel wegzuräumen. Das Essen und Trinken des Leibes und Blutes ist nicht denkbar ohne Lob, Dank und Preis des gegenwärtigen Herrn. Wenn man den Begriff der geistlichen Kommunion hinzunimmt, ergibt sich ungezwungen der Schritt zur Anbetung.

4. Auf welche Weise könnten über den Malta-Bericht hinausgehende Fortschritte gemacht werden?

4.1 Zunächst ist zu warnen vor dem Drängen nach genauen Modellen für die Einheit. Ihr Heranreifen ist Gegenstand glaubender Hoffnung, nicht Sache der Futurologie. Jeder Vorgang der Verständigung großen Stils ist in solcher Tiefe ein Lebensprozeß, daß eine abgezweckte Planung nur in beschränktem Maße möglich erscheint. Im geistlichen Bereich aber, besonders innerhalb der Offenbarung, hindert die Abzweckung geradezu das Wachstum. In der nötigen hoffenden Geduld durchgeführt, kann andererseits gemeinsames Planen der ganzen Kirche natürlich auch von Nutzen und gelegentlich unentbehrlich sein.

Ökumenisch erheblich ist alles, was das geistliche Leben in den christlichen Gemeinden innerhalb der reinen Lehre fördert. Ökumenisch schädlich ist jeder sich ausbreitende dogmatische Minimalismus. Zwar kann, ja soll man vom gemeinsamen Minimum ausgehen. Aber man darf nicht zu einer Minimalisierung des gemeinsamen Notwendigen hinstreben. Entgegen dem Augenschein: eine dogmatische feste Grundlage hemmt nicht, sondern fördert und befruchtet den Dialog.

4.2 Als weitaus wichtigstes Anliegen erscheint der Rückgriff auf die erwähnten Ansätze bzw. Grundlagen sakramentalen Denkens bei den Reformatoren. Mehr als bei anderen Glaubensinhalten kommt es hier übrigens nicht nur auf die Lehre, sondern auf die Atmosphäre im Umkreis des Sakramentes an (vgl. Joh 13,1). Wo die Forderung nach einer sakramentalen Aufwertung von der evangelischen Seite als unrealistisch abgelehnt wird, müssen wir Katholiken uns fragen, wieviel der sich in unserer Kirche ausbreitende sakramentale Schwund daran eine Mitschuld hat. Ein besonderer Wunsch in diesem Zusammenhang ist es, ganz allgemein die seltsame Lutherfremdheit auf evangelischer Seite zu beheben. Luther — in seinen tieferen Intentionen erfaßt — ist, trotz seines wilden Hasses gegen den Papst, gegen Messe und Mönchtum (wie er sie sieht) nun einmal in manchen Schichten seines Denkens viel katholischer, als man gemeinhin annimmt. Es bleibt z. B. dabei, daß er wahrscheinlich ein Papsttum hinzunehmen bereit war, wenn nur die Rechtfertigung aus Glauben zugestanden würde [25]. Vor diesem Katholischen in Luther sollte niemand Angst haben.

4.3 Bei der nachkonziliaren katholischen Liturgiereform spielte die der Reformation zu verdankende ‚Entdeckung des Wortes‘ eine große, positive Rolle. Bezahlt haben wir jedoch diese Neugestaltung mit einer offenkundigen Vernachlässigung des Sakramentalen. Mehr und mehr wurde aus dem ‚Priester des Altares‘ ein ‚Diener des Wortes‘, als ob beide Funktionen nicht zugleich nötig wären und gegeneinander in Opposition stünden. Aus der Messe haben wir bis zu einem gewissen Grad nach protestantischem Muster einen Wortgottesdienst gemacht, dem etwas unorganisch die wertvollen Hochgebete mit der Wandlung eingefügt sind. Die Berechtigung dieser Entwicklung ist nicht einzusehen. Nachdem die katholische Lehre gemäß dem NT nur einen Priester bekennt, Jesus Christus, nachdem katholischerseits die früher vor allem in der Frömmigkeitsliteratur vertretene Meinung längst überwunden ist, daß der menschliche Priester auf ‚unblutige Weise das Kreuzesopfer Jesu wiederholt‘, nachdem die katholische Thologie den Opfercharakter der Messe klar als im Sakrament geschehende memoria des Kreuzes Jesu deutet, entbehrt die frühere reformatorische Kritik an der Messe als Opfer ihre Grundlage.

Auswirkungen der Liturgiereform (und schlimmer noch: aus ihr ‚abgeleitete‘, unerlaubte Experimente) unterstützen ungewollt eine allgemein zu verzeichnende, sehr schädliche (auszehrende) Perhorreszierung des Sakralen. Entgegen dem Rat vieler Psychologen, die der zeichenhaften Darstellung religiöser Erfahrungen im Kult eine unverzichtbare (nicht zuletzt pädagogische) Bedeutung zusprechen, vernachlässigen wir hier ein ureigenes menschliches Bedürfnis.

4.4 In das Streben nach geistlicher Erneuerung sollten die Gespräche von Katholiken mit Evangelischen ernsthaft den Glauben, und besonders das liturgische Beten, der *orthodoxen* Kirchen miteinbeziehen. Ihre Sprache und ihr Denken gehört mit zum Gesamtbestand christlich-kirchlicher Wirklichkeit. Die Befruchtung von dieser Seite her dürfte in ihrem Nutzen für eine gegenseitige Verständigung nicht leicht zu überschätzen sein.

---

[25] WA 40, I, 180, 11 (1531/35), dazu WA 40, III, 433, 21: »Wenn er zugeben würde, daß die Rechtfertigung nur pretio sanguinis, non propriis operibus geschehe, dann hätte der Papst nicht nur iustam rem, sondern usum sancte rei.«

5. In welchem Umfang beeinflussen die Entwicklungen in der heutigen Welt unsere Beziehungen und unsere gemeinsame Zukunft?

5.1 Wie stark säkulare Entwicklungen heute in den Raum der Kirchen hineinwirken, zeigt umfassend das schon erwähnte übersteigerte Weltgefühl moderner Theologie. Aus vorgeschobenen progressistischen Formulierungen erfährt man etwa, Jesus habe die heillose Welt zu seiner Heimat deklariert; er habe sie durch seine Menschwerdung und seinen Tod geheiligt. Entsprechend müsse sich auch die Kirche primär auf die Nöte und Herausforderungen dieser Welt beziehen. Man sagt sogar, der Wert der Kirche reduziere sich auf das Maß, in dem sie zur Dienstleistung an der Welt fähig sei; nur bis zu dieser Grenze brauche sich der Christ mit seiner Kirche zu identifizieren. — Solche einseitige Wertschätzung der Welt widerspricht der christlichen Botschaft in einem zentralen Punkt. Nach dem NT ist die Welt auch eine negative, unheilvolle Größe, ist andererseits die Kirche eine aus ihr herausgenommene Heilsgemeinde. Kirche ist etwas anderes und mehr als Welt. Sie weiß um die Mächtigkeit der Sünde; sie weiß, daß sie hier keine bleibende Statt hat, daß Christus von der Welt nicht ‚aufgenommen‘ wurde; daß aber er selbst gegen alle weltliche Weisheit die Torheit seines Kreuzes gesetzt hat. Die Kirche weiß, daß gerade die heute so vielfältig geforderte innerweltliche Mitmenschlichkeit nie und in keiner Hinsicht von dem anderen, wichtigeren Teil des Liebesgebotes Jesu, von der Liebe zu Gott, getrennt werden darf. Wegen des grundsätzlichen Gegensatzes zwischen Kirche und Welt verbietet sich jede völlige Akkomodation und Gleichschaltung.

5.2 Die moderne Welt ist durch ein mächtiges Gemeinschaftsbewußtsein geprägt. Drückende Erinnerungen an die Katastrophen der jüngsten Geschichte, die Angst vor Hunger, Terror, Krieg und Umweltproblemen haben erstaunliche, zur Einheit drängende Kräfte geweckt. Für dies steigende Zusammengehörigkeitsgefühl hat auch Vaticanum II positive Anstöße gegeben. Dort wurde erstmals in einem kirchlichen Dokument die komplexe Situation des Menschen in der Welt als eigenes Thema aufgegriffen. Erstmals hat die Deklaration über das Verhältnis zu den nichtchristlichen Religionen — im Gegensatz zu jahrhundertelang gepflegter Isolierung — den brüderlichen Dialog mit Juden, Mohammedanern, Hindus und sogar Atheisten bejaht und angebahnt.

Verbunden mit dem angedeuteten Solidaritätsstreben verbreitet sich jedoch ein gefährlicher Wunschtraum: der Irrglaube nämlich, daß die Utopie einer heilen Welt vom menschlich geplanten Fortschritt realisiert werden kann. Die Überzeugung, daß wir alle Probleme durch Anstrengungen der Technik und der Humanwissenschaften zu meistern vermögen, dies ist nicht mehr nur marxistische Lehre, sondern gedieh längst schon zu einem allgemein vorherrschenden Lebensgefühl. Hiervon werden wir gleich noch ausführlich zu reden haben.

Spürbar sind die Wirkungen dieser säkularen Tendenz im Bereich einer Ökumene, die das Christentum zwar nicht nur, aber auch als eine irdische »Heils«-Lehre verkündet, und zwar unproportional zum ewigen Heil im transzendenten Gott. Praktisch wird die Mahnung des Herrn an Martha vergessen: Weniges aber ist (in der Welt) not (Lk 10,42). Hier werden vielmehr Ausgangspunkte zur Analyse religiöser Probleme und werden Modelle für die Zukunft der Kirche statt aus dem Evangelium Jesu Christi aus dem Bereich der Welt gewählt. Gerade dies jedoch ist unstatthaft. Die Krise und die theologischen Schwierigkeiten etwa in der Ämterfrage können nicht damit überspielt werden, daß man die Kategorie der politischen Demokratie benützt. Das allgemeine Priestertum des NT ist nun einmal etwas anderes als ein allgemeines Bürgerrecht für Christen und die besonderen, von Gott zum Gemeindedienst bevollmächtigten Amtsträger, sind etwas anderes als gewählte Bürgermeister.

Auch das ‚Malta-Papier‘ betont die Zusammenhänge zwischen Kirche und Welt. Es hält jedoch selbstverständlich daran fest, daß der Ökumenismus als Äußerung des Lebens der Kirche ein wesentlich gnadenhaft-religiöser Vorgang ist: etwa in dem Sinn, in dem Dom Couturier vom spirituellen Ökumenismus sprach und in dem das Konzilsdekret De Oecumenismo diesen Ausdruck übernahm.

5.3 Ökumenismus wird aber heute nicht überall mehr in dieser geistlichen Reinheit verstanden und betrieben. Ganz besonders wichtig, aber auch gefährlich sind Programme und Impulse des weltweit wirkenden »Ökumenischen Rates der Kirchen« (ÖRK) geworden. Sie wurden schon seit geraumer Zeit in beträchtlicher Dimension politisch-wirtschaftlich-gesellschaftlich orientiert. Man kann die immensen christlichen Anstrengungen des ÖRK unter der Führung der Generalsekretäre Dr. Blake und Philip Potter nicht übersehen, und auch nicht die persönliche christliche Frömmigkeit dieser Männer, auch nicht das Christliche in der bedeutenden Weltmissionskonferenz von Bangkok 1972/73, der ‚frommen‘ Konferenz. Aber daß der ÖRK die Ökumene im Sinn der sozialen und politischen Verpflichtung einseitig vorantreibt, muß man doch wohl, je länger um so mehr, zur Kenntnis nehmen. Man darf die Entwicklung als alarmierend bezeichnen. Entsprechend muß im Folgenden etwas eingehender vom Ökumenismus des ÖRK geredet werden.

5.4 Die Aufarbeitung kontroverstheologischer Fragen — das Suchen nach der Wahrheit — steht für das Genfer Generalsekretariat nicht mehr an erster Stelle (außer etwa in Kommissionen mit katholischen Delegationen). Im Vordergrund stehen neue Themen wie Friedensstrategie, Gewalt, Revolution, soziale Gerechtigkeit, Kampf gegen Kolonialismus, Umverteilung von Macht, Neuorganisation der internationalen Politik, Kampagnen gegen (»weißen«) Rassismus und Faschismus, Begegnung mit dem Kommunismus ... kurz, eine gefährlich einseitige ‚Humanisierung‘ der christlichen missionarischen Aufgabe. Die Wichtigkeit dieser Themata wird am wenigsten derjenige leugnen oder übersehen, der die steigende Bedeutung der ‚erwachenden‘ Dritten Welt für die Menschheit und für die Kirche, und also für die Mission, bedenkt. Aber, ohne hier zu entscheiden, in welcher Weise sich der Christ, und insbesondere der Missionar, heute für diese Themen offen halten soll, muß bezweifelt werden, daß sich auf diesem Weg gesellschaftskritischer Auseinandersetzung das kirchliche Einheitsstreben unter dem Primat der Wahrheit im Raum von Wort und Sakrament noch organisch vollziehen kann; ob so noch auf die Dauer Jesus Christus als der Herr und *Erlöser* im Sinne der Basis-Formel des ÖRK und die Mission als Bekehrung von den Sünden und Eingliederung in die universale Kirche verstanden wird? Die Welt ist niemals der Ort, an dem die Kirche ihre Einheit findet. Diese ist vielmehr nur durch einen vertieften Glauben an die unverkürzte christliche Botschaft zu erreichen: in dem Gekreuzigten und auferstandenen Gottmenschen Jesus Christus.

5.5 Diese Aushöhlung, vielleicht sogar Pervertierung des Ökumenismus im ÖRK wirkt auch in die katholische Kirche herüber.

Um das weitere Ambiente der Problemlage anzudeuten, verweise ich auf die offiziellen Gespräche einer Kommission katholischer Theologen mit Vertretern der russisch-orthodoxen Kirche, an denen das römische Einheitssekretariat maßgeblich beteiligt ist. Sie fanden zum drittenmal im Juni 1973 im Dreifaltigkeitskloster Sagorsk bei Moskau statt. In dem ausführlichen Kommuniqué zu diesen Verhandlungen im ‚Osservatore Romano‘[29] ist viel die Rede vom Dienst an der Gesellschaft, von der Weltverantwortung des Christen, von einer Theologie des Menschen, vom Prozeß der Demokratisierung und von friedlicher Koexistenz. Es wird allenfalls zugestanden, daß es noch einige(!) unterschiedliche Auffassungen gebe (alcune divergenze) ... Ob wohl die katholischen Teilnehmer der Gespräche sich bewußt waren (und sind), daß das so politisch gefärbte Vokabular für die russischen Partner (auch Metropolit Nikodim[30] ist einer der Mitorganisatoren) einen ganz anderen Sinn haben kann als für die römisch-katholischen Teilnehmer? Natürlich muß man auch mit-

---

[29] Osservatore Romano vom 16. Juni 1973 unter dem Titel: Un importante documento ecumenico. — Der neueste Rückblick im *deutschen* Osservatore Romano (von Kardinal Willebrand) vom 15. Nov. 1974 spiegelt eine verschiedene Färbung derselben Gespräche; theolog. Verhandlungen werden deutlich (an erster Stelle) genannt.
[30] Präsident der Kommission des Heiligen Synods der russisch-orthodoxen Kirche für die Probleme der Einheit der Christen und der Beziehungen zwischen den Kirchen. Er ist auch, als Mitglied der 36köpfigen orthodox-russischen Delegation im ÖRK, Mitglied von dessen Exekutivkomitee.

bedenken, daß die russisch-orthodoxe Kirche keineswegs frei agieren kann, wohl aber eine Verfilzung ihrer Vertreter mit der sowjetischen Macht sicher vorhanden, für uns aber nicht genau durchschaubar ist[31].

Die Sagorsker Verlautbarungen und das erwähnte Protokoll stehen wohl auch in einem (vielleicht entfernteren) Zusammenhang mit der Ostpolitik der römischen Kurie. Die zunehmend vor ihr warnenden Stimmen aus verschiedenen Kreisen sollten ernst genommen werden. Die klagenden Worte von so leidgeprüften sachkundigen Rufern wie Mindszenty, Slipyi und Solschenizyn haben Gewicht. Besteht nicht die Gefahr, daß der Vatikan, auf der Suche nach einem modus vivendi mit den osteuropäischen Mächten, von diesen, zum Nutzen ihrer atheistischen Ideologie diplomatisch-propagandistisch ausgenutzt wird? Die Wahl des geringeren Übels kann sehr wohl zum Unheil führen. — Man darf sich das Urteil freilich nicht leicht machen: das pastorale Anliegen des Papstes ist erdrückend.

5.6 Man muß nicht gleich den Antichrist an die Wand malen, wenn man glaubt, ein Abgleiten des ÖRK von der Heilsverkündigung des Evangeliums in die Zone politisch-gesellschaftlicher Aktivitäten beklagen zu müssen[32]. Auch hier schadet die einseitige Vergröberung.

Allerdings ist dies noch zu schwach formuliert. Die hier anvisierten Evangelikalen beklagen ja vielmehr als ein Abgleiten ins Soziologische. Sie sind erschrocken über das, was man ganz allgemein als Krise der Kirche und der progressistischen Theologie analysiert hat[33], eine echte Grundlagen-Krise der christlichen Mission, eine Glaubenskrise. Peter Beyerhaus hat das Thema in Bangkok angeschnitten. Aber er wurde in einer dem Anliegen durchaus unsachgerechten Weise durch verschiedene Redner, darunter auch Generalsekretär Philip Potter, scharf abgewiesen[34].

5.7 Es ist sehr schwer, diese Weltkonferenz von Bangkok 1973 gerecht zu beurteilen. Das Geschehen dort war äußerst vielschichtig, auch in sich uneinheitlich: es auf einen Nenner zu bringen, scheint selbst bei behutsamstem Umkreisen der verschiedenen Themengruppen unmöglich.

Das Urteil wird schon bestätigt durch die gegensätzliche Bewertung, die von Teilnehmern der Weltkonferenz geäußert wurde. Ist man nun, wie

[31] Aufschlußreiche Angaben über die Lage, und besonderes Verständnis für die Einsatzmöglichkeit genuin orthodox-russischer Kräfte hinter dem Eisernen Vorhang, bietet der berühmte Fastenbrief Solschenizyns an Patriarch Pimen (1972). Eine zwielichtig positivistische Kritik an diesem Brief durch den orthodoxen Priester Sergius Schedlukow wurde von einer theologisch fundierten Antwort des Laien Felix Karelin überholt. Text deutsch in: Solschenizyn. Kirche und Politik (Zürich 1973). S. 31—62.
[32] Vgl. die Kundgebung konservativer evangelischer Gemeinschaften an Himmelfahrt 1974 in der Berliner Philharmonie (FAZ v. 25. 5. 1974). Dazu P. Beyerhaus, Bangkok '73 (Verlag der Liebenzeller Mission, Liebenzell 1973). S. 233 ff.
[33] J. Lortz. Kirche und wir in der Krise, in Lebendiges Zeugnis H. 1, Paderborn 1974.
[34] K. Vichweger. Weltmissions-Konferenz Bangkok (Hamburg 1973) 92.

ich, nur auf die gedruckten »Berichte« angewiesen (— die eingestandenermaßen gar keine eigentlichen Berichte sein konnten —), steigen die Schwierigkeiten noch erheblich: denn, wie die Veranstaltungsteilnehmer es so oft ausdrücken, Bangkok war ein Ereignis, eine Aktion und in der Folge ein Erlebnis, das man selbst erfahren haben müsse, um seine Bedeutung und seinen Inhalt würdigen zu können. Philip Potter gesteht im Vorwort zu seinem Berichtsband ehrlich, dies sei eine Konferenz der Gefühle und Leidenschaften gewesen. Tatsächlich wurde die ‚Befreiung durch das Heil' in Bangkok trotz reichlicher Bibelarbeit in den Sektionen nicht eigentlich theologisch im Plenum beschrieben. Sie wurde vielmehr gefühlsmäßig hervorgerufen und in einer »Atmosphäre der Hautnähe« übertragen.

5.8 Wie ist Bangkok christlich einzuordnen? Es wurde schon von der ‚frommen' Konferenz Bangkok gesprochen. Aber dieser Begriff muß aufgefüllt werden. Um dieses Werturteil voll abzustützen, genügt es nicht, auf die christologisch-trinitarische Basisformel des ÖRK zu verweisen. Auch gibt uns der Hinweis auf die Beschäftigung mit der Bibel im Plenum und in den Sektionen keine Sicherheit. Diese Bibelarbeit hat den öffentlichen Eindruck von der Konferenz kaum geprägt; sie kommt auch leider im offiziellen Berichtsband des Generalsekretärs Philip Potter wenig zu Wort.

So blieb eben Bangkok jenes gefühlsgeladene große Erlebnis der Teilnehmer, das sich nicht nur einer Definition, sondern schlicht einer sachlichen Darstellung weithin entzieht.

Dennoch muß zuerst gesagt werden, daß zweifellos Christus als Mittler des Heils im Zentrum der Konferenz und seiner Teilnehmer stand. Es kann nicht bezweifelt werden, daß Bangkok eine *christliche* Versammlung sein wollte, eine betende, Gottesdienst feiernde Gemeinschaft. Ruedi Weber, in Bangkok der Mann der Bibelarbeit, stellt fest: »Gott trug in Bangkok ein sehr erkennbares Gesicht, das Gesicht des Jesus von Nazareth«. Die Konferenz wollte das Bewußtsein der Christen dahin neu gestalten, daß sie die entscheidende Bedeutung Jesu für das Leben der Welt erkennen sollten. Teilnehmer wagten von sich zu behaupten, daß sie »die volle Wirklichkeit dieser Verheißung in Bangkok erfahren und freudig miteinander gefeiert« hätten, »ganz eindeutig um die Person des lebendigen Christus« vereint. Auch für den Hauptinitiator dieser Konferenz, Philip Potter, verfügen wir durch die ungewöhnliche missionarische Leistung seines Lebens und durch viele Einzelaussagen über eine Fülle von Belegen dafür, daß sein Leben ein Leben für »die Person des lebendigen, gekreuzigten und auferstandenen Christus« ist, für die »Heilsbotschaft des Kreuzes«.

Um das etwas anschaulich zu machen: im Schlußbericht [34a] vor dem Zentralausschuß des ÖRK in Berlin über die Tätigkeit während der auslaufenden Periode von 6 Jahren (im August dieses Jahres) sprach Potter auch von den Vorwürfen, die gegen den Rat (besonders, wie er sagt, von Mitgliedern reicher Kirchen) wegen seines Eingehens auf die sozialen und politischen Nöte der jungen Kirchen erhoben werden. In diesem Zusammenhang hält er es immerhin für wichtig genug, daran zu erinnern, daß die Versammlung von Addis Abeba wegen der überlastenden Außenarbeit des ÖRK eigens Anstrengungen empfohlen habe zur Vertiefung des geistlichen Lebens, auch des Rates. Er fährt fort: »wir müssen erneut lernen, was es heißt, Buße zu tun, und wir uns von unserer eigenen Person abwenden, und wie wir uns unserem gemeinsamen Herrn zuwenden können, dem wir gehören und dem wir dienen. Das bedeutet, daß wir uns inmitten unserer ökumenischen Verpflichtungen ohne Zögern als Rat und als Kirchen dem läuternden Wort des Kreuzes darbieten müssen, damit wir immer wieder im Sinn und im Herzen erneuert werden, zu einer echten und opfervollen Verpflichtung untereinander und für die Sache der Einheit des Volkes Gottes und die Völker dieser Erde, die er in Christus erlöst hat ...«.

Ein solches bekennendes Wort, ein Stück ,theologia crucis', vor dem internen Kreis des Zentralausschusses gesprochen, hat sein eigenes Gewicht; es enthüllt eine nicht gewöhnliche christlich-religiöse Tiefendimension.

5.9 Aber gerade, wenn man das alles stark und warm betont hat, überfällt einen drückend die Frage: wie konnte dann diese Versammlung von Bangkok geboren werden? Denn nach Ausweis des erwähnten offiziellen Berichtsbandes von Philip Potter war das Gesamtbild dieser groß angelegten, intensiv vorbereiteten und in meisterlicher Regie durchgeführten großen Missionsversammlung bei weitem nicht nur von dem Geist der eben angeführten Aussagen und Glaubenshaltungen geprägt. Vielmehr, diese Konferenz, von Philip Potter konzipiert — wenn man diese Vereinfachung einmal gelten lassen will — dem »Mann der vielen Wurzeln« und des »Ausgleichs«, war tief geprägt von Adogmatismus, Relativismus und Synkretismus.

Dem Adogmatismus und dem Relativismus wird schon durch die Gleichberechtigung der ca. 270 Mitgliedskirchen des ÖRK, wie von selbst, Vorschub geleistet. Wie wenige Kirchen sind doch dogmatisch gebunden! Seiner eigenen methodistischen Kirche rechnete es Philip Potter [35] geradezu als Vorzug an, daß sie kein besonderes Glaubensbekenntnis formuliert hat. Und mit welcher verachtender Deutlichkeit offenbarte sich gerade in

[34a] Ökumenische Rundschau 1974 Oktoberheft S. 500.512.514.
[35] Walter Müller-Römheld, Philip Potter. (Evangelischer Missionsverlag, Stuttgart 1972), S. 65; 38/39; vgl. S. 17.

Bangkok recht allgemein die Geringschätzung gegenüber jeder genau formulierenden Theologie!

Und der Synkretismus, den mancher Teilnehmer von Bangkok in so überlegenem Tonfall weit von sich wies! Man braucht nicht nur auf die wahrhaftig erstaunlichen, oft zitierten Aussagen ‚erlöst durch Mao' oder ‚durch Gottes Gnade zum Atheist geworden' zurückzugreifen. Diese christliche Missionskonferenz wurde eröffnet durch die Verlesung einer Rede der Prinzessin Poon Pismai Discul, Präsidentin der Weltvereinigung der Buddhisten. Die Rede — der kein christliches Gebet vorausgegangen war oder folgte — war wahrhaftig mehr als eine Höflichkeitsgeste. Sie war auch nicht nur das sympathisch brüderliche Angebot zu einem Dialog. Die Botschaften beider Religionen, der christlichen und buddhistischen, wurden vielmehr einfach als »die gleichen« erklärt. Und dann fand sich gegen Ende dieser Offerte folgender Satz: »Und nun lassen Sie mich abschließend die Gnade anrufen alles dessen, was im Universum heilig und göttlich ist: den dreifachen Edelstein, die Heilige Dreieinigkeit, oder andere, uns ihre Segnungen zu geben für unseren(!) Erfolg in der Aufgabe, die wir für andere Völker in Angriff nehmen [36].«

In Bangkok wurde ein für das Schicksal des Ökumenismus hoch bedeutsamer Vorgang sichtbar: es offenbarte und vollzog sich nicht nur die längst fällige lebensnotwendige Akkomodation der christlichen Verkündigung an das asiatische Denken bis zur Inkarnierung in dieses Milieu. Es äußerte sich vielmehr das erwachte kirchlich-nationale Selbstbewußtsein der Asiaten in einer geradezu explosiven Übersteigerung: »Dies ist eine Kirchenkonferenz in Asien. Lassen Sie uns bitte selbst die Tagesordnung bestimmen.«[36a] Ein solcher Satz will bedacht sein. Er steht nicht für sich allein Er ist eingebunden in das Ganze eines hochgradig empfindlichen schicksalhaft wachsenden kirchlich-politischen Selbstbewußtseins der christlichen Dritten Welt, das sich nicht mehr einfachhin der bisherigen kirchlichen Tradition verpflichtet weiß; trotz allem Bemühen, den Haß gegen die bisherigen weißen Herren christlich zu überwinden. Es war schon recht, wenn diese Konferenz in Asien (zur Mehrheit von Menschen der Dritten Welt besucht) sich ein asiatisches Gesicht gab. Wir forderten ja eben selbst für jede fruchtbare Missionierung eine einwurzelnde Akkomodation der Verkündigung. Aber hier ist mehr. Tendiert diese Haltung nicht zu einer Autonomie, die zu einer Schädigung der Einheit der Kirchen des einen Leibes des Herrn führen könnte? Distanziert solches Verhalten die jungen Kirchen nicht in einer schließlich irreparablen Weise von den ihnen unsympathischen, sendenden und spendenden großen westlichen Mutter-

[36] Peter Beyerhaus, Bangkok '73 a.a.O. S. 155.
[36a] Viehweger a.a.O. S. 92.

kirchen? Bei dem in Bangkok zurückgewiesenen Anliegen ging es nicht nur um die These eines einzelnen westlichen Theologen (Peter Beyerhaus), oder gar um deren vielleicht fragwürdige Begründung. Es ging um zentralen christlichen Besitz; hinter dem Antrag stand eine ganze Front evangelischer Christen; auf der Weltkonferenz in Lausanne 1974 wurde zwischen Evangelikalen und Ökumenikern auf Leben und Tod um die Differenzen gekämpft, so unklar auch die Trennungslinien zwischen den Anschauungen des einen oder des anderen ,Lagers' verliefen. Ein Bruch der evangelischen Kirchen konnte dort glücklicherweise noch verhindert werden.

Und immerhin, die Weltmissions-Konferenz von Bangkok war eine Veranstaltung der Weltvereinigung für Mission und Evangelisation im Ökumenischen Rat der Kirchen; ihr Ziel ist per definitionem die Wiedergewinnung *der Einheit* der Kirchen. Wäre also vielleicht die in Bangkok sichtbar werdende neue Gesamtauffassung christlicher Mission auf dem Weg, diese Einheit aufzulösen, also den Ökumenismus zu zerstören?

5.10 Die Überbetonung der weltlichen Sorgen in der Missionsarbeit durch den ÖRK, also sein Abgleiten in die ,Horizontale', führte dann auch zu einer beunruhigenden Kritik am ÖRK aus dem Kreis seiner eigenen Mitgliedskirchen. Es kamen z. B. offizielle Mahnrufe des ökumenischen Patriarchen von Konstantinopel und des russisch-orthodoxen Patriarchen von Moskau[37]; sie sind von Gewicht. Tatsächlich drohte in Bangkok der biblisch artikulierte Glaube an Jesus Christus für die ökumenische Arbeit des ÖRK, an Bedeutung zu verlieren. Diese ÖRK-Missionskonferenz in Bangkok wollte »das Heil der Welt heute« verkünden. Sie tat es durch Mittel und Methoden, die zu entscheidenden Teilen nicht aus dem NT geschöpft waren. Das gilt trotz der vorhin zitierten authentischen Christuszeugnisse und trotz der Behauptung von Generalsekretär Potter, »die zwei Bibelstudien im Plenum und die der Gruppen an 6 Tagen hätten alle Diskussionen in den Plenarsitzungen geprägt«[38]. Ein Stück des Berichtsbandes, wie die krause Sammlung »Heil im Horizont der Erfahrung«[39] enthält zwar auch Wertvolles, ist indessen zum nicht geringen Teil dem ansteckungsfähigen Pseudo-Religiösen und dem Synkretismus zuzuweisen. Vor allem: im Ganzen wurde das wesentliche Heil, die Bekehrung des Menschen von seinen *Sünden* durch den *Sühnetod* Christi, allzu sehr von dem zwar lebenswichtigen, aber doch zu allgegenwärtigen Ruf nach allgemeiner »Befreiung« überdeckt.

Ich insistiere: keineswegs braucht man die religiöse Bewegtheit und sogar umwandelnde Kraft vieler Worte, Gedanken und Impulse der Bang-

---

[37] Es handelt sich um je einen Brief zum 25jährigen Bestehen des ÖRK. Texte mit den Antworten des ÖRK (Generalsekretär Potter) in Una Sancta, 1974, 1—2, 114.
[38] Philip Potter a.a.O., S. 230.   [39] Ebd. S. 109—174.

koker Konferenz in Frage zu stellen; aber das hätte man vielleicht gegenüber dem religiösen hellenistischen Synkretismus der Zeitwende auch nicht tun dürfen. Es mag auch im Sinne der Organisatoren der Konferenz stimmen, daß in Bangkok vielleicht »zum ersten Mal in der Geschichte ökumenischer Konferenzen ganz Ernst gemacht (wurde) mit der im biblischen Kanon vorhandenen reichen Vielfalt von Glaubensbekenntnissen (!) und Glaubensäußerungen« [40]. Aber gerade eine solche (unpräzise) Feststellung läßt die Gefahr erkennen. Das Christentum droht gnostisch-synkretistisch-relativistisch in der Vielfalt der alten und neu entstehenden [41] Religionen aufzugehen. Man muß die Atmosphäre wägen; noch viel mehr allerdings die verwirrende Fülle, ja Widersprüchlichkeit dessen, was in diesem Babel [42] Bangkok jeweils als Heil angepriesen wurde. Sehr wenig war man jedenfalls um das (doch satzungsgemäß verpflichtende) Suchen nach der Einheit der Kirche im Glauben besorgt.

6.1 Man fragt sich beunruhigt, wie es zu dieser Pervertierung des Ökumenismus im ÖRK kam. Das Problem kann und braucht hier nicht erschöpfend behandelt zu werden. Die Hauptursache aber soll genannt werden: der Mangel an Theologie. Der ÖRK besitzt in seiner Basisformel eine kostbare theologische Ausgangsposition. Der Weltrat versteht sich, wie er selber sagt, als eine Gemeinschaft von Kirchen, die an Jesus Christus als Gott und Heiland glauben. In New Delhi 1961 wurde dieses Bekenntnis trinitarisch verdeutlicht. Es leuchtet aber ein, daß diese Unterlage nur dann ihre rechte Frucht (als Wegweiser zur Einheit der Kirchen) bringen kann, wenn sie immer wieder theologisch fruchtbar gemacht wird. Gerade hieran aber ließ man es fehlen. In Bangkok zeigte sich, wie schon gesagt, eine geradezu empfindliche Abneigung gegen genaue theologische Formulierungen. ‚Erleben‘ und ‚erfahren‘ überwucherten das kontrollierte theologische Denken.

6.2 Die beteiligten Missionare und missionierenden Kirchen haben eine gewichtige Entschuldigung vorzubringen; es ist die ungeheuerliche Not der Völker der Dritten Welt, die sie tief bewegt und in ihrem Bewußtsein vieles andere überdeckt. Diese Not trat in Bangkok sogar so überbordend in den Vordergrund, daß der Gottesbegriff des NT zu einem Teil verundeutlicht wurde. Man unterschied keineswegs immer genügend die spezifische Erlösungsordnung von der Schöpfungsordnung, nicht mehr den allgemeinen Heilswillen Gottes von der Erlösungstat in Jesus Christus und seiner Kirche. Nicht, daß man legitimerweise dem ÖRK anlasten dürfte, das hier liegende Urgeheimnis aufgelöst zu haben. Aber es wurde nicht ehrfürchtig genug, nicht mit der nötigen dogmatischen Unterscheidungs-

---

[40] Ebd. S. 106.
[41] Ebd. S. 23.
[42] Vgl. z. B. ebd. S. 213 Abschnitt D.

kraft, beachtet. Ohne die Liebe zu verletzen darf man es aussprechen: so groß die Not der Menschen und der Völker der zu missionierenden Länder und ihrer Kirche auch sein mag, das Heil durch die ‚Befreiung‘ darf nie die Erlösung durch den Sühnetod Christi zurücktreten lassen.

7. Im Grunde war in Bangkok, vielleicht unbewußt, die Frage nach einem nicht ‚konfessionellen‘ Christentum gestellt. Vielmehr, sie wurde mit erschütternder Selbstverständlichkeit als bejaht vorausgesetzt. Eine Fülle von Aussagen im offiziellen Berichtband von Philip Potter über Bangkok (oder auch bei Klaus Viehweger) betrachten allgemeine und zeitlos gültige Aussagen über das ‚Heil‘ als überholt, als unmöglich, sogar als schlechterdings unwirklich, und in der Atmosphäre von Bangkok, in dieser Atmosphäre der ‚Hautnähe‘, »nicht bloß als hilflos, sondern als ausgesprochen lebensfremd«[43]. Die westliche Weise des Theologisierens wurde wie ein rotes Tuch abgelehnt. Man meinte sogar, sie hätte gegenüber dem lebendigen, erfahrbaren Heil Gottes eher wie ein anatomisches Präparat gewirkt. Der ganze Komplex der Fragen, der sich vom großen Gedanken des logos spermatikos (nach Joh 1,9: »erleuchtend *jeden* Menschen«) bis zu den »anonymen« Christen[44], verwirrend ausbreitet, erscheint stillschweigend in billig rationalisierender Weise zugunsten eines hochgefährlichen allgemein formulierten Christentums summarisch bejaht. Mit verblüffender Selbstsicherheit wird die ‚Situation‘ als das Einzige anerkannt, das ein Aussagen über das ‚Heil‘ anziehend und überzeugungskräftig machen kann. Die unausschöpfbare Vielfältigkeit der Aussagen über das ‚Heil‘ in den zahlreichen Völkern und Kulturen mit ihren sozialen und politischen Bedingungen, wird in der Bindung an die jeweilige Situation nach Zeit, Ort und Temperament in großer Breitenwirkung recht ungeschützt und mit wenig Unterscheidungskraft angeboten. Die schon als Vorbereitungsbuch für die Konferenz von Bangkok weit verbreitete Sammlung moderner literarischer Texte aus der ganzen Welt[45] exemplifizieren das Finden des Heils in so mannigfachen Bewußtseinslagen, daß schlechterdings jede Art der ‚Befreiung‘ zum echten Heil zu gehören scheint.

8.1 Um das Verhängnisvolle dieser veränderten Methoden und Zielsetzungen ganz zu ermessen, die in und nach Bangkok mit so viel Hochgemutheit und in tiefer »Gläubigkeit« angeboten wurden, muß man überlegen, was an weiterem ungebundenem Wildwuchs des Ökumenismus von hier aus auf uns zukommen könnte. Die kommende fünfte Vollversammlung des ÖRK in Nairobi, die eben jetzt vorbereitet wird, meldet Bindungslosigkeiten bedenklicher Art an.

[43] Viehweger, S. 19, 108.
[44] Vgl. Karl Rahner »Von dem einen Mittler und den vielen Vermittlern« (Wiesbaden 1967); danach in »Schriften zur Theologie«, Band VIII. S. 218—235, Köln 1967.
[45] Vgl. Ph. Potter a.a.O., S. 109—174.

Wieder kommt Potters adogmatische und relativierende Denkweise etwas penetrant zum Ausdruck. Sicher, es ist ein hohes geistiges Ziel, die Verschiedenheit in die streng festgehaltene Einheit zu integrieren. Es fragt sich aber, worauf der Ton liegt. Wo liegt er, wenn in dem angegebenen Berliner Bericht, die ‚unterschiedlichen Lehren‘ kurz beiseite geschoben werden durch die Bemerkung, die verschiedensten Standpunkte seien kein Hindernis? In diesem Zusammenhang klingt es verdächtig, wenn Potter sich nicht scheut, zu bekennen: »In der Gnade Gottes müssen wir uns bemühen, befreit zu sein zur Verschiedenheit« [45a].

Soll also der verhängnisvoll verwirrende Stil von Bangkok weitergepflegt werden? Soll weiterhin der Sinn dessen, was christliche Bekehrungsmission ist, und was nach dem Sendungsbefehl Jesu »hinauszugehen« sein muß, verdreht werden zu dem irdisch-weltlichen, das neben dem allein Notwendigen ‚hinzugegeben werden wird‘ (Mt 6,33)?

Gerade jetzt — wo ich die 2. Korrektur dieses Aufsatzes lese — erinnert Rolf Scheffbuch, der mit dem inneren Mechanismus des ÖRK in Genf etwas vertraut ist, an den nicht eben begeisternden Fall der vom ÖRK finanzierten Ethnologen-Konferenz auf der Antillen-Insel Barbados im Jahre 1971, und ihre krasse Verurteilung der Verkündigungs- und Bekehrungsmission alten Stils als einer Verfälschung des eigentümlichen Wesens der missionierten Völker wie der missionierenden Kirchen [45b].

Im gleichen Zusammenhang erwähnt er das Schicksal der Bitte der äthiopischen Mekane Yesus-Kirche an die Schwestern-Kirche in Europa und USA um Unterstützung für die Ausbildung missionarischen Nachwuchses: sie wurde nicht gewährt, während Gelder für humanistische Zwecke zur Verfügung gewesen wären. Dies aber wiederum rief die äthiopische Mekane Yesus-Kirche auf den Plan. Ihre Stellungnahme [45c] ist von erfreulicher Klarheit. Die Einheimischen nehmen das Recht für sich in Anspruch, besser über die Bedürfnisse ihrer Kirche Bescheid zu wissen als die spendenden Schwesternkirchen in Übersee. In ruhiger Sicherheit bekennen sie ihren alten missionarischen Standpunkt: »Wir wollen Christus verkündigen, weil wir dies als unsere Verpflichtung betrachten. Wir wollen Christus verkündigen, weil unser Volk nach ihm hungert.«

Sehr mit Recht weisen sie außerdem darauf hin, einmal, wie groß die Hilfe des Evangeliums zur Entwicklung wahrer menschlicher Werte ist, zum anderen, »daß die alten westlichen Missionen mehr als die Hälfte ihrer Investitionen für soziale Aktivitäten eingesetzt hätten« [45d].

[45a] Potter in Ökum. Rundschau (o. Anm. 34a), S. 515.
[45b] Rolf Scheffbuch, Ökumene contra Mission? (Telos Taschenbuch: Neuhausen-Stuttgart 1974), S. 33—35.
[45c] Dokumente aus der äthiopischen Mekane Yesus-Kirche — ECM vom 9. 5. 72 bei Scheffbuch a.a.O., S. 34.
[45d] Scheffbuch a.a.O., S. 34.

8.2 Ist es unbegründet oder gar verwegen, wenn ich jetzt trotz all dem Gesagten dennoch mit dem Blick auf das schließen möchte, was Hoffnung geben kann?

Einmal blieb, wie schon gesagt, in den scharfen Auseinandersetzungen zwischen Evangelikalen und Ökumenikern der drohende Bruch der protestantischen Kirchen aus. Es bleibt die Hoffnung, daß genügend Kirchen die notwendige ‚Befreiung' der Völker durch die Mission im Sinne der Basisformel des ÖRK und gemäß dem Sendungsbefehl des Herrn ohne Substanzverlust durchsetzen. Eine Regeneration des ÖRK aus seinem christlichen Besitz ist möglich. Kündigt er doch sein Programm für die kommende Vollversammlung, aufs Ganze gesehen, viel gebundener an, als dies für Bangkok der Fall war! Das Thema ist der *Herr selbst*; die ankündigende Devise nennt ihn bei seinem Namen: »Jesus Christus befreit und eint«. Im Vorwort zu einem Einführungsbrief in diese Konferenz steht der ermutigende Satz »Jesus allein ist der Grund«. Könnte also nicht das, was ER *ist*, zur Geltung kommen, und nicht nur einzelne Facetten seiner Güte und Barmherzigkeit?

Denn die Frage, die Jesus stellt, heißt nicht: Religion, ja oder nein? Sie liegt in der Aufforderung zum Bekenntnis an den vom Vater gesandten Einen Sohn (Joh 17.3; 1 Joh 2,23) und zur Nachfolge des Gekreuzigten, der die Erlösung von den Sünden gebracht hat. Die hier verlangte Entscheidung für Jesus Christus, den Fleisch gewordenen Sohn Gottes als den Erlöser von den Sünden macht den spezifischen, strikt exklusiven Unterschied der christlichen Botschaft zu allen anderen Heilsmodellen aus.

In dem gewichtigen, kurz nach der Weltkonferenz Bangkok versandten »Brief an die Kirchen« wurde Apg 4,12 zitiert[46]. Vielleicht gelingt es in der kommenden Vollversammlung, diesen majestätischen Text nicht nur anzuführen, sondern ihn in aller Konsequenz zum Leitmotiv der ganzen Konferenz zu machen: »Und ist in keinem anderen das Heil, ist auch kein anderer Name unter dem Himmel den Menschen gegeben, in dem wir sollen erlöst werden.«

[46] Ph. Potter a.a.O., S. 262.

34

AUSGEWÄHLTE BIBLIOGRAPHIE VON JOSEPH LORTZ[1]

(6) Vernunft und Offenbarung bei Tertullian, in: Der Katholik 39 (1913), 4. Folge, Bd. XI, S. 124–140

(8) Der „Canon" des Vincentius von Lerin, in: Der Katholik 39 (1913), 4. Folge, Bd. XII, S. 245–255

(7) Das Christentum als Monotheismus in den Apologien des 2. Jahrhunderts, in: Beiträge zur Geschichte des christlichen Altertums und der byzantinischen Literatur. Festgabe Albert Ehrhard. Bonn und Leipzig 1922, S. 301–327

(12) Die Leipziger Disputation 1519, in: Bonner Zeitschrift für Theologie und Seelsorge 3 (1926), S. 12–37)

Katholische Renaissance oder dogmenfreie Religiosität? Ein Stück moderner Studentenseelsorge. Würzburg 1926

Der hl. Benedikt. Ein Charakterbild, Rezension des Buches von Ildefons Herwegen, in: DLZ 1927, Sp. 1145–1154

Tertullian als Apologet. Bd. 1, Münster 1927 (= Münsterische Beiträge zur Theologie Heft 9), Bd. 2, Münster 1928 (= Münsterische Beiträge zur Theologie Heft 10)

Das Leben des heiligen Augustinus, in: Akademische Bonifatius-Korrespondenz, Paderborn 1930, S. 1–13

Kardinal Stanislaus Hosius. Beiträge zur Erkenntnis der Persönlichkeit und des Werkes. Gedenkschrift zum 350. Todestag, Braunsberg i.O.Pr. 1931 (= Abhandlungen der staatlichen Akademie Braunsberg)

Kirchengeschichtliche Grundzüge der Neuzeit in ideengeschichtlicher Betrachtung (Allgemeine Kennzeichnung der Neuzeit), in: Zeitschrift für den katholischen Religions-Unterricht an höheren Lehranstalten, 8 (1931), S. 6–26

Geschichte der Kirche in ideengeschichtlicher Betrachtung. Eine Sinndeutung der christlichen Vergangenheit in Grundzügen. Münster, [1]1932, 21. Aufl. 1964. (Übersetzungen: Englisch, Französisch, Italienisch, Spanisch, Vietnamesisch, Japanisch)

(2) Versuch einer Bilanz der katholischen Kirchengeschichtsschreibung in Deutschland. Sebastian Merkle zum 70. Geburtstag; Hochland 49 (1932), S. 570–576

(13) Zur Lutherforschung (Bemerkungen zu Otto Scheel, Martin Luther. Vom Katholizismus zur Reformation), in: Historisches Jahrbuch 53 (1933), S. 220–240

Methodologisches zur Kritik in der Kirchengeschichte, in: Zeitschrift für den katholischen Religions-Unterricht an höheren Lehranstalten, 10 (1933), S. 105–120

Um Luther (zum 450. Geburtstag am 10. November 1933), in: Zeitschrift für den katholischen Religions-Unterricht an höheren Lehranstalten, 10 (1933), S. 193–206

Die Kirche im Zeitalter des Humanismus, der Reformation und der Gegenreformation, in: Akademische Bonifatius-Korrespondenz, 48 (1934), S. 163–179

(14) Zum Menschbild Luthers, in: Das Bild vom Menschen. Beiträge zur theologischen und philosophischen Anthropologie. Hrsg. v. Theodor Steinbüchel und Theodor Müncker. Festschrift Fritz Tillmann. Düsseldorf 1934, S. 58–68

Katholischer Zugang zum Nationalsozialismus, kirchengeschichtlich gesehen (Reich und Kirche), Münster 1933, [2]1934

Katholisch und doch nationalsozialistisch, in: Germania, vom 28. 1. 1934

Katholischer Zugang zum Nationalsozialismus, Ideologie oder Wirklichkeit?, in: Germania, vom 4. 2. 1934

Unser Kampf um das Reich, in: Germania, vom 6. 5. 1934

Die Reformation in Deutschland. Bd. 1: Voraussetzungen – Aufbruch – Erste Entscheidung. Freiburg i. Br. [1]1939, Bd. 2: Ausbau der Fronten – Unionsversuche – Ergebnis. Freiburg i. Br. [1]1940; [6]1982

Die Reformation. Thesen als Handreichung bei ökumenischen Gesprächen, Meitingen [1]1940; [2]1945

(9) Untersuchungen zur Missionsmethode und zur Frömmigkeit des heiligen Bonifatius nach seinen Briefen. Teil I–III, in: Willibrordus, Echternacher Festschrift zum 1200. Todestag des heiligen Willibrord.

---

[1] Es fehlen insbesondere die zahlreichen Beiträge, die in Tages- und Wochenzeitungen erschienen sind. Die in Klammern gesetzte Nummer vor dem Artikel verweist auf den Abdruck in dieser Sammlung.

Hrsg. v. N. Götzinger. Echternach-Luxemburg 1940, S. 247–283; Teil IV, in: Theologische Quartalsschrift 1940, S. 133–167

The Reformation. Theses put forward as a friendly Approach for Oecumenical Conversations, in: Eastern Churches Quarterly 7, (1947), S. 76–91

Die Reformation als religiöses Anliegen heute. Vier Vorträge im Dienste der Una Sancta. Trier 1948

Dogma und Freiheit – kirchengeschichtlich, in: Der Mensch vor Gott. Beiträge zum Verständnis der menschlichen Gottesbegegnung. Theodor Steinbüchel zum 60. Geburtstag. Düsseldorf 1948, S. 378–398

(11) Zur Problematik der kirchlichen Mißstände im Spätmittelalter, in: Trierer Theologische Zeitschrift 58 (1949), S. 1–26; 212–227; 257–279; 347–357

Wie kam es zur Reformation? Ein Vortrag, Einsiedeln ¹1950; ³1955

(15) Erasmus – kirchengeschichtlich, in: Aus Theologie und Philosophie. Festschrift für Fritz Tillmann zu seinem 75. Geburtstag. Hrsg. v. Theodor Steinbüchel und Theodor Müncker. Düsseldorf 1950, S. 271–326

Luther in katholischer Sicht heute, in: KDA – Blätter der Kathol. Deutschen Akademikerschaft 1 (1950), S. 10–13

(23) Um das Konzil von Trient. Zu Hubert Jedin, Geschichte des Konzils von Trient. Bd. I: Der Kampf um das Konzil; Bd. II: Die erste Trienter Tagungsperiode 1545/47, in: Theologische Revue 47 (1951), Sp. 157–170; 55 (1959) Sp. 151–160, Sp. 193–204

Die Lehre von Trient, in: Wort und Wahrheit 6 (1951), S. 605–609

Der unvergleichliche Heilige. Gedanken um Franziskus von Assisi. Düsseldorf 1952

Das kulturelle Klima des 13. Jahrhunderts, in: Grevenmacher 1252–1952. Festschrift zur 700-Jahrfeier des Freiheitsbriefes. Grevenmacher 1952, S. 79–115

(3) Nochmals: Zur Aufgabe des Kirchengeschichtsschreibers. Trierer Theologische Zeitschrift 61 (1952), S. 317–327.

(16) Germanikum und Gegenreformation, in: Korrespondenzblatt für die Alumnen des Collegium Germanicum et Hungaricum 1952, S. 67–121

Die Bedeutung des Kollegs, in: Korrespondenzblatt für die Alumnen des Collegium Germanicum et Hungaricum (als Manuskript gedruckt), Rom 1952, S. 139–151

Die Reformation im ökumenischen Gewissen. Eine Erwiderung auf Adam Fechter, in: Wort und Wahrheit 7 (1952), S. 847–854

(4) Religionsgeschichte und abendländische Einheit, in: Drei Reden von Bundespräsident Theodor Heuß, Prof. Dr. Martin Göhring, Prof. Dr. Joseph Lortz, Mainz 1953, S. 15–60

Das Institut für Europäische Geschichte in Mainz, in: Schweizerische Hochschulzeitung, Zürich 1953, S. 198–201

(10) Bernhard von Clairvaux. Traktate. Einleitung, in: Bernhard von Clairvaux. Traktate. Teil 1, VIEG Bd. 4, Wiesbaden 1953, S. 1–25

Bonifatius und die Grundlegung des Abendlandes. VIEG-Vorträge Bd. 6 Wiesbaden 1954

Einleitung zu: Bernhard von Clairvaux. Mönch und Mystiker. Internationaler Bernhardkongreß. Mainz 1953, hrsg. und eingeleitet von Joseph Lortz. VIEG Bd. 6 Wiesbaden 1955, S. IX–LVI

Die Reformation und Luther in katholischer Sicht, in: Una Sancta 10 (1955), S. 37–41

Luthers Bedeutung für die katholische Kirche, in: Begegnung, Sondernr. z. Katholikentag 1956, S. 42–46

Einleitung zu: Erwin Iserloh, Gnade und Eucharistie in der philosophischen Theologie des Wilhelm von Ockham. Ihre Bedeutung für die Ursachen der Reformation. VIEG Bd. 8 Wiesbaden 1956, S. XIII–XL

Bonifatius 672/675–764, in: Die großen Deutschen. Deutsche Biographie. Hrsg. v. Hermann Heimpel, Theodor Heuß, Benno Reifenberg 5. Band (Ergänzungsband), Berlin 1957, S. 9–19

Der moderne Katholizismus. Zu Walther v. Loewenichs Buch, in: ThRv 53, 1957. Sp. 193–196

Sind wir Christen tolerant?, in: Hochland 50 (1958), S. 430–445

Daß sie eins seien!, in: Ut omnes unum, 1958

Einheit der Christenheit. Unfehlbarkeit und lebendige Aussage, Trier 1959

Europäische Einheit und das Christentum, in: Europa und das Christentum, Wiesbaden 1959, S. 72–193

Tradition im Umbruch, Wiesbaden 1959

(26) Die Einheit der Christenheit in katholischer Sicht. Evangelische Kritik am katholischen Begriff der Einheit. In: Trierer Theologische Zeitschrift 68 (1959), I. Teil, S. 8–29; II. Teil, S. 85–107; III. Teil, S. 211–228. Erschienen auch als Sonderdruck unter dem Titel: Einheit der Christenheit. Unfehlbarkeit und lebendige Aussage. Trier 1959

(24) Zielsetzung des Konzils von Trient, in: Universitas – Dienst an Wahrheit und Leben. Festschrift für Bischof Dr. Albert Stohr. Mainz 1960, S. 89–102

(1) Mein Umweg zur Geschichte. Wiesbaden 1960, S. 5–45

Von den Ursachen der christlichen Spaltung und der rechten Art davon zu sprechen, Recklinghausen 1961

(17) Luthers Römerbriefvorlesung, in: Trierer Theologische Zeitschrift 71 (1962), S. 129–153; 216–247

Kirchengeschichtlicher Unterricht und ‚Una Sancta‘, in: Unio christianorum. Festschrift für Lorenz Jaeger, 1962, S. 437–450

Reformation, in: LThK Bd. 8, ²1963, Sp. 1069–1082

Kirche im Aufbruch, in: Auf Hoffnung hin, hrsg. v. J. Neumann, Meitingen b. Augsburg 1964, S. 23–65

(5) Sebastian Merkle. Gedächtnisrede zum 100. Geburtstag, in: Quellen und Forschungen zur Geschichte des Bistums und Hochstifts Würzburg, Bd. 17 (1965), S. 57–94

Konzil – Reformation – Wiedervereinigung, in: Rhein.-Pfälz. Schulblätter, 1965, S. 23–34

Matthias Laros, 1. 3. 1882–24. 6. 1965, in: Una Sancta 20 (1965), S. 245–250

(18) Martin Luther. Grundzüge seiner geistigen Struktur, in: Reformata Reformanda. Festgabe für Hubert Jedin. Bd. 1, Münster 1965, S. 214–246

Einleitung zu: Alexandre Ganoczy: Le Jeune Calvin. Genèse et Evolution de sa Vocation Réformatrice. VIEG Bd. 40 Wiesbaden 1966, S. VIII–XXII

(21) Zum Kirchendenken des jungen Luther, in: Wahrheit und Verkündigung. Michael Schmaus zum 70. Geburtstag. München, Paderborn, Wien 1967, S. 947–986

Luthers Bedeutung für die katholische Kirche, in: Wirkungen der deutschen Reformation bis 1555, Darmstadt 1967, S. 101–113

Katholische Gedanken zur Reformation, in: Jahrbuch der Vereinigung „Freunde der Universität Mainz‟, 1968, S. 15–22

(19) Reformatorisch und katholisch beim jungen Luther (1518/19), in: Humanitas-Christianitas. Walther von Loewenich zum 65. Geburtstag. Witten 1968, S. 47–62

(22) Wert und Grenzen der katholischen Kontroverstheologie in der ersten Hälfte des 16. Jahrhunderts, in: Um Reform und Reformation. Zur Frage nach dem Wesen des Reformatorischen bei Martin Luther. Hrsg. v. August Franzen. KLK Bd. 27/28, Münster 1968, S. 9–32

Lortz, Joseph/Iserloh, Erwin, Kleine Reformationsgeschichte. Ursachen, Verlauf, Wirkung. Herder-Bücherei Bd. 342, Freiburg i. Br. ¹1969, ²1971

(20) Sakramentales Denken beim jungen Luther, in: Lutherjahrbuch 1969, S. 9–40

Droht ein Schisma? Holländische Katholiken auf revolutionären Wegen, in: Rheinischer Merkur 25 (1970), Nr. 21, S. 22–23

Holland in Not, Bd. 1–2, Luxemburg 1970, ²1971

Vom kindlichen Glauben, Luxemburg 1970

Una Sancta. Hans Asmussen zum Gedenken, Luxemburg 1970

Für das Reich Gottes. Die Zölibatsfrage darf nicht isoliert werden, in: Rhein. Merkur 25 (1970), Nr. 18, S. 23 (vom 1. 5. 1970)

Luther und der Bann, in: Glaube und Leben 27 (1971), S. 5–6

Une occasion manquée: Luther et les théologiens de son temps, in: DC 53, No 1578, 1971, S. 69–78

La réforme de Luther, Vol. 1–3, Paris 1971 (1970–71)

Beknopte Geschiedenis van de Reformatie, von J. Lortz/E. Iserloh, Haarlem 1971

(25) Luther und wir Katholiken heute, in: Kirche und Staat in Idee und Geschichte des Abendlandes. Festschrift zum 70. Geburtstag von Ferdinand Maass. Wien, München 1973, S. 166–191

Ein Gratulationsbrief, in: Kirche und Staat in Idee und Geschichte des Abendlandes. Festschrift zum 70. Geburtstag von Ferdinand Maass SJ, hrsg. v. Wilhelm Baum, Wien 1973, S. 7–12

„Priester des Altars‟ oder „Priester des Wortes‟? Kritische Bemerkungen zu einem Buch von Daniel Olivier, in: Catholica 28 (1974), S. 71–77

Erneuerung der Kirche. Kirche und wir in der Krise, in: Lebendiges Zeugnis 1 (1974), S. 9–30

(27) Ökumenismus ohne Wahrheit? Münster 1975, erweiterte Fassung, ursprünglich in: Catholica 28 (1974) Vierteljahresschrift für ökumenische Theologie, S. 235–256